le Guide du **routard**

Directeur de collection et auteur
Philippe GLOAGUEN

Cofondateurs
Philippe GLOAGUEN et Michel DUVAL

Rédacteur en chef
Pierre JOSSE

Rédacteurs en chef adjoints
Amanda KERAVEL et Benoît LUCCHINI

Directrice de la coordination
Florence CHARMETANT

Directeur de routard.com
Yves COUPRIE

Rédaction
Olivier PAGE, Véronique de CHARDON,
Isabelle AL SUBAIHI, Anne-Caroline DUMAS,
Carole BORDES, Bénédicte BAZAILLE,
André PONCELET, Marie BURIN des ROZIERS,
Thierry BROUARD, Géraldine LEMAUF-BEAUVOIS,
Anne POINSOT, Mathilde de BOISGROLLIER,
Gavin's CLEMENTE-RUÏZ, Alain PALLIER
et Fiona DEBRABANDER

ÉTATS-UNIS, CÔTE EST

200

D1635541

2006

Hachette

Avis aux hôteliers et aux restaurateurs

Les enquêteurs du *Guide du routard* travaillent dans le plus strict anonymat, afin de préserver leur indépendance et l'objectivité des guides. Aucune réduction, aucun avantage quelconque, aucune rétribution ne sont jamais demandés en contrepartie. Face aux aigrefins, la loi autorise les hôteliers et restaurateurs à porter plainte.

Hors-d'œuvre

Le *GDR*, ce n'est pas comme le bon vin, il vieillit mal. On ne veut pas pousser à la consommation, mais évitez de partir avec une édition ancienne. D'une année sur l'autre, les modifications atteignent et dépassent souvent les 30 %.

Spécial copinage

Le Bistrot d'André : 232, rue Saint-Charles, 75015 Paris. ☎01-45-57-89-14. Ⓜ Balard. À l'angle de la rue Leblanc. Fermé le dimanche. Menu à 12,50 € servi le midi en semaine uniquement. Menu-enfants à 7 €. À la carte, compter autour de 22 €. L'un des seuls bistrots de l'époque Citroën encore debout, dans ce quartier en pleine évolution. Ici, les recettes d'autrefois sont remises à l'honneur. Une cuisine familiale, telle qu'on l'aime. Des prix d'avant-guerre pour un magret de canard poêlé sauce au miel, des rognons de veau aux champignons, un poisson du jour... Kir offert à tous les amis du *Guide du routard.*

Pour que votre pub voyage autant que nos lecteurs,
contactez nos régies publicitaires :
● fbrunel@hachette-livre.fr ●
● veronique@routard.com ●

ON EN EST FIERS : www.routard.com

Tout pour préparer votre voyage en ligne, de A comme argent à Z comme Zanzibar : des fiches pratiques sur 125 destinations (y compris les régions françaises), nos tuyaux perso pour voyager, des cartes et des photos sur chaque pays, des infos météo et santé, la possibilité de réserver en ligne son visa, son vol sec, son séjour, son hébergement ou sa voiture. En prime, *routard mag,* véritable magazine en ligne, propose interviews de voyageurs, reportages, carnets de route, événements culturels, dossiers pratiques, produits nomades, fêtes et infos du monde. Et bien sûr : des concours, des *chats,* des petites annonces, une boutique de produits de voyage...

Mille excuses, on ne peut plus répondre individuellement aux centaines de CV reçus chaque année.

Le contenu des annonces publicitaires insérées dans ce guide n'engage en rien la responsabilité de l'éditeur.

© **HACHETTE LIVRE (Hachette Tourisme), 2005**
Tous droits de traduction, de reproduction
et d'adaptation réservés pour tous pays.

© **Cartographie** Hachette Tourisme.

TABLE DES MATIÈRES

Attention, New York, la Floride et la Louisiane
font l'objet de deux autres guides.

COMMENT Y ALLER?

GÉNÉRALITÉS

LE NORD-EST

LE CENTRE-EST

LES GUIDES DU ROUTARD
2005-2006

(dates de parution sur **www.routard.com**)

France

- Alpes
- Alsace, Vosges
- Aquitaine
- Ardèche, Drôme
- Auvergne, Limousin
- **Bordeaux (mars 2005)**
- Bourgogne
- Bretagne Nord
- Bretagne Sud
- Chambres d'hôtes en France
- Châteaux de la Loire
- Corse
- Côte d'Azur
- **Fermes-auberges en France (nouveauté 2005)**
- Franche-Comté
- Hôtels et restos en France
- Île-de-France
- Junior à Paris et ses environs
- Languedoc-Roussillon
- **Lille (mai 2005)**
- **Lot, Aveyron, Tarn (mars 2005)**
- Lyon
- Marseille
- Montpellier
- Nice
- Nord-Pas-de-Calais
- Normandie
- Paris
- Paris balades
- Paris exotique
- Paris la nuit
- Paris sportif
- Paris à vélo
- Pays basque (France, Espagne)
- Pays de la Loire
- Petits restos des grands chefs
- Poitou-Charentes
- Provence
- **Pyrénées, Gascogne et Pays toulousain (nouveauté 2005)**
- Restos et bistrots de Paris
- Le Routard des amoureux à Paris
- Toulouse
- Week-ends autour de Paris

Amériques

- Argentine
- Brésil
- Californie
- Canada Ouest et Ontario
- Chili et île de Pâques
- Cuba
- Équateur
- États-Unis, côte Est
- Floride, Louisiane
- Guadeloupe, Saint-Martin, Saint-Barth
- Martinique, Dominique, Sainte-Lucie
- Mexique, Belize, Guatemala
- New York
- Parcs nationaux de l'Ouest américain et Las Vegas
- Pérou, Bolivie
- Québec et Provinces maritimes
- Rép. dominicaine (Saint-Domingue)

Asie

- Birmanie
- Cambodge, Laos
- Chine (Sud, Pékin, Yunnan)
- Inde du Nord
- Inde du Sud
- Indonésie
- Israël
- Istanbul
- Jordanie, Syrie
- Malaisie, Singapour
- Népal, Tibet
- Sri Lanka (Ceylan)
- Thaïlande
- Turquie
- Vietnam

Europe

- Allemagne
- Amsterdam
- Andalousie
- Andorre, Catalogne
- Angleterre, pays de Galles
- Athènes et les îles grecques
- Autriche
- Baléares
- Barcelone
- Belgique
- Crète
- Croatie
- Écosse
- Espagne du Centre (Madrid)
- Espagne du Nord-Ouest (Galice, Asturies, Cantabrie)
- **Finlande (avril 2005)**
- **Florence (mars 2005)**
- Grèce continentale
- **Hongrie, République tchèque, Slovaquie (avril 2005)**
- Irlande
- **Islande (mars 2005)**
- Italie du Nord
- Italie du Sud
- Londres
- Malte
- Moscou, Saint-Pétersbourg
- Norvège, Suède, Danemark
- Piémont
- **Pologne et capitales baltes (avril 2005)**
- Portugal
- Prague
- Rome
- **Roumanie, Bulgarie (mars 2005)**
- Sicile
- Suisse
- Toscane, Ombrie
- Venise

Afrique

- Afrique noire
- **Afrique du Sud (nouveauté)**
- Égypte
- Île Maurice, Rodrigues
- Kenya, Tanzanie et Zanzibar
- Madagascar
- Maroc
- Marrakech et ses environs
- Réunion
- Sénégal, Gambie
- Tunisie

et bien sûr...

- Le Guide de l'expatrié
- Humanitaire

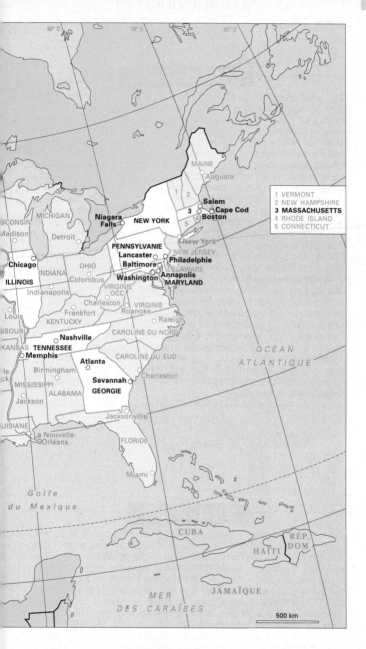

LES ÉTATS-UNIS

NOS NOUVEAUTÉS

AFRIQUE DU SUD (paru)

Qui aurait dit que ce pays, longtemps mis à l'index des nations civilisées, parviendrait à chasser ses vieux démons et retrouverait les voies de la paix civile et de la respectabilité ? Le régime de ségrégation raciale (l'apartheid), en vigueur depuis 1948, a été aboli le 30 juin 1991. En 1994 – c'était il y a 10 ans – les Sud-Africains participaient aux premières élections démocratiques et multiraciales jamais organisées dans leur pays. Après 26 années de détention, le prisonnier politique le plus célèbre du monde, Nelson Mandela, devenait le chef d'État le plus admiré de la planète. La mythique « Nation Arc-en-Ciel » connaissait un véritable état de grâce. Pendant un temps, le destin de l'Afrique du Sud fut entre les mains de trois Prix Nobel. Le pays se rangea dans la voie de la réconciliation. Même si ce processus va encore demander du temps, une décennie après, l'Afrique du Sud, devenue une société multiraciale, continue d'étonner le monde.

L'Afrique du Sud n'a jamais été aussi captivante. Voilà un pays exceptionnel baigné par deux océans (Atlantique et Indien), avec d'époustouflants paysages africains.

Des quartiers branchés de Cape Town aux immenses avenues de Johannesburg, des musées de Pretoria à la route des Jardins, du macadam urbain à la brousse tropicale, ce voyage est un périple aventureux où tout est variété, vitalité, énergie ; où rien ne laisse indifférent. Des huttes du Zoulouland aux *lodges* des grands parcs, que de contrastes ! N'oubliez pas les bons vins de ce pays gourmand qui aime aussi la cuisine élaborée. Les plus aventureux exploreront la Namibie, plus vraie que nature, où un incroyable désert de sable se termine dans l'océan. Et ne négligez pas les petits royaumes hors du temps : le Swaziland et le Lesotho.

ISLANDE (mars 2005)

Terre des extrêmes et des contrastes, à la limite du cercle polaire, l'Islande est avant tout l'illustration d'une fabuleuse leçon de géologie. Volcans, glaciers, champs de lave, geysers composent des paysages sauvages qui, selon le temps et l'éclairage, évoquent le début ou la fin du monde. À l'image de son relief et de ses couleurs tranchées et crues, l'Islande ne peut inspirer que des sentiments entiers. Près de 300 000 habitants y vivent, dans de paisibles villages côtiers, fiers d'être ancrés à une île dont la découverte ne peut laisser indifférent. Fiers de descendre des Vikings, en ligne directe. Une destination unique donc (et on pèse nos mots) pour le routard amoureux de nature et de solitude, dans des paysages grandioses dont la mémoire conservera longtemps la trace après le retour.

Nous tenons à remercier tout particulièrement Loup-Maëlle Besançon, Thierry Bessou, Gérard Bouchu, François Chauvin, Grégory Dalex, Cédric Fischer, Carole Fouque, Michelle Georget, David Giason, Jean-Sébastien Petitdemange, Laurence Pinsard et Thomas Rivallain pour leur collaboration régulière.

Et pour cette chouette collection, plein d'amis nous ont aidés :

David Alon
Didier Angelo
Cédric Bodet
Philippe Bourget
Nathalie Boyer
Ellenore Bush
Florence Cavé
Raymond Chabaud
Alain Chaplais
Bénédicte Charmetant
Geneviève Clastres
Nathalie Coppis
Sandrine Couprie
Agnès Debiage
Célia Descarpentrie
Tovi et Ahmet Diler
Claire Diot
Émilie Droit
Sophie Duval
Pierre Fahys
Alain Fisch
Cécile Gauneau
Stéphanie Genin
Adrien Gloaguen
Clément Gloaguen
Angela Gosmann
Stéphane Gourmelen
Isabelle Grégoire
Claudine de Gubernatis
Xavier Haudiquet
Lionel Husson
Catherine Jarrige
Lucien Jedwab
François et Sylvie Jouffa
Emmanuel Juste
Olga Krokhina
Florent Lamontagne

Vincent Launstorfer
Francis Lecompte
Benoît Legault
Jacques Lemoine
Jean-Claude et Florence Lemoine
Valérie Loth
Dorica Lucaci
Stéphanie Lucas
Philippe Melul
Kristell Menez
Xavier de Moulins
Jacques Muller
Alain Nierga et Cécile Fischer
Patrick de Panthou
Martine Partrat
Jean-Valéry Patin
Odile Paugam et Didier Jehanno
Xavier Ramon
Patrick Rémy
Céline Reuilly
Dominique Roland
Déborah Rudetzki et Philippe Martineau
Corinne Russo
Caroline Sabljak
Jean-Luc et Antigone Schilling
Brindha Seethanen
Abel Ségretin
Alexandra Sémon
Guillaume Soubrié
Régis Tettamanzi
Claudio Tombari
Christophe Trognon
Julien Vitry
Solange Vivier
Iris Yessad-Piorski

Direction : Cécile Boyer-Runge
Contrôle de gestion : Joséphine Veyres et Céline Déléris
Responsable de collection : Catherine Julhe
Édition : Matthieu Devaux, Stéphane Renard, Magali Vidal, Marine Barbier-Blin, Dorica Lucaci, Sophie de Maillard, Laure Méry et Amélie Renaut
Secrétariat : Catherine Maîtrepierre
Préparation-lecture : Estelle Gaudin
Cartographie : Cyrille Suss et Aurélie Huot
Fabrication : Nathalie Lautout et Audrey Detournay
Couverture : conçue et réalisée par Thibault Reumaux
Direction marketing : Dominique Nouvel, Lydie Firmin et Juliette Caillaud
Direction partenariats : Jérôme Denoix et Dana Lichiardopol
Informatique éditoriale : Lionel Barth
Relations presse : Danielle Magne, Martine Levens et Maureen Browne
Régie publicitaire : Florence Brunel

BORDEAUX (mars 2005)

Ouf ! ça y est... Bordeaux a son tramway. Grande nouvelle pour les voyageurs qui retrouvent la ville débarrassée d'un chantier qui la défigurait, et aussi pour les Bordelais qui peuvent enfin profiter d'un superbe centre piéton. Car Bordeaux est une aristocrate du XVIIIe siècle que la voiture dérangeait. Elle offre au piéton des ruelles que parcourait déjà Montaigne, quand il en était le maire.

Passé la surprise des superbes façades des Chartrons, des allées de Tourny et du Grand Théâtre, vous irez à la recherche du Bordeaux populaire et mélangé. Vous irez faire la fête dans les zones industrielles portuaires réhabilitées, vous irez parler rugby place de la Victoire avec des étudiants à l'accent rugueux qui font de Bordeaux la vraie capitale du Sud-Ouest (pardon, d'Aquitaine).

Bordeaux est une aristocrate qui aime aussi s'encanailler. Elle aime ses aises, sa liberté, et ne cesse de regretter la victoire des Jacobins sur les Girondins.

Et le vin ? Il est partout et pas seulement le bordeaux, car ces gens sont chauvins, certes, mais aussi curieux, et puis ils considèrent, à juste titre, que tout vin du monde est fils de Bordeaux.

POLOGNE ET CAPITALES BALTES (avril 2005)

Depuis leur entrée au sein de la grande famille européenne, les anciens pays de l'Est suscitent beaucoup de curiosité. On connaissait déjà ce grand pays qu'est la Pologne, avec Cracovie, une vraie perle de culture ; Varsovie ; le massif des Tatras ; les rivages de la Baltique où s'échoue l'ambre fossilisé ; et les plaines encore sauvages de Mazurie où broutent les derniers bisons d'Europe. Mais que dire alors des pays que l'on nomme baltes ? Lituanie, Estonie, Lettonie... On les mélange encore un peu mais, très vite, on distingue leurs différences : Vilnius, la baroque au milieu de collines boisées, Tallinn et son lacis de rues dominées par les flèches des églises, Riga, sa forteresse face à la mer et ses édifices Art nouveau. Malgré les 50 ans de présence soviétique, vous serez surpris par la modernité de ces villes et par le dynamisme qui anime leurs habitants.

Remerciements

Pour cette édition, nous remercions tout particulièrement :
- Valérie Ferrière, de l'ambassade des États-Unis à Paris ;
- Arthur Ratsy, de Cape Cod Chamber of Commerce, à Hyannis ;
- l'équipe de Provincetown Chamber of Commerce.

LES QUESTIONS QU'ON SE POSE LE PLUS SOUVENT

➤ Quels sont les papiers indispensables pour se rendre aux États-Unis ?

Passeport à lecture optique en cours de validité (même pour les enfants) et un billet aller-retour. Visa nécessaire pour un séjour de plus de 3 mois.

➤ Quel est le temps de vol ?

Au départ de Paris, compter 8 h pour Boston et 9 h pour Washington (vol direct).

➤ Quel est le décalage horaire ?

Il est de 6 h par rapport à l'heure française d'hiver (7 h pour l'Illinois et le Tennessee). Quand il est 16 h en France, il est donc 10 h à Washington et 9 h à Chicago et Memphis.

➤ Quel est le climat ?

Très varié en raison de l'immensité du territoire. L'été est chaud partout, tandis que l'hiver est très froid dans le Nord (à Boston) et doux dans le Sud-Est. Le printemps et l'automne sont agréables partout.

➤ La vie est-elle chère ?

Dans l'ensemble, très chère depuis quelques années. Aux prix affichés, n'oubliez pas de rajouter les taxes (entre 5 et 10 % selon le type d'achat) et le service (minimum fixé entre 15 et 20 % !).

➤ Comment se loger au meilleur prix ?

Le motel de bord de route est la solution la moins chère, d'autant qu'on peut y dormir à quatre.

➤ Comment se déplacer ?

Dans les grandes villes, en transports en commun. Pour visiter les environs, louer une voiture. Le prix du carburant est dérisoire et les voitures de location sont bien plus spacieuses et confortables qu'en France. Pour aller d'une ville à l'autre, voiture, train ou avion (selon la distance).

➤ Que faut-il voir absolument sur la côte Est des États-Unis ?

Boston, la capitale historique des États-Unis et la plus européenne des villes américaines (où l'on mange une excellente *seafood*) ; les plages fantastiques et les villages traditionnels de Cape Cod, Martha's Vineyard et Nantucket ; les chutes du Niagara (plus belles du côté canadien), l'architecture de Chicago ; la fondation Barnes à Philadelphie, les musées et monuments de Washington et Baltimore et, pour les Elvismaniaques, Graceland à Memphis.

➤ Où peut-on écouter de la country ou du blues ?

Nashville est le temple sacré de la country, Memphis celui du blues. Tous les soirs, d'excellents groupes se produisent pour pas cher dans des clubs de réputation mondiale.

COMMENT Y ALLER ?

LES LIGNES RÉGULIÈRES

COMPAGNIE FRANÇAISE

▲ **AIR FRANCE**

Renseignements et réservations : ☎ 0820-820-820 (de 6 h 30 à 22 h), sur
● www.airfrance.fr ●, dans les agences Air France et dans toutes les
agences de voyages.

Air France dessert en *code share* avec Delta Airlines et KLM une centaine
de destinations aux États-Unis, parmi lesquelles Boston, Chicago, Philadelphie, Washington et Atlanta.

– *Chicago* : John Hancock Center, 875 N Michigan Ave, suite 3214.
☎ (312) 440-7922.

– *Washington D.C.* : 1120 Connecticut Ave, suite 1050 (10th floor).
☎ (202) 974-5460.

– *Boston* : 581 Boylston St, suite 600. ☎ 1-877-392-2336.

– *Atlanta* : 999 Peachtree St, suite 2820, 28th floor. ☎ (404) 532-2828 ou
1-800-237-2747.

Air France propose une gamme de tarifs attractifs accessibles à tous : du
Tempo 1 (le plus souple) au *Tempo 5* (le moins cher) selon les destinations.
Pour les moins de 25 ans, Air France propose des tarifs très attractifs *Tempo
Jeunes,* ainsi qu'une carte de fidélité, « Fréquence Jeune », gratuite et
valable sur l'ensemble des lignes d'Air France et des autres compagnies
membres de *Skyteam*. Cette carte permet de cumuler des *miles* et de bénéficier d'avantages chez de nombreux partenaires.

Tous les mercredis dès 0 h, sur ● www.airfrance.fr ●, Air France propose les
tarifs « Coups de cœur », une sélection de destinations en France pour des
départs de dernière minute.

Sur Internet, possibilité de consulter les meilleurs tarifs du moment, rubrique
« offres spéciales », « promotions ».

COMPAGNIES AMÉRICAINES

▲ **AMERICAN AIRLINES**

Informations et réservations de 7 h à 23 h au ☎ 0810-872-872 (0,06 €/mn).
● www.aa.com ● Comptoir billetterie à l'aéroport Roissy-Charles-de-Gaulle,
terminal 2A.

American Airlines propose, au départ de Paris-Roissy, 2 vols quotidiens pour
New York ainsi qu'un vol quotidien sans escale pour les villes suivantes :
Chicago, Dallas-Fort Worth et Miami. Aux États-Unis, correspondances pour
près de 200 destinations domestiques, ainsi que vers le Canada, l'Amérique
centrale, la zone caraïbe et l'Amérique du Sud.

▲ **DELTA AIRLINES**

– *Paris* : 119, av. des Champs-Élysées, 75008. ☎ 0800-354-080. ● www.
delta.com ● Ⓜ Charles-de-Gaulle. Ouvert du lundi au samedi de 10 h à 19 h.
La compagnie est également joignable par téléphone tous les jours de 8 h à
21 h du lundi au vendredi, jusqu'à 17 h les week-ends et jours fériés.

Delta propose des vols quotidiens sans escale pour Boston, New York,
Atlanta, Cincinnati, Chicago, Houston, Washington D.C., Los Angeles, Philadelphie, San Francisco et Miami. Le réseau de Delta aux États-Unis est

l'un des plus étendus, avec plus de 200 villes desservies. Sur les lignes intérieures américaines, Atlantic Coast Airlines, filiale de Delta, couvre la région Nord-Est en opérant ses vols depuis ses *hubs* de New York-La Guardia, New York-JFK et Boston.

▲ KLM-NORTHWEST AIRLINES

– *Paris :* Paris Nord 2, BP 67190, Villepinte, 95974 Roissy CDG Cedex 8. Réservations : ☎ 0890-710-710 (0,15 €/mn). Fax : 0890-712-714. ● www. klm.fr ● Permanence téléphonique assurée tous les jours, du lundi au vendredi de 8 h à 20 h et le samedi de 8 h 30 à 17 h.

KLM et Northwest Airlines desservent quotidiennement plus de 250 destinations aux États-Unis et au Canada, dont Boston, Montréal, Philadelphie, Toronto et Washington D.C., via Amsterdam-Schiphol ou Detroit au départ de Paris et de nombreuses villes de province. Renseignez-vous sur le *Pass Visit USA* (voir la rubrique « Transports, avion » des « Généralités ») pour des vols intérieurs aux États-Unis et au Canada.

▲ UNITED AIRLINES

Informations et réservations : ☎ 0810-72-72-72 (du lundi au samedi de 8 h à 21 h). Ou sur Internet : ● www.united.fr ● Au départ de Paris, la compagnie dessert tous les jours la côte Est avec Washington D.C. et Chicago sans escale, mais aussi la côte Ouest (San Francisco). Au départ de Washington D.C., possibilité de rejoindre la Virginie, le Maryland et le Delaware, la Pennsylvanie et bien d'autres destinations de la côte Est. Au départ de Chicago, il est possible de rejoindre le Colorado, le Canada, l'Alaska mais aussi de profiter des Grands Lacs. Toute l'année, la compagnie propose des tarifs promotionnels valables sur plus de 150 destinations aux États-Unis (Hawaii inclus).

Lors de votre réservation, la compagnie peut vous attribuer vos sièges à l'avance et vous inscrire au programme de fidélisation *Mileage Plus.* Pour les 12-25 ans, un numéro spécial est mis à leur disposition, leur permettant de bénéficier de tarifs préférentiels jusqu'à moins 25 % : ☎ 0820-00-12-25.

▲ US AIRWAYS

– *Paris :* ☎ 0810-63-22-22 (n° Azur ; tous les jours de 8 h à 21 h). ● www. usairways.com ●

Deux vols quotidiens pour Philadelphie, plus de 200 connexions ensuite aux États-Unis (très nombreuses destinations sur la côte Est, notamment New York, Boston, Washington et Pittsburgh), au Canada et aux Caraïbes. Inscription au programme de fidélité *Dividend Miles* gratuite, chaque vol effectué rapporte des miles (équivalant à la distance parcourue). Membre du réseau *Star Alliance,* les détenteurs d'une carte *Dividend Miles* peuvent gagner et échanger des *miles* avec les autres compagnies de la *Star Alliance.*

LES ORGANISMES DE VOYAGES

– Ne pas croire que les vols à tarif réduit sont tous au même prix pour une même destination à une même époque : loin de là. On a déjà vu, dans un même avion partagé par 2 organismes, des passagers qui avaient payé 40 % plus cher que les autres. De plus, une agence bon marché ne l'est pas forcément toute l'année (elle peut n'être compétitive qu'à certaines dates bien précises). Donc, contactez tous les organismes et jugez vous-même.

– Les organismes cités sont classés par ordre alphabétique, pour éviter les jalousies et les grincements de dents.

Envolez-vous vers la destination de vos rêves.
www.airfrance.fr

faire du ciel le plus bel endroit de la terre

EN FRANCE

▲ ANYWAY.COM

☎ 0892-892-612 (0,34 €/mn). Fax : 01-53-19-67-10. ● www.anyway.com ● Ouvert du lundi au vendredi de 8 h à 20 h et le samedi de 9 h à 19 h.

Depuis 15 ans, Anyway.com se spécialise dans le vol sec et s'adresse à tous les routards en négociant des tarifs auprès de 500 compagnies aériennes et l'ensemble des vols charters pour garantir des prix toujours plus compétitifs.

Anyway.com, c'est aussi la possibilité de comparer les prix de 4 grands loueurs de voitures. On accède également à plus de 12 000 hôtels du 2 au 5 étoiles, à des tarifs négociés pour toutes les destinations dans le monde. Ceux qui préfèrent repos et farniente retrouveront plus de 500 séjours et de week-ends tout inclus à des tarifs très compétitifs.

▲ BACK ROADS

– *Paris :* 14, pl. Denfert-Rochereau, 75014. ☎ 01-43-22-65-65. Fax : 01-43-20-04-88. ● contact@backroads.fr ● Ⓜ ou RER : Denfert-Rochereau. Ouvert du lundi au vendredi de 10 h à 19 h et le samedi de 10 h à 18 h.

Depuis 1975, Jacques Klein et son équipe sillonnent chaque année les routes américaines, ce qui fait d'eux de grands connaisseurs des États-Unis, de New York à l'Alaska en passant par le Far West. Pour cette raison, ils ne vendent leurs produits qu'en direct. Ils vous feront partager leurs expériences et vous conseilleront sur les circuits les plus adaptés à vos centres d'intérêt. Spécialistes des autotours, qu'ils programment eux-mêmes, ils ont également le grand avantage de disposer de contingents de chambres dans les parcs nationaux ou à proximité immédiate. Dans leur brochure « Aventure », ils offrent un grand choix d'activités, allant du séjour en ranch aux expéditions à VTT, en passant par le jeeping, le trekking ou le rafting.

De plus, Back Roads représente 2 centrales de réservations américaines lui permettant d'offrir des tarifs très compétitifs pour la réservation d'*Amerotel* : des hôtels sur tout le territoire, des *Hilton* aux *YMCA*.

– *Car Discount :* un courtier en location de voitures, motos (Harley notamment), pour la location de véhicules.

▲ BOURSE DES VOLS / BOURSE DES VOYAGES

Les services de la Bourse des Vols présentent en permanence plus de 2 millions de tarifs aériens : vols réguliers, charters et vols dégriffés. Mis à jour en permanence, la Bourse des Vols couvre 500 destinations dans le monde au départ de 50 villes françaises et recense l'essentiel des tarifs aériens vers l'étranger. Ses services web et Minitel offrent la possibilité de commander à distance, de régler en ligne et de se faire livrer le billet à domicile.

La Bourse des Voyages, accessible par le site ● www.bdv.fr ● et le 36-17, code BDV, centralise également les offres de voyages d'une cinquantaine de tour-opérateurs. La recherche peut s'effectuer par type de produit (séjour, croisière, circuit...) ou encore par destination. Le site offre, par ailleurs, des informations pratiques sur 180 pays pour préparer et réussir son voyage.

Par téléphone, pour connaître les derniers « Bons Plans » de la Bourse des Vols – Bourse des Voyages : ☎ 0892-888-949 (0,34 €/mn). Ce voyagiste est ouvert du lundi au vendredi de 8 h 30 à 20 h et de 9 h 30 à 18 h 30 le samedi.

▲ COMPAGNIE DES ÉTATS-UNIS & DU CANADA

– *Paris :* 3, av. de l'Opéra, 75001. ☎ 01-55-35-33-55 (pour les États-Unis) ou 01-55-35-33-50 (pour le Canada). Ⓜ Palais-Royal.

– *Paris :* 82, bd Raspail (angle rue de Vaugirard), 75006. ☎ 01-53-63-29-29 (pour les États-Unis) ou 01-53-63-29-28 (pour le Canada). Fax : 01-42-22-20-15. Ⓜ Rennes ou Saint-Placide. Ouvert du lundi au vendredi de 9 h à 19 h, et le samedi de 10 h à 19 h.

©2004 United Air Lines, Inc. All Rights Reserved.

L'important ce n'est pas la taille, c'est la place.

Si vous voulez que votre réussite se concrétise, il faut
aller à sa rencontre. C'est pourquoi nous offrons,
quelle que soit votre taille, plus de confort et d'espace
avec 12 cm supplémentaires en Economy Plus.®
Informations et réservations sur www.united.fr

It's time to fly™ ///**UNITED**

A STAR ALLIANCE MEMBER

*Envolez-vous dès maintenant

● www.compagniesdumonde.com ● etats.unis@compagniesdumonde.com ●
Après 20 ans d'expérience, Jean-Alexis Pougatch, passionné de l'Amérique
du Nord, a ouvert à Paris le centre des voyages à la carte et de l'information
sur les États-Unis et le Canada.

D'un côté, la compagnie propose 1 500 vols négociés sur les États-Unis et le
Canada. De l'autre, une brochure très complète sur les États-Unis et sur le
Canada offre toutes sortes de formules de voyages : des circuits thématiques (en Harley Davidson, en avion privé, en camping, en trekking, etc.),
des circuits en groupes et de nombreux circuits individuels en voiture.

Les séjours à la carte représentent la spécificité de ce voyagiste. La Compagnie est aussi spécialisée dans les séjours tournés vers l'art, les grands
musées, les expositions. Elle propose de nombreux week-ends à New York,
Philadelphie, Boston, Chicago, Las Vegas, etc. Compagnie des États-Unis
et du Canada fait partie du groupe Compagnies du Monde, comme Compagnie Amérique latine et Caraïbes et Compagnie des Indes et de l'Extrême-
Orient.

▲ COMPTOIR DES ÉTATS-UNIS

– *Paris :* 344, rue Saint-Jacques, 75005. ☎ 0892-238-438 (0,34 €/mn). Fax :
01-53-10-21-71. ● www.comptoir.fr ● Ⓜ Port-Royal. Ouvert du lundi au
samedi de 10 h à 18 h 30.

Les voyages « cousus main ». Cette petite équipe de passionnés propose
mille et une façons de découvrir les États-Unis. Autotours, location de voitures, de motor-homes ou même de Harley Davidson, hébergements très
divers... Les possibilités sont infinies mais les spécialistes de Comptoir des
États-Unis sont à votre écoute pour vous conseiller et vous aider à construire
votre voyage.

Comptoir des États-Unis s'intègre à l'ensemble des Comptoirs organisés
autour de thématiques : Déserts, Afrique, Maroc, Canada, Islande, Pays
celtes, Terres extrêmes, Scandinavie et Italie.

▲ COMPTOIRS DU MONDE (LES)

– *Paris :* 26, rue du Petit-Musc, 75004. ☎ 01-44-54-84-54. Fax : 01-44-54-
84-50. ● cptmonde@easynet.fr ● Ⓜ Sully-Morland ou Bastille.

C'est en plein cœur du Marais, dans une atmosphère chaleureuse, que
l'équipe des Comptoirs du Monde traitera personnellement tous vos désirs
d'évasion : vols à prix réduits mais aussi circuits et prestations à la carte
pour tous les budgets sur toute l'Asie, le Proche-Orient, les Amériques, les
Antilles, Madagascar et maintenant l'Italie. Vous pouvez aussi réserver par
téléphone et régler par carte de paiement, sans vous déplacer.

▲ DIRECTOURS

– *Paris :* 90, av. des Champs-Élysées, 75008. ☎ 01-45-62-62-62. Fax : 01-
40-74-07-01.

– *Lyon :* ☎ 04-72-40-90-40. Pour le reste de *la province* : ☎ 0801-637-543
(n° Azur). ● www.directours.com ●

Spécialiste du voyage individuel à la carte, Directours présente la particularité de s'adresser directement au public, en vendant ses voyages exclusivement par téléphone, sans passer par les agences et autres intermédiaires.
La démarche est simple : soit on appelle pour demander l'envoi d'une brochure, soit on consulte le site web. On téléphone ensuite au spécialiste de
Directours pour avoir des conseils et des détails.

Directours propose une grande variété de destinations dont tous les États-
Unis à la carte (avec des brochures spéciales New York, Las Vegas,
Hawaii). Également des week-ends en Europe. Nouveautés : Turin et les
capitales baltes. Directours vend ses vols secs et ses locations de voitures
sur le web.

Vous allez aux Etats-unis?
Nous aussi.

Au départ de Paris, US Airways® dessert tous les jours Philadelphie et plus de 250 autres villes aux Etats-Unis ainsi qu'au Canada, aux Caraïbes et en Amérique Centrale. Que vous voyagiez en Envoy Class® (notre Classe Affaire) ou en Classe Economique, vous décrouvrirez un confort réellement amélioré tout au long de votre vol. De plus, grâce au programme de fidélité Dividend Miles® vous gagnez des miles à chaque voyage et pouvez rapidement vous offrir des voyages gratuits sur l'ensemble des compagnies membres de Star Alliance. Pour plus d'informations, renseignez-vous auprès de votre agence de voyages ou contactez directement US Airways au 0.810.63.22.22. Le site www.usairways.com est également à votre disposition.

US AIRWAYS

MEMBRE DU RÉSEAU STAR ALLIANCE

▲ **EXPERIMENT**

– *Paris* : 89, rue de Turbigo, 75003. ☎ 01-44-54-58-00. Fax : 01-44-54-58-01. ● ● www.experiment-france.org ● Ⓜ Temple ou République. Ouvert du lundi au vendredi de 9 h à 18 h sans interruption.

Partager en toute amitié la vie quotidienne d'une famille pendant une à quatre semaines, aux dates que vous souhaitez, c'est ce que vous propose l'association Experiment. Cette formule de séjour chez l'habitant à la carte existe dans une douzaine de pays à travers le monde (Amériques, Europe, Asie ou Océanie).

Aux États-Unis, Experiment offre également la possibilité de suivre des cours intensifs d'anglais sur 5 campus pendant 2 semaines à 9 mois. Les cours d'anglais avec hébergement chez l'habitant existent également en Irlande, en Grande-Bretagne, à Malte, au Canada, en Australie et en Nouvelle-Zélande. Experiment propose aussi des cours d'espagnol, d'allemand, d'italien et de japonais dans les pays où la langue est parlée. Ces différentes formules s'adressent aux adultes et adolescents.

Sont également proposés : des jobs en Grande-Bretagne ; des stages en entreprise aux États-Unis, en Angleterre, en Espagne ; des programmes de bénévolat aux États-Unis, au Costa Rica, au Togo, au Guatemala et en Australie. Service *Départs à l'étranger* : ☎ 01-44-54-58-00.

Pour les 18-26 ans, Experiment organise des séjours « au pair » aux États-Unis (billet aller-retour offert, rémunération de 139 US$ par semaine, formulaire DS 2019, etc.). Service *Au Pair* : ☎ 01-44-54-58-09. Également en Espagne, en Angleterre, en Italie et en Irlande.

▲ **FUAJ**

– *Paris :* antenne nationale, 9, rue de Brantôme, 75003. ☎ 01-48-04-70-40. Fax : 01-42-77-03-29. ● www.fuaj.org ● Ⓜ Châtelet-Les Halles, Hôtel-de-Ville ou Rambuteau. Renseignements dans toutes les AJ et les points d'information et de réservation en France.

La FUAJ (Fédération unie des auberges de jeunesse) accueille ses adhérents dans 160 AJ en France. Seule association française membre de l'IYHF *(International Youth Hostel Federation),* elle est le maillon d'un réseau de 6 000 AJ dans le monde. La FUAJ organise, pour ses adhérents, des activités sportives, culturelles et éducatives. Les adhérents de la FUAJ peuvent obtenir gratuitement les brochures *Go as you please, Activités été* et *Activités hiver, Chantiers de volontaires, Rencontres interculturelles,* le *Guide français* pour les hébergements. Les guides internationaux regroupent la liste de toutes les AJ dans le monde. Ils sont disponibles à la vente ou en consultation sur place.

▲ **JET TOURS**

Les voyages à la carte de Jet Tours s'adressent à tous ceux qui ont envie de se concocter un voyage personnalisé, en couple, entre amis ou en famille, mais surtout pas en groupe. Tout est proposé à la carte : il suffit de choisir sa destination et d'ajouter aux vols internationaux les prestations de son choix, autotours, itinéraires à imaginer soi-même, randonnée, hôtels de différentes catégories (de 2 à 5 étoiles), adresses de charme, maisons d'hôtes, appartements, location de voitures, escapades, sorties en ville. Nature, découverte et dépaysement sont au rendez-vous.

Avec les autotours et les voyages à la carte Jet Tours, vous pourrez découvrir de nombreuses destinations comme Chypre (nouveauté), l'Andalousie, Madère, le Portugal (en été), l'Italie, en Sicile (en été), la Grèce, la Crète (en été), le Maroc, Cuba, l'île Maurice, la Réunion, la Thaïlande, l'Inde, le Canada, les États-Unis.

La brochure « Autotours et voyages à la carte » est disponible dans toutes les agences de voyages. Vous pouvez aussi joindre Jet Tours sur Internet : ● www.jettours.com ●

Consultez nos Voyages Exceptionnels & nos Brochures
sur notre site : www.compagniesdumonde.com

Cⁱᵉ DES ETATS UNIS & DU CANADA

L'ART DE CHOISIR SON VOYAGE AUX ETATS-UNIS

VOLS • SEJOURS HOTELS
CIRCUITS ACCOMPAGNES • CIRCUITS INDIVIDUELS

NEW YORK	BOSTON	CHICAGO	MIAMI
269€*	302€*	312€*	346€*

*Vols A/R. Prix à partir de. Taxes en sus, environ 130 euros à ce jour.

EXEMPLES D'HOTELS CATEGORIE **, *** et **** PAR NUIT

•NEW YORK	Pennsylvania **ˢᵘᵖ	59€	Hudson**** Branché	104€
•BOSTON	Midtown***	60€	Onyx Hotel**** Design (1)	125€
•CHICAGO	Hol. Inn City Center**	70€	W Lakeshore****	79€
•MIAMI	Dezerland**ˢᵘᵖ	55€/30€*	Shore Club**** Luxe branché	136€/88€*

Prix par personne en chambre double, à partir de, taxes incluses. *Basse saison à partir du 01/05/2005.
(1) petit-déj. inclus

EXEMPLES DE CIRCUITS INDIVIDUELS EN VOITURE AU DEPART DE PARIS
• Images de Nouvelle Angleterre	9 jours/7 nuits	579€
• L'Est à perte de vue	13 jours/11 nuits	698€
• Promenade dans l'Est	10 jours/8 nuits	635€

Prix à partir de, par pers, au départ de Paris, en ch. quadruple. Location de voiture cat. Full-size, kilométrage illimité, assurance CDW/LDW et Road-book complet inclus. Hôtels 2/3 étoiles. Taxes en sus environ 130 euros à ce jour.

EXEMPLES DE CIRCUITS GROUPES ACCOMPAGNES AU DEPART DE PARIS
• L'Héritage de l'Est	8 jours/ 6 nuits	1084€

Prix par personne en chambre double, à partir de. Vols A/R inclus. Guide parlant exclusivement français. Hôtels 3 étoiles & 1/2 pension incluse. Taxes aériennes en sus, environ 130 euros à ce jour.

Cⁱᵉ DES ETATS-UNIS

3, Avenue de l'Opéra
75001 PARIS
Métro Palais-Royal/Louvre
Tél : 01 55 35 33 55 - Fax : 01 42 61 00 96

82, bd Raspail *(angle rue de Vaugirard)*
75006 Paris
Métro : Rennes-St Placide
Tél : 01 53 63 29 29 - Fax : 01 42 22 20 15

e-mail : etats.unis@compagniesdumonde.com

JE VOUS REMERCIE DE M'ENVOYER CONTRE 3,2€ EN TIMBRES, DEUX BROCHURES MAXIMUM AU CHOIX :
BROCHURES: ETATS-UNIS / CANADA / BAHAMAS ☐ INDES, CHINE & EXTRÊME-ORIENT ☐
BROCHURES : AMERIQUE LATINE ☐ AFRIQUE AUSTRALE & OCÉAN INDIEN ☐

ᴺOM ....PRENOM ....

ᴬDRESSE ....

ᴄODE POSTAL |_|_|_|_|_| VILLE .... E-MAIL ....

▲ JETSET

Renseignements : ☎01-53-67-13-00. Fax : 01-53-67-13-29. ●www.jetset-voyages.fr ●Et dans les agences de voyages.

L'un des spécialistes des États-Unis. Un choix très important de circuits au volant sur toutes les régions de l'Est (Nouvelle-Angleterre, Pennsylvanie) et la côte Est. Propose à prix négociés des vols sur la plupart des compagnies desservant les principales villes de la côte Est. À New York, plusieurs forfaits (3 et 6 nuits) avec transferts, repas, visites, shows sont également possibles. La gamme des excursions à la carte est très vaste : visites de Manhattan et de Harlem de jour, de nuit, mais aussi du Bronx et de Brooklyn ; survols en hélicoptère, minicroisières. Enfin, Jetset prolonge les séjours à New York par des minicircuits ou par des croisières (avec la compagnie NCL) jusqu'en Floride et Bahamas. N° Vert assistance aux États-Unis en haute saison.

▲ JEUNESSE ET RECONSTRUCTION

– *Paris :* 10, rue de Trévise, 75009. ☎ 01-47-70-15-88. Fax : 01-48-00-92-18. ●www.volontariat.org ● Ⓜ Cadet ou Grands-Boulevards.

Jeunesse et Reconstruction propose des activités dont le but est l'échange culturel dans le cadre d'un engagement volontaire. Chaque année, des centaines de jeunes bénévoles âgés de 17 à 30 ans participent à des chantiers internationaux en France ou à l'étranger (Europe, Asie, Afrique et Amérique), s'engagent dans le programme de volontariat à long terme (6 mois ou un an) en Europe, Afrique, Amérique latine et Asie, s'inscrivent à des cours de langue en immersion au Costa Rica, Guatemala et Maroc, à des stages de danse traditionnelle, percussions, poterie, art culinaire, artisanat africain ou à des travaux agricoles en France, Grande-Bretagne et Danemark.

Dans le cadre des chantiers internationaux, les volontaires se retrouvent autour d'un projet d'intérêt collectif (une à 4 semaines) et participent à la restauration du patrimoine bâti, à la protection de l'environnement, à l'organisation logistique d'un festival ou à l'animation et aide à la vie quotidienne auprès d'enfants ou de personnes handicapées.

▲ LASTMINUTE.COM

Pour satisfaire une envie soudaine d'évasion, le groupe Lastminute.com propose, des mois à l'avance ou au dernier moment, des offres de séjours, des hôtels, des restaurants, des spectacles... dans le monde entier. L'ensemble de ces services est aussi bien accessible sur Internet ● www.lastminute.com ●www.degriftour.com ●www.travelprice.com ●que par Minitel (36-15, code DT) et téléphone : ☎08-92-70-50-00 (0,34 €/mn).

▲ LOOK VOYAGES

Les brochures sont disponibles dans toutes les agences de voyages. Informations et réservations : ●www.look-voyages.fr ●

Ce tour-opérateur généraliste propose une grande variété de produits et de destinations pour tous les budgets : des séjours en club *Lookéa,* des séjours classiques en hôtels, des escapades, des safaris, des circuits « découverte », des croisières et des vols secs vers le monde entier.

▲ MAISON DES ÉTATS-UNIS

– *Paris :* 3, rue Cassette, 75006. ☎01-53-63-13-40. ●www.maisondesetatsunis.com ●

La Maison des États-Unis est un espace dédié aux voyages et à la culture. Une large collection d'itinéraires individuels en voiture, de courts séjours urbains ou de loisirs, des circuits accompagnés pour visiter les grands musées américains ou découvrir la culture amérindienne sont proposés. Pour mieux vérifier les informations et réduire les coûts, la Maison des États-Unis travaille sans intermédiaire. « Les sites majeurs du Nord-Est américain », voyage individuel en voiture de 13 jours.

- Avec ou sans le bac,
  que ferez-vous l'an prochain ?

- Vous avez besoin d'aide pour vos choix
  d'inscription et d'orientation ?

l'Etudiant a créé un service orientation
pour vous aider à choisir
vos études et votre métier

Nos spécialistes vous proposent :

- un bilan personnalisé,
- une documentation complète,
- des entretiens avec des spécialistes
  de l'orientation.

Contactez-nous !

Nous pouvons adapter nos services
à vos besoins.

- Tél. : 01 48 07 44 33
- www.letudiant.fr

solutions Orientation

CLUB compétence
l'Etudiant

Les « Rendez-vous culturels » de la Maison des États-Unis proposent toute l'année un calendrier de conférences et de journées forums données par des experts reconnus pour approfondir ses connaissances et préparer son séjour.

▲ NOUVELLES FRONTIÈRES

– *Paris* : 87, bd de Grenelle, 75015. Ⓜ La Motte-Picquet-Grenelle.
– Renseignements et réservations dans toute la France : ☎ 0825-000-825 (0,15 €/mn). ● www.nouvelles-frontieres.fr ●
Plus de 30 ans d'existence, 1 800 000 clients par an, 250 destinations, une chaîne d'hôtels-clubs et de résidences *Paladien* et une compagnie aérienne, *Corsair*. Pas étonnant que Nouvelles Frontières soit devenu une référence incontournable, notamment en matière de tarifs. Le fait de réduire au maximum les intermédiaires permet d'offrir des prix « super-serrés ». Un choix illimité de formules vous est proposé : des vols sur la compagnie aérienne de Nouvelles Frontières au départ de Paris et de province, en classe Horizon ou Grand Large, et sur toutes les compagnies aériennes régulières, avec une gamme de tarifs selon confort et budget. Sont également proposées toutes sortes de circuits, aventure ou organisés ; des séjours en hôtels, en hôtels-clubs et en résidences, notamment dans les *Paladien*, les hôtels de Nouvelles Frontières avec « vue sur le monde » ; des week-ends, des formules à la carte (vol, nuits d'hôtel, excursions, location de voitures...), des séjours neige.
Avant le départ, des réunions d'information sont organisées. Les 12 brochures Nouvelles Frontières sont disponibles gratuitement dans les 200 agences du réseau, par téléphone et sur Internet. Intéressant : des brochures thématiques (plongée, rando, trek, thalasso).

▲ OTU VOYAGES

Informations : ☎ 0820-817-817 (0,12 €/mn). ● infovente@otu.fr ● N'hésitez pas à consulter leur site ● www.otu.fr ● pour obtenir adresse, plan d'accès, téléphone et e-mail de l'agence la plus proche de chez vous (26 agences OTU Voyages en France).
OTU Voyages propose tous les voyages jeunes et étudiants à des tarifs spéciaux particulièrement adaptés aux besoins et au budget de chacun. Les billets d'avion (Student Air, Air France...), train, bateau, bus, la location de voitures à des tarifs avantageux et souvent exclusifs, pour plus de liberté ! Des hôtels, des *city trips* pour découvrir le monde, des séjours ski et surf. Des séjours linguistiques, stages et jobs à l'étranger pour des vacances studieuses, ainsi que des assurances voyage.

▲ PLEIN VENT VOYAGES

Réservations et brochures dans les agences du sud-est de la France.
Premier tour-opérateur du Sud-Est, Plein Vent assure toutes ses prestations au départ de Lyon, Marseille et Nice. Ses destinations phares sont : l'Espagne, la Grèce, Prague, la Hongrie, Malte, la Sicile, le Maghreb, tout particulièrement la Tunisie avec 3 circuits, et le Maroc avec 4 programmes, mais également l'Europe centrale, l'Europe du Nord avec l'Irlande, l'Écosse et la Norvège. Plein vent propose aussi le Canada, le Mexique, la Thaïlande, les États-Unis en circuit accompagné. Croisière fluviale sur la Volga. Plein Vent garantit ses départs et propose un système de « garantie annulation » performant.

▲ USA CONSEIL

Devis et brochures sur demande, réception sur rendez-vous, renseignements : ☎ 01-45-46-51-75. Fax : 01-45-47-55-53. ● usaconseil.fr.st.st ● usa canadaconseil.free.fr ● usatour@club-internet.fr ●
Spécialiste des voyages en Amérique du Nord, USA Conseil s'adresse parti-

SORTEZ DE CHEZ VOUS

Comment aller sur la côte Est des USA ?
Des vols réguliers Américan Airlines A/R pour Boston
à partir de 279 €HT* et pour Chicago à partir de
289 €HT* au départ de Paris.
Taxes aériennes à partir de 108 €.

Comment se déplacer ?
Location de voitures Alamo : catégorie EC à partir de
99 €, kilométrage illimité, CDW incluse.

Où dormir tranquille ?
- Boston, Holiday Inn Randolph 3***, à partir de 107 €.
- Chicago, Comfort Inn Chicago 3***, à partir de 135 €.
(Prix par nuit, de la chambre double en logement seul)

A Voir / A faire :
City Pass pour découvrir :
- Boston : à partir de 37 € par personne.
- Chicago : à partir de 53 € par personne.

*Prix HT par personne, à certaines dates, sous réserve de disponibilités.

NOUVELLES FRONTIERES

200 AGENCES EN FRANCE - 0825 000 825, nouvelles-frontieres.fr
(0,15 € la minute)

culièrement aux familles ainsi qu'à toutes les personnes désireuses de visiter et de découvrir les États-Unis et le Canada, en maintenant un bon rapport qualité-prix. USA Conseil propose une gamme complète de prestations adaptées à votre demande et en rapport avec votre budget : vols, voitures, hôtels, motels, bungalows, circuits individuels et accompagnés, excursions, camping-car, motos, *roadbook,* bureau d'assistance téléphonique tout l'été avec n° Vert USA et Canada. Sur demande par téléphone, e-mail ou fax, USA Conseil vous adressera un devis gratuit et détaillé pour votre projet de voyage.

▲ USIT CONNECTIONS

Informations et réservations par téléphone (du lundi au vendredi de 9 h à 18 h) : ☎ 0825-08-25-25 (0,15 €/mn). ● www.usitconnections.fr ●
– *Paris :* 31 bis, rue Linné, 75005. ☎ 01-44-08-71-20. Fax : 01-44-08-71-25. Ⓜ Jussieu.
– *Paris :* 85, bd Saint-Michel, 75005. ☎ 01-43-29-69-50. Fax : 01-43-25-29-85. Ⓜ Luxembourg.
– *Aix-en-Provence :* 7, cours Sextius, 13100. ☎ 04-42-93-48-48. Fax : 04-42-93-48-49.
– *Bordeaux :* 284, rue Sainte-Catherine, 33000. ☎ 05-56-33-89-90. Fax : 05-56-33-89-91.
– *Lyon :* 33, rue Victor-Hugo, 69002. ☎ 04-72-77-81-91. Fax : 04-72-77-81-99.
– *Montpellier :* 1, rue de l'Université, 34000. ☎ 04-67-66-03-65. Fax : 04-67-60-33-56.
– *Toulouse :* 5, rue des Lois, capitole, 31000. ☎ 05-61-11-52-42. Fax : 05-61-11-52-43.
Usit Connections/How.fr proposent des hôtels dans le monde entier, du 2 au 5 étoiles en passant pas l'hôtellerie de charme, les palaces, les *B & B...* Également une gamme complète de produits pour tous : séjours à la carte, locations de voitures en France et à l'étranger, formules « découverte » et week-ends à des tarifs très attractifs, des circuits actifs, des voyages d'aventures, et de nombreux services aux voyageurs comme l'assurance voyage.

▲ VACANCES FABULEUSES

– *Paris :* 95, rue d'Amsterdam, 75008. ☎ 01-42-85-65-00. Fax : 01-01-42-85-65-03. Ⓜ Place-Clichy.
Et dans toutes les agences de voyages.
Vacances Fabuleuses, c'est « l'Amérique à la carte ». Ce spécialiste de l'Amérique du Nord (États-Unis, Canada, Mexique et Caraïbes) vous propose de découvrir l'Amérique de l'intérieur, avec un large choix de formules allant de la location de voitures aux formules sportives en passant par des circuits individuels de 6 à 22 jours.
Le transport est assuré sur compagnies régulières, le tout proposé par une équipe de spécialistes.

▲ VOYAGES ET DÉCOUVERTES

– *Paris :* 58, rue Richer, 75009. ☎ 01-47-70-28-28 ou 01-42-61-00-01. Ⓜ Grands-Boulevards.
Voyagiste proposant d'excellents tarifs sur lignes régulières à condition d'être étudiant ou jeune de moins de 26 ans. Difficile de trouver des vols moins chers sur Israël et les États-Unis. Grâce à ses accords spécifiques, tarifs assez exceptionnels sur plus de 200 destinations.

▲ VOYAGES WASTEELS (JEUNES SANS FRONTIÈRE)

63 agences en France, 140 en Europe. Pour obtenir l'adresse et le numéro de téléphone de l'agence la plus proche de chez vous, rendez-vous sur ● www.wasteels.fr ●

www.vdm.com

Voyageurs

AUX ÉTATS-UNIS ET AU CANADA

VOYAGES SUR MESURE / SÉJOURS / AUTOTOURS

→ **6 SPÉCIALISTES DE LA CÔTE EST POUR CRÉER UN VOYAGE "À VOTRE MESURE"...**

VOYAGEURS DU MONDE LIC.075950046

PARIS : 0892 23 56 56' / LYON : 0892 231 261' / MARSEILLE 0892 233 633'
TOULOUSE : 0892 232 632' / RENNES : 0892 230 530' / NICE : 0892 232 732'
Nos prochaines Cités des Voyageurs régionales → Lille / Bordeaux / Grenoble (courant 2005)

*(0,34€ttc/min)

>> demande de devis
www.comptoir.fr

Comptoir

DES ÉTATS-UNIS

> SEJOURS
> VOYAGES EN INDIVIDUEL
> HÉBERGEMENTS

LIC075960144 © PHOTO CDV

(0,34€/ttc mn)

COMPTOIR DES VOYAGES • 344, RUE ST-JACQUES 75005 PARIS ✆ 0892 238 438

Centre d'appels Infos et ventes par téléphone : ☎ 0825-887-070 (0,15 €/mn).

Voyages Wasteels propose pour tous, des séjours, des vacances à la carte, des croisières, des voyages en avion ou train et de la location de voitures, au plus juste prix, parmi des milliers de destinations en France, en Europe et dans le monde. Voyages Wasteels, c'est aussi tous les voyages jeunes et étudiants avec des tarifs réduits particulièrement adaptés aux besoins et au budget de chacun. Séjours sportifs, ski et surf, séjours linguistiques.

▲ **VOYAGEURS AUX ÉTATS-UNIS ET AU CANADA**
Spécialiste du voyage en individuel sur mesure. ● www.vdm.com ●
Nouveau, « Voyageurs du Monde Express » : des séjours « prêts à partir » sur des destinations mythiques. ☎ 0892-68-83-63 (0,34 €/mn).
– *Voyageurs aux États-Unis et au Canada* (Alaska, Bahamas, Canada, Hawaii, USA) *:* ☎ 0892-23-63-63 (0,34 €/mn). Fax : 01-42-86-17-89.
– *Paris :* La Cité des Voyageurs, 55, rue Sainte-Anne, 75002. ☎ 0-892-23-56-56 (0,34 €/mn). Fax : 01-42-86-17-89. Ⓜ Opéra ou Pyramides. Bureaux ouverts du lundi au samedi de 9 h 30 à 19 h.
– *Lyon :* 5, quai Jules-Courmont, 69002. ☎ 0892-231-261 (0,34 €/mn). Fax : 04-72-56-94-55.
– *Marseille :* 25, rue Fort-Notre-Dame (angle cours d'Estienne-d'Orves), 13001. ☎ 0892-233-633 (0,34 €/mn). Fax : 04-96-17-89-18.
– *Nice :* 4, rue du Maréchal-Joffre (angle rue de Longchamp), 06000. ☎ 0892-232-732 (0,34 €/mn). Fax : 04-97-03-64-60.
– *Rennes :* 2, rue Jules-Simon, BP 10206, 35102. ☎ 0892-230-530 (0,34 €/mn). Fax : 02-99-79-10-00.
– *Toulouse :* 26, rue des Marchands, 31000. ☎ 0892-232-632 (0,34 €/mn). Fax : 05-34-31-72-73. Ⓜ Esquirol.
En 2005, ouverture à :
– *Lille :* ☎ 0892-234-634 (0,34 €/mn).
– *Grenoble :* ☎ 0892-233-533 (0,34 €/mn).
– *Bordeaux :* ☎ 0892-234-834 (0,34 €/mn).
Sur les conseils d'un spécialiste de chaque pays, chacun peut construire un voyage à sa mesure...
Pour partir à la découverte de plus de 120 pays, 92 conseillers-voyageurs, de près de 30 nationalités et grands spécialistes des destinations donnent des conseils, étape par étape et à travers une collection de 25 brochures, pour élaborer son propre voyage en individuel. Des suggestions originales et adaptables, des prestations de qualité et des hébergements exclusifs.
Voyageurs du Monde propose également une large gamme de circuits accompagnés (Famille, Aventure, Routard...).
À la fois tour-opérateur et agence de voyages, Voyageurs du Monde a développé une politique de « vente directe » à ses clients, sans intermédiaire.
Dans chacune des *Cités des Voyageurs,* tout rappelle le voyage : librairies spécialisées, boutiques d'accessoires de voyage, restaurant des cuisines du monde, *lounge bar,* expoventes d'artisanat ou encore dîners et cocktails-conférences. Toute l'actualité de VDM à consulter sur leur site Internet.

▲ **WEST FOREVER**
– *Entzheim :* 26 A, route de Strasbourg, 67960. ☎ 03-88-68-89-00. Fax : 03-88-68-68-55. ● www.westforever.com ● courrier@westforever.com ●
West Forever est le spécialiste français du voyage en Harley Davidson. Il propose des séjours et des circuits aux États-Unis (Floride, Grand Ouest, etc.), en Thaïlande, mais aussi en Australie et en France. Agence de voyages officielle Harley Davidson, West Forever propose une large gamme de tarifs pour un savoir-faire dédié tout entier à la moto. Si vous désirez voyager par vous-même, West Forever pourra vous louer la Harley dont vous avez besoin.

autoescape .com

LOCATION DE VOITURES AUX USA

"Auto Escape: la location de voitures au meilleur prix !
Depuis 6 ans, plus de 100 000 personnes ont pu profiter de tarifs ultra négociés auprès des grands loueurs.
Le secret d'Auto Escape ?
Une location de gros volumes à l'échelle mondiale qui lui permet d'obtenir de véritables prix de gros.
Des agents spécialisés et disponibles au téléphone.
Un service clientèle très performant.
Résultat :
Kilométrage illimité, pas de frais de dossier, pas de frais d'annulation, une grande flexibilité, des informations précieuses, en particulier avec les assurances...
Bref, des prestations de qualité au meilleur prix du marché !"

gratuit depuis la France
0 800 920 940
ou + 33 4 90 09 28 28
fax : 04 90 09 51 87

5% de réduction aux lecteurs du GDR

Conseils importants

- Réservez au plus tôt et avant de partir, afin de garantir la disponibilité du véhicule.
  Vous souscrirez ainsi, à un produit spécialement étudié pour les Européens.
  Vous ferez aussi de grosses économies.
- Privilégiez les grandes compagnies afin d'éviter tout désagrément et bénéficier d'un service assistance en cas de problème.
- Renseignez-vous sur les assurances souscrites et les surcharges locales.
- Ne partez pas sans un bon prépayé (ou"voucher"), décrivant précisément le contenu de votre location.
- Pour retirer le véhicule, il vous faudra :
  carte de crédit internationale, permis de conduire et voucher, tous 3 au nom du conducteur principal.

Sortez du troupeau, louez avec Auto Escape !

COMPOSEZ ET ÉCONOMISEZ !

VOTRE VOL A/R
à tarifs négociés
sur 480 compagnies

VOTRE VOITURE
à prix réduits
chez nos partenaires

VOTRE HÔTEL
de 1 à 5 étoiles,
jusqu'à 40 %
de réduction

VOS ACTIVITÉS
sur place,
à réserver
dès maintenant

Avec Expedia.fr, choisissez
votre voyage sur mesure **au meilleur prix.**

Lic. 075 010034

☎ **0 892 896 892**
(0,34 € TTC/min)

Expedia.fr
Le voyage que je veux

EN BELGIQUE

▲ CONNECTIONS

Renseignements et réservations : ☎ 070-233-313. ● www.connections.be ● Ouvert en semaine de 9 h à 21 h et de 10 h à 17 h le samedi.

Spécialiste du voyage pour les étudiants, les jeunes et les *Independent travellers*. Le voyageur peut y trouver informations et conseils, aide et assistance *(revalidation, routing...)* dans 21 points de vente en Belgique et auprès de bon nombre de correspondants de par le monde.

Connections propose une gamme complète de produits : des tarifs aériens spécialement négociés pour sa clientèle (licence IATA) et, en exclusivité pour le marché belge, les très avantageux billets « Campus » réservés aux jeunes et étudiants ; le bus avec plus de 300 destinations en Europe (un tarif exclusif pour les étudiants) ; toutes les possibilités d'arrangement terrestre (hébergement, locations de voitures, *self-drive tours,* vacances sportives, expéditions) ; de nombreux services aux voyageurs comme l'assurance voyage « Protections ».

▲ GLOBE-TROTTERS

– *Bruxelles :* 179, rue Victor-Hugo (coin av. E.-Plasky), 1030. ☎ 02-732-90-70. Fax : 02-736-44-34. ● globetrotterstours@hotmail.com ● Ouvert du lundi au vendredi de 9 h 30 à 13 h 30 et de 15 h à 18 h, ainsi que quelques samedis de 10 h à 13 h.

Une large gamme de voyages pour tous au départ de Bruxelles. Spécialisé dans les voyages à la carte (principalement les États-Unis, le Canada, l'Australie, la Nouvelle-Zélande, la Thaïlande, le Vietnam, le Cambodge...) et « soft aventure » en Afrique australe, Australie, Nouvelle-Zélande, Guyane française. Assurances voyage. Cartes d'AJ, IYHF, hostels of Europe, VIP & Nomads Backpackers. Globe-Trotters est le représentant de *Kilroy Travels* et *Voyages Campus* pour la Belgique et le grand-duché de Luxembourg.

▲ JOKER

– *Bruxelles :* quai du Commerce, 27, 1000. ☎ 02-502-19-37. Fax : 02-502-29-23. ● brussel@joker.be ●
– *Bruxelles :* av. Verdi, 23, 1083. ☎ 02-426-00-03. Fax : 02-426-03-60. ● ganshoren@joker.be ●
– Adresses également à *Anvers, Bruges, Courtrai/harelbeke, Gand, Hasselt, Louvain, Malines, Schoten* et *Wilrijk.* ● www.joker.be ●

Joker est spécialiste des voyages d'aventure et des billets d'avion à des prix très concurrentiels. Vols aller-retour au départ de Bruxelles, Paris, Francfort et Amsterdam. Voyages en petits groupes avec accompagnateur compétent. Circuits souples à la recherche de contacts humains authentiques, utilisant l'infrastructure locale et explorant le vrai pays.

▲ NOUVELLES FRONTIÈRES

– *Bruxelles* (siège) : bd Lemonnier, 2, 1000. ☎ 02-547-44-22. Fax : 02-547-44-99. ● www.nouvelles-frontieres.be ● mailbe@nouvelles-frontieres.be ●
– Également d'autres agences à *Bruxelles, Charleroi, Liège, Mons, Namur, Waterloo, Wavre* et au *Luxembourg.*

Trente ans d'existence, 250 destinations, une chaîne d'hôtels-clubs et de résidences *Paladien.* Pas étonnant que Nouvelles Frontières soit devenu une référence incontournable, notamment en matière de prix. Le fait de réduire au maximum les intermédiaires permet d'offrir des prix « super-serrés ».

▲ SERVICES VOYAGES ULB

– *Bruxelles :* campus ULB, av. Paul-Héger, 22, CP 166, 1000. ☎ 02-648-96-58.

DEMANDEZ LE CATALOGUE
DE LA MAISON DES ETATS-UNIS

Aux antipodes du tourisme de masse, nous réinventons pour vous, chaque jour, le voyage aux Etats-Unis.

■ **AUTOTOUR : LES SITES MAJEURS DU NORD EST**   13 J // 12 N   837 € *
13 jours de location de voiture + 12 nuits d'hôtels*** en chambre double + 1 road-book***

■ **CIRCUIT ACCOMPAGNE AU CŒUR DE NEW YORK**   6J // 4 N   1 092 € *
Vols + 4 nuits d'hôtels*** en chambre double avec petit déjeuner + 1 dîner + les visites

■ **Vol A/R PARIS // NEW YORK à partir de 247 € *

■ **Voyages individuels sur mesure, hôtel, excursions, location de motorhomes.

Visitez la Photo-Galerie du Monde Amériques où les plus grands photographes racontent Le Voyage.

3, rue Cassette – 75006 Paris
(métro Saint-Sulpice)
info@maisondesetatsunis.com

Tél. 01 53 63 13 43
Fax 01 42 84 23 28
www.maisondesetatsunis.com

* Tarifs à partir de // soumis à conditions // hors taxes d'aéroport et de sécurité // catalogue 2005. *** Carnet de route.

FINLANDE (avril 2005)

Des forêts, des lacs, des marais, des rivières, des forêts, des marais, des lacs, des forêts, des rennes, des lacs... et quelques villes perdues au milieu des lacs, des forêts, des rivières... Voici un pays guère comme les autres, farouchement indépendant, qui cultive sa différence et sa tranquillité. Coincée pendant des siècles entre deux États expansionnistes, la Finlande a longtemps eu du mal à asseoir sa souveraineté et à faire valoir sa culture. Or, depuis plus d'un demi-siècle, le pays accumule les succès. Il a construit une industrie flambant neuve, qui l'a hissé parmi les nations les plus développées. Tous ces progrès sont équilibrés par une qualité de vie exceptionnelle. La Finlande a bâti ses villes au milieu des forêts, au bord des lacs, dans des sites paisibles et aérés. Il faut visiter les villes bien sûr, elles vous aideront à comprendre ce mode de vie tranquille, et c'est là que vous ferez des rencontres. Mais les vraies merveilles se trouvent dans la nature. Alors empruntez les chemins de traverse, créez votre itinéraire, explorez, laissez-vous fasciner par cette nature gigantesque, sauvage et sereine. Vous ne le regretterez pas.

– *Bruxelles* : rue Abbé-de-l'Épée, 1, Woluwe, 1200. ☎ 02-742-28-80.
– *Bruxelles* : hôpital universitaire Érasme, route de Lennik, 808, 1070. ☎02-555-38-49.
– *Bruxelles* : chaussée d'Alsemberg, 815, 1180. ☎ 02-332-29-60.
– *Ciney* : rue du Centre, 46, 5590. ☎ 083-21-67-11.
– *Marche* : av. de la Toison-d'Or, 4, 6900. ☎ 084-31-40-33.
– *Wepion* : chaussée de Dinant, 1137, 5100. ☎ 081-46-14-37.
Ouvert du lundi au vendredi de 9 h à 17 h sans interruption.
Services Voyages ULB, c'est le voyage à l'université. L'accueil est donc très sympa. Billets d'avion sur vols charters et sur compagnies régulières à des prix hyper-compétitifs.

▲ TAXISTOP
Pour toutes les adresses *Airstop,* un seul numéro de téléphone : ☎070-233-188. ● www.airstop.be ● air@airstop.be ● Ouvert du lundi au vendredi de 10 h à 17 h 30.
– *Taxistop Bruxelles* : rue Fossé-aux-Loups, 28, 1000. ☎070-222-292. Fax : 02-223-22-32.
– *Airstop Bruxelles* : rue Fossé-aux-Loups, 28, 1000. Fax : 02-223-22-32.
– *Airstop Anvers* : Sint Jacobsmarkt, 84, 2000. Fax : 03-226-39-48.
– *Airstop Bruges* : Dweersstraat, 2, 8000. Fax : 050-33-25-09.
– *Airstop Courtrai* : Badastraat, 1 A, 8500. Fax : 056-20-40-93.
– *Taxistop Gand* : Maria Hendrikaplein, 65 B, 9000. ☎070-222-292. Fax : 09-242-32-19.
– *Airstop Gand* : Maria Hendrikaplein, 65, 9000. Fax : 09-242-32-19.
– *Airstop Louvain* : Maria Theresiastraat, 125, 3000. Fax : 016-23-26-71.
– *Taxistop* et *Airstop Wavre* : rue de la Limite, 49, 1300. ☎ 070-222-292. Fax : 070-24-26-47.

EN SUISSE

▲ NOUVELLES FRONTIÈRES
– *Genève* : 10, rue Chantepoulet, 1201. ☎ 022-906-80-80. Fax : 022-906-80-90.
– *Lausanne* : 19, bd de Grancy, 1006. ☎ 021-616-88-91. Fax : 021-616-88-01.
(Voir texte dans la partie « En France ».)

▲ STA TRAVEL
– *Bienne* : General-Dufour Strasse 4, 2502. ☎ 032-328-11-11. Fax : 032-328-11-10.
– *Fribourg* : 24, rue de Lausanne, 1701. ☎ 026-322-06-55. Fax : 026-322-06-61.
– *Genève* : 3, rue Vignier, 1205. ☎ 022-329-97-34. Fax : 022-329-50-62.
– *Lausanne* : 20, bd de Grancy, 1006. ☎ 021-617-56-27. Fax : 021-616-50-77.
– *Lausanne* : à l'université, bâtiment BFSH2, 1015. ☎021-691-60-53. Fax : 021-691-60-59.
– *Montreux* : 25, av. des Alpes, 1820. ☎ 021-965-10-15. Fax : 021-965-10-19.
– *Neuchâtel* : Grand-Rue, 2, 2000. ☎ 032-724-64-08. Fax : 032-721-28-25.
– *Nyon* : 17, rue de la Gare, 1260. ☎ 022-990-92-00. Fax : 022-361-68-27.
Agences spécialisées dans les voyages pour jeunes et étudiants. Gros avantage en cas de problème : 150 bureaux STA et plus de 700 agents du même groupe répartis dans le monde entier sont là pour donner un coup de main *(Travel Help).*

STA propose des voyages très avantageux : vols secs *(Skybreaker),* billets Euro Train, hôtels, écoles de langues, voitures de location, etc. Délivre les cartes internationales d'étudiants et les cartes Jeunes Go 25.

STA est membre du fonds de garantie de la branche suisse du voyage ; les montants versés par les clients pour les voyages forfaitaires sont assurés.

AU QUÉBEC

▲ EXOTIK TOURS

La Méditerranée, l'Europe, l'Asie et les Grands Voyages : Exotik Tours offre une importante programmation en été comme en hiver. Ses circuits estivaux se partagent notamment entre la France, l'Autriche, la Grèce, la Turquie, l'Italie, la Croatie, le Maroc, la Tunisie, la République tchèque, la Russie, la Thaïlande, le Vietnam, la Chine... Dans la rubrique « Grands voyages », le voyagiste suggère des périples en petits groupes ou en individuel. Au choix : l'Amérique du Sud (Brésil, Pérou, Argentine, Chili, Équateur, îles Galapagos), le Pacifique sud (Australie et Nouvelle-Zélande), l'Afrique (Afrique du Sud, Kenya, Tanzanie), l'Inde et le Népal. L'hiver, des séjours sont proposés dans le Bassin méditerranéen et en Asie (Thaïlande et Bali). Durant cette saison, on peut également opter pour des combinés plage + circuit. Le voyagiste a par ailleurs créé une nouvelle division : Carte Postale Tours (circuits en autocar au Canada et aux États-Unis). Exotik Tours est membre du groupe *Intair* comme Intair Vacances (voir plus loin).

▲ KILOMÈTRE VOYAGES-AMERICANADA

Filiale de DMC Transat, le tour-opérateur « réceptif » du groupe Transat, Kilomètre Voyages-Americanada offre essentiellement le Canada (Ouest, Ontario, Québec, Maritimes) et les États-Unis (côte Est et côte Ouest). Sa brochure principale (printemps-été-automne) présente des circuits accompagnés, de courts forfaits individuels (pour la plupart au Québec), des autotours avec hôtels réservés, des hôtels à la carte, des locations de voitures ou de *motor-homes* et des vols secs nolisés (Toronto, Vancouver et Calgary, avec Air Transat bien sûr). Le voyagiste offre aussi des forfaits individuels à destination de New York, avec transport en autocar de luxe et choix d'hôtels. L'hiver, le choix se limite aux forfaits de 3 jours + 2 nuits dans les régions touristiques du Québec.

▲ STANDARD TOURS

Ce grossiste né en 1962 programme les États-Unis, le Mexique, les Caraïbes, l'Amérique latine et l'Europe. Spécialité : les forfaits sur mesure.

▲ TOURSMAISON

Spécialiste des vacances sur mesure, ce voyagiste sélectionne plusieurs « Évasions soleil » (plus de 600 hôtels ou appartements sur quelque 45 destinations), offre l'Europe à la carte toute l'année (plus de 17 pays) et une vaste sélection de compagnies de croisières (11 compagnies au choix). Toursmaison concocte par ailleurs des forfaits escapades à la carte aux États-Unis et au Canada. Au choix : transport aérien, hébergement (variété d'hôtels de toutes catégories ; appartements dans le sud de la France ; maisons de location et condos en Floride), locations de voitures pratiquement partout dans le monde. Des billets pour le train, les attractions, les excursions et les spectacles peuvent également être achetés avant le départ.

▲ VOYAGES CAMPUS / TRAVEL CUTS

Campus / Travel Cuts est un réseau national d'agences de voyages qui s'adresse tout particulièrement aux étudiants et négocie de bons tarifs auprès des transporteurs aériens comme des opérateurs de circuits terrestres, et diffuse la carte de jeune de moins de 26 ans (IYTC) et la carte d'enseignant ou professeur à plein temps (ITIC). Voyages Campus publie 2 fois par an le magazine *L'Étudiant voyageur,* qui présente ses différents produits et notamment ses séjours linguistiques (Canada anglais, Amérique du Sud, États-Unis), de même que son Programme Vacances Travail (PVT) disponible dans 10 pays (États-Unis, France, Nouvelle-Zélande, Japon, Afrique du Sud...). Le réseau compte quelque 70 agences au Canada, dont 9 au Québec (5 à Montréal, une à Québec, une à Trois-Rivières et 2 à Sherbrooke), le plus souvent installées près ou sur les campus universitaires ou collégiaux, sans oublier 6 bureaux aux États-Unis. ● www.voyagescampus.com ●

GÉNÉRALITÉS

« Les États-Unis, le pays qui a trop
de géographie mais pas assez d'histoire. »

Un inconnu célèbre, 1997.

CARTE D'IDENTITÉ

- *Superficie :* 9 363 123 km^2 (17 fois la France).
- *Population :* 288,4 millions d'habitants.
- *Capitale :* Washington D.C.
- *Langue officielle :* l'américain.
- *Monnaie :* le dollar américain (US$).
- *Chef de l'État :* George W. Bush réélu en novembre 2004.
- *Nature de l'État :* république fédérale (50 États et le District of Columbia).
- *Régime :* démocratie présidentielle.
- *Site classé au patrimoine de l'Unesco :* Independence Hall (Philadelphie) ; c'est là que fut signée la Déclaration d'Indépendance des États-Unis.

AVANT LE DÉPART

Adresses utiles

En France

■ *Office du tourisme – USA (c/o Visit USA Committee) :* ☎ 08-99-70-24-70 (1,35 € l'appel + 0,35 €/mn). ● www.visitusafrance.com ● Fermé au public, mais on peut obtenir de nombreux renseignements sur le site Internet (très complet) et par téléphone. Possibilité également de se faire envoyer des cartes, de la documentation sur les États... (moyennant quelques euros de participation aux frais). On peut aussi être mis en relation avec un spécialiste des États-Unis par téléphone.

■ *Association France-Louisiane Franco-Américanie :* 17, av. Reille, 75014 Paris. ☎ 01-45-88-02-10. Fax : 01-45-88-03-22. Ⓜ Glacière ou RER B : Cité-Universitaire. Ouvert du lundi au vendredi de 14 h à 18 h.

Cette association, créée en 1977, a pour objectif de resserrer les liens entre les francophones des États-Unis. Elle peut fournir toutes sortes de documentations touristiques très détaillées, ainsi que de bons conseils.

■ *Consulat américain :* 2, rue Saint-Florentin, 75001 Paris. Le consulat est fermé au public, pour tout renseignement sur les visas, consulter le site Internet (très complet) : ● www.amb-usa.fr/pagefr.htm ● puis cliquer sur « Visas » dans « Services consulaires ». Également des renseignements par téléphone au ☎ 0892-23-84-72 (serveur vocal 24 h/24 ; 0,34 €/mn!). Fax : 01-42-86-82-91. Lire plus loin le paragraphe concernant les formalités d'entrée et l'obtention d'un visa.

■ *Ambassade des États-Unis :* 2, av. Gabriel, 75008 Paris. ☎ 01-43-12-22-22. Ⓜ Concorde. Fermé au public.

■ *Librairie Brentano's :* 37, av. de l'Opéra, 75002 Paris. ☎ 01-42-61-52-50. ● www.brentanos.fr ● Ⓜ Pyramides ou Opéra. Ouvert du lundi au samedi de 10 h à 19 h 30. La plus grande librairie américaine de la capitale. Section tourisme bien achalandée.

■ *Réservations de spectacles, passes pour les parcs d'attractions, matches, etc. :* Keith Prowse, 7, rue de Clichy, 75009 Paris. Réservations au ☎ 01-42-81-88-88. Fax : 01-42-81-88-89. ● paris@keithprowse.com ● Ⓜ Trinité. Agence internationale de spectacles, Keith Prowse est spécialisée dans les billetteries à vocation de « divertissement ». Avant votre départ, vous pouvez réserver vos places pour certains spectacles musicaux à l'affiche, obtenir les passeports d'entrée (billets originaux) pour les parcs d'attractions américains et bénéficier ainsi d'offres exceptionnelles qui ne sont pas disponibles à l'entrée. De plus, en tant qu'agent officiel agréé, Keith Prowse vous propose d'assister aux rencontres sportives des célèbres ligues américaines de basket (NBA), hockey (NHL), football américain (NFL), où que vous soyez aux États-Unis.

En Belgique

■ *Visit USA Marketing & Promotion Bureau :* PO Box 1, Berchem, 3, Berchem 2600. Fax : 03-230-09-14. ● www.visitusa.org ● info@visitusa.org ● Les demandes d'information peuvent être communiquées par courrier, fax ou e-mail. Pour l'envoi de documentation ou brochures, une participation aux frais est demandée.

■ *Ambassade et consulat des États-Unis :* bd du Régent, 25, Bruxelles 1000. ☎ 02-508-21-11. Fax : 02-511-27-25. Le visa n'est pas obligatoire pour les Belges pour un séjour de moins de 90 jours (voir « Formalités d'entrée », plus bas).

En Suisse

■ *Ambassade des États-Unis :* 95, Jubilaumstrasse, 3005 Berne. ☎ 031-357-70-11. Fax : 031-357-73-44 ou 98 (fax du service des visas). Le visa n'est pas obligatoire pour les Suisses pour un séjour de moins de 90 jours (voir « Formalités d'entrée », plus bas).

Au Québec

■ *Consulat général des États-Unis :* 1155, rue Saint-Alexandre, Montréal. Adresse postale : CP 65, succursale Desjardins, H5B-1G1, Montréal. ☎ (514) 398-96-95 (serveur vocal). Fax : (514) 398-97-48. Service des visas ouvert en semaine de 8 h 30 à 11 h.

■ *Consulat général des États-Unis :* 2, pl. Terrasse-Dufferin (derrière le château Frontenac), Québec. Adresse postale : CP 939, G1R-4T9, Québec. ☎ (418) 692-20-95 (serveur vocal). Fax : (418) 692-46-40. Ouvert en semaine de 9 h à 16 h 30.

■ *Site Internet :* ● www.usembassycanada.gov ● , pour toutes questions sur les visas, les adresses de consulats américains au Canada (il y en a 6). Le visa n'est pas obligatoire pour les Canadiens pour un séjour de moins de 90 jours (voir « Formalités d'entrée », ci-dessous).

Formalités d'entrée

ATTENTION : les mesures de sécurité concernant les formalités d'entrée sur le sol américain n'ont cessé de se renforcer depuis le 11 septembre 2001. Avant d'entreprendre votre voyage, consultez impérativement le site de

l'ambassade des États-Unis, très détaillé et constamment remis à jour :
● www.amb-usa.fr/pagefr.htm ● , rubrique « Visas » dans « Services consulaires » (voir plus haut « Adresses utiles. Consulat américain »).

– *Passeport à lecture optique (en cours de validité) exigé depuis octobre 2004,* y compris pour les enfants qui ne pourront plus être inscrits sur le
passeport des parents. Sans ce passeport nouvelle génération (valable
10 ans), un visa sera obligatoire (compter 85 €, ce qui revient plus cher qu'un
passeport à lecture optique). Vous devez aussi présenter un *billet d'avion
aller-retour,* ainsi que des preuves de solvabilité (carte de paiement ou
chèques de voyage par exemple). Enfin, tous les voyageurs se rendant aux
États-Unis devront se soumettre au rituel des empreintes digitales et de la
photo, lors du passage de l'immigration.

– *Le visa* n'est pas nécessaire pour les Français qui se rendent aux États-
Unis pour tourisme. Cependant, votre séjour ne doit pas dépasser 90 jours.
ATTENTION : le visa reste de toute façon indispensable (même si l'on est
titulaire d'un passeport de la Communauté européenne à lecture optique)
pour les diplomates, les étudiants poursuivant un programme d'études, les
stagiaires, les jeunes filles au pair, les journalistes en mission et autres catégories professionnelles.

– Le visa n'est pas obligatoire pour les Suisses, les Belges et les Canadiens
pour un séjour de tourisme de moins de 90 jours, à condition de posséder un
passeport à lecture optique (même régime que pour les Français). Si vous allez
aux États-Unis en passant par le Mexique ou le Canada, il n'est pas non plus
nécessaire d'avoir un visa (mais une taxe de 6 US$ vous sera demandée).

– Pas de *vaccination* obligatoire (lire la rubrique « Santé » plus loin).

– *Interdiction d'importer des denrées périssables* (charcuterie, fromage,
biscuits...). Seules les conserves sont tolérées. Une bouteille d'alcool auto-
risée par personne.

– Impératif d'avoir son *permis de conduire national.* Le *permis international* n'est pas une obligation mais une facilité, même si l'on ne conduit
pas. Il est beaucoup plus souvent demandé, comme preuve d'identité, que le
passeport (les Américains s'en servent comme carte d'identité).

– *Attention :* en arrivant aux États-Unis, à la police des frontières, ne dites
jamais que vous êtes au chômage ou entre 2 contrats de travail. Vous seriez
refoulé illico presto !

Obtention d'un visa

Pour tout renseignement concernant la procédure à suivre pour l'obtention d'un
visa, nous vous renvoyons sur le site Internet de l'ambassade (lire plus haut).

Student Advantage Card

Cette carte, réservée aux étudiants de moins de 26 ans (y compris non américains), permet d'obtenir de nombreuses réductions aux États-Unis (billets
d'avion, de bus, de train, magasins, restos...). Elle coûte 20 US$ pour un an
(plus frais de port), s'achète sur le site ● http://international.studentadvan
tage.com ● ou par correspondance (formulaire disponible sur le site web).
Peut être envoyée à l'étranger. Renseignements : ☎ 1-800-333-2920.

Carte FUAJ internationale des auberges de jeunesse

Cette carte, valable dans 60 pays, permet de bénéficier des 4 200 auberges
de jeunesse du réseau *Hostelling International* réparties dans le monde

entier. Les périodes d'ouverture varient selon les pays et les AJ. À noter, la carte des AJ est surtout intéressante en Europe, aux États-Unis, au Canada, au Moyen-Orient et en Extrême-Orient (Japon...).

Pour adhérer à la FUAJ et s'inscrire

■ *FUAJ, antenne nationale :* 27, rue Pajol, 75018 Paris. ☎ 01-44-89-87-27. Fax : 01-44-89-87-49. ● www.fuaj.org ● Ⓜ Max-Dormoy. Ouvert du lundi au vendredi de 9 h 30 à 18 h et le samedi de 10 h à 17 h. Présenter une pièce d'identité et 10,70 € pour la carte moins de 26 ans et 15,25 € pour les plus de 26 ans (tarifs 2005).
Inscriptions possibles également dans toutes les AJ, points d'information et de réservation FUAJ en France. ● www.fuaj.org ●

– La FUAJ propose aussi une *carte d'adhésion « Famille »,* valable pour les familles de 2 adultes ayant un ou plusieurs enfants âgés de moins de 14 ans. Compter 23 €. Fournir une copie du livret de famille.
– La carte donne également droit à des réductions sur les transports, les musées et les attractions touristiques de plus de 60 pays mais ces avantages varient d'un pays à l'autre, ce qui n'empêche pas de la présenter à chaque occasion, cela peut toujours marcher.

En Belgique

Le prix de la carte varie selon l'âge : entre 3 et 15 ans, 3,50 € ; entre 16 et 25 ans, 9 € ; après 25 ans, 13 €.

Renseignements et inscriptions

■ *LAJ :* rue de la Sablonnière, 28, 1000 Bruxelles. ☎ 02-219-56-76. Fax : 02-219-14-51. ● www.laj.be ● info@laj.be ●

■ *Vlaamse Jeugdherbergcentrale (VJH) :* Van Stralenstraat, 40, 2060 Antwerpen. ☎ 03-232-72-18. Fax : 03-231-81-26. ● www.vjh.be ● info@vjh.be ●

En Suisse

Le prix de la carte dépend de l'âge : 22 Fs pour les moins de 18 ans, 33 Fs pour les adultes et 44 Fs pour une famille avec des enfants de moins de 18 ans.

Renseignements et inscriptions

■ *Schweizer Jugendherbergen (SJH) :* service des membres des auberges de jeunesse suisses, Schaffhauserstr. 14, Postfach 161, 8042 Zurich. ☎ 01-360-14-14. Fax : 01-360-14-60. ● www.youthhostel.ch ● bookingoffice@youthhostel.ch ●

Au Canada

La carte coûte 35 $Ca pour un an et 200 $Ca à vie ; gratuit pour les moins de 18 ans qui accompagnent leurs parents. Pour les juniors voyageant seuls, compter 12 $Ca. Ajouter systématiquement les taxes.

Renseignements et inscriptions

■ *Tourisme Jeunesse :* 205, av. du Mont-Royal Est, Montréal (Québec) H2T 1P4. ☎ (514) 844-02-87. Fax : (514) 844-52-46. Également 94, bd René-Lévesque Ouest, Québec (Québec) G1R 2A4. ☎ (418)

522-25-52. Fax : (418) 522-24-55.
■ *Canadian Hostelling Association :* 205, Catherine St, bureau 400, Ottawa, Ontario, Canada K2P 1C3.

☎ (613) 237-78-84. Fax : (613) 237-78-68. ● www.hihostels.ca ● info@ hihostels.ca ●

ARGENT, BANQUES, CHANGE

> Considérant qu'il y a presque parité entre le dollar américain et l'euro, les prix dans le guide sont indiqués en US$ uniquement.

La monnaie américaine

Fin 2004, 1 US$ valait 0,85 € environ.
– *Les pièces :* 1 cent *(penny),* 5 cents *(nickel),* 10 cents (*dime,* plus petite que la pièce de 5 cents), 25 cents *(quarter)* et 1 dollar, récente et rare. On peut faire la collection des différents types de *quarters,* car chaque État frappe le sien.
– *Les billets :* sur chaque billet, le visage d'un président des États-Unis : 1 US$ (Washington), 5 US$ (Lincoln), 10 US$ (Hamilton), 20 US$ (Jackson), 50 US$ (Grant), 100 US$ (Franklin). Il existe aussi un billet de 2 US$ (bicentenaire de l'indépendance, avec l'effigie de Jefferson), très peu en circulation, mais que les collectionneurs s'arrachent. Pour la 1re fois de son histoire, le fameux billet vert change de look : de nouveaux billets (un peu plus colorés, avec des parties brillantes et des filigranes compliqués) sont désormais en circulation. Faites ATTENTION quand même, ils se ressemblent tous beaucoup. Alors ne les confondez pas ! Une dernière chose : un dollar se dit souvent *a buck.* L'origine de ce mot remonte aux temps des trappeurs, lorsqu'ils échangeaient leurs peaux de daims *(bucks)* contre des dollars. Pour 1 000 US$, on dit souvent *a grand.*

Les banques

Les banques sont généralement ouvertes en semaine de 9 h à 15 h, et le samedi matin. Très peu font du change, et leurs commissions sont souvent extravagantes.

Argent liquide, change et chèques de voyage

– Pour disposer d'**argent liquide,** le plus simple est d'en retirer sur place, au moyen d'une **carte de paiement.** Au bout du compte, c'est plus avantageux que le change, et cela évite de partir avec une grosse somme d'argent ou une liasse de *travellers cheques.* Il y a des distributeurs de billets (appelés *ATM* pour *Automated Teller Machine* ou *cash machines*) partout. Chaque retrait d'argent liquide étant soumis à une taxe fixe, on conseille quand même d'éviter de retirer des sommes trop riquiqui à tout bout de champ. N'oubliez pas non plus qu'il y a un seuil maximal de retrait par semaine, fixé par votre banque (téléphonez-lui pour le connaître, et négocier éventuellement une extension temporaire). Pour ceux qui ne disposeraient pas de carte de paiement, avoir presque tout son argent sous forme de **chèques de voyage** est plus sécurisant, car on est assuré en cas de perte ou de vol. Sachez à ce propos qu'aux États-Unis, vous n'êtes pas obligé, comme souvent en Europe, d'aller dans une banque ou un bureau de change pour échanger vos chèques contre du liquide : la plupart des grands magasins, restaurants, motels et boutiques les acceptent sur simple présentation du passeport. Vraiment pratique, non ?

– Enfin, si vous devez quand même **changer de l'argent (ou des travellers),** les banques américaines changent les devises étrangères moyennant une commission fixe assez importante. Changer une grosse somme est donc plus intéressant que de multiplier les petites transactions. En revanche, évitez les petits bureaux de change, car, sans parler d'arnaque, c'est là que la commission est la plus élevée.

Les cartes de paiement

C'est le moyen le plus économique de payer ! Tout simplement parce que l'opération se fait à un meilleur taux que si vous achetez des dollars dans une banque ou un bureau de change. Ici, on appelle les cartes de paiement **plastic money.** Les plus répandues aux États-Unis sont la *MasterCard* et la *Visa.* Indispensable, par ailleurs, pour louer une voiture ou réserver une chambre d'hôtel (même si vous avez tout réglé avant le départ par l'intermédiaire d'une agence, on prendra systématiquement l'empreinte de votre carte). Précaution au cas où vous auriez l'idée de partir sans payer les prestations supplémentaires, ce qu'on appelle les *incidentals* (parking, petit dej', téléphone, boissons...). L'*American Express* est également acceptée pratiquement partout, contrairement à la *Diners Club,* avec laquelle les commerçants doivent payer une commission substantielle sur chaque achat.

Les Américains paient tout en carte, même 5 US$! C'est plus simple et cela permet de garder une trace de l'achat et de bénéficier de certaines assurances souscrites avec la carte, sans frais supplémentaires.

– La carte **MasterCard** permet à son détenteur et à sa famille (si elle l'accompagne) de bénéficier de l'assistance médicale rapatriement, à condition de faire une demande préalable de prise en charge. En cas de problème, contacter immédiatement à Paris le ☎ 00-33-1-45-16-65-65. Sinon, en cas de perte ou de vol, appeler (24 h/24) à Paris le ☎ 00-33-1-45-67-84-84 (PCV accepté) pour faire opposition. À noter que ce numéro est aussi valable pour les cartes *Visa* émises par le *Crédit Agricole* et le *Crédit Mutuel.*
● www.mastercardfrance.com ●

– **Carte Visa :** assistance médicale incluse, numéro d'urgence : ☎ (00-33) 1-42-99-08-08. Pour faire opposition, contactez le numéro communiqué par votre banque.

– Pour la carte **American Express,** en cas de pépin : ☎ (00-33) 1-47-77-72-00, pour faire opposition, 24 h/24 (PCV accepté en cas de perte ou de vol). Des États-Unis, vous pouvez également appeler le ☎ 1-800-441-0519.
● www.americanexpress.com ●

– Pour toutes les cartes de paiement émises par **La Poste :** ☎ 0825-809-803 (pour les DOM : ☎ 05-55-42-51-97).

– Serveur vocal valable pour toutes les cartes de paiement : ☎ 0892-705-705 (0,34 €/mn).

Dépannage d'urgence

Bien sûr, c'est très cher, mais en cas de besoin urgent d'argent liquide, vous pouvez être dépanné en quelques minutes grâce au système **Western Union Money Transfer.** ● www.westernunion.com ●

– *Aux États-Unis :* ☎ 1-800-325-4045.

– *En France :* demandez à quelqu'un de déposer de l'argent à votre attention dans l'un des bureaux *Western Union.* Les correspondants en France sont *La Poste* (fermée le samedi après-midi, n'oubliez pas ! ☎ 0825-00-98-98 ; 0,15 €/mn) et le *Crédit commercial de France* (ouvert tous les jours de 9 h à 18 h ; ☎ 01-40-51-28-46). L'argent vous est transféré en 10-15 mn aux États-Unis. Évidemment, avec le décalage horaire, il faut que l'agence soit ouverte de l'autre côté de l'Atlantique, mais certaines restent ouvertes la nuit. La commission, assez élevée donc, est payée par l'expéditeur.

ACHATS

Certains achats restent très intéressants aux États-Unis, surtout depuis la bonne tenue de l'euro face au dollar. Attention toutefois : les prix varient énormément d'une boutique à l'autre. Mais d'une manière générale, profitez absolument des **soldes** pour faire vos emplettes. Toutes les occasions sont bonnes pour attirer le consommateur ! Du coup, les boutiques organisent des opérations les week-ends et jours fériés, pour la Saint-Valentin... En janvier, les réductions atteignent des sommets, surtout lorsque les commerçants font une remise supplémentaire sur le prix déjà soldé à partir d'un certain montant d'achats. C'est le moment de renouveler sa garde-robe ! Très bon plan : les **factory outlets**, d'énormes centres commerciaux situés à la périphérie des villes et signalés par des panneaux publicitaires le long des *interstates* (autoroutes). Ils regroupent les magasins d'usine des grandes marques américaines de vêtements et chaussures : *Ralph Lauren, Levi's, Timberland, Reebok, Nike, OshKosh, Gap, Eddie Bauer, Calvin Klein, Esprit, Tommy Hilfiger, Quicksilver,* etc. Les articles sont écoulés à des prix défiant toute concurrence (jusqu'à 75 % de réduction en période de soldes !) et proviennent souvent du stock des collections précédentes. Ils peuvent parfois présenter des défauts (mention *irregular* sur l'étiquette). Nous indiquons quelques adresses de ces véritables « temples des soldes », mais vous obtiendrez leur liste complète auprès du *Visitor Center* local. Les **premium outlets** font partie des plus connus. Ils sont situés dans des complexes bien léchés où les Américains viennent passer l'après-midi en famille.

De même, en centre-ville, on trouve des **shopping malls**, centres commerciaux souvent gigantesques regroupant pléthores de magasins (presque exclusivement des chaînes). Ces *malls* proposent régulièrement des soldes *(sales)*. Sachez enfin que les boutiques des grandes marques *(Levi's Store, Gap, American Outfitters...)* ne sont pas toujours moins chères que chez nous, mais proposent parfois des articles un peu différents.

Important : le prix de vos emplettes sera toujours affiché hors-taxe ; rajouter 6 à 10 %, sauf dans certains États exemptés de taxe, comme le Massachusetts et la Pennsylvanie.

Voici quelques articles susceptibles d'être intéressants :

– *Le prêt à porter.*

– *Les chaussures et vêtements de sport et de loisirs.* Pour vos chers bambins, également les célèbres salopettes *OshKosh B'Gosh* (les classiques sont à prix défiant toute concurrence dans les *outlets*).

– *Les DVD.* Assurez-vous avant tout achat que votre lecteur puisse les décrypter.

– *Les appareils photo, caméras,* et surtout leurs accessoires.

– *ATTENTION,* si vous devez acheter des *appareils électroniques* (lecteur DVD, matériel hi-fi...), assurez-vous qu'ils peuvent fonctionner correctement en France (tension et fréquence, notamment). Les consoles de jeux vidéo ne sont pas compatibles (hormis les *Game Boy*) ; même si le vendeur vous affirme le contraire, le système électronique est différent. De même, les postes de TV répondent à la norme américaine NTSC, incompatible avec notre procédé Secam. Sachez enfin que si, au retour, vous ne déclarez pas ces achats auprès du service des douanes, vous risquez de payer de fortes amendes (idem pour les appareils photo et caméras).

– *L'artisanat indien :* souvent beau, mais presque toujours très cher. Acheter de préférence aux Indiens eux-mêmes ou dans les boutiques spécialisées et agréées (qui reversent les bénéfices aux artisans indiens). Les produits des boutiques touristiques sont généralement importés (les tapis du Mexique, et les porte-monnaie... de Chine !).

Tableau comparatif entre les tailles

HOMMES								
Costumes	U.S.A.	36	38	40	42	44	46	48
	Métrique	46	48	50	52	54	56	58
Chemises	U.S.A.	14	$14^{1/2}$	15	$15^{1/2}$	16	$16^{1/2}$	17
	Métrique	36	37	38	39	41	42	43
Chaussures	U.S.A.	$6^{1/2}$	7	8	9	10	$10^{1/2}$	11
	Métrique	39	40	41	42	43	44	45
FEMMES								
Vêtements	U.S.A.		6	8	10	12	14	16
	Métrique		38	40	42	44	46	48
Chaussures	U.S.A.		$5^{1/2}$	6	7	$7^{1/2}$	$8^{1/2}$	9
	Métrique		36	37	38	39	40	41

BOISSONS

Les alcools

Le rapport des Américains à l'alcool n'est pas aussi simple que chez nous. La société, conservatrice et puritaine, autorise la vente des armes à feu, mais réglemente de manière délirante tout ce qui touche aux plaisirs « tabous » (sexe, marijuana, alcool). L'héritage de la Prohibition et, bien sûr, les lobbies religieux n'y sont pas pour rien. On peut acheter un pistolet mitrailleur et des caisses de munitions sans presque aucun permis mais, paradoxalement, on vous demande quasiment toujours une pièce d'identité quand vous achetez une simple bière ou une bouteille de pinard au supermarché, si vous paraissez un peu jeunot ! Il est impératif de sortir avec ses papiers car de nombreux bistrots, bars et boîtes de nuit les exigent à l'entrée. Enfin, dans certains *counties* (comtés), il est même impossible d'acheter de l'alcool le dimanche dans les supermarchés, voire tous les jours dans les *dry counties*.

– *Âge minimum :* le *drinking age* est 21 ans ; on ne vous servira pas d'alcool si vous n'êtes pas majeur ou si vous ne pouvez pas prouver que vous l'êtes. Il vous faudra donc impérativement votre *ID*, sous peine de vous voir refuser l'entrée des bars et des boîtes de nuit.

– *Vente et consommation surveillées :* dans la plupart des États, il est strictement interdit de boire de l'alcool (bière comprise) dans la rue. Vous serez surpris par le nombre de gens cachant leur canette de bière dans un sachet en papier ou dans une housse en néoprène censée conserver la fraîcheur. Interdit d'avoir des bouteilles ou canettes d'alcool dans la voiture, elles doivent impérativement être dans le coffre, en cas de contrôle par les *cops*. Certains États sont plus permissifs, mais il vaut mieux respecter cette règle. N'oubliez pas non plus que la vente d'alcool est en principe interdite dans les réserves indiennes. Les horaires de fermeture des boîtes sont aussi fixés par décret dans chaque État : ça peut être très tôt (à 2 h, tout le monde remballe), ou pas du tout...

– *Les vins :* on trouve de bons vins californiens qui enchanteront la curiosité des amateurs. Les progrès des vignerons sont considérables depuis quelques années ! Certains n'ont pas hésité à faire le voyage jusqu'en France, voire à s'y établir le temps d'une vendange ou deux, histoire d'acquérir le précieux savoir-faire de nos meilleurs producteurs. Ils vinifient des vins souvent charmeurs, faciles à apprécier, mais sans complexité... à l'image peut-être des gens qui les produisent ! Seule ombre au tableau, les crus, même les moins élaborés, se livrent à des prix toujours prohibitifs. Dans les restos, le prix du verre de vin tourne autour de 6 US$.

– **Les cocktails :** savez-vous que le *cocktail* est une invention américaine ? Peu de gens connaissent l'origine du mot qui signifie « queue de coq ». Autrefois, on apposait sur les verres des plumes de coq de couleurs différentes afin que les consommateurs puissent retrouver leur breuvage. Par ailleurs, en France, au XVIIe siècle, dans le Bordelais et les Charentes, existait une boisson à base de vins et d'aromates appelée *coquetel* ! Lequel des deux fut le premier ? Ne soyons pas trop chauvins... Quelques grands cocktails : *Manhattan* (vermouth rouge et bourbon), *Cocktail Martini* (gin et vermouth mélangés dans un shaker avec des glaçons), *Bloody Mary* (vodka et jus de tomate).

– **Le bourbon** (on dit « beur'beun », attention à la prononciation !) **:** impossible de passer sous silence ce whisky américain *(whiskey)* dont le Kentucky fournit une bonne moitié de la production. Cette région s'appelait autrefois le *Bourbon County,* dont le nom fut choisi en l'honneur de la famille royale française. C'est ainsi, depuis 1790 (en pleine Révolution française !), que le célèbre whisky américain porte le nom de bourbon. Pas étonnant non plus que la capitale du bourbon s'appelle Paris !

– **Happy hours :** beaucoup de bars attirent les foules après le travail, généralement entre 16 h et 19 h, en leur proposant de grosses réductions sur certains alcools.

Les boissons non alcoolisées

– **L'eau glacée :** dans les restaurants, la coutume est de servir d'emblée un verre d'eau glacée à tout consommateur. Quand on dit glacée, ce n'est pas un euphémisme, donc n'hésitez pas à demander sans glaçon *(without ice)* ou avec peu de glace *(with little ice).* Si vous êtes fauché, vous trouverez des fontaines d'eau fraîche dans de nombreux buildings et lieux publics.

– **Le thé et le café :** dans de nombreux restos et cafés (en particulier les *coffee shops* et pour le petit dej'), on peut redemander le café de base *(regular coffee)* autant de fois qu'on le désire *(free refill).* Notez que cela ne s'applique pas à tous les restos, ni à tous les repas, ni aux cafés plus élaborés. Sachez que le café américain est très, mais alors très allongé ! Heureusement, l'*espresso* poursuit son expansion fracassante aux États-Unis, et on peut désormais le déguster un peu partout. Notez aussi que chez les *Starbucks* et autres – les Américains ne faisant jamais les choses à moitié –, la carte des cafés présente en général un choix impressionnant de *cappuccini, mochas, caffè latte,* etc., servis chauds ou glacés. Enfin, les amateurs de thé ne seront pas gâtés : c'est *Lipton* bas de gamme garanti !

– **La root beer :** si vous voulez faire une expérience culturelle intéressante, goûtez à la *root beer,* ce sinistre breuvage au goût de chewing-gum médicamenteux est très apprécié par les *kids* américains, mais n'a rien à voir avec de la bière. Exercez-vous longtemps pour prononcer le mot (bien dire « rout bir »), sinon le visage profondément déconcerté de la serveuse vous fera reporter votre choix sur un banal Coca. Dans le même genre, vous pouvez essayer le *Dr. Pepper.* Une fois, mais pas deux.

– **Habitudes :** les Américains n'ont pas inventé le Coca-Cola (« Coke » pour les intimes) pour rien : ils consomment des sodas sucrés à longueur de journée. D'ailleurs, dans de nombreux fast-foods, *coffee shops* et autres petits restos, les sodas sont souvent à volonté. Pour s'en assurer, demander « *May I have a free refill, please ?* ».

BUDGET

Difficile de prévoir un budget précis dans ce vaste pays. Pourtant, une chose est sûre : l'embellie économique jusqu'en 2000 a motivé une augmentation drastique des prix. En une petite dizaine d'années, les tarifs des motels et

des hôtels ont ainsi presque doublé dans tout le pays. Et les campings gratuits ont pour ainsi dire disparu. Cela dit, l'actuelle bonne tenue de l'euro face au dollar allège considérablement la note ; mais pour combien de temps encore ! ? En slalomant entre les pièges de la surconsommation, on peut s'en tirer honorablement. Que ce soit pour le logement, la nourriture ou le transport, il existe toujours des solutions économiques. Le tout, c'est de ne pas être trop exigeant sur le confort, parce qu'alors là, les prix s'envolent... Et n'oubliez pas que voyager à plusieurs (4 est le nombre d'or) est le moyen le plus économique pour visiter les États-Unis.
– Globalement, avec un dollar un poil inférieur à l'euro, le coût de la vie est assez comparable aux États-Unis et en France. Toutefois, quelques bonnes surprises demeurent : le burger-frites à 6 US$, le trajet en bus à 1,50 US$, et l'essence plutôt bon marché, malgré une tendance récente à la hausse du prix du gallon, flambée des cours du baril oblige (compter 2,20 US$ le *gallon* = 3,8 litres)...
Très important : les prix affichés un peu partout (dans les restaurants, les hôtels, les boutiques...) s'entendent SANS LA TAXE, qui varie de 10 à 15 % dans l'hôtellerie et entre 5 et 10 % dans les autres secteurs (restauration, magasins...). Seuls les musées échappent à cette règle.

Les moyens de locomotion

Bien réfléchir. Votre choix dépendra en fait de 3 paramètres : combien vous êtes, où vous désirez aller, et du temps dont vous disposez. Schématisons : si vous êtes 4 ou 5 et que vous prévoyez de visiter plusieurs villes et de rayonner autour, la voiture est indispensable et vous fera économiser un temps et un argent fous (malgré les frais de parking). Juste un détail ; si vous optez pour la location d'un véhicule, éviter de le louer dans un aéroport (plus pratique mais plus cher). En revanche, les voyageurs solitaires au long cours prendront le bus pour des raisons économiques, mais aussi pour faire des rencontres ; tandis que les couples projetant de visiter Washington, Boston ou Chicago intra muros profiteront des bons réseaux de transports urbains.

Le logement

C'est une lapalissade, mais le budget consacré au logement variera énormément selon l'option choisie. Le plus économique est de circuler en voiture (ou en camping-car, mais la location revient plus cher, sauf si on est nombreux) et de *camper* dans les parcs nationaux. Les prix sont très raisonnables (de 10 à 25 US$ l'emplacement par jour). Les tarifs sont plus élevés dans les campings privés. Ceux qui n'ont pas la possibilité de planter leur tente pousseront la porte d'une **YMCA/YWCA** ou d'une **AJ.** On y trouve toujours des lits en dortoirs (autour de 20 US$ la nuit par personne). Ensuite, les *motels* proposent souvent un bon niveau de confort pour des prix raisonnables (de 40 à 80 US$ en moyenne pour une nuit en chambre double). Ils disposent souvent de chambres pouvant accueillir 4 personnes et curieusement, le prix d'une chambre pour 4 personnes n'est pas beaucoup plus élevé que celui d'une double. Enfin, pour une nuit dans un *hôtel* ou un *B & B*, il faudra s'intéresser plutôt aux catégories « Plus chic ».
Les prix varient généralement selon la saison, sauf dans les YMCA, les AJ et les *B & B* qui pratiquent souvent les mêmes tarifs toute l'année. La haute saison débute *grosso modo* en mai, pour s'achever en septembre ; mais certains établissements débutent en mars et poussent jusqu'en novembre ! Dans les régions désertiques du Sud, elle s'étire de novembre à mars-avril. En basse saison, les tarifs diminuent de 20 à 40 %, et plus encore (il faut bien attirer le client !) dans les régions du Sud, particulièrement torrides en été... Il faut savoir aussi que bien souvent, les hôtels et motels font payer un supplément le week-end, ou lorsque la période est *busy* en raison d'un événement local.

Les prix indiqués dans le guide sont ceux d'une chambre pour 2 personnes en haute saison et HORS-TAXE.

Voici nos **fourchettes de prix,** valables *grosso modo* pour l'ensemble du guide, à l'exception de la région de Cape Cod (Massachusetts) et Chicago, où les prix sont plus élevés.

– **Très bon marché :** moins de 25 US$ (lit pour une personne).
– **Bon marché :** de 35 à 55 US$ (chambre double).
– **Prix moyens :** de 55 à 80 US$ (chambre double).
– **De plus chic à chic :** de 80 à 120 US$ (chambre double).
– **Très chic :** plus de 120 US$ (chambre double).

ATTENTION, les **taxes** à rajouter vont de 10 à 15 % selon l'état et la qualité de l'établissement. Sachez encore que le petit dej' est rarement compris. Comptez alors 8-10 US$ pour un *American breakfast,* 5-7 US$ pour un *continental breakfast,* qui peut atteindre 10 US$ dans certains hôtels plus huppés. Il est souvent gratuit dans les motels, mais la qualité... passons.

La nourriture

Il est souvent possible de se caler vite fait bien fait sans se ruiner. Pour environ 5 US$, on trouve des sandwichs et des hamburgers partout (c'est pas un scoop !). Pour une poignée de dollars supplémentaires, on peut opter pour des *today's specials* (plats du jour), des salades ou des formules *all you can eat.* Pour plus de détails, se reporter à la rubrique « Cuisine ».

Il faut savoir que dans de nombreux restaurants, en particulier dans les grandes villes, les mêmes plats coûtent plus cher le soir que le midi (3 à 4 US$ de plus), surtout si le cadre est joli. Ainsi, de nombreux restos offrent sandwichs, burgers et salades pour un lunch à des prix « Bon marché ». Puis, au moment du *dinner,* la carte propose des plats cuisinés dont les prix flirtent souvent avec la catégorie « Plus chic » ; ce qui n'est pas toujours justifié pour la qualité fournie... Il est donc conseillé de bien manger le midi, quitte à casser une petite graine le soir.

Voici les fourchettes de prix correspondant aux plats principaux proposés sur les cartes des restos. Il s'agit bien de fourchettes moyennes, qui peuvent subir quelques distorsions selon la ville. Pour un repas complet, rajouter en fonction de votre appétit et vos petites envies ; entrées, desserts... Mais bien souvent, le plat principal suffit.

– **Bon marché :** moins de 11 US$.
– **Prix moyens :** de 11 à 16 US$.
– **Chic :** de 16 à 22 US$.
– **Très chic :** au-delà de 22 US$.

Attention encore : pour obtenir l'addition finale, ne pas oublier d'ajouter la taxe aux prix indiqués sur la carte (entre 5 et 10 %), ainsi que le pourboire ou *tip* (voir la rubrique « Taxes et pourboires », plus loin).

Les loisirs

Petit avertissement pour ceux qui sont ric-rac côté finances. Les sirènes de la consommation ont plus d'un tour dans leur sac pour vous séduire. Bref, lors de la préparation budgétaire de votre futur merveilleux voyage, ne vous serrez pas trop la ceinture côté plaisir.

CIGARETTES ET CIGARES

Aux États-Unis, d'une manière générale, il est interdit de fumer dans les lieux publics (bus, magasins, cinémas, théâtres, musées, hôtels, restos, etc.). Impossible d'y déroger, on ne rigole pas. Dans l'État du Massachusetts (certes pas réputé pour sa tolérance), il faut désormais avoir 18 ans pour pouvoir acheter son paquet de clopes !

Sachez enfin que les cigarettes sont globalement plus chères qu'en France, et que leur prix varie du simple au double suivant les États et les magasins (fumeurs, faites donc votre stock au *duty-free* !). Elles s'achètent dans les stations-service, les boutiques d'alcool, etc., mais aussi dans des distributeurs automatiques, où elles sont souvent plus chères.

Suite à la poursuite de l'embargo, les cigares cubains sont interdits à la vente. On pourra parfois vous en proposer, mais ils datent d'avant l'embargo (!) ou sont entrés illégalement dans le pays ou, le plus fréquemment, ce sont des faux, c'est-à-dire des dominicains déguisés en cubains. En résumé, on vous gruge !

CLIMAT

Du fait de l'immensité du territoire, les climats sont très variés. Sur la côte Est, c'est la Caroline du Nord qui fait office de frontière entre ces 2 types de climat. En hiver, des vents glacés soufflent sur le Nord, alors que dans le Sud-Est, on cultive les palmiers et on taille les haies d'hibiscus. En simplifiant, on peut dire que le climat du Sud-Est (de la Caroline du Sud au Mississippi) est presque subtropical, avec des étés chauds et très humides et des hivers relativement doux et secs (en Géorgie, par exemple), alors que dans le Nord, les étés sont chauds et les hivers froids (comme à Boston).

– Il est difficile de transformer de tête les degrés Fahrenheit en degrés Celsius. Aux degrés Fahrenheit, soustraire 30, diviser par 2 et ajouter 10 % – ou enlever 32 et diviser par 1,8. Une dernière méthode de conversion (approximative, certes) pour les nuls en calcul mental : retrancher 26 °F, puis diviser par 2 et vous aurez des Celsius !

– **Infos sur la météo :** ● www.weather.com ● Utile pour bien préparer ses itinéraires en voiture ou à pied.

Tableau d'équivalences

Celsius	Fahrenheit	Celsius	Fahrenheit
100	212	16	60,8
40	104	14	57,2
38	100,4	12	53,6
37	98,6	10	50
36	96,2	8	46,4
34	93,2	6	42,8
32	89,6	4	39,2
30	86	2	35,6
28	82,4	0	32
26	78,8	– 2	28,4
24	75,2	– 4	24,8
22	71,6	– 6	21,2
20	68	– 8	17,6
18	64,4		

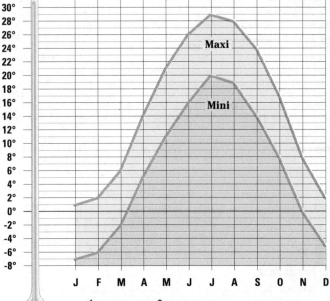

ÉTATS-UNIS CÔTE EST (Chicago - ILLINOIS) :
Moyenne des températures atmosphériques

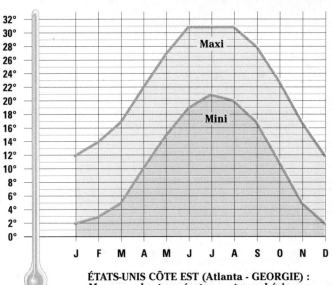

ÉTATS-UNIS CÔTE EST (Atlanta - GEORGIE) :
Moyenne des températures atmosphériques

CUISINE

L'Américain moyen mange mal et trop. Aucune hygiène alimentaire n'est apprise à l'école ou à la maison. Seule la quantité importe. Cela ne veut pas dire qu'il n'y a pas de cuisine américaine. Dès qu'on s'intéresse à un État en particulier, on s'aperçoit des différences culinaires et même des antagonismes entre régions. Cuisine cosmopolite (française, asiatique, mexicaine...) et branchée (bio et végétarienne) en Californie, *soul food* et viandes grillées à l'honneur dans les États du Sud, en sauce et avec beaucoup de légumes dans le Tennessee et la Géorgie, cubaine en Floride, créole en Louisiane, cosmopolite et débridée à New York... On trouve de tout et à tous les prix. En tout cas, « bouffer » est l'un des péchés mignons des Américains, et les tentations sont grandes de le faire souvent, et souvent trop. Vous serez d'ailleurs frappé par le nombre d'obèses. Près de 30 % des Américains le sont... L'obésité coûte si cher au pays (entre autres, 400 000 morts par an, à peine moins que le tabac) que le président Bush lui-même, en 2002, l'a considérée comme ennemi national n° 2 (après Ben Laden, bien sûr !).

On trouve une foule de snacks vendant hot dogs, burgers... Ils ne sont pas chers, mais guère nourrissants. D'ailleurs certains hamburgers sont pensés pour aiguiser la faim : le premier aussitôt avalé, vous en achetez un second... C'est donc payer pour pas grand-chose de pas très bon. On recommande quand même quelques adresses dont la qualité des burgers se distingue...

Le *breakfast*

Le breakfast *made in America* est l'un des meilleurs rapports qualité-quantité-prix qu'on connaisse. Pour les Américains, c'est souvent un vrai repas, copieux et varié (qui inclut des plats salés) et qu'ils prennent souvent dehors. Un peu partout, vous trouverez des restos qui servent le petit dej' (certains ne font même que ça), des cafétérias, des *diners,* des *coffee shops*... La carte est souvent longue comme le bras avec, au choix : jus de fruits, céréales, *hash browns* (pommes de terre râpées et grillées), *pancakes* ou pain perdu que l'on appelle ici *french toast* et non « *lost bread* », et puis bien sûr, des œufs, que l'on vous sert brouillés *(scrambled),* en omelette (*omelette* en anglais dans le texte) ou sur le plat *(fried).* Sur le plat, il peut être ordinaire *(sunny side up)* ou retourné et cuit des deux côtés comme une crêpe *(over).* Dans ce cas, pour éviter que le jaune ne soit trop cuit, demandez-le *over easy* (légèrement). Ils peuvent également être mollets *(boiled)* ou durs *(hard boiled).* On peut aussi y ajouter du jambon, du bacon, des saucisses, beaucoup de ketchup, quelques *buttered toasts,* des *french fries* (frites françaises).

Ne pas oublier les muffins, à la framboise, aux myrtilles ou aux groseilles, moelleux et délicieux, qu'on trouve surtout dans les *coffee shops.* Beaucoup d'Américains mangent des bagels, traditionnellement tartinés de *cream cheese* ou des *donuts* (beignets en forme d'anneau, un peu grassouille forcément). Ils peuvent être nature, fourrés avec de la crème ou de la confiture, recouverts de chocolat, de sucre ou de sirop d'érable. Attention, dans les petits dej' ou les brunchs tout compris à prix défiant toute concurrence, la boisson chaude n'est pas incluse.

Le *lunch* et le *dinner*

Dans la plupart des restos (on ne parle pas de fast-foods, mais bien de vrais restos), le lunch est généralement servi de 11 h à 14 h 30. Puis les portes se ferment pour rouvrir vers 17 h. En dehors des grandes villes, on dîne tôt ; rien de plus normal que de se rendre au restaurant à partir de 18 h 30. D'ailleurs, passé 21 h-21 h 30 en semaine, vous aurez le plus grand mal à mettre les pieds sous une table. Heureusement, les restos de chaînes ferment bien plus tard.

– Impossible de ne pas évoquer les **today's specials** (ou *specials* tout court, ou encore *specials of the day*), ces incontournables plats du jour, servis en fait midi et soir. Ils sont affichés à l'entrée du restaurant. Si vous optez pour un *special* ou un plat principal, vous aurez parfois droit en prime à une soupe (*New England clam chowder* par exemple) ou une salade d'accompagnement à prix réduit, ce qui cale son homme pour une poignée de dollars. Très fréquent le soir, un peu moins le midi.

– Un bon truc assez économique, rapide et sain : les **salad bars** dans les **deli-sections** des supermarchés, qu'on trouve un peu partout aux États-Unis (ne pas confondre avec les *delicatessen* de New York). Un choix de crudités, de salades, plats cuisinés chauds ou froids de toutes sortes, y compris des plats chinois ou mexicains, des desserts, des fruits frais, etc., à consommer sur place *(for here)* ou à emporter *(to go)* dans une barquette en plastique. Idéal pour les végétariens qui font le plein de verdure pour trois fois rien. Il vous suffit de remplir une barquette et de passer à la caisse : on paie au poids (de 6 à 8 US$ la *pound,* soit 454 g) et on assaisonne à sa façon. On vous donne même des couverts en plastique, une serviette, du sel et du poivre... Attention, dans certaines épiceries, les aliments ne sont pas de toute première fraîcheur... Privilégier les endroits plutôt fréquentés.

– Goûter aux nombreuses **sauces** (*dressings*) qui accompagnent les salades et changent de notre classique vinaigrette (qui porte ici le nom d'*Italian dressing,* alors que la *French dressing,* comme son nom ne l'indique pas, se rapproche plutôt de la sauce tomate). La *blue cheese* est parfumée (si l'on peut dire) au bleu ; la *thousand island,* de couleur rosée, plutôt exotique, avec mayonnaise, cornichons et œufs durs hachés ; la *Caesar,* au goût prononcé d'ail et de parmesan, accompagne bien la célèbre *Caesar salad* (romaine, croûtons, parmesan et poulet grillé ou crevettes sautées pour sa version luxe). Sans oublier la *ranch* qui laisse une haleine de cowboy (à l'ail), pour ne citer que les plus connues.

– Certains restos proposent des formules buffets appelées **all you can eat** (« tout ce que vous pouvez manger »). Pour une poignée de dollars, vous pouvez vous en mettre plein la lampe. Une bonne manière de goûter à tout. La fraîcheur est garantie, la qualité un peu moins. Sinon, dans les grandes villes, certains restos font ça une fois par semaine, le jour le plus creux. Sympa et pas cher.

Le **brunch**

Les samedi et dimanche matin, après la grasse matinée, il est typique de prendre un brunch. Ainsi, bon nombre de restaurants servent, à partir de 10 h 30, le brunch, formule qui contient des mets à mi-chemin entre le breakfast et le lunch. En général, on en a pour sa faim, ne négligez donc pas cette option qui peut vous faire deux repas en un. Comme pour les petits dej', la boisson est rarement incluse.

Les **spécialités**

– **La viande :** la viande de bœuf est de 1er ordre, mais assez chère. Pour nous, le meilleur morceau (et le plus tendre) est le *prime rib* (à ne pas confondre avec le *spare-ribs* qui est du travers de porc). On oserait dire qu'il n'y a pas d'équivalent chez nous. Essayer, c'est l'adopter. Comme les animaux sont de plus petite taille que les nivernais ou les charolais, on peut s'attaquer à un *T-bone,* c'est-à-dire la double entrecôte avec l'os en T. Si vous aimez la viande cuite « à point » comme en France, demandez-la *medium rare,* saignante se disant *rare* (prononcer « raire »). Mais il est parfois difficile d'obtenir de la viande *vraiment* saignante ! Si au contraire vous préférez votre steak bien cuit, demandez-le *well done.* L'Ouest des cowboys et des *cattlemen* a donné à l'Amérique et au reste du monde la recette indispensable : le barbecue, accompagné de son cortège de sauces en fla-cons. Le poulet frit du Kentucky (ou d'ailleurs) est également l'une des bases du menu américain.

– **Le hamburger :** il n'a pas là-bas la détestable image qu'il a chez nous, même si les chaînes de fast-foods proposent des viandes vraiment bas de gamme (bien pire qu'en France). Toutefois, pour le plaisir des papilles, on trouve de vrais restos de burgers qui servent des viandes fraîches, *juicy*, tendres et moelleuses (on vous en demande la cuisson), prises entre deux tranches de bon pain frais. Non, le hamburger n'est pas forcément mauvais ! Essayez au moins une fois, vous risquez bien d'être agréablement surpris. Si vous voulez des frites, tomates, salade, etc., demandez-le « *deluxe* ».

– Tout ce que vous avez toujours voulu savoir sur le **sandwich :** soyez méfiant vis-à-vis du mot « sandwich ». Le sandwich que nous connaissons en Europe s'appelle en américain *cold sandwich*. À ne pas confondre avec les *hot sandwiches*, qui sont de véritables repas chauds avec frites et salade, donc plus chers. Au fait, savez-vous d'où vient le nom « sandwich » ? Il tire son nom du comte Sandwich (un anglais), joueur invétéré qui, pour ne pas quitter sa table de jeux, demanda à son cuisinier de lui inventer ce nou-veau type de repas.
Choisir son pain quand on vous propose un sandwich est tout un art. Les *submarines* (ou *subs*) sont des sandwichs un peu plus élaborés que les autres.
Et le **hot dog** alors ? Il est né en 1941, lorsque l'Amérique entra en guerre contre l'Allemagne. Ainsi, les *frankfurters* (saucisses de Francfort) commen-cèrent à être cuites « hot » ; mesure de rétorsion symbolique contre ces « dogs » de nazis !

– **Les assaisonnements** *(dressings)* : lire plus haut, « Le lunch et le *dinner* ».

– **Le pop-corn :** si vous achetez du pop-corn, précisez si vous le voulez avec du sucre, sinon ils le servent salé. On peut aussi le demander avec du beurre fondu. Dans les cinémas, les mômes achètent des seaux entiers de pop-corn (et un litre de Coca !) et grignotent durant toute la séance.

– **Le peanut butter :** ou beurre de cacahuètes, le *Nutella* des petits et des grands Américains. Ils ont pour habitude de se faire des sandwichs de pain de mie avec beurre de cacahuètes sur une tranche, et confiture de raisin ou d'orange sur une autre... Existe en version *crunchy* pour les gourmands !

– **Les glaces :** voilà un autre chapitre de la gastronomie américaine qui vaut la peine qu'on s'y arrête. Il y a des milliers de glaciers comme *Dairy Queen*, une chaîne nationale, *Baskin Robbins* (plus de 30 parfums !) ou *Ben & Jerry's*. En plus de faire des glaces succulentes, *Ben & Jerry's* est une entreprise citoyenne et originale, qui emploie des personnes en difficulté, et achète des produits bio.
La glace est présentée en cornet, ou bien dans un petit récipient en carton avec, par-dessus, toutes sortes de garnitures *(toppings)*. Cela s'appelle un *sundae*... à la fraise, à la noix de coco râpée, avec des ananas, au cara-mel, ou au *hot fudge* (avec du chocolat chaud et fondu plus des noix ou des cacahuètes).
On vous conseille aussi le *frozen yogurt* (yaourt glacé), un peu plus léger en matières grasses tout en ayant une texture onctueuse. On peut y ajouter des *toppings* comme des M & M's, des noix ou des céréales. Et puis on trouve, bien sûr, de délicieux milk-shakes mixés avec de grandes louchées de glace à la vanille, à la banane ou à la fraise et des *malts* (avec de la poudre de malt dedans, un délice).

– **Les desserts :** certains les trouvent alléchants, d'autres écœurants rien qu'à regarder... Les plus connus sont les *cheese cakes* (gâteaux au fromage blanc), *carrot cakes* (gâteaux aux carottes) ; mais aussi les *chocolate cakes*, *apple pies* (tourte à la pomme), *pecan pies* (à la noix de pécan), *pumpkin pies* (célèbre tarte au potiron, typique de la période d'Halloween), etc.

Bon à savoir

– La plupart des bars proposent des **happy hours** (généralement de 16 h à 18 h). La nourriture est souvent discountée si l'on a payé le prix d'une boisson : de quoi éviter la cuite à celui ou celle qui voudrait profiter des *happy hours* l'estomac vide... L'idée du *happy hour,* c'est donc de boire et grignoter *avant* le dîner, ce qui explique que, souvent, un restaurant soit adjacent au bar.
– Si, à cause du décalage horaire, vous avez faim tôt, profitez des tarifs **early bird** (littéralement « oiseau en avance ») : pour étendre leurs heures de service et faire plus de profit, certains restaurants ouvrent dès 17 h ou 17 h 30 et proposent, pendant 1 h ou un peu plus, des prix spéciaux pouvant atteindre - 30 % sur une gamme de plats.
Lire aussi, plus loin, la rubrique « Savoir-vivre et coutumes ».

Les chaînes de restauration

Disséminées dans tous les États-Unis, ces chaînes de restaurants vous garantissent une même qualité de Boston à San Francisco. À côté des universels *McDo, Burger King* et *Wendy's,* on peut essayer les *Denny's* (très familial ; on y sert de traditionnels et copieux burgers), *Country Kitchen, Jack in the Box* (assez « prolo »), les *Houses of Pancakes* et autres *Dunkin' Donuts* pour les petits creux. Côté buffets, notre préférence va sans hésiter à *Shoney's* et *Ryan's,* où, pour environ 8 US$, vous serez rassasié. Dans un genre plus élaboré, *Cracker Barrel* propose une cuisine saine et roborative dans un cadre souvent attrayant. Mais dans tous les cas, ne vous hasardez pas dans les *Subway* : cuisine graillonneuse garantie ! Tous ces restos de chaîne proposent des *salad bars* (lire plus haut « Le lunch et le dinner »).

Les supermarchés

Pour les fauchés, c'est la meilleure solution pour manger pas cher et quand même bien. Souvent ouverts jusqu'à minuit, les supermarchés sont presque tous équipés de quelques tables et chaises pour consommer sur place ce qu'on achète. Et la plupart ont des *salad bars* ou *deli-sections,* où l'on peut acheter salades variés (crudités mais aussi salades de fruits), plats cuisinés froids ou chauds...

DANGERS ET ENQUIQUINEMENTS

Inutile de vous inquiéter, il n'existe pas de réels dangers sur la côte Est des États-Unis. Les grandes villes traitées dans ce guide (Boston, Chicago, Philadelphie, Lancaster, Washington, Nashville, Memphis et Atlanta) sont *safe* dans l'ensemble. Néanmoins, éviter de traîner dans le *downtown* après la tombée de la nuit. C'est en général dans ces quartiers que viennent échouer les laissés-pour-compte de la société américaine. Pas de parano non plus, soyez vigilant le soir, c'est tout, mais comme partout finalement. Globalement, si vous n'allez pas au-devant du danger, celui-ci ne viendra pas tout seul à vous.
De façon générale, ne laissez rien dans votre véhicule car les voitures de location sont parfois vite repérées et forcées. Petit conseil : quand vous vous garez, laissez donc visible l'intérieur de votre coffre en ôtant le rabat, si c'est possible. Les voleurs potentiels, observant qu'il n'y a rien à voler, passent leur chemin. De même, si vous optez pour des motels modestes, évitez d'y

laisser des objets de valeur lorsque vous quittez votre chambre, même pour aller simplement dîner en ville. En effet, les serrures sont souvent enfantines à crocheter. En revanche, pour les établissements possédant des cartes-clés, pas de problème.

– Enfin, en cas de problème urgent, composer le ☎ 911 (gratuit de n'importe quel téléphone public; inutile d'introduire des pièces).

DÉCALAGE HORAIRE

Il y a 4 fuseaux horaires aux États-Unis (6 avec l'Alaska et Hawaii). Toute la côte Est se trouve sur le fuseau *Eastern time* : il est 6 h de moins qu'en France. En revanche, l'Illinois (Chicago) et le Tennessee (Nashville et Memphis) sont dans le fuseau *Central time,* il est donc 7 h de moins qu'en France. D'avril à fin octobre, comme chez nous, avancez vos montres de 1 h dans la quasi-totalité des États. Enfin, comme en Grande-Bretagne, quand on vous donne rendez-vous à 8.30 pm, cela veut dire à 20 h 30. À l'inverse, 8.30 am désigne le matin. Pensez-y, cela vous évitera de vous lever de très bonne heure pour rien ! Enfin, notez que 12 a.m. c'est minuit et 12 p.m. midi... et pas l'inverse. Retenez surtout que si vous êtes crevé les premiers jours, c'est le *jet lag.*

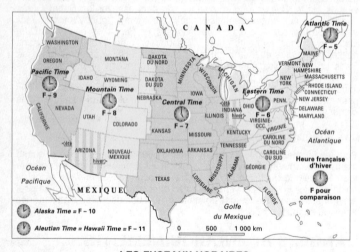

LES FUSEAUX HORAIRES

DROITS DE L'HOMME

« Je n'ai jamais ordonné la torture. Je n'ordonnerai jamais la torture. » Acculé, George W. Bush a bien du mal à convaincre, lorsqu'il s'agit de contester les preuves de plus en plus nombreuses des sévices infligés aux prisonniers irakiens, révélées au fil des mois par la presse américaine. Des documents officiels qui montrent en effet que les plus hauts responsables de l'État étaient non seulement au courant, mais ont clairement autorisé l'emploi de « moyens illégaux » dans la conduite des « interrogatoires » ayant trait à la lutte antiterroriste.

Depuis le 11 septembre 2001, les associations américaines de défense des libertés ne cessent en outre de dénoncer l'érosion des droits fondamentaux aux États-Unis. Le « Patriot Act » et le « Combatting terrorism Act », adoptés peu après les attentats, ont en effet accordé des pouvoirs supplémentaires à l'État fédéral, entre autres en matière de surveillance (communications, Internet...) et d'arrestations sans contrôle judiciaire. Des centaines de personnes d'origine étrangère ont été arrêtées après les attentats, puis relâchées ou expulsées pour la plupart d'entre elles, sans qu'aucune charge ne leur soit notifiée.

Mais la société civile américaine est restée vigilante et n'a cessé de combattre les dérives de la politique sécuritaire. Elle se bat notamment pour que les centaines de personnes présumées membres d'Al Qaida encore détenues à Guantanamo aient droit à un procès équitable. Sur requête de la FIDH et de son membre aux États-Unis, le Center for Constitutional Rights, leur détention a été jugée « arbitraire » par les Nations unies. Et le 28 juin 2004, la Cour suprême a statué qu'un « combattant ennemi » détenu à Guantanamo peut désormais contester la légalité de sa détention devant un tribunal américain.

Les partisans de l'abolition de la peine de mort (65 exécutions recensées en 2003) remportent également des batailles non négligeables en basant principalement leurs revendications sur les risques d'erreurs judiciaires. Certains gouverneurs (Illinois, Maryland) se sont en effet prononcés pour un moratoire sur les exécutions, des études ayant en effet démontré le caractère inégalitaire du système judiciaire américain et font état de disparités raciales dans les cas de peine de mort.

Mais les inégalités ne sont malheureusement pas propres à l'institution judiciaire et se retrouvent à bien d'autres niveaux dans la société américaine. Amnesty dénonce, entre autres, le traitement des quelque « 5 000 à 6 000 mineurs immigrés (incarcérés) au mépris des normes internationales ». L'organisation dénonce en outre « le recours excessif à la force par des policiers et des membres du personnel pénitentiaire » (rapport annuel 2004). Des manifestations antiguerre ont, par exemple, été sévèrement réprimées en 2003.

L'administration Bush s'oppose toujours systématiquement à la mise en place de la Cour pénale internationale. Néanmoins, face au tollé suscité par la torture en Irak, elle a dû renoncer à imposer une nouvelle résolution à l'ONU qui empêchait de poursuivre devant la Cour pénale internationale tout membre d'une force de maintien de la paix en opération à l'étranger, qu'il soit soldat ou non. Enfin, la suppression des aides au développement pour les associations favorables au droit à l'avortement condamne de nombreuses associations (planning familial...) à fermer ou réduire leurs activités, et le nombre de femmes qui meurent dans le monde (78 000 par an) des suites d'un avortement clandestin ne cesse d'augmenter.

Pour en savoir plus, n'hésitez pas à contacter :

■ **Fédération internationale des Droits de l'homme (FIDH) :** 17, passage de la Main-d'Or, 75011 Paris. ☎ 01-43-55-25-18. Fax : 01-43-55-18-80. ● www.fidh.org ● fidh@fidh.org ● Ⓜ Ledru-Rollin.

■ **Amnesty International** (section française) **:** 76, bd de la Villette, 75964 Paris Cedex 19. ☎ 01-53-38-65-65. Fax : 01-53-38-55-00. ● www.amnesty.asso.fr ● info@amnesty.asso.fr ● Ⓜ Belleville ou Colonel-Fabien.

N'oublions pas qu'en France aussi les organisations de défense des Droits de l'homme continuent de se battre contre les discriminations, le racisme et en faveur de l'intégration des plus démunis.

ÉCONOMIE

Le « 11 septembre » a contribué à affaiblir une économie américaine déjà fragile. Les secteurs les plus touchés sont : les transports (compagnies aériennes, notamment), le tourisme, les assurances, l'automobile, les médias et l'immobilier. La consommation des ménages est en perte de vitesse et le taux de chômage affiche une augmentation constante ; il atteint même son plus haut niveau depuis une vingtaine d'années.

En 2003, c'est au tour de la guerre en Irak de détourner l'attention médiatique et de retarder encore un peu la fameuse reprise économique... Cette guerre coûte des centaines de milliards de dollars au gouvernement américain. La dette nationale, déjà colossale, augmente de plus en plus vite et le cours du billet vert est en baisse.

L'année 2004 est marquée par un passage à vide de l'économie américaine, « *soft patch* » comme on dit là-bas. Difficile de prévoir la suite, mais avec un gouvernement aussi endetté, et des consommateurs *grosso modo* dans le même cas, toute reprise ne peut être que fragile.

À la fin du XIXe siècle, le Nord-Est américain était une des régions les plus industrialisées du monde. Au XXe siècle, la plupart des industries traditionnelles du Nord-Est ont fait l'objet de relocalisations dans des pays étrangers où les biens sont produits à moindre coût. Des villes industrielles comme Pittsburgh, Detroit, Cleveland et Baltimore ont été particulièrement éprouvées. Mais ces quatre villes, comme la plupart des cités du Nord-Est, ont des plans de revitalisation ambitieux, comportant des symboles d'une qualité de vie nouvelle comme des parcs portuaires extraordinaires ; les grandes villes du Nord-Est sont ainsi beaucoup plus sûres et agréables qu'il y a vingt ans à peine. Ces revitalisations urbaines sont financées en grande partie grâce aux industries et emplois de l'économie du savoir, celle des industries de l'électronique, des communications, de l'informatique et des biotechnologies. Ces industries sont soutenues par la présence des universités du Nord-Est, les plus prestigieuses des États-Unis. Le Nord-Est a repris le rôle de chef de file économique qu'il détenait au XIXe siècle... sans les cheminées !

ÉLECTRICITÉ

Généralement : 110-115 volts et 60 périodes (en France : 220 volts et 50 périodes). Attention : si vous achetez du matériel, prévoyez l'adaptateur électrique qui convient. De même, sachez que les fiches électriques américaines sont plates. On conseille d'acheter l'adaptateur en France, difficile à trouver sur place.

ENVIRONNEMENT

La conquête de la nature réputée sauvage fait partie intégrante de l'histoire des États-Unis. Dans ces conditions, on comprend mieux que l'écologie (fortement institutionnalisée et accompagnée d'une législation stricte) soit jugée potentiellement menaçante, et même considérée comme la grande rivale du capitalisme américain. Pour preuve, en mars 2001, le président Bush rejetait le protocole de Kyoto sur le réchauffement climatique, estimant qu'il risquait de porter atteinte à l'économie américaine. Élaboré en 1997, ce protocole exige des pays industriels qu'ils réduisent leurs émissions de gaz carbonique (les États-Unis en émettent, à eux seuls, près du quart sur la planète, alors qu'ils ne représentent que 4 % de la population mondiale) et autres gaz à effet de serre, d'ici à 2010. Face au tollé général soulevé par cette annonce, le président américain a confirmé que « la croissance économique est la clé du progrès environnemental, car elle fournit les ressources permettant d'investir dans les technologies propres... ». Une jolie pirouette (cacahuète !), quand même accompagnée de crédits pour la recherche sur le climat, d'incitations financières pour l'industrie, et surtout d'allégements fiscaux pour les ménages qui achèteraient des voitures moins polluantes ou des équipements fonctionnant à l'énergie éolienne ou solaire.

Les principales organisations écologistes américaines, *Natural Resources Defense Council, Sierra Club* (● www.sierraclub.org ●) ou encore *Friends of the Earth,* tentent bien de faire évoluer l'état d'esprit de l'administration américaine à grand renfort de rapports critiques sur la pollution de l'air, de l'eau, des plages, sur l'état de la faune et de la flore... Mais c'est véritablement chez les citoyens que l'écologie a touché les consciences, avec une bonne longueur d'avance sur les Européens. Si la voiture propre remporte aujourd'hui un succès considérable outre-Atlantique, les sites Internet à vocation écolo se multiplient et avisent de plus en plus de gens. Voici, pour plus d'informations, le site officiel consacré à la protection de l'environnement aux États-Unis : ● www.epa.gov ●

FÊTES ET JOURS FÉRIÉS

Les jours fériés

Ils varient suivant les États. Mais voici les jours fériés sur l'ensemble du territoire. Attention, presque toutes les boutiques sont fermées ces jours-là.
– *Martin Luther King Birthday :* vers le 3e lundi de janvier, celui le plus près de son anniversaire, le 15 janvier.
– *Presidents' Day :* le 3e lundi de février, pour honorer la mémoire des présidents américains.
– *Easter (Pâques) :* les boutiques sont généralement fermées le dimanche et certaines aussi le lundi.
– *Memorial Day :* le dernier lundi de mai. En souvenir de tous les morts au combat. Correspond au début de la saison touristique.
– *Independence Day :* le 4 juillet, fête nationale.
– *Labor Day :* le 1er lundi de septembre, la fête du Travail. Marque la fin de la saison touristique.
– *Colombus Day :* le 2e lundi d'octobre, en souvenir de la « découverte » de l'Amérique par Christophe Colomb.
– *Veteran's Day :* le 11 novembre.
– *Thanksgiving Day :* le 4e jeudi de novembre. Fête typiquement américaine commémorant le repas donné par les premiers immigrants (les pères pèlerins) en remerciement à Dieu et aux Indiens de leur avoir permis de survivre à leur 1er hiver dans le Nouveau Monde.
– *Christmas Day :* le 25 décembre.
– *New Year Day :* le 1er janvier.
– Impossible de clore une rubrique sur les fêtes sans évoquer celle d'*Halloween,* la nuit du 31 octobre au 1er novembre. Cette tradition celte, importée par les Écossais et les Irlandais, est aujourd'hui célébrée avec une grande ferveur aux États-Unis. Sorcières ébouriffantes, fantômes et morts vivants envahissent les rues, tandis que les enfants, déguisés eux aussi, font du porte-à-porte chez les voisins en demandant « *Trick or treat* » (« Une farce ou un bonbon ? »), en repartant les poches pleines de bonbecs.

GÉOGRAPHIE

Les États-Unis ou le pays des contrastes : falaises vertigineuses du Grand Canyon ou interminable platitude du désert de l'Arizona, fermes clairsemées du Montana ou jungles urbaines de la côte Est... Le gigantisme de ce pays semble embrasser toute la palette des paysages qui existent sur la planète ! On parle souvent de l'immensité du territoire américain, et pour cause : 9,4 millions de km^2, 5500 km d'est en ouest et 3000 km du nord au sud. Pour la côte Est, objet de ce guide, on notera qu'il y a plus de 2000 km entre le sud de la Géorgie et le nord du Maine. D'est en ouest, retenons les 1 300 km entre Philadelphie et le Mississippi. Bref un peu moins de 2 millions de km², soit le quart des États-Unis.

Paysages contrastés donc (ça alors!), mais, si en Europe le paysage varie fréquemment, on peut souvent faire chez l'oncle Sam plus de 1 000 km sans changement notable. Comme cette magnifique Parkway qui va des environs de la maison de Jefferson (à Monticello, au sud de Washington) vers Natchez (Louisiane) : c'est très vert, bien tondu des deux côtés de la route, désert, et ce, sur plus de 2 000 km !

De la côte Atlantique au Mississippi et du Canada à la Géorgie, on découvre sept grands types de paysages.

La Nouvelle-Angleterre porte bien son nom : nombreuses bourgades et urbanisme plutôt européen à Boston, paysages côtiers verdoyants avec haies et rideaux d'arbres, marinas entre Boston et New York. En revanche, le nord de la chaîne des Appalaches, culminant à 1 917 m exactement (mont Washington), évoque plutôt le Massif central...

Les Grands Lacs forment la frontière avec le Canada : lacs Supérieurs, Huron, Michigan, Érié, Ontario, par ordre de taille décroissant, avec les chutes du Niagara entre les deux derniers. C'est une zone industrielle : à Detroit siègent les trois plus grands groupes automobiles mondiaux.

Les vallées du Connecticut (le fleuve), de l'Hudson et du Delaware (le fleuve, encore) coupent perpendiculairement la chaîne des Appalaches. Ces vallées glaciaires couvertes d'immenses forêts constituaient des sites accueillants, et c'est là que s'installèrent, au XVIIe siècle, les premiers colons venus d'Angleterre. Ces profondes vallées relient la zone des Grands Lacs à l'Atlantique. En remontant le Delaware, on va vers les chutes du Niagara. Rappelons au passage que le 1er port du monde (New York) a prospéré à l'embouchure de l'Hudson.

Les Appalaches centrales forment un paysage très verdoyant, avec des lignes de crêtes aux hauteurs homogènes, qui font un effet de ligne bleue des Vosges (Blue Ridge Mountains). Leur face ouest recèle d'importantes mines de charbon, en Pennsylvanie, au Kentucky, en Virginie occidentale (qui fut d'ailleurs créé par scission, pendant la guerre de Sécession, pour que ses mines de charbon restent avec les fédérés du Nord!). D'ailleurs, Pittsburg, la capitale du charbon, se trouve en Virginie.

Les Appalaches du Sud, également nommées « Piémont », sont de hautes « collines » recouvertes d'argile rouge où l'on cultiva le coton, avant d'y développer une forte activité industrielle en tirant parti de ses nombreuses chutes d'eau.

Entre les Appalaches et l'Atlantique, au sud de Washington, s'étend une grande plaine monotone au climat très homogène qui fait 250 km de large dans sa partie nord et 450 km dans celle du sud. Le climat est subtropical, et les côtes sont plates et marécageuses : ces terres furent celles de l'esclavage, du coton et du tabac (Virginie, Caroline du Nord et du Sud, Géorgie).

À l'ouest des Appalaches, nouveau décor! Les plaines du Centre abondent de maïs qui nourrit les bovins locaux. Dans le Kentucky, haras de chevaux et culture du tabac. Tout cela arrosé par sa majesté le Mississippi, qui relie la zone des Grands Lacs au golfe du Mexique.

HÉBERGEMENT

L'hébergement pose un gros problème aux États-Unis, car il est très onéreux. On trouve parfois des coupons de réduction pour les hôtels et motels dans certains journaux distribués gratuitement en ville (dans les *Visitor Centers*, les hôtels, restos, etc.). En haute saison, réserver tout de même à l'avance.

Le prix du petit dej' est rarement inclus dans le prix de la chambre. Si c'est le cas, la plupart du temps, il se résume à une tasse de café insipide, des céréales et quelques gaufres ou muffins pâteux. En revanche, la plupart des chambres disposent de cafetières : pratique.

IMPORTANT : le prix des chambres est négociable, en période creuse notamment (surtout si vous arrivez en fin de journée et que vous payez en liquide), et d'autant plus depuis la désaffection touristique. La phrase à savoir est donc : « *Could I have a discount ?* » Signalons aussi le site Internet ● www.hotels.com ● qui recense des milliers d'hôtels à prix cassés partout aux États-Unis (également par téléphone : ☎ 1-800-2-HOTELS).

ATTENTION : dans les endroits touristiques, il est conseillé de réserver son hôtel le plus longtemps possible à l'avance. Les moyens les plus utilisés sont tout simplement l'e-mail, le fax et le téléphone (il s'agit d'ailleurs très souvent de numéros gratuits si vous téléphonez des États-Unis). On vous demandera le numéro de votre carte de paiement. Attention, si vous ne pouvez pas prendre votre chambre, vous serez certainement débité quand même, à moins bien sûr de prévenir au moins 1 ou 2 jours à l'avance. Dans les *B & B,* le délai d'annulation est souvent plus long.

GÉNÉRALITÉS

Les auberges de jeunesse

Il existe une vingtaine d'AJ *Hostelling International* (ou *Hostelling International American Youth Hostels*) dans la zone couverte par ce guide. Elles sont signalées par un triangle bleu contenant une hutte et un arbre.

Un conseil, procurez-vous dès votre arrivée sur le sol américain le petit guide gratuit édité par *Hostelling International,* recensant toutes les AJ, les tarifs, coordonnées complètes, etc.

Les prix sont généralement assez abordables (rien cependant de comparable avec l'Europe, voir la rubrique « Budget », plus haut). En ville *(downtown)* ou à la campagne, on est souvent logé dans de superbes bâtiments historiques. Aucune limite d'âge. De nombreuses auberges rurales sont fermées entre 10 h et 17 h, celles des grandes villes étant en général toujours ouvertes. Couvertures et oreillers sont fournis, draps en location. Comme les *YMCA,* certaines AJ ont, en plus des dortoirs, des chambres doubles avec sanitaires privés, mais le rapport qualité-prix est moins bon que dans un motel par exemple. On pourra parfois vous demander de participer aux tâches ménagères (dans certaines AJ, renseignez-vous, il est possible d'« échanger » son séjour contre quelques heures de travail). La carte internationale des AJ n'est pas obligatoire pour être admis à dormir, mais vous paierez plus cher (3 US$ par nuit) si vous ne l'avez pas. Cette carte coûte un peu plus de 15 € en France, 2 fois plus aux États-Unis. Voir la rubrique « Avant le départ », plus haut. En cas d'oubli, on peut se la procurer dans toutes les auberges *Hostelling International* ou sur Internet.

En haute saison, il est conseillé de réserver à l'avance. Plusieurs possibilités :

– *Sur Internet :* ● www.hiusa.org ● (cliquez sur « *Reservations* » et choisissez votre date).

– *Par téléphone ou fax,* en contactant directement l'AJ.

– *Par téléphone, depuis les États-Unis :* ☎ 1-800-909-4776. Avoir sa carte de paiement sous la main et taper les 3 premières lettres de la ville où se trouve l'AJ. Pour composer les numéros avec des lettres, lire la rubrique « Télécommunications » plus loin.

– *Par courrier :* en écrivant directement à l'AJ, mais plus long et moins commode.

■ Pour ceux qui désirent se procurer la carte **Hostelling International** avant de partir, l'organisation **Hostelling International** est représentée à Paris par la **Fédération unie des auberges de jeunesse (FUAJ).** Coordonnées plus haut dans la rubrique « Avant le départ ».

La FUAJ propose 3 guides répertoriant toutes les AJ du monde : un pour la France, un pour l'Europe et un pour le reste du monde (les 2 derniers sont payants).

Les YMCA (pour les hommes) et YWCA (pour les femmes)

Il s'agit de centres d'hébergement modernes, dotés d'installations sportives assez impressionnantes, proposant des chambres fonctionnelles et bien tenues mais sans charme. Les YMCA/YWCA sont relativement chères, elles correspondent à un hôtel de moyenne gamme. Compter ainsi de 80 à 100 € pour une double avec bains (tarifs au départ de la France). Pour bénéficier de tarifs moins onéreux, il faudra opter pour une place en dortoir de 4 à 8 personnes. À remarquer que les YMCA sont généralement mixtes, tandis que les YWCA sont toujours réservées aux filles exclusivement. Les « Y » (prononcer « waille ») sont en général très centrales. Beaucoup d'étudiants et de jeunes du coin ou des travailleurs en déplacement y résident ; c'est donc un moyen sûr et rapide de se faire des connaissances sur la ville, et de connaître les bons plans.

Le seul problème des « Y » est qu'elles sont souvent complètes, surtout le week-end. Réserver le plus longtemps possible à l'avance ; mais on peut également se pointer vers 11 h, au moment du *checkout*. Vous serez alors dans les premiers à bénéficier des quelques chambres qui seront libérées.

■ Il existe un site Internet en France consacré aux **YMCA** : ● www.ucjg-ymca-france.org ● Et 2 e-mails : l'un pour les réservations : ● ys.way.france @wanadoo.fr ● ; l'autre pour les renseignements : ● alliance.nationale@ ucjg-ymca-france.org ●

■ Par ailleurs, l'**UCJG** (Alliance nationale des Unions chrétiennes de jeunes gens) propose une sélection de YMCA et YWCA, mais pas partout aux États-Unis : 5, pl. de Vénétie, 75013 Paris. ☎ 01-45-83-62-63. Fax : 01-45-83-35-52. ⓜ Porte-de-Choisy. Pas de lits en dortoir, seulement en chambres individuelles ou doubles. Le prix des nuits est à régler en euros, avant le départ. Compter 11 € de frais de dossier ; 2 € pour les moins de 16 ans.

Les campings

On en trouve partout ou presque, des grands, des petits, des beaux, des modestes, particulièrement près des endroits touristiques. La plupart sont abordables, assez bien aménagés, spacieux et situés en pleine nature. Bref, rien à voir avec leurs homologues européens. Utile (mais encombrant par son poids !), le *Woodall's Campground Directory*, qui recense les campings américains (vente en ligne sur ● www.woodalls.com ●).

Quelques tour-opérateurs proposent plusieurs itinéraires en camping-tours particulièrement bien conçus. Voir les adresses plus haut, dans le chapitre « Comment y aller ? ».

À notre avis, le camping est une bonne solution pour voyager économique aux États-Unis, même si vous devez intégrer dans ce budget la location d'une voiture (indispensable car les terrains sont mal desservis par les transports en commun). Enfin, sachez que certains *trailer parks* n'acceptent pas les tentes, uniquement les camping-cars *(RVs)*.

Il existe plusieurs types de campings :

Les campings nationaux et d'État (campgrounds)

Ce sont les moins chers (autour de 10 US$) et on paie généralement pour l'emplacement (ou par véhicule) jusqu'à 6 personnes. En prime, les *campgrounds* sont généralement situés dans les meilleurs endroits, en pleine nature. Dans certains sites non équipés, il arrive que ce soit gratuit, mais c'est de plus en plus rare. On les trouve partout dans les National Parks, National Monuments, National Recreation Areas, National Forests et State Parks. Dans les *campgrounds* nationaux les moins fréquentés, il faut déposer une enveloppe avec le prix de la nuit dans une urne, en notant sur l'enveloppe vos nom et adresse, le numéro minéralogique de la voiture et celui de l'emplacement de camping retenu. N'essayez pas d'en profiter, car les rangers veillent et l'amende est alors salée. L'espace entre l'emplacement de chaque tente est le plus souvent très grand. Mais ce n'est pas une raison pour faire du bruit le soir car beaucoup de parcs imposent des *quiet hours* dès 20 h. Il y a toujours des lavabos, mais pas nécessairement des douches ni d'électricité. Presque partout, un emplacement est prévu pour le feu de camp (pensez à bien éteindre avant de vous coucher, c'est une des hantises des parcs nationaux, surtout en été) et pour le barbecue. Également une table et des bancs dans la plupart des cas. Arrivez tôt le matin pour réserver votre emplacement dans les parcs nationaux, ou mieux, réservez à l'avance quand c'est possible, car en été la demande est très forte. Dans certains parcs, il n'est pas possible d'obtenir une réservation. Dans ce cas, le 1er arrivé est le 1er servi *(first come, first served !)*. Pensez aussi à faire vos courses dans un supermarché avant d'entrer dans les parcs. Les boutiques sont rares, plus chères et moins fournies. Enfin, n'oubliez pas d'emporter des vêtements chauds. Certains parcs sont en altitude, et il arrive qu'en septembre ou en juin il gèle la nuit.

– **Réservations pour camper dans les parcs nationaux :** fortement conseillé de réserver (on peut le faire jusqu'à 5 mois à l'avance).

➢ *Par téléphone :* ☎ 1-800-365-2267 ou (301) 722-1257 depuis l'étranger. On donne son numéro de carte de paiement et sa date d'expiration au téléphone, ou éventuellement on envoie un mandat, mais c'est plus long et plus compliqué. Un numéro de réservation vous est donné, à ne pas perdre puisque ce sera votre sésame une fois arrivé au parc. Le paiement enregistré, s'il reste assez de temps avant votre séjour, on vous envoie un *voucher* de confirmation. Si certaines des informations qui y figurent sont erronées, rappelez en urgence le ☎ 1-800-388-2733.

➢ *Sur Internet :* ● http://reservations.nps.gov ● Le service fonctionne de 10 h à 22 h, heure de la côte Est (6 h de moins par rapport à la France), et se révèle vraiment plus pratique que le téléphone.

➢ *Par courrier :* NPRS, PO Box 1600, Cumberland MD 21501. N'oubliez pas dans ce cas d'inclure tous les détails nécessaires : votre nom, celui du parc et du camping désirés, les dates d'arrivée et de départ, le nombre de personnes, le type de site demandé (pour tente ou camping-car) et le type de paiement (mandat ou numéro de carte de paiement).

Les terrains de camping privés

Globalement moins bien car souvent plus exigus, ils offrent toutefois un certain nombre de commodités : eau courante, électricité, installations sanitaires, mais aussi des tables de pique-nique et des grilles pour vos barbecues (si vous prévoyez d'emporter un brûleur, adoptez un modèle récent de la marque Camping-Gaz ; on trouve assez facilement les recharges sur place). Il existe aussi des chaînes de camping telles que *KOA (Campgrounds of America)* qui possèdent des infrastructures de qualité et qui ne sont pas si chères que cela : aménagements pour caravanes et camping-cars, douches, machines à laver, self-service, épicerie, aires de jeux pour les enfants, tables de pique-nique et même des piscines ! Ils disposent souvent de petits bungalows en bois confortables *(cabins)*. La chaîne *KOA* édite une brochure très complète (disponible dans tous ses campings) qui contient toutes les adresses dans les 50 États et leur emplacement précis sur une carte routière. On peut se procurer également une carte d'abonnement qui coûte autour de 10 US\$ et donne droit à 10 % de réduction.

■ *KOA (Campgrounds of America) :* ● www.koakampgrounds.com ●

Les motels

D'autant plus intéressants que l'on peut prendre une chambre à un lit et y loger à plusieurs (!), à condition de ne pas trop se faire remarquer. Il ne faut pas oublier que les Américains dorment dans des lits plus grands que les nôtres et que la plupart des motels proposent des chambres avec un *king bed* (2 m) ou 2 *queen beds* (1,60 m de large ; idéal pour une famille de 4 personnes). Souvent situés près d'une route ou d'une *freeway,* ils sont plutôt anonymes, et les chambres – au confort standardisé – sont toujours propres mais quelquefois un peu vétustes. Les motels bon marché, souvent plus convenables que les hôtels de même catégorie, ont quand même l'inconvénient d'être éloignés du centre-ville. Toutefois, la plupart sont ouverts 24 h/24. Il existe aussi des chaînes de motels économiques : **Econo Lodge** (surtout sur la côte Est) et **Motel 6** (surtout sur la côte Ouest) sont les meilleur marché, avec d'autres, comme **Budget Inn, Quality Inn, Red Carpet Inn** ou **Motel 8.** La plupart d'entre eux disposent de piscine, TV (souvent satellite ou câblée), AC, sanitaires privés... Les communications téléphoniques locales sont le plus souvent gratuites, comme le parking. Dans le 1er *Motel 6* où vous descendrez, demandez l'annuaire des *Motel 6* aux États-Unis. Les *Motel 6* affichent un bon rapport qualité-prix, mais sont souvent complets. Situés à la périphérie des villes et sur les axes routiers, ils sont facilement repérables (enseigne bleu et rouge) et très pratiques d'accès. On recense plus de 800 *Motel 6* dans tous les États-Unis. Mais attention, les tarifs changent d'un établissement à un autre, en fonction de la situation géographique surtout. Ici, un *Motel 6* sera bon marché alors que là, il pourra chatouiller la rubrique « Plus chic ». Il existe également des *Studio 6,* tout équipés, avec une cuisine, pour les séjours supérieurs à 4 nuits. Sachez enfin que les deux plus grandes chaînes américaines de motels sont *Holiday Inn* et *Howard Johnson,* situés principalement sur la côte Est.

■ **Motel 6 :** réservations aux États-Unis : ☎ 1-800-4-MOTEL-6. Fax : 1-423-893-6482. ● www.motel6.com ●
■ **Econo Lodge :** n'est plus représenté en France. Toutefois, il existe un numéro de réservation gratuit pour les Français : ☎ 0800-91-24-24 (valable aussi pour d'autres chaînes, comme *Quality Inn, Clarion*). ● www.econolodge.com ●

Quelques tuyaux valables pour les hôtels et les motels, en vrac

– Les prix que nous indiquons s'entendent sans la **taxe** de l'État (de 10 à 15 %). Dur !
– En règle générale, **mieux vaut réserver sa chambre le plus longtemps possible à l'avance.** En haute saison, c'est indispensable. Cela se fait de plus en plus par e-mail (plus simple, surtout d'Europe) mais bien sûr, c'est également possible par téléphone (beaucoup d'hôtels proposent un numéro gratuit mais utilisable uniquement aux États-Unis), ou encore par fax. Quel que soit le moyen choisi, on vous demandera un numéro de carte de paiement. Dans la plupart des hôtels, vous pourrez annuler sans frais votre réservation jusqu'à 48 h ou même 24 h avant la date d'arrivée. Noter aussi que dès votre arrivée, on prendra l'empreinte de votre carte de paiement, pour les *incidentals* comme ils disent, à savoir les frais de téléphone (beaucoup plus élevés que d'une cabine !), minibar ou autres.
– La plupart des hôtels proposent des chambres équipées de **TV, clim'** et **sanitaires complets.**
– **Assez peu d'hôtels proposent le petit dej',** et encore plus rares sont ceux qui l'incluent dans le prix de la chambre. Un peu plus souvent néanmoins, l'hôtel propose aux clients du café et des muffins dans le *lobby.* Quoi qu'il en soit, ce sera plutôt l'occasion d'aller prendre un café ou un petit dej' à

l'extérieur, d'autant que les restos dédiés à ça ne manquent pas aux États-Unis : en dehors de nos adresses bien sûr, on trouve des cafétérias ou des *coffee shops* un peu partout.
– Cela peut surprendre ici, mais la plupart des hôtels proposent toujours des chambres *fumeurs.* Bien choisir sa catégorie : risque de surtaxe pour avoir perverti l'atmosphère de la chambre avec l'odeur du tabac !
– Faites attention au *checkout time,* heure au-delà de laquelle vous devez payer une nuit supplémentaire. C'est généralement 12 h, parfois 11 h.
– *Le téléphone :* téléphoner des hôtels coûte très cher. Se renseigner à l'avance pour éviter de mauvaises surprises. Dans la plupart des hôtels, une caution est demandée par la réception pour prévoir les éventuels appels donnés depuis les chambres. Cette caution peut être versée en liquide (10 ou 20 US$). Plus souvent, le réceptionniste prend l'empreinte de votre carte de paiement, par sécurité (au cas où vous partiriez sans payer vos communications !). Si vous avez téléphoné de votre chambre, le montant des appels téléphoniques sera ensuite débité sur votre compte. Mais attention au cas suivant : vous avez payé avec un coupon *(voucher),* vous avez laissé l'empreinte de votre carte de paiement, mais vous n'avez pas téléphoné. Pensez alors, au moment de partir, à demander au réceptionniste qu'il déchire devant vous le papier avec l'empreinte. Car certains hôteliers, peu honnêtes ou peu rigoureux, peuvent l'utiliser pour débiter votre compte. Ça nous est arrivé une fois !

Les *Bed & Breakfast*

Ils sont assez répandus et permettent de passer un séjour bien agréable dans d'anciennes demeures de charme, et dans une atmosphère souvent familiale. Leur capacité d'accueil est évidemment limitée (de deux à une petite dizaine de chambres au maximum), c'est d'ailleurs ce qui fait une partie de leur attrait. Les tarifs sont plus élevés, certes, mais ils comprennent un bon petit dej' très copieux. En y regardant à deux fois, ça peut valoir le coup, surtout si l'on envisage de loger dans un motel ou un hôtel où il faut ajouter le prix du petit dej'. Le *checkout* des *B & B* est souvent assez tôt. Enfin, les fumeurs et les enfants de moins de 10 ans sont rarement les bienvenus.

L'échange d'appartements

Une formule de vacances originale et très pratiquée outre-Atlantique. Il s'agit, pour ceux qui possèdent une maison, un appartement ou un studio, d'échanger leur logement contre celui d'un adhérent du même organisme dans le pays de leur choix, pendant la période des vacances. Cette formule offre l'avantage de passer des vacances à l'étranger à moindres frais, et intéressera en particulier les jeunes couples avec enfants. Voici 2 agences qui ont fait leurs preuves :

■ *Intervac :* 230, bd Voltaire, 75011 Paris. ☎ 01-43-70-21-22. Fax : 01-43-70-73-35. ● www.intervac.com ● Ⓜ Rue-des-Boulets. Adhésion : 100 € par an, comprenant une annonce valable 12 mois consécutifs sur Internet (avec photo), et sur l'un des deux catalogues internationaux édités au cours de l'année.
■ *Homelink International :* 19, cours des Arts-et-Métiers, 13100 Aix-en-Provence. ☎ 04-42-27-14-14. Fax : 04-42-38-95-66. ● www.home link.fr ● Adhésion annuelle : 110 € pour une annonce sur Internet (accessible avec mot de passe aux adhérents internationaux) et 170 € pour une annonce à paraître dans l'un de leurs trois catalogues internationaux édités de décembre à mai, ainsi que sur leur site Internet.

Les terminaux de bus

Ce n'est pas le rêve et ça peut même parfois tourner au cauchemar, mais sachez qu'il est toujours possible d'y dormir, surtout lorsque vous arrivez en bus en pleine nuit et que vous repartez tôt le lendemain. Certaines stations ne restent pas ouvertes toute la nuit, donc vérifiez avant de vous faire jeter dehors en pleine nuit. Guère tranquille toutefois, car beaucoup de monde, donc de bruit... Ces stations d'autocars restent intéressantes pour dormir quand on est vraiment fauché (à condition d'avoir un billet de bus). Elles sont souvent situées dans des quartiers sinistres alors forcément, on y voit des gens étranges, pas toujours recommandables, des jeunes marginaux ou tout simplement des exclus de la société américaine (et ils sont nombreux). L'ambiance, certains soirs, n'est pas des plus gaies ni des plus rassurantes. D'un autre côté, vous croiserez bon nombre de routards voyageant en bus *Greyhound*. Et puis, la nuit, ces endroits sont généralement gardés et on y trouve des distributeurs de boissons et de nourriture. De nombreux fauteuils dans les terminaux possèdent une TV incorporée ; intéressant en cas d'insomnie, mais peu pratique en tant qu'oreiller... Moralité, il est préférable de dormir dans les stations plutôt que de s'évertuer à trouver un hôtel minable dans le coin. Si l'on espère dormir dans un terminal, il vaut mieux dépenser entre 1 et 6 US$ pour mettre ses bagages à la consigne, car il y en a trop qui se réveillent au petit matin avec plus grand-chose. Enfin, se méfier des propositions de logement que l'on pourrait vous faire : ce sont souvent des disciples de la secte Moon qui recrutent... Bref, soyez vigilant, ça peut être dangereux.

HISTOIRE

Quelques dates

– *35000 à 15000 av. J.-C. :* premières migrations de populations d'origine asiatique à travers le détroit de Béring.

– *2640 av. J.-C. :* les astronomes chinois Hsi et Ho auraient descendu la côte américaine par le détroit de Béring.

– *1000-1002 apr. J.-C. :* Leif Erikson, fils du Viking Erik le Rouge, explore les côtes de Terre-Neuve et du Labrador, et atteint peut-être ce qui est aujourd'hui le nord-est des États-Unis.

– *1492 :* découverte de l'Amérique par Christophe Colomb.

– *1524 :* découverte de la baie de New York par Giovanni Da Verrazano.

– *1585 :* fondation d'une colonie anglaise sur l'île de Roanoke.

– *1607 :* fondation de Jamestown (Virginie) par le capitaine John Smith.

– *1613 :* découverte des chutes du Niagara par Samuel de Champlain.

– *1619 :* premiers esclaves noirs dans les plantations de Jamestown.

– *1620 :* le *Mayflower* débarque à Cape Cod avec 100 pèlerins qui fondent Plymouth (les pères pèlerins).

– *1636 :* création du collège *Harvard,* près de Boston.

– *1647 :* Peter Stuyvesant, 1er gouverneur de New York.

– *1650 :* légalisation de l'esclavage.

– *1692 :* chasse aux sorcières à Salem (Massachusetts).

– *1718 :* fondation de La Nouvelle-Orléans par Jean-Baptiste Le Moyne.

– *1776 :* adoption de la Déclaration d'indépendance le 4 juillet.

– *1784 :* New York élue provisoirement capitale des États-Unis.

– *1789 :* George Washington désigné 1er président des États-Unis.

– *1790 :* Philadelphie devient provisoirement capitale des États-Unis.

– *1800 :* Washington devient capitale des États-Unis à la place de Philadelphie.

– *1830 :* fondation de l'Église mormone par Joseph Smith à Fayette (État de New York).

– *1831 :* 2 millions d'esclaves aux États-Unis.
– *1843 :* invention de la machine à écrire.
– *1847 :* invention du jean par Levi Strauss.
– *1849 :* ruée vers l'or en Californie.
– *1857 :* invention de l'ascenseur à vapeur par E. G. Otis.
– *1861-1865 :* guerre de Sécession. En 1865, Abraham Lincoln proclame l'abolition de l'esclavage.
– *1867 :* les États-Unis achètent l'Alaska à la Russie.
– *1871 :* création du Yellowstone National Park.
– *1872 :* invention du chewing-gum par T. Adams. Premier brevet pour la télégraphie sans fil déposé par Mahlon Loomis.
– *1876 : Les Aventures de Tom Sawyer* de Mark Twain. Invention du balai mécanique par M. R. Bissel.
– *1880 :* 1er gratte-ciel en acier à Chicago.
– *1886 :* invention du Coca-Cola par J. Pemberton. La statue de la Liberté, de Frédéric Bartholdi, est offerte aux États-Unis pour symboliser l'amitié franco-américaine à New York (une copie est érigée sur le pont de Grenelle à Paris).
– *1895 : Sea Lion Park,* 1er parc d'attractions américain, à Coney Island.
– *1903 :* fabrication du fameux Teddy Bear par Morris Michtom, surnom au départ donné à Theodore Roosevelt qui chassait l'ours dans le Mississippi et qui refusa de tuer un ours attaché à un arbre.
– *1906 :* grand séisme de San Francisco.
– *1911 :* 1er studio de cinéma à Hollywood.
– *1913 :* construction à New York du *Woolworth Building* par Cass Gilbert (le plus élevé à l'époque).
– *1914 :* création de la Paramount.
– *1916 :* 1er magasin d'alimentation libre-service à Memphis, Tennessee.
– *1921 :* 1re Miss America.
– *1923 :* création de la *Warner Bros* par Harry M. Warner.
– *1924 :* l'Indian Citizenship Act, citoyenneté américaine des Indiens.
– *1925 :* Hoover est le 1er président à utiliser la radio pour sa campagne électorale.
– *1927 :* création de l'oscar du cinéma par Louis Mayer.
– *1928 : Walt Disney* crée le personnage de Mickey Mouse.
– *1929 :* construction du *Royal Gorge Bridge,* pont le plus haut du monde (321 m), au-dessus de l'Arkansas dans le Colorado. Krach de Wall Street le jeudi 24 octobre. Ouverture du MoMA à New York.
– *1930 :* 1er supermarché, ouvert à Long Island.
– *1931 :* construction de l'Empire State Building à New York.
– *1932 :* New Deal instauré par Franklin Roosevelt pour remettre sur pied l'économie américaine.
– *1933 :* invention du Monopoly par Charles B. Darrow.
– *1936 :* l'athlète noir américain Jesse Owens remporte 4 médailles d'or aux J.O. de Berlin.
– *1937 :* 1er caddie (créé en 1934 par Raymond Josef) testé dans un magasin d'Oklahoma City.
– *1939 : La Chevauchée fantastique* de John Ford. *Autant en emporte le vent,* réalisé par Victor Fleming, Sam Wood et George Cukor.
– *1941 :* attaque japonaise à Pearl Harbor (Hawaii) le 7 décembre. Déclaration de guerre des États-Unis au Japon le 8 décembre. Déclaration de guerre de l'Allemagne et de l'Italie aux États-Unis le 11 décembre.
– *1944 :* débarquement allié en Normandie le 6 juin.
– *1945 :* bombes atomiques sur Hiroshima et Nagasaki les 6 et 9 août.
– *1946 :* début de la guerre froide. Winston Churchill parle du « Rideau de fer ».

– *1948 :* 1er fast-food, créé par 2 frères, Maurice et Richard McDonald.

– *1949 :* naissance de l'OTAN à New York.

– *1950 :* début du maccarthysme, croisade anticommuniste par le sénateur McCarthy.

– *1951 :* construction du musée Guggenheim à New York par l'architecte Frank Lloyd Wright.

– *1952 :* début de l'Action Painting (ou expressionnisme abstrait) lancé par Rosenberg, qui consiste à projeter des couleurs liquides (Pollock, De Kooning, Kline, Rothko).

– *1953 :* exécution des Rosenberg, accusés d'espionnage.

– *1955 :* ouverture du parc d'attractions Disneyland en Californie.

– *1960 :* début du pop art lancé par Andy Warhol.

– *1962 :* décès de Marilyn Monroe le 5 août.

– *1963 : Ich bin ein Berliner,* discours historique de Kennedy le 26 juin. Assassinat de John F. Kennedy à Dallas le 22 novembre.

– *1964 :* début de la guerre du Vietnam.

– *1966 :* fondation des Black Panthers à Oakland par des amis de Malcom X. *Black Power,* expression lancée par Stockeley Carmichael, prônant le retour des Noirs en Afrique.

– *1968 :* assassinat de Martin Luther King le 4 avril. Le 5 juin, Bob Kennedy, frère de John, meurt lui aussi assassiné.

– *1969 : Easy Rider* de Dennis Hopper. Premiers pas de Neil Armstrong sur la lune. Mythique concert de Woodstock, dans l'État de New York.

– *1971 :* ouverture du premier Starbucks Café à Seattle.

– *1973 :* construction du World Trade Center (417 m) à New York. Élections des premiers maires noirs à Los Angeles, Atlanta et Detroit. Cessez-le-feu au Vietnam. Insurrection indienne à Wounded Knee (Dakota).

– *1974 :* la crise du Watergate entraîne la démission de Richard Nixon.

– *1975 :* légalisation partielle de l'avortement.

– *1979 :* accident nucléaire à Three Mile Island.

– *1981 :* attentat contre Ronald Reagan.

– *1982 :* courant Figuration libre inspiré des graffiti, de la B.D. et du rock. Keith Haring en est l'un des plus célèbres représentants.

– *1984 :* la statue de la Liberté est inscrite sur la liste du Patrimoine mondial de l'Unesco. J.O. de Los Angeles boycottés par les pays de l'Est.

– *1986 :* la navette Challenger explose en direct.

– *1987 :* création d'Act Up (mouvement d'action et de soutien en faveur des malades du sida).

– *1988 :* gigantesque incendie au parc de Yellowstone. Un cinquième du parc est détruit.

– *1989 :* séisme de magnitude 7,1 à San Francisco (55 morts).

– *1991 :* 17 janvier-27 février : guerre du Golfe.

– *1992 :* émeutes à Los Angeles (59 morts et 2 300 blessés). Élection de Bill Clinton.

– *1993 :* le 19 avril, 80 membres (dont 25 enfants) d'une secte millénariste, les davidiens, périssent à Waco dans l'incendie de leur ferme assiégée depuis 51 jours par le FBI. La même année, Toni Morrison reçoit le prix Nobel de littérature.

– *1994 :* séisme à Los Angeles (51 morts). Signature de l'Alena, accord de libre-échange avec le Mexique et le Canada. Affaire Whitewater, enquête liée aux investissements immobiliers des Clinton.

– *1995 :* le sénat du Mississippi ratifie enfin le 13e amendement de la Constitution des États-Unis, mettant un terme à l'esclavage ! Attentat d'Oklahoma City par des extrémistes de droite (170 morts).

– *1996 :* J.O. à Atlanta. Réélection de Bill Clinton.

– *1998 :* début du Monicagate le 21 janvier.

– *1999 :* tuerie de Litteltown (Colorado) : deux ados se suicident après avoir abattu douze de leurs camarades et un professeur du lycée de Columbine.

Décès de Bill Bowerman, cofondateur de la firme Nike. La légende raconte qu'il avait créé la chaussure mythique dans sa cuisine avec... un moule à gaufres.
– *2000* : en décembre, George W. Bush devient le 43ᵉ président des États-Unis.
– *2001* : le 11 septembre, les États-Unis sont victimes de la plus grave attaque terroriste de l'histoire mondiale (3000 morts).
– *2003* : de fin mars à mi-avril, guerre en Irak, suivie par l'occupation militaire du pays par la coalition formée par les États-Unis. Le 14 août, une panne d'électricité géante paralyse 8 États de la côte Est des États-Unis (dont New York) pendant près de 29 h. En septembre, les États-Unis rejoignent l'Unesco, après 20 ans de désertion. Le 7 octobre, Arnold Schwarzenegger élu gouverneur de la Californie.
– *2004* : en mai, Michael Moore reçoit la Palme d'or à Cannes pour son film-pamphlet contre l'Amérique de Bush, *Fahrenheit 9/11*. George W. Bush est réélu président des États-Unis en novembre.

Le Nouveau Monde

Tout au bout de nos rêves d'enfant se trouve un pays, un pays dont on partage les clichés et les mythes avec le monde entier. Des bidonvilles asiatiques aux intellectuels occidentaux en passant par les hommes d'affaires japonais et les apparatchiks de l'ex-Union soviétique, nous avons tous bien plus que « quelque chose de Tennessee » en nous ! Certains s'élèvent contre un impérialisme culturel et/ou politique et en dénoncent les dangers. D'autres vont boire à ces sources qui leur inspirent des œuvres telles que *Paris, Texas* qui sont tellement américaines qu'elles ne peuvent être qu'européennes !
Cette fascination assez extraordinaire que nous éprouvons pour ce pays ne peut être expliquée seulement par sa puissance industrielle ou son dollar... Peut-être avons-nous tous, imprimé dans notre subconscient, ce désir, ce rêve d'un nouveau monde... La preuve, Mickey et les westerns ont fini par appartenir à notre culture. Un comble !

Le détroit de Béring

Les colons nommèrent les Indiens « Peaux-Rouges », non en raison de la couleur naturelle de leur peau (qui est d'ailleurs plutôt jaune), mais de la teinture rouge dont ils s'enduisaient parfois. Certains spécialistes placent les premières migrations en provenance d'Asie dès 50000 av. J.-C., d'autres, plus nombreux, avancent les dates de 40000, 30000, 22000 ans av. J.-C. Cette toute 1ʳᵉ vague d'immigration dura jusqu'au XIᵉ ou Xᵉ millénaire av. J.-C. Ces « pionniers » américains franchirent le détroit de Béring. Suivant la côte Ouest, le long des Rocheuses, ces hordes d'hommes préhistoriques pénétrèrent peu à peu le nord et le sud du continent américain. La migration dura 25000 ans. La superficie de ce continent et les vastes étendues d'eau qui le séparent du reste du monde font que les Indiens, tant dans le Nord que dans le Sud, imaginèrent longtemps être seuls au monde.
Si, à l'arrivée des premiers colons, les Indiens furent une fois pour toutes catalogués « sauvages », notre ignorance à leur sujet aujourd'hui, quoique moins profonde, demeure impressionnante.
Contrairement à une certaine imagerie populaire, il n'y a jamais eu de « nation indienne », mais une multitude de tribus réparties sur l'ensemble du territoire nord-américain. Le continent était si vaste qu'on estime qu'avant l'arrivée de l'homme blanc il y avait plus de 1000 langues indiennes, chacune étant inintelligible aux membres d'un autre groupe linguistique. Isolés les uns des autres, ils n'ont jamais mesuré l'étendue de leur diversité, mais

commerçaient cependant activement. Depuis l'arrivée des Blancs, plus de 300 langues ont disparu. Aujourd'hui, le *tagish* ne serait connu que d'une seule personne.

Les modes de vie variaient selon les tribus, certaines sédentaires comme les Pueblos (baptisés ainsi par les Espagnols parce qu'ils habitaient dans des villages) et d'autres semi-nomades, mais la plupart vivaient de chasse, de pêche et de cueillette, se déplaçant au gré du gibier et des saisons. Quant à leur nombre avant l'arrivée de l'homme blanc, certains ethnologues avancent le chiffre de 10 à 12 millions de sujets ! D'autres, plus méfiants ou ayant plus mauvaise conscience, disent qu'ils étaient à peine un million.

La découverte

Leif Erikson (le fils d'Erik le Rouge), un Viking, se lança dans l'exploration du Nouveau Monde. En 1000, avec un équipage de 35 hommes, il partit du sud du Groenland, récemment colonisé, puis explora toute la côte Atlantique. D'autres expéditions suivirent et il y eut des tentatives de colonisation, puis les Vikings rentrèrent chez eux, victimes, semble-t-il, des attaques indiennes. Cela se passait plus de 100 ans avant que Christophe Colomb ne « découvre » l'Amérique ! À notre avis, son attaché de presse était plus efficace que celui des Vikings.

Colomb, lui, cherchait un raccourci pour les Indes. La plupart des hommes cultivés de son époque étant arrivés à la conclusion que la terre était ronde, il y avait donc forcément une autre route vers les trésors de l'Orient que celle de Vasco de Gama, même si paradoxalement, elle se trouvait à l'ouest. D'origine génoise, Colomb vivait au Portugal, et c'est donc vers le roi Jean du Portugal qu'il se tourna pour financer son expédition. Le roi Jean n'était pas intéressé, et finalement c'est grâce à un moine espagnol, Perez, confesseur de la reine Isabelle d'Espagne, que Colomb put approcher la reine et monter son expédition. Son bateau, la *Santa Maria,* ainsi que deux autres petites caravelles, partirent le 3 août 1492. La *Santa Maria,* lourde, peu maniable et lente, n'était pas le bateau idéal pour ce genre d'expédition. Mais deux mois plus tard, le 12 octobre 1492, Colomb débarquait, aux Bahamas sans doute, muni d'une lettre d'introduction... pour le Grand Khan de Chine ! Tout le monde sait que les premiers habitants des États-Unis s'appellent « Indiens » parce que Christophe Colomb ne connaissait pas le *GDR*. De vous à moi, il aurait pu se rendre compte rapidement de son erreur : l'Empire State Building ne ressemble guère à un temple hindou !

Le roi François Ier envoya à son tour Jacques Cartier qui, lui, fit trois voyages entre 1534 et 1541. Cartier remonta le Saint-Laurent jusqu'au Mont-Royal où des rapides arrêtèrent son entreprise, lesquels rapides furent d'ailleurs nommés Lachine, puisque la Chine devait être en amont ! Puis, en 1520, Ferdinand de Magellan trouva le fameux détroit qui mène à l'océan Pacifique, en traversant la Patagonie, à quelques encablures au nord du cap Horn. Ainsi, le malheur des Indiens et la colonisation de l'Amérique n'eurent pour origine que la volonté de trouver un autre accès plus facile vers l'Asie !

Les premières tentatives de colonisation

En 1513, Juan Ponce de León atteint la Floride, qu'il croit être une île ; le 7 mars 1524, le Florentin Giovanni Da Verrazano, envoyé lui aussi par François Ier, débarque au Nouveau Monde – depuis peu baptisé *Amérique* en souvenir de l'explorateur et géographe Amerigo Vespucci – et promptement le rebaptise *Francesca* pour honorer sa patrie d'adoption et son maître. La Nouvelle-France (futur Canada) est née. De 1539 à 1543, Hernando de Soto découvre et explore des cours d'eau comme la Savannah, l'Alabama et le majestueux Mississippi, mais il est finalement vaincu par la jungle ; au même moment, Francisco Vasquez de Coronado part du Mexique, franchit le río

Grande et parcourt l'Arizona. Toujours en même temps, la 1re tentative de christianisation par les moines de Santa Fe reçoit le salaire du martyre... Ils sont massacrés par les Indiens pueblos et, petit à petit, le cœur n'y est plus. L'or tant recherché n'est pas découvert. Les volontaires nécessaires à une véritable colonisation ne se manifestent pas. Et puis, finalement, pourquoi étendre l'empire déjà si vaste, se dit la Couronne espagnole?

L'arrivée des Anglais

Le premier Anglais, John Cabot, n'est pas un Anglais d'origine mais un Génois habitant la ville de Bristol. Lui aussi recherche, en 1497, un passage vers l'orient, et navigue le long de la côte. Faute de trouver ce fameux passage, il laissera son nom à la postérité avec la pratique du... cabotage!

Trois quarts de siècle passent, l'Angleterre est plus prospère, les querelles religieuses s'apaisent, et Élisabeth Ire est sur le trône depuis 1558. L'heure américaine a sonné. Sir Humphrey Gilbert propose d'installer une colonie en Amérique qui fournirait, l'heure venue, les vivres aux marins en route pour la Chine. Élisabeth lui accorde une charte, mais la colonie ne se matérialise pas.

Une nouvelle charte est accordée, cette fois à son demi-frère sir Walter Raleigh. Il serait à l'origine de deux tentatives d'implantation. Il jette l'ancre près de l'île Roanoke et baptise la terre Virginia (Virginie) – le surnom de la reine Élisabeth : la Vierge. Mais après le 1er hiver, les colons préfèrent rentrer en Angleterre. La seconde tentative aura lieu un an plus tard : le 8 mai 1587, 120 colons débarquent. Un événement marque cette seconde tentative : la naissance sur le sol du Nouveau Monde – d'après le carnet de bord du bateau avant qu'il ne reprenne la mer – de la 1re « Américaine », une petite fille nommée Virginia Dare (nom lourd de sous-entendus, *dare* signifiant en anglais « ose »!). Mais c'est encore un échec, tragique cette fois-ci, car, quand le bateau revient en 1590, les colons ont disparu sans laisser de traces.

Malgré ces échecs successifs, le virus du Nouveau Monde s'empare de l'Angleterre, mais il faudra attendre le successeur d'Élisabeth, Jacques Ier, pour un véritable début de colonisation.

Le 26 avril 1607, après 4 mois de traversée, 144 hommes et femmes remontent la rivière James dans trois navires et choisissent un lieu de mouillage qu'ils baptisent James-Town. C'est un aventurier-marchand de 27 ans, le capitaine John Smith, qui a combattu en Europe et sait maintenant une discipline (essentielle pour ne pas sombrer dans le désespoir), qui dirige les colons. Il s'enfonce dans le pays, fait des relevés topographiques... Le rôle d'un chef est primordial dans ce genre de situation, et l'anecdote suivante illustre bien à quel point. John Smith est capturé par les Indiens et il aura la vie sauve grâce à la fille du roi Powhatan, nommée Pocahontas. Il comprend, ayant vécu avec cette tribu, que les colons ne survivront que par la culture du « blé indien » : le maïs. À son retour parmi les siens et sur son ordre, les colons (très réticents car ils voulaient bien chasser, chercher de l'or ou faire du troc avec les indigènes, mais pas se transformer en agriculteurs) cultivent le maïs à partir de grains offerts par les Indiens. Le maïs contribua pour beaucoup à la culture américaine, toutes époques confondues.

La Nouvelle-Angleterre

En 1620, une nouvelle colonie est fondée par les pèlerins – *Pilgrim Fathers* – arrivés sur le *Mayflower*. Ces immigrants protestants transitent par la Hollande, fuyant les persécutions religieuses en Angleterre. Ils aspirent à un christianisme plus pur, sans les concessions dues selon eux aux séquelles du papisme que l'Église anglicane charrie dans son organisation et ses rites. Ce sont au total 100 hommes et femmes avec 31 enfants qui arrivent au cap Cod (cap de la Morue). Rien n'a préparé ces hommes à l'aventure américaine. Il faudrait pêcher, mais ils ne sont pas pêcheurs ; de plus, ils sont de piètres chasseurs et se défendent difficilement contre les Indiens qu'ils jugent sauvages et dangereux. Plus grave encore, voulant atteindre la Virginie et sa douceur, les voilà en Nouvelle-Angleterre, une région éloignée, avec un climat rude et une terre ingrate. La moitié d'entre eux meurt le 1er hiver. Pourtant, l'année suivante, ils célèbrent le tout 1er Thanksgiving – une journée d'action de grâces et de remerciements – symbolisé par la dégustation d'une dinde sauvage. Ces immigrants austères et puritains incarnent encore dans l'Amérique d'aujourd'hui une certaine aristocratie, et nombreux sont ceux qui se réclament – ou voudraient bien se réclamer ! – d'un aïeul venu sur le *Mayflower* ! La ténacité, la volonté farouche et une implication religieuse proche de l'hystérie (voir l'épisode de la chasse aux sorcières à Salem de 1689 à 1692 – suite au soi-disant ensorcellement de deux enfants, 150 personnes furent emprisonnées et une vingtaine pendues –, pour ne citer que la plus célèbre illustration de leur fanatisme religieux) vont garantir le succès de cette nouvelle colonie qui compte déjà 20 000 âmes en 1660 !

Les Français et le Nouveau Monde

C'est grâce à René-Robert Cavelier de La Salle, un explorateur français né à Rouen en 1643, que la France, elle aussi, eut, pendant une période un peu plus longue que la précédente, une part du « gâteau » nord-américain. Après avoir obtenu une concession en amont de Montréal au Canada et appris plusieurs langues indiennes, il partit explorer les Grands Lacs, puis il descendit le Mississippi jusqu'au golfe du Mexique. Il prit possession de ces nouvelles contrées pour la France et tenta d'y implanter une colonie en 1684. En l'honneur du roi Louis XIV, cette terre prit le nom de Louisiane.

Cette nouvelle colonie s'avéra être une catastrophe financière, doublée en plus d'un climat très malsain. La couronne française céda la concession à Antoine Crozat, qui ne la trouva pas plus rentable et qui, à son tour, vendit ses parts à un Écossais que l'histoire de France a bien connu puisqu'il s'agit de John Law, contrôleur général des Finances en France sous Louis XV, inventeur probable du crédit, du papier-monnaie... et de la banqueroute ! Grâce à l'aide de la *Banque Générale* en France, il fonda en août 1717 la Compagnie de la Louisiane. Le succès fut fulgurant mais de courte durée. Devant la montée spectaculaire des actions, beaucoup prirent peur et l'inévitable krach s'ensuivit, probablement le premier de l'histoire de la finance. La ville de La Nouvelle-Orléans fut fondée en 1718 par Jean-Baptiste Le Moyne de Bienville. Un 1er lot de 500 esclaves noirs fut importé en 1718, et la culture du coton commença en 1740. Puis, par un traité secret, une partie de la Louisiane fut cédée aux Espagnols en 1762, et l'autre aux Britanniques ! Les 5 552 colons français de la Louisiane de l'époque ne goûtèrent guère ce tour de passe-passe, mais dans l'ensemble le règne dit « espagnol » fut calme et prospère. C'est d'ailleurs à cette période que les exilés d'Acadie, persécutés par les Anglais devenus maîtres du territoire, émigrèrent en Louisiane (lors d'un épisode appelé le « Grand Dérangement »).

Lors de la naissance de la jeune république américaine contre la couronne britannique, Benjamin Franklin vint rendre visite à Louis XVI afin de lui demander de l'aide pour les *Insurgents.* Les Français, avec La Fayette, puis avec le maréchal de Rochambeau et son corps expéditionnaire, appuyèrent avec succès les tentatives de libération de Washington contre les Anglais. La victoire de Yorktown, le 19 octobre 1781, marqua le début de la reconnaissance de l'indépendance américaine dont le traité de Versailles, signé un an plus tard, sera l'aboutissement des luttes franco-américano-anglaises sur le Nouveau Continent.

Chateaubriand vint en Amérique entre 1791 et 1792, il en décrivit quelques sites.

Après une nouvelle distribution des cartes politiques, la Louisiane « espagnole » redevint française en 1800. À peine le temps de dire ouf, et Napoléon – à court d'argent pour combattre l'ennemi héréditaire – revendit la colonie aux États-Unis le 30 avril 1803.

William Penn et les quakers

La plus sympathique implantation de l'homme blanc en Amérique fut sans conteste celle des quakers. Avec son principe de non-violence, son refus du pouvoir des Églises quel qu'il soit, et son doute quant à la nécessité des prêtres en tant qu'intermédiaires entre l'homme et Dieu, le quaker est appelé à une liberté radicale, irrépressible puisqu'elle se fonde sur Dieu lui-même. George Fox, qui fut à l'origine de ces thèses révolutionnaires et subversives, naquit en 1624. « Songez qu'en vous il y a quelque chose de Dieu ; et ce quelque chose existant en chacun le rend digne du plus grand respect, qu'il soit croyant ou pas. » Pour mieux mesurer l'extravagance de cette déclaration de George Fox, il faut se souvenir qu'à cette époque l'Inquisition espagnole battait son plein. *Quakers* signifie « trembleurs » (devant Dieu), et ce surnom leur fut donné par moquerie, leur véritable appellation étant *Society of Friends* (« Société des Amis »).

Hormis le célèbre paquet de céréales, c'est surtout le nom de William Penn qui vient immédiatement à l'esprit dès qu'on prononce le mot « quaker » (les deux sont d'ailleurs liés car l'emblème de la marque est effectivement un portrait de Penn, la compagnie – à sa fondation, en 1901 – ayant choisi ce créneau de marketing pour souligner la pureté de ses produits !). Cela dit, cette compagnie n'avait rien à voir avec la Société des Amis, et un procès fut intenté contre eux en 1915 par les vrais quakers, sans succès.

William Penn, né en 1645, était un fils de grande famille extrêmement aisée, avec moult propriétés en Irlande comme en Angleterre. À l'âge de 13 ans, il rencontre pour la 1re fois celui qui allait marquer sa vie, Thomas Loe, quaker et très brillant prédicateur. Quittant rubans, plumes et dentelles, William ne conserve de sa tenue de gentilhomme que l'épée qu'il déposera aussi par la suite, soulignant ainsi publiquement son refus de la violence et son vœu d'égalité entre les hommes. À partir de 1668, ses vrais ennuis vont commencer ; il a alors 24 ans. De prisons (la tour de Londres, entre autres) en persécutions, Penn publiera rien moins que 140 livres et brochures et plus de 2 000 lettres et documents. *Sans croix, point de couronne,* publié en 1669, sera un classique de la littérature anglaise. À la mort de son père, Penn devient lord Shanagarry et se retrouve à la tête d'une fortune considérable. Il met aussitôt sa richesse au service de ses frères. Les quakers avaient déjà tourné leurs regards vers le Nouveau Monde afin de fuir la persécution, mais les puritains de la Nouvelle-Angleterre ressentent la présence des quakers sur leur territoire comme une invasion intolérable. Des lois antiquakers sont votées. En 1680, après avoir visité le Nouveau Monde, William Penn obtient du roi Charles II (en remboursement des sommes considérables que l'État devait à son père) le droit de fonder une nouvelle colonie sur un vaste territoire qui allait devenir la Pennsylvanie (« forêt de Penn », une terre presque aussi grande que l'Angleterre).

Les Indiens qui occupent cette nouvelle colonie se nomment Lenni Lenape (ou Delaware), parlent l'algonquin et sont des semi-nomades. Penn et les quakers vont établir avec eux des relations d'amour fraternel, et le nom de leur capitale, Philadelphie, sera choisi pour ce qu'il signifie en grec (« ville de la fraternité »). Penn apprendra leur langue, ainsi que d'autres dialectes indiens. Dans sa maison de Pennsbury Park, il y avait souvent une foule étrange : les Indiens arrivaient par dizaines, voire parfois par centaines ! Les portes de la maison leur étaient grandes ouvertes. Le fait qu'ils étaient peints et armés n'effrayait personne. Ils réglaient les questions d'intérêt commun avec Onas, c'est-à-dire avec Penn (*onas* veut dire « plume » en algonquin, *penn* signifiant « plume » en anglais). La non-violence étant l'une des pierres d'angle des principes quakers, les Indiens auraient pu massacrer toute la colonie en un clin d'œil. Mais tant que les principes quakers ont dominé, les deux communautés vécurent en parfaite harmonie.

Les anecdotes sur les rapports entre les quakers et les Indiens sont nombreuses, et c'est certainement aussi l'esprit des deux communautés qui les a rapprochées. Car, si d'un côté les Indiens étaient très primitifs matériellement parlant, leur art de vivre et leur spiritualité étaient très raffinés.

La « *Boston Tea Party* » et l'indépendance

Dès 1763, une crise se dessine entre l'Angleterre et les nouvelles colonies qui sont de plus en plus prospères. Son aboutissement va être l'indépendance. Le 16 décembre 1773, après une série très impopulaire de taxes et de mesures imposées par la Couronne et une nette montée nationaliste, se produit ce qu'on appelle la « Boston Tea Party ». Des colons, déguisés en Indiens, montent sur trois navires anglais dans le port de Boston, et jettent par-dessus bord leur cargaison de thé.

Au-delà de la péripétie, l'événement fera date. En effet, le recours aux armes se fera en 1775 et, le 4 juillet 1776, la Déclaration d'indépendance rédigée par Thomas Jefferson est votée par les 13 colonies. Le fondement de la Déclaration est la philosophie des droits naturels qui explique que Dieu a créé un ordre, dit naturel, et que, grâce à la raison dont il est doué, tout homme peut en découvrir les principes. De plus, tous les hommes sont libres et égaux devant ces lois. En 1778, les Français signent deux traités d'alliance avec les « rebelles » ; en 1779, l'Espagne entre en guerre contre l'Angleterre. Mais il faudra attendre le 3 septembre 1783 pour la signature d'un traité de paix entre l'Angleterre et les États-Unis, qui sera conclu à Paris. Les États-Unis par la suite s'étendent de plus en plus vers les terres désertiques de l'Ouest tandis que la France vend la Louisiane et qu'un nouveau conflit se dessine : la guerre civile.

L'esclavagisme et la guerre de Sécession

Durant plus de trois siècles, le Noir américain fut tour à tour esclave, métayer, domestique, chansonnier et amuseur public. Il a donné à cette jeune nation beaucoup plus qu'il n'a jamais reçu, lui qui fut un immigrant forcé.

L'idée même de l'esclavagisme remonte à la nuit des temps, et même les Grecs les plus humanistes, durant l'âge d'or de leur civilisation, n'ont jamais douté du fait que l'humanité se divisait naturellement en deux catégories : les hommes qui devaient assumer les tâches lourdes et l'élite qui pouvait ainsi cultiver les arts, la littérature et la philosophie. L'aspect immoral qu'est la vente d'un homme ne fut pas la vraie raison de la guerre de Sécession, contrairement à une certaine imagerie populaire. Abraham Lincoln n'avait que peu de sympathie pour la « cause noire », la libération des esclaves ne s'inscrivant alors que dans le cadre du combat contre le Sud. Il déclara à ce sujet : « Mon objectif essentiel dans ce conflit est de sauver l'Union... Si je pouvais sauver l'Union sans libérer aucun esclave, je le ferais... » L'histoire a évidemment oublié cette phrase. D'ailleurs, ce n'était pas si difficile pour les Nordistes d'être contre l'esclavage (ils n'avaient que 18 esclaves contre 4 millions au Sud !).

Les sudistes portent l'uniforme gris tandis que celui des nordistes est bleu. Bien qu'ils soutiennent les Noirs, les nordistes n'hésiteront pas à massacrer les Indiens. Tout ça pour dire que les Bleus n'étaient pas si blancs et les Gris pas vraiment noirs.

Pour être juste, cette guerre civile devrait être présentée comme une guerre culturelle, un affrontement entre deux types de société. L'une – celle du Sud –, aristocratique, fondée sur l'argent « facile », très latine dans ses racines françaises et espagnoles, était une société très typée avec une identité forte, très attachée à sa terre. L'autre – celle du Nord –, laborieuse, austère, puritaine, extrêmement mobile, se déplaçait au gré des possibilités d'emploi, avec des rêves de grandeur nationale, mais dépourvue de ce sentiment d'appartenir profondément à « sa » terre.

Ce grave conflit fut l'accident le plus douloureux dans l'histoire de l'Amérique et continue d'être un traumatisme national. Ses origines peuvent s'analyser rationnellement, mais son déclenchement relève de l'irrationnel.

Le détonateur fut l'élection de Lincoln. Le conflit dura de 1861 à 1865, faisant en tout 630 000 morts et 400 000 blessés. Ce fut aussi la 1re guerre « moderne » – mettant aux prises des navires cuirassés, des fusils à répétition, des mitrailleuses et des ébauches de sous-marins. Mais plus que tout, cette lutte fratricide fut le théâtre de scènes d'une rare violence. Deux profonds changements dans la société américaine sont issus de cette guerre civile : le premier est l'abolition de l'esclavage le 18 décembre 1865, et le second sera la volonté de l'Union de représenter et de garantir désormais une forme de démocratie. Lincoln en sort grandi et devient un héros national. Son assassinat, le 14 avril 1865, par John Wilkes Booth – un acteur qui veut par son geste venger le Sud – le « canonise » dans son rôle de « père de la nation américaine ».

Il reste que presque 150 ans plus tard, les Noirs américains et les *Natives,* c'est-à-dire les Indiens, sont toujours en marge du « grand rêve américain ». La drogue, les ghettos, le manque d'éducation, la misère sont leur lot quotidien ; et il y a peu d'exceptions qui confirment cette règle qui hante et culpabilise maintenant l'« autre Amérique ».

L'immigration massive

L'appel du Nouveau Monde à travers tout le XIXe siècle et le début du XXe siècle attira des immigrants en provenance du monde entier, mais principalement d'Europe. En 1790, on pouvait compter 4 millions d'habitants ; en 1860, 31 millions. Entre 1865 et 1914, la population va tripler pour atteindre les 95 millions. Il y a autant de raisons historiques pour cette vaste immigration que de peuples et de pays concernés. Mais c'est toujours la persécution – religieuse ou politique – et la misère qui furent les facteurs principaux de cette immigration, qu'elle soit juive, russe, d'Europe centrale, italienne ou allemande. En 1973, quand le jeu des mariages interraciaux était moins prononcé, la mosaïque ethnique était la suivante : 88 % de Blancs, 10,5 % de Noirs, et 1,5 % de *Natives* (Indiens autochtones) et d'Asiatiques. Aujourd'hui, on peut encore trouver des « bastions », comme la « Bible Belt » – la Ceinture biblique – qui s'étend à travers le centre des États-Unis et est essentiellement germano-britannique de confession protestante, ou des petites minorités pures et dures qui « annexent » des quartiers précis dans les grandes métropoles. Mais, de plus en plus, l'arbre généalogique des Américains devient un kaléidoscope ethnique complexe. Et il est probable que, dans un avenir relativement proche, naîtra de ce melting-pot une nouvelle ethnie unique dans l'histoire de l'homme.

L'arrivée dans le club des Grands

Dès le lendemain de la guerre de 1914-1918, la suprématie de la Grande-Bretagne est en déclin et les États-Unis sont désormais présents sur l'échiquier mondial. En 1919, l'alcool est prohibé par le 18e amendement à la Constitution. La fabrication, la vente et le transport des boissons alcoolisées sont alors interdits. La corruption est inévitable : règlements de compte, trafics d'alcool, insécurité, prostitution. La Prohibition fait mal au puritanisme américain. Roosevelt, dès son élection en 1933, fait abolir l'amendement, soucieux de donner un nouvel élan au pays.

Les années 1920 furent donc... les Années folles. Pendant que les intellectuels américains se produisent dans les bars parisiens, la spéculation boursière s'envole et l'Amérique danse sur la nouvelle musique qui va ouvrir la voie à d'autres musiques populaires : le jazz. Les femmes, grâce aux efforts des suffragettes, obtiennent le droit de vote. Mais cette grande euphorie se termine tragiquement en octobre 1929, avec le krach de Wall Street. Le monde est choqué par les images d'hommes d'affaires ruinés sautant par les fenêtres des gratte-ciel, ou les concours de danse-marathon (les participants dansent jusqu'à épuisement pour une poignée de dollars), fait illustré par le film admirable On achève bien les chevaux...

Cette époque est aussi très noire pour les petits exploitants agricoles durant le « Dust Bowl » : ils doivent quitter leurs terres par milliers, fuyant la sécheresse associée à l'effondrement de l'économie. L'auteur-compositeur-interprète Woody Guthrie nous en laissa des témoignages discographiques poignants. Devenu clochard (hobo) par la force des circonstances, il passa la Grande Dépression à voyager clandestinement sur les longs et lents trains qui sillonnent les États-Unis en compagnie de sa guitare, narrant le quotidien des gens à cette période. Guthrie fut le père de la folk song et inspira le mouvement contestataire et le renouveau folk des années 1960 (il était, entre autres, l'idole de Dylan).

McCarthy et les listes noires

Le « New Deal » de Franklin D. Roosevelt est – dans le contexte malheureux de la Seconde Guerre mondiale – le remède qui guérit l'économie des États-Unis, et une ère de prospérité s'ouvre avec la paix. Les années 1950 sont aussi celles de Joseph McCarthy et de ses listes noires. Le communisme représentait l'antithèse de l'esprit de libre-entreprise et des valeurs fondamentales américaines. L'Amérique craignait d'autant plus le communisme que les intellectuels de l'époque étaient fascinés par cette doctrine qui semblait humaniste et généreuse. Les listes noires frappent essentiellement le milieu du cinéma et instaurent un climat de peur et de malveillance. Le grand Cecil B. De Mille fut, entre autres, un grand délateur, ainsi qu'Elia Kazan, l'auteur de Sur les quais et Viva Zapata. Des réalisateurs comme Jules Dassin, Joseph Losey ou John Berry décident d'émigrer en Europe.

La ségrégation

Les barrières de la ségrégation commencent officiellement à s'estomper dès 1953, date à laquelle la Cour suprême décide de mettre fin à la ségrégation au sein du système scolaire, mais cette décision n'empêche pas de nombreuses autres mesures discriminatoires de s'appliquer, notamment dans les États du Sud. Martin Luther King, pasteur à Montgomery (Alabama), lance en 1955 le boycottage des autobus de cette ville sudiste, à la suite de l'arrestation d'une femme noire, Rosa Park, qui a refusé de céder sa place dans le bus à un passager blanc. Le courage de Martin Luther King a un retentissement international. Fin 1958, une nouvelle décision de la Cour suprême donne raison au mouvement antiségrégationniste, interdisant toute discrimination dans les transports publics. Le mouvement des Droits civiques, organisé autour de Martin Luther King, malgré la concurrence de groupes plus radicaux, reste fidèle à la non-violence. Un an après la marche historique sur Washington, le 28 août 1963, le prix Nobel de la paix décerné à Martin Luther King récompense la cause noire. Une prise de conscience nationale prend forme. L'assassinat de Martin Luther King, le 4 avril 1968 à Memphis, n'arrêta pas le mouvement. Le chanteur blanc Pete Seeger – disciple de Guthrie – fait beaucoup pour la cause noire en chantant des comptines pleines d'humour dénonçant la ségrégation.

Le mal de vivre

La *beat generation* apparaît autour de 1960. À sa tête on trouve des écrivains tels que Jack Kerouac et des poètes comme Allen Ginsberg. D'origine québécoise, issu d'ancêtres bretons, élevé à Lowell (Massachusetts), Kerouac s'appelle Jean-Louis Lebris de Kerouac et sa langue maternelle est le français tel qu'il est parlé au Québec. Sa famille l'appelait Ti-Jean. Insurgée, éprise de liberté, détachée des biens matériels, la *beat generation* prit la route à la recherche d'un mode de vie alternatif. L'opulence de la société liée à un cortège d'injustices avait créé un refus, chez les jeunes, du monde dit « adulte ». Pendant que les premiers beatniks rêvaient de refaire un monde plus juste en écoutant les héritiers de Woody Guthrie (Joan Baez et Bob Dylan), le rock'n roll avait déjà pris ses marques. Il fit irruption dès 1956 dans la musique populaire avec Elvis Presley.

Lui aussi se voulait le symbole d'une révolte, mais très différente de celle des beatniks. Le rock'n roll exprimait certes un refus des valeurs institutionnelles, mais sans offrir de solutions, se contentant de condamner le monde adulte.

C'est James Dean, dans *Rebel Without a Cause* (chez nous *La Fureur de vivre,* un beau contresens), qui exprima peut-être le mieux le malaise de l'ensemble de la jeunesse. Jimmy Dean devint, après sa mort violente et prématurée, l'incarnation même du fantasme adolescent de « faire un beau cadavre » plutôt que de mal vieillir, c'est-à-dire le refus des compromis immoraux de la société.

Les années 1960 marqueront aussi l'apparition de la musique noire enfin chantée par des Noirs dans ce qu'on peut appeler le « Top blanc ». Auparavant, il y avait des radios « noires » et des radios « blanches », et les succès « noirs » ne traversaient la frontière culturelle que quand des chanteurs blancs reprenaient à leur compte ces chansons. Il est aussi intéressant de noter que Presley doit une partie de son succès au fait qu'il était un Blanc chantant avec une voix « noire ».

Il est bon de signaler que, en gros, le C & W *(country and western)* – de loin la musique la plus populaire encore aujourd'hui – trouve ses racines dans les chansons traditionnelles d'Europe, notamment d'Irlande. Chanté avec un accompagnement à la guitare, c'est la nostalgie de la conquête de l'Ouest et un esprit très « feu de camp » qui le caractérise. D'ailleurs, dans le Far West, les cow-boys irlandais étaient particulièrement prisés, car ils chantaient la nuit en montant la garde sur les troupeaux, et ça calmait les vaches !

Contestation et renouveau

Les années 1960 sont presque partout dans le monde des années de contestation. Ce furent aussi des années pas très « clean » : mort suspecte de Marylin Monroe, affaire de la baie des Cochons avec Cuba, début de la guerre du Vietnam sous John Kennedy, dont le mythe se révèle fort ébréché (liens avec la mafia, solutions envisagées au problème « Fidel Castro », etc.) ? Menaçait-elle la sécurité de l'État ? L'assassinat du président John F. Kennedy à Dallas, en 1963, marqua la fin d'une vision saine, jeune et dynamique de la politique pour un aperçu bien plus machiavélique du pouvoir.

Les beatniks laissent la place aux hippies, et le refus du monde politique est concrétisé par le grand retour à la campagne afin de s'extraire d'une société dont les principes devenaient trop contestables. Tout le monde rêve d'aller à San Francisco avec des fleurs plein les cheveux et, en attendant, les appelés brûlent leur convocation militaire pour le Vietnam.

L'échec américain dans la guerre du Vietnam est aussi l'une des conséquences de cette prise de conscience politique de la jeunesse. La soif de « pureté » et de grands sentiments a sa part dans la chute de Richard Nixon qui, en somme, n'a fait que tenter de couvrir ses subordonnés dans une affaire de tables d'écoute – la plupart des hommes politiques français ont agi de même sans jamais avoir été inquiétés. Le président Jimmy Carter est l'incarnation de la naïveté et du laxisme... notamment au Moyen-Orient au moment de l'affaire des otages. L'Amérique montre alors au monde le visage d'une nation victime de ses contradictions, affaiblie par sa propre opinion publique et en pleine récession économique.

Les années 1980 marquent un profond renouveau dans l'esprit américain. L'élection de l'acteur (Ronald Reagan) à la place du « clown » (Carter), comme le prônent les slogans, redonne au pays l'image du profil « cow-boy ». De nouvelles lois sur les taxes ont pour effet d'élargir le fossé entre les pauvres et les riches. Superficiellement, la récession se résorbe et l'industrie est relancée. Mais, plus présente que jamais, reste l'Amérique des perdants, avec un nombre scandaleux de *homeless* (sans domicile fixe) vivant en dessous du seuil de pauvreté mondial, dans un pays manquant de préoccupations sociales. L'« autre Amérique », en harmonie avec Reagan, est devenue obsédée par l'aérobic et la santé. L'apparition du sida marque la fin des années de liberté sexuelle et cette maladie est brandie comme l'ultime châtiment divin envers une société qui a perdu ses valeurs traditionnelles.

Ordre mondial et désordre national

La première guerre du Golfe de 1991, censée juguler la récession, n'a fait que l'aggraver. Pendant que les soldats américains libèrent le Koweit, les conditions de vie aux États-Unis continuent à se détériorer : chômage galopant, aides sociales supprimées, violence accrue, propagation des drogues dures et du sida, etc. ! Les émeutes de Los Angeles (et d'ailleurs) révèlent aux Américains eux-mêmes le fiasco total des républicains, dont la politique s'avère réactionnaire et cynique. Le peuple américain, déçu, sanctionne Bush comme il se doit aux présidentielles de novembre 1992.

Le nouveau président, le démocrate Bill Clinton, est à l'opposé de Reagan et Bush : jeune, proche des petites gens, il incarne cette génération du Vietnam pacifiste, soucieuse d'écologie et qui tend à donner plus de responsabilités aux femmes et aux représentants des minorités ethniques ; en un mot, une nouvelle manière de diriger.

Après huit années de présidence, force est de constater que le bilan est mitigé. Comme ses prédécesseurs, Clinton n'a pas su faire face aux attentes des Américains. Élu en 1992 avec un programme axé sur la relance de l'économie, il a réussi à assurer l'emploi, mais il a dû partiellement masquer l'échec de sa politique de protection sociale en privilégiant une politique extérieure tous azimuts, en Bosnie, en Israël, en Irak, en Afrique, etc. Il est toutefois réélu en novembre 1996, en ne faisant qu'une bouchée de son rival, Bob Dole. Clinton défenseur du monde, voilà l'image que l'opinion publique américaine retiendra de ses deux mandats, en partie ternis par le Monicagate.

Bush-Gore : coude à coude historique

L'élection présidentielle de novembre 2000 présentait a priori peu d'intérêt. Entre le pâle Gore et le Texan George W. Bush, les Américains ont longtemps hésité entre bonnet blanc et blanc bonnet. Les sondages annonçaient un scrutin serré, mais on ne se doutait pas à quel point... Après un mois de péripéties autour des conditions douteuses dans lesquelles les élections se sont déroulées, notamment en Floride, une polémique inédite dans l'histoire des États-Unis s'est achevée à la cour suprême des États-Unis, qui intronisa officiellement George W. Bush comme 43e président des États-Unis.

Mardi 11 septembre 2001 : l'acte de guerre

Beaucoup pensent que le 11 septembre 2001 a marqué d'une pierre noire l'entrée dans le XXIe siècle. Ce matin-là, quatre avions sont détournés par des terroristes kamikazes et transformés en bombes volantes. Deux avions s'écrasent sur les Twin Towers, symbole de New York et de la toute-puissance économique américaine. Le troisième sur le Pentagone à Washington, comme un défi à sa puissance militaire. Le dernier appareil, quant à lui, se crashe en Pennsylvanie. C'est la plus grosse attaque terroriste jamais commise contre un État. Aucun scénariste de film-catastrophe hollywoodien n'aurait pu imaginer cela. Le bilan est tragique : près de 3 000 morts et autant de blessés. Moins de 2 h auront suffi aux terroristes pour mettre le monde entier en état de choc. Le traumatisme est d'autant plus grand que ces images apocalyptiques, notamment celles de l'effondrement des tours jumelles du World Trade Center, ont été retransmises en direct, puis en boucle, sur tous les écrans de TV de la planète.

Pour la 1re fois depuis près de deux siècles (Pearl Harbor mis à part), les États-Unis sont victimes d'un acte de guerre sur leur propre sol. Acte hautement symbolique ; l'agresseur n'est pas un État mais une nébuleuse de fanatiques invisibles, en guerre contre tout ce qui représente le mode de vie occidental. L'Amérique, qui se croyait seule superpuissance, a révélé la vulnérabilité de son talon d'Achille : le terrorisme organisé par de petits groupes dont les membres sont prêts au sacrifice suprême.

L'ennemi public n° 1 des États-Unis, Oussama Ben Laden, milliardaire intégriste musulman d'origine saoudienne et réfugié en Afghanistan sous la protection des talibans, est immédiatement désigné comme le principal suspect. Paradoxalement, c'est un « produit *made in USA* » puisque, dans les années 1980, lors du 1er conflit en Afghanistan, il fut formé et armé par la CIA pour lutter contre l'ennemi commun de l'époque, l'Union soviétique.

Pour rassurer les citoyens américains sur la toute-puissance de leur nation, l'entourage ultra-conservateur de George W. Bush lui prépare des discours manichéens basés sur l'existence d'un « axe du mal ». C'est le signal d'un revirement de politique étrangère : désormais les « États-voyous » (Corée du Nord, Iran, Irak) se retrouvent dans le collimateur des faucons de Washington. Première cible : l'Afghanistan, avec l'objectif de traquer sans relâche les réseaux de Ben Laden (introuvable à ce jour) et d'éliminer le régime des talibans qui lui ont donné refuge.

Un an après, la remise en question sur le pourquoi et les causes d'une telle violence n'est déjà plus d'actualité. Dans la logique de la lutte contre le terrorisme, Bush demande au FBI et à la CIA de lui fournir des arguments probants pour s'attaquer à sa 2e cible : l'Irak de Saddam Hussein que la guerre de son papa en 1991 n'a pas réussi à destituer.

Mais où sont donc passées les armes de destruction massive ?

Dès l'été 2002, l'administration Bush annonce la couleur : l'Amérique va se débarrasser d'un tyran sanguinaire qui asservit son peuple depuis plus de 20 ans. Mais pour faire la guerre et recevoir l'aval du Congrès et des alliés des États-Unis, il faut des motifs de guerre autres que le contrôle des réserves pétrolières du 4e producteur mondial. Malgré l'embargo dont l'Irak est frappé depuis 12 ans, on va donc démontrer que Saddam mitonne dans son arrière-cuisine quelques programmes de développement d'armes de destruction massive (nucléaire, chimique et biologique) et qu'à coup sûr, il doit être de mèche avec Oussama Ben Laden, constituant par cette alliance diabolique une menace permanente pour la paix du monde. Peu importe si de leur côté les missions d'investigation mandatées par l'ONU ne trouvent pas un seul fragment de plutonium, une seule éprouvette d'anthrax ou germe de peste bubonique à se mettre sous la loupe !

« *Babilonia delenda est* », pour paraphraser Caton, c'est ce que martèle Bush à une population américaine matraquée à coup de *news* tendancieuses distillées par la chaîne de TV Fox de Ruppert Murdoch et abrutie de citations bibliques par les prêches des télé-évangélistes. Pour la majorité silencieuse, Bagdad s'assimile à Sodome et Gomorrhe et ne mérite que la vitrification instantanée. Quelques voix s'élèvent du côté des artistes ou des intellectuels (Sean Penn ou Norman Mailer), mettant en doute la légitimité d'une telle guerre, mais se retrouvent vilipendées par les médias aux ordres du Pentagone.

Le principal soutien international de George W. Bush s'appelle Tony Blair, le Premier ministre britannique. Les autres membres permanents du Conseil de sécurité, France, Russie et Chine, soutenus par des ex-alliés traditionnels des États-Unis (Allemagne, Mexique, Canada) renâclent à partir en croisade, arguant que les missions d'inspection sont parfaitement capables, si on leur en donne le temps et les moyens, de déterminer si le programme militaire irakien présente ou non un danger pour la communauté internationale.

Les services de renseignements américains et britanniques montent alors de toutes pièces un dossier à charge de l'Irak tendant à prouver d'hypothétiques connexions de Saddam avec le réseau Al Qaida. Au Conseil de sécurité à New York, Colin Powell s'emploie à démontrer le danger que représentent Saddam Hussein et son régime.

En mars 2003 la diplomatie via l'ONU vire à l'échec ; Bush and C° décident de se passer de la légitimité internationale et de s'engager unilatéralement dans le conflit. L'offensive démarre le 24 mars par des bombardements ciblés et des actions des forces spéciales.

Le but est de décapiter rapidement la tête du régime de Saddam avant d'avoir à combattre, après avril, par des températures à faire cuire les hamburgers au soleil. En moins de deux semaines, les faubourgs de Bagdad sont atteints. On redoute alors une bataille rangée digne de Stalingrad, mais les dés sont déjà jetés. Saddam Hussein ou un de ses clones fait une dernière apparition télévisée puis disparaît complètement de la circulation. Mort, vivant, blessé, en fuite ? Nul ne connaît son sort.

Les combats n'auront duré que 19 jours. La tâche, à présent, est de pacifier le pays. On traque les notables du parti Baas et les proches de Saddam Hussein qui, en dépit de la mort de ses fils, reste introuvable. Les Américains sont plutôt bien accueillis par des Irakiens pas fâchés d'être débarrassés d'un tyran et de sa clique de profiteurs. Mais ils ont du mal à se concilier la coopération des anciens cadres du régime qui ne sont plus payés. Les réseaux d'entraide chiites du sud du pays en font plus pour réorganiser la vie quotidienne que les administrateurs venus de Washington.

Le problème est éminemment culturel : les braves petits gars du Middle West ne comprennent pas pourquoi ce peuple (qui a 6 000 ans d'histoire) les traite en occupants alors qu'ils pensaient être acclamés en libérateurs.

Si les pertes américano-anglaises sont restées très légères pendant les combats, dès juin 2003 une résistance organisée commence à se manifester par des embuscades meurtrières pour les patrouilles américaines. Voir tomber ses « boys » indispose l'opinion publique ; sur les *networks,* on commence à poser des questions insidieuses sur les raisons de la guerre et la présence toujours non prouvée des fameuses armes de destruction massive. Petit à petit se profile sournoisement le spectre de l'enlisement de l'armée (comme au Vietnam), contraignant Bush, via l'ONU, à multiplier les appels du pied vers les autres puissances capables de donner un coup de main aux GI's fatigués et démoralisés de partager le fardeau de l'après-guerre.

En décembre 2003, Saddam est finalement capturé par les Américains.

2004 : chronique d'une élection présidentielle annoncée

La campagne présidentielle a commencé tôt : si du côté républicain, on se doutait que le « ticket Bush-Cheney » serait renouvelé, du côté démocrate, les primaires ont vu défiler quelques candidats mal connus des Américains avant de désigner John Kerry, un sénateur catholique du Massachusetts, brillant étudiant à Yale (où Bush Jr n'avait fait que bambocher), ex-héros du Vietnam, marié à Theresa Heinz, l'héritière de l'empire du ketchup et cousin de... Brice Lalonde. Son colistier était John Edwards, un jeune avocat brillant au physique kennedien.

Les républicains font le pari de s'appuyer sur un électorat très à droite sur l'échiquier politique américain : les communautés religieuses et particulièrement les évangélistes, les opposants à l'avortement et au mariage gay, les partisans d'un libéralisme économique pur et dur et surtout tous les patriotes américains traumatisés par le *Nine-Eleven,* toujours convaincus que la « guerre contre le terrorisme » devait inévitablement passer par le renversement de Saddam Hussein.

John Kerry se fait critiquer durement dans des spots en-dessous de la ceinture sur ses états de service au Vietnam (alors que Bush s'était manifestement planqué), sur ses votes contradictoires au cours de sa carrière sénatoriale et sa propension à intellectualiser à l'excès ses discours (pourquoi utiliser quinze arguments alors que l'Américain moyen décroche au-delà de trois idées exposées, hein, John, pourquoi ?).

En mai, un jury présidé par le réalisateur Quentin Tarantino décerne la Palme d'Or cannoise à Michael Moore pour *Fahrenheit 9/11,* un pamphlet documentaire contre le président américain et son entourage. Arme lourde de dénigrement massif, charge humoristique sur les mensonges, les errements et la suffisance moralisatrice de Bush, cette évocation du 11 septembre suivie d'une dénonciation de la guerre en Irak est un vrai missile de croisière lancé en pleine campagne électorale. La cible est l'administration républicaine, qui après s'être évertuée à contrôler les images de la guerre, ne parvient plus à en gérer l'effet boomerang, qu'elles viennent des prisons de Bagdad ou des geôles de Guantanamo (zone de non-droit totale).

Néanmoins, malgré l'énorme succès remporté par le film, la convention démocrate ne provoque pas le décollage espéré de Kerry. C'est alors que l'équipe qui avait mené Clinton à la victoire vient à sa rescousse pour infléchir la tendance. Les trois débats télévisés traditionnels révèlent un Kerry présidentiable, maître de son sujet, à l'aise sur les questions économiques et dénonçant l'aventure irakienne comme une tragique erreur de jugement alors que Bush, fidèle à son image, se contente d'ânonner les mêmes slogans éculés.

La cote du candidat démocrate remonte alors jusqu'à talonner Bush, un fol espoir gagne ses partisans. Rarement une élection américaine aura autant tenu le monde en haleine. Oussama Ben Laden fait même très opportunément un dernier petit coucou vidéo, se rappelant au bon souvenir des Américains qui auraient pu oublier la menace qu'il représentait.

Sur le terrain, l'équation paraît simple : les sondeurs n'annoncent pas de grands bouleversements dans la répartition traditionnelle du Barnum électoral : la côte Ouest et le Nord-Est aux ânes démocrates et le Middle-West et le Sud aux éléphants républicains. Seule l'addition des voix des grands électeurs indique que la clef du scrutin se trouve dans trois États (les *swing States*) : la Pennsylvanie, la Floride et l'Ohio. Celui qui en empochera deux sur trois décrochera la timbale.

Le 2 novembre, ce qui devait arriver arriva : Kerry arrive en tête près de chez lui et Bush de même chez son frérot. Le suspense de l'Ohio ne dure que quelques heures et Bush remporte dans cet État, pourtant laminé au plan économique par les délocalisations, une courte victoire, suffisante pour emporter le gros lot. Avec 282 grands électeurs contre 252 à son adversaire, George Bush Jr fait mieux que papa en 1992.

Au suffrage universel, Bush recueille plus de trois millions et demi de suffrages de plus que Kerry. C'est presque un plébiscite comparé à 2000 et il y a gros à parier que Bush se sent alors pousser des ailes pour mener à bien le terrible programme de réformes mis au point par les néo-conservateurs et pour marginaliser encore plus toute une partie de la population. D'autant plus facilement que toutes les cartes sont entre ses mains : cour suprême à sa botte, et congrès largement favorable à ses idées.

Même si l'élection s'est indéniablement jouée sur le thème de la sécurité, l'Amérique est bel et bien coupée en deux camps. Avec l'émergence du peuple de droite, c'est le système des valeurs qui a changé : à l'unilatéralisme sans états d'âme sur le plan extérieur viennent s'ajouter la prééminence des critères moraux et familiaux sur l'emploi ou l'économie. La référence à Dieu émaille désormais tous les discours et bientôt, les petits Américains feront une prière avant de commencer leur journée de cours. Les mômes de 16 ans pourront encore s'acheter une arme de guerre, Darwin va se faire éjecter des manuels scolaires dans lesquels il avait réussi à s'accrocher, les gays et lesbiennes seront priés d'aller s'unir ailleurs et les retraités auront intérêt à placer leurs petites économies sur les actions des entreprises liées à la sécurité pour espérer survivre dignement. Sans parler de la couverture santé dont 40 millions d'Américains sont obligés de se passer.

Chez les militants démocrates (et certains républicains modérés) la désillusion est totale, certains d'entre eux envisageant même d'émigrer au Canada, en Australie ou en Nouvelle-Zélande.

Quatre ans de plus ! C'est le prix que nos amis américains auront à payer en s'accrochant à cette perspective lointaine et hypothétique d'un affrontement inédit entre Hillary Rodham Clinton et Arnold Schwarzenegger, si celui-ci parvient toutefois à faire changer la constitution qui empêche encore un émigrant né à l'étranger d'être candidat à la présidence des USA.

Pendant ce temps-là Ben Laden court toujours... et la « Liberté » poursuit sa marche écrasante en Irak avec près de 100 000 victimes dans la population irakienne et plus de 1 100 morts chez les GIs. Mais cela, George W. Bush semble l'ignorer, lui qui n'a jamais assisté à l'enterrement d'un seul de ses soldats. Au fait, qui parlait de croisade pour un monde meilleur ?

LES INDIENS

> « Quand vous êtes arrivés, dit le vieil Indien,
> vous aviez la Bible, nous avions la terre.
> Vous avez dit : Fermons les yeux, prions ensemble.
> Quand nous avons ouvert les yeux,
> nous avions la Bible,
> vous aviez la terre. »

Comprendre ne veut pas dire forcément pardonner. La majorité des immigrants, défavorisés, démunis, croyants fanatiques et sans éducation, débarquaient avec l'espoir comme seul bagage, ayant pour la plupart été persécutés sur leurs terres d'origine. Or qui dit persécuté dit persécuteur en puissance. Cette ambivalence de la nature humaine n'est plus à démontrer. Le Nouveau Monde était si dur que seuls les plus forts pouvaient survivre. Les Indiens n'avaient aucune notion de propriété, et la terre était leur « mère ». Ils ne possédaient aucune notion non plus de la mentalité, ni des lois, ni des règles de la société européenne d'où venaient ces nouveaux arrivants. Il fut enfantin, dans un 1er temps, de déposséder les Indiens de leurs terres contre quelques verroteries. Ces derniers s'en amusaient, un peu comme l'escroc qui vend la tour Eiffel : ils obtenaient des objets inconnus, donc fascinants, en échange de ce qui ne pouvait en aucun cas être vendu dans leur esprit. Avide de nouveaux espaces et de richesse, le Blanc ne chercha pas à s'entendre avec l'Indien. Le fusil étant supérieur aux flèches, il s'empara de ses terres sans aucune mauvaise conscience. On tua l'Indien économiquement d'abord, en exterminant les bisons (ça devint même un sport avec Buffalo Bill, l'un des personnages les plus abjects de l'histoire américaine), puis physiquement et culturellement. Les Indiens auraient pu au début – et sans aucun problème – rejeter ces nouveaux venus à la mer. L'inverse se produisit. Malgré les différences et les ignorances, les Indiens permirent aux colons d'échapper à la mort. Tous les témoignages concordent. Le « bon sauvage » servait d'intermédiaire avec un monde inconnu et hostile ; il était donc envoyé par Dieu afin de faciliter l'installation des Blancs en Amérique ! Quand il fut chassé de ses terres qui, à ses yeux, étaient les terres de chacun, il se fâcha ; et très vite un bon sauvage devint un sauvage mort. Il est difficile d'imaginer un autre scénario ; seuls les quakers respectèrent les autochtones, et encore, le temps aidant et les grands principes quakers s'estompant, eux aussi luttèrent contre les Indiens.

Les guerres indiennes : 1675-1915

Elles s'étalent sur près de trois siècles. Les Indiens ne sont pas assez armés et ne font preuve d'aucune cohésion. À peine 50 ans après l'arrivée du *Mayflower,* le chef Massassoit (également appelé le roi Philippe), mesurant le danger que représente la multiplication des navires venus d'Europe, avec leur cortège de violences, de rapts, de saisies de territoires et de meurtres, lève une confédération de tribus de sa région et part en guerre contre les puritains. Ce 1er conflit coûtera la vie à 20 000 Amérindiens et 50 000 colons. Un massacre ! Les survivants indiens seront vendus comme esclaves aux Indes occidentales. Cette guerre et toutes celles qui suivirent seront des guerres perdues. Seule la bataille de Little Big Horn, le 25 juin 1876, où le général Custer, de sinistre réputation, trouva la mort ainsi que les 260 *blue coats* de la cavalerie, fut une victoire... Victoire bien coûteuse, s'achevant par la boucherie inexcusable de Wounded Knee, le 29 décembre 1890, où le 7e de cavalerie massacra – malgré la protection du drapeau blanc – des centaines de Sioux, y compris femmes et enfants.

Toujours divisées, souvent rivales, les tribus galopent malgré tout comme un seul homme au combat. Mais quand ce n'est pas la guerre, l'homme blanc trouve d'autres moyens perfides d'exterminer l'Indien. La liste des horreurs est longue. Par exemple, des officiers de Fort Pitt distribuèrent aux Indiens des mouchoirs et des couvertures provenant d'un hôpital où étaient soignés des malades atteints de la petite vérole. Le « grand et bon » Benjamin Franklin déclara : « Le rhum doit être considéré comme un don de la Providence pour extirper ces sauvages et faire place aux cultivateurs du sol... »

Un Indien assimilé est un Indien mort

À l'aube du XXe siècle survivent à peine 250 000 Indiens qui tombent dans l'oubli. Rappelons qu'à l'arrivée des Blancs ils étaient entre 3 et 10 millions, selon les estimations. En 1920, l'État américain s'en préoccupe de nouveau et décide de faire fonctionner le melting-pot, c'est-à-dire de pratiquer une politique d'assimilation. On favorise et subventionne les missions chrétiennes, et on lutte contre les langues indiennes pour imposer l'anglais. On tente par tous les moyens de sortir les Indiens de leurs réserves pour les intégrer à l'*American way of life*. L'aigle américain est le seul symbole indien utilisé par la nation américaine ; il est iroquois et les flèches qu'il tient dans ses serres représentent les six nations indiennes.

En 1924, on leur octroie même la nationalité américaine, ce qui ne manque pas d'ironie ! Pour la petite histoire, c'est indirectement grâce à la France que cette reconnaissance tardive eut lieu. Un Indien du Dakota s'était brillamment illustré en 1917, capturant la bagatelle de 171 soldats allemands ! Quand il fut question de lui décerner une médaille, on s'aperçut que cet Indien ne possédait même pas la nationalité américaine ! Grâce à un travail de lobbying, la loi de 1924 fut imposée, mais dans l'indifférence générale. Pour supprimer les réserves, mettre fin à leurs hiérarchies, leurs privilèges, on partagea la propriété tribale collective entre toutes les familles afin de faciliter l'assimilation. Ce fut une erreur de plus dans l'histoire indienne. Une erreur sociologique, car l'Indien dans sa large majorité ne peut vivre coupé de ses racines et de sa culture. De la même façon que l'Indien est extrêmement vulnérable face aux maladies importées par l'homme blanc, il est perdu économiquement et socialement lorsqu'il est isolé dans la société blanche. Un des plus grands bienfaiteurs des Indiens allait se révéler être le président tant décrié de l'affaire Watergate : Richard Nixon (n'oublions pas au passage que les Américains lui doivent, entre autres, l'ouverture vers la Chine). C'est lui qui, d'un coup de stylo, a tiré un trait sur la politique désastreuse de tentative d'assimilation des Indiens.

Une réserve indienne peut paraître à nos yeux comme un ghetto, et elle l'est sous maints aspects, mais c'est aussi un territoire réservé, une propriété privée appartenant aux Indiens, où ils peuvent s'organiser en respectant leur culture et leurs traditions. Ils en profitent parfois pour ouvrir des casinos, dans des États où cette activité est prohibée. Cette nouvelle activité économique est une véritable manne : en Nouvelle-Angleterre, la tribu des Pequots passe pour être la tribu la plus riche du monde. Les Pequots, quasiment rayés de la carte après 1637, sont aujourd'hui entre 1 000 et 2 000 et gèrent un casino qui rapporte près de 15 milliards par an... Toutefois, il ne faut pas généraliser hâtivement : d'une réserve à l'autre, les niveaux de vie varient énormément et de nombreux Indiens connaissent toujours la pauvreté.

L'Indien du XXIe siècle ne rejette pas le progrès, mais il refuse les structures d'une société dans laquelle il ne s'intègre pas. On dénombre à ce jour 400 réserves correspondant aux 310 tribus survivantes. Cela dit, à peine 10 % du budget du bureau des Affaires indiennes parviennent aux réserves (le FBI enquête !). La population indienne progresse assez rapidement, et a atteint les 2,5 millions d'individus. Il existe aujourd'hui une quinzaine de stations de radio indiennes, que vous pourrez facilement capter avec votre autoradio : navajo en Arizona, zuni au Nouveau-Mexique...

L'Indien, multiracial mais pas multiculturel

Les populations indiennes, trop mobiles pour leur grand malheur entre les XVIIe et XXe siècles, furent placées et déplacées par l'homme blanc au fur et à mesure du non-respect des traités. Cette mobilité fut à la source d'un brassage entre les tribus, mais aussi la cause de nombreux mariages interraciaux. Par exemple, la tribu Shinnecock, qui possède sa réserve au beau milieu de Southampton – la ville balnéaire la plus chic, la plus snob de Long Island près de New York – est aujourd'hui (par le jeu des mariages interraciaux) une tribu d'Indiens noirs ! Les Cherokees, eux, gèrent leur « race » grâce au grand sorcier électronique, l'ordinateur. La consultation avant chaque mariage est gratuite et fortement conseillée, car il ne faut pas descendre sous la barre des deux seizièmes de sang indien pour l'enfant issu du mariage, sous peine de perdre sa « nationalité » indienne, et donc ses droits dans la réserve ! Les « droits » sont parfois importants : les Indiens osages en Oklahoma ont découvert du pétrole sur leur territoire. De 1906 à 1972, les « royalties » de l'or noir rapportèrent 800 millions de dollars. Les parts étant indivisibles et se transmettant par héritage, un « héritier » cherche toujours à épouser une « héritière » afin d'éviter un nouvel apport de sang non indien. D'autres, comme les Mohawks de l'État de New York, s'en tirent aussi : n'étant pas sujets au vertige, ils sont très recherchés pour la construction des gratte-ciel.

Mais malgré cela, et dans l'ensemble, l'Indien demeure aujourd'hui le groupe ethnique disposant du plus bas revenu par habitant. Les Indiens détiennent encore d'autres tristes records. Ainsi, jusqu'à 40 % des individus de certaines tribus sont alcooliques, et la tribu des Pirnas en Arizona est l'ethnie la plus touchée au monde par le diabète : plus de 50 % en est atteinte. Lien de cause à effet, l'espérance de vie des Indiens d'Amérique du Nord est de 46 ans, alors que la moyenne aux États-Unis est de 70 ans. Les 700 avocats de race indienne sont continuellement en procès avec le gouvernement pour des questions parfois aussi choquantes que la violation de cimetières indiens... Les Indiens sont aussi la communauté qui, aux États-Unis, souffre le plus du racisme tout en étant, contrairement aux idées reçues, celle qui commet le moins d'homicides...

Pour terminer sur une note « culturelle », sachez qu'il subsiste sur le territoire de nombreuses ruines de villages anasazis, ces anciens occupants du Sud-Ouest américain que les Navajos revendiquent comme leurs ancêtres. Ces villages, construits au creux des canyons entre 1100 et 1300 av. J.-C., sont encore visibles au Navajo National Monument (Arizona) et au Mesa Verde National Park (Colorado).

INFOS EN FRANÇAIS SUR TV5

TV5 est disponible sur le territoire américain par câble ou par réception directe via la compagnie *DishNetwork.* Les principaux rendez-vous infos sont toujours à heures rondes où que vous soyez dans le monde, mais vous pouvez surfer sur leur site ● www.tv5.org ● pour les programmes détaillés ou l'actu en direct, des rubriques voyages, découvertes...

KENNEDY, TON UNIVERS IMPITOYABLE

Dynastie symbolique dans la conscience collective des Américains, la famille Kennedy est devenue au fil des décennies une dynastie à l'égal de la famille royale en Grande-Bretagne. Son histoire est une véritable saga digne du meilleur *soap opera.*

Tout commence avec l'arrivée en 1848 de l'arrière-grand-père Patrick à Boston, délaissant l'Irlande, sa terre natale, et bien décidé à faire fortune aux États-Unis. En s'installant sur le sol américain, il ne se doute pas qu'un siècle plus tard, le nom des Kennedy ferait la une des journaux. À propos de nom, savez-vous ce que signifie *kennedy* en gaélique ? « Tête laide » ! Bon, reprenons : le fils de Patrick donc, Patrick Joseph, amasse un petit pécule en tenant un modeste commerce de boissons. Puis le fils de celui-ci, Joseph Patrick, reprend l'affaire. C'est l'époque de la Prohibition, qu'importe ! Il fait du trafic d'alcool, augmentant ainsi son écot et n'hésite pas à tisser des liens avec la Mafia et le milieu cinématographique. En 1937, ambassadeur à Londres, il réagit mollement face à Hitler, attitude qui embarrasse Roosevelt. Très vite, ses ambitions grandissent à mesure que son porte-monnaie se remplit. Prêt à tout pour gravir l'échelle sociale, il épouse Rose Fitzgerald, la fille du maire de Boston, qui lui donne 9 enfants. À force d'ambition, il devient le plus jeune directeur de banque des États-Unis. Les dollars commencent à pleuvoir. Le jour de gloire est arrivé ! L'argent et la célébrité sont les motivations premières de Joe, mais son dada, c'est la politique. N'ayant pu assouvir son fantasme, il lance alors ses fils dans l'arène politique. C'est sans compter sur la mort qui poursuit inexorablement la famille Kennedy.

En effet, il porte son ambition sur son fils aîné Joseph : « Un jour tu seras président des États-Unis, mon fils », lance-t-il au détour d'une conversation. Vaste programme ! Malheureusement, le destin en a décidé autrement : Joseph décède accidentellement en 1944 dans un bombardier expérimental. Puis c'est au tour de Kathleen, la tête brûlée de la famille, qui disparaît dans un accident d'avion en France en 1948. Et comme si le sort avait décidé de s'acharner, Rosemary, retardée mentalement, est lobotomisée. C'est John qui prendra le relais. Élu sénateur du Massachusetts en 1952, la course à la Maison Blanche commence... grâce à l'argent de Giancana, patron de la pègre de Chicago et à ses relations à Hollywood. Rien ne les arrête, pas même les femmes qu'ils collectionnent tous les deux sans scrupules. L'assassinat de John, le 22 novembre 1963, met un terme (au moins pour un temps) aux ambitions de Joe, le patriarche. En 1965, les Kennedy reprennent du service dans la politique. Son 3e fils, Robert (dit Bob), est élu sénateur de New York en 1965. Alors qu'il brigue à son tour la présidence des États-Unis, il meurt assassiné en juin 1968. La mort continue de frapper la famille Kennedy avec le décès quelque peu mystérieux de Mary Jo Kopchene, l'ex-secrétaire de Bob, retrouvée noyée alors qu'elle accompagnait Edward (dit Ted) en voiture pour l'île de Chappaquidick dans le Massachusetts. Jamais on ne connaîtra le fin mot de l'histoire. En 1990, le 3e fils, Jean, meurt d'un cancer.

Après les enfants, c'est au tour des petits-enfants. Le jeu des 7 familles continue. Robert Junior est arrêté en possession d'héroïne en 1983, tandis que l'année suivante, son frère David meurt d'une overdose. Du côté de chez Ted, c'est le fils qui est atteint d'un cancer et amputé d'une jambe. Quant à William (le fils de Jean), il est accusé de viol avec son oncle Ted (vous suivez toujours ? !) lors d'une soirée bien arrosée en Floride, dans une des propriétés familiales. Michael Kennedy (fils de... Bob, lui-même frère de John), retrouvé en charmante compagnie dans le lit conjugal (en l'occurrence la baby-sitter de ses enfants, âgée de 14 ans...), meurt quelques années plus tard, en 1997, dans un accident de ski. Seule une pétulante Rose, mère et grand-mère de tout ce petit monde, a tenu le coup en s'éteignant en 1995 à l'âge de 104 ans.

L'assassinat du président à Dallas, le 22 novembre 1963, a laissé dans la mémoire des Américains le souvenir d'un petit garçon de 3 ans saluant avec courage la dépouille de son père. Ému, le peuple américain reporte alors toute son affection sur les enfants, Caroline et John Junior, dit John-John. En épousant en secondes noces Aristote Onassis, le richissime armateur grec, Jackie se met à dos la presse américaine. Vivant une partie de l'année en Grèce, elle garde néanmoins un pied-à-terre sur 5th Ave, non loin de Central Park. C'est là que John-John grandit sereinement avec sa sœur aînée Caroline, très loin des turbulents cousins, pas fréquentables dira Jackie. Contrairement au reste de la famille qui fréquente les bancs de Harvard, John Jr préfère Brown University à Rhode Island. Après avoir échoué au barreau, il lance en 1995 son magazine *George,* en souvenir du 1er président des États-Unis. Édité par Hachette-Filipacchi, le journal mélange les styles : show-biz, politique, pouvoir. Du Kennedy tout craché. On lui prête alors un nombre honorable de liaisons avec diverses vedettes du show-biz. Et puis, un jour, au cours d'un footing à Central Park, il rencontre la jolie Carolyn Bessette qu'il épouse dans le plus grand secret, en 1996, sur une petite île au large de la Géorgie. Sachant à la fois se servir de son nom et préserver sa vie privée, John-John devient très vite le chouchou des médias. Le 16 juillet 1999, il prend les commandes de son *Piper Saratoga,* avec sa femme Carolyn et sa belle-sœur Lauren. Pas franchement raisonnable vu les conditions météo et son manque d'expérience. En route pour Hyannis Port, le fief familial, à l'occasion du mariage de sa cousine, ils n'y assisteront jamais... En quelques secondes, les Kennedy ont une nouvelle fois basculé dans le drame. La mort, compagne de route du clan Kennedy a encore frappé, l'enfant chéri s'en est allé, laissant l'Amérique orpheline. Enfin, William Kennedy Smith (fils de Jean, accusé de viol en Floride en 1991...) a de nouveau été mis en accusation de viol en août 2004. Une ancienne « *personal assistant* » l'accuse de l'avoir violé chez lui, à Chicago, en 1999...

LANGUE

Expressions courantes

Oui	*Yes*
Non	*No*
D'accord	*Okay*
S'il vous plaît	*Please*
Merci (beaucoup)	*Thank you (very much)*
Bonjour!	*Hello!*
Salut!	*Hi!*
Bonjour (le matin)	*Good morning*
Bonjour (l'après-midi)	*Good afternoon*
Bonsoir	*Good evening*
Bonne nuit	*Good night*
Au revoir	*Good bye / Bye / Bye Bye*
À plus tard, à bientôt	*See you (later)*
Enchanté	*Nice to meet you*
Comment ça va?	*How are you doing?*
Bien, merci, et vous?	*Fine, thanks, and you?*
Excusez-moi	*Excuse me*
Pardon	*Sorry*
Parlez-vous le français?	*Do you speak French?*
Y a-t-il quelqu'un ici qui parle le français?	*Does anyone here speak French?*
Pourriez-vous parler plus lentement?	*Could you speak more slowly?*
Pourriez-vous répéter SVP?	*Could you repeat please?*
Je ne comprends pas	*I don't understand*
Est-ce que vous comprenez?	*Do you understand?*
Est-ce que je peux avoir...?	*May I have...?*
Je voudrais...	*I would like...*
Je cherche...	*I'm looking for...*
Pouvez-vous m'aider?	*Can you help me?*
Où est...?	*Where is...?*
Pouvez-vous me montrer sur la carte?	*Can you show me on the map?*
À gauche / à droite	*On the left / on the right*
Tout droit	*Straight ahead, straight on*
En bas	*Downstairs*
En haut	*Upstairs*
Ici	*Here*
Là-bas	*There / over there*
Bon marché	*Cheap*
Cher	*Expensive*
C'est combien?	*How much is it?*
Environ 10 dollars	*About ten dollars*
Gratuit	*Complimentary*
Comment voulez-vous payer?	*How would you like to pay?*
Avec une carte de paiement	*By credit card*
Poste	*Post office*
Boîte aux lettres	*Mailbox*
Timbre	*Stamp*
Carte postale	*Postcard*
Office du tourisme	*Visitor Center*
Centre commercial	*Shopping center / mall*
Supermarché	*Supermarket*
Banque	*Bank*
Bureau de change	*Currency exchange office*

Cabine téléphonique	*Payphone*
Téléphone portable	*Cell phone*
Laverie automatique	*Laundromat*
Médecin	*Doctor / Physician*
Pharmacie	*Pharmacy*
Préservatifs	*Condoms*
Couches pour bébé	*Diapers*
Hôpital	*Hospital*
C'est une urgence	*It's an emergency*

Le temps, l'heure, les jours...

Hier	*Yesterday*
Aujourd'hui	*Today*
Demain	*Tomorrow*
La semaine prochaine	*Next week*
Plus tard	*Later*
Maintenant	*Now*
Avez-vous l'heure ?	*What time is it ?*
Quelles sont les heures d'ouverture ?	*When does it open ?*
À quelle heure ça ferme ?	*When does it close ?*
Année	*Year*
Mois	*Month*
Jour	*Day*
Lundi	*Monday*
Mardi	*Tuesday*
Mercredi	*Wednesday*
Jeudi	*Thursday*
Vendredi	*Friday*
Samedi	*Saturday*
Dimanche	*Sunday*

À l'hôtel ou à l'auberge de jeunesse

J'ai réservé, mon nom est...	*I have a reservation, my name is...*
Est-ce que je peux voir votre passeport (une pièce d'identité) s'il vous plaît ?	*May I see your passport (some identification) please ?*
Pouvez-vous remplir cette fiche ?	*Could you fill in this form ?*
Quel est votre numéro d'immatriculation ?	*What is your licence plate number ?*
Nom	*Last name*
Prénom	*First name*
Y a-t-il des aménagements pour enfants / handicapés ?	*Do you have facilities for children / disabled people ?*
Avez-vous des chambres libres ?	*Do you have any rooms available ?*
Y a-t-il un autre hôtel près d'ici ?	*Is there another hotel nearby ?*
Je voudrais une chambre à un lit / avec un lit double	*I would like a single room / double room*
Une chambre à deux lits	*A twin*
Un grand lit	*A king / queen bed*
C'est combien par nuit ?	*How much is it per night ?*
Y a-t-il quelque chose de moins cher ?	*Is there anything cheaper ?*
Y a-t-il une réduction pour les enfants ?	*Is there a discount for children ?*
Petit déjeuner compris	*Breakfast included*
Salle de bains	*Bath*

Douche	*Shower*
Jacuzzi	*Hot tub*
Toilettes	*Bathrooms, restrooms*
Air conditionné	*AC (prononcer « éïcii ») / air conditioning*
Ventilateur	*Fan*
Chauffage	*Heating*
Télévision	*Television (ou TV, prononcer « tiivii »)*
Téléphone	*Telephone*
Je voudrais téléphoner en France	*I would like to make a phone call to France*
Quel est l'indicatif téléphonique pour...?	*What is the area code for...?*
Y a-t-il des messages pour moi?	*Are there any messages for me?*
Je voudrais envoyer un message par fax / e-mail	*I would like to send a message by fax / e-mail*
Est-ce que je peux me connecter à Internet ici?	*Can I access the Internet here?*
Ça ne marche pas	*It doesn't work*
Il n'y a pas d'eau chaude	*There is no hot water*
Service de blanchisserie	*Laundry service*
Piscine	*Swimming pool*
Parking	*Parking lot*
Un lit supplémentaire	*An extra bed*
Une couverture	*A blanket*
Une serviette de bain	*A towel*
Un lit d'enfant	*A crib*
À quelle heure servez-vous le petit déjeuner?	*What time is breakfast served?*
Pourriez-vous me réveiller à...?	*Could you wake me up at...?*
À quelle heure devons-nous libérer la chambre?	*What time is the checkout?*
Puis-je avoir ma note s'il vous plaît?	*May I have my bill please?*
Est-ce que je peux avoir un reçu?	*Can I have a receipt?*
À quelle heure les portes sont-elles fermées?	*What time are the doors locked?*
Est-ce que vous louez des draps?	*Do you rent linen?*

Au camping

Avez-vous de la place pour une tente?	*Do you have free space for a tent?*
Quel est le tarif...?	*What is the charge...?*
Eau potable	*Drinking water*
Branchement électrique	*Hook-up*
Machines à laver	*Laundry facilities*

Au resto

Petit déjeuner	*Breakfast*
Brunch	*Brunch*
Déjeuner	*Lunch*
Dîner	*Dinner*
Une table pour deux, s'il vous plaît	*A table for two, please*
Avez-vous des plats végétariens?	*Do you have vegetarian dishes?*
Vous désirez commander?	*Are you ready to order?*
Est-ce pour emporter ou pour manger sur place?	*Is it to go or for here?*

GÉNÉRALITÉS

Puis-je avoir du, de la...?	*May I have some...?*
Je prendrai...	*I will have...*
Pourrions-nous avoir une chaise haute (pour bébé) s'il vous plaît?	*Could we have a high chair please?*
Bon appétit	*Enjoy your meal*
Légumes	*Vegetables*
Salade	*Salad*
Soupe	*Soup*
Œufs	*Eggs*
Viande	*Meat*
Poisson	*Fish*
Fruits de mer	*Seafood*
Crevettes	*Shrimps*
Truite	*Trout*
Thon	*Tuna*
Poulet	*Chicken*
Bœuf	*Beef*
Agneau	*Lamb*
Dinde	*Turkey*
Pâtes	*Pasta*
Hamburger	*Burger*
Frites	*(French) fries*
Fromage	*Cheese*
Pain	*Bread*
Beurre	*Butter*
Sel	*Salt*
Poivre	*Pepper*
Sauce	*Sauce*
Sauce salade	*Dressing*
Sucre	*Sugar*
Vinaigrette	*Dressing*
Eau plate	*Still water*
Eau pétillante	*Sparkling water*
Jus d'orange	*Orange juice*
Coca-Cola	*Coke*
Glaçons / sans glaçons	*Ice / Without ice*
Thé (chaud)	*Hot tea*
Thé glacé	*Iced tea*
Café	*Coffee*
Noir / au lait	*Black / whith milk*
Vin rouge / blanc	*Red / white wine*
Bière pression / en bouteille	*Draft beer / bottled beer*
L'addition s'il vous plaît	*The check, please*
Le pourboire	*The tip*

L'avion, le train, le bus, la voiture...

Aéroport	*Airport*
À quelle heure est l'enregistrement?	*At what time is the check in?*
À quelle heure est le vol pour...?	*At what time is the flight to...?*
Bagage	*Baggage*
Consigne	*Baggage check*
Consigne automatique	*Luggage lockers*
Bureau des renseignements	*Information desk*
Carte d'embarquement	*Boarding pass*
Gare	*Train station*
Gare routière	*Bus station*
Aller simple	*One-way*

Aller-retour	*Round-trip*
Location de voitures	*Car rental*
Caution	*Deposit*
Est-ce qu'il y a un bus pour aller en ville ?	*Is there a bus to get into town ?*
C'est loin ?	*Is it far ?*
Combien de temps cela prend-il pour aller à... ?	*How long does it take to go to... ?*
Est-ce que je peux avoir un horaire ?	*Could I have a schedule ?*
Quand part le prochain car pour... ?	*When is the next bus to... ?*
Je voudrais louer une voiture	*I'd like to rent a car*
Le plein, s'il vous plaît	*Fill it up, please*
Je suis en panne d'essence	*I've run out of gas*

Les chiffres, les nombres

un	*one*
deux	*two*
trois	*three*
quatre	*four*
cinq	*five*
six	*six*
sept	*seven*
huit	*eight*
neuf	*nine*
dix	*ten*
onze	*eleven*
douze	*twelve*
treize	*thirteen*
quatorze	*fourteen*
quinze	*fifteen*
vingt	*twenty*
trente	*thirty*
quarante	*forty*
cinquante	*fifty*
soixante	*sixty*
soixante-dix	*seventy*
quatre-vingts	*eighty*
quatre-vingt-dix	*ninety*
cent	*one hundred*
mille	*one thousand*

LIVRES DE ROUTE

Brûlots

– ***Dégraissez-moi ça*** et ***Mike contre-attaque,*** de Michael Moore. Éd. 10/18, nos 3603 et 3597, 2004. Véritable poil à gratter de l'Amérique sous George W. Bush, le réalisateur de *The Big One, Bowling for Colombine* et *Fahrenheit 9/11,* récompensé par la Palme d'or à Cannes en 2004, est un pamphlétaire corrosif qui s'en prend avec un humour ravageur aux maux endémiques de l'*American way of life.* Ses provocations ne font pas dans la dentelle : racisme, illettrisme, alcoolisme, prolifération des armes, arrogance de l'équipe au pouvoir, peine de mort, insécurité, corruption, ultra-libéralisme, licenciements massifs font partie de ses cibles favorites. Même si a frappe tient parfois de l'artillerie lourde, son tir fait toujours mouche et détonne dans le consensus patriotique dominant depuis le 11 septembre. À lamper à grandes gorgées comme antidote à l'unilatéralisme de l'Oncle Sam.

Généralités

– *États-Unis, peuple et culture* (2004). Éd. La Découverte. De l'origine du territoire yankee à la culture américaine aujourd'hui, en s'arrêtant sur des questions aussi fondamentales que les peuplements ou les mythes fondateurs du pays, l'étudiant comme le lecteur curieux liront avec un grand intérêt cet ouvrage concis. En 200 pages écrites par un collectif (professeurs, sociologues, géographes, historiens, journalistes...), sont abordés les thèmes majeurs qui ont façonné l'Amérique d'aujourd'hui, admirée par les uns, honnie et vilipendée par les autres. Ce livre de qualité, très instructif et à la page, a l'avantage de remettre les pendules à l'heure sur la spécificité du pays, en nous faisant intelligemment comprendre ses rouages.

– *Les États-Unis au temps de la prospérité, 1919-1929,* d'André Kaspi ; histoire. Éd. Hachette, coll. « La Vie quotidienne », 1994. Grandeur et décadence des années 1920, celles que l'on appelait les *Roaring Twenties*. Kaspi est l'un des meilleurs spécialistes français des États-Unis. Il évoque ici les mirages d'une prospérité américaine insolente, bientôt brisée sur les écueils de la crise de 1929. Organisé par thèmes, très agréable à parcourir, ce livre n'est pas dépourvu d'un certain humour.

– *De la démocratie en Amérique (1834-1840),* d'Alexis de Tocqueville. Éd. Gallimard Poche, Folio Histoire n°s 12 et 13, 1998. Le 2 avril 1831, Alexis de Tocqueville embarque pour le Nouveau Monde dans le dessein d'étudier le fonctionnement et les institutions de cette nouvelle république qui suscitait encore interrogations et méfiances chez les conservateurs du Vieux Continent. Un ouvrage incontournable.

Romans et polars

– *USA* (1930, 1932, 1936), de John Dos Passos. Éd. Gallimard Quarto, 2002. Il s'agit d'une trilogie réunie en un seul volume et comprenant : *42e Parallèle, L'An premier du siècle* et *La Grosse Galette,* constituant un tableau des États-Unis de 1900 à 1930. L'ensemble est assez pessimiste, l'auteur critiquant violemment le capitalisme triomphant du début du XXe siècle.

– *Homme invisible, pour qui chantes-tu ?* de Ralph Ellisson. Éd. Grasset, Les Cahiers Rouges n° 149, 2002 ; traduit par M. et R. Merle. Un grand classique de la littérature noire. Dans les années 1950, les aventures d'un jeune Black, venu de son Sud natal pour monter à Harlem. Il devient le porte-parole de la Confrérie, une organisation de défense des droits civiques.

– *Beloved,* de Toni Morrison. Éd. 10/18, n° 2378, 2004 ; traduit par H. Chabrier et S. Rué. Le roman débute dans une maison hantée par le fantôme d'un enfant assassiné par sa mère, une « négresse » en fuite, pour qu'il ne vive pas en esclavage. Dans cette maison, 18 ans ont passé depuis le drame, jusqu'au jour où arrive une femme mystérieuse, Beloved. Toni Morrison a reçu le prix Nobel de littérature en 1993 ; *Beloved,* le prix Pulitzer.

– *L'Amérique* (1927), de Franz Kafka. Éd. Gallimard Poche, Folio n° 803, 2000 ; traduit par A. Vialatte. Banni par ses parents pour avoir engrossé une misérable bonne, le jeune Karl Rossmann débarque dans une Amérique trépidante où les escrocs pullulent. Volé, conspué, trahi, abandonné par tous, il parcourt le pays comme dans un rêve affreux, perdant ses illusions et sa naïveté.

– *Gatsby le Magnifique* (1925), de Francis Scott Fitzgerald. Éd. LGF Poche, Le Livre de Poche n° 900, 1999 ; traduit par V. Liona. Grandeur et décadence de Gatsby, ce jeune homme séduisant, mystérieux, au passé incertain... Scott Fitzgerald fait revivre l'atmosphère des riches *parties* de la côte Est dans les années 1920, ces milieux snobs, superficiels, pleins de mépris et de cruauté qu'il connaissait bien, et où il s'est lui-même brûlé les ailes.

– *Le Monde selon Garp* (1980), de John Irving. Éd. Le Seuil, Poche, Points n° 5 ; traduit par M. Rambaud. Au travers de l'histoire d'une mère infirmière et féministe et de son fils Garp, écrivain, dans l'Amérique de la fin de la Seconde Guerre mondiale jusqu'à nos jours, Irving nous dépeint un monde

grotesque et violent. Cette œuvre démesurée, débordante d'humour, de détails croustillants ou sordides, est foncièrement pessimiste.
– **Le Massacre du Maine** (1988), de Janwillem Van de Wetering. Éd. Rivages Poche, Rivages/Noir n° 43 ; traduit par D. May. Au cap Orque, où réside la sœur du commissaire hollandais venu d'Amsterdam, 6 meurtres ont été commis. Enquête dépaysante dans une contrée rude où la violence est présente au quotidien. Un récit dense qui oscille entre le sourire et la gravité.
– **Minuit dans le jardin du Bien et du Mal** (1996), de John Berendt. Éd. Pocket, n° 10174, 1999. Journaliste new-yorkais réputé (il a été rédacteur en chef du *New York Magazine*), John Berendt a enquêté sur une affaire criminelle qui a défrayé la chronique à Savannah, ville de Géorgie réputée « coincée ». Il en a rapporté un récit qui a passionné l'Amérique : le livre s'est maintenu pendant 3 ans en tête des best-sellers dans la catégorie *non fiction* alors que le film d'Eastwood, tiré du livre, a été un bide. La base du récit est l'assassinat par un antiquaire appartenant à une famille de notables de son amant, mais le livre dépasse largement ce seul fait divers, l'auteur brossant une savoureuse galerie de portraits de personnages plus originaux les uns que les autres.

MÉDIAS

La télévision

La TV est largement répandue sur le sol américain, puisqu'elle est présente dans 98 % des foyers. Il existe 5 réseaux nationaux : *ABC, CBS, NBC, Fox* et *PBS* (chaîne publique financée par l'État et les particuliers, sans pub, proposant les meilleures émissions mais pas pour autant les plus regardées). On trouve aussi dans chaque État diverses chaînes locales ou régionales. À ces réseaux vient s'ajouter le câble. On y trouve des chaînes spécialisées diffusant 24 h/24 des informations (*CNN* par exemple), des émissions pour les enfants, la météo, des films (*HBO*, l'équivalent de notre Canal +), du sport, de la musique, du téléachat, des programmes religieux, etc.
Les nostalgiques ne manqueront pas de lire aussi la rubrique « Infos en français sur TV5 », plus haut.

La presse

Les quotidiens sont de véritables institutions aux États-Unis. Les Américains lisent énormément les journaux. À l'échelle nationale, les plus importants sont : le *New York Times* (journal progressiste et de qualité), le *Washington Post* et le *Los Angeles Times* (inspiration politique plutôt libérale). Également le *Wall Street Journal* (sérieux et conservateur – entre nous, il n'a pas été tendre avec les Français au début de la guerre en Irak en 2003) et le *USA Today* (le seul quotidien national, très grand public et de qualité médiocre). Les éditions du dimanche sont particulièrement copieuses, avec des tas de suppléments sur les sports, la culture, les arts... On trouve encore les différents journaux locaux concentrés sur les faits divers et les manifestations culturelles. Il y a aussi les *tabloids* (appelés ainsi à cause de leur format), *Daily News* et compagnie, remplis de scandales, de potins mondains et de mauvais esprit. Ces derniers coûtent en moyenne 25 cents, ça donne une idée de la qualité... Côté hebdos, citons *Time* (plutôt libéral) et *Newsweek* (plus centriste). Tous ces journaux et magazines sont largement diffusés dans tous les États-Unis. Sans oublier les nombreux magazines gratuits (voir les rubriques « Adresses et infos utiles » des différentes villes traitées dans ce guide).
Les journaux s'achètent dans des distributeurs automatiques dans la rue. On glisse la somme et une petite porte s'ouvre pour vous laisser prendre votre quotidien.
La presse étrangère en général et française en particulier est difficile à trouver, même dans les aéroports internationaux. Quelques exemplaires du

Monde diplomatique ou du *Figaro* dans sa version internationale (France-Amérique) sont distribués régulièrement dans les grandes villes. Nous vous conseillons de vous rabattre sur les librairies internationales (dans les grandes villes) ou sur les bibliothèques publiques *(public libraries)*.

La radio

Il y en a pléthore, toutes différentes. Nombreuses radios locales, essentiellement musicales (rock, country et du hip-hop autour des grandes villes). On les retrouve sur la bande FM. Les stations de radio portent des noms en 4 lettres, commençant soit par W (celles situées à l'est du Mississippi), soit par K (à l'ouest). Le réseau public américain, le *NPR (National Public Radio)* propose des programmes d'une qualité supérieure.

MESURES

Même s'ils ont coupé le cordon avec la vieille Angleterre, même s'ils roulent à droite, pour ce qui est des unités de mesure, les Américains ont conservé un système « rustique » dont il ne faut pas attendre de changement avant un bon moment. On ne sait pas s'ils ont fait ça exprès pour nous embrouiller, mais en tout cas c'est réussi ! On a essayé de limiter les dégâts en vous donnant les mesures : bon courage pour les calculs !

Longueurs
1 yard = 0,914 m
1 foot = 30,48 cm
1 inch = 2,54 cm
0,62 mile = 1 km
ou 1 mile = 1,6 km
1,09 yard = 1 m
3,28 feet = 1 m
0,39 inch = 1 cm

Poids
1 pound = 0,4536 kg
1 ounce (oz) = 28,35 g

Capacité
1 gallon = 3,785 l
1 quart = 0,946 l
1 pint = 0,473 l
1 fl. ounce = 29,573 ml

ORIENTATION

Dans les grandes villes, une rue sépare les secteurs nord du secteur sud. Idem entre l'Est et l'Ouest. Très utile de connaître ces 2 rues (ou avenues) de « référence » pour se repérer lorsqu'on cherche une adresse.
Il faut savoir un truc, les numéros des rues sont très longs... par exemple, le n° 3730 se situe entre le 37e block, ou rue, et le 38e ; ça peut ensuite passer de 3768 à 3800. C'est pas compliqué. Le *120 N 4th St* est donc théoriquement très facile à repérer. En réalité, on se plante, du moins au début !
Autre principe à intégrer : le nom de la rue indiqué sur le panneau correspond à la rue que vous croisez et non à celle où vous vous trouvez.
Attention, il arrive (rarement) que ça ne marche pas comme ça.
D'autre part, sachez que traverser hors des clous ou au feu vert peut être passible d'une amende (environ 30 US$) ; on vous aura prévenu !

Les abréviations suivantes ont été utilisées dans ce guide

Ave	Avenue	**Sq**	Square
Blvd	Boulevard	**St**	Street
Dr	Drive	**E**	East
Gr	Grove	**N**	North
Hwy	Highway	**S**	South
Pl	Place	**W**	West
Rd	Road		

PARCS ET MONUMENTS NATIONAUX

Dans ces régions de grands espaces particulièrement privilégiées par la nature, les parcs nationaux *(National Parks)* et les monuments nationaux *(National Monuments)* sont des endroits rigoureusement protégés. En réalité, pas de grande différence entre eux. Les premiers sont créés après un vote du Congrès, les seconds le sont par simple décret signé par le président des États-Unis. Ils sont gérés par la même administration, et des réglementations très strictes les préservent de toute dégradation d'origine humaine (50 US$ d'amende si vous ramassez du bois mort). Le résultat est fabuleux.

Pourtant, les Américains ont réussi à y intégrer toutes les commodités possibles en matière de logement champêtre : il est possible d'y passer la nuit dans une cabane améliorée (bains, douche, kitchenette, TV...), sous une tente ou dans une caravane. Pour dormir dans un parc en été, il est bon de réserver longtemps à l'avance, ou de s'y prendre très tôt le matin lorsque la réservation n'est pas possible.

Tous ces parcs proposent des programmes de visite en groupe, mais si vous possédez une voiture, procurez-vous de bonnes cartes, une gourde et quelques sandwichs. N'hésitez pas à vous enfoncer dans ces forêts de rêve, ces canyons dont les cartes postales ne seront jamais que le piètre reflet, ces vallées dont le cinéma ne restituera jamais la vraie grandeur. Un bon plan suggéré par un de nos lecteurs : achetez, au début de votre séjour, une glacière bon marché. Mettez-y des glaçons (la majorité des motels ont des distributeurs gratuits) pour avoir des boissons fraîches toute la journée. Vous pouvez laisser votre glacière dans le coffre de la voiture de location, ça pourra servir au routard suivant.

– Droits d'entrée : la moyenne des droits d'entrée des parcs nationaux tourne autour de 10-15 US$ par véhicule (et non par personne). Les monuments nationaux sont un peu moins chers (parfois gratuits, mais c'est rare). Parfois, le droit d'entrée est par personne, mais c'est tout de même rare. Attention, toutes les routes qui traversent un parc national obligent à payer le droit d'entrée.

Bon à savoir, le droit d'entrée est valable 7 jours consécutifs.

– Le National Parks Pass : 50 US$ pour une voiture et ses passagers. Vendu à l'entrée de chaque parc, il est valable un an et généralement rentabilisé à partir de 3 parcs. Si vous n'êtes pas sûr du nombre de parcs que vous voulez visiter, conservez vos tickets et si, à un moment donné, l'addition des tickets est supérieure ou égale au prix du *pass* annuel, on vous échangera vos factures contre un *pass*. Ce dernier donne droit à l'accès aux parcs et monuments nationaux des États-Unis (nombre d'entrées illimité). Franchement, ce *pass* peut largement suffire pour des vacances déjà bien remplies.

– Le Golden Eagle Pass : si on le souhaite, on peut très facilement étendre les possibilités de son *National Parks Pass* en achetant le *Golden Eagle Hologram* (genre de vignette) à 15 US$ qui, en plus des parcs et monuments nationaux, permet d'accéder à certains National Recreative Areas, National Wildlife Refuges.

– Les centres d'accueil ou Visitor Centers : dans tous les parcs naturels, il existe un ou plusieurs *Visitor Centers* où l'on trouve le plan du parc, une variété remarquable de cartes topographiques (randonnées pédestres, équestres, cyclistes...), de superbes cartes postales et des livres splendides. Souvent tenus par des rangers qui peuvent vous donner de nombreux conseils pour les balades et l'hébergement. C'est le 1er endroit où se rendre en arrivant. C'est souvent aussi le point de départ des visites et toujours une mine de renseignements. C'est aussi de là que partent généralement les bus, quand il y en a, qui vous permettent de visiter gratuitement les points de vue les plus intéressants ou du moins les plus populaires. La plupart sont même de véritables petits musées.

GÉNÉRALITÉS

– *Sites Internet des parcs nationaux américains :* pour toutes infos utiles, tarifs d'entrée, etc. : ● www.nps.gov ● suivi des premières lettres ou des initiales du parc. Ça marche presque à tous les coups ! Pour réserver un hébergement dans tous les parcs nationaux : ● http://reservations.nps.gov ●
– Les **chèques de voyage en dollars** sont acceptés très facilement dans les **boutiques** et les **restos** (même pour des petites sommes).

PERSONNAGES

Histoire, politique, société

– **Buffalo Bill** (William Frederick Cody, 1846-1917) *:* un nom légendaire de la conquête de l'Ouest. Aventurier et pionnier, Buffalo Bill joue un rôle d'éclaireur lors de la guerre de Sécession et participe activement au carnage des populations de bisons et aux guerres contre les Indiens (il était payé pour !). Pas très recommandable tout ça... Après ? Il devient acteur dans *Wild West Show* (1883) où il joue son propre rôle et retrace ses exploits. Sans complexes ! Son spectacle est même venu à Paris, sous la tour Eiffel.
– **Bill Clinton** (Williams Jefferson Clinton, 1946) *:* 42e président des États-Unis, en fonction de début 1993 à fin 2000, toujours actif aujourd'hui. Voir la rubrique « Histoire » plus haut.
– **Benjamin Franklin** (1706-1790) *:* lire la rubrique « Quelques hommes illustres » au début des pages consacrées à Philadelphie.
– **Thomas Jefferson** (1743-1826) *:* voir la même rubrique.
– **John Fitzgerald Kennedy** (1917-1963) *:* sa présence à la Maison Blanche (1961-1963) fut aussi courte que remarquée. Dès 1961, il s'embourbe lamentablement dans l'affaire de la Baie des Cochons (invasion ratée de Cuba visant à renverser le régime de Fidel Castro). Homme de projet (il lance le programme pour la conquête de la Lune) et homme à femmes, il cultive son image de beau gosse avec réussite. Son assassinat, dans de troubles circonstances, le 22 novembre 1963 à Dallas, laisse l'Amérique sous le choc.
– **Martin Luther King** (1929-1968) *:* celui qui, un jour, fit un rêve incarne la lutte pacifiste pour la reconnaissance et l'intégration du peuple noir. Voir la rubrique. « Histoire » plus haut. Depuis 1986, le 3e lundi de janvier commémore la naissance de M. L. King.
– **Abraham Lincoln** (1809-1865) *:* homme du Nord, membre du parti républicain, Lincoln est antiesclavagiste. Son élection à la présidence des États-Unis en 1860 est perçue comme une provocation par les États du Sud ; la Caroline du Sud fait sécession. Un mois après, 10 autres États emboîtent le pas. C'est la guerre. En 1862, il proclame l'émancipation des esclaves. Réélu en 1864, il est assassiné par un esclavagiste pur et dur.
– **Ronald Reagan** (1911-2004) *:* le passage de Rony à la présidence des États-Unis marqua le retour à un conservatisme et à un libéralisme économique fort. Cet ancien acteur de série B utilisa à fond un charisme qu'il savait grand à défaut d'une intelligence politique qui lui faisait défaut. Si le grand capital sort renforcé de son passage à la Maison Blanche (1981-1989), les caisses du pays sont vides. Quant à sa politique sociale, elle met des dizaines de milliers de gens dans la rue. Son décès ébranla l'Amérique.
– **Rockefeller** (John Davison, 1839-1937) *:* homme déterminé, rigoureux, inflexible, Rockefeller fonde en 1870 la *Standard Oil Company,* à l'époque où l'on vient de découvrir les extraordinaires propriétés de l'or noir. En deux temps, trois mouvements et sans états d'âme, la société élimina la concurrence pour se retrouver en situation de quasi-monopole aux États-Unis. Mais en 1911, l'empire industriel est démantelé par la loi antitrust.

– **Franklin D. Roosevelt** (1882-1945) : élu à la Maison Blanche en 1932, Roosevelt est l'homme du « New Deal », un programme réformateur visant à résoudre la crise économique et sociale sans précédent que connaissent alors les États-Unis. Il est réélu en 1936 puis en 1940, une première ! Autre challenge, le projet top secret qu'il lance en 1939... et qui devait aboutir à l'élaboration de la bombe atomique. Il meurt 3 mois après avoir défendu, avec Churchill, la création de l'ONU à la conférence de Yalta.

– **Malcolm X** (Malcolm Little, 1925-1965) : une figure incontournable de la cause noire. Converti à l'islam, il devient le porte-parole de la Nation Islam (Black Muslims), un mouvement révolutionnaire qui revendique la création d'un État noir indépendant. En 1964, il fonde sa propre organisation et s'oriente vers une vision plus humaniste intégrant l'ensemble des Afro-Américains ; l'objectif étant toujours l'émergence d'un réel pouvoir noir. Il meurt assassiné devant son pupitre.

– **George Washington** (1732-1799) : voir la rubrique « Quelques hommes illustres » au début des pages consacrées à Philadelphie.

Musique

– **Louis Armstrong** (1901-1971) : trompettiste et chanteur, le surnommé Satchmo ou Pops a fait danser et rêver toute La Nouvelle-Orléans sur des rythmes jazzy et bluesy. Il s'abandonne à des improvisations qui donnent le vertige, son swing est puissant. Son talent et sa voix ont profondément marqué toute l'histoire du jazz. Et comme si cela ne suffisait pas, il tourna également plusieurs films !

– **Chet Baker** (1929-1988) : trompettiste et chanteur de jazz connu de tous à partir des années 1950. Si sa vie ressemble à un exode (qu'il connut d'ailleurs sur la route 66, avec ses parents), sa musique est pleine de sensibilité. Et ce ne sont pas les trafiquants de drogue qui lui fendent les lèvres un soir de concert qui mettront fin à sa carrière.

– **Count Basie** (1904-1984) : pianiste, il débute dans les cabarets de Harlem. Dans les années 1940, il renouvelle le style swing qui bouscule la base rythmique du jazz ; le groupe qu'il dirige s'impose alors rapidement comme l'un des meilleurs de l'époque, l'un des plus swing que le jazz ait jamais connu. Count Basie s'est aussi illustré par ses interprétations boogie-woogies très personnelles et ses remarquables morceaux de blues à l'orgue.

– **Sydney Bechet** (1891 ou 1897, selon les sources-1959) : clarinettiste dès l'âge de 6 ans, c'est en tant que saxophoniste qu'il devient l'une des figures emblématiques du style Nouvelle-Orléans, alors qu'il n'a même pas appris à lire la musique ! Bechet joue avec les plus grands noms, traverse l'Atlantique maintes fois et sillonne l'Europe. En 1949, il s'installe en France pour y rester jusqu'à sa mort.

– **Chuck Berry** (1926) : il fait ses premiers pas dans le blues à Saint-Louis. Mais sa vraie personnalité se dévoile dans les années 1950, lorsque, avec sa guitare et sa façon de la faire mugir, il s'impose comme l'un des pionniers du rock'n roll. Avec une longue série de titres qui marqueront la jeunesse occidentale, il a tracé le sillon aux plus grands comme les Beatles, les Rolling Stones, etc.

– **Ray Charles** (1930-2004) : chanteur, pianiste, saxophoniste, Ray Charles reste un personnage charismatique, aux lunettes noires masquant une cécité contractée à l'âge de 6 ans. Inspiré à ses débuts par le blues californien, il crée, dans les années 1950, un style musical alliant jazz, blues et gospel : la soul music. Sa disparition laisse un grand vide dans le monde de la musique afro-américaine.

– **Nat King Cole** (1917-1965) : pianiste talentueux de jazz, il est surtout connu comme chanteur de blues à la tête du célèbre Trio qu'il fonde en 1939. À la fin de la Seconde Guerre mondiale, il est l'un des principaux musiciens qui contribuent à l'émancipation d'un courant californien : un blues de cabaret, sophistiqué et feutré, apprécié par un public averti.

– **Miles Davis** (1926-1991) : trompettiste virtuose, animé par le goût de l'innovation, Miles Davis est à l'origine d'un jazz avant-gardiste qui lui vaudra l'incompréhension des puristes. À la fin des années 1940, il affirme le *cool jazz*, mais la principale révolution dont il est l'artisan intervient vers 1970. Il compose des titres de jazz-rock et rapproche ainsi deux courants musicaux jusqu'alors bien distincts. Il reçut la Légion d'honneur française.

– **Bob Dylan** (Robert Allan Zimmerman, 1941) : le « cow-boy poète » par excellence des années 1960, influencé par Baudelaire, Rimbaud, Céline... contestataire et anticonformiste. Une guitare, un harmonica et voilà à ses débuts une musique folk acoustique. En 1965, sa guitare devient électrique et il inaugure un *folk rock* conspué par certains. Peu importe, Bob Dylan apporte « une conscience » au rock ; son rôle est considérable. Son album *Blood on the tracks* (1974) reste l'un de ses meilleurs.

– **Duke Ellington** (1899-1974) : un autre nom mythique du jazz. Pianiste et compositeur dès l'âge de 16 ans, il enflamme le célèbre Cotton Club de New York à la fin des années 1920, et ce n'est qu'un début. En Europe, puis dans le monde entier, ses tournées sont triomphales. Inspiré à ses débuts par l'ambiance Nouvelle-Orléans, son propre génie se révèle rapidement avec ses mélodies pleines de swing et son talent de l'improvisation (voir, à Washington, le quartier de U Street).

– **Ella Fitzgerald** (1918-1996) : avec « ce tout petit supplément d'âme, cet indéfinissable charme », Ella reste la « First Lady » du jazz, la reine du swing et du scat. Son sens de l'improvisation et sa facilité de voguer sur les octaves impressionnent les plus grands. Dans les années 1950 et 1960, elle rayonne. Pas moins de 250 disques à son actif !

– **Aretha Franklin** (1942) : surnommée « Lady Soul », Aretha Franklin demeure l'une des plus grandes interprètes du soul et du gospel modernes. Il faut dire qu'une voix qui s'échelonne sur quatre octaves, ça aide ! C'est avec l'album *Amazing Grace* qu'elle atteint le zénith de sa carrière dans les années 1970.

– **George Gershwin** (Jacob Gershovitz, 1898-1937) : il est l'auteur de nombreuses *songs* devenues des standards de jazz *(The Man I Love, I Got Rhythm)*. Il est aussi à l'origine d'une musique symphonique dans laquelle il introduit les rythmes de jazz et les bruits de la jungle urbaine *(Rhapsody in Blue, Un Américain à Paris)*.

– **Jimi Hendrix** (James Allen Hendrix, 1942-1970) : l'un des guitaristes de rock les plus illustres des années 1960, capable de jouer de la guitare dans son dos ou même avec les dents ! En 1966, à Londres, il enflamme le public et sa guitare ! Sensation, scandale et succès assurés. Le scénario se reproduit immanquablement en Amérique. En 1969, c'est Woodstock : Hendrix est entré dans la légende.

– **Billie Holiday** (1915-1959) : la vie de la chanteuse de blues est détaillée dans l'introduction à Baltimore.

– **B. B. King** (1925) : B. B. King inaugure un blues moderne dans les années 1950. Avec son allure élégante, sa façon unique de faire vibrer sa guitare, nommée « Lucille », il révolutionne l'image du bluesman. Une grande pointure de la musique noire américaine qui, dans les années 1990, se produisait encore en concert.

– **Jerry Lee Lewis** (1935) : une figure « phare » du rock'n roll de la fin des années 1950 (jusqu'aux années 1970). Après avoir hésité entre la musique et le religieux, il chevauche son piano (aussi bien avec les coudes qu'avec les pieds !) pour des rythmes décapants directement inspirés du boogie-woogie. Attaché à un esprit de liberté, il connut quelques errances et sa vie émaillée de scandales bouscula quelque peu l'Amérique puritaine.

– **Madonna** (Louise Veronica Ciccone, 1958) : une enfance malheureuse, un milieu modeste, un départ pour New York avec moins de 50 dollars en poche, une volonté farouche d'y arriver. Tous les ingrédients étaient réunis pour que cette jeune femme libérée, sulfureuse et provocante, au charisme érotique, faisant preuve de talents par tous les moyens possibles... s'inscrive dans la lignée des plus grands artistes qui collent à leur époque, de ces stars mythiques qui font la fierté de l'Amérique. Elle change de look chaque année depuis 20 ans !

– *Thelonious Monk* (1917-1982) *:* le grand prêtre du be-bop, selon la formule consacrée, s'installe à New York dès l'âge de 6 ans. Il deviendra l'un des grands New-Yorkais du XXe siècle. Tous les hauts lieux du jazz tendance be-bop ont vu passer sa silhouette dégingandée, puis bedonnante avec l'âge.

– *Jim Morrison* (1943-1971) *:* « homme de mots » comme il se définissait, Jim Morrison, avec son groupe *The Doors* qu'il forme avec Ray Manzarek, est un « monument » de la scène rock des années 1960. En concert, ce jeune éphèbe hypnotise les foules, se délivre et se livre sous l'emprise de diverses substances. Le groupe incarne alors toute une culture. Jim Morrison a été retrouvé mort à Paris. Sa tombe, au cimetière du Père-Lachaise, est visitée par les touristes du monde entier.

– *Jessye Norman* (1945) *:* cantatrice afro-américaine qui aime la France. Avec sa voix de soprano, elle envoûta des milliers de spectateurs lors du défilé commémorant le bicentenaire de la Révolution française sur les Champs-Élysées, enveloppée dans un drapeau tricolore.

– *Elvis Presley* (1935-1977) *:* un nom mythique, l'idole de toute une génération ou « The King », tout simplement. Un titre en 1954, *That's All Right* (qu'il enregistra pour sa mère), et voilà le 1er coup de tonnerre ! Très vite, ce jeune sex-symbol à la voix chaude et sensuelle, ce crooner ténébreux, fait rêver, pleurer des dizaines de milliers d'adolescentes, déclenche des hystéries tandis qu'il inquiète une Amérique bien-pensante. Plus rien ne sera comme avant. Le rock'n roll s'est imposé !

– *Prince* (Prince Rogers Nelson, 1958) *:* extravagant et sensuel sous les projecteurs, il cultive l'ambiguïté sexuelle et fait fi des tabous. Prince, c'est aussi un point de rencontre et de fusion de plusieurs courants musicaux (funk, blues-rock, soul, pop et une pincée de jazz). Il marque de manière indélébile la scène rock de la fin du XXe siècle avec des chefs-d'œuvre tels que les albums *Sign'o'the Time, Purple Rain,* etc.

– *Paul Simon* (1941) *:* le premier du couple Simon & Garfunkel. Les deux acolytes ont commencé à se faire connaître en 1957 sous le nom de Tom et Jerry ! Ces idoles des sixties connurent leur 1er succès avec *Wednesday Morning,* mais c'est surtout la BO du film *Le Lauréat,* avec *Mrs Robinson* (disque de l'année 1968), qui a fait d'eux des vedettes planétaires. Sexagénaire assagi, Paul Simon poursuit aujourd'hui sa carrière en solo. Mais, bonne nouvelle, le duo s'est récemment reformé pour quelques concerts.

– *Frank Sinatra* (1926-1998) *:* crooner aux yeux bleus et acteur, Frank Sinatra est une véritable légende (plus de 600 millions d'albums vendus et une cinquantaine de films). Il s'est illustré dans des comédies musicales, a reçu un oscar pour son interprétation dans le film *Tant qu'il y aura des hommes* (1953) et s'est immortalisé avec les fameux *Strangers in the Night* (1966), *New York, New York* (1975) et le célèbrissime *My Way* (1969), écrit par... Claude François !

– *Bruce Springsteen* (1949) *:* qualifié de « nouveau Dylan » à ses débuts, puis surnommé « The Boss », Springsteen puise ses références dans le rock'n roll, la country, le folk. L'album *Born to Run* en 1975 le révèle. *The River, Nebraska* sont de véritables succès, tout comme le patriotique *Born in the USA,* en 1985. Il s'est récemment illustré avec un album en hommage aux victimes des attentats du 11 septembre.

– Parmi les pointures plus récentes, on ne manquera pas de citer *Aerosmith,* groupe de hard rock né en 1970, *Lenny Kravitz* qui surprend par son mélange des genres musicaux, *R.E.M.* qui a remporté un succès mondial colossal avec *Losing my religion,* et encore *Macy Gray, Jennifer Lopez, Britney Spears, Beyonce...* Sans oublier toutes les stars actuelles du hip-hop, le sulfureux *Eminem, Dr. Dre, Snoop Doggy Dog, Gangstar, Cypress Hill,* etc.

Cinéma

– *Woody Allen* (Allen Stewart Konisberg, 1935) *:* le cinéaste new-yorkais par excellence, dont on attend chaque année le nouvel opus. Le gamin de Brooklyn vit aujourd'hui sur la 5e Avenue, le dernier bastion de l'opulence et de la bourgeoisie intello new-yorkaise, qui nourrit d'ailleurs le meilleur de son œuvre. On pense à *Annie Hall, Manhattan, Meurtre mystérieux à Manhattan, Coups de feu sur Broadway...*

– *Lauren Bacall* (Betty Wernstein Perske, 1924) *:* surnommée « The Look », cette grande actrice hollywoodienne débuta sa carrière à la fin de la Seconde Guerre mondiale. Avec Humphrey Bogart, elle partage sa vie, elle partage des films ; ils forment l'un des couples les plus mythiques du 7e art.

– *Humphrey Bogart* (1899-1957) *:* l'incontournable Humphrey Bogart ou « Bogey », l'acteur de la planète Hollywood qui joua dans près de 80 films. Tantôt gangster ou personnage de western à ses débuts, il endosse un rôle de détective dans *Le Faucon maltais* (1941) qui le révèle. Par la suite, c'est un aventurier quelque peu sentimental. Tenancier de bar mythique dans *Casablanca,* il obtient la consécration en 1952 avec l'oscar du meilleur acteur dans *African Queen.*

– *Marlon Brando* (1924-2004) *:* moulé dans un T-shirt blanc, Marlon Brando se forge une notoriété dans *Un tramway nommé Désir* (1951). Il devient alors un acteur « phare » d'Hollywood, à l'aise aussi bien dans le western que dans la tragédie, le film de guerre *(Apocalypse Now)* ou d'aventure. En 1961, il réalise son seul film : *La Vengeance aux deux visages,* un western surprenant et remarqué. Il s'éteint retiré du monde sur un îlot du Pacifique.

– *John Cassavetes* (1929-1989) *:* l'archétype de l'auteur indépendant qui a refusé le système hollywoodien. Dès son 1er film, *Shadows* (1959), il innove un style cinématographique qui lui permet de coller à la réalité du sous-prolétariat noir. Ses films se feront ensuite « en famille », avec sa femme, la sublime Gena Rowlands.

– *Francis Ford Coppola* (1939) *:* à la fois scénariste, réalisateur et producteur, il signe des films qui témoignent d'un certain goût pour la grandeur, voire la démesure. On lui doit notamment *Le Parrain* (1972), *Apocalypse Now* (1979), *Cotton Club* (1984), ainsi que le scénario de *Paris brûle-t-il ?* (1966). Eh oui.

– *James Dean* (1931-1955) *:* acteur américain devenu mythique en trois films : *À l'est d'Éden* (1954), *La Fureur de vivre* et *Géant* (1955). Son physique de jeune premier et sa mort prématurée dans un accident de voiture qui le faucha en pleine ascension firent de lui le symbole de toute une génération éprise de liberté et de fureur de vivre.

– *Robert De Niro* (1943) *:* l'une des grandes figures italo-américaines du 7e art. Tout d'abord acteur de théâtre, c'est avec son compère Scorsese qu'il perce dans le cinéma à partir des années 1970 : *Mean Streets* (1973), *Taxi Driver* (1976), *Raging Bull* (1980), *Les Affranchis* (1990), sans oublier *Le Parrain II* et *Le Parrain III* (Coppola). Depuis quelques années, il tourne beaucoup plus, semblant préférer la quantité à la qualité (les impôts à payer ?).

– *Walt Disney* (Walter Elias Disney, 1901-1966) *:* curieusement, Disney n'était pas un dessinateur exceptionnel. Très vite, il s'arrêta même de dessiner. C'était surtout un homme d'idées. Son 1er trait de génie fut de donner aux visages de ses héros des expressions reflétant leurs émotions. Disney inventa aussi les études de marché : il invitait son équipe au cinéma et faisait projeter son dernier dessin animé avec le public. On notait ensuite les réactions dans la salle pour modifier le scénario. Au fait, saviez-vous que Mickey, créé en 1928, tint le second rôle jusqu'aux années 1940 ? La vedette, c'était Pluto.

– *Clint Eastwood* (1930) *:* avec un parcours atypique ponctué de grands succès et d'échecs cinglants, jamais là où on l'attend, Clint Eastwood est en quelque sorte un « hors-la-loi » du 7ᵉ art, très attaché à son instinct. Après 217 épisodes de la série *Rawhide*, 3 westerns spaghetti dont *Le Bon, la Brute et le Truand* (1966), il se cantonne ensuite dans le rôle du fameux inspecteur Harry et entame une carrière de réalisateur reconnue : *Bird, Sur la route de Madison, Mystic River...*

– *Henry Fonda* (1905-1982) *:* acteur de 1935 à 1981, Henry Fonda s'illustra dans près de 90 films (!) dont une série de westerns spaghetti. *Les Raisins de la colère* (1940), *La Poursuite infernale* (1946 – film dans lequel il incarne l'authentique shérif de Tombstone, Wyatt Earp), *Il était une fois dans l'Ouest* (1969) restent dans les annales du cinéma.

– *Harrison Ford* (1942) *:* si la carrière d'acteur d'Harrison Ford a démarré tout doucement et a failli s'arrêter prématurément, elle s'est bien rattrapée par la suite ! Menuisier dans les studios, il rencontre George Lucas qui accepte de lui donner un rôle dans *American Graffiti* (1973). Ensuite, c'est lui qui décide... Et par chance, il choisit des films (d'aventure de préférence) qui font un carton : *Star Wars,* la trilogie *Indiana Jones, Apocalypse Now* (1979), *Witness* (1984), etc.

– *Greta Garbo* (Greta Louisa Gustafsson, 1905-1990) *:* suédoise naturalisée américaine. Greta, « La Divine », est la beauté froide qui illumine les écrans du cinéma muet des années 1920 avec *La Légende de Gösta Berling, La Femme divine,* etc. Elle se met à parler dans *Anna Christie* (1931), avant de rire pour la 1ʳᵉ fois dans *Ninotchka* (1939). Préférant certainement perpétuer le mythe de sa beauté, elle met un terme à sa carrière en 1940.

– *Cary Grant* (Archibald Alexander Leach, 1904-1986) *:* acteur des plus populaires dans les années 1950, toujours élégant séducteur, un temps marié à la légendaire et richissime Barbara Hutton, c'est l'acteur fétiche d'Hitchcock... Que demander de plus ? Un peu de solitude peut-être, pour une personnalité complexe et angoissée.

– *Katharine Hepburn* (1907-2003) *:* une femme indépendante au tempérament bouillant et à l'allure élégante, une actrice pleine d'audace au caractère volontaire et teinté d'impertinence. Toujours fascinante. Katharine Hepburn enchaîne les rôles dans des comédies romantiques, des mélodrames, sans jamais réellement quitter le théâtre. *Morning Glory* (1933), *Soudain l'été dernier* (1959), *Un lion en hiver* (1968), *Devine qui vient dîner* (1967) soulignent son interprétation magistrale.

– *Alfred Hitchcock* (1899-1980) *:* l'œuvre d'Hitchcock impressionne, plus même, elle fascine ! De 1925 à 1975, il réalise plus de 50 films dont la simple évocation des titres provoque des sueurs froides... Quelques incontournables : *Les 39 Marches* (1935), *Fenêtre sur cour* (1954), *La Mort aux trousses* (1958), *Psychose* (1960), *Les Oiseaux* (1963)... Maître incontesté du suspense, Hitchcock a imposé un style, un humour et une façon toute singulière de signer ses films.

– *Dustin Hoffmann* (1937) *:* acteur aux multiples facettes qui a baigné dans le milieu hollywoodien dès sa plus tendre enfance (son père était décorateur de plateau). Tantôt victime, tantôt comique (*Tootsie,* 1982), il sait aussi être émouvant ; dans *Rain Man* (1988), son jeu est consacré par l'oscar du meilleur acteur pour le rôle difficile d'un autiste.

– *John Huston* (1906-1987) *:* acteur, scénariste, John Huston n'a pas raté ses débuts de réalisateur avec *Le Faucon maltais* (1941). Par la suite, il enchaîne des films qui, pour la plupart, mettent en scène des personnages confrontés à l'échec, aux errances, des *loosers* ; c'est un aspect quasi identitaire du cinéma de Huston. *Le Trésor de la Sierra Madre* (1948), *African Queen* (1952), *Moby Dick* (1956)...

– *Elia Kazan* (né Kazanijoglou, 1909-2003) : originaire de Turquie, il découvre le sol américain à l'âge de 4 ans. Kazan débute sa carrière au théâtre à Broadway, fait quelques pas en tant qu'acteur avant de devenir réalisateur. En tout, il signe une vingtaine de films dans lesquels il aborde des thèmes sensibles comme l'antisémitisme, la corruption, etc. *Un tramway nommé Désir* (1951) avec Marlon Brando, *À l'est d'Éden* (1955) avec James Dean figurent parmi ses grands titres.

– *Stanley Kubrick* (1928-1999) : un personnage mystérieux et perfectionniste, un réalisateur en marge, inclassable. Kubrick a peu tourné comparé à d'autres, mais ses films touchent l'exceptionnel, dérangent, interrogent, fascinent. Des genres différents qui dépeignent une nature humaine soumise à de sombres pulsions ; *Lolita* (1962), *2001, l'Odyssée de l'espace* (1968), *Orange mécanique* (1971), *Barry Lyndon* (1975), *Shining* (1980) sont aujourd'hui des films mythiques.

– *Spike Lee* (Shelton Jackson Lee, 1957) : cinéaste noir militant, il dépeint la communauté afro-américaine de Brooklyn confrontée au racisme, à la violence. Sa carrière débute avec *She's gotta have it* (1986). Depuis, il a réalisé plus d'une vingtaine de films dont *Jungle Fever* (1991) et *Malcolm X* (1992).

– *George Lucas* (1944) : le réalisateur de l'incontournable saga de la *Guerre des étoiles* (1977), sans oublier *American Graffiti* (1973) devenu le film fétiche de toute une génération. Les héros remastérisés de *Star Wars* prennent forme aujourd'hui dans le Skywalker Ranch : l'empire et les studios de Lucas construits dans la Lucas Valley (un hasard paraît-il). C'est aussi une adresse incontournable pour les films à effets spéciaux *(Jurassic Park...)*.

– *Marx Brothers* : des gags à mourir de rire, des répliques ravageuses, un burlesque nourri d'improvisations... Voici trois compères-frères, Chico (pianiste au chapeau pointu), Harpo (obsédé sexuel et muet), Groucho (intello de service) parfois rejoints par Zeppo, qui ont marqué le comique américain des années 1930 jusqu'à l'après-guerre. Deux grands classiques à savourer sans modération : *Une nuit à l'opéra* (1935) et *Go West !* (1940).

– *Marylin Monroe* (Norma Jean Baker, 1926-1962) : plus de 40 ans après sa disparition, Marilyn reste encore aujourd'hui « le » sex-symbol. Ses amours tumultueuses, ses liaisons avec les deux frères Kennedy, son mode de vie libertaire dans une Amérique puritaine firent que son talent ne fut sans doute pas assez reconnu par ses pairs. Marilyn tourna pourtant avec les plus grands noms, des films tantôt légers et peu marquants, tantôt poignants et inoubliables. Son jeu sincère, émouvant et naïf, lui vaudra une notoriété mondiale. Elle s'est retrouvée morte à Los Angeles, probablement suicidée, en tout cas assassinée par un système appelé Hollywood.

– *Michael Moore* (1954) : voir la rubrique « Livres de route » plus haut, ainsi que la fin de la rubrique « Histoire ».

– *Paul Newman* (1925) : élu meilleur acteur de tous les temps (qualités maritales prises en compte !), Paul Newman est fascinant, déroutant par son physique, impressionnant par son charisme. *La Couleur de l'argent* (1984) lui vaut l'oscar du meilleur acteur. C'est aussi un réalisateur, un homme marqué par le décès de son fils (d'une overdose) et engagé dans la lutte contre la drogue et le cancer. Il se consacre aujourd'hui à son écurie de course automobile.

– *Jack Nicholson* (1937) : révélé dans *Easy Rider* (1969), Nicholson tourne alors aux côtés des plus grands réalisateurs : Kazan, Kubrick, Polanski, etc. *Chinatown* (1974), *Vol au-dessus d'un nid de coucou* (1975), *Le facteur sonne toujours deux fois* (1981) et surtout le terrifiant *Shining* (1980) sont les films les plus marquants de sa carrière (récompensée par 3 oscars). Souvent dérangeant, il s'est également essayé à quelques réalisations.

– **Al Pacino** (1940) : d'origine sicilienne (c'est pas un scoop !), il grandit dans le Bronx. Al Pacino, on le connaît évidemment dans la saga du *Parrain*. Mais il incarne aussi plein d'autres personnages : gangster, mafieux, policier, clochard... En 1973, il reçoit la Palme d'or au festival de Cannes avec *L'Épouvantail*. En 1996, il réalise *Looking for Richard,* un film qui témoigne de sa passion pour Shakespeare. Bref, du grand éclectisme !

– **Sean Penn** (1960) : une vraie gueule du cinéma d'aujourd'hui et un leader charismatique de l'Amérique anti-Bush. Enfin débarassé de son costume d'ex-M. Madonna, cet acteur rebelle est aujourd'hui reconnu comme un des meilleurs de sa génération. Ses rôles sont toujours sur le fil du rasoir, comme dans *Mystic River,* récompensé par un oscar, ou *21 Grams*. Sean Penn a aussi réalisé 3 films, dont *The Crossing Guard*.

– **Robert Redford** (1937) : après des débuts à Broadway, il se montre aussi à l'aise dans les rôles comiques que dramatiques. Charme, beauté et séduction sont quelques ingrédients de son succès. Redford est l'acteur fétiche de Pollack (*Out of Africa,* 1985). Son engagement réel pour la préservation de l'environnement constitue pour lui une source d'inspiration en tant que réalisateur et s'exprime notamment dans *Et au milieu coule une rivière* (1992), avec Brad Pitt.

– **Arnold Schwarzenegger** (1947) : cet acteur d'origine autrichienne est plus connu pour ses prestations musclées sur le grand écran (*Conan le Barbare, Predator* et la saga *Terminator*) que pour ses discours dans les rangs politiques. Il a néanmoins été élu, en octobre 2003, au prestigieux poste de gouverneur de Californie (l'État le plus riche des États-Unis), à la place du démocrate Gray Davis, renvoyé pour sa mauvaise gestion économique. Marié à Maria Shriver, journaliste et membre du très démocrate clan Kennedy, Schwarzy s'est pourtant présenté dans le camp républicain.

– **Martin Scorsese** (1942) : l'enfant d'Elisabeth Street, dans Little Italy (à New York), est tombé tout petit dans le cinéma (non sans avoir failli embrasser la carrière de prêtre). Les grands moments de sa filmographie sont liés à sa ville, New York. *Mean Streets* (1973), son 4e film, est selon lui « une sorte de manuel anthropologique et sociologique ». Puis c'est *Taxi Driver* (1976), *New York, New York* (1977), *Gangs of New York* (2002), entre autres.

– **Steven Spielberg** (1947) : entrepreneur, croyant au lendemain, démagogue juste comme il faut, drôle, ce raconteur d'histoires a touché à tous les genres avec bonheur. De *Duel* (1971) à *La Liste de Schindler* (1993) en passant par l'attendrissant *E.T.* (1982) ou *Jurassic Park* (1993), Spielberg réussit avec brio un grand écart cinématographique. *La Liste* démontre qu'il peut traiter d'un sujet grave avec justesse, pudeur et retenue. Humour et émotion, espoir et dérision. Voilà sans doute sa recette miracle.

– **Elizabeth Taylor** (1932) : à 10 ans, elle débute sa carrière d'actrice avec *La Fidèle Lassie* (1942) ; c'est ainsi la plus jeune star d'Hollywood. Avec son regard intense, sa carrière fut brillante et récompensée par deux statuettes. Sa relation passionnée avec Richard Burton a aussi contribué à sa renommée. Liz Taylor est d'ailleurs une femme à hommes, même si elle a assuré qu'elle ne voulait pas se remarier une 9e fois !

– **John Wayne** (Marion Michael Morrison, 1907-1979) : avec plus de 100 films, John Wayne incarne par excellence le bon cow-boy courageux, grand et fort, chevauchant son destrier dans les plaines de l'Ouest. En 1939, *La Chevauchée fantastique* le fait sortir de l'ombre. Des westerns, certes, mais aussi des films de guerre musclés comme *Le Jour le plus long*... Bref, il plaît à une certaine Amérique bien-pensante et sûre d'elle.

– **Orson Welles** (1915-1985) : un réalisateur hors normes qui marqua l'histoire cinématographique avec son 1er long-métrage *Citizen Kane* (1941), un film anthologique. Un comédien de talent qui provoqua la panique chez ses compatriotes (et même des suicides !) après avoir conté sur les ondes l'invasion de la Terre par des Martiens (une adaptation très réussie de *La Guerre des mondes*). Enfin, un acteur reconnu qui joua dans plus de 50 films.

– Et puis, en vrac : **Sylvester Stallone** (1946), symbole d'une certaine Amérique bien musclée (celle qui n'est pas notre préférée), et héros de *Rambo* et *Rocky*, **Johnny Depp** (1964), acteur à la fois rebelle et discret qui choisit ses films sans se soucier du qu'en dira-t-on, **Jodie Foster** (1962), actrice exceptionnelle dans *Le Silence des agneaux* (1990), aujourd'hui plutôt derrière la caméra, **Meryl Streep** (1950), mémorable dans *Le Choix de Sophie* (1982) et dans *Out of Africa* (1986), **Brad Pitt** (1964), le sex-symbol à qui il suffit d'une scène de quelques minutes dans *Thelma et Louise* (1991) pour crever l'écran, **Tom Hanks** (1956), acteur éclectique qui connut une reconnaissance tardive dans *Philadelphia* (1993), **Julia Roberts** (1967) qui fit ses débuts de star dans *Pretty Woman* (1990) et reçut un oscar pour *Erin Brockovitch*, **Tom Cruise** (1962), révélé dans *Top Gun* (1986) et magistral dans *Collatéral* (2004), **Joel et Ethan Coen,** les maîtres d'un cinéma décalé et esthétique (*Barton Fink, Ladykillers*), **Quentin Tarantino** (1963), le réalisateur nouvelle vague américaine à l'origine du come-back de Travolta dans *Pulp Fiction* et **Sofia Coppola,** fille de son papa et réalisatrice talentueuse et récompensée de *Lost in Translation*.

Littérature

– **Paul Auster** (1947) : installé à Brooklyn (New York), Paul Auster s'est fait connaître dans les années 1980 avec sa *Trilogie new-yorkaise,* minimaliste et étrange, qui capte une partie du mystère de la grande cité. Ses romans suivants *(Léviathan, Moon Palace...)* s'interrogent sur l'Amérique et ses valeurs. Touche-à-tout, il s'est aussi essayé au travail de scénariste et de réalisateur (*Lulu on the Bridge* en 1998).
– **John Dos Passos** (1896-1970) : romancier passé à la postérité avec *Manhattan Transfer* (1925). Son œuvre témoigne d'un engagement politique marqué et ciblé contre un certain ordre établi. Ses chevaux de bataille : la peine capitale, les prisonniers politiques, le modèle américain, etc.
– **William Faulkner** (1897-1962) : romancier venu à la littérature par dépit amoureux combiné à une terrible frustration de n'avoir pu participer à la Première Guerre mondiale (à cause de l'armistice !). Auteur de *Le Bruit et la Fureur* (1929), *Pylône* (1935), *Absolon, Absolon !* (1936), il est considéré comme l'un des plus grands écrivains de son temps.
– **Francis Scott Fitzgerald** (1896-1940) : romancier et nouvelliste, Fitzgerald est l'auteur de *Gatsby le Magnifique* (1925), son chef-d'œuvre. Après l'échec de *Tendre est la nuit* (1934) et la folie qui emporte sa femme Zelda, la pente glissante est toute proche... Alcoolisme, puis crise cardiaque. Son œuvre est imprégnée des idéaux du rêve américain confrontés à la réalité de l'échec et de la frustration.
– **Dashiel Hammett** (1894-1961) : spécialiste du roman policier de la 1re moitié du XXe siècle, Dashiel Hammett dépeint avec justesse le milieu du gangstérisme de l'époque et sa violence. Son ouvrage *Le Faucon maltais* (1930) a été porté à l'écran par John Huston en 1941.
– **Ernest Hemingway** (1899-1961) : l'un des romanciers et des nouvellistes les plus connus de la 1re moitié du XXe siècle. *Le soleil se lève aussi* (1926) le fait connaître, *Le Vieil Homme et la mer* (1952) lui vaut le prix Nobel. Hemingway puise son inspiration dans ses voyages et sa vie d'aventure ; il est blessé en Italie en 1918, couvre la guerre d'Espagne, vit la libération de Paris, s'écrase en avion en Afrique... Et se suicide, comme son père.
– **Mary Higgins Clark** (1929) : d'une manière simple, efficace et presque évidente, Mary Higgins Clark s'est imposée, dans les années 1980, comme la reine du suspense. Tout a commencé avec *La Nuit du renard* (1979). Depuis, cette ancienne secrétaire et hôtesse de l'air reconvertie enchaîne les best-sellers et les prix (plus de 20 livres en une vingtaine d'années, c'est honorable...).
– **Henry James** (1843-1916) : James est un romancier à part, bercé par le sentiment tenace d'être exclu et inutile dès sa plus tendre enfance. Sa vie

est alors une forme d'ascèse. Il choisit l'écriture et s'impose comme un scrutateur et un fin analyste de l'esprit humain dans la *Scène américaine* (1905).

– **Jack Kerouac** (Jean-Louis Kerouac, 1922-1969) : d'origine bretonne (ses ancêtres portaient le nom de Lebris de Keroack), il a été surnommé le « Pape des beatniks ». À la recherche d'un renouveau spirituel libéré de toutes conventions sociales et des affres du matérialisme, Kerouac va explorer les chemins de l'errance et de l'instabilité en traversant les États-Unis. En 1957, il écrit en trois semaines *On the road,* qui deviendra un ouvrage culte pour la *beat generation.* Il meurt jeune, déprimé et alcoolique.

– **Stephen King** (1947) : l'un des maîtres de la littérature fantastique contemporaine. Des univers terrifiants... des livres qui se dévorent blotti sous la couette... pour d'interminables nuits blanches. *Carrie* (1974) a lancé sa carrière et ses livres sont une mine d'or pour le cinéma. Un petit *Shining* ce soir ?

– **Jack London** (1876-1916) : chasseur de phoques, écumeur de parcs à huîtres, chercheur d'or, journaliste puis écrivain à succès. Dans *L'Appel de la forêt* (1903), *Le Loup des mers* (1904), et surtout *Croc-Blanc* (1906), c'est un faiseur d'histoire, amoureux de la nature. En 1905, il s'installe dans la vallée de la Lune, en Californie, dans un ranch dément. Malheureusement, celui-ci brûle. Ruiné et désespéré, il meurt trois ans plus tard.

– **Herman Melville** (1819-1891) : c'est de ses nombreux voyages sur les différentes mers du globe qu'il tire ses récits exotiques, mais surtout sa grande œuvre *Moby Dick* (1851). Avec moins de 4 000 exemplaires vendus de son vivant, c'est l'échec. Devenu inspecteur des douanes, il se replie alors sur la poésie.

– **Henry Miller** (1891-1980) : Miller s'est fait remarquer (on peut le dire) avec ses *Tropique du Cancer* (1934) et *Tropique du Capricorne* (1939), tous deux interdits de publication pendant près de 30 ans aux États-Unis. Dans la lignée, il signe d'autres titres frappés par la censure. Trop dissolu, trop choquant pour le puritanisme ambiant, trop avant-gardiste... Pas d'inquiétude, l'œuvre de cet ancien prof d'anglais à Dijon est aujourd'hui réhabilitée.

– **Toni Morrison** (1931) : romancière noire (prix Nobel de littérature en 1993), Toni Morrison puise son inspiration dans l'histoire et la culture du peuple noir américain. Son œuvre entraîne dans l'obscurité de l'esclavage. En 1988, *Beloved,* qui raconte l'histoire authentique d'une mère tuant sa fille pour qu'elle échappe à l'asservissement, a été salué par la critique.

– **Edgar Allan Poe** (1809-1849) : une enfance marquée par des parents tuberculeux, un tuteur qui n'entend rien à la poésie... pas facile ! Peu importe, le jeune Allan quitte son tuteur (qui le déshéritera) pour se consacrer à l'écriture. Il est le plus grand conteur américain du XIX⁰ siècle *(Histoires extraordinaires),* traduit en français par Boris Vian, notamment.

– **John Steinbeck** (1902-1968) : à l'écart des mondanités et des projecteurs qu'il déteste, John Steinbeck décrit l'univers difficile des petits fermiers et des ouvriers agricoles. C'est avec *Les Raisins de la colère* (1939) qu'il rencontre la célébrité. Nombre de ses romans ont été portés à l'écran, comme *À l'est d'Éden.* En 1962, il reçoit le prix Nobel de littérature.

– **Mark Twain** (Samuel Langhorne Clemens, 1835-1910) : écrivain certes, mais aussi aventurier pour les uns, héros pour les autres. Son ouvrage *Les Aventures de Tom Sawyer* (1876) le rend célèbre. *Les Aventures de Huckleberry Finn* (1884) marquent de manière indélébile la littérature transatlantique ; « tout ce qui s'écrit en Amérique vient de là », *dixit* Hemingway.

– **Tennessee Williams** (Thomas Lanier Tennessee, 1911-1983) : dramaturge et romancier qui partagea sa vie avec la solitude et l'écriture. Il est l'auteur de nombreuses pièces, souvent adaptées par de grands réalisateurs comme *Un tramway nommé Désir.* Il met en scène des *losers,* des personnages égarés dans une forme d'errance et qui, au fond, lui ressemblent un peu.

Sciences

– **Neil Armstrong** (1930) : le 21 juillet 1969, il est 4 h 17 (heure de la côte Est). Neil Armstrong fait rêver la terre entière en faisant le 1er pas sur la Lune et prononce cette phrase devenue mythique : « Un petit pas pour l'homme, un grand bond pour l'humanité. » L'Union soviétique prenait une claque historique...

– **Thomas Edison** (1847-1931) : un petit génie de l'invention que son professeur d'école trouvait « stupide » à cause de toutes ses questions ! En tout, il déposa pas moins de 1 000 brevets ! Le phonographe (1877) et la lampe à incandescence (1878) sont ses deux inventions « phares ».

– **Albert Einstein** (1879-1955) : inutile de présenter l'un des plus grands génies de l'histoire, né en Allemagne et qui a d'ailleurs connu sa gloire scientifique en Europe. La théorie de la relativité, ça vous dit quelque chose ? C'est celle qui permet notamment de décrire la structure de l'univers et qui a été vérifiée lors d'une éclipse totale du Soleil ! Einstein est aussi un pacifiste, il combat le nazisme (qu'il fuit d'ailleurs en 1935) et défend l'idée de la création d'une terre juive en Palestine.

– **Bill Gates** (1955) : l'entrepreneur pas forcément le plus visionnaire de la planète mais certainement le plus riche... du moins jusqu'à une date récente. En 1975, il fonde Microsoft, qui s'impose vite comme le leader mondial de l'informatique. Mais voilà, cet homme d'affaires en agace, en exaspère même plus d'un (20 États portent plainte) ; en 2000, il est reconnu coupable de « conduite prédatrice » conduisant à une situation de monopole. Le jour même, le titre perd 15 % en bourse (soit 80 milliards de dollars !).

– **Robert Oppenheimer** (1904-1967) : physicien appelé en 1942 pour diriger un projet terrifiant, celui de l'élaboration de la bombe atomique (« Projet Y ») à Los Alamos (Nouveau-Mexique). Peu de temps après, il l'affirme que « les physiciens ont connu le péché et c'est une expérience qu'ils ne peuvent oublier ». En 1949, il s'oppose au projet de la bombe H. Et en 1954, ses accréditations lui sont retirées, sa loyauté étant mise en cause...

Peinture et architecture

– **Jean-Michel Basquiat** (1960-1988) : Basquiat s'est fait connaître au début des années 1980, dans le Tompkins Square Park de New York où il dormait dans un carton. Il est l'un des premiers artistes-graffiteurs noirs dans un milieu dominé par les Blancs. Une dizaine d'années après sa mort prématurée due à une overdose, le film *Basquiat* (1998) et le documentaire *Downtown 81* (2001) lui ont valu un come-back posthume.

– **Keith Haring** (1958-1990) : graffiteur qui sévit à New York avec des représentations de petits bonshommes aux formes arrondies et délimitées par un simple trait épais, qui donnent l'impression de danser, du moins de s'agiter. Un style un tantinet primitif. Il réalisa la fresque de l'hôpital Necker à Paris.

– **Edward Hopper** (1882-1967) : peintre de l'entre-deux-guerres qui s'inscrit dans le réalisme américain. Edward Hopper dépeint l'univers d'une Amérique nouvelle, celle des lieux urbains dans lesquels errent des individus solitaires regardant souvent vers l'ailleurs. La lumière est la clé de voûte de ses œuvres, qui évoquent étrangement des images de cinéma.

– **Roy Lichtenstein** (1923-1996) : peintre qui ouvre la voie du pop art à la fin des années 1950, un courant qui s'enracine dans la représentation figurative souvent agressive et provocante de la vie quotidienne et de la société de consommation. Lichtenstein trouve son terrain d'expression dans la parodie de la B.D.

– **Jackson Pollock** (1912-1956) : l'artiste qui inaugure l'*Action Painting* à la fin des années 1940. Les toiles sont posées sur le sol et Pollock tourne autour en projetant d'intenses giclées de peinture (technique du *dripping*).

D'étranges arabesques s'animent; elles se veulent à la fois l'expression de l'inconscient de l'artiste et d'un esthétisme calculé.

– **Andy Warhol** (1928-1987) : artiste touche-à-tout, provocateur, à l'ego surdimensionné, Andy Warhol est « le pape du pop ». Illustrateur publicitaire à ses débuts, il devient peintre dans les années 1960 et innove des techniques comme celle de la photographie sérigraphiée sur toile. Il se consacre également au cinéma et produit dans son usine désaffectée le célèbre groupe de rock The Velvet Underground.

– **Frank Lloyd Wright** (1867-1959) : cet architecte anticonformiste détestait autant les gratte-ciel que le style « néo quelque chose » des maisons américaines du XIXe siècle. Il préférait les constructions basses, en harmonie avec leur environnement. Sa plus grande réalisation est incontestablement le musée Guggenheim de New York, en forme de grande hélice blanche.

Sport, danse

– **André Agassi** (1970) : jeune prodige du tennis au look excentrique, il reçoit sa 1re raquette à l'âge de 2 ans et intègre la célèbre académie de Nick Bolletieri à 13 ans. Il remporte son 1er tournoi à 17 ans. Propulsé n° 1 mondial pour la 1re fois en 1995, son parcours est exceptionnel, avec 58 titres gagnés à ce jour et 8 victoires en Grand Chelem. C'est aussi le mari d'une non moins célèbre joueuse de tennis Steffi Graff.

– **Mohamed Ali** (né Cassius Clay en 1942) : né à Louisville, il fut champion du monde de boxe toutes catégories à 22 ans, en battant l'invincible Sonny Liston. La même année, il change de nom par conviction religieuse. Après plusieurs titres de champion du monde des poids lourds, il met un terme à sa brillante carrière en 1980. Atteint de la maladie de Parkinson, il a offert un grand moment d'émotion en allumant la flamme olympique lors des J.O. d'Atlanta en 1996.

– **Lance Armstrong** (1971) : l'exceptionnelle force de combativité de ce coureur cycliste texan n'est plus à prouver : après avoir vaincu un cancer en 1998, il enchaîne sur une 1re victoire en Tour de France l'année suivante. Dès lors, il enchaîne les trophées et, en juillet 2004, il est le premier à remporter pour la 6e fois consécutive le prestigieux Tour de France. Sa victoire est néanmoins entachée d'une sombre histoire de dopage...

– **Merce Cunningham** (1919) : danseur et chorégraphe dont l'œuvre déconcerta dans un 1er temps pour n'être pleinement considérée qu'à partir de 1967. Pas facile de s'imposer comme le plus grand créateur de la danse contemporaine !

– **Magic Johnson** (1959) : du haut de ses 2,05 m, Magic Johnson est « le » basketteur nord-américain des années 1980. Mais voilà, sa séropositivité le pousse à mettre un terme à sa carrière, même s'il joue encore de temps en temps. Il crée alors une fondation à la tête de laquelle il est devenu aujourd'hui une figure emblématique de la lutte contre le sida.

– **Carl Lewis** (Frederick Carlton Hinley, 1961) : vous savez... « l'homme le plus rapide du monde », l'athlète qui, en faisant des petits séjours à Los Angeles (1984), Séoul (1988), Barcelone (1992) et Atlanta (1996), a raflé 9 médailles d'or olympique (100 m, 200 m, 4 x 100 m, saut en longueur)... et on ne parle pas des championnats du monde ! Seul Ben Johnson l'a inquiété quelque temps.

– **John McEnroe** (1959) : ce grand tennisman appartient à la génération des figures sacrées du tennis des années 1970-1980 : Connors, Borg, Lendl, Noah et consorts. Connu autant pour son style que pour son caractère de cochon et ses coups de gueule avec les arbitres, il est aujourd'hui animateur sur le câble.

– **Jessie Owens** (1913-1980) : un athlète noir de légende qui s'est brillamment illustré aux J.O. de 1936 à Berlin, en remportant pas moins de 4 médailles d'or (100 m et 200 m, 4 x 100 m, saut en longueur). Dans une

Allemagne nazie qui n'a alors qu'une obsession, celle de démontrer la supériorité de sa race, ça fait désordre !

– **Tiger Woods** (1975) : né pour gagner... Ce vœu pieux, formulé par son père, est devenu réalité. On dit qu'à un an, Tiger Woods frappait sa 1re balle de golf. Ce qui est sûr, c'est qu'à 21 ans, il devient le n° 1 mondial du green et enchaîne les records. Mais depuis 2002, son swing a un peu de plomb dans l'aile...

– Et puis, pour finir, un petit détour dans le monde de la mode et des couturiers pour saluer **Calvin Klein** (1942) – aussi créateur de parfums – qui se distingue avec une ligne de sous-vêtements masculins, et **Ralph Lauren** (1939) avec son style à la fois classique et désinvolte.

POPULATION

Les États-Unis comptent 285 millions d'habitants environ. En 2 siècles, la population a été multipliée par 64 (soit 20 fois plus qu'en France !). L'ampleur de l'accroissement démographique américain s'explique largement par une immigration soutenue.

Le Nord-Est, berceau historique des États-Unis, fortement industrialisé sur la côte Atlantique, est la zone la plus densément peuplée du pays. Ainsi, la conurbation de Boston-New York-Philadelphie-Baltimore-Washington (la Mégalopolis) rassemble 40 millions d'habitants, soit presque 15 % de la population totale du pays.

Le peuplement a été sporadique depuis les premiers Indiens qui franchirent le détroit de Béring, plus de 10 000 ans av. J.-C. ! Ceux-ci n'étaient, estime-t-on, qu'environ 1 à 2 millions lorsque les Espagnols arrivèrent. En 1609, Henry Hudson, un Anglais travaillant pour les Hollandais, débarque à Long Island, et en 1626, New Amsterdam est créée (ce patelin, pris par les Anglais en 1664, sera alors rebaptisé New York...). Le mythique *Mayflower*, transportant les premiers colons anglais, arriva en 1630 à Plymouth (ville de l'actuel Massachusetts). En 1830, la population alors essentiellement anglaise et noire (et protestante) n'atteint que 13 millions !

De loin la 1re terre d'accueil du monde, les États-Unis ont vu arriver de 1815 à 1990 plus de 55 millions d'immigrants légaux. Au cours de la période 1815-1880, les 10 premiers millions d'immigrés débarquant à Ellis Island (véritable salle d'attente pour les candidats à la citoyenneté américaine) sont presque exclusivement originaires de l'Europe du Nord-Ouest (îles britanniques, Pays-Bas, Allemagne, Scandinavie). Ils s'assimilent rapidement au modèle WASP (White Anglo-Saxon Protestant) créé par les Anglais. Ils seront majoritaires jusqu'au milieu du XIXe siècle et appartiennent pour la plupart à l'aristocratie américaine, surtout dans le Nord-Est.

Les Noirs, victimes du commerce triangulaire, sont d'abord présents dans le sud du Nord-Est (Géorgie, Caroline, Virginie). Après 1865 (fin de la guerre de Sécession), la migration s'accroît vers le nord, plus riche, plus industriel, plus tolérant.

Plus de 20 millions de candidats affluent ensuite entre 1880 et 1914, fuyant la misère de l'Europe orientale et méridionale : la plupart sont russes, ukrainiens, polonais, tchèques, juifs et italiens (rappelez-vous *Sacco* et *Vanzetti*). D'origine paysanne, ils se retrouvent dans des villes (la terre est déjà prise), travaillant dans des conditions laborieuses (dans les *tenements* de Philadelphie où les femmes travaillaient 14 à 16 h par jour, dans les abattoirs...). Vers 1910, 58 % des ouvriers de l'industrie étaient d'origine étrangère... Les Scandinaves, près des Grands Lacs, s'en sortent mieux, faisant l'acquisition de terres dont les paysages et le climat rappellent leur patrie (Wisconsin, Minnesota).

Désirant mettre fin à un mouvement migratoire jugé excessif, le Congrès vote des lois imposant des quotas en 1921 et 1924, qui sont appliquées jusqu'en 1965, année de leur abrogation par l'administration Johnson. Les

années 1970 marquent la reprise d'une immigration forte. Officiellement, 467000 entrées en 1976, 808000 en 1980. Sans compter les *boat people* vietnamiens ni les Mexicains illégaux...
Tout cela cadre peu avec la vision idyllique d'un grand pays de liberté construit dans l'harmonie et le respect de tous... celle que les États-Unis ont parfois voulu donner au reste du monde. La ségrégation à l'encontre des Noirs ne fut légalement éradiquée qu'en 1965, mais il reste la ghettoïsation urbaine : quartiers noirs, Chinatown, population amish en Pennsylvanie...
Finalement, on a longtemps parlé du melting-pot, mais c'est désormais le multiculturalisme qui est à l'honneur, chacun revendiquant son identité.
La gigantesque concentration urbaine de la côte Est est une étonnante mosaïque ethnique faisant cohabiter des individus de multiples origines, dont un nombre croissant de Latino-Américains et d'Asiatiques. C'est aussi une mosaïque sociale très contrastée, avec des lieux huppés comme certaines parties de Long Island et des ghettos où se concentrent les exclus.

POSTE

Les bureaux de poste sont pour la plupart ouverts du lundi au vendredi de 8 h à 17 h et le samedi matin pour les achats de timbres, dépôts de lettres ou paquets. Ils ne se chargent pas de l'envoi des télégrammes, réservé aux compagnies privées. De plus, ils sont souvent bigrement difficiles à trouver.
– Vous pouvez vous faire adresser des lettres à la poste principale de chaque ville par la *poste restante.* Exemple : Harry Cover, General Delivery, Main Post Office, ville, État. Attention, les postes restantes ne gardent pas toujours le courrier au-delà de la durée légale : 30 jours.
– À noter, si vous achetez des *timbres :* vous pouvez vous en procurer dans les guichets de poste *(US Mail)*; mais aussi dans les distributeurs *(automats)* situés dans les papeteries, dans certaines AJ et *YMCA,* mais comme ils ne rendent pas la monnaie, ils reviennent plus cher. Ils sont également plus chers chez les marchands de souvenirs. Enfin, il existe des distributeurs de timbres à l'entrée des postes, accessibles jusqu'à des heures assez tardives, en tout cas bien après la fermeture des bureaux.
– Compter environ 80 cents pour l'envoi d'une lettre en Europe et 70 cents pour une carte postale.

RELIGIONS ET CROYANCES

L'église catholique est – ô, surprise – la première des États-Unis, avec environ 25 % des fidèles. Elle a fortement grandi avec l'immigration irlandaise, italienne et hispanique (du Mexique et de Cuba). Les États-Unis sont d'ailleurs le 2e pays représenté au sacré collège (une dizaine de cardinaux sur 120), derrière l'Italie.
Le développement de certains courants religieux est lié à l'histoire et à l'expansion du peuple américain sur son territoire : prédication populaire des baptistes dès le XVIIe siècle, donnant notamment naissance aux amish et aux mennonites; naissance de l'église méthodiste au XVIIIe siècle avec la prédication populaire des frères Westley.
Au passage, on peut remercier les baptistes, qui ont rencontré un vif succès auprès des Noirs et ont engendré l'éclosion des chants gospel, désormais présents dans de nombreuses églises, y compris catholiques (via notamment le mouvement charismatique). Si vous pouvez assister à une messe gospel lors de votre voyage, vous vivrez un grand moment.
Si la religion catholique domine, les croyances et mouvements religieux divers ne sont pas en reste : aux États-Unis, la liberté des cultes est totale. Il faut se référer au 1er amendement de la Constitution des États-Unis du 17 septembre 1787 : « Le Congrès ne fera aucune loi relativement à l'éta-

blissement d'une religion ou en interdisant le libre exercice ; ou restreignant la liberté de parole et de la presse ; ou le droit du peuple de s'assembler paisiblement, et d'adresser des pétitions au gouvernement pour une réparation de ses torts. » En Angleterre, l'Église anglicane était (et est toujours) une religion établie (*church established by law*, d'où le mot *establishment*, dérivé ensuite pour désigner l'ensemble des institutions anglaises). Les Américains tournent le dos à la nation à laquelle ils ont arraché leur indépendance et affirment la liberté de chacun.

D'où la possibilité de développer des sectes, avec une certaine difficulté pour les différencier des églises. L'administration américaine a, par exemple, agréé l'Église de scientologie et celle des saints des derniers jours (les mormons). Ces deux Églises forment en même temps de richissimes entreprises économiques possédant des propriétés foncières, des banques, des compagnies d'assurances, des hôtels... Il faut dire que leurs fidèles leur versent 10 % de leurs revenus.

Cette grande liberté engendre aussi des difficultés d'ordre politique ou social : les Témoins de Jéhovah refusent le service militaire et ne tolèrent pas les transfusions, les mormons sont polygames (pratique aujourd'hui officiellement abandonnée mais officieusement, on en est loin !). Enfin, en matière de troubles, citons la secte de Waco, contre laquelle un assaut armé a finalement été nécessaire !

On ne peut parler de religion aux États-Unis sans évoquer le sinistre Klu Klux Klan, dont le but était de maintenir les Noirs dans un état de soumission vis-à-vis des Blancs. Le KKK connut son apogée dans les années 1920, comptant alors 5 à 6 millions d'adeptes (ils sont moins de 8 000 aujourd'hui). Son influence s'est ressenti durant toute la première moitié du XXᵉ siècle, avec l'apartheid et la ségrégation scolaire, tristement célèbres car encore appliqués dans 17 États en 1954 ! La fin de la ségrégation dans les bus date de 1956, et il faudra attendre 1965, avec le président Johnson et le *Votings Right Act* pour que tous les Noirs puissent obtenir le droit de vote. Comme quoi les phénomènes religieux ou parareligieux peuvent influencer durablement les pays et leur fonctionnement...

SANTÉ

Les soins médicaux et les assurances voyage

La sécurité sanitaire est bonne aux États-Unis, mais pas aussi idéale qu'on l'imagine. Par exemple, il n'y a pas de consultation médicale à moins de 100 US$. Pour les médicaments, multiplier par 2 au moins les prix français. D'où l'importance de souscrire, avant le départ, une **assurance voyage intégrale (assistance-rapatriement).** L'assurance maladie et frais d'hôpital doit couvrir au moins 75 000 € sans franchise. Dans certains cas, ce montant est dépassé. Il vaut mieux avoir une garantie de 300 000 €. Ces chiffres ne sont pas exagérés. En cas de problème, les compagnies d'assurances n'hésiteront pas à vous rapatrier tant elles craignent d'avoir à payer les frais d'hôpital.

■ *Routard Assistance :* 28, rue de Mogador, 75009 Paris. ☎ 01-44-63-51-01. Fax : 01-42-80-41-57. Ⓜ Trinité ou Chaussée-d'Antin ; ou RER A : Auber. Propose des garanties complètes avec une assurance maladie et hôpital de 300 000 € sans franchise (un record). La carte personnelle d'assurance, avec un texte en anglais, comprend une prise en charge des frais d'hôpital – c'est la formule : « Hospitalisé ! Rien à payer » – et un numéro d'appel gratuit jour et nuit vous permet d'être conseillé et de recevoir des soins spécialisés pour votre problème de santé.

– *Numéro de téléphone à composer en cas d'urgence :* ☎ 911.
– *Si vous devez voir un médecin :* cherchez dans les pages jaunes à « Clinics » ou « Physicians ».
– *Si vous voulez des médicaments* de confort comme de l'Aspirine, ou pour soigner des petits bobos comme des maux de gorge, une sinusite ou autre, allez dans un *drugstore* ou *pharmacy* (certains sont ouverts 24 h/24). On y trouve des médicaments efficaces en libre-service (les Américains sont les rois de l'automédication !). Mais les vrais médicaments ne vous seront délivrés qu'avec une ordonnance d'un médecin.

GÉNÉRALITÉS

Les maladies

Pas de panique à la lecture des lignes suivantes, qui n'ont pour but que d'améliorer les conditions de votre voyage, et en aucun cas de vous angoisser sur ses risques potentiels.
Attention aux tiques dans les zones boisées, dans les parcs nationaux par exemple : leurs piqûres transmettent la redoutable maladie de Lyme *(Lyme disease)* qui pose désormais un problème de santé publique aux États-Unis. Les symptômes sont ceux d'une grippe très forte. Pour éviter les piqûres, prévoir un répulsif spécial (à acheter sur place) et bien se couvrir la tête (chapeau), les bras, les jambes et les pieds. Examinez-vous régulièrement pour limiter les risques de transmission (il faut 24 h à une tique pour transmettre la maladie). Pour plus d'informations : ● www.nps.gov/public_health ●
Compte tenu de l'ampleur de la virose à West Nile, transmise par les piqûres de moustiques, et qui gagne du terrain chaque année, on recommande une prévention de type « tropical » : répulsifs cutanés à 50 % de DEET, imprégnation des vêtements, voire moustiquaires imprégnées. Et même si tous les moustiques ne sont pas vecteurs de maladies, ils gâchent parfois un peu le voyage ! Pensez à emporter dans vos bagages des produits antimoustiques efficaces, car ils sont beaucoup plus chers là-bas. Beaucoup, pour ne pas dire la totalité, des répulsifs vendus en grandes surfaces ou en pharmacie sont peu ou insuffisamment efficaces. Un laboratoire (Cattier-Dislab) fabrique une gamme conforme aux recommandations du ministère français de la Santé *Repel Insect Adulte*; *Repel Insect Enfant*; *Repel Insect Capillaire* pour la protection du cuir chevelu ; *Repel Insect Trempage* (perméthrine) pour imprégnation des tissus (moustiquaires en particulier) permettant une protection de 6 mois ; *Repel Insect Vêtements* (perméthrine) pour imprégnation des vêtements ne supportant pas le trempage, permettant une protection résistant à 6 lavages. Disponibles en pharmacie ou en parapharmacie et en vente par correspondance ou via le site Internet d'*Astrium* (lire ci-dessous).

■ *Vente par correspondance de produits et matériel pour les voyageurs tropicaux :* Catalogue Santé Voyages (Astrium), 83-87, av. d'Italie, 75013 Paris. ☎ 01-45-86-41-91. Fax : 01-45-86-40-59. Infos santé voyages et commandes en ligne sécurisée sur ● www.astrium.com ● Envoi gratuit du catalogue sur simple demande. Livraisons Colissimo Suivi en 48 h.

Vaccins

Aucun vaccin exigé sur le sol américain mais comme partout, soyez à jour de vos vaccinations « universelles » : tétanos, polio, diphtérie (DTP) et hépatite B. Le vaccin préventif contre la rage (maladie transmissible par à peu près tous les mammifères y compris les chauves-souris) est recommandé pour tout séjour prolongé en zone rurale ou en contact avec des animaux.

SAVOIR-VIVRE ET COUTUMES

Difficile de décrire les règles de savoir-vivre à adopter dans un pays auquel on reproche souvent de ne pas en avoir. Pourtant, le pays de la peine de mort et de l'injustice sociale sait souvent faire preuve d'un savoir-vivre étonnant dans les situations de tous les jours. Les Américains sont dans l'ensemble puritains. Ils adorent les fêtes patronales où l'émotion à 3 francs 6 sous déborde de partout, mais ils s'indignent peu de savoir que les enfants chinois fabriquent leurs *Nike* ou que l'embargo contre Cuba fait des ravages. La compassion est ici à géométrie très variable, comme partout certainement, mais peut-être un peu plus qu'ailleurs. Les Américains ne sont pas à une contradiction près. Ils sont en majorité contre les lois visant à restreindre la liberté de port d'arme mais s'interrogent quand leurs enfants sont assassinés à la sortie du lycée. Ils se goinfrent de pop-corn et de crème glacée pour mieux s'inscrire dans des programmes ultra-coûteux de régime. Peuple difficile à saisir, où les excès sont légions mais le civisme reste le lot quotidien.

Quelques conseils et indications en vrac, pour vous montrer que cette civilisation de pionniers, où la force a de tout temps été la seule loi qui prévalait, sait faire preuve, dans la vie de tous les jours, d'une étrange gentillesse qui fait souvent passer les Français pour de curieux rustres.

– À la ville comme dans les campagnes **on se dit facilement bonjour** dans la rue, même si on ne se connaît pas. Vous ne couperez pas non plus au « *How are you doing today ?* » (« Comment ça va aujourd'hui ? »), l'entrée en matière des serveurs ou commerçants que vous ne connaissez ni d'Ève ni d'Adam mais auxquels vous répondrez avec un grand sourire « *Fine, thanks, and you ?* ».

– Les **files d'attente** dans les lieux publics ne sont pas un vain mot. Pas question de gruger quelques places à la poste ou dans la queue de cinéma. Le petit rigolo qui triche est vite remis en place.

– En voiture, le **code de la route** est véritablement respecté. L'automobile est considérée comme un moyen de locomotion, pas comme un engin de course. Les distances de sécurité sont la plupart du temps une réalité. Et puis, vous ne verrez jamais une voiture stationnée sur le trottoir. Non par peur des représailles policières, mais tout simplement parce que ça empêche les piétons de passer ! Ne vous avisez pas de transgresser ce genre de règles, ça vous coûtera cher. De même, si quelqu'un est devant un passage piétons, les voitures s'arrêtent automatiquement pour le laisser passer. En revanche, lorsque le feu est vert pour les piétons, il vaut mieux se presser pour traverser, car il passe rapidement au vert, en faveur des autos cette fois-ci.

– **Vous verrez rarement un Américain jeter un papier par terre.** Il attendra toujours de croiser une poubelle. Et si tel n'était pas le cas, il y aura toujours quelqu'un pour le rappeler à l'ordre ou lui dire avec un brin de cynisme : « *You just lost something !* » (« Vous avez perdu quelque chose ! »).

– **Les crottes de chien :** voilà encore un sujet sur lequel on pourrait en prendre de la graine. Ce qui apparaît comme un geste simple, civique et évident aux États-Unis a décidément du mal à se mettre en place en Europe. Tout naturellement, chaque maître possède avec lui un petit sac plastique dans lequel il glisse la main, puis il ramasse la production canine et retourne le sac proprement avant de le mettre dans la 1re poubelle rencontrée. À ne pas confondre avec le *doggy bag* ! (voir plus loin « Les petits restes »).

– **Les Américains se font très rarement la bise.** Quand on se connaît peu on se dit « *Hi !* » (prononcer « Haïe »), qui veut dire « Salut, bonjour ». Quand on est proche et qu'on ne s'est pas vu depuis un moment, c'est l'accolade (le *hug*) qui prévaut. On s'enlace en se tapant dans le dos, gentiment quand il s'agit de femmes, avec de grandes bourrades quand il s'agit d'hommes. Si vous approchez pour la 1re fois un Américain en lui faisant la bise, ça risque de surprendre (voire choquer) votre interlocuteur.

– En arrivant **dans un restaurant, on ne s'installe pas à n'importe quelle table,** sauf si l'écriteau « *Please seat yourself* » vous invite à le faire. On attend donc d'être placé.

– *Les petits restes :* si dans un restaurant vous avez eu les yeux plus gros que le ventre, n'ayez pas de scrupules à demander une barquette pour emporter les restes de vos plats. Jadis, on disait pudiquement « C'est pour mon chien », et il était alors question de *doggy bag.* Aujourd'hui, n'hésitez pas à demander : « *Would you wrap this up for me ?* »

– *Le service n'est jamais compris* dans les restos et les cafés. En revanche, il est dû par le client (sauf si vous estimez que le service a été exécrable, ce qui est rare aux États-Unis). Personne n'a idée de gruger le serveur ou la serveuse, car tout le monde sait que c'est précisément sur le *tip* qu'ils gagnent leur vie (le salaire de base étant très bas). Voir aussi plus loin, la rubrique « Taxes et pourboires ».

– Dans les restos et les cafés, *ne vous attendez pas à un service à l'européenne,* du genre nappe, petite cuillère pour le café, couvert à poisson, etc. Ici, c'est l'efficacité et le rendement qui priment. Ne pas s'étonner de se faire servir un *espresso* dans une grande tasse avec une paille ou d'avoir l'addition avant la fin du repas. Le service est généralement limité à sa plus simple expression, mais toujours avec le sourire.

– Au sujet des *w.-c. publics :* ils sont presque toujours gratuits et souvent bien entretenus. Vous en trouverez dans chaque *Visitor Center,* les *bus stations,* dans les stations-service, les grands centres commerciaux ou, au culot, dans les halls des hôtels et les cafétérias. Pour quelque réminiscence de puritanisme, on demande *the restroom* ou *the powder room.* Une autre expression amusante et argotique : *the John* !

– Les *sections non-fumeurs* sont particulièrement respectées dans les restaurants et les hôtels qui proposent la grande majorité de leurs chambres en non-fumeurs. De plus en plus d'établissements sont d'ailleurs entièrement non-fumeurs. Et ne vous avisez pas de fumer, ça déclencherait le système d'arrosage situé dans les plafonds et l'alarme.

– *Dans les petits campings de certains parcs nationaux, le paiement se fait par un système d'enveloppe.* On met la somme demandée dans l'enveloppe que l'on glisse dans la boîte. Le ranger « *on duty* » viendra le lendemain ramasser les enveloppes. Question de confiance ! Mais ce système est de plus en plus rare. On trouve le même principe dans de nombreux parkings publics.

– Dans le même ordre d'idées, *pour acheter votre journal, il existe des distributeurs automatiques.* Il suffit de glisser la somme et une petite porte s'ouvre pour vous laissez prendre votre quotidien. On pourrait parfaitement en prendre 2, 3 ou 10 à la fois en n'en payant qu'un seul, mais personne ne le fait. L'honnêteté prévaut.

– *Le rapport à l'argent* des Américains a souvent tendance à énerver les touristes, surtout lorsqu'ils font un voyage culturel. Leur guide insistera plus facilement sur les prix de tels tableaux, de telle fabuleuse construction plutôt que d'en évoquer les valeurs esthétiques. De même ils seront rapidement énervés par l'insistance permanente des serveurs dans les restaurants ou des vendeurs à vouloir faire consommer ou dépenser plus. Il faut bien faire marcher la machine économique, et tout est super-organisé pour cela.

– Les Américains sont des individualistes forcenés, mais *ils sont prêteurs.* Ils n'hésiteront pas, après avoir fait un peu votre connaissance, à vous prêter leur voiture ou à vous laisser les clés de leur maison. Ça étonne toujours un peu, mais on s'habitue rapidement à cet état d'esprit.

– *Le patriotisme :* le drapeau et l'hymne national (avec la religion) ont été le lien fédérateur essentiel des différents peuples qui constituent le peuple américain. Afficher (souvent avec fierté) son appartenance à la nation est un geste évident pour grand nombre d'Américains. Cela peut étonner plus d'un Européen et depuis les attentats du 11 septembre, la bannière étoilée a tendance à se multiplier en tous lieux. Et les messages d'encouragement aux *Boys* en Irak pullulent aussi. Plus surprenant encore : les églises qui carillonnent l'hymne national !

– *Il ne sert à rien de hurler* (comme on le fait souvent en France...) dès que quelque chose ne se déroule pas comme on le voudrait. Vous pouvez être accusé d'insolence, de manque de respect vis-à-vis de la personne derrière son comptoir, voire d'agression. Sachez que tout se plaide et se négocie aux États-Unis. Par contre si vous êtes dans votre bon droit, vous serez immédiatement remboursé. Et puis, ne vous avisez pas non plus de hausser le ton avec un policier : vous finiriez illico au poste.

– Les *malentendus culturels :* les Américains, joyeux drilles, aiment les contacts et sont d'un abord facile. Cet élan immédiat peut laisser croire qu'ils se font de nouveaux amis dans la minute. Mais le 1er contact passé, l'analyse de cette situation fait dire aux Français que les Américains sont superficiels, légers, inconstants. À l'inverse, les Américains nous trouveraient froids et distants. Mais ce qui ressort le plus souvent de l'aventure américaine, c'est toujours la gentillesse, les rencontres et la serviabilité des gens.

SITES INTERNET

● *www.routard.com* ● Tout pour préparer votre périple, des fiches pratiques, des cartes, des infos météo et santé, la possibilité de réserver vos prestations en ligne. Sans oublier *routard mag,* véritable magazine avec, entre autres, ses carnets de route et ses infos du monde pour mieux vous informer avant votre départ.

Les sites institutionnels

● *www.amb-usa.fr* ● Le site de l'ambassade des États-Unis en France. Très complet et parfaitement actualisé. Infos culturelles, politiques et sur les visas (possibilité de télécharger les formulaires). Nombreux liens.
● *www.whitehouse.gov* ● Le site officiel de la Maison Blanche.
● *www.odci.gov* ● Pour tout savoir sur la CIA (Central Intelligence Agency).

Les médias

● *www.cnn.com* ● *www.abcnews.com* ● *www.time.com* ● *www.washingtonpost.com* ● Figurent parmi les meilleurs sites d'actualité.

Et aussi

● *www.amish.net* ● Site en anglais assez fourni pour connaître les us et coutumes des amish. Nombreux liens.
● *www.route-du-blues.net* ● Site perso en français conçu par un passionné du blues : complet avec cartes, photos, l'itinéraire de « la route du blues » et liens intéressants.
● *www.elvis.com* ● Pour les fans d'Elvis, c'est le site officiel en anglais où l'on peut découvrir « l'Elvisologie » tout en réécoutant ses plus grands titres (*medley* et extraits).
● *www.crimelibrary.com* ● Tout sur la criminalité américaine... et en particulier sur Al Capone.
● *www.fbi-files.com* ● Tous les dossiers du FBI (Bureau fédéral d'investigation), en anglais uniquement classés par thèmes (célébrités, espionnage, crimes...). On y apprend qu'Einstein avait 14 dossiers (à cause de ses affiliations avec le parti communiste...).
● *www.niagarafallsstatepark.com* ● Beau site très complet sur les célèbres chutes (diverses infos sur les attractions, restos et autres), plus quelques liens.
● *www.yelodog.com* ● Pour les amoureux d'architecture, un site sur les plus beaux buildings de Chicago.
● *www.route66trip.com* ● Chouette site perso français racontant un périple en Harley, de Chicago à LA.

● **www.michaelmoore.com** ● Le site officiel de Michael Moore, pour suivre en direct sa croisade anti-Bush.
● **www.tout-woody.com** ● « Dieu est mort, Marx est mort, et moi, je ne me sens pas très bien... ». C'est sur cette citation que s'ouvre ce site en français dédié à Woody Allen. Tous ses films, des hommages, des photos.

TAXES ET POURBOIRES

D'abord les taxes...

Dans tous les États-Unis, les prix affichés dans les magasins, les hôtels, les restos, etc. s'entendent SANS TAXE. Celle-ci s'ajoute au moment de payer et varie selon l'État et le type d'achat. Dans les hôtels, elle oscille entre 10 et 15 % ; pour tout ce qui est restos, vêtements, location de voitures... elle varie entre 5 et 10 %. Bon à savoir, il n'y a pas de taxe sur les vêtements et chaussures dans le Massachusetts ni en Pennsylvanie.
Les commerçants, les restaurateurs et les hôteliers l'ajoutent donc à la caisse. Seuls les produits alimentaires vendus en magasin ne sont pas soumis à la taxe (en fait, cela dépend des États). De même, certains secteurs, il est vrai peu nombreux, en sont exonérés.

Puis, les pourboires (*tips* ou *gratuities*)

Dans les restos, les serveurs ont un salaire fixe ridicule et la majeure partie de leurs revenus provient des pourboires. Voilà tout le génie de l'Amérique : laisser aux clients, selon leur degré de satisfaction, le soin de payer le salaire des serveurs, pour les motiver. Le *tip* est une institution à laquelle vous ne devez pas déroger (sauf dans les fast-foods et endroits self-service). Un oubli vous fera passer pour le plouc total. Les Français possèdent la réputation d'être particulièrement radins et de laisser plutôt moins de 10 % que les 15-20 % attendus. Pour savoir quel pourboire donner, il suffit en général de doubler la taxe ajoutée au montant de la note, ce qui représente selon l'État environ 15-17 % (et donc un pourboire honnête). Parfois, le service est ajouté d'office au total, après la taxe ; ce qui n'est pas très correct car il est alors trop tard pour marquer son désaccord si la prestation n'est pas à la hauteur. Heureusement (allez savoir pourquoi), cela se passe surtout avec les *parties* (groupes) de 8 ou plus... Si vous payez une note de resto par carte de paiement, n'oubliez pas non plus de remplir vous-même la case *Gratuity,* car sinon, le serveur peut s'en charger lui-même... avec toutes les conséquences ruineuses pour vos finances ; d'autant que vous ne vous en apercevriez qu'à votre retour, en épluchant votre relevé de compte bancaire. Enfin, gardez bien en tête qu'aux États-Unis, 1 s'écrit *l,* sinon vous avez toutes les probabilités que votre 1 soit pris pour un 7 !
Idem dans les **bars** : le barman, qui n'est pas mieux payé qu'un serveur de restaurant, s'attend à ce que vous lui laissiez un petit quelque chose, par exemple 1 US$ par bière, même prise au comptoir... Pour les **taxis** : il est coutume de laisser un *tip* de 10 à 15 % en plus de la somme au compteur. Là, gare aux insultes d'un chauffeur mécontent : il ne se gênera pas pour vous faire remarquer vertement votre oubli.

TÉLÉPHONE-TÉLÉCOMMUNICATIONS

Téléphone

– *États-Unis → France :* 011 + 33 + numéro du correspondant à 9 chiffres (sans le 0 initial).
– *France → États-Unis :* 00 + 1 + indicatif de la ville (sans le 1 initial) + numéro du correspondant. Tarifs : 0,22 €/mn en tarif normal du lundi au vendredi de 8 h à 19 h, 0,12 €/mn en tarif réduit le reste du temps.

GÉNÉRALITÉS

Tuyaux

– *Le réseau téléphonique* est divisé en de très petites régions ; pour appeler d'une région à l'autre, il faut composer le 1 puis le code de la région ou *area code* (ex. : 202 pour Washington). Cela donne un numéro à 11 chiffres alors que si vous restez dans la même zone, vous ne composerez a priori que 7 chiffres. Mais attention cependant : dans certaines zones téléphoniques (comme le Massachusetts, le Rhode Island et le Connecticut par exemple), il faut composer 10 chiffres : le *area code* (même à l'intérieur d'une même zone téléphonique) sans le 1 devant, suivi des 7 chiffres du numéro de téléphone.

Pour connaître un numéro local, composez le 411 (ou 1-411, cela dépend de l'endroit où vous vous trouvez) ; pour un numéro interurbain, composez l'indicatif + 555-1212 ; pour un numéro gratuit, le 1-800 + 555-1212.

– *Utilisez le téléphone au maximum :* cela vous fera gagner pas mal de temps. Par exemple, si vous êtes perdu ou complètement ivre, entrez dans une cabine téléphonique et faites le 0 ; l'opérateur vous renseignera sur l'endroit où vous vous situez... Au début de l'annuaire des pages jaunes, vous trouverez un tas d'infos intéressantes concernant les transports (intérieurs et extérieurs), les parcs, les sites, les musées, les théâtres...

– *Tous les numéros de téléphone commençant par 1-800, 1-888, 1-877 ou 1-866 sont gratuits* (compagnies aériennes, chaînes d'hôtels, agences de location de voitures...). On appelle ça les *toll free numbers* : nous les indiquons dans le texte, ça vous fera faire des économies pour vos réservations d'hôtels et vos demandes de renseignements (la plupart des *Visitors Centers* en ont un). En plus, comme ça, pas besoin de carte ni de monnaie.

– *Les numéros gratuits sont parfois payants des hôtels* et ne fonctionnent pas quand on appelle de l'étranger. Ceux des petites compagnies fonctionnent parfois uniquement à l'intérieur d'un État.

– *Certains numéros sont composés de mots,* ne vous affolez pas, c'est normal ! Chaque touche de téléphone correspond à un chiffre et à 3 lettres. Ce qui permet de retenir facilement un numéro (exemple : pour contacter les chemins de fer *Amtrak,* ☎ 1-800-USA-RAIL, ça équivaut à ☎ 1-800-872-7245). Ne vous étonnez pas si certains numéros dépassent les 11 chiffres, c'est tout simplement pour faire un mot complet, plus facile à retenir.

Les règles de base

Joindre la France ou même les États-Unis depuis une cabine aux États-Unis relève en général du calvaire si l'on n'a pas de carte téléphonique. Il faut faire des provisions de pièces de 25 cents et en déverser des quantités dans l'appareil. De plus, même si cela s'améliore, la plupart des cabines n'acceptent toujours pas les cartes de paiement. Attention : les hôtels pratiquent toujours des tarifs abusifs qui ne laissent que le choix de la carte de téléphone *(phone card)* ou du PCV (c'est papa qui va être content quand il va recevoir la note !). Dans certains hôtels, on peut aussi vous facturer une communication téléphonique même si l'appel n'a pas abouti ! Il suffit parfois de laisser sonner 4 ou 5 coups dans le vide pour que le compteur tourne. Dans le même ordre d'idées, il arrive souvent que les hôtels (sauf les petits motels) fassent payer les communications locales, qui sont normalement gratuites... Pour éviter les surprises, renseignez-vous avant de décrocher votre combiné.

Les cartes téléphoniques (phonecards)

L'usage des pièces pour téléphoner des cabines téléphoniques *(payphones)* a tendance à disparaître à mesure que se développe le système, beaucoup plus pratique, des cartes téléphoniques prépayées *(prepaid phonecards)*. Ces cartes téléphoniques, éditées par des dizaines de compagnies différentes, sont en vente un peu partout (magasins, sociétés privées, récep-

Téléphonez de l'étranger !

A PRIX ROUTARD

NOUVEAU

▣ Utilisable depuis :

AFRIQUE DU SUD	ISRAËL
ALLEMAGNE	ITALIE
ARGENTINE	JAPON
AUSTRALIE	MEXIQUE
AUTRICHE	NORVÈGE
BELGIQUE	PAYS BAS
BRÉSIL	PHILIPPINES
CANADA	POLOGNE
COLOMBIE	PORTUGAL
DANEMARK	RÉP. TCHÈQUE
ESPAGNE	ROUMANIE
FINLANDE	ROYAUME UNI
FRANCE	RUSSIE
GRÈCE	SUÈDE
HONG KONG	SUISSE
HONGRIE	THAÏLANDE
IRLANDE	USA

Découvrez
La Carte Téléphonique du
routard

▣ Utilisable depuis les téléphones fixes et les cabines*

▣ Partez tranquille en commandant avant votre départ
sur www.routard.com

tiscali.

* Selon restrictions techniques.

tions d'hôtels, certains *Visitor Centers*...) à des prix variables selon le crédit disponible de la carte (généralement 5, 10 ou 20 US$). Elles fonctionnent avec un code d'accès confidentiel inscrit dessus que l'on compose (on ne les introduit pas dans l'appareil). Il suffit ensuite de suivre les instructions. Le montant du crédit téléphonique disponible est indiqué automatiquement. Quand il est épuisé, mieux vaut acheter une autre carte plutôt que de recharger son compte en communiquant son numéro de carte de paiement.

Pour passer des coups de fil locaux, préférer les pièces aux cartes téléphoniques (les frais de connexion liés à la carte sont élevés par rapport au prix d'une communication locale). Bon à savoir, la chaîne *Motel 6* vend dans chacun de ses établissements ses propres cartes téléphoniques prépayées. L'usager peut ainsi téléphoner depuis sa chambre d'hôtel où il veut, quand il veut, à des prix bien plus démocratiques que dans les hôtels habituellement.

La carte téléphonique du Routard

Pour téléphoner sans souci depuis l'étranger, vous pouvez aussi vous procurer la *carte téléphonique du Routard,* avant votre départ. Développée en partenariat avec TISCALI, elle est utilisable depuis 30 pays dont les États-Unis. D'une valeur de 20 €, elle vous permet de joindre vos correspondants en France et dans le monde entier.

Simple d'utilisation, sans abonnement et rechargeable par simple carte de paiement, elle permet d'appeler depuis un poste à touches (cabine téléphonique, hôtel, aéroport) en bénéficiant de tarifs très avantageux. Elle offre l'avantage de pouvoir terminer ses minutes non consommées à son retour en France.

Comment vous la procurer ? Une seule adresse : ● www.routard.com ● Votre carte sera envoyée directement à votre domicile (frais de port offerts).

Téléphoner avec un portable

Attention, votre téléphone portable français peut ne pas être compatible avec le réseau américain. Plusieurs conditions doivent être réunies. Il faut d'abord que votre mobile soit tribande GSM (la plupart des mobiles sur le marché français sont encore bibandes). Ensuite, tout dépend de l'endroit où vous vous rendez aux États-Unis : la norme n'est pas toujours la même. Bref, contactez le service clients de votre opérateur pour vous faire confirmer ces deux paramètres. Vous pourrez soit louer un téléphone tribande, soit, si la norme locale est incompatible, louer un portable adapté à la norme américaine le temps de votre séjour, toujours par l'intermédiaire de votre opérateur.

Internet

Le réseau Internet est né aux États-Unis dans les années 1950, en pleine guerre froide. Il était alors destiné à relier les militaires, avant de s'étendre aux centres de recherche et aux universités... Ensuite, c'est l'invention du *World Wide Web,* au début des années 1990, qui a révolutionné ce réseau en le rendant multimédia (image et son) et accessible au grand public, notamment.

Le développement de ces nouvelles technologies a eu pour creuset la Silicon Valley, en Californie, qui compte aujourd'hui quelques milliers de jeunes entreprises de pointe (les fameuses start-up) sur le créneau de la « nouvelle économie ». Fabricants de micro-ordinateurs, fournisseurs d'accès Internet (le principal est *America On Line,* avec plus de 35 millions d'abonnés dans le monde), créateurs de logiciels (*Microsoft* est le plus important), prestataires de services, etc. ; tous tentent à nouveau de révolutionner le réseau, après avoir essuyé une crise sans précédent et plusieurs centaines de faillites.

L'une des dernières en date est celle de WorldCom, le 1er opérateur Internet aux États-Unis, en juillet 2002. Banqueroute fulgurante, importantes répercussions économiques : la chute d'un géant...

Aux États-Unis, plus d'un foyer sur deux dispose d'un micro-ordinateur PC connecté à Internet, utilisé avant tout pour le courrier électronique. Son usage est tellement répandu outre-Atlantique que l'on peut même s'en servir pour des raisons très officielles. Par exemple, un tribunal américain a accepté récemment que l'on puisse déposer une plainte par e-mail.

Plus concrètement, les routards qui souhaitent rester en contact avec leur tribu n'auront pas vraiment le choix des cafés Internet, plutôt rares (même dans les grandes villes), en raison du fort taux d'équipement informatique des foyers américains. Cela dit, on trouve des accès en libre-service dans de nombreux endroits : bars, *coffee shops,* gares *Greyhound,* halls d'hôtels. Il s'agit de bornes qui fonctionnent comme des distributeurs : on peut se connecter à raison de 1 US$ pour 5 mn (la machine avale les billets ou la carte de paiement). Bon plan : si vous ne trouvez pas d'accès dans ces lieux précités, on vous conseille de vous rendre dans les bibliothèques *(public libraries),* qui disposent toutes d'un accès Internet. L'accès est gratuit (généralement limité à 1 h de connexion par personne et par jour), mais il arrive qu'il soit nécessaire de prendre sa carte de biblio (tout dépend de la commune et de sa politique). En revanche, l'impression de pages web est un service payant.

Une sélection de sites Internet à consulter avant le départ est détaillée plus haut, à la rubrique « Sites Internet ».

TRANSPORTS

Pour ceux qui n'ont pas bien appris leur géographie à l'école, les États-Unis sont un très grand pays, les distances sont donc longues, très longues.

L'avion

Les compagnies desservant l'intérieur des États-Unis sont nombreuses. La plupart sont spécialisées sur une région. Depuis la déréglementation des tarifs, la concurrence est énorme, ce qui est très bien. Ce qui l'est moins, ce sont les retards fréquents. Le routard aura du mal à s'y retrouver (chaque jour de nouveaux tarifs apparaissent). Les forfaits coûtent bien moins cher pour qui les achète avant de partir (lire plus loin).

Bon à savoir, le service de bord est très réduit sur les lignes régulières américaines, et la plupart des prestations sont payantes.

On conseille d'arriver bien en avance pour l'embarquement ; à cause des mesures de sécurité qui entourent les aéroports américains depuis *September 11th.* C'est toujours rageant de rater son avion à cause d'une fouille inopinée, juste avant de monter en cabine. Dans ce cas, le personnel de sécurité, souvent à cran, ne vous fera aucun cadeau, et aura tôt fait de considérer vos plaintes comme suspectes (quel professionnalisme !)...

– ATTENTION : il est interdit de fumer sur tous les vols – intérieurs et transatlantiques – des compagnies américaines. Une violation de cette règle entraîne une amende de 1 000 US$ (2 000 US$ pour ceux qui fumeraient dans les w.-c.).

Les compagnies aériennes

■ *Air France :* ☎ 1-800-237-27-47 (aux USA) ou 0820-0820-0820 (en France ; 0,12 €/mn). ● www.air france.fr ●

■ *American Airlines :* ☎ 1-800-433-7300. ● www.aa.com ●

■ *America West :* ☎ 1-800-327-7810. ● www.americawest.com ●

■ *Continental Express :* ☎ 1-800-523-3273. • www.flycontinental.com •
■ *Delta Air Lines :* ☎ 1-800-221-1212. • www.delta-air.com •
■ *Northwest Airlines :* ☎ 1-800-225-2525. • www.nwa.com •
■ *United Airlines :* ☎ 1-800-241-6522. • www.ual.com •
■ *USAirways :* ☎ 1-800-428-4322. • www.usair.com •

Les forfaits (passes)

En gros, c'est une fleur que font les compagnies aériennes aux passagers résidant en dehors des États-Unis et munis d'un billet transatlantique. Le prix des distances en est réduit. Il est nécessaire de fixer l'itinéraire avant de partir. Inscrire le plus de villes possible. Si l'on ne va pas à un endroit, on peut le sauter, mais on ne peut pas ajouter d'escale, à moins de payer un supplément de 20 US$ (dans certaines compagnies). Attention : un trajet n'est pas forcément égal à un coupon, faites-vous bien préciser le nombre de coupons nécessaires pour chaque voyage, avant le départ.

Voici les conditions de quelques compagnies aériennes qui offrent des *passes* :

– *American Airlines* (adresse dans le chapitre « Comment y aller ? ») *:* propose des forfaits de 2 coupons minimum et 10 coupons maximum, valables uniquement en continuation d'un vol transatlantique opéré par American Airlines ou par un transporteur de l'alliance *Oneworld*, et utilisables sur les vols domestiques américains, vers le Canada, le Mexique et les Caraïbes. Pour pouvoir en bénéficier, il faut être non résident américain.

– *America West :* ☎ 0825-350-351 (0,15 €/mn). • www.americawest.com • Pas de conditions particulières, si ce n'est qu'il faut être non résident américain et avoir acheté un vol transatlantique sur n'importe quelle compagnie régulière. Forfaits de 1 à 12 coupons selon le type de forfait choisi. Valable sur le Canada sans supplément.

– *Delta Air Lines* (adresse dans le chapitre « Comment y aller ? ») *:* propose, avec d'autres membres de Sky Team, le *pass Discover America Sky Team*. Il faut acheter au minimum 3 coupons et au maximum 10 coupons. Le meilleur tarif est applicable lorsque le vol transatlantique est effectué sur une compagnie de Sky Team (Air France, Delta, Alitalia, Czech Airlines). Majoration en cas de voyage transatlantique sur un autre transporteur. Impératif de fixer l'itinéraire et de réserver le 1er vol avant l'arrivée. Pas de supplément sur le Canada. Possibilité de se rendre en Alaska, à Hawaii, San Juan, Saint-Thomas et au Mexique moyennant un supplément.

– *KLM-Northwest Airlines* (adresse dans le chapitre « Comment y aller ? ») *:* propose un *Pass Visit USA* à un prix très attractif. Entre 3 et 8 vols intérieurs, pas de durée minimum de séjour. Prix réduits pour les enfants (moins de 12 ans), gratuit pour les bébés (moins de 2 ans). Il suffit de construire son itinéraire avant le départ en prenant comme règle « 1 vol = 1 coupon ». L'itinéraire du *Pass Visit USA* doit impérativement commencer et se terminer aux États-Unis ou au Canada. Il faut au moins un vol sur Northwest. Validité du *Pass Visit USA* de 60 jours à partir de l'utilisation du 1er coupon. Extension au forfait de base possible vers l'Alaska, les Bermudes, les Caraïbes, Hawaii, le Mexique et Puerto Rico.

– *United Airlines* (adresse dans le chapitre « Comment y aller ? ») *:* réservé aux passagers non résidents aux États-Unis ou au Canada porteurs d'un billet transatlantique. Renseignez-vous sur les « Airpass Pass » à tarifs préférentiels pour les États-Unis (y compris Hawaii), Canada, Mexique et Caraïbes, les passagers voyageant sur des compagnies *Star Alliance* et sur d'autres transporteurs. Le 1er vol doit être réservé avant l'arrivée aux États-Unis (attention, pénalité de 100 US$ pour les changements sur le premier coupon). On doit acheter au minimum 3 coupons, au maximum 8. Le reste du parcours peut être laissé open mais l'ensemble de l'itinéraire doit être fixé avant le départ. *Open jaws* autorisés.

– **US Airways** (adresse dans le chapitre « Comment y aller ? ») *:* propose des forfaits très intéressants sur l'ensemble de son réseau intérieur. De 3 à 10 coupons sur tout le pays, 60 jours maxi ; 1 vol = 1 coupon et 1 transit offert (et là aussi, pénalité en cas de changement du 1er coupon). Tarifs réduits pour les enfants de 2 à 11 ans accompagnés d'un adulte, billet gratuit pour les moins de 2 ans. Tarif préférentiel pour les passagers voyageant sur un vol transatlantique *US Airways* ou *Air France*. Possible également de l'utiliser pour le Canada, les Bahamas, Porto Rico et les îles Vierges, sans supplément. Possibilité d'extension également (Mexique, les Bermudes, la Jamaïque, Saint-Martin, Antigua, Aruba, La Barbade, la République dominicaine, le Costa Rica, Belize, Sainte-Lucie et les îles Caïmans).

– IMPORTANT : si vous avez une série de réservations aériennes à l'intérieur des États-Unis, que vous avez effectuées depuis la France avant votre départ, il est indispensable de les reconfirmer auprès de chaque transporteur, retour y compris, au plus tard 72 h avant le départ.

La voiture

Ah, quel bonheur de conduire aux États-Unis ! Quel plaisir de rouler sur les larges *highways* rectilignes en écoutant les Doors ou le meilleur de la country, le tout piano piano, limite de vitesse oblige... Et quel régal d'admirer au passage les énormes camions aux essieux rutilants comme des miroirs. Évidemment, on fait abstraction des grandes villes et de leurs abords où là, conduire (et se garer) tient plutôt du calvaire. Mais pour tout le reste, quel pied ! Sans compter que l'essence est beaucoup moins chère qu'en France et qu'il y a très peu de péages. Ces derniers sont surtout présents dans la périphérie des grandes villes et presque systématiques pour les ponts et tunnels majeurs.

Les règles de conduite

Certaines agences de location de voitures distribuent des fiches des règles de conduite spécifiques à l'État dans lequel on loue le véhicule.

– **La ceinture de sécurité :** elle est obligatoire à l'avant.

– **Les enfants** de moins de 5 ans (ou moins de 18 kg) doivent être dans un siège auto.

– **La signalisation :** les panneaux indiquant le nom des rues que l'on croise sont généralement accrochés aux feux ou aux poteaux des carrefours, ce qui permet de les localiser un peu à l'avance.

– **La priorité à droite :** elle ne s'impose que si deux voitures arrivent en même temps à un croisement. La voiture de droite a alors la priorité. Dans tout autre cas, le premier arrivé est le premier à passer !

– **Tourner à gauche, avec une voiture en face :** contrairement à la circulation dans certains pays, dont la France, un tournant à gauche, à un croisement, se fait au plus court. Autrement dit, si une voiture vient en sens opposé et tourne sur sa gauche, vous passerez l'un devant l'autre, au lieu de tourner autour d'un rond-point imaginaire situé au centre de l'intersection. Attention : si une pancarte indique « no left turn » ou « no U turn », vous devrez attendre la prochaine intersection pour vous engager à gauche ou faire demi-tour ; ou alors : tourner à droite et revenir sur ses pas.

– **Tourner à droite, à une intersection :** à condition d'être sur la voie de droite, vous pouvez tourner à droite au feu rouge après avoir observé un temps d'arrêt et vous être assuré que la voie est libre. Attention ! dans certains États seulement, on ne le fait pas si une pancarte indique « no red turn ».

– **Pour aborder une autoroute :** mêlez-vous au trafic aussi rapidement que possible. Ne jamais s'arrêter sur la voie d'accès. Si vous êtes en panne, restez à la droite du véhicule, ouvrez votre capot et attendez. La police routière vous aidera. Sur certaines autoroutes, des téléphones sont installés pour des appels d'assistance. On trouve aussi de nombreuses aires de repos.

– **Sur les routes nationales et les autoroutes :** les voies venant de la droite ont soit un « STOP », soit un « YIELD » (cédez le passage), et la priorité à droite n'est pas obligatoire.

– **Les feux tricolores :** ils sont situés après le carrefour et non avant comme chez nous. Si vous marquez le stop au niveau du feu, vous serez donc en plein carrefour. Pas d'inquiétude, après une ou deux incartades, on flippe tellement qu'on s'habitue vite.

– **Les ronds-points (ou giratoires) :** ils sont plutôt rares, sauf dans les États de la Nouvelle-Angleterre et l'État de New York. Priorité aux voitures qui sont déjà engagées dans le giratoire.

– **Les 4-way stops :** carrefour avec stop à tous les coins de rue. S'il y a plusieurs voitures, le premier qui s'est arrêté est le premier à repartir. Assez fréquent aux États-Unis et totalement inédit chez nous.

– **Certaines voies sont réservées au covoiturage,** elles sont signalisées par un panneau *HOV (Heavy Occupation Vehicle).*

– **Les commandes internes :** pour ceux qui n'auraient jamais conduit de voitures à boîte automatique (il n'y a pratiquement que cela aux États-Unis), voici la signification des différentes commandes. P : *Parking* (à enclencher lorsque vous stationnez) ; R : *Reverse* (marche arrière) ; N : *Neutral* (point mort) ; D : *Drive* (le mieux adapté pour avancer) ; 1, 2 et 3 : vous sélectionnez votre propre rapport de boîte (bien utile en montagne ou dans certaines côtes). Pour oublier vos vieux réflexes, calez votre pied gauche dans le coin gauche, et ne l'en bougez plus jusqu'à la fin de votre périple. Astuce : les voitures américaines sont toutes équipées d'un *cruise control,* dispositif qui maintient votre vitesse, quel que soit le profil de la route, tant que vous n'appuyez pas sur le frein ou l'accélérateur. Très pratique sur les longues autoroutes américaines, mais déconseillé en ville.

– **Le système du car pool :** sur certains grands axes, pour faciliter la circulation et encourager le covoiturage, il existe une voie dénommée *car pool* réservée aux usagers qui roulent à deux ou plus par voiture. Il y a bien sûr beaucoup moins de monde que sur les autres voies. Très utile aux heures de pointe, mais à n'emprunter évidemment d'aucune façon si vous êtes seul à bord, sous peine d'amende.

– **La limitation de vitesse :** la vitesse est toujours limitée aux États-Unis. Ce sont les États qui fixent ces limitations. Elle ne dépasse pas 55 mph (88 km/h) sur de nombreuses routes. Mais sur les autoroutes *(interstates),* elle peut atteindre 65 mph (104 km/h) voire 70 mph (113 km/h) en Géorgie et dans le Tennessee. En ville : 20-35 mph, soit 32-56 km/h. À proximité d'une école, elle chute à 15 mph, et tout le monde respecte ! Les radars sont très nombreux et la police, très présente et très vigilante, aime beaucoup faire mugir ses sirènes. Et là, le scénario se met en branle : interdiction de sortir du véhicule, le flic s'approche d'une démarche chaloupée, la main sur le calibre au cas où vous seriez un bandit... Faites-lui un beau sourire et bafouillez votre plus mauvais anglais, ça aide souvent, surtout pour les filles. Sachez aussi que les voitures de police, même si elles vous croisent, ont la possibilité de déterminer votre vitesse. Sur les autoroutes, la police surveille grâce à des longues vues.

– **Le stationnement :** faites attention où vous garez votre voiture. Les PV fleurissent très vite sur votre pare-brise. Des panneaux « *No Parking* » signalent les stationnements interdits. Ne vous arrêtez jamais devant un arrêt d'autobus, ni devant une arrivée d'eau pour l'incendie *(fire hydrant),* ni s'il y a un panneau *Tow Away,* qui signifie « Enlèvement demandé » : on vous enlèvera la voiture en quelques minutes, et la fourrière comme l'amende sont très chères (plus de 200 US$). Quand la voiture est en stationnement, notez votre rue pour la retrouver.

Distances en miles	ALBUQUERQUE	ATLANTA	BOSTON	CHICAGO	CLEVELAND	DALLAS	DENVER	DETROIT	LOS ANGELES	MIAMI	MINNEAPOLIS	NEW ORLEANS	NEW-YORK CITY	SAINT-LOUIS	SAN FRANCISCO	SEATTLE
ATLANTA	1405															
BOSTON	2255	1074														
CHICAGO	1300	703	993													
CLEVELAND	1615	700	648	345												
DALLAS	654	813	1817	938	1195											
DENVER	420	1417	1989	1018	1334	786										
DETROIT	1574	745	719	296	169	1162	783									
LOS ANGELES	804	2209	2932	2104	2419	1406	1116	2375								
MIAMI	1981	662	1546	740	1316	1327	2079	1407	2733							
MINNEAPOLIS	1249	1113	1403	410	755	949	847	706	1962	1775						
NEW ORLEANS	1156	493	1507	961	1077	501	1287	1104	1893	886	1271					
NEW-YORK CITY	2033	869	214	845	507	1604	1833	665	2837	1333	1255	1354				
SAINT-LOUIS	1057	560	1189	293	558	645	857	517	1861	1222	565	706	976			
SAN FRANCISCO	1138	2543	3167	2183	2516	1792	1264	2467	417	3119	2007	2293	3016	2115		
SEATTLE	1465	2762	3048	2056	2401	2119	1345	2352	1151	3424	1646	2620	2866	2174	831	
WASHINGTON	1879	631	442	699	361	1374	1692	519	2683	1103	1109	1124	230	835	2870	2755

– **Le stationnement en ville :** le problème du parking est crucial dans certaines grandes villes, où il est très cher. Il vaut mieux trouver un *park and ride*, grand parking aux terminaux et grandes stations de bus et métro (généralement indiqués sur les plans des villes). Arriver tôt car ils sont vite complets.

– **Les parcmètres :** le système de stationnement en ville est compliqué. La présence d'un parcmètre ne veut pas dire qu'on puisse se garer tout le temps. Dans certaines villes, il faut observer la couleur du marquage sur le trottoir : rouge (interdit), blanc (réservé à la dépose de passagers, comme devant les hôtels), vert (limité à 15 mn), etc. Attention aux places réservées à la livraison. De plus, il faut observer les petits panneaux sur les trottoirs indiquant des restrictions comme le nettoyage des rues *(street clearing)*. Ainsi, aux jours et heures indiqués, mieux vaut débarrasser le trottoir, sous peine de voir sa voiture expédiée à la fourrière. La liste n'est pas exhaustive, et vous découvrirez encore plein de chouettes surprises par vous-même. Globalement, sachez enfin que l'Américain est très civique et qu'il ne lui viendrait pas à l'idée de bloquer en double file la circulation pour acheter son journal. Que ceux qui se reconnaissent lèvent le doigt...

– **Les bus scolaires à l'arrêt :** lorsqu'un *school bus* (on ne peut pas les louper, ils sont toujours jaunes) s'arrête et qu'il met ses feux clignotants rouges, l'arrêt est obligatoire dans les deux sens. Il faut stopper son véhicule avant de le croiser (pour laisser traverser les enfants qui en descendent), et si on le suit, ne surtout pas le doubler. Tant que les feux clignotants sont orange, le bus ne fait que signaler qu'il va s'arrêter. À l'arrêt, un petit panneau triangulaire est parfois automatiquement déployé, sur le gauche du véhicule, pour vous intimer l'arrêt. Ne l'oubliez pas : beaucoup de lecteurs se sont fait piéger. C'est l'une des pénalités les plus gravement sanctionnées aux États-Unis.

– **Le respect dû aux piétons :** le respect des passages protégés n'est pas un vain mot et le piéton a VRAIMENT la priorité. Dès qu'un piéton fait mine de s'engager sur la chaussée pour la traverser, tout le monde s'arrête (enfin, presque tout le monde...). D'autre part, sachez que traverser hors des clous ou au feu rouge peut être passible d'une amende (environ 30 US$) ! Il y a même un terme pour ça : le *jaywalking*...

– **Les PV :** si vous avez un PV *(ticket)* avec une voiture de location, mieux vaut le payer sur place et non une fois rentré chez vous. Car lorsque vous signez le contrat de location, vous donnez implicitement l'autorisation au loueur de régler les contraventions pour vous (avec majoration). La solution la plus simple consiste à payer en se rendant directement à la *Court House* locale. Autre possibilité : payer par carte de paiement. Au dos du PV, un numéro de téléphone vous permet de le faire. Votre compte est ensuite débité par la police. D'ailleurs, certains lecteurs nous ont signalé que leur carte n'a pas été débitée parce qu'elle n'était pas émise par une banque américaine. On ne va pas s'en plaindre. Enfin il semblerait que, moyennant une commission, certains organismes de location possèdent un service qui règle l'amende auprès des instances concernées. À vérifier avant de perdre du temps dans les démarches.

– Utile, le petit guide réalisé par *Hertz* : *Conduire aux USA*. Nombreux conseils pour faciliter la conduite sur place. Pour l'obtenir, faire la demande par courrier à *Hertz France,* Service marketing, 78198 Trappes Cedex ; ou par fax : 01-39-38-38-01.

L'essence

Faites votre plein avant de traverser des zones inhabitées, certaines stations-service *(gas stations)* sont fermées la nuit et le dimanche. Parfois, sur les autoroutes, on peut rouler pendant des heures sans en trouver une. Le prix de l'essence *(gas)*, à la hausse en ce moment, peut aussi varier selon les États. Malgré cela, elle reste bien moins chère que chez nous (compter 2,20 US$ pour 1 gallon = 3,8 litres environ) ; ce qui n'encourage pas les constructeurs à concevoir des voitures moins gourmandes, et surtout moins polluantes. *Bon plan* : certaines stations-service disposent de cartes de fidélité qui proposent ensuite des réductions immédiates sur un plein.

Les bouchons de réservoir indiquent clairement le carburant à utiliser, généralement du *unleaded* (sans-plomb), dont il existe plusieurs qualités. La moins chère convient parfaitement. Enfin, il y a le diesel mais peu de véhicules l'utilisent. Dans les stations-service, 2 possibilités : le *full-serve* (on vous sert et on vous fait le pare-brise) et le *self-service* (10 % moins cher). Un truc à savoir, pour remettre le compteur de la pompe à 0 et l'amorcer, détacher le tuyau et relever le bras métallique. Le libre-service est le plus fréquent en ville. On paie parfois à la caisse avant de se servir. Si on ne sait pas combien on veut d'essence (si on fait le plein, par exemple), on peut laisser sa carte de paiement ou un gros billet au caissier et on revient prendre la monnaie ou signer ensuite. Sinon, la plupart des stations-service ont des pompes avec règlement automatique par carte de paiement. La plupart des *gas stations* offrent une grande variété de services : des w.-c. à disposition, du café, des cigarettes, souvent une petite épicerie. Elles vendent aussi des cartes très précises de la localité où l'on se trouve et qui couvrent en général toute la périphérie.

Le permis de conduire

Le permis français est valable aux États-Unis (minimum un an de permis). Toutefois, il est conseillé de se munir d'un permis international. Celui-ci est délivré gratuitement dans les préfectures sur présentation du permis français, d'un justificatif de domicile, et de 2 photos d'identité. Les policiers sont plus habitués au permis international qu'à un permis écrit dans une langue qu'ils ne connaissent pas. Mais emportez quand même le permis national, car les policiers demandent souvent que vous le présentiez en même temps que le permis international ; et puis, la plupart des agences de location l'exigent.

L'état général des routes et la signalisation

En France, si vous connaissez le nom de la ville où vous allez, vous pourrez toujours vous débrouiller mais, aux États-Unis, il faut connaître le nom et le numéro de la route et votre orientation (nord, sud, est ou ouest) ; par exemple, pour aller de New York à San Francisco, il faut prendre l'« Interstate 80 West » (sur les panneaux, c'est inscrit « I 80 W »). C'est particulièrement vrai pour les abords des grandes villes.

On distingue les *freeways* (larges autoroutes aux abords des grandes villes), les *interstates,* qui effectuent des parcours transnationaux, et les routes secondaires. Elles sont signalisées de manière différente et faciles à repérer. Simplement, ouvrez bien l'œil et sachez vers quel point cardinal vous allez. Sur les *interstates,* le numéro de la sortie correspond au mile sur lequel elle se trouve. Ainsi, la prochaine sortie après la 189 peut très bien être la 214.

Si vous rencontrez des *turnpikes* (rares), sachez que ce sont des autoroutes payantes. Les grands ponts (comme le Benjamin Franklin Bridge à Philadelphie) et beaucoup de tunnels majeurs sont aussi souvent payants.

La signalisation routière utilise peu de symboles, contrairement à l'Europe. Impératif de bien connaître l'anglais, surtout pour le stationnement.

Les cartes routières

Pas très utile d'acheter des cartes détaillées en France. Pratiquement toutes les stations-service vous en proposeront à des prix bien moins élevés. Les cartes des agences de location de voitures sont également utiles (bien qu'un peu sommaires), ainsi que celles des offices du tourisme ; et elles sont gratuites.

– Se procurer l'Atlas des routes de *Rand McNally,* la Bible du voyageur au long cours aux États-Unis : une page par État, très bien fait. Indique les parcs nationaux et les campings. L'Atlas de l'*American Automobile Association* n'est pas mal non plus.

– Lorsqu'on traverse la frontière d'un État, il y a très souvent un *Visitor Center* où il est possible d'obtenir gratuitement des cartes routières de l'État dans lequel on entre. Vous trouverez aussi moult brochures et coupons de réduction.

Les voitures de location

Les voitures sont louées à la journée ou à la semaine. Certaines compagnies louent à l'heure, mais les grosses agences exigent un jour de location au minimum.

La location depuis la France

En France, vous pouvez acheter deux types de forfaits ; c'est le plus souvent moins cher que sur place. Passez par une grande agence.

– *Les coupons de location à la journée :* ils n'intéressent que les voyageurs qui ne veulent pas louer une voiture plus de 2 jours consécutifs. À partir de 3 jours, ces coupons sont inintéressants.

– *Les forfaits valables sur tous les États-Unis :* il s'agit de locations pour 3 jours minimum et jusqu'à une semaine et plus, suivant un tarif dégressif, incluant généralement un nombre de miles illimité et l'assurance de base. Les prix varient selon les États. Ceux de la Floride sont les plus bas et ceux proposés à New York les plus chers.

■ *Auto Escape :* numéro gratuit, ☎ 0800-920-940. ☎ 04-90-09-28-28. Fax : 04-90-09-51-87. ● www.autoes cape.com ● info@autoescape.com ● L'agence *Auto Escape* réserve auprès des loueurs de gros volumes de location, ce qui garantit des tarifs très compétitifs. Réduction supplémentaire de 5 % aux lecteurs du *GDR* sur l'ensemble des destinations. Il est recommandé de réserver longtemps à l'avance. Important : une solution spécialement négociée aux États-Unis pour les conducteurs de moins de 25 ans. Vous trouverez également les services d'Auto Escape sur ● www.routard.com ●
■ Et aussi : *Hertz* (☎ 0825-861-861 ; 0,15 €/mn), *Avis* (☎ 0820-05-05-05 ; 0,12 €/mn) et *Budget* (☎ 0825-00-35-64 ; 0,15 €/mn).

Quelques conseils :

– Exigez que sur le coupon figure la mention selon laquelle la location a été payée.

– Emportez la documentation où figurent les tarifs pratiqués en Europe.

– Vérifiez si les coordonnées de l'agence ou le numéro de téléphone de celle-ci aux États-Unis sont précisés pour chaque ville où la location se fait.

– Emportez l'adresse et le numéro de téléphone de l'agence en France (qui ne figure pas sur le coupon) afin de pouvoir téléphoner en PCV en cas d'ennuis.

La location aux États-Unis

Il faut choisir, parmi les tarifs proposés, le plus économique par rapport à votre utilisation. Avant de vous décider pour telle ou telle agence, appelez-les toutes et comparez les prix. Ils peuvent aller du simple au double pour les mêmes prestations. Si vous pensez faire peu de kilomètres, mieux vaut prendre le tarif le plus avantageux à la journée, même si le coût au kilomètre est plus cher. Pour un très long parcours, la formule « kilométrage illimité » est toujours plus rentable, en tout cas à partir de 150 miles (240 km) par jour.

Les Etats-Unis en toute liberté !

En cadeau un atlas Etats-Unis !

Un atlas des Etats-Unis offert aux lecteurs
du Guide du Routard pour toute réservation
confirmée avant leur départ aux Etats-Unis. *

**Informations et réservations : 01 44 77 88 00
info@ecltd.com**

* Dans la limite des stocks disponibles

Les voitures de location les moins chères sont les *economies* et les *compacts* (catégorie A). Très bien jusqu'à 3 personnes. Ensuite viennent les *sub-compacts* et les *mid-sizes*. De façon générale, les voitures sont beaucoup plus spacieuses et confortables qu'en Europe, à catégorie égale.

Les compagnies proposent souvent des réductions week-end *(week-end fares)* : du vendredi midi au lundi midi. On paie 2 jours pour 3 jours d'utilisation.

Il s'agit également d'interpréter le prix annoncé par les compagnies : si l'on vous propose un tarif par jour pour une voiture moyenne, tenez compte de la taxe, qui va de 4 à 15 % en fonction des États (celle-ci n'est généralement pas incluse dans les *vouchers* – bons de paiement – des agences de voyages), et de l'essence, qui ne sont jamais comprises dans le prix affiché. Les assurances sont ou non comprises dans les forfaits, renseignez-vous. Dans de nombreuses compagnies, on peut rendre le véhicule dans un endroit différent de celui où on l'a pris *(one-way rental)*, mais il faudra payer un *drop-off charge* (frais d'abandon), jusqu'à 500 US$.

Quelques règles générales

– Il est impossible de louer une voiture si l'on a moins de 21 ans, voire 25 ans pour les grandes compagnies.

– Si votre permis date de moins de 3 ans ou si vous avez moins de 25 ans, les compagnies de location font payer un supplément (comptez environ 20 US$ par jour). Bien souvent le permis international ne suffit pas ; la plupart des agences refusent de louer une voiture sans le permis national.

– Attention, il arrive que certaines compagnies, demandent un numéro de téléphone local comme contact. Ne prenez pas le risque de dire que vous allez de ville en ville en campant, ou il se pourrait bien que l'on vous refuse la location... (ça arrive surtout chez les plus petites compagnies). Une solution : donnez le téléphone de l'hôtel où vous passerez la 1re nuit ; généralement, ça suffit.

– Évitez de louer dans les aéroports, où seules les grandes compagnies sont représentées. Les moins chères se trouvent en ville (en fait, les taxes sont moins élevées), mais si vous arrivez en avion elles peuvent vous livrer le véhicule.

– Avoir absolument une carte de paiement (*MasterCard* et *Visa* sont acceptées partout). Très rares sont les compagnies qui acceptent le liquide. De plus, dans celles qui peuvent accepter, on doit laisser une grosse caution. Un truc en or : avec les cartes prestige style *MasterCard Gold* ou *Visa Premier*, vous bénéficiez gratuitement de l'assurance vols et dégradations. Certes, ces cartes ne sont pas données, mais vous aurez vite amorti votre investissement si vous louez votre voiture pour 15 jours et plus. Attention : vérifiez par avance quel type de carte de paiement (débit immédiat ou différé) est accepté par votre compagnie de location ; pour le paiement, bien sûr, mais aussi pour l'empreinte de caution.

– Toujours faire le plein avant de rendre la voiture. Sinon, on vous facturera le gallon 2 à 3 fois plus cher que le prix à la pompe.

– Si vous réservez d'avance, vous paierez moins cher qu'en vous y prenant le jour même.

– Les prix indiqués sont toujours hors-taxe.

– Les voitures de location sont à 99 % des automatiques. On s'y habitue vite.

– La plupart des véhicules disposent de l'AC, indispensable en été.

– Un tuyau : si vous n'êtes pas fan de la musique américaine, pensez à emporter vos CD préférés. Bon nombre d'autoradios sont pourvus de lecteurs.

– Les tarifs les moins chers sont ceux à la semaine.

– Quand l'agence n'a plus la catégorie de voiture que vous avez réservée, on vous propose une catégorie supérieure sans supplément.

– Toujours demander une réduction si vous louez pour plus de 2 semaines. Ça peut marcher.

– Les franchises d'assurances voitures varient d'une compagnie à l'autre.

– La plupart des loueurs n'autorisent pas de rouler sur des *unpaved roads* (routes non bitumées). Si vous le faites quand même, sachez que c'est à vos risques et périls.

– Parfois, les agences de location remboursent le taxi nécessaire pour se rendre à leur agence (demander une *bill* au taxi). Très pratique : il existe partout des navettes gratuites des aéroports jusqu'aux agences.

– Les contrats de location ne sont définitifs qu'au bout de 24 h. Dans ce délai, vous pouvez changer de voiture, changer les options, ou les deux.

Les assurances

Elles sont nombreuses et on s'emmêle rapidement les pinceaux. Tous les véhicules possèdent une assurance minimum obligatoire, comprise dans le tarif proposé. Au-delà, tout est bon pour essayer de vous vendre le maximum d'options qui ont vite fait de revenir plus cher que la voiture elle-même. On conseille donc de se renseigner et de souscrire, avant de partir, une assurance auprès de votre loueur de voitures ; les tarifs sont généralement plus avantageux.

Avec une carte de paiement haut de gamme *(MasterCard Gold, Visa Premier...)*, il est inutile de prendre l'assurance *CDW* ou *LDW,* car le paiement par ces cartes donne automatiquement droit à ces deux options. Ne prenez, dans ce cas, que la *LIS* ou *SLI* (responsabilité civile) si vous le souhaitez.

– **LDW (Loss Damage Waiver) ou CDW (Collision Damage Waiver) :** c'est l'assurance tous risques. Elle est à présent obligatoire dans la plupart des États. Son coût varie entre 10 et 20 US$ par jour selon les États. Elle couvre votre véhicule pour tous dégâts (vol, incendie, accidents... mais pas le vandalisme) si vous êtes en tort, mais pas les dégâts occasionnés aux tiers si vous êtes responsable. Certaines cartes de paiement prennent en charge cette assurance (sauf pour les très gros véhicules et les voitures de luxe), alors renseignez-vous auprès de votre banque ou de votre organisme de carte de paiement afin de ne pas la souscrire 2 fois. Pour être totalement couvert, il faut souscrire en plus une *LIS* (voir ci-dessous). On vous la conseille.

– **LIS ou SLI (Liability Insurance Supplement) :** c'est une assurance supplémentaire qui vous couvre si vous êtes responsable de l'accident. Aucune carte de paiement ne l'inclut dans ses services. Il faut savoir qu'aux États-Unis, si vous renversez quelqu'un et que cette personne est hospitalisée pour 6 mois, votre responsabilité sera engagée bien au-delà de vos revenus. Il est donc important d'avoir une couverture en béton. Attention toutefois, si vous roulez en état d'ivresse, cette assurance ne fonctionne pas.

– **PAI (Personal Accident Insurance) :** elle couvre les accidents corporels. Inutile si vous avez par ailleurs souscrit une assurance personnelle incluant les accidents de voiture. La *PAI* ferait alors double emploi.

– **PEC (Personal Effect Coverage) :** elle couvre les effets personnels volés dans la voiture. À notre avis, cette assurance est inutile. Il suffit de faire attention et de ne jamais rien laisser de valeur à l'intérieur. À cet égard, une nouvelle loi interdit aux loueurs de matérialiser la voiture de location avec des macarons et autocollants. C'était du pain béni pour les voleurs qui repéraient ainsi les véhicules à « explorer ».

Les petites compagnies

Thrifty Rent-a-Car, Greyhound Rent-a-Car, Compacts Only... et toutes les petites compagnies locales qui n'ont que 5 ou 10 voitures. Si vous désirez faire seulement un *U-drive,* c'est-à-dire partir pour revenir au même endroit, il est préférable de louer une voiture dans une petite compagnie locale : c'est nettement moins cher et, en principe, ils accepteront de l'argent liquide en guise de caution. De toute façon, si vous reconduisez la voiture à l'endroit où vous l'avez louée, vous avez des chances de payer moins cher. Pratique pour visiter les parcs nationaux. Voici quelques petites compagnies avec leur *toll free number* (numéro gratuit). Pour les appeler de France, voir la rubrique « Téléphone », plus haut.

■ ***Payless Rent-a-Car :*** ☎ 1-800-729-5377. ● www.paylesscarrental.com ●

■ ***Dollar :*** ☎ 1-800-800-4000. ● www.dollar.com ● Une compagnie qui loue aux 23-25 ans.

Les grandes compagnies

Hertz, Avis, National, Budget...
– Inconvénient : elles acceptent rarement une caution en liquide.
– Avantages : les voitures sont généralement neuves, donc pépins mécaniques rares ! En cas de pépin mécanique, le représentant local de la compagnie vous changera aussitôt la voiture.
– Possibilité (généralement) de louer une voiture dans une ville et de la laisser dans une autre (supplément à payer). Si vous la rendez dans un autre État, les frais seront d'autant plus élevés.
– Les plus grandes compagnies de location de voitures ont un numéro de téléphone gratuit en 1-800 *(toll free number)*.

■ ***Hertz :*** ☎ 1-800-654-3131. ● www.hertz.com ●
■ ***Avis :*** ☎ 1-800-230-4898. ● www.avis.com ●

■ ***National :*** ☎ 1-800-CAR-RENT. ● www.nationalcar.com ●
■ ***Budget :*** ☎ 01-44-77-88-00 ou 1-800-527-0700. ● www.budget.com ●

La location d'un *motor-home* ou d'un *camper* (ou *RV*)

C'est un véhicule issu de l'amour tendre entre une caravane et une camionnette. Cette progéniture est fort utilisée aux États-Unis.
– ***Le camper*** est une camionnette équipée d'une unité d'habitation qui ne communique pas avec la cabine ; il faut donc ouvrir la porte arrière pour pénétrer dans la partie habitation de ce véhicule de taille moyenne – 3,50 m à 5 m –, où 4 personnes peuvent coucher confortablement.
– ***Le motor-home*** est un vrai camion-caravane, très luxueux et très élaboré au niveau du confort. Il est même équipé d'une douche. C'est la plus grande des maisons roulantes (7 à 9 m), pouvant loger jusqu'à 8 personnes très confortablement. C'est aussi la plus chère des solutions, encore que, lorsque l'on a des gamins ou que l'on divise les frais par 4 ou 6, cela devienne beaucoup plus abordable.

Quelques conseils et infos utiles

– La moins onéreuse des maisons roulantes est sans conteste le bus Volkswagen aménagé, modèle *camper*. Il est équipé d'un coin cuisine avec un petit frigo, d'une table et de lits pliables. On peut y loger jusqu'à 5 personnes.
– À éviter : la caravane, car il faut louer une automobile pour la remorquer.
– Pour choisir un ***campground***, vous devez toujours prévoir deux ou trois endroits différents dans un rayon de 50 miles ; ainsi, si le 1er terrain ne vous plaît pas, vous pouvez tenter votre chance plus loin, mais ne tardez pas trop dans la journée car il est interdit de stationner en dehors des *campgrounds* pour la nuit. C'est une solution très intéressante pour sillonner les parcs nationaux ou les parcs d'État : c'est moins coûteux et le site est toujours intéressant. Mais c'est aussi souvent plein en haute saison.

– Les frigos sont en général à gaz, et les bouteilles se rechargent dans les stations-service.

– Sachez qu'en plus de tous ces accessoires nécessaires à l'habitation roulante, vous trouverez un seau, une pelle de camping, de la vaisselle, des chaises pliantes, un couchage complet et même un balai. Les motor-homes sont équipés de l'AC, qui fonctionne sur le moteur en marche ou bien en se branchant sur le *hook-up* (branchement dans les campings).

– Si vous êtes intéressé, mieux vaut louer le véhicule depuis Paris car, en été, il est très difficile d'en trouver sur place.

Inconvénients

Pour parler franchement, on n'est pas très favorable à ces engins. Même si c'est la grande mode de louer un *trailer* (ou *RV*) pour visiter les États-Unis, cela comporte bien des inconvénients :

– C'est lent.

– Il faut le ramener au point d'origine ou, sinon, payer un supplément qui a vite fait de vous ruiner.

– La consommation est extrêmement élevée : de 12 à 45 l aux 100 km selon les modèles !

– En été, il est difficile de trouver des places de stationnement, surtout dans les parcs nationaux. Généralement, il est interdit de se garer n'importe où (dans certaines grandes villes, on vous met en fourrière sur l'heure). Vous devrez passer la nuit dans des emplacements réservés (un annuaire est fourni) : de 10 à 25 US$ la place + eau + électricité + gaz... Eh oui ! tous les branchements (eau, électricité) sont payants dans les terrains aménagés. Possibilité quand même, en règle générale, de stationner sur les parkings des hypermarchés ou des magasins, à condition évidemment d'éviter tout déballage et de laisser les lieux propres.

– C'est cher (à titre d'exemple, compter de 700 à 1 200 US$ la semaine pour un véhicule pour 6 personnes) : il est souvent moins onéreux de louer une voiture ordinaire et de dormir dans un motel.

On peut toutefois les réserver en France auprès d'un voyagiste, c'est souvent moins cher et le risque de ne pas trouver de véhicule en arrivant aux États-Unis est exclu.

Pour toutes infos complémentaires : ● www.motorhomerental.com ● , un site Internet très complet sur les locations de motor-homes aux États-Unis. Plans détaillés des véhicules, visite virtuelle, équipement, tarifs, disponibilité...

Une autre bonne adresse avec plus de 150 agences aux États-Unis :

■ *Cruise America RV Rentals :* 11 W Hampton Ave, Mesa, AZ 85210. ☎ (480) 464-7300. Fax : (480) 464-7321. ● www.cruiseamerica.com ● Loue des motor-homes et *trailers* dans tout le pays, depuis les aéroports ou les diverses agences en ville. Compter 130 US$ pour 500 miles (environ 800 km), assurances incluses. La taxe de frais d'abandon dans un autre État s'élève tout de même à 500 US$. Loue également des *RV* équipés pour les personnes handicapées et des motos (Honda) pour sillonner les routes les cheveux au vent !

L'auto-stop *(hitchhiking)*

Pas facile à pratiquer, et on n'en fait presque plus dans de nombreux endroits. C'est dans les États du Sud (le « Deep South ») que les difficultés sont les plus grandes : les gens, là-bas, ont une aversion viscérale pour tous les marginaux et ceux qui affichent un air bohème.

En fait, de plus en plus d'États interdisent carrément le stop : attention, vous pourriez vous retrouver au poste... Après tout, c'est louche de ne pas avoir de voiture ! On le déconseille pour les filles non accompagnées. La protection de se dire *VD (venereal disease)* est bien mince.

Écrire sur la pancarte la direction, ça rassure tout le monde. De plus, si vous ajoutez « French » sur la pancarte, vous avez quelques chances d'être pris par des types qui ne prennent jamais de stoppeurs mais qui ont visité, en voyage organisé, la France en juin 1944. Dites-leur que vous faites du stop pour l'expérience et pour rencontrer des Américains, non pas par souci d'économie (ils n'aiment pas du tout).

Si vous traversez la frontière Canada-États-Unis, ne dites pas que vous êtes stoppeur. On pourrait vous refouler.

Dans les foyers des universités (*student centers* ou *unions*), il y a toujours, en principe, un panneau *(riding board)* réservé aux *rides with sharing expenses* (trajets avec partage des frais). C'est beaucoup plus sûr que le stop à tous points de vue. Il y a aussi des *sharing driving* et des « *sharing* rien du tout, sauf la compagnie » (filles, attention !).

Il est rare de pouvoir se faire transporter dans un autre État, sauf si l'on s'adresse aux grandes universités (Harvard, Columbia, etc.). Pour trouver des campus moins connus, acheter une carte de la série « Buckle-up USA » où ils sont signalés en rouge. Enfin, sachez qu'un étudiant n'a pas le droit de vous héberger plus de 4 jours dans sa chambre universitaire.

N'oubliez pas non plus qu'une bonne partie des États-Unis est désertique. Sur la route, apportez de l'eau et un peu de nourriture (biscuits, etc.) car vous pouvez tomber dans un coin paumé. En ce qui concerne les *trailers,* c'est le moyen de déplacement favori des *red necks,* ces beaufs du Middle West et du Sud, bien réac' et sexistes. Bon à savoir quand on est sur le bord de la route car ils ne prennent jamais de stoppeurs, ou quand ils s'arrêtent c'est pour vous injurier. Si vous n'êtes pas convaincu, allez revoir le film *Easy Rider.*

Les routiers prennent rarement les stoppeurs. Ils sont peu à être couverts par l'assurance en cas de pépin. Évitez les *truckstops* (les relais pour routiers), il y a des pancartes partout : interdit aux stoppeurs. Même faire du stop à la sortie d'un *truckstop* est interdit.

– Stop sur autoroutes : en principe, c'est interdit sur l'autoroute même et sur les grandes stations d'autoroutes, mais vous pouvez stopper sur les bretelles d'entrée. Si les flics *(cops)* vous surprennent à stopper sur l'autoroute, oubliez tout ce que vous savez de la langue de Steinbeck. Pas plus bêtes que les autres, ils ne tarderont pas à comprendre que vous êtes étranger. Le risque d'amende n'en sera que diminué et vous aurez même une chance qu'ils vous conduisent au prochain bled (très confortable, leur voiture, croyez-nous !). ATTENTION : quand un flic s'arrête pour vous, obéissez (« *Yes sir !* ») car il y a de grandes probabilités qu'il revienne ou qu'il avertisse par radio un collègue. Et alors, les ennuis commencent.

Mais quand le flic vous avertit que c'est interdit, il faut avoir le réflexe de lui demander où l'on peut faire du stop, et préciser où l'on veut aller (tout ça dans un anglais des plus déplorables, bien sûr). Il est généralement bien embêté et il vous emmène jusqu'à la limite de sa zone de patrouille. Le fait de se retrouver entre deux zones de patrouille élimine le risque qu'un autre policier ne s'arrête. Malin, non ! ?

Le système de l'*auto drive-away*

Les **drive-away** sont des organismes qui cherchent des jeunes (plus de 21 ans) pour conduire à destination un véhicule lorsque son propriétaire n'a pas le temps de le faire. Avec un peu de chance, vous pouvez traverser les États-Unis en Cadillac... Très en vogue dans les années 1980, le système est en perte de vitesse à cause des nombreux accidents qui ont eu lieu. De plus en plus de propriétaires préfèrent payer plus et faire grimper leur bébé sur le dos d'un camion.

Pour être sûr d'obtenir une voiture (en effet, la concurrence est sérieuse !), il suffit de téléphoner tous les jours à la compagnie (inutile de vous déplacer). Au bout de quelques jours, vous obtiendrez généralement une voiture pour la destination de votre choix, s'il s'agit d'une grande distance. Si l'on vous propose une voiture qui vous convient, donnez votre nom pour la réserver et courez sur-le-champ au siège de la compagnie afin d'éviter qu'un rusé ne vous fauche la place.

Quelques remarques

– Soignez votre apparence lorsque vous vous présentez.
– Vous devrez verser une caution (variable selon le trajet), qui est remboursable lorsque vous rendrez la voiture.
– Vous n'avez que l'essence à payer (le 1er plein est parfois remboursé) et les éventuels péages.
– Le contrat interdit de prendre les stoppeurs.
– L'itinéraire et le temps sont imposés (un nombre maximum de miles est imparti). Vous ne pouvez donc pas aller de New York à Los Angeles en passant par La Nouvelle-Orléans...
– Nous signalons parfois l'adresse et le numéro de téléphone de la compagnie la plus importante (*Auto Drive-Away Co.* ● www.autodriveaway.com ● Dispose d'une soixantaine d'agences dans une trentaine d'États). On peut obtenir les adresses des autres compagnies en consultant les *Yellow Pages* de l'annuaire sous la section « *Automobile Transporters* » ou « *American Transporters* ».

La moto

Si vous partez avec votre moto, vous aurez de la peine à l'assurer en France. Dans les grandes villes, certains grands magasins proposent des assurances pour les étrangers. C'est également le cas de l'AAA, l'American Automobile Association. De même, on trouve parfois des annonces de motos et autos d'occasion dans les journaux locaux. Il faut en plus la faire immatriculer, pour ne pas se retrouver coincé dans un bled par un shérif qui n'aime pas le style *Easy Rider*. Ensuite, il faut faire faire un contrôle de sécurité chez un concessionnaire de motos agréé (enseigne jaune).
Pour finir, il est conseillé d'équiper sa moto d'un carénage, *because* les insectes dans le Sud. Le mieux est encore d'en acheter un sur place (moins cher qu'en France) et de le revendre à la fin de votre séjour. Port du casque pas toujours obligatoire (une folie !) selon les États, mais on le recommande strictement.
Une adresse intéressante pour les motards :

■ ***Desert Only Travel :*** 1805 Hill St, New Smyrna Beach, FL 32169, USA. ☎ (386) 423-8448. Fax : (386) 423-0657. ● www.desertonly travel.com ● Cette agence basée aux États-Unis organise des voyages en moto depuis une douzaine d'années avec la collaboration de *Yamaha Motor France*. Six circuits, dont une traversée d'ouest en est. Vols et hébergements compris.

Le bus

Le réseau couvre la quasi-totalité du pays et il existe même des accords entre sociétés régionales qui permettent de l'élargir encore. *Greyhound* dessert 4 000 villes et villages et les billets *Greyhound* sont valables 3 mois. Pour toutes infos sur les destinations et billets *Greyhound* : ☎ 1-800-231-2222. ● www.greyhound.com ●

Les *Greyhound* ont, à tort, mauvaise réputation aux États-Unis. Dans cette Amérique où la voiture et l'avion priment, le *Greyhound* est considéré comme le moyen de transport des pauvres, à éviter dès qu'on a les moyens pour voyager autrement. En effet, se pointer dans une station de bus (de préférence au petit matin ou tard le soir), c'est la meilleure façon de voir l'Amérique profonde, avec tous ses échoués du rêve américain. Pourtant, on peut tout à fait parcourir le pays de long en large sans danger et sans faire de mauvaises rencontres. Au contraire, les Américains étant curieux et bavards, un voyage en *Greyhound* est un excellent moyen d'entrer en contact avec les gens du coin et d'apprendre plein de choses sur ce pays et le mode de vie des gens.

Les billets

Ils s'achètent dans toutes les stations. Possibilité de réductions (notamment 15 % avec la *Student Advantage Card,* lire la rubrique « Avant le départ » plus haut). Consulter le site Internet pour les offres spéciales et les billets à prix réduits achetés à l'avance. Attention, pas de place numérotée sur les billets, donc si vous ne voulez pas être obligé d'attendre le prochain bus, prévoyez au moins 30 mn d'avance, un peu plus si vous avez des bagages à mettre en soute, car il vous faudra passer au guichet pour faire imprimer un *baggage tag,* et il y a souvent la queue !

Les forfaits

Aucun billet de point à point n'est en vente en France. Ils doivent être achetés directement sur place. Si vous comptez traverser en bus les États-Unis d'est en ouest, sachez que les forfaits sont alors vite amortis. Environ 120 petites compagnies de bus acceptent les forfaits *Greyhound.*
– *Greyhound* propose le forfait **Ameripass,** avec plusieurs durées possibles : pour 4, 7, 10, 15, 21, 30, 45 ou 60 jours, le délai prenant date le jour de la 1re utilisation du billet. Plus la durée est longue, plus le prix est intéressant (environ 180 € pour 4 jours, et 600 € pour 2 mois, en haute saison ; réductions). Également des forfaits combinés États-Unis et Canada. L'*Ameripass* est réservé aux touristes non américains et canadiens et doit donc être acheté avant l'arrivée en Amérique du Nord, au moins 21 jours avant la 1re utilisation. Une fois là-bas, vous pouvez toutefois acheter le *Discovery Pass,* même produit, mais un peu plus cher (à acheter au moins 14 jours avant la 1re utilisation). La distance est illimitée. L'affrètement et les consignes des bagages sont inclus. Il existe également des possibilités d'utilisation de ces forfaits pour gagner 4 villes du Canada : Toronto, Montréal, Vancouver et New Westminster, et 3 villes frontalières du Mexique (Tijuana, Nuevo Laredo, Matamoros). Pour utiliser l'*Ameripass* sur une autre compagnie que *Greyhound,* il est nécessaire de se présenter au guichet pour y recevoir un billet qui précise la destination, le nom de la compagnie, et le fait qu'il s'agit bien de l'*Ameripass.* Le tout est gratuit pour peu que la compagnie ait des accords avec *Greyhound.* L'*Ameripass* se présente sous la forme d'une carte imprimée qu'il suffit de présenter au chauffeur en montant dans le bus, en précisant la destination. Le chauffeur note alors le numéro de votre *Ameripass* sur son carnet de bord. Le passeport est demandé. Ne plastifiez pas cette carte car la colle dissout le texte du *pass !* Attention, on ne peut pas faire de réservation pour un trajet, il faut donc se présenter suffisamment tôt pour avoir de la place (1 h avant).
Se procurer les forfaits Ameripass :
Achat en ligne sur le site ● www.greyhound.com ● (cliquer sur *Discovery Pass* dans le menu « *Purchase tickets* »).
La plupart des forfaits *Ameripass* de *Greyhound* sont aussi vendus en France par :

■ *Voyageurs aux États-Unis et au Canada :*
– *Paris :* La Cité des Voyageurs, 55, rue Sainte-Anne, 75002. ☎ 01-42-86-17-30. Fax : 01-42-86-17-89.
● www.vdm.com ● Ⓜ Opéra ou Pyramides.
– *Lyon :* 5, quai Jules-Courmont, 69002. ☎ 04-72-56-94-56. Fax : 04-72-56-94-55.
– *Toulouse :* 26, rue des Marchands, 31000. ☎ 05-34-31-72-72. Fax : 05-34-31-72-73.
– *Marseille :* 25, rue Fort-Notre-Dame (angle cours d'Estienne-d'Orves), 13001. ☎ 04-96-17-89-17. Fax : 04-96-17-89-18.

– Voir aussi les coordonnées des autres agences dans la rubrique « Comment y aller ? » au début du guide. On peut obtenir auprès d'eux tous les renseignements utiles sur le fonctionnement général des bus *Greyhound,* sauf les horaires. Concernant l'*Ameripass,* pensez à vérifier auprès d'eux qu'il y a bien un bureau *Greyhound* dans votre ville de départ, car ils vous remettent un bon à échanger chez *Greyhound.*

Les bagages en bus

En règle général, c'est à vous de récupérer vos bagages à l'arrivée ou dans une station où vous changez de bus. Si vous changez de bus, prenez vos bagages et mettez-vous dans la file d'attente pour votre nouveau bus à l'intérieur de la station. C'est aussi simple que ça... Sinon, le personnel se charge de tous les bagages qui ne sont pas transférés par les voyageurs eux-mêmes, mais là, attention, il y a parfois des pertes ou plutôt des égarements : vous vous trouvez à Boston et vos bagages se dirigent vers La Nouvelle-Orléans, ou au mieux, vos bagages arriveront dans le bus suivant ! Cela arrive un peu trop fréquemment. Si nous avions un conseil à vous donner, ce serait de prendre vos bagages avec vous chaque fois que c'est possible et de les mettre dans les filets... Pour vos bagages à mettre en soute, retirez un *baggage tag* au guichet et mettez-vous dans la file d'attente pour votre destination avec vos bagages. Au moment de monter dans le bus, laissez vos bagages le long du véhicule ; un employé les placera dans la soute. Le mieux étant de passer un coup de fil avant. Pour éviter de payer la consigne, dans les grandes villes, ne récupérez pas vos bagages dès la sortie du bus, ils seront gardés gratuitement au guichet bagages. Attention, les consignes automatiques *Greyhound* sont vidées au bout de 24 h, et les bagages mis dans un bureau fermé la nuit et le week-end. Si vous avez besoin de laisser vos affaires plus de 24 h, mettez-les directement en consigne au guichet bagages (forfait journalier pas très cher). Là encore, notez les heures d'ouverture !
Pour les routards chargés : la limite de poids des bagages en soute (2 autorisés, plus 2 bagages à main) est de 27 kg par bagage et de 45 kg pour les 2 bagages combinés.
Le système GPX *(Greyhound Package Xpress)* permet de transporter des objets d'une ville à une autre par bus direct, même si vous ne prenez pas le bus vous-même. Intéressant pour les dingues du shopping qui ne veulent pas s'encombrer. À déconseiller toutefois pour les marchandises de valeur. Le prix dépend évidemment du poids et de la distance parcourue. Renseignements : ☎ 1-800-479-1329. ● www.shipgreyhound.com ●
Attention en achetant votre sac à dos, même de marque américaine : pour entrer dans les consignes automatiques, il ne faut pas qu'il dépasse 82 cm. Avec cette taille, on peut juste le faire entrer de biais.

Le confort des bus

Outre leur rapidité, ces bus offrent un certain confort, avec w.-c. à bord. Ils ont l'AC, ce qui veut dire qu'il peut y faire très frais. Prévoyez un pull, surtout si vous avez l'intention de dormir.

Ces bus sont particulièrement intéressants de nuit car ils permettent de couvrir des distances importantes tout en économisant une nuit d'hôtel ! Mais les sièges ne s'inclinent que faiblement. Si vous avez de grandes jambes, préférez les sièges côté couloir. En principe, quand un bus est plein dans les grandes stations, un deuxième prend le restant des voyageurs. C'est moins évident dans les petites stations. Même si cela apparaît plus intéressant de voyager dans le second bus à moitié vide (pour s'étendre), sachez que parfois, dès qu'il y a de la place dans le premier, on transfère les voyageurs et, en pleine nuit, ce n'est pas marrant ! Ne pas se mettre à l'avant (on est gêné par la portière, mais si vous voulez admirer le paysage, c'est toutefois la meilleure place), ni à l'arrière (*because* les relents des w.-c., et la banquette du fond ne s'abaisse pas).

En vrac

– Faites attention aux diverses formes de trajet : *express, non-stop, local...* Comparez simplement l'heure de départ et l'heure d'arrivée, vous saurez ainsi quel est le plus rapide. En période de fêtes, les bus sont pris d'assaut par tous ceux qui ne peuvent pas payer un billet d'avion (et ils sont nombreux !). Donc, arrivez impérativement à la station en avance et ne vous attendez pas à ce que votre bus parte à l'heure prévue. Lors des arrêts en route : respectez impérativement le temps donné par le chauffeur pour la pause. Le chauffeur repartira à l'heure annoncée, et n'aura pas d'états d'âme pour ceux qui ne seront pas remontés dans le bus. Outre le risque de rester coincé sur une aire de repos au milieu de nulle part en attendant le prochain bus (qui peut arriver bien quelques heures plus tard), vos affaires continueront à faire le voyage sans vous... En descendant lors d'une pause, relevez aussi le numéro du bus pour bien remonter dans le même, d'autres bus pour la même destination pouvant arriver entre-temps. Lors d'un arrêt prolongé dans une station, le chauffeur vous donnera un *reboarding pass* qui vous permettra de remonter dans le bus avant les nouveaux passagers pour conserver votre place ou en choisir une meilleure qui se serait libérée. Attention, pour vous inviter à remonter dans le bus, le chauffeur fera une annonce dans le terminal en évoquant le numéro du *reboarding pass* (et non pas le numéro du bus ou de la destination !).

Surtout pour les voyages longue distance, apportez de quoi grignoter. Sinon, profitez de l'occasion si le bus fait une pause dans une aire avec un fast-food, car la bouffe vendue dans les snacks des stations *Greyhound* est en général immonde. Si vous croyiez que jamais, ça ne vous arriverait de prier pour que le bus s'arrête dans un McDo... Enfin, les gares routières sont les meilleurs points de rendez-vous quand vous ne connaissez pas un bled. D'autant plus que vous pouvez y faire votre toilette (sanitaires pas toujours très propres). Le seul problème, c'est qu'elles sont souvent loin du centre, et parfois dans des quartiers peu sûrs.

Les bus urbains

– Les abonnements à la journée ou pour plusieurs jours sont très rapidement rentabilisés.
– Pensez toujours à demander un *transfer*. Pour un petit supplément généralement, ils permettent, à l'intérieur d'un même trajet, de changer de ligne sans être obligé de racheter un autre billet.
– Attention : les chauffeurs de bus rendent rarement la monnaie. Avoir de la monnaie sur soi et payer le compte juste.

Le train

Le train américain est très confortable. Beaucoup plus cher que les forfaits de bus (qui, eux, couvrent l'ensemble du territoire, ce qui est loin d'être le cas du train), mais on y dort beaucoup mieux (sièges larges qui s'allongent presque complètement dans certaines voitures). De plus, on distribue gratuitement des oreillers et on dispose d'un wagon-salon. Les prestations supplémentaires, en revanche, sont très chères. Dans l'ensemble, reconnaissons-le, ce n'est pas si pratique de se déplacer en train, sauf peut-être sur la côte Est.

Pour les longues distances, **Amtrak** propose une série de *USA Rail Passes* valables sur tout ou une partie du territoire américain. Ces forfaits de 15 ou 30 jours donnent droit à une place en *coach class* et vous permettent de faire autant de trajets et d'arrêts que vous le désirez sur un réseau qui compte plus de 100 destinations touristiques. Par exemple, le *pass* national coûte 440 € pour 15 jours, et 550 € pour 30 jours en haute saison. Les enfants de 2 à 15 ans paient moitié prix (sauf sur certains trains).

Les étrangers bénéficient de forfaits de 15 ou 30 jours (nationaux ou régionaux) très intéressants en les achetant en Europe. Ils sont moins chers de septembre à fin mai.

Les forfaits *Amtrak* peuvent être réservés en France auprès de *Voyageurs aux États-Unis* (voir plus haut le paragraphe sur les bus *Greyhound*). Infos : ☎ 1-800-872-7245. ● www.amtrak.com ●

Le transport maritime de véhicules (camping-car, auto et moto)

ATTENTION : si votre séjour ne dépasse pas 45 jours, louez plutôt sur place ! Dans le cas contraire, voici un spécialiste confirmé pour vous calculer un budget raisonnable (ayez les dimensions du véhicule !) :

■ *Allship :* sur rendez-vous seulement, au 18, av. Bosquet, 75007 Paris. ☎ 01-47-05-14-71. Fax : 01-45-56-98-75. ● francis_allship@hotmail.com ● Les véhicules (vides) seront transportés par rouliers réguliers (pas de passagers !) aussi bien vers les côtes Est ou Ouest que vers le golfe du Mexique. Les motos aussi, sans emballage coûteux. Le retour ? Depuis Los Angeles, le golfe et toute la côte Est. Les véhicules achetés là-bas peuvent revenir dans les mêmes conditions, et même si les taxes et passage aux Mines alourdissent l'ardoise, ça peut être intéressant ! Avec *Allship,* vous pourrez aussi transporter équipement lourd, gros excédent de bagages ou déménagement par ses groupages hebdomadaires vers une bonne centaine de destinations du continent.

TRAVAILLER AUX ÉTATS-UNIS

ATTENTION : le visa touristique interdit formellement tout travail rémunéré et toute recherche de travail sur le territoire américain.

– Pour effectuer n'importe quel travail déclaré, il faut absolument se procurer un **visa spécifique** que l'on peut obtenir soit par le biais d'un organisme d'échange agréé (lire plus loin), soit (et c'est beaucoup plus difficile) par l'employeur directement, qui effectue les démarches nécessaires pour l'obtention d'un visa approprié, et ce avant le départ du territoire français. Régulariser sur place, une fois le travail trouvé, n'est pas impossible légalement, mais quel employeur voudrait s'enquiquiner avec une montagne de paperasses (coûteuses) alors qu'il est si facile d'engager quelqu'un qui a déjà une carte verte *(green card)* ? De toute façon, vous l'aurez compris, il est très difficile de travailler aux États-Unis pour un étranger. Mais la chance peut vous sourire, on ne sait jamais. Voici quelques conseils :

– **Les milieux diplomatiques et bancaires** mais aussi certaines compagnies privées (du fabricant de dentelles à l'importateur de vin) recherchent des secrétaires parfaitement bilingues et publient des annonces dans la section *Help Wanted* du *Sunday Times*. Elles sont classées par ordre alphabétique : *Administrative Assistant, Bilingual, Executive Assistant, Executive Secretary, French* et *Secretary.* Appeler uniquement celles qui recherchent quelqu'un parlant le français (quand il est écrit juste *Bilingual,* ils veulent dire anglais-espagnol). Parfois, ce sont des agences de placement qui mettent des annonces. Attention, ils n'ont pas le droit de recommander des candidats illégaux. Dans tous les cas, ne pas hésiter à dire que vous n'avez pas de carte verte (ça vous évitera de perdre du temps).

En revanche, dans les consulats, à l'ONU et dans les missions et délégations auprès de l'ONU, vous devriez obtenir un visa diplomatique vous permettant de travailler uniquement pour l'administration qui vous a embauché. Avantages : vous pouvez entrer et sortir du territoire américain légalement et votre salaire (aux alentours de 2 000 US$ par mois) sera exempt de taxes.

– On peut éventuellement mettre son costume du dimanche et aller dans les *motels* expliquer que, question vin, on est imbattable. Avoir un serveur français donne un coup de prestige à leur boîte. Ceux qui connaissent un peu la cuisine française ont de sérieux atouts. On connaît aussi des acteurs amateurs qui font la tournée des *Alliances françaises* et écoles privées, mais n'espérez pas trop de ce côté-là.

– **Les CV et lettres de motivation** doivent bien sûr être rédigés en anglais. Pour les employeurs américains, c'est l'expérience qui prévaut sur les diplômes. Dans votre CV (« résumé », c'est comme ça qu'ils disent), indiquez vos expériences professionnelles en premier, et détaillez chacune d'elles (votre CV américain peut faire plusieurs pages). N'y mettez jamais votre photo, ni votre âge. Quant à la lettre de motivation, elle doit être dactylographiée (pas de sélection par la graphologie !).

– Pour plus de **renseignements,** contacter :

■ *Commission franco-américaine :* 9, rue Chardin, 75016 Paris. ☎ 0892-680-747 (0,34 €/mn) ou 01-44-14-53-60 (administration). Fax : 01-42-88-04-79. • www.fulbright-france.com • Ⓜ Passy. Pour tout renseignement concernant le travail ou les études aux États-Unis. Le centre de documentation est ouvert les mercredi, jeudi et vendredi de 14 h à 16 h 30. Fermé en août. Accès gratuit en autodocumentation (pas de prêt). Possibilité de consultations individuelles payantes avec une conseillère (téléphoner pour prendre rendez-vous). Pour tout renseignement concernant les études, les stages ou les jobs d'été aux États-Unis.

■ *Département Green Card :* 01-72-71-55-55 (serveur vocal) ou 01-41-94-55-55. Fax : 01-41-94-55-50. • www.carteverteusa.com • Cet organisme est le seul en France à servir d'intermédiaire entre les services américains d'immigration et les candidats à la fameuse loterie fédérale américaine. 55 000 *green cards* (permis de séjour et de travail sur le sol américain sans limite dans le temps) sont ainsi attribuées tous les ans en

décembre par tirage au sort. Compter environ 60 € pour une aide personnalisée à la constitution du dossier. Clôture des inscriptions mi-décembre. Site Internet très complet, avec notamment des liens vers d'autres sites américains proposant des jobs.

■ *France Service :* 311 N Robertson Blvd # 813, Beverly Hills, CA 90211, USA. Fax : (310) 388-5654. • www.franceservice.com • contact@franceservice.com • Ce journal mensuel (basé à Los Angeles) s'adresse à tous les Français vivant aux États-Unis ou souhaitant y habiter. France Service donne aussi des infos sur la loterie des cartes vertes *(green cards).*

■ *Maison des Français de l'Étranger :* 30, rue La Pérouse, 75016 Paris. ☎ 01-43-17-60-79. Fax : 01-43-17-70-03. • www.expatries.org • Ⓜ Kléber ou Charles-de-Gaulle-Étoile. On peut se rendre sur place du lundi au vendredi de 10 h (14 h le mercredi) à 17 h, ou les contacter par téléphone. Renseigne gratuitement les candidats à l'expatriation sur les pays où ils envisagent de s'installer (site Internet très complet également). Préparez-vous cependant à un discours pessimiste si vous avez choisi les États-Unis !

– *Site de l'ambassade des États-Unis* à Paris pour obtenir des infos sur les types de visas : • www.amb-usa.fr/pagefr.htm • puis cliquer sur « Visas » dans « Services consulaires ».

– Décrocher un job sur *Internet :* de nombreux sites proposent des offres d'emploi aux États-Unis. Nous en avons retenu deux pour la convivialité de leur présentation et la diversité de leurs propositions : • www.summer jobs.com • www.coolworks.com • Des offres régulièrement remises à jour dans des secteurs très variés (pour échapper à l'alternative vendeur-serveur), dans tous les États.

Les organismes d'échanges agréés

■ *Parenthèse :* 39, rue de l'Arbalète, 75005 Paris. ☎ 01-43-36-37-07. Fax : 01-43-36-54-48. • www.paren these-paris.com • Ⓜ Censier-Daubenton. Ouvert du lundi au vendredi de 9 h à 12 h et de 13 h à 18 h. Brochures téléchargeables sur le site Internet. Pour décrocher un *job d'été* aux États-Unis, il faut déjà être « Bac + 1 ». Ensuite, les autorités américaines exigent que l'étudiant soit en possession d'un visa spécifique. Ce dernier n'est délivré que si l'étudiant participe à un programme d'échange intergouvernemental, proposé par un organisme agréé. Le rôle de *Parenthèse* est de vous aider à monter ce dossier pour obtenir le fameux visa, et ensuite d'assurer le suivi une fois sur place. Attention, ce n'est pas une société de placement, c'est à vous de trouver l'entreprise. Mais on pourra vous donner des pistes, notamment les grands parcs d'attractions qui proposent régulièrement des emplois saisonniers, et vous orienter vers des sites Internet spécialisés dans les jobs (• www. summerjobs.com •). *Parenthèse* se charge aussi de vous aider à trouver un *stage en entreprise,* dans le cadre des études, pour les jeunes diplômés et également pour les professionnels en activité ou en formation (jusqu'à 40 ans).

■ *InterExchange :* • www.interex change.com •info@interexchange.org •

Pas d'agence en France, seulement aux États-Unis : 161 6th Ave, New York, NY 100 13. ☎ 1-212-924-0446. Fax : 1-212-924-0575. Cette association s'occupe d'échanges internationaux, culturels et éducatifs, depuis une trentaine d'années. Nombreux programmes pour les jeunes : au pair, jobs d'été (et d'hiver), toujours pendant une période de quelques mois maximum dans l'hôtellerie, la restauration, les parcs nationaux, les parcs d'attractions, les stations de sports d'hiver ; offres de stages en entreprise pour les étudiants. Possibilité enfin d'être moniteur dans un *summer camp.*

■ *Experiment :* 89, rue de Turbigo, 75003 Paris. ☎ 01-44-54-58-00. Fax : 01-44-54-58-01. • www.experi ment-france.org • Ⓜ Temple. Cette association à but non lucratif, établie en France depuis 1934, propose des jobs au pair et également des stages non rémunérés en entreprise.

■ *French-American Center :* 4, rue Saint-Louis, 34000 Montpellier. ☎ 04-67-92-30-66. Fax : 04-67-58-98-20. • www.frenchamericancenter. com • Ce programme offre le choix entre 2 sortes de job : moniteur de centre de vacances et au pair. Pour être mono dans un *summer camp,* il faut être majeur et disponible pour 10 semaines minimum. Prendre contact avec eux avant février de l'année en cours. Pour le programme au pair, lire ci-dessous.

Le travail au pair

Important : on ne négocie pas un contrat au pair directement avec la famille de son choix ; tout se passe par l'intermédiaire d'organismes spécialisés dans ce type d'échanges qui se chargent de mettre en relation les familles d'accueil et les jeunes filles (eh oui, les garçons sont presque automatiquement refusés !). Pour connaître la liste de ces organismes agréés, consulter le site • www.exchanges.state.gov • et cliquer sur « Au Pair program ». On en cite quelques-uns ci-dessus.

Conditions très strictes : avoir entre 18 et 26 ans, savoir se débrouiller en anglais et avoir le baccalauréat (ou équivalent), justifier de 200 h (c'est précis !) d'expérience avec les enfants au cours des 3 dernières années, être titulaire du permis de conduire (la plupart des familles l'exigent), avoir un casier judiciaire vierge et être disponible pour une année entière. Si vous répondez à tous ces critères (bravo !), il faut encore être prête à travailler entre 30 h et 45 h par semaine, et cela pendant les 12 mois du contrat. En revanche, votre voyage est payé et l'argent de poche est assez conséquent (environ 140 US$ par semaine). Enfin, les cours d'anglais sont payés par la famille d'accueil et vous avez droit à un jour et demi de congé par semaine, un week-end complet par mois et 2 semaines de congés payés par an.

Les chantiers de travail bénévole

■ *Concordia* : 1, rue de Metz, 75010 Paris. ☎ 01-45-23-00-23. Fax : 01-47-70-68-27. • www.concordia-association.org • concordia@wanadoo.fr • Ⓜ Strasbourg-Saint-Denis. En échange du gîte et du couvert, le travail est bénévole. Chantiers très variés, restauration de patrimoine, valorisation de l'environnement, travail d'animation, etc. Places très limitées, s'y prendre à l'avance (en avril pour l'été). Attention, voyage à la charge du participant et frais d'inscription obligatoires.

LE NORD-EST

BOSTON

600 000 hab. (3 millions avec les banlieues)
IND. TÉL. : voir plus loin la rubrique « Téléphone »

Dommage que Boston soit oublié sur l'itinéraire de bien des routards. C'est d'abord une jolie ville avec des rues parfois étroites et tortueuses, où l'électricité n'a pas encore remplacé les réverbères à gaz. Par bien des aspects, Boston rappelle San Francisco. Le nom de Boston est lié à toutes les grandes causes libérales de l'histoire américaine : révolution, indépendance, abolition de l'esclavage, émancipation des femmes. Ville phare de la Nouvelle-Angleterre, c'est avant tout la capitale historique des États-Unis. Ici règne une qualité de vie à l'européenne, des vieux quartiers qui s'apparentent plus au Vieux Monde qu'au Nouveau. En même temps, Boston est une vieille dame bien américaine qui s'est fait une nouvelle jeunesse en devenant, depuis une vingtaine d'années, un grand centre des affaires, tout en demeurant un pôle universitaire et culturel majeur. Paradoxalement, c'est aussi la ville de l'intolérance, celle des puritains et des quakers où « les Cabot ne parlent qu'aux Lowell et les Lowell ne parlent qu'à Dieu ». C'est un endroit assez collet monté, mais c'est également un port où se bagarrent le soir les marins ivres, et c'est, bien sûr, aussi la ville des grandes universités. Car sur les 3 millions d'habitants de l'agglomération, 0,5 million sont des étudiants ! Après tout, une ville qui existe depuis plus de 350 ans a bien le droit d'être pleine de contradictions. La toute dernière est le *Big Dig*. Pour décongestionner la circulation automobile du plus vieux centre-ville américain, Boston a enfoui sous terre et augmenté son réseau d'autoroutes du centre-ville. Le tout doit être terminé en 2005. C'est le plus grand projet routier urbain de l'histoire des États-Unis. Si vous achetez un plan, achetez donc le plus récent possible.

UN PEU D'HISTOIRE

Berceau de l'Amérique puisqu'en 1620 le *Mayflower* débarqua dans les proches environs, à Plymouth, avec ses 102 colons dont 41 puritains fuyant l'Angleterre. À noter que si l'on tient compte, aujourd'hui, de tous ceux qui prétendent avoir eu un ancêtre sur le *Mayflower*, c'est plus de 3 000 passagers que le Nouveau Monde qui auraient dû débarquer !
Bref, à partir de 1630, Boston se développe rapidement. En 1635 : création de la 1ʳᵉ école américaine, la *Boston Public Latin School,* suivie d'une université de théologie qui allait devenir Harvard ; 1673 : 1ᵉʳ chantier naval ; 1698 : 1ʳᵉ carte routière ; 1704 : impression du 1ᵉʳ journal *(Boston News Letter)*. Au milieu du XVIIIᵉ siècle, Boston est la 1ʳᵉ ville de la Colonie et commence à regimber face à l'autoritarisme de Londres. En 1770, une révolte contre les nouvelles taxes est réprimée dans le sang *(Boston's Massacre)*. Puis, en 1773, pour protester contre les droits de douane exorbitants frappant les importations du thé, les Bostoniens jettent à la mer les ballots de thé. C'est la *Boston Tea Party*, qui enclenche le processus menant à l'indépendance. En 1776, George Washington chasse les troupes anglaises de la ville.
Aux XIXᵉ et XXᵉ siècles, Boston perd de son importance, mais continue à collectionner les premières places. Entre autres, 1810 : 1ᵉʳ grand orchestre ; 1826 : 1ᵉʳ chemin de fer ; 1845 : 1ʳᵉ machine à coudre ; 1846 : 1ʳᵉ opération

sous anesthésie ; 1862 : 1re équipe de football ; 1873 : 1re université à ouvrir toutes ses sections aux femmes ; 1874 : premiers mots échangés par téléphone ; 1875 : naissance de la 1re carte de Noël ; 1897 : 1er marathon ; 1929 : 1er ordinateur opérationnel ; 1959 : 1re pilule contraceptive par voie orale, etc. De ce fait, c'est la capitale de la matière grise.

Nombre d'hommes célèbres et d'écrivains sont originaires de Boston ou y ont vécu. Citons, entre autres, Edgar Allan Poe, Hawthorne, Emerson, Longfellow, Henry James, Benjamin Franklin (qui vendit, en une nuit d'orage, des dizaines de paratonnerres...), l'architecte Louis Sullivan (qui fit surtout carrière à Chicago), Samuel Morse (qui inventa le... morse), les présidents John Adams et John Quincy Adams et, dans les environs (au sud de Boston, à Cape Cod), un certain John Fitzgerald Kennedy...

Arrivée à l'aéroport

✈ **Aéroport de Logan** *(hors plan I par D1)* est à peine à 10 miles au nord-est de la ville, mais embouteillages fréquents des tunnels et ponts qui mènent au centre-ville. Pour toutes infos sur l'aéroport : ☎ 1-800-262-3335.

➤ **Le métro :** 2 bus gratuits, le n° 22 (terminaux A et B) et le n° 33 (terminaux C, D et E), vous conduisent à la station Airport de la Blue Line. Ensuite, le métro vous mène où vous voulez. Le jeton de métro *(token)* est à 1,25 US$ pour rejoindre le centre.

➤ **Le bus et les minivans :** ☎ 1-800-235-6426. • www.massport.com • La compagnie de bus *Bonanza* effectue la liaison entre Logan Airport et South Station (dans le centre) pour 8 US$ (☎ 1-888-751-8800. • www. bonanzabus.com •) ; sinon, les minivans de *JC Transportation* (☎ 1-800-517-2281) desservent différents endroits du centre-ville pour 12 US$.

➤ **Le bateau Harbour Express :** ☎ 617-222-6999. Il vous conduit au Long Wharf (débarcadère dans le centre-ville, près de State Street). Bateau toutes les 40 mn en semaine de 6 h à 21 h et toutes les 90 mn le week-end, de 8 h 30 à 21 h 45. Compter 12 US$ l'aller simple.

– Si vous êtes plus de 2 personnes, il peut être plus intéressant de prendre un taxi (25 US$ environ pour aller dans le centre de Boston, péage de 3 US$ inclus).

Transports

➤ **Le métro (Massachusetts Bay Transportation Authority ou MBTA) :** surnommé le « T » (prononcer « tii ») par les Bostoniens. Quatre lignes principales (*Blue, Orange, Green* et *Red Lines*). Le moyen de transport urbain le plus facile. Fonctionne tous les jours de 5 h 30 ou 6 h (le dimanche) à 0 h 30. Un trajet coûte en général 1,25 US$ (plus pour les trajets atteignant les banlieues, moins pour certains petits trajets du centre). *Pass* de 1, 3 ou 7 jours consécutifs (7,50, 18 et 35 US$), donnant accès à la plupart des services du *MBTA*, ferries, bus et métro, dans un rayon de 5 miles du *downtown* ; ne vaut pas le coup (ou coût !), à moins de voyager vraiment beaucoup. On peut acheter les *passes* dans quelques stations de métro (cash uniquement) ou au *Boston Common Visitor Information Center* (règlement par carte de paiement possible ; voir « Adresses utiles »). Attention : sur les plans qui sont dans le métro, il n'y a pas toujours toutes les stations intermédiaires de la *Green Line*. Cette ligne *Green,* qui ressemble plus à un musée du transport roulant qu'à un métro moderne (ce sont des tramways qui vont sous terre au centre-ville), est plus bondée et lente que les autres. Les wagons de toutes les lignes sont climatisés, mais les stations sont des fours en été. Il faut s'habituer vite aux stations *Inbound* (vers le centre) et *Outbound* (vers les environs). Ne pas payer avant d'être bien certain que le métro va dans la

BOSTON

BOSTON

■ **Adresses utiles**

🛈 **1** Visitor Info
🛈 **3** National Historical Park Service Visitor Center
🛈 **4** Boston Common Visitor Information Center
✉ Poste générale
🚂 Gare Amtrak
🚌 South Station Bus Terminal
✈ Aéroport de Logan
5 Consulat français
6 Consulat canadien
9 American Express
10 The French Library and Cultural Center
11 CRS, Citywide Reservation Services
@ **166** Boston Public Library

🛏 **Où dormir?**

20 Hostelling International Boston
21 International Fellowship House
22 YMCA
23 YWCA-Berkeley Residence
24 The Colonnade
25 463 Beacon Street Guesthouse
26 Chandler Inn Hotel
27 Florence Frances Guesthouse
28 Onyx Hotel
29 Newbury Guesthouse

🍴 **Où prendre un petit déjeuner?**

40 Charlie's Sandwich Shoppe
41 Tealuxe
53 South Street Diner
80 Flour Bakery + Café

🍴 **Où manger?**

42 Grand Chau Chow
43 Fajitas & Ritas
44 La Famiglia Giorgio's
46 Durgin Park Restaurant
47 East Ocean City
48 Daily Catch
49 China Pearl
52 Jacob Wirth
53 South Street Diner
55 Union Oyster House
56 Legal Seafoods
57 No Name Restaurant
59 Jimmy's Harbor Side
60 Anthony's Pier 4
61 Ginza
62 Barking Crab
63 La Famiglia Giorgio's
65 Cornwall's
66 El Pelon Taqueria
67 Papa-Razzi
68 Parish Cafe

69 Coogan's
70 Penang
71 Figs
72 Boston Sail Loft
73 Marché Movenpick
74 Pho Pasteur
76 Addis Red Sea
77 Bertucci's
78 Jasper White's Summer Shack
79 Brasserie Jo
80 Flour Bakery + Café

🍴 🍸 🎵 **Où boire un café? Où boire un verre?**

54 The Black Rose
64 Trident Booksellers and Café
121 The Good Life
129 The Oak Bar
130 Sevens Ale House
131 Wally's Café

🍸 🎵 **Où aller en boîte? Où écouter de la musique?**

120 Sugar Shack
125 Avalon
126 Bill's Bar & Lounge
127 Sweet Water Café
128 Pravda 116
132 Sophia's

■ **Où aller au cinéma?**

123 Loews Boston Common
174 Museum of Fine Arts Film

🎭 **À voir**

160 African Meeting House
161 Museum of Science
162 New England Aquarium
163 Boston Harbor Hotel
164 The Boston Tea Party Ship and Museum
165 Boston Children's Museum
166 Boston Public Library
167 John Hancock Tower
168 Skywalk
169 Trinity Church
170 First Baptist Church
171 Berkeley Building
172 Institute of Contemporary Art
173 Christian Science Church Center
174 Museum of Fine Arts
175 Isabella Stewart Gardner Museum

⚙ **Achats**

210 Filene's Basement
212 Designer Shoe Warehouse
213 Rand Mac Nally
214 Borders
215 Brattle Book Shop

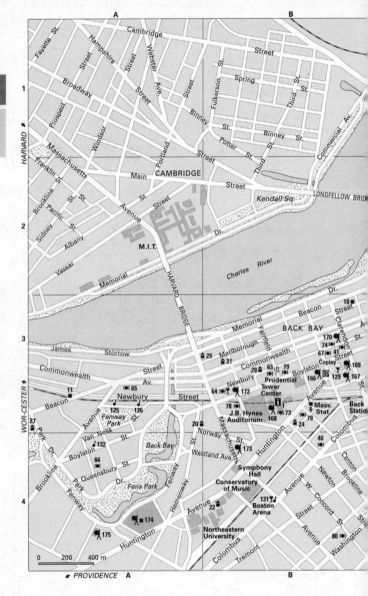

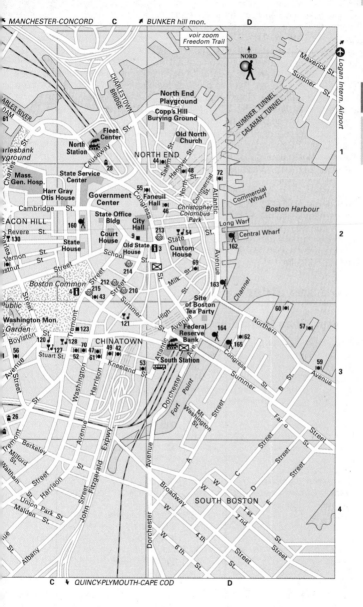

BOSTON – PLAN I

bonne direction. On a vu de jolies engueulades à ce sujet. Cela étant, le métro de Boston est sympa, propre, sécuritaire et vraiment pratique. Pour toutes infos : • www.mbta.com •

➤ **Le bus :** assez difficile si l'on ne connaît pas le numéro, la destination et surtout l'arrêt. Les arrêts ne comportent pratiquement pas d'informations, seule la couleur différencie la ligne. Compter 90 cents le trajet (plus pour bus de nuit et les express). Pour se procurer les horaires et les numéros, aller à Haymarket, North ou South Station, Park St, Back Bay ou Porter Sq, et demander les *timetables*. Demander aussi au chauffeur un *transfer ticket*, qui vous évitera de payer un 2e ticket si vous avez 2 bus à prendre à la suite.

➤ Il est intéressant de **louer un vélo.** Beaucoup d'étudiants l'utilisent, donnant ainsi au Cambridge américain un air d'Oxford. Deux adresses de location de vélos autour de 20 US$ la journée (voir « Adresses utiles »).

➤ Avis aux **inconditionnels de la voiture :** se garer à Boston n'est pas une mince affaire. Bien lire avant les panneaux restrictifs des horaires de stationnement. Parkings hors de prix (autour de 30 US$ pour 24 h en plein centre-ville et 4 US$ pour 30 mn) et agents de la circulation impitoyables concernant les contraventions. À noter que les parkings extérieurs sont plus chers que ceux situés dans les sous-sols de grands immeubles.

Embouteillages légendaires, signalisation souvent farfelue (quand elle n'est pas cachée par des arbres !), rues qui changent de nom ; Boston est un vrai test de conduite.

Adresses utiles

Informations touristiques et services

🔲 **Visitor Info** (Greater Boston Convention and Visitor Bureau ; plan I, B3, 1) : 800 Boylston St, Prudential Tower. ☎ 1-800-SEE-BOSTON. • www.bostonusa.com • Ⓜ Prudential. Situé dans le Prudential Center, à côté des ascenseurs de la Prudential Tower (pas facile à voir, il se fond dans le décor). Ouvert de 9 h (10 h le week-end) à 18 h. Bien pourvu en prospectus et brochures de toutes sortes.

🔲 **Boston Common Visitor Information Center** (plan I, C2, 4) : 147 Tremont St (angle W St). Ⓜ Park St. Ouvert tous les jours de 8 h 30 à 17 h. Pas de téléphone. Autre antenne du Greater Convention Bureau. Un peu désorganisé mais pas mal de services et de brochures, dont celle sur le Black Heritage Trail qui commence juste à côté. D'excellentes visites guidées du Freedom Trail (10 US$ pour 1 h 30) partent d'ici les jours d'été à 10 h, 11 h et 14 h.

🔲 **National Historical Park Service Visitor Center** (plan I, D2, 3) : 15 State St, dans le quartier historique, de l'autre côté de l'Old State House. ☎ 617-242-5642. • www.nps.gov/bost • Ⓜ State. Ouvert tous les jours de 9 h à 17 h. Tour guidé gratuit du Freedom Trail (environ 1 h 30), de mi-avril à fin novembre. Appelez pour les heures de visite, ça change assez souvent selon la saison. Départ sur place. Brochures disponibles en français.

✉ **Poste générale** (plan I, D2) : General Mail Facility, 25 Dorchester Ave (juste au sud de Summer St). ☎ 1-800-275-8777. Ⓜ South Station. À un block de South Station. Ouvert tous les jours 24 h/24 pour les services robotisés (achats de timbres, enveloppes à peser). Comptoir « humain » ouvert tous les jours de l'année ; du lundi au vendredi de 6 h à minuit, le samedi de 8 h à 19 h et les dimanches et jours fériés de 12 h à 19 h.

– Si vous avez besoin de conseils précis et avisés sur les hôtels et les restos de la ville, ou encore d'acheter une place pour un match à domicile des Red Sox, adressez-vous à **Kevin W. Green,** le « Huggy les bons tuyaux » local. Son kiosque

Concierge-Tourist Information est situé dans la gare ferroviaire de South Station, à deux pas du kiosque d'infos générales de la gare. ☎ 617-330-1230. Fax : 617-330-1389. Ouvert du lundi au vendredi de 7 h 30 à 18 h. L'été, également ouvert le week-end de 9 h à 16 h. Commission de 5 US$ pour les recherches d'hôtels. Demandez la brochure *Accommodation in Boston, Cambridge and Brookline, Travelers Aids,* qui propose une liste d'hôtels, *B & B* et *guesthouses* pas chers.

Représentations diplomatiques

■ *Consulat français (plan I, C3, 5) :* 31 Saint James Ave, suite 750. ☎ 617-542-7374. ● www.consulfrance-boston.org ● Ⓜ Arlington. Le standard téléphonique fonctionne du lundi au vendredi de 9 h à 13 h et de 14 h à 17 h. Chancellerie ouverte en semaine de 9 h à 12 h 30 et l'après-midi sur rendez-vous. Service des visas ouvert du lundi au jeudi de 9 h à 12 h 30. Le consulat peut, en cas de difficultés financières, vous indiquer la meilleure solution pour que des proches puissent vous faire parvenir de l'argent, ou encore vous assister juridiquement en cas de problème.

■ *Consulat canadien (plan I, B3, 6) :* 3 Copley Pl, suite 400. ☎ 617-262-3760. Ⓜ Copley. Ouvert du lundi au vendredi de 8 h 45 à 17 h.
■ *Consulat belge :* 11 Foster St, à Brighton. ☎ 617-779-8700. Ⓜ Boston College (Green Line). Ouvert sur rendez-vous uniquement.
■ *Swiss House (plan II, F5, 15) :* 420 Broadway St, à Cambridge. ☎ 617-876-3076, poste 14. Ⓜ Harvard Sq ou Central Sq. Ouvert du lundi au vendredi de 8 h à 12 h et de 14 h à 17 h. Le consulat suisse le plus proche est à New York.

Banques, change

■ *MasterCard :* ☎ 1-800-826-2181 (numéro d'urgence en cas de vol ou perte de carte de paiement).
■ *Carte Visa :* ☎ 1-800-336-8472 (numéro d'urgence).

■ *American Express (plan I, C2, 9) :* 1 State St. ☎ 617-723-8400 ou 1-800-528-4800. Fax : 617-723-2934. Ⓜ State ou Government Center.

Internet

@ *Boston Public Library (plan I, B3, 166) :* 666 Boylston St (et Copley Sq). ☎ 617-536-5400. Ⓜ Copley. Ouvert du lundi au jeudi de 9 h à 21 h, les vendredi et samedi jusqu'à 17 h, et le dimanche de 13 h à 17 h. Fermé le dimanche de juin à octobre. C'est la grosse bouée de sauvetage des internautes fauchés à Boston : 16 postes Internet gratuits. Limité à 15 mn, mais on peut se remettre dans la file et on revient vite en ligne.
Autrement, il y a tous les commerces comme *Kinko's* et *Copy Cop,* mais la connexion est chère (souvent 15 US$ de l'heure).

Transports

🚌 *South Station Bus Terminal (plan I, D3) :* sur Atlantic Ave, à l'angle de Summer St.
■ *Greyhound :* ☎ 1-800-231-2222. ● www.greyhound.com ● Bus pour toutes destinations aux États-Unis et au Canada.
■ *Peter Pan Trailways :* ☎ 1-800-343-9999. Bus pour le Massachusetts, le Connecticut, le New Hampshire et New York.
■ *Bonanza :* ☎ 1-888-751-8800. ● www.bonanzabus.com ● Bus pour le nord-est des États-Unis, Cape Cod et New York.

■ *Fung Wah Bus Transportation :* ☎ 617-338-0007. • www.fungwah bus.com • Ce petit bus chinois est devenu grand, succès oblige. Des autocars relient maintenant Boston (Gate 13, South Station) à New York (139 Canal St, Chinatown) 18 fois par jour dans chaque direction. Compter 10 US$ pour un aller. Premiers arrivés, premiers servis ; il peut donc être utile de réserver (pour 5 US$) et d'arriver à l'avance. Le bus part dès qu'il est plein, souvent un peu avant l'heure de départ prévue.

■ *Plymouth & Brockton :* ☎ 1-508-746-0378. • www.p-b.com • Relie Boston à la plupart des villes de Cape Cod et dessert aussi Logan Airport.

■ *Location de vélos :*
– *Community Bicycle Supply :* 496 Tremont St (et E Berkeley St), à Boston. ☎ 617-542-8623. Ⓜ NE Medical Center. Ouvert tous les jours de 10 h à 19 h (18 h le samedi). Compter 20 US$ la journée.
– *Bicycle Exchange :* 2067 Massachusetts Ave, à Cambridge. ☎ 617-864-1300. Ⓜ Porter Sq. Ouvert du mardi au vendredi de 9 h à 18 h, jusqu'à 20 h le jeudi, de 9 h à 18 h le samedi et de 12 h à 17 h le dimanche. Compter 20 US$ la journée. Petite combine : si vous louez votre vélo le dimanche, vous l'avez jusqu'au mardi pour 20 US$ car ils sont fermés le lundi !

■ *Location de voitures :* pour louer une voiture, préférable d'avoir 25 ans (sinon c'est plus cher), un permis valide et une carte de paiement *MasterCard* ou *Visa*. Les taxes sont de 8,5 % sur la location et, où que vous preniez votre voiture, il y a toujours une surcharge de 10 US$. Ajouter à cela les 20 US$ environ d'assurance par jour et vous comprendrez pourquoi il est si cher de louer une voiture à la journée à Boston. Le seul moyen de faire baisser un peu la facture, c'est de réserver le plus tôt possible sur Internet (voir la rubrique « Transports, les voitures de location » des « Généralités »).

■ *Transports sur l'eau :* City Water Taxi : ☎ 617-422-0392. • www. citywatertaxi.com • Fonctionne à la demande (pas d'horaire fixe) d'avril à fin octobre, tous les jours de 7 h à 22 h (20 h le dimanche). Une quinzaine d'arrêts sur le *waterfront* jusqu'à North Station, Logan Airport, Charlestown... Le prix de la course est de 10 US$ au moins, où que vous alliez. Intéressant car sympa et à l'abri des embouteillages. À l'abri des intempéries aussi, car les bateaux sont chauffés et couverts.

Culture française

■ *The French Library and Cultural Center* (plan I, B3, *10*) : 53 Marlborough St. ☎ 617-912-0400. • www. frenchlib.org • Ⓜ Arlington. Ouvert du lundi au jeudi de 10 h à 18 h (17 h les vendredi et samedi). Fermé le dimanche. Grande demeure de brique rouge. Nombreuses activités culturelles et ciné-club (payant). Abrite également l'Alliance française.

Santé

■ *Mass General Hospital* (plan I, C2) : 55 Fruit St. ☎ 617-726-2000. Ⓜ Charles MGH.

Téléphone

Dans tout l'État du Massachusetts, il faut obligatoirement composer l'indicatif téléphonique de la ville avant le numéro de téléphone du correspondant, même si on téléphone d'un quartier de Boston à un autre. Nous avons systématiquement « collé » cet indicatif devant tous les numéros de téléphone cités au cours du texte.

Où dormir ?

Se loger à Boston est hors de prix (hausse de l'immobilier oblige). Voici tout de même quelques bonnes adresses pour tous les budgets. Ci-dessous, des ordres de prix, pour une chambre double, correspondant aux différentes catégories :
– *Bon marché :* jusqu'à 50 US$.
– *Prix moyens :* de 50 à 95 US$
– *Plus chic :* plus de 95 US$.

■ Il est indispensable de connaître *CRS, Citywide Reservation Services* (plan I, A3, **11**) : 839 Beacon St, suite A. ☎ 617-267-7424 ou 1-800-468-3593. Fax : 617-267-9408. • www.cityres.com • Ⓜ Fenway. Ouvert en semaine de 9 h à 21 h, de 10 h à 20 h le samedi, et de 10 h à 19 h le dimanche. C'est un organisme qui se charge de vous trouver un hébergement au meilleur prix chez un des nombreux héberge-ments partenaires (hôtels et *B & B*). Ils peuvent également vous aider à vous loger sur Cape Cod.
■ *Bed & Breakfast Agency of Boston :* ☎ 617-720-3540 ou 1-800-248-9262. Fax : 617-523-5761. • www.boston-bnagency.com • À partir de 90 US$ la chambre double. Agence de réservation de *B & B* sur Boston et la région (jusqu'à Cape Cod). Renseignements par téléphone et Internet uniquement.

Bon marché

⌂ *Hostelling International Boston* (plan I, AB-3, **20**) : 12 Hemenway St (angle Haviland). ☎ 617-536-1027. • www.bostonhostel.org • Ⓜ Hynes/ICA. Ouvert 24 h/24. Lits en petits dortoirs à 32 US$ (3 US$ de plus pour les membres de *Hostelling International*). Dix chambres doubles privées autour de 100 US$. C'est l'AJ officielle de Boston, idéalement située dans un quartier résidentiel de Back Bay, dans un bâtiment centenaire. Propre, bien gérée et *safe*. Petite cuisine accueillante et nombreux sanitaires individuels. Plein de sorties gratuites organisées : à Harvard, dans des musées, en boîte... ainsi que des rencontres avec des locaux. Réservation indispensable l'été, et conseillée le reste de l'année. On vous la recommande chaudement.
⌂ *International Fellowship House* (plan I, B3, **21**) : 386 Marlborough St. ☎ 617-267-0877 (gérant) ou 617-247-7248 (résidences). Ⓜ Hynes/ICA. Environ 30 US$ la nuit. Supplément modique pour le petit dej' et le dîner. Ancienne maison bostonienne du XIXᵉ siècle dans une rue résidentielle. Bel ameublement (boiseries, trophées de chasse dans la salle de séjour). Cuisine disponible pour les hôtes. Salle de lecture et TV. Durant l'année, l'auberge accueille une vingtaine d'étudiants en long séjour. Cependant, de juin à août, il y a de la place pour les visiteurs de passage qui restent au moins 3 nuits. Attention, hommes seulement et *curfew* à 23 h (donc ne conviendra qu'aux lecteurs au mode de vie tranquille ou monastique et aussi... non-fumeurs). Pour les fauchés, le tarif demandé ici est une aubaine.
⌂ *YMCA* (plan I, B4, **22**) : 316 Huntington Ave. ☎ 617-927-8040. Fax : 617-267-4653. • www.ymcaboston.org • Ⓜ *Green Line* E ; station : North-Eastern University. Ouvert 24 h/24, toute l'année, pour les routards. Séjours de 10 jours maximum. Attention, ce n'est pas mixte pendant l'année scolaire, seuls les hommes sont acceptés. En revanche, de fin juillet à début septembre, femmes et enfants sont les bienvenus. Compter 46 US$ la nuit pour une personne et quelques chambres doubles (avec lits superposés) à 65 US$. Bains communs. Réduction de 6 US$ pour les

membres d'*Hostelling International*. Cette immense « Y » sans caractère ni charme (à l'exception du hall d'entrée) propose des chambres propres mais sans génie. Accueil sympa et petit dej' compris dans le prix. Cafétéria et piscine sont à votre disposition. Mieux vaut réserver.

Prix moyens

≜ *YWCA-Berkeley Residence* (plan I, C3, 23) : 40 Berkeley St, près d'Appleton St. ☎ 617-375-2524. Fax : 617-375-2525. ● www.ywcaboston. org/berkeley ● Ⓜ Back Bay. Surtout pour les femmes, mais il y a un étage de chambres simples pour hommes (dans les deux cas, c'est 56 US$). Les doubles sont à 86 US$ et les triples à 100 US$. Pas de taxes supplémentaires, mais 2 US$ de *membership* à ajouter à la note. L'ensemble est bien tenu, le petit dej' inclus. Grand salon, *TV room*. Jardin intérieur. Possibilité d'y manger pour pas cher. Très sécuritaire et bien situé.

≜ *Florence Frances Guesthouse* (plan I, A3, 27) : 458 Park Dr. ☎ 617-267-2458. Ⓜ Fenway (juste en face). Ouvert toute l'année. Compter 90 US$ la nuit en chambre double, 80 US$ en chambre simple. Pas loin de l'Isabella Gardner Museum et du Museum of Fine Arts. Dans cette *brownstone* de 1865 se cache une adresse incroyable, une authentique *guesthouse* où l'on est reçu comme un roi. Ici, ni check-in, ni *checkout*. La liberté des hôtes est le maître mot de l'exquise Florence Frances, ancien mannequin et globe-trotter confirmé. Sa maison abrite 4 chambres magnifiques (1 double, 3 simples), toutes personnalisées, certaines au décor délirant comme la *Spanish Room*, tout en blanc, rouge et noir. Mais les curiosités de la maison, ce sont la petite baignoire rouge de plus de 150 ans et les sièges de w.-c. en plexiglas incrustés de pièces de monnaie ! Demandez à Florence de vous montrer ses centaines de paires de chaussures, ses collections de vêtements de soirée et de sacs qu'elle a conservées des défilés de mode de sa jeunesse : prodigieux ! Sa collection de poupées de porcelaine est aussi un régal. Un endroit de rêve pour un prix qui a à peine bougé depuis une douzaine d'années. Un rapport qualité-prix-accueil tout à fait exceptionnel. Nécessité absolue de réserver. N'accepte pas les cartes de paiement. Parking gratuit à l'arrière de la maison, ce qui est précieux.

≜ *Anthony's Town House* (hors plan I par A3) : 1085 Beacon St, Brookline. ☎ 617-566-3972. Fax : 617-232-1085. ● www.anthonystownhouse.com ● Ⓜ *Green Line* C, station : Hawes. De 65 à 95 US$ la nuit pour une double, selon la saison et la taille de la chambre. À 10 mn seulement du centre en trolley, dans un quartier résidentiel. Très élégante *brownstone townhouse,* qui fait office de *guesthouse* depuis un demi-siècle. Une dizaine de chambres, certaines très spacieuses, avec clim', toutes personnalisées et décorées par Barbara, la gentille proprio, qui peint et bricole avec talent à ses heures perdues. Bains sur le palier. Très recommandé de réserver, car c'est régulièrement complet. Difficile d'y stationner.

≜ *B & B Nolan House* (hors plan I par D4) : 10 G St, S Boston. ☎ 617-269-1550 ou 1-800-383-1550. ● www. nolanhouse.com ● Un peu excentré. Prendre la *Red Line* du métro jusqu'à Broadway et, à la sortie, prendre le bus n° 9 vers le sud de la ville, environ 10 mn de trajet. Demander au chauffeur l'arrêt sur G St, c'est juste à côté ! Compter 100 US$ pour une double avec bains partagés, 125 US$ avec bains privés. Réductions hors saison. Un *B & B* digne de ce nom. Les 4 chambres sont toutes décorées avec soin, spacieuses et très confortables. John et Kathy, les hôtes, sont sacrément sympas et très accueillants. Ils ont toujours plein d'anecdotes amusantes à vous raconter pendant le petit dej' maison, délicieux et différent tous les matins, servi dans la salle à manger.

Plus chic

🛏 *The Colonnade* (plan I, B3, *24*) : 120 Huntington Ave. ☎ 617-424-7000 ou 1-800-962-3030. Fax : 617-424-1717.• www.colonnadehotel.com • Ⓜ Prudential (Green Line). Compter 180 US$ la double l'été, mais les prix tombent parfois à moins de 100 US$ quand le taux d'occupation est bas ; le mieux est de voir sur Internet de 2 à 4 semaines avant la date choisie. Un grand hôtel indépendant qui est sympathique et familial, malgré son air officiel de l'extérieur. L'hôtel a une trentaine d'années, mais les chambres sont toutes rénovées. Une particularité : une piscine sur le toit qui fait la joie des enfants (ouverte de 8 h à 20 h).

🛏 *463 Beacon Street Guesthouse* (plan I, A-B3, *25*) : 463 Beacon St. ☎ 617-536-1302. Fax : 617-247-8876. Ⓜ Hynes Convention Center (Green Line). De 90 à 150 US$ la chambre double. Belle *brownstone* située dans l'élégant quartier de Back Bay, à proximité directe du métro, ce qui est bien appréciable. Vingt chambres spacieuses, confortables et bien aménagées, avec bains, AC, TV et kitchenette pour la plupart. Beaucoup de charme : cheminées et boiseries. Café et thé gratuits. Réduction à la semaine en basse saison. Bien tenu. Un excellent rapport qualité-prix.

🛏 *Chandler Inn Hotel* (plan I, C3, *26*) : 26 Chandler St (angle Berkeley). ☎ 617-482-3450 ou 1-800-842-3450. Fax : 617-542-3428. • www.

chandlerinn.com • Ⓜ Back Bay, Orange Line (à un block). De 110 à 170 US$ pour deux, on obtient les meilleurs prix en réservant sur Internet. Un vieil hôtel dans le quartier le plus gay de la ville, fréquenté logiquement par une clientèle assez gay, mais les hétéros sont les bienvenus ! Pas loin du centre, et tout près de pas mal d'animation nocturne. Chambres avec petite salle de bains, TV, téléphone direct. Bon accueil, très pro.

🛏 *Newbury Guesthouse* (plan I, B3, *29*) : 261 Newbury St (entre Fairfield et Gloucester St). ☎ 617-437-7666. Fax : 617-670-6100. Ⓜ Copley. Chambres doubles de 135 à 195 US$. Dans un quartier résidentiel et commercial, très vivant la journée et vibrant le soir. Demeures bourgeoises de 1882 complètement rénovées et offrant une trentaine de belles chambres classiques, tout confort. Réservation obligatoire.

🛏 *Onyx Hotel* (plan I, C1, *28*) : 155 Portland St (à deux pas de North Station). ☎ 617-557-9955 ou 1-866-660-6699. Fax : 617-557-0005. • www.onyxhotel.com • Ⓜ N Station. Chambres doubles de 160 à 280 US$. Un « hôtel boutique », synonyme de goût contemporain et d'ambiance jeune mais raffinée, décoré par une designer bostonienne. Les tons noir, taupe et rouge font très magazine de déco, mais c'est chaleureux sur tous les plans.

Où prendre un petit déjeuner ?

🍴 *Charlie's Sandwich Shoppe* (plan I, B4, *40*) : 429 Columbus Ave (entre Darmouth et W Newton St). ☎ 617-536-7669. Ⓜ Back Bay, Orange Line. Ouvert en semaine de 6 h à 14 h 30, le samedi de 7 h 30 à 13 h. Fermé le dimanche. Compter une bonne dizaine de dollars pour un bon breakfast (cash seulement). Une institution pour le petit dej' et le lunch, fréquentée depuis 1927 par la classe ouvrière et les gens du coin. Dans un décor de bric-à-brac

(vieilles enseignes aux murs, photos des débuts de *Charlie's* et coupures de presse jaunies), on vient dévorer le fameux *Turkey hash and eggs* (primé de nombreuses fois) ou déguster les meilleurs *pancakes* et *French toast* de la ville. Des tas d'autres choix, tous servis généreusement et avec le sourire. L'Amérique comme on l'aime !

🍴 *Tealuxe* (plan I, B3, *41*) : 108 Newbury St. ☎ 617-927-0400. Ⓜ Copley. Ouvert du lundi au dimanche de 7 h à 23 h. La cuisine ferme à 22 h. À partir de 6 US$ le petit dej', 7 US$ pour un sandwich. C'est une branche de l'authentique *Tealuxe* d'Harvard Sq (voir nos adresses à Cambridge). Bien entendu, belle sélection de thés (de Chine et du Japon) et de tisanes rares, mais aussi *bagels,* muffins et autres cakes pour un petit dej' bon marché. Au déjeuner, large choix de sandwichs, simples et originaux à la fois, et à prix très raisonnables pour le quartier. Leurs noms sont inspirés de célèbres villes européennes.

|●| *Flour Bakery + Café (plan I, B4, 80) :* 1595 Washington St. ☎ 617-267-4300. Ⓜ *Orange Line,* station : Mass Ave. Ouvert la semaine de 7 h à 19 h, le samedi de 8 h à 18 h et le dimanche de 9 h à 15 h. Compter moins de 10 US$ pour le petit dej'. Café branché de S End, avec de grandes tablées qui rendent l'endroit très convivial. Tout au long de la journée, on se régale ici de petits pains, gâteaux et autres *goodies* faits maison. Également à la carte : très bons sandwichs, salades, soupes et tout ce qu'il faut pour un bon déjeuner. Une adresse à retenir.
– Également **South Street Diner** (lire plus loin).

Où manger ?

Dans nos adresses de Boston et Cambridge, certains restos et cafés appartiennent à des chaînes locales. Vous pourrez donc trouver ces établissements dans différents quartiers (nous n'avons pas pu indiquer toutes les succursales mais nous avons souvent mentionné une adresse à Boston et une autre à Cambridge). Voici les plus importantes :
– **Bertucci's :** chaîne de restos italiano-américains largement représentée à Boston et Cambridge.
– **Legal Seafoods :** plusieurs restaurants de fruits de mer à Boston et Cambridge, de très bonne qualité. Comme ça marche très bien, les établissements se multiplient comme des petits pains.
– **Papa-Razzi :** une adresse à Boston, une autre à Cambridge et quelques-unes dans les environs. Cuisine italienne.

Dans le centre et à North End

Assez bon marché

|●| *Fajitas & Ritas (plan I, C2, 43) :* 25 W St. ☎ 617-426-1222. Ⓜ Downtown Crossing ou Park St. Ouvert les lundi et mardi de 11 h 30 à 21 h, les mercredi et jeudi de 11 h 30 à 22 h, les vendredi et samedi de 11 h 30 à 23 h, et dimanche de 17 h à 21 h. Prix très raisonnables, environ 10-12 US$. Dans ce resto « texan-mexicain », commencez par commander une *Rita* (entendez, *margarita*) et enchaînez avec des *fajitas* de bœuf ou un plat de *nachos* que vous créerez selon votre humeur (le menu est sous forme de QCM). Également à la carte : *burritos, quesadillas* et salades. Même si l'endroit n'est pas toujours animé, et que le service n'est pas le point fort de la maison, cela reste une adresse sympa.

|●| *La Famiglia Giorgio's (plan I, D1-2, 44) :* 112 Salem St. ☎ 617-367-6711. Ⓜ Haymarket. Ouvert tous les jours midi et soir, du lundi au samedi de 11 h à 22 h 30 et le dimanche de 12 h à 23 h. Autre adresse dans le secteur chic de Back Bay, au 250 Newbury St (☎ 617-247-1569). À la carte, le dîner est un poil plus cher que le déjeuner, entre 8 et 16 US$. Appétits d'oiseau, s'abstenir ! Ce resto italien, situé dans le vieux quartier de North End, est une aubaine pour les routards affamés par plusieurs jours

de jeûne. Portions gargantuesques pour une cuisine familiale plus ou moins de qualité : des pâtes à toutes les sauces bien sûr, mais aussi des grillades et des plats classiques comme le *chicken parmigiana,* les *piccate* ou les *scampi.* Et si vous criez grâce, rien ne vous empêche d'emporter vos restes avec vous, c'est d'ailleurs le slogan de la maison. Imbattable au niveau quantité-prix.

l●l *China Pearl (plan I, C3, 49) :* 9 Tyler St. ☎ 617-426-4338. Ⓜ Chinatown. Ouvert tous les jours de 8 h 30 à 22 h 30. Compter environ 10 US$. Le resto le plus populaire de Boston pour le brunch de *dim sum* du week-end (de 8 h 30 à 15 h). Le *dim sum* de Hong Kong est aussi servi du lundi au vendredi de 8 h à 10 h 30 (on y est alors « entre Chinois »). Sur 2 étages, 2 grandes salles bruyantes aux couleurs criardes (rouge, rose et doré). Préférer celle plus typique du 1er étage si vous avez le choix. Ici, on vous sert de vrais *dim sum.* Les serveuses passent parmi les tables en faisant circuler des chariots remplis de ces petites merveilles. À chaque fois que vous choisissez quelque chose, on vous tamponne la fiche que l'on vous aura donnée auparavant. Parmi nos préférés : le *sticky rice,* un mélange de riz gluant, de morceaux de porc et de petits bouts de saucisse chinoise, le tout emballé dans une feuille de lotus ; les *shrimp stuffed dumplings* ou encore les *roast pork buns.* Si vous n'êtes pas fana des vapeurs, déplacez-vous aux différents buffets qui servent sushis, *shrimps, fried tofu...*

Prix moyens

l●l *East Ocean City (plan I, C3, 47) :* 25-29 Beach St. ☎ 617-542-2504 ou 4223. Ⓜ Chinatown. Ouvert de 11 h à 3 h (4 h les vendredi et samedi). Compter de 12 à 15 US$. Salle très clean et aérée (rassurante pour ceux qui craignent les restos d'un Chinatown !), dans ce bon chinois cantonnais, réputé avant tout pour sa *seafood.* Amoureux des *shrimps,* vous ne serez pas déçu ! Gage de fraîcheur : les aquariums,

l●l *Grand Chau Chow (plan I, C3, 42) :* 41-45 Beach St. ☎ 617-292-5166. Ⓜ Chinatown. Ouvert tous les jours de 10 h à 15 h (22 h le week-end). Le *Grand Chau Chow* est une bonne adresse pour déguster une cuisine sud-chinoise de qualité dans un décor spacieux et clean. Mais les prix restent impersonnel et les prix relativement élevés le soir (plus de 10 US$ le plat). Heureusement, il y a des petits *lunches specials* à 5 US$.

l●l *Coogan's (plan I, D2, 69) :* 173 Milk St. ☎ 617-451-7415. Juste à côté de la *Custom House.* Ouvert de 11 h à 21 h (fermé le dimanche). Formule *lobster*-frites simple autour de 11 US$, double à 17 US$ (petits homards de 1 pound). Resto chaleureux style pub, avec ses murs de brique et ses grandes tables en bois. Bonne ambiance qui renforce la convivialité des lieux. On vient d'abord ici pour boire une bière après le boulot. Prix raisonnables pour l'endroit, service efficace. La formule *lobster* nous a paru particulièrement attractive, mais il y a d'autres plats à la carte.

l●l *South Street Diner (plan I, C3, 53) :* 178 Kneeland St. ☎ 617-350-0028. Ⓜ South Station. Ouvert 24 h/24. Un vrai *diner* qui n'a pas changé, avec des plats énormes préparés par des cuisiniers sympathiques. Les plats ne dépassent pas les 10 US$ (sauf le spécial homard-frites du vendredi à 12 US$). Milk-shakes à moins de 3 US$. Petits dej' gros et gras à 4 US$ avant 11 h, un peu plus cher ensuite. L'Amérique abondante et sans façons, comme on l'aime.

où l'on peut voir barboter et choisir crabes, homards, poissons et langoustines. Une petite bouteille de blanc fumé accompagne bien le tout. Service attentif.

l●l *Penang (plan I, C3, 70) :* 685 Washington St. ☎ 617-451-6373. Ⓜ Chinatown. Ouvert du dimanche au jeudi de 11 h 30 à 23 h 30, les vendredi et samedi jusqu'à minuit. Compter un bon 15 US$ pour un repas. Décor de brique et de bois dans ce resto malaisien très populaire. Cuisine authentique et délicieuse. Un menu asiatique (malais, indien et chinois) pur jus et un menu asiatique occidentalisé. Le *beef rendang*, mélange épicé de bœuf cuit à la vapeur dans du lait de coco est savoureux, de même que le *mango chicken*. Pour aller jusqu'au bout de l'aventure, tentez l'*ABC*, étrange mixture de tapioca, graines de palmier, lait de coco... pour accompagner les plats. Succursale à Cambridge (Harvard Sq), au 57 JFK St, à l'étage.

|●| *Figs* (plan I, C2, **71**) : 42 Charles St. ☎ 617-742-3447. Ⓜ Charles MGH. Ouvert en semaine de 17 h 30 à 22 h, de 12 h à 21 h ou 22 h le week-end. Pour une pizzeria, c'est cher (la pizza la moins chère est à environ 10 US$). Pour un dîner fin, ça l'est moins. Figs est en tout cas le moins cher des restos du *celebrity chef* Todd English de Boston, auteur de plusieurs livres de cuisine. Dans une minuscule salle romantique à l'éclairage sombre, voici un très bon italien en dehors de North End. La star du menu ici, c'est la pizza. Nos préférées : la *Figs and prosciutto*, délicieux mélange sucré salé, la *Isabelle's*, combinaison de jambon fumé, oignons caramélisés et asperges et enfin, la *spicy chicken sausage* accompagnée de romarin, de ricotta et d'oignons. Une pour deux suffit, d'autant plus qu'une corbeille de différents petits pains faits maison vous attend sur votre table.

De prix moyens à chic

|●| *Durgin Park Restaurant* (plan I, D2, **46**) : N Market Building, 340 Faneuil Hall Market Pl. ☎ 617-227-2038. Ⓜ Haymarket ou Government Center. Ouvert de 11 h 30 à 22 h (21 h le dimanche). Plats de 12 à 25 US$ le soir, environ 4 US$ de moins pour les mêmes plats le midi. Ce resto date de 1827 et est l'un des plus anciens établissements de la ville. Bien que situé dans un endroit hyper-touristique, il a su garder une marque de fabrique, une certaine atmosphère. Il faut déjeuner au 1er étage pour bien se rendre compte de sa popularité. Sinon, une terrasse ensoleillée au rez-de-chaussée. Pour les pressés, l'*Oyster Park,* au sous-sol, et un pub au rez-de-chaussée (piano-bar tous les soirs de la semaine et concerts le week-end). Grande variété de plats de viande et de poisson pour une cuisine sans prétention mais bonne et aux quantités plus que respectables. Goûtez aux *Boston baked beans,* aux *prime ribs,* au *fish chowder,* aux *scallops* maison et, en dessert, ne négligez pas l'*Indian pudding,* un vestige lourd et sucré de l'ère coloniale.

|●| *Daily Catch* (plan I, D2, **48**) : 323 Hanover St. ☎ 617-523-8567. Ⓜ Haymarket. Dans le quartier de North End. Ouvert tous les jours midi et soir de 11 h 30 à 23 h. Compter de 15 à 20 US$ pour un plat de pâtes et quelques dollars de plus si vous prenez une entrée. Attention, cash uniquement. Ne vous arrêtez pas au cadre, ça serait trop bête ! C'est vraiment petit, genre gargote (carrelage, tables en bois, grande ardoise au mur). La cuisine, installée dans un coin du resto, nous fait profiter des odeurs de fritures. Peu importe, tout le monde y va pour manger de très bons calamars (frits, en salade, farcis ou en boulettes). Goûter aussi les moules à la sicilienne et les palourdes. Produits frais, cuisinés sérieusement, et pâtes faites maison. Quantités très généreuses (on peut partager une assiette). Pas de dessert, mais vous pouvez le prendre en face, chez *Mike's Pastry,* 300 Hanover St ; ☎ 617-742-3050. Ouvert tous les jours de 8 h ou 9 h à 21 h ou 22 h (18 h le mardi). Délicieux gâteaux, glaces et pâtisseries, et, pour faire descendre le tout, *espresso* au *Caffé Vittoria,* 296 Hanover St ; ☎ 617-227-7606. Ouvert tous les jours depuis 1930, de 8 h à minuit.

|●| *Jacob Wirth* (plan I, C3, **52**) : 31-37 Stuart St, près de Washington St. ☎ 617-338-8586. Ⓜ Boylston. Ouvert les dimanche et lundi de 11 h 30 à 20 h, du mardi au jeudi de 11 h 30 à 23 h, et les vendredi et samedi de 11 h 30 à minuit. À partir

de 15 US$ pour se restaurer dans cette brasserie qui a entamé son 2ᵉ siècle. Fondée en 1868, une gigantesque salle aux boiseries patinées et à l'atmosphère passablement surannée. On aime bien ! Nourriture correcte. Sa *dark beer* est célèbre à Boston. On y mange aussi bien un sandwich qu'un repas complet. Établissement réputé pour ses saucisses *(knockwurst, bratwurst, liverwurst, frankfurt)* et autres spécialités allemandes. Pain maison. Le vendredi, de 20 h à minuit, tout un flot d'habitués vient y faire un tour pour y chanter en accompagnant le pianiste.

Plus chic

|●| *Legal Seafoods (plan I, C3, 56)* : situé dans le *Park Plaza Hotel*, entrée au 35 Colombus Ave. ☎ 617-426-4444. Ⓜ Arlington. Ouvert tous les jours de 12 h à 22 h (23 h les vendredi et samedi). Réservation hautement recommandée. De 20 à 30 US$ pour un plat de poisson ou crustacés au dîner. Cette affaire familiale et locale qui existe depuis 3 générations est devenue une chaîne très réputée. À ce jour, plus d'une dizaine de restos (de nouveaux en projet), 5 *markets* et un service d'expédition à travers les États-Unis. Immense salle au décor sophistiqué. Le midi, atmosphère bourdonnante avec les employés et yuppies du quartier profitant du *lunch special* à prix très abordables. Le poisson de la côte Est domine, avec toutes les espèces, toutes les cuissons et, dans ce domaine, le resto s'est assuré la place de 1ᵉʳ de la classe, car les poissons vont directement du bateau à la casserole. La devise maison n'est-elle pas : « *If it isn't fresh, it isn't legal ?* » Une cascade de spécialités toutes plus savoureuses les unes que les autres : très bonne et nourrissante *clam chowder* (servie d'ailleurs plusieurs fois à la Maison Blanche), *steamers, fried oysters, Cajun shrimps, lobsters, clams, scallops*... Cuisson des poissons parfaite. Goût délicat, haute qualité des ingrédients, belle présentation. Service impeccable. Le soir, clientèle chic et prix dangereusement plus élevés.

|●| *Union Oyster House (plan I, C-D2, 55)* : 41 Union St. ☎ 617-227-2750. Ⓜ Haymarket ou Government Center. À 500 m de Faneuil Hall. Ouvert de 11 h à 21 h 30 (22 h les vendredi et samedi). Compter autour de 25 US$ pour un dîner. Bar ouvert jusqu'à minuit. Même s'il est hyper-touristique et si la cuisine n'a plus aussi bonne réputation qu'avant, ce resto est incontournable pour sa charge d'histoire. C'est le plus vieil établissement de Boston (et, depuis 1826, le plus ancien des États-Unis en service continu). Il n'a connu que 3 propriétaires. En 1771, au dernier étage, l'imprimeur Isaiah Thomas publia *The Massachusetts Spy*; un des premiers signes de la révolution montante. En 1796, le futur roi Louis-Philippe en exil vécut au 2ᵉ étage et donna des cours de français aux riches Bostoniennes pour subsister. Le 1ᵉʳ cure-dent (importé d'Amérique du Sud) fut expérimenté ici. L'importateur offrit des repas à des étudiants fauchés de Harvard pour qu'ils le réclament à la fin du repas ! Kennedy y avait ses habitudes; on peut d'ailleurs demander à s'asseoir à sa table favorite à l'étage. Bref, un monument historique. À l'intérieur, belle déco ancienne, patinée par le temps. Nombreuses salles et multiples petits recoins qui comptent au total 640 places ! Cela n'empêche pas d'attendre parfois 1 à 2 h pour obtenir une table (inscrivez-vous à l'accueil). La combine la plus populaire consiste à se dégoter une place autour du célèbre bar à huîtres semi-circulaire au rez-de-chaussée, et d'y déguster une demi-douzaine d'huîtres accompagnées d'une *clam chowder* bien veloutée. Le tout pour une poignée de dollars. Sinon, carte traditionnelle pour les fruits de mer, qui n'ont pas vraiment la cote auprès des locaux (*lobster* décevant). Liste des vins plutôt intéressante. Mais ne comptez pas sur l'aide des serveurs, ils n'y connaissent pas grand-chose.

|●| *Ginza (plan I, C3, 61)* : 16 Hudson St. ☎ 617-338-2261. Ⓜ NE Medical Center. Ouvert du lundi au

vendredi de 11 h 30 à 14 h 30 et de 17 h à 2 h, le samedi de 11 h 30 à 16 h puis de 17 h à 4 h et le dimanche de 17 h à 2 h. De 20 à 25 US$. Authentique resto japonais. Serveuses en kimono et musique pop japonaise en fond sonore nous mettent tout de suite dans l'ambiance. L'espace d'un instant, on se croirait presque à Tokyo. Vous pouvez goûter à tout sans aucune peur ; tout ce qui est cuisiné ici est sublime de saveur, fraîcheur... Bon *sake*, service impeccable, ouvert à des heures tardives et *maki rolls* tous aussi savoureux les uns que les autres. Que demander de plus ?

BOSTON

Dans le quartier du port

Bon marché

|●| *No Name Restaurant* (plan I, D3, 57) : 151/2 Fish Pier. ☎ 617-338-7539 ou 617-423-2705. Ⓜ South Station (à 20 mn à pied). Ouvert de 11 h à 22 h (21 h le dimanche). Plats de 6 à 13 US$ le midi, un peu plus le soir. Le homard est à 21 US$. De la *seafood* fraîche (le resto est sur le quai où l'on décharge les poissons !) qui nourrit les petits budgets depuis 1917 ; c'est d'ailleurs le plus vieux resto de Boston ayant toujours appartenu à la même famille. Ici, on ne paie pas pour le décor, mais pour la célèbre *clam chowder*, les *fried clams*, les *scallops*, les *shrimps*, les *broiled scrods*, les *soles*, la *seafood plate*... Si vous commandez un homard, vous aurez droit à un magnifique tablier en plastique que le serveur vous accrochera autour du cou. Au 1er étage, grande et agréable salle avec vue sur le port. Dommage que des cars entiers y déversent des flots de touristes, alléchés par les prix plus démocratiques que chez *Anthony's Pier 4*, juste à côté. Le *No Name* y a perdu un peu de son âme, mais reste toutefois un classique sympathique. Réservation recommandée le week-end.

|●| *Boston Sail Loft* (plan I, D2, 72) : 80 Atlantic Ave (Lewis Wharf). ☎ 617-227-7280. Ⓜ Aquarium. Ouvert de 11 h ou 11 h 30 à 22 h ou 23 h (jeudi, vendredi et samedi). Sandwichs autour de 8 US$ et plats à un peu plus de 10 US$. Un des restos de fruits de mer les moins chers parmi ceux qui ont une belle situation avec vue sur le port. Intérieur confortable. Asseyez-vous au bar, on y est bien et les serveurs sont sympas. Le menu n'est pas gastronomique : *seafood frite, burgers, sandwiches, fish and chips...* mais servi copieusement. Plus une adresse pour y boire un coup ou pour une pause déjeuner que pour un dîner.

Prix moyens

|●| *Barking Crab* (plan I, D3, 62) : 88 Sleeper St. ☎ 617-426-2722. Ⓜ South Station. En face du *Computer Museum*. Ouvert de 11 h 30 à 21 h (22 h du jeudi au samedi). Même menu midi et soir. De 10 à 20 US$. La seule « cabane à *seafood* » au bord de l'eau à Boston, agrandie l'été par de grandes tables et des bancs éparpillés çà et là dans une salle attenante protégée par une toile plastifiée. De là, vue directe sur les bateaux de pêche et sur la *skyline* de Boston. Du bruit, de l'ambiance et un service efficace pour une *seafood* de bonne qualité et à prix raisonnables, servie à toutes les sauces : *steamed, fried, boiled* ou *grilled*. Bière et vin moins chers qu'ailleurs.

|●| *Jasper White's Summer Shack* (plan I, B3, 78) : 50 Dalton St. ☎ 617-867-9955. Ⓜ Prudential ou Hynes/ICA. Près de l'AJ officielle. Ouvert de 11 h 30 à 23 h. Plats le midi de 10 à 15 US$, le soir de 15 à 30 US$. Un *Summer Shack* (cabane à *seafood*) reconstitué en pleine ville. Grand *oyster bar* tenu par Jasper White, un restaurateur de Boston connu pour ne pas lésiner sur la

qualité des ingrédients et du service. Bref, décor de *Shack,* mais service empressé et nourriture qui sait nager au-dessus du prix demandé.

Très chic

Les deux institutions suivantes, parties intégrantes du paysage bostonien, présentent pas mal de points communs : près de 80 ans d'expérience, situées l'une à côté de l'autre dans le port, spécialisées dans la *seafood* et une clientèle touristique (plus quelques « pipeules »). À Boston, il y a des adeptes de l'un et de l'autre, des inconditionnels de *Jimmy's* et d'autres qui ne jurent que par *Anthony's Pier 4.*

|●| *Jimmy's Harbor Side (plan I, D3, 59) :* 242 Northern Ave, sur le Fish Pier. ☎ 617-423-1000. Ⓜ South Station (à 2 km). Ouvert les dimanche et lundi de 16 h à 21 h, du mardi au vendredi de 12 h à 22 h et le samedi de 14 h à 22 h. À partir de 12 US$ le midi et 19 US$ le soir pour un plat. Derrière la façade délabrée, une grande salle à la déco marine, offrant une chouette vue sur le port. Ici, il faut être au moins 3 personnes pour bénéficier d'une table contre la baie vitrée. Très belle carte proposant des poissons cuisinés à toutes les sauces : *fried, broiled, baked, poached* ou *Cajun style.* Bonne et crémeuse *Jimmy's fish chowder.* Garder de la place pour un *Greek rice pudding,* servi ici depuis 1924, date à laquelle Jimmy Doulos a ouvert ses portes. Pour preuve de la célébrité de *Jimmy's,* des photos dédicacées de JFK, de ses frères Ted et Bob, de Jean-Paul II, Bill Clinton, Gregory Peck et on en passe. Accueil mitigé. Jeter un œil au bar, en forme de bateau. Juste à côté, le petit resto *Jimbo's,* du même proprio, propose sensiblement la même cuisine mais à prix réduits dans un décor minimaliste (nous sommes polis).

|●| *Anthony's Pier 4 (plan I, D3, 60) :* 140 Northern Ave, sur le Pier 4. ☎ 617-482-6262. Ⓜ South Station (à 2 km). Ouvert de 11 h 30 à 23 h, le week-end de 12 h à 23 h 30. Compter plus de 15 US$ le midi et 20 US$ le soir pour un plat dans ce grand resto à la classe feutrée. Le père d'Anthony Athanias, le patron, possédait une petite vigne dans les Balkans avant de tenter sa chance aux États-Unis. Aujourd'hui, il y a plus de 50 000 bouteilles dans sa cave. Resto-musée rempli de souvenirs de la mer, fréquenté par une clientèle plutôt âgée, pas franchement *trendy...* Véritable galerie de photos du patron en compagnie de célébrités (Nixon, Jean-Paul II, Kissinger, Steve McQueen, Gregory Peck, Judy Garland, Liz Taylor, Jimmy Carter...). Très belle vue sur le port et la ville depuis les salles et la terrasse. Les plus fortunés pourront goûter par exemple à l'*Anthony's Pier 4 clam baked special* (à 37 US$), genre de pot-au-feu de fruits de mer.

Dans le coin de Back Bay et de Kenmore

Bon marché

|●| *Cornwall's (plan I, A3, 65) :* 654 Beacon St (angle Commonwealth Ave), sur Kenmore Sq. ☎ 617-262-3749. Ⓜ Kenmore. Ouvert tous les jours de 11 h 30 à 2 h. *Bar-food* typique d'un pub anglais en plein Kenmore Square, où vous serez repu pour un peu plus de 12 US$. Jeux de société à disposition et atmosphère chaleureuse dans ce pub fréquenté principalement par des étudiants. Les tables sont très proches les unes des autres, ce qui permet de partager une pinte et un brin de causette avec la table voisine. Au menu : *New York style chicken pot pie, barbecue shepherd's pie, pasta del mare,* bons

BOSTON

burgers, mais on vous prévient, ce n'est pas gastronomique. Sur le bar, collection de chopes que les habitués rapportent de leurs voyages. Très belle sélection de bières (encore plus en bouteille : *Steinlager, Kirin, Red Stripe, Taj Maj, San Miguel...*). Le patron a également monté un club : pour avoir sa petite plaque avec son nom au-dessus du bar, il faut avoir bu toutes les bières étrangères citées sur la liste ! À vous de jouer !

|●| *La Famiglia Giorgio's (plan I, B3, 63)* : 250 Newbury St. ☎ 617-247-1569. Ⓜ Copley. Même maison qu'à Salem St (North End), mêmes plats roboratifs et mêmes prix : de 10 à 15 US$ le dîner. La maison n'a d'italien que le nom, puisque les plats qu'on y sert sont d'origines assez variées. Un plus : la petite salle voûtée en brique est vraiment charmante et, dans ce quartier chic, l'addition est une *bargain* !

|●| *El Pelon Taqueria (plan I, A4, 66)* : 92 Peterborough St. ☎ 617-262-9090. Ⓜ Fenway. Ouvert du mardi au dimanche de 11 h à 23 h 30. Autour de 10 US$. Dans une *taqueria* de quartier se cache un des restos mexicains les plus savoureux de Boston. Les ingrédients cuisinés sont très frais, le plantain un régal. La plupart des plats sont accompagnés de *limed-onions,* une spécialité de la chef.

|●| *Marché Movenpick (plan I, B3, 73)* : 800 Boylston St, dans le Prudential Center. Entrée aussi depuis la rue Belvedere (entre Huntingdon et Massachussetts). ☎ 617-578-9700. Ⓜ Prudential ou Hynes Con-

vention Center. Ouvert du dimanche au jeudi de 8 h à 23 h et les vendredi et samedi de 8 h à 1 h 30. De 10 à 15 US$ le déjeuner, 20 US$ le soir. Resto éclectique au décor dépaysant : parasols surmontant des petites tables en bois, lampes « grappes de raisin »... Comme un *food court,* l'endroit idéal pour une pause déjeuner rapide. Cependant, ce que l'on mange ici est meilleur que la nourriture de *mall.* Des « stands » de toutes origines (cajun, italien, chinois, japonais, rôtisserie, etc.) où produits et plats sont joliment présentés. À l'entrée, on vous donne un passeport qui est tamponné à chaque fois que vous choisissez quelque chose. Ne le perdez surtout pas, vous auriez à payer 100 US$ d'amende ou à faire 2 jours de vaisselle si c'était le cas ! Puis, vous allez faire votre « marché » avant de passer à la caisse. Attention, 12 % sont ajoutés à la note pour le service qui se résume à pas grand-chose !

|●| *Parish Cafe (plan I, C3, 68)* : 361 Boylston St. ☎ 617-247-4777. Ⓜ Arlington. Ouvert de 11 h 30 (12 h le dimanche) à 2 h. Tout est dans les environs de 10-15 US$. Café branché dont la spécialité est de proposer des sandwichs imaginés et créés par de grands chefs bostoniens. Belle sélection de bières également. Préférer la belle terrasse sur Boylston à l'intérieur sombre. Bien sûr, quand il fait beau, la queue pour manger dehors est ininterrompue, a fortiori le week-end. Garder un peu de place pour le *carrot cake,* très bon.

Prix moyens

|●| *Pho Pasteur (plan I, B3, 74)* : 119 Newbury St. ☎ 617-262-8200. Ⓜ Copley. Ouvert tous les jours de 11 h à 22 h. Autre adresse à Harvard Sq, dans Cambridge, au 35 Dunster St. ☎ 617-864-4100. Compter un bon 15 US$ pour un repas. Après avoir descendu quelques marches, on débarque dans une petite salle sans prétention mais proprette. Terrasse agréable l'été. La

cuisine vietnamienne est ici légère, assaisonnée et relevée à la perfection. *Pho,* c'est le nom de la nouille blanche vietnamienne utilisée dans les soupes : le menu vous en propose un large choix, de la toute simple à la plus typique avec boulettes de viande et tripes. La *caramelized sliced catfish casserole* ou les *spring rolls* à se rouler soi-même (*banh hoi*) sont également excellents. Ne confondez pas cette adresse avec un autre *Pho Pasteur*, au 682 Washington St (dans Chinatown), pas mal mais rien à voir avec les deux autres.

I●I *Addis Red Sea* (plan I, C4, **76**) : 544 Tremont St. ☎ 617-426-8727. Ⓜ Back Bay. Ouvert de 17 h (12 h le week-end) à 23 h. Compter un bon 15 US$. Tapis aux couleurs chaleureuses et objets typiquement éthiopiens vous accueillent dans la petite salle de ce resto. On s'assied sur des tabourets tressés, autour d'une table ronde en osier appelée *mesob*. Les plats arrivent sur un grand plateau recouvert d'une *injera*, sorte de crêpe spongieuse. Ça y est, le festin à mains nues peut commencer. La technique ? Découpez un petit bout de crêpe avec les doigts de la main droite et mangez-le avec le reste. Nos préférences : le tartare sur son beurre d'herbes *(kifto)*, le *yebeg wot*, un ragoût d'agneau mais aussi pas mal de plats végétariens comme l'*ataklit*, une sorte de ratatouille. Commencez par choisir un accompagnement par personne et n'hésitez pas à demander, les serveurs seront ravis de vous guider à travers le menu. Très bon café aux épices exotiques, avec une dominante de cardamome. Un bon dépaysement l'espace d'un repas.

I●I *Bertucci's* (plan I, B3, **77**) : 43 Stanhope St (petite rue proche du Copley Sq). ☎ 617-247-6161. Ⓜ Back Bay. Ouvert de 11 h à 22 h (23 h les vendredi et samedi). Pas de mauvaise surprise dans cette succursale de cette chaîne italiano-américaine qui fait des ravages sur la côte Est des États-Unis. Voir « Où manger ? » à Cambridge.

De prix moyens à chic

I●I *Papa-Razzi* (plan I, B3, **67**) : 271 Dartmouth St. ☎ 617-536-9200. Ⓜ Copley. Ouvert tous les jours de 11 h 30 à 1 h (la cuisine ferme à 23 h mais le bar reste ouvert jusqu'à 1 h). Plusieurs succursales : à Cambridge Galleria (100 Cambridge Side Pl), ☎ 617-577-0009. Ⓜ Lechmere ; à Chestnut Hill Mall (199 Boylston St, route 9), ☎ 617-527-6600. En dehors de North End, une bonne chaîne locale de restos italiens. Compter au moins 20 US$ pour un dîner. Cadre sophistiqué et clientèle *trendy* pour une cuisine italienne très fraîche. Prix tout à fait acceptables au déjeuner. Longue liste de spécialités avec, entre autres, les *agnolotti all'aragosta* (pâtes au homard), la *wood fired polenta crostini* et de très bonnes pizzas. Service attentionné.

I●I *Brasserie Jo* (plan I, B3, **79**) : 120 Huntington Ave. ☎ 617-425-3240. Ⓜ Prudential. Ouvert pour le petit dej' la semaine de 6 h 30 à 11 h, le week-end de 7 h à 12 h. Lunch servi en semaine de 11 h à 14 h 30 ; brunch de 12 h à 16 h le week-end ; et enfin, dîner de 17 h à 23 h (22 h le dimanche). Plats le midi autour de 11 US$, 17 US$ le soir. Brasserie *frenchy* sur fond musical discret de Françoise Hardy et compagnie. Ici, c'est l'union de la *clam chowder* et de la tarte à l'oignon, courtoisie du patron alsacien qui sait faire plaisir aux Américains, tout en respectant un esprit européen. Parmi les spécialités de la maison : steak-frites, coq au vin, choucroute et beaucoup de fruits de mer. Joli décor de lourdes colonnes, allégé par des murs jaunes. Bon service, prix compétitifs. Bière pression (alsacienne, *of course*) et vins au verre (surtout des riesling). La formule est gagnante. Merci, Jo !

Où boire un café ?

I●I ⏻ *Trident Booksellers and Café* (plan I, B3, **64**) : 338 Newbury St. ☎ 617-267-8688. Ⓜ Hynes/ICA. Ouvert tous les jours de 9 h à minuit. Compter 10 US$ pour y manger. Gros petits dej' servis toute la journée. Grand choix de desserts. Un café-librairie vraiment agréable.

Association harmonieuse des nourritures terrestres et spirituelles. Toiles d'artistes aux murs, chouettes bouquins. Très cool. Apprécié des intellos de Back Bay.

Où boire un verre?

– *Important* : dans tout le Massachusetts, pour boire de l'alcool et pour entrer dans les bars et les boîtes, toujours avoir son passeport sur soi. Sachez-le, *l'âge minimum requis pour boire de l'alcool est 21 ans* et ils sont intraitables.

– Certains bars demandent une *cover charge* à l'entrée (5 à 10 US$) lorsqu'il y a un concert, mais il n'existe pas de véritable politique dans ce domaine, car ça dépend du bar, du jour de la semaine et des concerts qui peuvent y avoir lieu. À ce propos, nombreux concerts, souvent pas chers, car les étudiants des écoles de musique de Boston sont désireux de jouer en public.

– Enfin, ne pas oublier nos bonnes adresses de Cambridge (voir plus loin).

The Good Life *(plan I, C3, 121)* : 28 Kingston St. ☎ 617-451-2622. Ⓜ Downtown Crossing. Ouvert de 11 h 30 (17 h le dimanche) à 2 h. Autre adresse à Cambridge (voir plus loin). Bar du Financial District sur 2 étages. Ambiance *diner* au rez-de-chaussée : salle en enfilade avec un long bar d'un côté et des tables et banquettes en skaï rouge de l'autre. Dans l'obscurité du *basement*, un club de jazz au plafond bas. Au milieu de la salle, une scène où des jazzmen se donnent « en live » et tout autour, des petites tables rondes. Population éclectique. On rencontre aussi bien des jeunes cadres dynamiques que des piliers de bars ou des amoureux du jazz... Une unité se crée cependant autour du Martini, sacrément réputé et élu plusieurs fois « best of » Boston ». Possibilité de manger un morceau également : pizzas, *fried calamari* ou burgers. Réservez en arrivant un peu tôt ou en téléphonant avant, si vous voulez être sûr d'avoir une place en bas.

The Black Rose *(plan I, D2, 54)* : 160 State St. ☎ 617-742-2286. Ⓜ Government Center. Ouvert tous les jours de 11 h 30 à 2 h. Pub organisant des soirées musicales irlandaises tous les soirs ; groupes le week-end.

Sevens Ale House *(plan I, C2, 130)* : 77 Charles St. ☎ 617-523-9074. Dans le magnifique secteur de Beacon Hill. Ⓜ Charles MGH. Ouvert de 11 h 30 (12 h le dimanche) à 1 h. Pas mal d'ambiance dans ce pub ouvert en 1933, toujours bondé durant le *happy hour* et le soir. Les serveurs sont sympas, la bière est très bon marché et, si vous avez un petit creux, des sandwichs frais sont à votre disposition. Clientèle très diversifiée. Un petit conseil : files d'attente interminables le week-end, allez-y plutôt tôt en semaine.

Wally's Café *(plan I, B4, 131)* : 427 Massachusetts Ave (et Columbus Ave). ☎ 617-424-1408. Ⓜ Massachusetts Ave. Ouvert de 11 h (12 h le dimanche) à 2 h. Minuscule bar. Une sorte de couloir, quelques tables en enfilade et une petite scène au bout, et ce depuis 1947. Ce ne sont pas les grands noms du jazz que vous verrez jouer ici, mais la musique est bonne (elle commence à 20 h) et c'est ce qui compte. Les musiciens sont souvent issus des 3 conservatoires de musique des alentours. Pas mal d'ambiance et souvent bondé le week-end autour de 22 h. Pas de *cover charge* à l'entrée.

The Oak Bar *(plan I, B3, 129)* : 138 St James St. ☎ 617-267-5300. Dans le superbe *Fairmont Copley Square Hotel*. Ⓜ Copley. Ouvert de 11 h 30 (12 h le dimanche) à 1 h. Le colossal *old money* de Boston se trouve bien investi dans les marbres et boiseries de ce grand bar aux allures des années 1910. La bourgeoisie de Boston se retrouve ici depuis près de 100 ans. Une bière ou un Martini n'y coûte pas beaucoup plus cher qu'ailleurs. Pourquoi s'en priver ?

Où aller en boîte ? Où écouter de la musique ?

Attention, les grands costauds à l'entrée des bars qui jouent avec une lampe torche ne cherchent pas leurs clés de voiture. Ils sont là pour vérifier sur votre passeport si vous avez franchi la barre (souvent très attendue par les jeunes Américains) des 21 ans. Donc, si vous ne voulez pas rester planté dehors ou être contraint à ne boire que des sodas, sortez avec votre passeport (les papiers d'identité français, ils ne connaissent pas). On sait, on se répète. Certaines boîtes sont ouvertes à partir de 18 ans quelques soirs par semaine, parfois même tous les soirs. Se renseigner avant.

À Boston, les boîtes de nuit ferment toutes à 2 h (mais le *last call* pour obtenir un verre est à 1 h). Les entrées sont payantes (de 5 à 15 US$). Dans certaines discos de Lansdowne St, les nuits du dimanche sont gays.

Forte concentration au mètre carré de bars-boîtes branchés dans deux endroits différents de la ville.

Sur Lansdowne Street

♪ **Avalon** (plan I, A3, *125*) : 15 Lansdowne St. ☎ 617-262-2424. Ⓜ Kenmore. Ouvert du jeudi au dimanche de 22 h à 2 h. La plus grande et, depuis des années, la plus branchée des boîtes de Boston. Gigantesque, un son d'une qualité extraordinaire, beaucoup de *spotlights* aux effets ultra-sophistiqués... Bref, *Avalon* a aujourd'hui la carrure d'un club new-yorkais. Ambiance assez « friquée », on aime ou on n'aime pas... La déco à la romaine en carton-pâte change tous les 10 ans (ainsi que le nom de la boîte) afin que l'ensemble reste clean. Le jean n'est accepté que les vendredi et dimanche. Pour être vraiment dans le coup, n'oubliez pas d'enfiler votre déguisement des nuits folles...

♪ **Bill's Bar & Lounge** (plan I, A3, *126*) : 5 1/2 Lansdowne St (et Ipswich St). ☎ 617-421-9678. Ⓜ Kenmore. Fermé les lundi et mardi. Ouvert les autres soirs de 21 h à 2 h. Le jeudi, ouvert aux jeunes à partir de 18 ans. Clientèle assez grunge, souvent composée d'étudiants. Concerts dont les styles varient d'un jour à l'autre : karaoké le mercredi ; *DJ Top 40* le jeudi ; *cover bands* les vendredi et samedi ; et le dimanche, reggae.

♪ **Sophia's** (plan I, A4, *132*) : 1270 Boylston St. ☎ 617-351-7001. Ⓜ Fenway (à 10 mn de marche). Ouvert tous les jours à partir de 17 h. Attention, shorts et jeans ne sont pas tolérés ici. *Cover charge* de 10 US$ après 21 h 30. Tous les mardis soir, cours de tango à 21 h 30. Resto-boîte où tango, *merengue* et salsa battent leur plein sur 3 niveaux. En haut, un superbe et spacieux *roof-deck* pour danser sous les étoiles et d'où l'on a une très belle vue sur Boston ; ouvert du jeudi au samedi seulement, et exceptionnellement les soirs où l'atmosphère est étouffante à l'intérieur. La queue peut être longue, très longue même. Si quelques-uns attendent pour les tapas (très bonnes), la majorité de la foule vient là pour se déhancher au rythme des notes hispanisantes. La clientèle ? Un joyeux mélange. Bref, une très bonne ambiance et la sangria qui coule à flots y est pour quelque chose !

Sur Boylston Place/Theatre District

Ⓜ Boylston. Dans la rue du même nom, tourner dans une petite impasse (nommée *The Alley*) au niveau du n° 124.

🍸 ♪ En face du *Bishop's*, le **Sweet Water Café** (plan I, C3, *127*), 3 Boylston Pl. ☎ 617-351-2515. Ouvert tous les jours de 11 h 30 à 2 h.

C'est un bar sur 2 niveaux, fréquenté par une clientèle de jeunes assez relax et de gens qui viennent prendre un verre après le travail. De l'ancien resto mexicain qui occupait auparavant les lieux, ce bar a conservé l'atmosphère un peu western, avec cow-boys des plaines, mélangée à celle des *sports' bars* plus classiques. On peut y manger et y danser. Souvent bondé le week-end. Terrasse animée sur la rue.

♪ Sur le même trottoir, pour les accros de hip-hop, le ***Sugar Shack*** *(plan général I, C3, 120)*, 1 Boylston Pl (entre Charles et Tremont St). ☎ 617-351-7000. Ouvert du jeudi au samedi de 9 h à 2 h. Une boîte de nuit assez chic, mais les jeans sont permis. L'ensemble a un air de New Orleans. DJ les vendredi et samedi soir. L'été, on profite du petit patio extérieur. Pour les petits creux de la nuit, possibilité de grignoter une *alley pizza*.

♀ ♪ En face, le ***Pravda 116*** *(plan I, C3, 128)* et sa boîte : 116 Boylston St. ☎ 617-482-7799. Bar et resto ouverts du mardi au samedi à partir de 17 h (service resto jusqu'à 22 h). Boîte ouverte seulement du mercredi au samedi. Restaurant de spécialités méditerranéennes, dont l'entrée principale se situe sur Boylston St. La formule : beaucoup de tapas de 5 à 10 US$, et plats dans les environs de 15 US$. Endroit branché et design, repérable aux grandes limousines stationnées devant, louées par des jeunes flambeurs (euses) pour la soirée. Changement d'ambiance aux alentours de 22 h, quand les dîneurs rentrent chez eux et que les danseurs et buveurs fous débarquent ! Tout est cher, la nourriture, le *cover charge* et les drinks, mais *Pravda 116* est depuis plusieurs années un des lieux les plus en vue de Boston, avec un décor et un son sans cesse renouvelés. Tout ça a un prix...

Où aller au cinéma ?

■ ***Loews Boston Common*** *(plan I, C3, 123)* **:** sur Tremont St, à l'angle de Avery St, en face du Boston Common. ☎ 617-423-3499. Ⓜ Boylston. Un multiplex, aux salles de type *stadium*, qui s'est donné l'allure des grands cinémas d'autrefois. Grandes photos de films en noir et blanc et phrases célèbres au plafond (du genre *Frankly Scarlet I don't give a damn*) : effet réussi.

■ ***Museum of Fine Arts Film*** *(plan I, A4, 174)* **:** 465 Huntington Ave. ☎ 617-424-6266. Ⓜ Museum of Fine Arts (Green Line). Films de répertoire, d'art et d'essai, d'un peu partout dans le monde, souvent français. Ils sont présentés dans une grande salle traditionnelle, sans pop-corn ni Coca.

À voir

Le Freedom Trail (chemin de la Liberté)

🏛🏛🏛 Ils font bien les choses à Boston. Pour connaître l'histoire de la ville à travers monuments et ruelles depuis trois siècles et demi, il suffit de suivre une ligne rouge (peinte ou en brique) de 4 km, qui commence à l'angle de Tremont et Park St. Cet itinéraire passe par tous les endroits importants ayant marqué l'histoire de Boston. Le *Freedom Trail* est un immense musée en plein air, sans mesure de sécurité à l'entrée ! Deux petits détails : les touristes sont nombreux et Boston peut être sous la neige l'hiver... Se procurer absolument la brochure *Freedom Trail* de C. Bahne (payante). Pour infos ou réservations, appeler le ☎ 617-227-8800. ● www.thefreedomtrail.org ●
Voici les étapes les plus intéressantes :

🏛 ***The Massachusetts State House*** *(zoom C2, 176)* **:** entrée sur Beacon St, entre Hancock et Bowdoin St. ☎ 617-727-3676. Ⓜ Park St. Ouvert du lundi au vendredi de 9 h à 17 h et le samedi de 10 h à 15 h 30. Entrée gratuite.

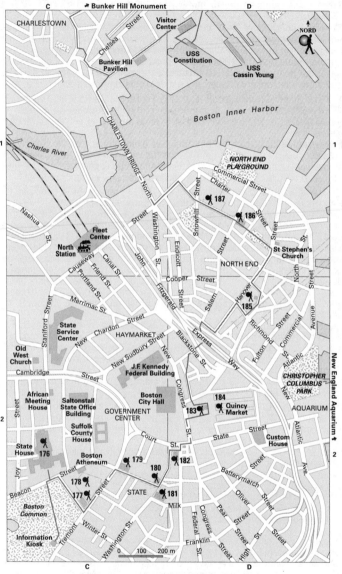

BOSTON – ZOOM (LE FREEDOM TRAIL)

Tours guidés gratuits de 45 mn environ, du lundi au samedi de 10 h à 15 h 30.

Dessinée par Charles Bullfinch (grand architecte de la région) et achevée en 1798, elle est reconnaissable de loin grâce à son dôme couvert d'or 23 carats. Un des premiers visiteurs fut Davy Crockett, qui s'extasia sur la grande morue en bois sculpté (symbole de l'importance de la pêche pour le pays) qui pendait dans la salle des représentants à l'Assemblée. Il ajouta que lui-même conservait aussi les pattes d'ours dans sa cabane !

🚶 *Park Street Church* (zoom C2, 177) : à l'angle de Park et Tremont St. ☎ 617-523-3383. Ouvert au public en juillet-août, du lundi au samedi de 9 h 30 à 15 h 30. Tours guidés l'été et, le reste de l'année, visites sur rendez-vous.

Édifiée en 1809, l'église connut quelques événements majeurs : en 1826, création de la 1re société de tempérance (un verre, ça va...) ; le 4 juillet 1829, 1er discours public antiesclavagiste. Sam Adams avait commencé par « *I will be heard* » (« Je serai entendu »), ce qui n'était pas évident au début !

🚶 *Granary Burying Ground* (zoom C2, 178) : Tremont St. À deux pas de Park St Church. Ouvert tous les jours de l'aube au crépuscule.

Cimetière datant de 1660. Sur quelques dizaines de mètres carrés, très grande concentration d'hommes célèbres : les victimes du massacre de 1770, 3 signataires de la Déclaration d'indépendance, 9 gouverneurs du Massachusetts, les parents de Benjamin Franklin, Paul Revere, John Hancock, Peter Faneuil. Ce dernier, de descendance huguenote, possédait un nom difficilement prononçable pour l'Anglo-Saxon moyen. Aussi, le sculpteur qui exécuta la pierre tombale inscrivit-il d'abord : « P. FUNAL », de la façon dont il avait compris le nom ! L'erreur a été corrigée depuis. Moins puritain que ses collègues révolutionnaires, Faneuil serait mort des maladies du plaisir...

Au fond à droite, on trouve même une certaine Mary « Mother Goose », célèbre pour avoir élevé ses 10 enfants, plus les 10 de l'ancienne femme de son mari, plus tous ses petits-enfants... jusqu'à l'âge de 92 ans ! On lui attribue un certain nombre de comptines connues sous le nom de *Mother Goose's Melodies*...

Les esclaves appréciés de leurs « propriétaires » avaient droit à une pierre tombale, où seul leur prénom est gravé...

🚶 *King's Chapel et son cimetière* (zoom C2, 179) : à l'angle de Tremont et de School St. ☎ 617-227-2155. L'église est ouverte du lundi au samedi de 10 h à 16 h. Messe le dimanche à 11 h. Entrée gratuite, mais donation bienvenue (et suggérée !).

C'est le site de la 1re église anglicane des États-Unis (construite en 1686). Une anecdote : le roi d'Angleterre souhaitait la création d'une paroisse anglicane à Boston et chercha à acheter un terrain au centre de la ville. Il ne trouva pas 1 m² ; les puritains avaient précisément quitté l'Angleterre pour fuir l'Église anglicane, ils n'allaient donc pas s'amuser à lui faciliter la tâche. Le roi fit réquisitionner tout de même un coin du cimetière, soulignant que les morts ne protesteraient pas, eux ! L'édifice actuel remplace la 1re église en bois de 1754.

D'ailleurs, pour ne pas interrompre la célébration de l'office pendant les travaux qui durèrent 4 ans, on construisit la nouvelle église de granit autour de l'ancienne. Quand elle fut achevée, on n'eut plus qu'à démonter la première. Architecture et décoration intéressantes. Noter les *pews* (box) qui protégeaient les fidèles des rigueurs de l'hiver, et le *governor's pew* (box du gouverneur) utilisé par les gouverneurs du roi puis, en 1789, par Washington lors d'une visite officielle. Il fut détruit en 1826 en tant que symbole infamant du passé (mais reconstruit au début du XXe siècle). On trouve aussi là la plus vieille chaire sculptée du pays (1717).

Le *cimetière* adjacent est le plus ancien de la ville (1630). Ouvert tous les jours de 9 h à 17 h. Tout près de la porte d'entrée, très belle tombe sculptée de Joseph Tapping. Le tombeau bien plat de John Winthrop, le 1er gouverneur de Boston, sert souvent pour la sieste des gens de passage. Au milieu, tombe de Mary Chilton, la 1re personne qui débarqua du *Mayflower* à Plymouth. Enfin, côté église, tombe d'Elizabeth Pain, dont la vie inspira Nathaniel Hawthorne et qui devint Hester, l'héroïne de son roman *La Lettre écarlate* (Wim Wenders en fit également un film). À noter que ce cimetière est fermé depuis très longtemps. Mais ceux qui y possèdent un ancêtre direct ont le privilège de pouvoir s'y faire enterrer. La dernière inhumation eut lieu il y a une dizaine d'années.

BOSTON

🎭 Dans *School St,* entre Washington et Tremont St, s'élevait, en 1635, la 1re école publique des États-Unis, la *Boston Latin School.* Un peu plus bas, statue de l'un de ses élèves, Benjamin Franklin. Derrière la statue, l'*ancien hôtel de ville* construit en 1864, en style Second Empire (à la mode à l'époque), abrite en son enceinte un des meilleurs restos français de la ville. Chic et cher, donc pas vraiment routard. Mais pour les exilés et les nostalgiques de la langue de Molière, *Maison Robert* organise le 1er vendredi de chaque mois un *French evening* où l'on parle le français. Très sympa.

🎭 *Old Corner Bookstore (zoom C2, 180) :* à l'angle de School et Washington St. ☎ 617-367-4004. Ouvert du lundi au samedi de 9 h à 18 h et le dimanche de 12 h à 17 h.
L'une des plus anciennes maisons de Boston (1718). Au départ, c'était la boutique et la résidence de l'apothicaire qui l'a fait construire. En 1832, elle est devenue une librairie où tous les grands écrivains vinrent acheter des bouquins : Longfellow, Emerson, Hawthorne, Dickens (quand il était de passage). Dans les années 1960, le bâtiment a été pourchassé et restauré par la « Historic Society » de Boston pour lui redonner son style XIXe siècle. Et aujourd'hui, c'est toujours une librairie, qui s'appelle *The Boston Globe Store,* avec une importante section sur le voyage.

🎭🎭 *Old South Meeting House (zoom C-D2, 181) :* de l'autre côté d'Old Corner Bookstore, au 310 Washington St. ☎ 617-482-6439. Ouvert tous les jours de 9 h 30 à 17 h, de 10 h à 16 h en hiver. Entrée : 5 US$; réductions.
Construite en 1729. Église utilisée tout à la fois pour la religion et la politique et qui, du point de vue architectural, rompait pour la 1re fois avec la rigueur puritaine. Bâtiment le plus spacieux de Boston, il ne tarda pas à supplanter Faneuil Hall pour les grandes réunions populaires. La première s'y tint après le *Boston's Massacre.* C'est là aussi que, le 16 décembre 1773, se réunirent 5 000 Bostoniens en colère, attendant le résultat des ultimes négociations avec le gouverneur à propos de la taxe sur le thé. Constatant leur échec, Samuel Adams déclara sur un ton résigné : « Gentlemen, cette réunion ne peut rien faire de plus pour sauver le pays ! » D'aucuns crurent que leurs dirigeants renonçaient à se battre. C'était en fait le signal de la *Boston Tea Party* ! Soudain, une centaine de patriotes déguisés en Indiens mohawks surgirent en criant : « Aux docks, aux docks, transformons le port en *teapot* ! » Et jetèrent dans l'eau du port suffisamment de thé pour infuser 32 millions de tasses. La révolution américaine était en marche... *Old South* retrouva ensuite sa vocation religieuse, puis fut désaffectée en 1872 et vendue pour être démolie. Une souscription lancée par les amoureux du lieu permit de la racheter à l'ultime moment. C'est aujourd'hui un musée sur la révolution américaine, où sont exposés documents historiques, plans, estampes, multiples souvenirs et témoignages.

🎭🎭 *Old State House (zoom D2, 182) :* à l'angle de Washington et State St. ☎ 617-720-1713. Ouvert tous les jours de 9 h à 18 h. Entrée : 5 US$; réductions.
Sa construction date de 1713, ce qui en fait, à l'heure actuelle, l'un des plus anciens édifices des États-Unis. Il compose aujourd'hui, avec sa couronne

de gratte-ciel, l'un des plus fascinants paysages urbains. Ce fut un temps le plus imposant bâtiment de la ville, tout à la fois siège de l'autorité royale et de l'Assemblée du Massachusetts élue par les colons. En 1776, au moment du débat sur le *Stamp Act,* les députés firent installer une galerie au-dessus de l'assemblée pour que la population puisse assister aux réunions. Ce fut la 1re fois dans l'histoire moderne que des citoyens ordinaires purent contrôler leurs élus (bien sûr, dans l'esprit des patriotes, c'était également pratique pour faire pression sur ceux qui étaient trop mous!). Du balcon fut lue la Déclaration d'indépendance dès qu'elle arriva de Philadelphie, et la foule alluma un immense feu de joie. Le lion et la licorne, symboles de la royauté – et dont les répliques ornent le toit –, alimentèrent le feu.

Une anecdote : après la révolution, en 1798, le gouvernement du Massachusetts déménagea dans son nouvel édifice à Beacon Hill, et l'*Old State House* se transforma en bureaux et entrepôts. Par la suite, elle se dégrada tellement qu'on envisagea de la démolir. Des habitants de Chicago, épris d'histoire, proposèrent alors de la démonter brique par brique pour la sauver et la reconstruire au bord du lac Michigan ! Très vexées, les autorités de Boston décidèrent de conserver l'édifice et de le restaurer...

Là aussi, on visite aujourd'hui un musée rempli de souvenirs émouvants : armes, drapeaux, uniformes, gravures, estampes, tableaux, etc. « Une » du *Liberator,* journal antiesclavagiste. Au 1er étage, parmi les objets amusants, les « antisèches » qui servirent au révérend Eliot pour ses sermons de 1742 à 1778 !

En face de l'Old State House, un cercle de pavés marque l'endroit précis du *Boston's Massacre.* Il n'y a aucun panneau, mais un guide pourra vous le montrer.

🏃 ***Faneuil Hall*** *(zoom D2, 183)* **:** en face du Quincy Market. ☎ 617-635-3105. Ouvert tous les jours de 9 h à 17 h.
Construit en 1742 et offert à la ville par Peter Faneuil, le plus riche marchand de la région, afin de faciliter le travail des paysans vendant leurs produits. Au-dessus du marché fut ajoutée une salle de réunion. Faneuil Hall y gagna le surnom de *The Cradle of Liberty* (le « berceau de la liberté »). Ici se tinrent tous les meetings de protestation contre l'autorité royale anglaise, puis, au XIXe siècle, ceux des grandes causes (organisations antiesclavagistes, mouvement féministe, ligues de tempérance, etc.). Toutes les guerres américaines (jusqu'à celle du Vietnam) furent discutées ici. Cependant, les rénovations en ont fait un endroit un peu trop encombré de boutiques de souvenirs.

🏃 ***Quincy Market*** *(zoom D2, 184)* **:** anciennes halles de Boston (datant de 1826), aujourd'hui transformées en boutiques (très touristiques) et en restos. Nombreux petits stands (même système que le classique *food court* américain) où l'on peut manger pour pas cher des tas de plats internationaux, et des fruits de mer nettement moins chers qu'au resto. Près de 15 millions de visiteurs par an. Certains soirs, on croirait que toute la ville s'y retrouve. Énorme animation aux alentours.

🏃 Le long de ***Union Street*** subsiste un petit îlot très ancien avec l'*Union Oyster House* (voir « Où manger ? »). Les ruelles ont conservé leur tracé d'origine. Au 10 Marshall's Lane s'élève la *John Ebenezer Hancock House* (du XVIIIe siècle) qui servit de trésorerie générale aux troupes insurgées. C'est ici qu'arrivèrent les 2 millions de couronnes d'argent envoyées par le gouvernement de Louis XVI. De 1796 à 1963, la maison abrita une boutique de cordonnier. Transition bétonnée, sous l'autoroute, pour rejoindre maintenant le vieux quartier de North End.

🏃 ***Paul Revere House*** *(zoom D2, 185)* **:** 19 North Sq. ☎ 617-523-2338. ● www.paulreverehouse.org ● De mi-avril à fin octobre, ouvert du mardi au dimanche de 9 h 30 à 17 h 15 (ouvert tous les jours de 9 h 30 à 16 h 15 le reste de l'année). Entrée : 3 US$; réductions.

Bâtie en 1680, c'est la demeure la plus ancienne de Boston. Ici vécut, de 1770 à 1800, Paul Revere, le héros le plus populaire de la guerre d'Indépendance. Fils d'un huguenot français, père de 16 enfants, orfèvre, patriote de la 1ʳᵉ heure et meilleur *express rider* (messager à cheval), il se distingua en partant sur-le-champ, sans dormir, prévenir Philadelphie de la *Boston Tea Party* (après avoir lui-même passé la nuit à jeter les ballots de thé à l'eau). Mais son plus grand exploit, le 18 avril 1775, fut d'avoir pu apprendre l'attaque imminente de l'armée anglaise contre la garde nationale à Lexington, et réussi à la prévenir en une chevauchée fantastique de nuit. Visite de la cuisine et de la salle de séjour. Presque tout le mobilier est d'origine, ainsi que certains papiers peints.

North Square, place adorable la nuit, comprend également la *maison Pierce Hichborn* (1711) et, à côté, la *maison des Mariniers* (1847). Également l'*église du Sacré-Cœur* (de 1833), en face. Dickens aimait y écouter les sermons du père Taylor, qui avait d'abord commencé à l'âge de 7 ans, comme beaucoup d'orphelins, une carrière de mousse puis de marin. Une anecdote : en 1673, le capitaine Kemble, qui habitait North Square, rentra d'un long voyage de 3 ans plein de péripéties. Sa femme l'attendait sur le pas de la porte. L'embrassade fut, on s'en doute, émouvante et passionnée. Pas de chance, c'était dimanche : pour rupture du sabbat et conduite indécente, le brave capitaine fut immédiatement conduit au pilori en ville ! Dans la petite *Garden Court*, au nord de la place, au n° 4, naquit, en 1890, Rose Fitzgerald, petite-fille d'un immigré irlandais. Elle se rendit plus tard célèbre en donnant naissance à 4 fils (non moins célèbres) : un pilote mort en héros en 1944, un président des États-Unis assassiné, un ministre de la Justice qui connut le même destin et un sénateur démocrate, populaire certes, mais pas du tout nyctalope !

🔫 *North End* (cœur du quartier italien ; *plan I, C-D1*) : Ⓜ Haymarket. North End fut d'abord un quartier mal famé de marins au début du XIXᵉ siècle, puis d'Irlandais à partir de 1850 (plusieurs dizaines de milliers fuirent la famine), rejoints ensuite par les juifs d'Europe centrale. Les Italiens, dernière vague d'immigration, marquèrent définitivement le quartier. À voir autant pour ses jolies rues assez authentiques que pour son animation et ses petits restos. Traversée en grande partie par le Freedom Trail, Hanover St en est l'axe principal. Nombreuses fêtes religieuses pendant les week-ends d'été. On peut en profiter pour boire un *espresso* (rien à voir avec le café américain dont le goût rappelle celui de la tisane à la camomille).

🔫🔫 *Old North Church* (*zoom D1, 186*) : 193 Salem St. ☎ 617-523-6676. Ouvert aux visiteurs tous les jours de 9 h à 18 h. Donation suggérée : 3 US$. Avant d'arriver à l'église, traversée du Paul Revere Mall : statue du valeureux messager et, sur les murs de la place, 14 plaques de bronze racontant l'histoire des héros de la révolution, du quartier et de ses habitants. Old North est la plus ancienne église de Boston encore en activité (1723). Ses promoteurs s'inspirèrent d'un style d'architecture trouvé dans un livre anglais acheté en librairie. La construction nécessita 513 654 briques (si, si !). On y trouve les premières cloches importées en Amérique. Elles sonnèrent à toute volée la défaite de Cornwallis à Yorktown. Avant la nuit de sa fameuse chevauchée, redoutant un éventuel échec, Paul Revere avait chargé Robert Newman, le bedeau de l'église, de disposer des lanternes dans le clocher pour prévenir les gens de Charlestown de l'arrivée des troupes anglaises. L'intérieur de l'église a peu changé depuis 2 siècles. Les *pews* sont toujours en place, ainsi que les chandeliers allumés le soir et l'orgue. Sur l'un des *pews,* on peut encore voir le nom de Paul Revere. Au 99 Salem St s'ouvrit la 1ʳᵉ boulangerie d'Amérique.

🔫 *Le cimetière de Copp's Hill* (*zoom D1, 187*) : Hull St. Ouvert de 9 h à 17 h (15 h en hiver).
C'est le 2ᵉ plus vieux cimetière de la ville (date de 1659). Prenez le temps de détailler les belles pierres tombales sculptées et leurs pittoresques épi-

taphes. On y trouve quelques personnages intéressants. Côté Snowhill Street, la colonne de Prince Hall, leader noir, ancien esclave engagé dans l'armée des patriotes, créateur de la 1re école pour gens de couleur. En face, la tombe de Daniel Malcolm, à l'épitaphe frappante : « Vrai fils de la liberté et ferme opposant au *Revenue Act*. » En effet, ce négociant patriote avait fait de la fraude fiscale un moyen de résistance. Les soldats anglais qui campèrent dans le cimetière pendant la guerre (à cause de sa situation en hauteur) utilisèrent d'ailleurs sa pierre tombale comme cible pour s'entraîner !

🏃 À *Charlestown (zoom C1)*, de l'autre côté de l'embouchure de la Charles River, se trouve *Bunker Hill,* site de la 1re grande bataille (perdue) menée par les patriotes, le 17 juin 1775. Mais les troupes anglaises y perdirent plus de 1 000 hommes. En 1825 commença la construction d'un immense obélisque de granit pour commémorer l'événement (70 m de haut, 294 marches mènent à une vue spectaculaire). La Fayette en posa la 1re pierre. Les travaux durèrent 18 ans. Montage audiovisuel sur la bataille, au *Bunker Hill Pavilion (zoom Freedom Trail, C1),* Monument Sq. ☎ 617-242-5641. Ouvert tous les jours de 9 h à 17 h, dernière projection (de 20 mn) à 16 h 30. Entrée gratuite.

🏃🏃 À 200 m de là se trouve le *USS Constitution,* à Charlestown Navy Yard. ☎ 617-242-5671. Tours gratuits du *USS* du mardi au dimanche de 10 h à 16 h.
Le plus ancien bateau de guerre du monde encore à flot. Il fut invaincu pendant la guerre anglo-américaine de 1812-1815 *(War of 1812)*. On peut visiter également, entre 10 h et 16 h, le *USS Cassin Young,* un destroyer DD 793, juste à côté. Un petit musée sur l'histoire de ces bateaux est ouvert tous les jours de 9 h à 18 h de mai à octobre et de 10 h à 17 h le reste de l'année. ☎ 617-426-1812. Gratuit.
Après avoir parcouru le Freedom Trail, on peut rentrer en bateau (beaucoup moins long). Prendre le ferry de la Massachussetts Bay Transportation Authority (les transports publics), au bout du quai, non loin du *USS Constitution,* derrière le musée. Fonctionne en semaine de 6 h 30 à 20 h et de 10 h à 18 h le week-end. Le trajet dure 15 mn. Vue de Boston depuis la mer, sympa. Le ticket s'achète sur le bateau (1,50 US$).

À North End, Beacon Hill et Downtown

🏃 *Black Heritage Trail :* les *National Park city rangers* organisent des tours gratuits de ce *trail* (1,6 mile de long) de juin à début septembre, tous les jours à 10 h, 12 h et 14 h. Hors saison, se renseigner au ☎ 617-742-5415. Il retrace les principales étapes de l'histoire des Noirs de Boston qui vécurent tout au long du XIXe siècle, au nord de la colline de Beacon Hill (délimitée par Cambridge St). Début de la balade sur Beacon St, au *Robert Gould Shaw 54th Regiment Memorial* (en face de la State House). Itinéraire disponible dans les offices de tourisme. Seules deux maisons se visitent : l'*African Meeting House (plan I, C2, 160),* 8 Smith Court. Fermé pour rénovation jusqu'en 2006. C'est la plus vieille église noire des États-Unis (1806), qui servit un temps de synagogue. L'*Abiel Smith School,* juste à côté, demeure ouverte du lundi au samedi de 10 h à 16 h. Elle fut construite pour les familles qui habitaient dans le coin dans les années 1830 (2 000 *African-Americans* habitaient Beacon Hill à cette époque). Elle abrite aujourd'hui le *Museum of Afro-American History.*

🏃 🏃 *Boston Common (plan I, C2) :* le plus vieux jardin public des États-Unis. Situé au centre de la ville, il est aussi vaste qu'agréable. Grandes pelouses autour d'un point d'eau, beaux arbres, patinoire en plein air aménagée l'hiver. Aux beaux jours, il est amusant de voir les yuppies très smart tomber la veste et casser la croûte sur le tas, et d'élégantes femmes faire la sieste dans l'herbe... Un tas de trucs intéressants dans les rues environnantes et particulièrement Charles St, avec ses antiquaires, ses magasins chic et ses restos *upscale* (haut de gamme). Le *Boston Common* était, comme tout Boston, la propriété d'un vieil ermite qui était seul sur la presqu'île. Quand les émigrants ont débarqué, il s'est d'abord cloîtré sur ce terrain, avant de partir vers l'ouest. Les Bostoniens n'ont jamais osé construire sur le Boston Common.

BOSTON

%%% *Beacon Hill (plan I, C2) :* la plus haute des trois collines de Boston. Le *beacon* était un signal d'alarme installé au sommet autrefois. Le quartier s'urbanisa après la construction de la nouvelle State House. Le nord de la colline était habité par la communauté noire de Boston, centre du mouvement abolitionniste. Aujourd'hui, ce quartier résidentiel, qui servit de cadre aux *Bostoniennes* de Henry James, est très recherché. Il faut se perdre dans les ruelles fleuries, les *lanes* croulant sous la verdure, entre d'adorables maisons victoriennes et des cottages. Le soir, quand l'horizon se teinte de mauve, les derniers rais du soleil embrasent les façades rouges et roses. Parcourir Beacon Hill, c'est se croire un moment à Georgetown (quartier de Washington), à Montmartre ou dans les coins les plus secrets de Chelsea (à Londres). Découvrez ces jardinets poétiques, les auvents à colonnades, les fenêtres vénitiennes cachant la vie feutrée des vieilles familles bourgeoises. Quelques petites merveilles à ne pas rater au cours de votre promenade : *Mount Vernon St,* la plus belle rue de Beacon Hill, bordée de jardins et peuplée de petits oiseaux. Au 40-42, une rare et grande *brownstone* de 1850 qui contraste avec les maisons victoriennes de la rue. *Chestnut St* compte au moins 3 maisons dessinées par Charles Bulfinch, l'architecte de Boston, aux n°s 13, 15 et 17. Au 29 A, une des plus vieilles maisons du quartier, dont les vitres, étrangement violettes, attirent tous les curieux. Ce « mystère » s'expliquerait par un excès de manganèse dans la fabrication du verre. *Acorn St,* la plus connue et la plus photographiée de toutes, autrefois habitée par les cochers et les serviteurs, a conservé son pavage de galets d'origine.
Ne manquez pas non plus *Louisburg Sq,* une charmante placette très *British* flanquée de façades néoclassiques et dotée d'un jardinet central dont seuls les riverains ont la jouissance (les veinards !). L'ensemble respire tellement l'Angleterre qu'on y tourna le film *Vanity Fair* dans les années 1920. Enfin, *Cedar Lane Way,* aussi étroite qu'adorable, avec ses réverbères anciens.

% 👫 *Museum of Science (plan I, C1, 161) :* Charles River Dam. ☎ 617-723-2500. ● www.mos.org ● Ⓜ Science Park. Ouvert de 9 h à 17 h (19 h en juillet-août, 21 h le vendredi toute l'année). Fermé le lundi. Entrée : 14 US$; réductions. Compter 9 US$ pour le planétarium et le cinéma Omni.
Un peu du genre « palais de la Découverte ». Visite d'une capsule *Apollo,* un planétarium, découvertes thématiques telles que le corps humain, l'environnement, l'astronomie, l'électricité... Les présentations des mathématiques et de l'informatique sont particulièrement intéressantes. L'abstrait devient concret.

%% 👫 *New England Aquarium (plan I, D2, 162) :* au bord de la mer, derrière Quincy Market (Central Wharf). ☎ 617-973-5200. ● www.newengland aquarium.org ● Ⓜ Aquarium. Du 1er juillet au 1er lundi de septembre, ouvert du lundi au jeudi de 9 h à 18 h, du vendredi au dimanche de 9 h à 17 h. Le reste de l'année du lundi au vendredi de 9 h à 17 h et le week-end de 9 h à 18 h. Assez cher : 16 US$ (réductions), mais pas mal fait.
Plus de 20 000 créatures marines à découvrir. Un plan incliné s'enroule en spirale autour d'un énorme aquarium cylindrique et permet d'accéder aux autres étages. Possibilité également de partir en mer pour une croisière de 3 à 5 h à bord du *Voyageur III* afin d'observer les baleines entre avril et octobre. Renseignements : ☎ 617-973-5281. Compter 30 US$.

% *Boston Harbor Hotel (plan I, D2, 163) :* 70 Rowes Wharf, sur Atlantic Ave, près du Northern Ave Bridge. C'est le complexe hôtelier géant ouvert à la fin des années 1980. Une superbe architecture s'élevant sur les anciens docks. Les riches sont amenés en bateau directement de l'aéroport. Passez la monumentale arche d'entrée (haute de 6 étages) pour aller déguster thé et *scones* sur la terrasse de l'*Intrigue Café.*

🍴 **The Boston Tea Party Ship and Museum** *(plan I, D3, 164) :* Congress St Bridge, carrément à côté de ce pont. ☎ 617-338-1773. ● www.bostonteapartyship.com ● Ⓜ South Station.
Suite à un incendie, le minimusée est fermé jusqu'à la fin 2005, renseignez-vous. Sinon, ouvert de 9 h à 17 h (18 h en juillet-août). Fermé du 1er décembre au 1er mars. Entrée : 8 US$.
Sur les lieux de la célèbre Boston Tea Party, petit musée retraçant l'événement à l'aide de souvenirs et documents. Visite du *Beaver II,* une réplique d'un des bateaux qui furent déménagés. Pas impérissable à notre humble avis.

🚶 🚶 **Boston Children's Museum** *(plan I, D3, 165) :* 300 Congress St (Museum Wharf). ☎ 617-426-8855. ● www.bostonkids.org ● Ⓜ South Station.
Pas loin du précédent. Ouvert de 10 h à 17 h (21 h le vendredi). Entrée : 9 US$, réductions. Le vendredi, de 17 h à 21 h, c'est 1 US$ seulement mais attention, c'est bondé !
De l'avis de beaucoup de mamans et de papas, l'un des musées pour enfants les plus sympas. Jeux, maison japonaise, initiation à l'informatique, etc.

🍴 **Le vieux quartier chinois** *(plan I, C3) :* dans le grand quadrilatère délabré de Beach, Tyler, Essex et Washington St, succession de restos authentiques, gargotes pas chères, boutiques exotiques et bars topless sordides. 8 000 personnes (Chinois, Vietnamiens, Laotiens et Cambodgiens en majorité) habitent ce quartier. Allez-y le matin ou en début d'après-midi, alors que les marchands animent les rues. La nuit, atmosphère un peu interlope et couleurs expressionnistes assurées !

Dans les quartiers de Back Bay, Copley Square et dans l'ouest de la ville

À l'ouest de Boston Common, *Back Bay* est un quartier extrêmement agréable. Vertébré par Beacon St, Commonwealth Ave et Newbury St. Longues et verdoyantes avenues, bordées de superbes maisons victoriennes qui prennent, les soirs d'été, de fascinants tons mordorés, parfois flamboyants. C'est là que vous trouverez les boutiques élégantes, cafés chicos avec terrasses, galeries d'art, etc. En revanche, pratiquement sans transition, le quartier de *Copley Square* et *Boylston Street* nous offre, dans la journée, animation et rythme forcenés ; grands magasins et nouveaux gratte-ciel se disputent l'espace. Trinity Church (entre Boylston St et Saint James Ave), se reflétant dans le plan miroir de la John Hancock Tower, est devenue le symbole des chocs architecturaux de la ville.

🍴 @ **Boston Public Library** *(plan I, B3, 166) :* 666 Boylston St (et Copley Sq). ☎ 617-536-5400. ● www.bpl.org ● Ⓜ Copley. Ouvert du lundi au jeudi de 9 h à 21 h, les vendredi et samedi jusqu'à 17 h, et le dimanche de 13 h à 17 h. Fermé le dimanche de juin à octobre.
La façade intéressera ceux qui connaissent bien le Quartier latin. En effet, les architectes McKim, Mead et White se sont largement inspirés de la bibliothèque Sainte-Geneviève. Sans carte, on ne peut consulter les livres, mais possibilité d'admirer les lions en marbre et les fresques de John Singer Sargent et de Puvis de Chavannes. Très joli patio *(courtyard)* doté d'un bassin. Reposant et rafraîchissant. Idéal pour faire une pause, lire ou casser une petite graine avec les étudiants. On y trouve 16 postes Internet gratuits (utilisation limitée à 15 mn d'affilée).

🚶🚶 *John Hancock Tower* (plan I, B3, 167) : 200 Clarendon St (et Copley Sq). ☎ 617-572-6429. Ⓜ Copley.
Depuis le 11 septembre 2001, ce magnifique édifice, construit par le génial Pei (l'architecte de la pyramide du Louvre), ne se visite plus. Dommage, la vue du 60e étage embrassait toute la ville. On peut toujours y jeter un œil de l'extérieur, en passant. Remarquez l'église Trinity qui se reflète dans la façade de verre bleuté, contraste entre les deux visages de Boston.

🚶 *Skywalk* (plan I, B3, 168) : 800 Boylston St. Au 50e étage de la Prudential Tower. ☎ 617-859-0648. Ouvert tous les jours de 10 h à 22 h. Entrée : 9,50 US$; réductions.
Panorama sur toute la ville ! Et petite exposition pour mieux faire avaler le prix exagéré. Un étage plus bas, un bar-resto archi-plein et cher le soir, mais paisible en fin d'après-midi.

🚶 *Trinity Church* (plan I, B3, 169) : 206 Clarendon St (et Copley Sq). ☎ 617-536-0944. Ⓜ Copley ou Back Bay. Ouvert tous les jours de 8 h à 18 h. Entrée : 4 US$ (si on visite par soi-même ou si on se joint à une tournée guidée). Gratuit pour prier ou assister à une messe, à 11 h le dimanche ; visite guidée gratuite après cette messe.
L'œuvre maîtresse d'Henry Hobson Richardson, terminée en 1877 et largement influencée par le style roman du XIe siècle. Fraîchement rénovée, c'est une des plus belles églises aux États-Unis. Le portail occidental est inspiré de celui de Saint-Trophime d'Arles et le clocher, une libre adaptation de la cathédrale de Salamanque. La décoration intérieure, aussi riche que somptueuse, fut confiée à John La Farge. Quelques vitraux de William Morris également. Un détail amusant : Trinity Church repose sur quelque 2 000 piliers de bois qui doivent rester constamment humides pour leur conservation.

🚶 *First Baptist Church* (plan I, B3, 170) : 110 Commonwealth Ave, à l'angle de Clarendon St. Ⓜ Copley.
Pour les férus d'architecture, l'un des travaux de jeunesse de l'enfant du pays, Henry Hobson Richardson. La frise du haut a été réalisée par Auguste Bartholdi (M. statue de la Liberté).

🚶 *Berkeley Building* (plan I, C3, 171) : 420 Boylston St.
Magnifique édifice de style beaux-arts construit en 1905. Harmonie parfaite de verre, de métal et de terre cuite.

🚶🚶 *Institute of Contemporary Art* (ICA ; plan I, B3, 172) : 955 Boylston St. ☎ 617-266-5152. ● www.icaboston.org ● Ⓜ Hynes/ICA. Ouvert de 12 h (11 h le week-end) à 17 h. Fermé le lundi. Entrée : 7 US$; réductions. Gratuit le jeudi de 17 h à 21 h.
Situé dans une *brownstone* qui faisait office de station de police et de caserne de pompiers au XIXe siècle. Aménagement intérieur très intelligent. Pas de collection permanente mais des expos temporaires de peinture, sculpture, photo, etc. Films, spectacles de danse, théâtre et poésie... Une des clés de la vie culturelle de Boston. Devrait d'ailleurs déménager en 2006 dans un bâtiment 4 fois plus grand, près de l'Aquarium. L'ICA aura alors une collection permanente.

🚶 *Christian Science Church Center* (plan I, B4, 173) : 175 Huntington Ave (et Massachusetts Ave). ☎ 617-450-3790. Ⓜ Prudential. Tours guidés du lundi au samedi de 10 h à 16 h, et le dimanche de 11 h 30 à 14 h. Gratuit. Complexe architectural d'une des congrégations religieuses les plus puissantes du pays. Regroupant son énorme église de style byzantino-Renaissance, son quotidien (le *Christian Science Monitor*), une immense bibliothèque *Mary Baker Eddy Library* et sa grande exposition de cartes (payante), une tour de 26 étages, un amphithéâtre signé, là encore, du grand I. M. Pei.

🚶🚶 *Museum of Fine Arts* (plan I, A4, 174) : 465 Huntington Ave. ☎ 617-267-9300. ● www.mfa.org ● Ⓜ *Green Line* E, station : Museum. Ouvert de

10 h à 16 h 45 (21 h 45 du mercredi au vendredi et 17 h 45 le week-end). Seule la *West Wing* ouvre les jeudi et vendredi de 17 h à 21 h 45. Entrée : 15 US$ pour 2 visites, ticket valable 10 jours ; réductions. Petit rabais également les jeudi et vendredi après 17 h. Plan-guide en français disponible au point d'information du musée. Audioguide à 5 US$ (anglais seulement). Trois restaurants sur place (de la caféт' au resto chic) ; bons rapports qualité-prix dans les trois cas.

L'un des grands musées américains, surnommé « MFA » ; prononcer « em-ef-éé » en insistant sur le « é » pour imiter les bourgeoises bostoniennes qui fréquentent assidûment l'endroit.

Collections asiatique et égyptienne parmi les plus grandes au monde. Art américain de grande importance historique. Collection européenne considérable également. Le tout magnifié par une architecture intérieure particulièrement réussie ; espace, clarté, plaisir de vagabonder dans la lumière, on a tout. Voici quelques points d'orgue :

Au rez-de-chaussée

– **Collections d'arts décoratifs :** art indien, art islamique, art asiatique, art égyptien et du Proche-Orient. Beaux meubles coloniaux, argenterie, vitraux de John La Farge.

– **Peinture contemporaine américaine :** A. G. Dove ; George L. K. Morris ; Sheeler ; Charles Demuth ; *Rose blanche, Crâne de cerf, Patio avec porte noire* de Georgia O'Keeffe ; Stuart Davis ; F. Kline ; Stella...

– **Galerie Foster :** art contemporain.

– **Les symbolistes :** *Le Destin,* merveilleuse palette de verts de Henry S. Mowbray ; *Venise nocturne en bleu* de Whistler ; *Moret* de William L. Pickwell ; magnifiques *Filles d'Edward Darley Boit* de John Singer Sargent, inspirées par Velásquez.

– **Salle des naturalistes :** *Lake George* de Martin J. Heade ; Albert Bierstadt ; délicates couleurs de *Un après-midi d'automne* de Sanford R. Gifford ; Erastus S. Field, qui dépeint la famille de bien curieuse façon.

– **Le XVIIIᵉ siècle :** Copley bien sûr, et son portrait de *Paul Revere,* mais surtout Gilbert Stuart dont on peut admirer les superbes portraits, entre autres les deux célèbres œuvres inachevées : *Martha* et *George Washington* (œuvre partagée tous les 2 ans avec le musée de Washington). Argenterie coloniale, incluant l'ensemble privé de Paul Revere et le célèbre *Liberty Bowl,* un des grands symboles de l'indépendance américaine.

Au 1ᵉʳ étage

– **Salles d'art européen incluant la Koch Gallery :** Corot ; *La Seine, Le Loing* de Sisley ; Signac ; *Madame Augustine Roulin, Ravine* de Van Gogh ; Renoir ; Andrew Wyeth ; Turner ; Andrea Del Sarto ; Hans Memling ; *Sacrifice of the Old Covenant* de Rubens ; Jan Gossaert, dit Mabuse ; Philippe de Champaigne ; Canaletto ; Eugène Boudin ; Toulouse-Lautrec ; Gauguin ; Cézanne...

– **Salle** où l'on va découvrir une succession **de chefs-d'œuvre :** l'école de Barbizon, beaucoup de Millet, Daumier, Thomas Couture ; Corot ; Théodore Rousseau ; Courbet ; *Chasse aux lions* de Delacroix ; Constable ; extraordinaires *Bateau d'esclaves* et *Le Rhin à Schaffhausen* de Turner ; Romney ; Boucher ; Reynolds ; Gainsborough ; *Procession de gondoles* de Guardi ; *San Marco* de Canaletto ; Watteau ; beaux portraits de Greuze ; le célèbre *Pestiférés de Jaffa* du baron Gros ; Tiepolo ; Velásquez ; *Tête de Cyrus* de Rubens ; Frans Hals ; *Vieil Homme en prière* de Rembrandt.

– **Salle espagnole :** Goya ; Zurbarán ; Murillo ; *Sainte Catherine et saint Dominique en prière* du Greco ; *Don Baltazar Carlos* et *L'Infante Marie-Thérèse* de Velásquez.

– **Salle italienne et flamande :** *Le Martyre de saint Hippolyte,* ravissant triptyque ; *La Lamentation* de Lucas Cranach le Vieux ; Carlo Crivelli ; petit triptyque de Duccio ; remarquable *Saint Jérôme, Vierge-Enfant et sainte Catherine de Sienne* de Sano Di Pietro ; retable de B. Vivarini. Reconstitution d'une chapelle catalane de Martin de Soria.

– ***Sydney and Esther Rabb Gallery :*** un ravissement, tout simplement. Difficile de quitter cette salle pourtant peu spacieuse, mais de loin la plus visitée par les touristes, sûrement un peu fiers de retrouver là tous ces noms familiers de nos peintres impressionnistes français et admiratifs devant des toiles pleines de lumière et de fraîcheur ! *Effet du matin, Les Peupliers de Giverny* et *Bungalow de pêcheurs sur les falaises de Varengeville* de Monet ; Degas ; *Madame Cézanne* de Cézanne ; *Le Postier Joseph Roulin* et *Maisons à Auvers* (très expressif) de Van Gogh ; Manet ; Picasso ; Pissarro ; *Neige à Louveciennes* de Sisley ; le fameux tableau *Danse à Bougival* de Renoir ; *Camille Monet et enfant, Les Nénuphars* et *La Japonaise* de Monet encore. *Paysage et deux Bretonnes* et l'universel *D'où venons-nous, que sommes-nous, où allons-nous ?* de Gauguin...

Le MFA est en cours d'agrandissement et de réaménagement. Le tout sera terminé au plus tôt en 2006. D'ici là, l'aile Est du musée est fermée et les œuvres changent régulièrement de salles d'exposition.

🎭🎭🎭 ***Isabella Stewart Gardner Museum*** **(plan I, A4, 175) :** 280 The Fenway. À l'extrémité sud-ouest de Back Bay Fens, près du MFA. ☎ 617-566-1401. ● www.gardnermuseum.org ● Ⓜ *Green Line* E ; station : Museum ; ou bus n° 39. Ouvert du mardi au dimanche de 11 h à 17 h. Fermé le lundi et certains jours fériés. Entrée : 10 US$ (11 US$ le week-end) ; réductions. Audioguide en anglais ou espagnol à 4 US$ (utile car les salles ne comportent pratiquement pas de descriptions). Resto mignon et plutôt bon, dans la cour intérieure.

Un musée, ouvert en 1903, dans un petit palais vénitien : un magnifique patio fleuri à colonnades avec mosaïques, une fontaine vénitienne. Isabella Stewart Gardner parcourut le monde, où partout elle avait un tas de copains célèbres parmi les artistes de l'époque. Cette femme richissime vécut jusqu'à sa mort, en 1924, dans ce palais insensé dont elle avait elle-même dessiné les plans, surveillé la construction et assuré la décoration. À voir donc pour les toiles exceptionnelles qu'envieraient bien des grands musées. Jugez-en : la *Sacra Conversazione* de Mantegna, *L'Assomption de la Vierge* de Fra Angelico, *Comte Tommaso Inghirami* de Raphaël, *La Tragédie de Lucrèce* de Botticelli. Portraits superbes de Holbein. Et puis Dürer, Van Dyck, Rubens. Au 2ᵉ étage, le Tintoret, Guardi, Véronèse, Velásquez, Titien. *Vierge et Enfant* de Botticelli et une admirable *Nativité* de son atelier (ah ! les merveilleux visages !). Portrait de la proprio par John Singer Sargent. Vitrail de la cathédrale de Soissons dans une petite chapelle reconstituée avec des stalles italiennes du XVIᵉ siècle. Dans la *Yellow Room,* Manet, Whistler, Degas, Matisse *(La Terrasse, Saint-Tropez).*

En 1990, trois cambrioleurs déguisés en policiers, après avoir maîtrisé les gardiens, ont dérobé 11 toiles. Parmi les chefs-d'œuvre disparus : *Le Concert* de Vermeer, trois Rembrandt (un autoportrait, *Dame et un Monsieur en noir, Orage sur la mer de Galilée*), cinq Degas (dont *Sortie de pesage, Cortège aux environs de Florence, Trois Jockeys à cheval, Programme pour une soirée artistique*) et *Chez Tortini* de Manet. Et enfin une coupe chinoise en bronze de la dynastie Chang (1200 av. J.-C.). À ce jour, rien n'a été retrouvé. On comprend plus facilement pourquoi ils ne rigolent vraiment pas avec les questions de sécurité.

Dans le sud de la ville

🎭🎭🎭 ***John F. Kennedy Memorial Library and Museum :*** à Colombia Point, dans South Boston, en prenant Dorchester Ave. ☎ 617-929-4500. Assez excentré. Le mieux est d'y aller en voiture (parking gratuit). Sinon, prendre la *Red Line* du métro jusqu'à la station JFK-U Mass. De là, navette gratuite (toutes les 20 mn environ) jusqu'à la *Library*. Ouvert tous les jours de 9 h à 17 h. Dernier film à 15 h 55. Entrée : 10 US$; réduction pour les étudiants et également avec le *pass* des transports publics de Boston.

La bibliothèque rassemble les archives du président assassiné, et un musée est ouvert au public. Dehors, le voilier du président (bizarrement, de taille modeste). Une admirable mise en scène organisée par la dynastie Kennedy, réalisée par I. M. Pei, l'architecte de la pyramide du Louvre.

Passons à la visite : un film d'une vingtaine de minutes, narré par Kennedy lui-même, retrace la jeunesse du mythique Président jusqu'à la convention démocrate de 1960. Ensuite, les 21 salles du musée, toutes reconstituées avec le même souci du détail, prennent le relais de l'histoire jusqu'à son assassinat trois années plus tard. Toutes les étapes de la brève carrière politique de JFK sont représentées : il n'a gouverné que de 1960 à 1963. Films vidéo, photos, lettres et objets personnels : le débat contre Nixon, le bulletin de *NBC News* donnant les résultats de l'élection, l'investiture du président, les projets de la Nasa, les affaires internationales, son célèbre bureau ovale de la Maison Blanche, d'où il prononça bon nombre de discours et qui servait aussi à l'occasion de salle de jeux pour ses enfants. On n'échappe pas au portrait-cliché d'une famille aisée, heureuse et unie (!) qui a tant fait rêver l'Amérique (et qui pourtant cachait quelques failles...) : le mariage avec Jackie, les vacances du « clan » à Hyannis Port (Cape Cod), le président jouant au tennis, le président sur son voilier, Jackie barbotant avec les enfants, etc. Dans la dernière salle, un discours de Bill Clinton (il y a même la photo de Clinton adolescent serrant la pogne de John, espérons que le photographe a été félicité) et un morceau du mur de Berlin illustrant la continuité de la politique de John Kennedy. En revanche, il n'y avait plus de place pour une photo de Marilyn Monroe, pourtant une bonne copine de John et de son frère Robert. Un musée à la fois intéressant et émouvant, dans un cadre magnifique, au bord de l'eau.

🏃🏃 ⚙ *Larz Anderson Auto Museum :* 15 Newton St, à Brookline. ☎ 617-522-6547. ● www.mot.org ● Ouvert du mardi au dimanche de 10 h à 17 h. Fermé le lundi, sauf pendant les vacances et les jours fériés. Entrée : 5 US$; réductions. Situé dans le Larz Anderson Park, à 20 mn du centre en voiture (si tout va bien), par la route 9 W et ensuite Lee St vers le sud qui devient Clyde St. Pour s'y rendre avec les transports en commun. Ⓜ *Green Line* C, descendre à Cleveland Circle ; station de bus proche, prendre le n° 51 (qui ne circule pas le dimanche) et demandez au chauffeur de vous laisser à l'angle de Clyde et Newton St (à 500 m à l'ouest du musée).

Installé dans une réplique du château de Chaumont, ce petit musée possède une superbe collection de voitures anciennes qui comblera de bonheur tous les passionnés. Tous les véhicules exposés sont en parfait état. Le musée retrace aussi l'histoire de la famille Anderson, propriétaire de la collection, et de chacune de ses petites merveilles riches en anecdotes. L'expo, qui change chaque année, s'articule autour d'un thème précis. Une bibliothèque de l'automobile complète enfin ce musée créé par des passionnés pour des passionnés.

À faire

Tours de Boston en bateau

🚤 ⚙ *Boston Harbor Cruises :* 1 Long Warf, sur Atlantic Ave. Ⓜ Aquarium. Renseignements : ☎ 617-227-4321 ou 1-877-733-9425, de 8 h à 17 h. Fonctionne de fin mai à fin septembre. Tarif : 17 US$.

Assez intéressant. Superbe vue du port, visite du Bunker Hill Monument et de son petit musée sur les batailles de l'indépendance, et retour en bateau.

Également, excursions possibles en catamaran pour voir les baleines (dont le site de prédilection est à 90 mn de Boston), participer à des journées de pêche ou aller en ferry sur les îles en face de Boston (voir plus haut la rubrique « Transports sur l'eau » dans les « Adresses utiles »). Départs fréquents.

🚗 🚶 **Boston Duck Tours :** départs tous les jours, toutes les 30 mn environ, devant le Prudential Center, au 790 Boylston St (plan général I, B3). Ⓜ Prudential. Départs également du Museum of Science. D'avril à novembre, de 9 h jusqu'au coucher du soleil. Il faut réserver en été, c'est très souvent complet. Renseignements : ☎ 617-267-DUCK. ● www.bostonduck tours.com ● C'est assez cher : 24 US$; petite réduction pour les étudiants et grosse réduction pour les enfants.
Ce n'est pas dans nos habitudes de conseiller à nos lecteurs un tour guidé à travers une ville, mais celui-là est vraiment spécial. La surprise est que le minibus, à mi-chemin entre une jeep et un canard, est un véhicule amphibie datant de la Seconde Guerre mondiale. Après avoir découvert les principaux intérêts de Boston, big splash dans la Charles River pour 20 mn de croisière (le tour dure environ 1 h 20 en tout). Le chauffeur (et capitaine) laisse les enfants tenir la barre. Un hic néanmoins : chaque fois que le guide fait retentir son klaxon, on est invité à agiter les mains et à faire coin-coin en direction des passants !

Assister à un match de base-ball

🏃 **Boston Red Sox** (dans le Fenway Park, plan I, A3) **:** billetterie à l'angle de Yawkey Way et Van Ness St. Ⓜ Kenmore. Renseignements et achat des tickets : ☎ 1-800-RED-SOX-9, de 10 h à 17 h (et jusqu'à une heure avant les matchs). D'avril à début octobre, les Red Sox de Boston jouent dans le plus vieux et le plus populaire des stades de base-ball américains. Tickets de 12 à 75 US$. Assez difficile d'obtenir des tickets, le plus sûr est d'en réserver à l'avance sur Internet ● www.redsox.com ● On peut aussi simplement visiter le stade et marcher sur son mythique gazon lors de visites guidées qui ont lieu tous les jours, toutes les heures, de 9 h à 16 h durant la saison de base-ball (10 US$; réductions).

Concerts et autres spectacles

L'été, une incroyable diversité de concerts, festivals et fêtes se déroule à Boston. Procurez-vous le Boston Phoenix qui paraît tous les jeudis et est disponible gratuitement dans les boîtes de journaux situées à tous les coins de rue. Vous pouvez compléter avec le Stuff at night, l'Improper Bostonian (gratuits également) ou encore le Boston Globe Calendar (supplément du quotidien Boston Globe, le jeudi aussi). Vous pouvez aussi aller voir sur ● www.artsboston.org ●
– **Tickets de spectacles demi-tarif** pour le jour même aux 2 kiosques Bos-Tix. ☎ 617-723-5181 (message enregistré). Demi-tarif pour les spectacles du jour, aux places invendues, à partir de 11 h ; également des billets plein tarif vendus à l'avance. Un BosTix est situé près de Faneuil Hall, l'autre à Copley Square (à l'angle de Darmouth et Boylston St). Tous les deux sont ouverts du mardi au samedi de 10 h à 18 h, le dimanche de 11 h à 16 h. Fermé le lundi à Faneuil Hall mais ouvert à Copley, de 10 h à 18 h.
– Les groupes les plus prestigieux se produisent à Boston l'été. La **liste des concerts du mois** est affichée sur le kiosque à journaux, juste à la sortie de la station de métro Harvard. On peut acheter les billets dans le kiosque.
🎵 Nombreux **concerts dans la rue l'été**, gratuits, principalement à Downtown Crossing, Faneuil Hall et Harvard Square. À Faneuil Hall, il n'est pas

rare non plus de voir des pianos à roulettes ou des vibraphones accompagnant des clowns, des magiciens ou tout simplement des chanteurs. À Copley Square, en juin et septembre, concerts de musique classique le jeudi à l'heure du déjeuner et en juillet-août, concerts de jazz le jeudi aussi, à partir de 17 h 30. Sur la Charles River Esplanade (à la station Charles MGH de la *Red Line*), concerts gratuits plusieurs soirs par semaine de fin juin à mi-septembre. Renseignements et programme dans les journaux cités ci-dessus. Bref, pas de quoi s'ennuyer, même quand on est fauché.

♪ Pour le pied, gratuit, rôdez dans les sous-sols de **Berklee College of Music,** conservatoire de musique situé au 136 Massachusetts Ave (angle Boylston) ☎ 617-266-7455. ● www.berkleebpc.com ● Ⓜ Hynes/ICA. Vingt salles différentes pour tous les goûts. Du *bluegrass* au *free jazz*. Au Berklee College of Music également, profs et étudiants donnent des concerts de jazz gratuits ou pour un prix modique (8 US$; et seulement 1 US$ pour qui séjourne à l'AJ officielle...).

♪ Enfin, pour nos amis mélomanes, comment ne pas évoquer le **Boston Symphony Hall** *(plan I, B4)*, au 301 Massachusetts Ave ans le Fenway. Renseignements et réservations : ☎ 617-266-1492. ● www.bso.org ● Ⓜ Symphony. Le Symphony Hall jouit d'une des meilleures acoustiques du monde et possède deux formations mondialement réputées : le *Boston Symphony Orchestra* et le *Boston Pops* au répertoire gai, léger, inspiré des comédies musicales de Broadway et des musiques de films. Le *Boston Symphony Orchestra* joue à Boston de fin septembre à début mai. Tickets entre 27 et 105 US$. On peut réserver des tickets via Internet (frais de 5 US$ par ticket). Plusieurs moyens de se procurer des tickets à prix réduits : au *Box Office* du 301 Massachussetts Ave (à l'entrée du *BSH*), 8 US$ (un seul billet par personne !)

le jour même *(rush tickets)* les mardi et jeudi à partir de 17 h pour le concert de 20 h ; à 10 h le vendredi pour la représentation de 13 h 30. On peut assister à une répétition ouverte au public (souvent à 10 h 30, parfois à 19 h 30), cela a lieu une à 4 fois par mois et les tickets – 16 US$ – peuvent être réservés à l'avance. L'été, le *BSO* est à Tanglewood (dans les Berkshires) et joue en plein air. Grandiose ! Les Boston Pops, qui jouent de mai à début juillet, sont très prisés par les Bostoniens : il faut dire que l'atmosphère y est vraiment unique, très décontractée. Le public applaudit quand cela lui chante, sans retenue, et acclame les standards.

♪ Les Pops donnent des concerts gratuits la 1re semaine de juillet dans la **Hatch Shell,** sur Charles River Esplanade. Bain de foule garanti, surtout le 4 juillet, mais quelle ambiance !

– Un dernier truc, gratuit : **Shakespeare on the Common,** ☎ 617-532-1252. ● www.commonwealthshakespeare.org ● Chaque année, pendant environ 15 jours (de mi-juillet à début août), une pièce de Shakespeare est jouée plusieurs soirs par semaine dans le jardin du *Boston Common*. Des milliers de Bostoniens s'installent sur la pelouse, munis d'un pique-nique et de couvertures. Vraiment sympa.

Achats

⊛ **Filene's Basement** *(plan I, C2, 210)* **:** 426 Washington St. ☎ 617-542-2011. Ⓜ Park St ou Downtown Crossing. Ouvert de 9 h 30 (9 h le samedi) à 20 h et le dimanche de 11 h à 19 h. Au sous-sol du grand magasin *Filene's*. Le *Basement* est le plus grand magasin de soldes du

monde ! Avec ses 80 et quelques années d'existence, il est devenu l'un des must de Boston. Sur 2 niveaux, dans un décor minable, une immense caverne d'Ali Baba où s'entassent vêtements pour hommes, femmes et enfants (les griffes sont parfois prestigieuses : *Ralph Lauren,*

Cerruti, Armani, Ann Taylor...), chaussures, objets de déco, fourrures et même robes de mariée. Le concept est original : les articles subissent chaque semaine un rabais supplémentaire. Regardez donc la date sur les articles : plus ils sont longtemps en magasin et moins ils sont chers. Au bout d'un mois environ, si le vêtement n'a toujours pas été vendu, il est donné à un organisme de charité.

@ *Designer Shoe Warehouse* (DSW ; plan I, C2, *212*) *:* 385 Washington St. ☎ 617-556-0052. Ⓜ Downtown Crossing. Ouvert du lundi au samedi de 10 h à 20 h et le dimanche, de 11 h à 18 h. Dans 2 gigantesques salles, sur 2 niveaux, des centaines et des centaines de chaussures de marque à 25 ou 50 % de leur prix initial. Collections de *DKNY, Guess, New Balance...* (pour n'en citer que quelques-unes) sont exposées ici et là, non par marque mais par genre, ce qui est bien plus astucieux.

@ *Rand Mac Nally* (plan I, D2, *213*) *:* 84 State St (angle Merchants Row). ☎ 617-720-1125. Ⓜ State. Ouvert du lundi au vendredi de 9 h à 18 h, le samedi de 10 h à 18 h et fermé le dimanche. Toutes les cartes et atlas *Rand Mac Nally*, ainsi

qu'un tas de guides. Également un rayon d'objets et accessoires liés au voyage. Un seul défaut : ils n'ont pas le *GDR* !

@ *Borders* (plan I, C2, *214*) *:* 1024 School St. ☎ 617-557-7188. Ⓜ State (la sortie de l'*Orange Line* donne directement sur la librairie), Park St ou Government Center. Ouvert du lundi au vendredi de 7 h à 21 h, le samedi de 8 h à 21 h et le dimanche de 10 h à 20 h. Appartient à une grande chaîne de librairies américaine, mais cette antenne est très agréable. Immense bâtiment en verre sur 2 étages qui vend bouquins, CD et magazines. À mi-étage sur le côté, un café pour se détendre. Dehors, plein de bouquins à prix réduits.

@ *Brattle Book Shop* (plan I, C2, *215*) *:* 9 W St. ☎ 1-800-447-9595. ● www.brattlebookshop.com ● Ⓜ Park St. Ouvert du lundi au samedi de 9 h à 17 h 30 (19 h du jeudi au samedi de mi-mai à début septembre). L'endroit rêvé pour chercher un bouquin épuisé, une 1re édition, un livre rare... Pas mal de livres exposés dehors, sympa de se balader dans les rayons aussi bien à l'intérieur qu'à l'extérieur.

➤ *DANS LES ENVIRONS DE BOSTON*

CAMBRIDGE

🎭🎭🎭 Séparée de Boston par la Charles River et d'accès facile par le métro (*Red Line* du T), Cambridge est une étape obligée de votre passage à Boston. Beaucoup d'universités, dont les très fameux *Harvard University* et le *Massachusetts Institute of Technology (MIT),* et donc, beaucoup d'étudiants et tout ce qui va avec : restos pas chers, cafés, bars, *bookstores,* disques d'occasion, boutiques sympas, etc. Pour ne rien gâcher, des musées qui valent le détour et de la musique live dans la rue (à Harvard Square). Vous pouvez aussi vous balader sur les belles avenues bordées de demeures coloniales et le long de la Charles River où de nombreux rameurs s'entraînent quand le temps le permet.

Adresses utiles

🅸 *Harvard University Information Center* (plan II, E5, *13*) *:* 1350 Massachusetts Ave, Holyoke Center. ☎ 617-495-1573. Ⓜ Harvard Sq. Ouvert du lundi au samedi de 9 h à

17 h (19 h de juin à septembre). Demander la brochure en français, très bien faite, intitulée *Le Guide pédestre de Harvard Yard* (1 US$). Ils proposent un truc très sympa :

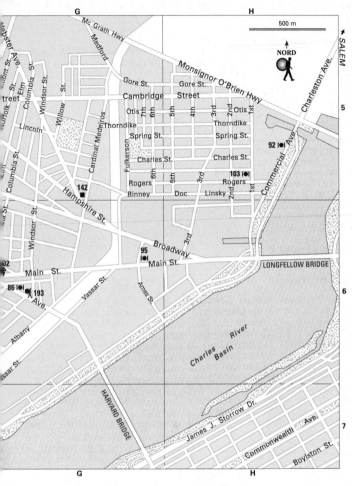

BOSTON – PLAN II (CAMBRIDGE)

138 Grendel's Den
139 Middle East Restaurant & Nightclub
140 John Harvard's Brew House
141 Shay's Pub and Wine Bar
143 Cantab Lounge
144 The Good Life

■ Où aller au cinéma ?

135 The Harvard Film Archive

137 The Brattle Theatre
142 The Kendall Square Cinema

🎥 À voir

135 Carpenter Center for the Visual Arts
188 Harvard University
189 Harry Elkins Widener Memorial Library
190 Memorial Hall for the Civil War
191 Fogg Art Museum

192 Arthur M. Sackler Museum
193 MIT Museum
194 Memorial Church
195 Museum of Natural History

🛍 Achats

217 The Globe Corner Bookstores
218 Harvard Cooperative society (COOP)
219 Urban Outfitters
220 Leavitt and Peirce

visiter le campus avec un étudiant. Très souvent, plein d'anecdotes amusantes sur l'histoire du campus et de chacun de ses bâtiments. Pendant l'année universitaire (de septembre à fin mai), visites gratuites (durée : 1 h environ) du lundi au vendredi à 10 h et 14 h et le samedi à 14 h. De juin à fin août, visites à 10 h, 11 h 15, 14 h et 15 h 15 du lundi au samedi ; à 13 h 30 et 15 h le dimanche.

🛈 *Cambridge Information Booth* *(plan II, E5, 14)* : kiosque sur Harvard Sq, en face de la sortie de métro. ☎ 617-441-2884. Ouvert du lundi au samedi de 9 h à 17 h et le dimanche de 13 h à 17 h. Pas mal d'infos, incluant des cartes détaillées du campus à 25 cents.

@ *Kinko's (plan II, E5)* : 1 Mifflin Pl.

☎ 617-497-0125. ● www.kinkosboston.com ● Ⓜ Harvard Sq. Ouvert tous les jours, 24 h/24. Ici, on peut photocopier, envoyer des fax, faire imprimer mais aussi se connecter à Internet. Le prix de la connexion est de 20 cents/mn.

■ *Location de voitures : Americar Auto Rental (plan II, F5, 16)* : 251 Prospect St. ☎ 617-776-4640 ou 1-800-540-4642. ● www.americarauto.com ● Ⓜ Central Sq. Ouvert en hiver de 8 h à 18 h 30 (17 h 30 les mardi, mercredi et vendredi et 14 h le samedi). Fermé le dimanche. L'été, c'est généralement ouvert de 8 h à 20 h. Voitures à louer à la journée à partir de 35 US$, 150 miles inclus dans le prix. Ils peuvent même vous apporter votre voiture au métro Central Sq.

Où manger ?

Bon marché

|●| *Mr Bartley's Burger Cottage (plan II, E5, 82)* : 1246 Massachusetts Ave, entre Quincy et Bow St. ☎ 617-354-6559. Ⓜ Harvard Sq. Ouvert du lundi au samedi de 11 h à 21 h. Fermé le dimanche. Compter 12 US$ avec une boisson. Les meilleurs hamburgers de Boston depuis près de 40 ans. Dans un agréable cadre en bois, un peu farfelu, où les tables sont collées pour plus de convivialité, on vous sert un nombre incroyable de burgers délicieux, portant les noms de célébrités avec une viande de 2 cm d'épaisseur, cuite comme vous le désirez. Un des must de Boston. Si vous n'aimez pas les burgers, il y a des *Boston baked beans*. Service sympa.

|●| *Campo de Fiori (plan II, E5, 81)* : Holyoke Center Arcade, 1350 Massachusetts Ave. ☎ 617-354-3805. Ⓜ Harvard Sq. À deux pas du centre d'info de Harvard U. Ouvert du lundi au vendredi de 8 h à 19 h et le samedi de 11 h à 18 h. Fermé le dimanche. De 6 à 12 US$, plat et boisson à 6 US$ le midi. Dans le passage de l'Holyoke Center, quelques tables ont été disposées pour les lunchs rapides. Si vous préférez manger ailleurs (par exemple sur la terrasse de *Au Bon Pain,* juste à l'entrée de la Galerie) précisez simplement « *to go* ». Les pizzas hyperfines ou les sandwichs qu'ils font ici sont à base de *pane romano,* une pâte à pain dorée et croustillante à souhait. Quelques assiettes de pâtes également au tableau, tout aussi appétissantes. Une particularité : des portions de différentes tailles. Une petite halte rapide à ne pas manquer.

|●| *Border Café (plan II, E5, 94)* : 32 Church St, à l'angle de Palmer St. ☎ 617-864-6100. Ⓜ Harvard Sq. Ouvert de 11 h à minuit (1 h les vendredi et samedi), mais le bar ferme à 23 h tous les jours. Resto mexicain vraiment bon marché : autour de 15 US$ pour un plat copieux et une bonne *margarita*. Déco et ambiance chicanos garanties. La quantité est ici à la hauteur de la qualité. Toujours beaucoup de monde dans ce repaire d'étudiants.

|●| *Hi-Rise Bread Company (plan II, E5, 84)* : 56 Brattle St. ☎ 617-492-3003. Ⓜ Harvard Sq. Ouvert de 8 h 30 (9 h le week-end) à 17 h. De 6 à 12 US$. Une bonne sélection de sandwichs, de salades et de soupes affichée au grand tableau noir derrière le comptoir. La popu-

lation ici se résume avant tout à des étudiants qui, entre deux cours, viennent apaiser leur faim. Quand il fait beau, tables et chaises sont à votre disposition dans la petite cour donnant sur Brattle St. Succursale (un peu excentrée) au 208 Concord Ave, angle Huron Ave. ☎ 617-876-8766 ; ouvert de 8 h à 20 h (17 h le samedi et 15 h le dimanche). On peut les voir à l'œuvre, en train de fabriquer leur pain.

|●| *Miracle of Science Bar + Grill* (plan II, G6, *86*) : 321 Massachusetts Ave (angle State Ave). ☎ 617-868-2866. Ⓜ Central Sq. Ouvert de 11 h 30 (12 h le dimanche) à 1 h. Excellent hamburger autour de 7 US$ et autres plats dans le même ordre de prix. À deux pas du MIT, mais assez loin du métro. Ici, pas de machines dingues ou de professeur Nimbus, mais beaucoup d'étudiants dans ce bar-resto triangulaire assez branché. Décor de brique et de bois,

bons petits plats pas chers inscrits sur une ardoise au mur. Le soir, pas mal de bruit et d'ambiance.

|●| *Mary Chung* (plan II, F6, *96*) : 464 Massachusetts Ave. ☎ 617-864-1991. Ⓜ Central Sq. Ouvert de 11 h 30 à 22 h (23 h les vendredi et samedi). Fermé le mardi. Compter aux alentours de 12 US$. Dans un décor sans charme, bon resto chinois mandarin fréquenté par des étudiants et des *computer geeks* (comprendre informaticiens). Le week-end en revanche, c'est en famille que les Chinois s'y pressent pour le brunch dominical. Le service est en général rapide... quand on ne vous oublie pas ! N'hésitez pas à poser des questions sur le menu qui, comme dans tout bon resto chinois, s'étale sur plusieurs kilomètres. Une de leurs spécialités, les *dun dun noodles,* servies avec une délicieuse *peanut chili sauce.*

Prix moyens

|●| *Bertucci's* (plan II, E5, *97*) : 21 Brattle St. ☎ 617-864-4748. Ⓜ Harvard Sq. Ouvert de 11 h (12 h le dimanche) à 22 h (23 h les vendredi et samedi). Pizzas aux alentours de 12 US$, très bon rapport qualité-prix le midi (pâtes et salade pour 8 US$). Vin au verre à 5 US$, ce qui est bien ; mais Coca à 2 US$, nettement moins bien. Plus de 20 adresses de cette chaîne à Boston et dans sa banlieue. Plus de 20 sortes de pizzas à déguster sur place ou à emporter à des prix raisonnables. On peut également composer celle de son choix. Pâtes et autres assiettes à la carte. Pour vous mettre en appétit, une corbeille de petits *rolls* chauds arrive sur votre table une fois que vous êtes enfin assis. Une pizza pour deux est largement suffisante. Cette chaîne qui a envahi la côte Est des États-Unis connaît un grand succès. C'est toujours un plaisir d'y aller, malgré le bruit et, souvent, la queue.

|●| *Baraka Cafe* (plan II, F6, *87*) : 80 Pearl St. ☎ 617-868-3951. Ⓜ Central Sq. Ouvert du mardi au samedi de 11 h 30 à 15 h et de 17 h 30 à

23 h. Le dimanche, ouvert le soir seulement. Fermé le lundi. À 10 mn à pied du métro. Plats de 10 à 17 US$. Ici, c'est avant tout une histoire de famille et de femmes. Grand-mère, mère, fille, tante... toutes mettent la main à la pâte. L'attente peut être longue, car le resto ne compte que 18 (petits) couverts. Les plats sont plutôt réussis, même si les couscous sont un peu trop adaptés au goût américain. Jusque récemment, on pouvait venir avec sa bouteille de vin, la maison n'ayant pas la licence pour en vendre. Mais comme certains mauvais esprits les ont dénoncés, il est désormais interdit d'arriver avec sa propre bouteille. Très bons souvenirs de cette soirée... N'accepte pas les cartes de paiement.

|●| *Pho Pasteur* (plan II, E5, *88*) : 35 Dunster St. ☎ 617-864-4100. Ⓜ Harvard Sq. Ouvert tous les jours de 11 h à 22 h (23 h les jeudi, vendredi et samedi). Voir à Boston « Où manger ? » dans le coin de Back Bay. La même maison que celle de Newbury St à l'intérieur du mini-*mall The Garage.* Beaucoup de monde pour le déjeuner.

Chic

|●| **Redbones Barbecue** (hors plan II par E5, 98) : 55 Chester St. ☎ 617-628-2200. Ⓜ Davis Sq. Ouvert de 11 h (12 h le dimanche) à 0 h 30. Compter autour de 18 US$ pour un dîner. Dans une ambiance de formica et de nappes en papier, on mange ici les meilleurs barbecue ribs (façon Arkansas, Memphis, Texas...) de Boston. On vous conseille l'assiette Combo Belt, qui en est un mélange de différentes sortes. Bien entendu il y a beaucoup de monde, on fait la queue et c'est bruyant, mais ne passez pas à côté, ce serait vraiment dommage ! Au fait, ne mettez pas votre plus belle chemise pour aller dîner, ça se mange plutôt salement...

Très chic

|●| **Papa Razzi** (plan II, H5, 92) : 100 Cambridge Side Pl. ☎ 617-577-0009. Ⓜ Lechmere. Ouvert de 11 h 30 à 22 h (23 h les vendredi et samedi). Voir à Boston dans « Où manger ? » à Back Bay et Kenmore. Environs moins sympas qu'à Boston, puisque l'on est presque à l'intérieur du « Galleria Mall ».

|●| **Legal Seafoods** (plan II, G6, 95) : 5 Cambridge Center. ☎ 617-864-3400. Ⓜ Kendall Sq. Ouvert de 11 h (12 h le week-end) à 22 h (23 h le week-end). Voir à Boston dans « Où manger ? » dans le centre et à N End. Même maison qu'à Boston, même politique, rien à craindre donc.

|●| **Helmand** (plan II, H5, 103) : 143 First St. ☎ 617-492-4646. Ⓜ Kendall Sq ou Lechmere. Ouvert de 17 h à 22 h (23 h les vendredi et samedi). Compter environ 20 US$. Spacieuse salle très chaleureuse : couleurs vives, odeur de feu émanant de la grande cheminée et fauteuils tout confort. Bonne cuisine afghane très parfumée, aux touches de cardamome, coriandre et cannelle... Une fois assis, une petite corbeille de pain maison vous attend sur la table ainsi que 2 sauces succulentes : l'une au yoghourt, l'autre plus pimentée, à la tomate et à la coriandre. Beaucoup d'agneau à la carte, mais aussi du bœuf ou encore des assiettes végétariennes. Tout y est très bon, mais on a une légère préférence pour l'agneau.

Où boire un café ou un chocolat chaud ?
Où manger une glace ?

|●| 🍸 **Starbucks Coffee** (plan II, E5, 89) : 36 JFK St, au rez-de-chaussée du centre commercial The Garage. ☎ 617-492-4881. Ⓜ Harvard Sq. Ouvert de 6 h 30 (7 h 30 le week-end) à 22 h. Autour de 5 US$. Les Starbucks sont au café ce que les Gap sont aux fringues, ils ont essaimé partout et c'est plutôt un succès. Bonne odeur d'espresso flottant dans l'air et décor agréable. Possibilité de grignoter des petites choses accompagnant le café. Le seul problème, c'est qu'il n'y a pas beaucoup de place dans la plupart des antennes de cette chaîne pour la foule qui s'y presse ! Vous en trouvez à tous les coins de rue dans Boston et Cambridge.

|●| **Tealuxe** (plan II, E5, 99) : Brattle St. ☎ 617-441-0077. Ⓜ Harvard Sq. Ouvert de 8 h à 23 h (22 h 30 le dimanche). Voir à Boston dans « Où prendre un petit déjeuner ? ». Premier emplacement de Tealuxe avant que celui de Boston ne soit créé. Pas de sandwichs ici, seulement des pâtisseries.

|●| 🍸 **Burdick's Chocolate** (plan II, E5, 100) : 52 Brattle St. ☎ 617-491-4340. Ⓜ Harvard Sq. Ouvert du mardi au samedi de 8 h à 23 h (22 h les dimanche et lundi). Autour de 4 US$ le chocolat chaud. Si vous franchissez la porte de ce mignon salon de thé, c'est principalement pour le chocolat chaud fait maison,

délicieux mais assez lourd. Vous pouvez le choisir *dark* ou *white*, c'est-à-dire plus ou moins parfumé, et l'accompagner d'un *chocolate croissant* ou d'une autre pâtisserie. Choix de cafés et thés pour les *non-addicts* au *homemade chocolate*. Vous pouvez repartir avec des paquets de leur chocolat en poudre, puisqu'ils ont mis en vente leur mélange de génie. Un petit conseil : si vous venez en plein hiver, évitez les tables près de la porte, sujettes aux courants d'air.

♦ *Herrell's Ice Cream (plan II, E5, 93)* : 15 Dunster St (entre Massachussetts Ave et Mount Auburn St). ☎ 617-497-2179. Ⓜ Harvard Sq. Ouvert tous les jours de 12 h (11 h en été) à minuit avec, en été, une pointe jusqu'à 1 h les vendredi et samedi. Une autre adresse dans Newbury St, à Boston (voir « Où boire un café ? Où manger une glace ? »). Moins de 5 US$. Le roi du *frozen yogurt* à Harvard. Au fil des années, il a ajouté à la liste de bons vieux *ice-creams,* des glaces *low-fat* et des purées de bonbons, *nuts* et fruits secs mélangés aux différents parfums. Savoureux choix comme la *malted vanilla,* 100 % *ice-cream*. C'est-à-dire que c'est bien sucré et crémeux à souhait. En gros, pas très fin mais c'est une expérience à ne pas louper.

♦ *Toscanini's (plan II, G6, 102)* : 899 Main St. ☎ 617-491-5877. Ⓜ Central Sq. Ouvert tous les jours de 8 h à 23 h. Moins de 5 US$ ici aussi. *Herrell's* et *Toscanini's* se partagent la 1re place en matière de glace depuis plusieurs années. Succursale à Harvard (1310 Massachussetts Ave, ☎ 617-354-9350).

Où boire un verre ? Où sortir ?

– D'abord, il y a toujours une sacrée animation tout autour de *Harvard Square* : restos, cafétérias étudiantes, pubs, etc.

🍸 ♪ *Middle East Restaurant & Nightclub (plan II, F6, 139)* : 472-480 Massachusetts Ave. ☎ 617-492-4515. ● www.mideastclub.com ● Ⓜ Central Sq. Ouvert de 10 h à 1 h (2 h du jeudi au samedi) ; à partir de 18 ans. Pour accéder à la salle, traversez tout le restaurant, c'est au fond, à l'étage. Mais vous pouvez aussi entrer du côté de Brookline St. Cette boîte est devenue, au fil des années, la meilleure boîte de musique live de Cambridge et de Boston réunis, faisant dans tous les genres, de la danse du ventre au rock alternatif. Un paradis des moins de 25 ans. Belle programmation de groupes (souvent d'avant-garde) dans 4 salles, tous les soirs aux alentours de 22 h ; téléphoner ou voir le site Internet pour infos. Fait aussi resto proche-oriental, à côté, potable, mais sans plus.

🍸 ♪ *Ryles Jazz Club (plan II, F5, 136)* : 212 Hampshire St (et Inman Sq). ☎ 617-876-9330. ● www.rylesjazz.com ● Ⓜ Central Sq. Un peu loin du métro. Ouvert de 19 h à 1 h (2 h les vendredi et samedi) et le dimanche de 10 h à 15 h. Fermé le lundi. L'une des meilleures boîtes de jazz que l'on connaisse. Les grands noms du jazz y jouent en live dans un chouette cadre, de même que de nombreux musiciens locaux. Mais on y danse aussi la salsa et la *merengue* à l'étage tous les jeudis (cours de 20 h 30 à 21 h 15, danse ensuite jusqu'à 1 h) et le swing le samedi ; *cover* de 15 US$ dans les 2 cas. Brunch le dimanche au son du jazz. Assez populaire.

🍸 *Grendel's Den (plan II, E5, 138)* : 89 Winthrop St. ☎ 617-491-1160. Ⓜ Harvard Sq. Ouvert de 11 h 30 (16 h le dimanche) à 1 h. Bar qui fait également resto. Les prix sont très abordables avec des plats genre cuisine de pub autour de 10 US$. *Happy hours* tous les soirs de 17 h à 19 h 30 (la nourriture est alors à moitié prix avec une consommation). En matière de bar, c'est une institution de Harvard Square. Clientèle jeune et bien-pensante. Beaucoup de monde et beaucoup de bruit, mais beaucoup d'ambiance aussi. Bonne sélection de bières pression.

▼ John Harvard's Brew House *(plan II, E5, 140)* **:** 33 Dunster St. ☎ 617-868-3585. Ⓜ Harvard Sq. Ouvert de 11 h 30 à 1 h (2 h du jeudi au samedi). La 1re brasserie licenciée par les puritains en 1636. C'est le pasteur John Harvard, reconnu pour sa qualité de brasseur, qui lui a donné son nom. Une fois descendues quelques marches, on se retrouve dans une belle salle spacieuse où fourmille une clientèle éclectique. Bonnes bières brassées sur place et nourriture de pub au-dessus de la moyenne (autour de 15 US$ pour un repas complet). Haut niveau sonore et ambiance garantie (si l'on exclut le calme légendaire du dimanche soir).

▼ ♪ Cantab Lounge *(plan II, F6, 143)* **:** 738 Massachusetts Ave. ☎ 617-354-2685. Ⓜ Central Sq. Ouvert de 8 h (12 h le dimanche) à 1 h (2 h du jeudi au samedi). Maison de Joe Cook, toujours propriétaire à plus de 80 ans ! La famille de Joe aimerait bien qu'il arrête de mener ce train de vie infernal, mais comment décevoir une clientèle d'habitués fidèles au patron, lui-même une légende de la musique locale ? Grand bar au rez-de-chaussée et piste de danse au sous-sol : poésie, humour et concerts de blues du jeudi au samedi. Tous les lundis : folk, et les mardis : *bluegrass*. Beaucoup d'ambiance dans ce bar-boîte où l'on viendra vous déloger pour danser si vous restez assis sur votre chaise trop longtemps.

▼ Shay's Pub and Wine Bar *(plan II, E5, 141)* **:** 58 John F. Kennedy St. ☎ 617-864-9161. Ⓜ Harvard Sq. Ouvert tous les jours de 11 h (12 h le dimanche) à 0 h 45 environ. Bière à partir de 4 US$ et bon choix de sandwichs, burgers autour de 7 US$. Seize vins au verre. L'intérieur est petit et si vous n'êtes pas fana du « debout, serrés les uns contre les autres », préférez la terrasse. En plus, chez les puritains de la Nouvelle-Angleterre, les terrasses où l'on peut siroter une bière ne sont pas si courantes. Eh oui, dans le Massachusetts en tout cas, il est interdit de boire de l'alcool dehors s'il n'y a pas de périmètre bien délimité réservé à cet effet. Profitez donc bien de celle-ci en vous mélangeant à la population plutôt étudiante de l'établissement.

▼ The Good Life *(plan II, F6, 144)* **:** 720 Massachusetts Ave. ☎ 617-868-8800. Ⓜ Central Sq. Autre adresse du *Good Life* de Boston. Ouvert tous les jours de 11 h 30 (17 h le weekend) à 1 h. *Live jazz* du jeudi au samedi soir, à partir de 21 h. Un des meilleurs *lounges*, pour son ambiance, son confort et la qualité de ses concerts de jazz.

Où aller au cinéma ?

■ The Brattle Theatre *(plan II, E5, 137)* **:** 40 Brattle St. ☎ 617-876-6837. Ⓜ Harvard Sq. Un seul écran. Entrée adulte : 9 US$ (7,50 US$ l'après-midi). Vieux théâtre transformé aujourd'hui en salle de ciné. Toujours au programme : vieux films étrangers, documentaires et classiques américains. Nombreux festivals, assez originaux. La salle n'est pas très confortable et, même en plein été, il y fait frisquet (clim' oblige !). Couvrez-vous !

■ The Harvard Film Archive *(plan II, E5, 135)* **:** 24 Quincy St. ☎ 617-495-4700. Ⓜ Harvard Sq. Situé sur le campus, dans le *Carpenter Center for the Visual Arts* (signé Le Corbusier), entre les rues Broadway et Harvard, à côté du Fogg Art Museum. Entrée : 8 US$; réductions. Cette salle à écran géant peut accueillir jusqu'à 220 personnes. À l'affiche : des chefs-d'œuvre du monde entier, du cinéma soviétique muet aux films de Buster Keaton des années 1930.

■ The Kendall Square Cinema *(plan II, G5, 142)* **:** 1 Kendall Sq. ☎ 617-499-1996. Ⓜ Kendall Sq ou Lechmere. À 5-10 mn à pied des métros. Entrée adulte : 9,25 US$,

6,50 US$ l'après-midi. Ouvert en 1995, ce ciné présente une bonne programmation de films étrangers et indépendants, ce qui n'est pas toujours le cas dans les cinés américains. Salles confortables avec grands écrans et son dolby stéréo.

À voir

※※※ Il faut absolument visiter **Harvard University** *(plan II, E5, 188)*, la plus ancienne et la plus célèbre du pays, celle qui a engendré plus de prix Nobel et de présidents que n'importe quelle autre. Le cadre est magnifique (pour se joindre à une tournée gratuite, voir **Harvard University Information Center** dans « Adresses utiles »). Avant la dernière guerre, il était fréquent de voir des étudiants s'installer avec leur valet personnel, qui les servait jusqu'au réfectoire. En ce qui concerne la statue très célèbre de J. Harvard au milieu du campus, il est intéressant de savoir que l'usage l'a surnommée « la statue des trois mensonges ». Le 1er est que J. Harvard ne fonda pas l'université, il se contenta de la développer substantiellement. Ensuite, il semblerait que la date soit fausse. Le 3e mensonge réside dans le modèle qui ne fut pas J. Harvard, mais un brave inconnu.

On apprend aussi qu'il en coûte en moyenne 40 000 US$ par an pour étudier à Harvard, que les étudiants sans le sou sont subventionnés presque entièrement par l'université et que l'admission est conditionnée en bonne partie par les activités parascolaires, car Harvard veut des leaders, des passionnés.

※※ **Harry Elkins Widener Memorial Library** *(plan II, E5, 189)* : ☎ 617-495-2411. La bibliothèque d'Harvard est la plus grande du monde, avec plus de 4 millions de livres. La milliardaire qui a fait don de son argent pour faire construire cette bibliothèque a posé deux conditions, à savoir : qu'on n'en déplace jamais une brique (ce qui n'est pas évident quand on veut l'agrandir ; il a fallu déjà construire une passerelle qui passe par une ancienne fenêtre) ; que tous les étudiants entrant à Harvard sachent nager (ce qui n'est plus obligatoire). La raison ? Son fils est mort sur le *Titanic*... Au 1er étage, une des 200 premières bibles de Gutenberg (il n'en reste que 22 au monde) et la 1re édition réunissant les œuvres complètes de Shakespeare (1623), sans laquelle au moins 17 pièces n'auraient jamais été connues et auraient disparu. Malheureusement, ceux qui n'ont pas la chance d'être étudiants à Harvard ne sont plus admis dans la bibliothèque. Les universitaires de partout dans le monde peuvent toutefois faire une demande de recherche sur place.

※ **Memorial Church** *(plan II, E5, 194)* : en face de la bibliothèque. Ouvert tous les jours de 9 h à 16 h (messes à 10 h), sauf pendant les vacances. Église construite en souvenir des diplômés d'Harvard morts pendant les Première et Seconde Guerres mondiales. Plaques commémoratives.

※ **Memorial Hall for the Civil War** *(plan II, E5, 190)* : à 500 m de Harvard Square. Ressemble à une église. Une partie était un réfectoire, réservé aux étudiants d'Harvard, l'autre est subdivisée en petites salles de style vieillot où l'on donnait des cours. On y trouve les noms de tous ceux qui sont morts pour la préservation de l'Union (uniquement les noms des gens du Nord, bien entendu !), ainsi que quelques vitraux exécutés par les écoles de La Farge et Tiffany. Les marches extérieures forment la scène célèbre des graduations.

※※※ **Fogg Art Museum** *(plan II, E5, 191)* : 32 Quincy St (et Broadway). ☎ 617-495-9400. ● www.artmuseums.harvard.edu ● Vers la bibliothèque de l'université, tout près de Harvard Square. C'est la collection privée de Harvard. Très beau musée construit sur le modèle d'un cloître. Ouvert du lundi au samedi de 10 h à 17 h et le dimanche de 13 h à 17 h. Visites guidées du musée à 11 h. Fermé pendant certaines vacances scolaires. Ticket d'entrée (6,50 US$; réductions) valable aussi pour le Arthur M. Sackler Museum et le Busch-Reisinger Museum.

Magnifique collection de primitifs religieux dont une *Crucifixion* de Fra Angelico et *Saint Jérôme, saint Jean et saint Ansanos dans le désert* de Fra Diamante. Superbe *Saint Jérôme* de Ribera. Les Hollandais : paysages de Ruysdael, *Portrait d'un vieil homme* de Rembrandt. Adorable et lumineuse *Adoration des bergers* d'un certain Adam Colonia.

Au 1er étage : Géricault, Ingres, Delacroix, Corot, Fragonard, Gauguin, des toiles de grande qualité. Intéressants artistes américains comme Copley, Whistler (*Nocturne en gris et or* et magnifique *Harmonie en gris et pêche*), Bierstadt (très beaux paysages), John Singer Sargent *(Le Petit Déjeuner)*, Ellsworth Kelly, Jasper Johns, Jackson Pollock...

Enfin, plein de merveilleux impressionnistes.

Dans le *Busch-Reisinger Museum* (une autre aile du musée principalement consacrée à la peinture allemande du XXe siècle), art d'Europe centrale et du Nord. Pas mal d'expressionnistes (Kirchner, Grosz, Kokoschka), art abstrait des années 1920, une salle consacrée au Bauhaus (avec, entre autres, la fameuse chaise de Marcel Breuer), des toiles de Klee, Kandinsky... Visites guidées à 13 h.

🎨 ***Arthur M. Sackler Museum*** *(plan II, E5, 192)* **:** 485 Broadway (et Quincy St). ☎ 617-495-9400. Ⓜ Harvard Sq. Ouvert tous les jours de 10 h (13 h le dimanche) à 17 h. Visites guidées à 14 h. Fermé pendant certaines vacances scolaires.

Une annexe du Fogg Art, d'ailleurs situé juste à côté. Intéressantes collections d'arts orientaux, asiatiques, indiens, islamiques, gréco-romains, etc. Entre autres, une rare collection de jades chinois, de belles miniatures persanes et mogholes, ainsi que des estampes japonaises.

🎨🎨 ***The MIT Museum*** *(plan II, G6, 193) :* 265 Massachusetts Ave, près de Central Sq. ☎ 617-253-4444. Ⓜ Central Sq. Ouvert du mardi au vendredi de 10 h à 17 h, le week-end de 12 h à 17 h. Fermé le lundi. Entrée : 5 US$; réductions.

Le célèbre Massachusetts Institute of Technology présente un petit mais très intéressant musée sur son histoire depuis sa création et l'extraordinaire place qu'il a prise dans le domaine des sciences et de la recherche. Notamment en informatique, *engineering,* architecture, photo-micrographie, holographie, etc.

Ne pas manquer l'incroyable boutique du MIT avec ses livres et publications diverses (scientifiques et techniques).

🎨 ***Museum of Natural History*** *(plan II, E5, 195) :* 24 Oxford St et 11 Divinity Ave. ☎ 617-495-3045. ● www.hmnh.harvard.edu ● Ⓜ Harvard Sq. Ouvert tous les jours de 9 h à 17 h. Entrée : 7,50 US$, valable pour les 4 musées. Gratuit le dimanche matin jusqu'à 12 h ainsi que le mercredi de 15 h à 17 h de septembre à mai.

Quatre musées distincts, pour nos lecteurs botanistes, géologues, zoologues, ethnologues et autres -logues ! Des collections fascinantes, présentées de manière traditionnelle, sans gadgets ni effets spéciaux. Notre coup de cœur : les *Fleurs de verre.* Ce sont quelque 4 400 maquettes de verre peint, fabriquées en Allemagne de 1886 à 1936, qui représentent de manière réaliste (et artistique) le règne végétal.

🎨 ***Carpenter Center for the Visual Arts*** *(plan II, E5, 135) :* 24 Quincy St. ☎ 617-495-3251. Ⓜ Harvard Sq. Ouvert de 9 h à 23 h (18 h le dimanche), mais mieux vaut appeler, car les heures d'ouverture bougent régulièrement. Entrée libre.

Deux galeries : l'une de photos, l'autre d'art moderne. La seule grande réalisation signée Le Corbusier aux États-Unis. Abrite aussi le *Harvard Film Archive,* voir plus haut « Où aller au cinéma ? ».

BOSTON

Achats

🕸 *Leavitt and Peirce* *(plan II, E5, 220)* : 1316 Massachusetts Ave. ☎ 617-547-0576. Ⓜ Harvard Sq. Ouvert du lundi au samedi de 9 h à 17 h 30 (20 h le jeudi). Fermé le dimanche. Amis collectionneurs, joueurs et fumeurs, cette boutique est pour vous. Vieux rasoirs, accessoires de toilette et de barbier, briquets et couteaux, jouets anciens en fer, jeux de cartes et d'échecs, un nombre incroyable de cigares, une trentaine de tabacs différents (en bocaux), de superbes pipes et tout le matériel adéquat pour les entretenir. Décor rigolo : ballons de football américain portant les scores les plus remarquables de Harvard contre Yale et Princeton, photos jaunies des équipes et des matchs Harvard-Yale, trophées des victoires.

🕸 *The Globe Corner Bookstores* *(plan II, E5, 217)* : 28 Church St. ☎ 617-497-6277. Ⓜ Harvard Sq. Ouvert du lundi au samedi de 9 h 30 à 21 h et le dimanche de 11 h à 18 h. Tout, tout, tout sur le voyage. Des cartes, des atlas, des globes mais aussi beaucoup, beaucoup de guides (pas de *GDR* malheureusement !), des récits de voyages... Bref, de quoi rêver un bon moment.

🕸 *Harvard Cooperative society* *(COOP ; plan II, E5, 218)* : 1400 Mas-sachusetts Ave. ☎ 617-499-3200. Ⓜ Harvard Sq. Ouvert du lundi au samedi de 9 h à 22 h et le dimanche de 10 h à 21 h. Le building de Palmer St ferme à 21 h du lundi au samedi et est ouvert de 12 h à 19 h le dimanche. La *Coop,* c'est une coopérative mise en place pour les étudiants (en 1882 !) afin qu'ils trouvent à proximité du campus tout ce dont ils peuvent avoir besoin. Cela va de la paire de jeans aux cahiers en passant par les ventilos, les brosses à dents et la vaisselle. Mais la *Coop* c'est aussi, sur 4 niveaux, la plus grande librairie de Harvard, très agréable pour fouiner.

🕸 *Urban Outfitters* *(plan II, E5, 219)* : 11 JFK St. ☎ 617-864-0070. Ⓜ Harvard Sq. Ouvert du lundi au jeudi de 10 h à 22 h, les vendredi et samedi jusqu'à 23 h et le dimanche de 12 h à 20 h. Une autre antenne dans Boston, au 361 Newbury St, ouverte aux mêmes horaires. ☎ 617-236-0088. Ⓜ Hynes Convention Center. L'endroit parfait pour dégoter objets kitsch ou branchés, fringues excentriques, tissus hippies... Le *basement* est consacré aux *bargains* de fringues à des prix dérisoires. En revanche, tout ce qui n'est pas en soldes est cher. Peut-être devenu trop *trendy.*

Shopping dans les environs

🕸 *Wrentham Village* : One Premium Outlets Blvd. ☎ 1-508-384-0600. Ouvert de 10 h à 21 h (18 h le dimanche et du lundi au mercredi de janvier à fin mars). Pour y aller, rejoindre de Boston la 95 S jusqu'à l'embranchement avec la 495. Là, direction 495 N. Sortir à l'*exit* 15 et suivre les panneaux « Wrentham Premium Outlet ». Transport en commun depuis Boston avec Back Bay Coach, ☎ 1-877-404-9909. Pour les fans de shopping, ce village situé à 35 miles au sud de Boston ne regroupe que des *outlets,* au total 170 magasins d'usine qui vendent des fins de série à prix réduit de 25 à 65 %. Un *mall* gigantesque formant une sorte de village préfabriqué. On y trouve des fringues en tout genre, des parfums, du linge de maison, tout ce qu'il faut pour la cuisine, des chaussures, des bijoux, des disques, des chaînes hi-fi, quelques meubles... Tout ça regroupé sous des marques aussi connues que *Versace, Calvin Klein, Off 5th-Saks Fifth Ave, Banana Republic, Gap, Reebok, Eddie Bauer, Ralph Lauren...* Sur place, un *food court* pour recharger les batteries.

QUITTER BOSTON

En bus

▭ **South Station Bus Terminal** (plan I, D3) : South Station, Summer St et Atlantic Ave (voir « Adresses utiles » à Boston). Ⓜ South Station, *Red Line*.
■ **Vermont Transit Lines :** ☎ 1-800-552-8737. ● www.vermonttransit.com ●
Compagnie de bus qui dessert le Vermont et Montréal (6 départs par jour).

En train

🚃 **Gare Amtrak** (plan I, D3) : South Station. ☎ 1-800-872-7245.
● www.amtrak.com ● Ⓜ South Station, *Red Line*. Le train à grande vitesse *Acela Express* relie Boston à New York en 3 h 25 environ.

SALEM
30 000 hab.

Pour beaucoup d'entre nous, Salem évoque le tragique épisode de la chasse aux sorcières et la pièce d'Arthur Miller *Les Sorcières de Salem*. En revanche, on ignore souvent sa splendeur maritime au XVIIIe siècle et son important port de commerce vers l'orient. Les navires partaient chargés de poisson séché, coton, beurre, bœuf, tabac et rhum des colonies que des marins échangeaient contre des denrées de luxe, comme le thé, le café, le sucre, les épices et les soieries. C'est à cette époque glorieuse que l'on doit les splendides collections du Peabody Essex Museum.
Ne pas manquer non plus le *McIntyre Historic District*, le secteur où vivaient les riches marchands, sur Chestnut St notamment, qui présente mieux que nulle part ailleurs l'architecture *Colonial Revival*. Il s'agit de la 1re forme d'architecture typiquement « étatsunienne ». Le *Colonial Revival* s'est démarqué peu à peu de ses origines anglaises après la guerre d'Indépendance.

LES SORCIÈRES

Tout commença en 1689, lorsque le pasteur Samuel Paris s'installa à Salem avec sa femme, sa fille et sa nièce, ainsi que leur servante Tituba, ramenée des Barbades. Les petites filles, en mal de distractions, passaient leur temps à écouter les histoires de vaudou racontées par Tituba. Bientôt, elles eurent d'étranges comportements : malaises, convulsions, regard fixe... Le diagnostic du médecin fut sans appel : elles étaient ensorcelées. Les enfants, inconscientes que le vent de panique que leur geste allait soulever, dénoncèrent *illico presto* leur pauvre servante noire. Immédiatement, la confusion éclata et tout le monde fut accusé de sorcellerie ; les arrestations se succédèrent et, au total, 150 personnes furent emprisonnées et une vingtaine pendues. Tout ça à cause des divagations de deux fillettes fabulatrices... En mémoire de ces « sorcières » pendues en 1692, plus de 1 000 adeptes célèbrent *Samhain*, le Nouvel An des sorcières, qui a lieu chaque année le 1er novembre dans le cimetière de Salem.
Aujourd'hui, Salem se repaît de ce douloureux passé en érigeant des sorcières à tous les coins de rues, business oblige. Néanmoins, 10 % des habitants de Salem pratiquent des rites de sorcellerie. Alors, ne riez pas trop vite devant les boutiques de balais, citrouilles et autres chapeaux pointus (turlututu), vous pourriez le regretter... à jamais !
À visiter aussi, le village tout proche de Danvers. C'est ici que les « sorcières » habitaient. On peut y voir leurs tombes, de même qu'un monument érigé à la mémoire de leur innocence.

Comment y aller depuis Boston ?

Adressez-vous à la compagnie de transports en commun de Boston : *MBTA Commuter Rail Trains*. Des liaisons entre Boston et Salem, Gloucester ou Rockport sont assurées, en bus ou en train. ☎ 617-722-3200 ou 1-800-392-6100. ● www.mbta.com ●

En bus

➤ De la station de métro Haymarket, prendre le bus n° 450. Compter 45 mn de trajet. Bus toutes les 30 mn. Arrivée au terminal de Salem sur Bridge St, à 5 mn à pied du *Visitor Center*.

En train

➤ De North Station, on rejoint Salem en moins de 25 mn. Compter 1 h pour Gloucester et 1 h 10 pour Rockport (voir plus loin). Il y a des trains toutes les 30 mn matin et soir aux heures de pointe et toutes les heures le reste de la journée. Le week-end, trains toutes les 2 à 3 h.

En voiture

➤ Prendre la route 93 en direction du nord. À la sortie 37 A, suivre la route 128 toujours vers le nord (direction Gloucester). Puis, à la sortie 25 A, emprunter la route 114 E vers Salem. Compter 35 mn de trajet.
➤ Autre route beaucoup plus lente mais plus sympa : route 1 A jusqu'à Lynn puis 129 N.

Adresses utiles

🛈 *National Park Visitor Center :* 10 New Liberty St. ☎ 978-740-1650. En face du parking visiteurs. Ouvert tous les jours de 9 h à 18 h. Un tas d'informations sur toute la région, des brochures et un intéressant film de 20 mn retraçant l'histoire de la région nord de Boston. Film toutes les heures.

■ *Salem Chamber of Commerce :* 63 Wharf St (Pickering Wharf). ☎ 978-744-004. ● www.salem-chamber.org ● Ouvert du lundi au vendredi de 9 h à 17 h.

Où manger ?

Prix moyens

|●| *Finz Seafood and Grill :* 76 Wharf St. ☎ 978-744-8485. Ouvert tous les jours de 11 h 30 à 22 h. Sandwichs à 7 US$, plats de 11 à 23 US$. Restobar joli et *trendy* avec terrasse sur le port dans le vieux Salem. Outre la *seafood* habituelle, la carte propose aussi des huîtres, du thon frais et du poisson-chat. Fruits de mer succulents et cocktails Martini fort bien préparés.

|●| *Lyceum Bar and Grill :* 43 Church St. ☎ 978-745-7665. Ouvert tous les jours de 11 h 30 à 15 h et de 17 h 30 à 22 h. De 12 à 15 US$ le déjeuner et autour de 20 US$ pour le dîner. C'est dans ces murs qu'eut lieu la 1re conversation téléphonique dans les années 1870. C'est ici aussi que Hawthorne, Emerson et Thoreau donnèrent autrefois des cours et c'est aujourd'hui un vrai bon resto au cadre historique très agréable, assez classe. Atmosphère tamisée de club anglais. Bonne cuisine, faite avec des produits de qualité.

À voir

SALEM

🐱🐱🐱 *Peabody Essex Museum (PEM) :* E India Sq. ☎ 978-745-9500 ou 1-866-745-1876. ● www.pem.org ● Ouvert de 10 h à 17 h. Entrée : 13 US$; réductions. Audioguide en français. Le billet comprend la visite de la Yin Yu Tang House (mais il faut réserver un créneau horaire de visite) et de maisons historiques des environs.

Fondé en 1799, le PEM vient de subir un grand lifting. Son grand hall lumineux symbolise la forme d'un bateau à voile. Sa nouvelle architecture met magnifiquement en valeur ses exceptionnelles collections, pour certaines rapportées d'Asie et du Pacifique par les marins de Salem, et qui n'ont cessé de s'enrichir au fil des années. Parmi les richesses du musée : une section d'arts décoratifs américains et une autre d'art natif américain, de nombreuses salles consacrées aux arts asiatiques (Chine, Corée, Japon, Inde), à la fois anciens et contemporains : tableaux, photos, vêtements, vaisselle, sculptures, mobilier, etc. De l'art africain, des collections d'arts traditionnels du Pacifique... Et puis, un vaste département d'histoire maritime du XVIIe au XIXe siècle (maquettes de bateaux, instruments de navigation, dents de baleine sculptées et gravées, dont John Kennedy était très amateur...). Enfin, ne partez pas sans avoir visité la Yin Yu Tang House, l'authentique maison du XVIIIe siècle d'un riche marchand du sud-est de la Chine, entièrement remontée ici à Salem, avec tous ses meubles ! Bref, une visite à ne pas manquer.

🐱 *Salem Witch Museum :* Washington Sq. ☎ 978-744-1692. ● www.salem witchmuseum.com ● Ouvert tous les jours de 10 h à 17 h (19 h en juillet-août). Entrée : 7 US$; réductions. Représentations toutes les 30 mn.

Dans un imposant bâtiment qui ressemble à une église, pas loin du Peabody Essex Museum. Spectacle son et lumière d'environ 1 h retraçant la tristement célèbre histoire des sorcières de Salem. Très bien fait, mais un brin ennuyeux si vous comprenez mal l'anglais. Brochures en français. Exposition exclusivement consacrée aux sorcières et à leur histoire, présentée sous forme de petits films.

🐱 *The Witch House :* 310 Essex St. ☎ 978-744-0180. ● www.salem web.com/witchhouse ● Ouvert de mi-mars à fin novembre, de 10 h à 16 h 30 (18 h en juillet-août). La visite guidée (30 mn) est obligatoire et coûte environ 5 US$.

C'est la maison du juge qui a ordonné la pendaison des « sorcières ». Construite en 1642, elle est l'une des plus vieilles des États-Unis. On peut y voir quelques pièces restaurées et meublées d'époque, dont la chambre où eut lieu le jugement préliminaire. Le clou de la visite : un chandelier de fer forgé, datant du XVIIe siècle et qui dessine sur le mur une drôle d'ombre chinoise en forme de sorcière !

🐱🐱 *The House of the Seven Gables :* 54 Turner St. ☎ 978-744-0991. ● www.7gables.org ● Ouvert tous les jours de 10 h à 17 h (19 h de juillet à octobre). Juste à côté du Derby Wharf. Entrée : 11 US$; réductions. Visite guidée obligatoire.

La curieuse maison aux 7 pignons qui inspira Nathaniel Hawthorne pour son roman du même nom. À l'intérieur, dédale de pièces restaurées évoquant les personnages de l'œuvre, ainsi qu'un escalier secret. Des jardins, très jolie vue sur le port de Salem. Juste en face de la maison, une mignonne boutique de bonbons (la plus ancienne des États-Unis, les Américains sont très friands de ce genre de superlatif), *Ye Olde Pepper Company.*

🐱 *Salem Maritime National Historical Site :* 174 Derby St. ☎ 978-740-1660. Site ouvert au public et gratuit de 9 h à 18 h l'été et jusqu'à 17 h seulement l'hiver. Les vestiges restaurés de ce qui fut le port de Salem. Des 50 quais d'origine, il ne reste aujourd'hui que le Derby Wharf.

➤ *DANS LES ENVIRONS DE SALEM*

🎥🎥 *Marblehead :* de Salem, prendre la 114 E au bout de Washington St. De Boston, prendre la 1 A qui longe la côte. À la sortie de Lynn, jeter un œil à la presqu'île de Nahant (qui vaut le détour si vous avez le temps). Cette route traverse également Swampscott et son joli front de mer. Le bus n° 441/ 448 assure la liaison entre Haymarket (via Central Sq à Cambridge) et Marblehead. Un autre bus effectue le parcours entre Boston (Downtown Crossing) et Marblehead : le n° 442/449.

Un kiosque d'informations dépendant de la chambre de commerce ● www. marbleheadchamber.org ● est à votre disposition au 62 Pleasant St. ☎ 781-631-2868. Ouvert de mai à fin octobre, de 12 h à 17 h du lundi au vendredi et de 10 h à 17 h le week-end.

Adorable village de bord de mer, bien qu'il soit bondé l'été. Une des communes dont les maisons sont les plus chères aux États-Unis. Mignonnettes maisons coloniales peintes aux couleurs acidulées (bleu ciel, jaune paille, rose dragée). Concentration de tous les yacht-clubs les plus chic de la région. De magnifiques voiliers dans le port. Un endroit superbe. Poussez jusqu'au *Marblehead Neck,* où sont regroupées de somptueuses villas avec plage privée, mouillage à même le portail... À l'extrémité est de cette presqu'île, très belle vue du *Chandler Hovey Park.* Ne pas manquer non plus d'aller jusqu'à *Peach Point,* pointe nord-est de Marblehead. C'est une résidence privée superbe. Pas le droit d'y pénétrer, seulement d'admirer et de rêver : on y aperçoit de belles maisons (certaines très modernes) au bord de l'eau avec mouillages privés, bien protégées des regards indiscrets.

🍽 *The Landing :* 81 Front St. ☎ 781-639-1266. Ouvert tous les jours midi et soir. Compter 15 US$ minimum pour le déjeuner et de 25 à 30 US$ pour le dîner. Très belle situation sur le port avec une terrasse abritée au-dessus de l'eau. Salle à manger claire au décor banal. Au déjeuner, sandwichs sympas, rouleaux *(wraps)* végétariens et bons burgers. Le soir, le poisson est roi. Toujours très frais, bien préparé, vous pouvez y aller les yeux fermés. Il y a un quai, et beaucoup de richards y vont à voilier.

CAPE ANN
80 000 hab.

À un peu plus de 30 miles au nord de Boston, s'avance dans l'océan la *presqu'île de Cape Ann,* baptisée ainsi par le roi Charles Ier d'Angleterre au début du XVIIe siècle. L'exploration en mer n'était pas le passe-temps favori de ce roi, mais plutôt celui d'un de ses capitaines, du nom de John Smith, qui rapporta les contours de la presqu'île sur une carte. Plus modeste que Cape Cod quant à son étendue dans l'océan, Cape Ann reste une des destinations préférées des Bostoniens qui viennent se détendre sur la côte et visiter les galeries d'artistes, essentiellement regroupées à Gloucester, sur E Main St, et à Rockport.

Comment y aller depuis Boston ?

En voiture

– De Boston, prendre la route 93 en direction du nord. À la sortie 37 A, suivre la route 128 jusqu'à Gloucester. Pour les moins pressés, prendre à partir de Salem la 127 qui longe la côte.

– Pour rejoindre Rockport de Gloucester, continuer sur la 127 A, c'est à 10 mn environ.

En train et en bus

– *MBTA Commuter Rail Trains :* ☎ 617-722-200 ou 1-800-392-6100. ● www.mbta.com ● De North Station (Boston), départs en train et en bus pour Cape Ann.

Transports locaux

– *Cape Ann Transit Authority (CATA) :* ☎ 978-283-7278. ● www.cann tran.com ● Plusieurs bus circulent sur la presqu'île de Cape Ann tous les jours de la semaine. Bon service. On peut stationner à 1 mile du centre de Gloucester et prendre un bus touristique qui s'y rend.

Adresses utiles

■ *Cape Ann Chamber of Commerce :* 33 Commercial St, à Gloucester. ☎ 978-283-1601 ou 1-800-321-0133. ● www.capeannvacations.com ● De mai à octobre, ouvert en semaine de 8 h à 18 h (17 h de novembre à fin avril), de 10 h à 18 h le samedi et de 10 h à 16 h le dimanche.

■ *Gloucester Welcoming Center :* sur Stage Fort Park, près de la route 127 (fléché). ☎ 978-281-8865. ● www.gloucesterma.com ● Ouvert tous les jours de mai à octobre de 9 h à 18 h. Nombreuses infos utiles dont les dates des festivals et les événe-

ments marins de l'été. Prendre le dépliant intitulé *Gloucester Maritime Trail,* qui présente les itinéraires historiques des 4 quartiers intéressants de la ville. Une jolie plage (Half Moon Beach), un peu cachée, est à proximité du Welcoming Center.

■ *Rockport Chamber of Commerce :* 24 Broadway St. ☎ 978-546-6575. ● www.rockportusa.com ● Ouvert du lundi au vendredi de 10 h à 17 h. Autre kiosque d'informations saisonnier, sur la route 127, juste au sud de la ville, ouvert de mi-mai à mi-octobre tous les jours de 11 h à 17 h.

À voir. À faire dans les environs

⌓ *Plage de Manchester-by-the-Sea (Singing Sand Beach) :* sur la route 127, en venant de Salem. Jolie plage de sable fin (qui « chante » sous les pieds), que l'on peut atteindre après 10 mn de marche.

🕈🕈 *Gloucester :* le plus vieux port des États-Unis. D'émouvantes statues symbolisent la ville et commémorent les nombreux pêcheurs morts en mer et leurs familles délaissées. Ne pas manquer de visiter le quartier est de Gloucester, avec la presqu'île *Rocky Neck* en face de E Main St. Au début du XIXe siècle, de nombreux artistes américains célèbres vinrent à *Rocky Neck* chercher l'inspiration. Beaucoup s'y installèrent. Aujourd'hui encore, peintres et photographes investissent les lieux. Ainsi, *The Painter's Path,* comme on l'appelle ici, est jalonné de galeries d'art (vernissages en juin et août). De mignons petits restos viennent compléter le tableau. Ceux situés au bout de Rocky Neck Ave sont construits sur pilotis. Idéal pour l'apéro au soleil.

|●| *Sailor Stan's :* restaurant adorablement situé en entrant sur la presqu'île de Rocky Neck, dans une petite maison triangulaire à l'angle de Wonson St et Rocky Neck Ave. ☎ 978-281-4470. Ouvert tous les jours de 7 h à 21 h. De 5 à 8 US$ pour un sandwich américain ou

mexicain. Bon *fish chowder* copieusement dosé en poisson. Petite adresse très routarde avec une mi-gnonne terrasse de conte de fée. Par contre, le service n'a rien de magique.

🎬 *Rockport :* joli petit port de pêche à découvrir à pied. En arrivant sur le port, dirigez-vous vers la pointe *Bearskin Neck*. D'anciennes maisons de pêcheurs en bois réaménagées en galeries d'art, en boutiques d'artisanat et en restaurants bordent d'adorables ruelles fleuries. Balade très agréable en fin de journée, après la plage. Stationnement vraiment pas évident. À noter, la vente d'alcool est interdite dans la ville depuis 1850, date à laquelle Hennah Jumper, une jeune femme de Rockport battue par son mari ivre, investit par vengeance tous les bars de la ville pour y faire scandale. Il est néanmoins possible d'apporter du vin ou de la bière dans les restaurants.

🍽 *The Fish Shack Restaurant :* 21 Dock Sq, à deux pas de l'entrée de Bearskin Neck. ☎ 978-546-6667. Ouvert tous les jours de 10 h 30 à 21 h. Homard-frites pas cher (17 US$), poisson frais cuisiné de toutes sortes (environ 14 US$) et des petits plats pas très raffinés mais vraiment pas chers. Salle charmante, pleine d'ambiance, avec vue sur l'eau. Aux murs, déco marine de très bon goût : filets à homards, bouées de toutes les couleurs...

🎬 *Halibut Point State Park :* à l'extrémité nord-est de Cape Ann. En sortant de Rockport, continuer sur la 127 (vers le nord-est) et tourner à droite dans Gott Ave. Le parking est un peu plus loin sur la droite. Cette réserve naturelle s'étend sur le site d'une ancienne carrière de granit. Depuis qu'elle n'est plus en activité, elle a été remplie d'eau, créant ainsi un charmant petit lac entouré de falaises qui tombent à pic (les murs de la carrière). Il est interdit de s'y baigner mais le tout forme un joli paysage, avec la mer au second plan. De ces *quarries* (carrières), des petits sentiers partent dans toutes les directions. Continuer au moins jusqu'à la mer qui offre un spectacle impressionnant par gros temps.

➤ *Route 127, nord de la presqu'île :* terminez votre visite de Cape Ann en longeant la route 127 au nord, d'est en ouest. La côte est très découpée et l'on découvre çà et là de très jolis petits ports et mouillages privés.

🏖 *Crane Beach :* si vous venez de Cape Ann, prenez la 128 N. Suivez cette route pendant un petit moment puis bifurquez sur la 133 W jusqu'à Ipswich. Ensuite, c'est indiqué : tournez à droite dans Northgate Rd qui vous emmène jusqu'à une plage peu connue des Bostoniens. La plage Crane et les alentours appartiennent à une réserve naturelle, le parking est donc payant (sauf si on reste moins de 30 mn). Les prix varient selon la saison. L'été, c'est 15 US$ le week-end et 10 US$ en semaine. Hors saison, c'est plutôt 5 US$ le week-end et souvent gratuit en semaine. Renseignez-vous au ☎ 978-356-4351 car les tarifs changent souvent. Le meilleur moyen d'explorer les alentours est de prendre le *Pine Hollow Trail* (à droite quand on arrive sur le parking), un sentier de 45 mn environ. Attention cependant aux moustiques et aux *black flies* (petites mouches noires qui vous dévorent), surtout en juin et juillet. On se balade dans une partie du *Crane Wildlife Refuge,* une réserve naturelle pour la sauvegarde et le développement d'oiseaux de toutes espèces. Dans les dunes, des espaces sont réservés à cet effet. Les amateurs de plage seront enchantés de découvrir cette grande étendue de sable blanc de 6 km entourée de dunes recouvertes de pins et d'arbustes. Magnifique !

🍽 *Woodman's of Essex :* sur la route 133 entre Cape Ann et Ipwich, à Essex, au 121 Main St (entre Eastern Ave et Martin St). ☎ 978-768-6057. Compter de 10 à 20 US$. Empereur et « découvreur » de la palourde frite (il y a près d'un siècle), Woodman's sert des fruits de mer principalement frits (néanmoins de bonne qualité), sur des tables de bois dans une cabane entre la route et la mer. La vedette gastronomique locale, ce sont les *Ipwich clams,* des palourdes apparemment surdouées. Tout est moins cher ici que dans un « vrai » restaurant, mais la réputation de la maison et la qualité des préparations font que les prix flottent tout de même à marée haute. On en sort satisfait comme un pêcheur qui en a plein les filets. Une adresse fétiche des Bostoniens, toujours nostalgiques des *good old days*.

◿ *Plum Island :* de Cape Ann ou Crane Beach, continuer sur la 133 W puis la 1 A vers le nord. Ensuite, c'est indiqué. De Boston, possibilité d'y accéder par la 1 N ou la 95 N. Ouvert tous les jours de l'année, de l'aube au crépuscule. Entrée : 5 US$ par voiture plus 2 US$ par passager. Compter 2 US$ pour les piétons ou cyclistes. Plum Island est une île très étroite qui s'étend sur 13,6 km, bordée de marais, tourbières, dunes et belles plages de sable blanc. C'est aussi une réserve ornithologique entretenue par le *Parker River National Wildlife Refuge* (☎ 978-465-5753) où quelque 300 sortes d'oiseaux ont été recensées. Une route traverse l'île jusqu'à la superbe pointe de *Sandy Point State Reservation.* Tout du long, petites aires de stationnement où l'on peut s'arrêter, admirer le paysage, atteindre la plage ou encore faire une petite marche si un *trail* est aménagé à cet endroit. D'avril à juin, une plage est inaccessible (nidification des sternes).

CAPE COD

Ce curieux bras replié, qui s'avance dans l'océan et offre près de 500 km de littoral vierge et inapprivoisé, est la destination favorite des Bostoniens dès les premiers beaux jours. Si l'invasion touristique a parfois laissé des marques indélébiles, comme cette route 28 entre Hyannis et Chatham, dénaturée par sa succession de motels cheap, de fast-foods et autres supermarchés, Cape Cod a néanmoins gardé son authenticité : immenses plages de sable blanc bordées de hautes dunes, falaises vertigineuses, tourbières à canneberges (grosses airelles locales), villages traditionnels flanqués de maisons grises à bardeaux surnommées « boîtes à sel » et adorables ports de pêche. Ne manquez pas de parcourir la route 6 A de Sandwich à Brewster, qui est restée charmante et bucolique.

Procurez-vous la brochure gratuite *The Official Guide, Cape Cod,* édité par la Chamber of Commerce de Hyannis, très complète.

UN PEU D'HISTOIRE

Apparu au cours de la dernière glaciation il y a quelque 10 000 ans, Cape Cod fut découvert en 1602 par l'explorateur Gosnold, en même temps que les îles de Martha's Vineyard et Nantucket. Frappé par la quantité de morues qui pullulaient au large des côtes, il baptisa l'endroit tout naturellement Cape Cod (*cod* signifiant « morue », vous l'aurez compris !).

En 1620, ce sont les pères pèlerins du *Mayflower* qui accostèrent à Provincetown, croyant tomber sur la Virginie. Les colons commencèrent alors à fonder les villes du cap, chassant par la même occasion de leurs terres les Indiens *wampanoags.* Les ressources principales étaient l'agriculture, la pêche à la baleine et le commerce transatlantique.

À partir de la fin du XIXe siècle, Cape Cod attira une colonie d'écrivains et d'artistes en quête de solitude et d'inspiration, parmi lesquels John Dos Passos, Tennessee Williams, Sinclair Lewis et enfin le peintre Edward Hopper qui s'installa à Truro, fasciné par l'indescriptible lumière du cap.

Comment y aller ?

En voiture

➤ **De Boston** : prendre l'autoroute 3 *(Southeast Expressway)* jusqu'au Sagamore Bridge ou Bourne Bridge, selon sa destination sur Cape Cod. Si l'on va vers Falmouth ou Woods Hole, prendre la route 28 de Bourne Bridge. Pour se rendre vers le *Lower Cape* et les villes de Sandwich, Barnstable, Hyannis, Yarmouth, Dennis ou vers la pointe nord, prendre la route 6 de Sagamore Bridge.

➤ **De New York** : prendre l'*interstate* I 95 jusqu'à Providence, puis la I 195 E. Ensuite, suivre le même itinéraire que de Boston.

– **Une super-radio dans le coin :** 101.1 The Waves. Tous les standards du rock américain.

En bateau

⚓ **Bay State Cruise :** ☎ 617-748-1428 ou en été à Provincetown : 508-487-9284. ● www.baystatecruisecompany.com ● Liaisons de Boston à Provincetown. En fast-ferry (1 h 30), de fin mai à mi-octobre, environ 3 traversées par jour. Compter 60 US$ l'aller-retour ; réductions. En ferry normal (3 h), une liaison quotidienne de fin juin à début septembre, du vendredi au dimanche uniquement. Compter 30 US$ l'aller-retour ; réductions. Dans les deux cas, 5 US$ par vélo.

En bus

De Boston

▭ **Plymouth and Brockton Bus Line :** ☎ 508-746-0378 à Plymouth ou 508-771-6191 à Hyannis. ● www.p-b.com ● Liaisons au départ de Boston (South Station ou Logan Airport) vers Provincetown. La plupart des bus desservent quelques villes du cap : Hyannis, Orleans, Eastham, Wellfleet, Truro. Compter 3 h 30 environ pour aller de Boston à Provincetown, et 45 US$ l'aller-retour (10 US$ de plus par vélo).

▭ **Bonanza Bus Lines :** ☎ 508-548-7588 (à Falmouth) ou 1-800-556-3815. ● www.bonanzabus.com ● Compter 30 US$ l'aller-retour Boston-Woods Hole.

De New York (via Providence)

Bus jusqu'à Woods Hole ou Hyannis avec *Bonanza Bus Lines* (voir ci-dessus). Compter environ 6 h pour faire New York-Hyannis et 100 US$ l'aller-retour.

Transports

En saison (de fin mai à septembre), des bus municipaux sillonnent la presqu'île (pas donné, à l'image du coût de la vie ici). Procurez-vous l'indispensable brochure *Trolley and Bus at Cape Cod,* dans n'importe quel office du tourisme. Informations au ☎ 1-800-352-7155 ou 508-385-8326. ● www.thebreeze.info ●

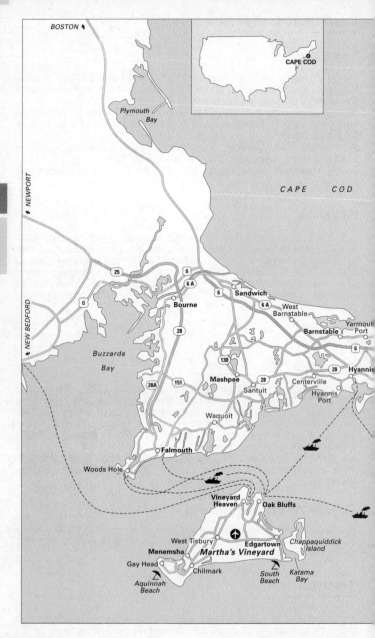

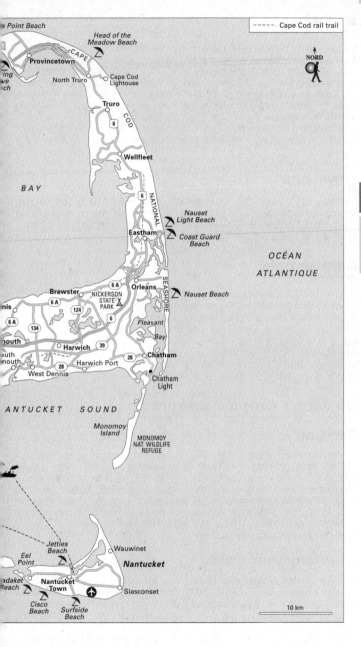

CAPE COD ET LES ÎLES

Budget

Toute cette région est chère. Concernant l'hébergement, on trouve des AJ et des campings vraiment extra, magnifiquement situés pour un prix intéressant. Sinon, on recommande quelques *guesthouses* à des prix à peu près raisonnables. Mais sachez que la rubrique « Bon marché » de Cape Cod (et des deux îles) correspond plutôt à une rubrique « Prix moyens » dans le reste du guide. Les tarifs indiqués dans ces pages sont ceux de la **haute saison** (juin à septembre). Côté nourriture, on conseille aux budgets serrés de se rabattre sur les snacks, épiceries ou supermarchés, particulièrement sur les îles de Martha's Vineyard et Nantucket, encore plus onéreuses que le cap.

SANDWICH

Première ville après le pont de Sagamore, à l'entrée de Cape Cod. Un parfum d'Angleterre dans cette petite ville historique qui doit sa renommée à une célèbre fabrique de verre (et non à ce que son nom laisserait penser). C'est la plus vieille ville de Cape Cod.

Adresse utile

🖹 Trois **Visitor Centers :** à Sagamore, au rond-point situé juste avant le Sagamore Bridge, à côté de la caserne de pompiers. Ouvert de fin mai à mi-octobre, le week-end seulement jusqu'à fin juin, sinon tous les jours de 9 h à 17 h. C'est le plus central. Deux autres antennes de la *Chamber of Commerce* au 77 Main St dans le village de Buzzards Bay et à la sortie de la ville en allant vers Falmouth, sur la route 130 à environ 1 mile de la Hoxie House. ☎ 508-833-1632. Infos utiles classiques, cartes.

Où dormir dans les environs ?

Camping

⚔ **Peter's Pond Park :** 185 Cotuit Rd (tout près de la 130 S). ☎ 508-477-1775. ● www.campcapecod.com ● Ouvert de mi-avril à mi-octobre. Près de 500 emplacements, pour la plupart ombragés, autour d'un lac. À partir de 30 US$ la nuit pour une tente, 2 adultes et 2 enfants. Des cottages également, disponibles à la nuit hors saison (110 US$) et à la semaine seulement l'été (750 US$). Douches payantes, laverie. Pas mal de choses à faire avec la proximité du lac. Réserver à l'avance.

De prix moyens à chic

🛖 **Pine Grove Cottages :** 358 route 6 A E, à 2 miles à l'est de Sandwich. ☎ 508-888-8179. ● www.pinegrovecottages.com ● Ouvert de mai à octobre. Location à la nuit à partir de 75 US$ pour deux ou à la semaine (à partir de 475 US$). Dans un environnement boisé, 10 maisons en bois (cottages) très propres, avec cuisine équipée et bains. Plusieurs tailles. Un vrai petit chez-soi à un prix très raisonnable pour Cape Cod. Petite piscine.

🛖 **Spring Garden Motel :** 578 route 6 A. ☎ 508-888-0710 ou 1-800-303-1751. ● www.springgarden.com ●

Ouvert de mi-avril à fin novembre. De 100 à 125 US$ la chambre selon le confort (donnant sur le petit jardin ou avec balcon). Un des plus chouettes motels de la 6 A (en bord de route, mais peu de trafic). De l'autre côté, belle vue sur les marais et la rivière. On profite du jardin pour se prélasser dans un fauteuil ou piquer une tête dans la piscine. Tables de pique-nique et barbecue à disposition. La très belle plage de Sandy Neck est à 1 mile.

Où manger ?

|●| *The Dunbar Tea Shop :* 1 Water St, route 130. ☎ 508-833-2485. Ouvert toute l'année, tous les jours de 11 h à 17 h. Compter un bon 15 US$ pour un plat et un dessert, 10 US$ pour un thé complet l'après-midi. Ravissant petit salon de thé donnant sur une terrasse. Tables dans le jardin l'été. Bons *daily specials* : quiches aux fruits de mer, *ploughman's lunch,* leur spécialité (assortiment de 3 fromages, pain, salade, betteraves...). Savoureuse sélection de desserts faits maison. Formule *afternoon tea* comprenant thé, scones, minisandwichs et mini-pâtisseries. Décoration intérieure très vieille Angleterre, murs boisés, collection de théières. D'ailleurs, on entre ici par une *lovely* boutique dédiée aux amateurs de thé.

|●| *Bee-Hive Tavern :* 406 route 6 A, à 2 bons miles de Sandwich. ☎ 508-833-1184. Ouvert tous les jours de l'année midi et soir, et pour le petit dej' le dimanche. Compter 10 US$ le midi et 20 US$ maximum le soir. Taverne un peu sombre et très populaire où l'on vient pour manger de bonnes soupes maison, des pâtes, des sandwichs, des salades et des burgers. Fait aussi pub. Animé, bon, et pas cher.

À voir

🍴 *Hoxie House :* 18 Water St, sur la route 130 S (sud de Main St, à l'intersection avec School St). ☎ 508-888-1173. Ouvert de mi-juin à mi-octobre de 10 h (13 h le dimanche) à 17 h. Entrée : 4 US$ (qui donne également accès au moulin, le *Dexter Mill,* ouvert aux mêmes horaires).
Datant de 1630, c'est la plus vieille « boîte à sel » du village. Mobilier d'époque. Parfait pour une pause pique-nique sur le petit quai en bois au bord du lac.

🍴 *Le boardwalk et sa plage :* à 5 mn du centre. De Main St, prendre Jarves St. Au bout de la rue, tourner à gauche. Parking payant pour la journée. Mais pour faire un petit plouf, c'est gratuit. Prendre le long quai en bois, le *boardwalk,* qui traverse les marais. Au bout, dunes de sable blanc donnant sur l'océan.

🍴 *Heritage Museums and Gardens :* 67 Grove St (angle Pine St). ☎ 508-888-3300. ● www.heritagemuseumsandgardens.org ● De mai à octobre, ouvert tous les jours de 9 h à 18 h (20 h le mercredi) ; le reste de l'année, de 10 h à 16 h (fermé les lundi et mardi). Entrée : 12 US$; réductions.
Ensemble de 3 musées dédiés aux arts traditionnels américains (principalement des antiquités, dont un manège de 1912 en libre accès, et une collection de paniers de Nantucket), à l'automobile ancienne et aux objets militaires (collection de drapeaux, d'armes et de petits soldats de plomb), et répartis dans un grand parc donnant sur le lac. Plus d'une centaine de variétés de rhododendrons sont représentées. En mai-juin, lorsqu'ils sont en fleurs, c'est superbe ! Promenade bucolique assurée.

FALMOUTH

Deuxième ville la plus grande de Cape Cod. 40 000 personnes y habitent l'hiver et la population double l'été. Pas grand-chose à voir, à part les quelques demeures rutilantes du XIXᵉ siècle, entourées de jardins ultra-entretenus, situées autour du parc communal. Le paysage de Falmouth se résume aujourd'hui à un alignement de motels, restos et boutiques pour touristes. Cependant, on vous a dégoté quelques adresses sympas pour déjeuner et sortir. N'oubliez pas non plus d'aller faire un tour au village de Woods Hole, assez animé le soir.

Adresses utiles

ℹ️ Falmouth Chamber of Commerce : 20 Academy Lane (donne sur Main St). ☎ 508-548-8500 ou 1-800-526-8532. ● www.falmouthchamber.com ● Ouvert toute l'année de 8 h 30 à 17 h du lundi au vendredi ainsi que le samedi de mi-mai à mi-octobre.

– **Trolleys :** de fin mai à début septembre, des bus desservent Falmouth et Woods Hole. Renseignements : ☎ 1-800-352-7155. Le trajet coûte 1 US$, le *pass* pour un jour, 3 US$.

Où dormir ?

🛏️ Town and Beach Motel : 382 Main St. ☎ 508-548-1380. Fax : 508-548-0360. ● townbeachmotel@msn.com ● Ouvert toute l'année. De 75 à 90 US$ de mi-juin à mi-septembre ; à partir de 50 US$ hors saison. Se renseigner avant car les prix varient selon la période et le nombre de nuits. Motel sans histoire ni charme, mais très bien tenu. Son emplacement en plein centre-ville fait de lui un judicieux point de chute à un prix très raisonnable.

🛏️ Tides Motel : 267 Clinton Ave (sur le port). ☎ 508-548-3126. Ouvert de mi-avril à fin octobre.

Compter 145 US$ la double de mi-juin à début septembre (155 US$ avec cuisine). Deux ou 3 nuits sont souvent exigées. Superbe situation pour ce motel à bardeaux gris : d'un côté la plage, de l'autre, le port et les bateaux. Pas étonnant que les prix soient plus élevés que dans un motel de bord de route. Les chambres sont un peu ringardes côté déco, mais propres et bien équipées (frigo, cafetière, parfois micro-ondes) et toutes pourvues d'une petite terrasse ou d'un balcon. Demander celles qui ont une vue directe sur la mer.

Où manger ?

À Falmouth

🍴 Country Fare : 319 Main St (en face de la *library*). ☎ 508-548-9020. Ouvert tous les jours de 7 h à 14 h (13 h le dimanche). Compter 8-10 US$. Toujours plein de monde dans ce resto populaire qui sert les meilleurs breakfasts du coin. Tout l'éventail du petit dej' américain classique : *pancakes*, omelettes variées, *eggs Benedict*, délicieux muffins ser-

vis chauds, sans compter les *specials* du jour sur l'ardoise. La salle, décorée de phares en tout genre, s'ouvre sur la cuisine au fond.

🍴 Peach Tree Circle Farm : 881 Old Palmer Ave, à W Falmouth. ☎ 508-548-4006. Ouvert d'avril à décembre, tous les jours de 10 h à 15 h (lunch servi de 11 h 30 à 14 h 30). Compter 12 US$ pour un lunch. Au bord d'une jolie route de campagne, une maison de bois qui fait office à la fois d'épicerie (délicieuses confitures), de boulangerie (pains, *scones*, muffins, brownies, *pecan pies*...) et de resto. Tout est fait maison. On peut aussi y acheter des fruits et des légumes du jardin, ainsi que des fleurs coupées. Sur l'ardoise : savoureuses salades accompagnées de petits pains aux herbes, quiches, sandwichs, soupes, *pies*... Charmante terrasse. Une adresse rafraîchissante.

|●| *Betsy's Diner :* 457 Main St. ☎ 508-540-0060. Ouvert tous les jours de 6 h à 20 h (14 h le dimanche). Autour de 6-8 US$ pour le breakfast ou un burger, plutôt 8-10 US$ pour un plat plus élaboré. Un authentique parfum d'Amérique que ce *diner* typique. Tout est là, le juke-box, les chromes, le formica, les vieilles pubs aux murs... En outre, un des endroits les moins chers de la ville, donc forcément populaire. Breakfast servi toute la journée, sinon, choix habituel de burgers, *deli-style sandwiches, fish and chips*, etc. Un gros néon affiche à l'entrée « *Eat Heavy* », c'est pas pour rien !

|●| *Clamshack :* 227 Clinton Ave, sur le port de Falmouth. ☎ 508-540-7758. Ouvert de mi-mai à mi-octobre de 11 h 30 à 20 h, le week-end seulement jusqu'à mi-juin, tous les jours ensuite. Compter 10-15 US$. Une institution locale que cette cabane en bois sur le port, servant des portions de *seafood* frite (*clams* surtout) dans des barquettes jetables. On commande à l'intérieur et on s'installe ensuite sur la terrasse dominant la mer. Un endroit extra, mais gare aux hordes de mouettes qui reluquent le contenu de votre assiette !

À Woods Hole

|●| *Pie in the Sky :* 10 Water St. ☎ 508-540-5475. Ouvert toute l'année, tous les jours de 6 h à 21 h. Compter moins de 10 US$. Petit café avec juste quelques tables et une terrasse. Sert café, bonnes pâtisseries, sandwichs, soupes et salades.

|●| *Captain Kidd :* 77 Water St. ☎ 508-548-8563. Ouvert tous les jours de l'année midi et soir. Compter environ 12 US$ pour un déjeuner et un peu plus de 20 US$ pour le dîner. Vaste maison tout en bois donnant sur le port que l'on croirait décorée par les flibustiers de *L'Île au Trésor*. À tribord, la taverne, un grand bar tout en longueur avec, au fond, la cabine du capitaine où les gens mangent assis sur des tonneaux. À babord, le *waterfront diner*, un resto très chic à la décoration superbe. Les menus y sont plus chers, mais les mets servis surpassent de loin ceux de son cousin : le fameux capitaine glouglou !

À faire

➤ *Départs pour l'île de Martha's Vineyard* du port de Woods Hole ou de Falmouth. Voir la rubrique « Comment y aller ? » de Martha's Vineyard.

HYANNIS

Centre commercial et de transport de Cape Cod, Hyannis n'est pas vraiment chouette. Les habitants du cap y viennent pour faire leurs courses, voir un médecin ou pour aller au resto. Toute l'animation se concentre sur Main St qui aligne restos et boutiques mais le plus joli coin, c'est bien sûr *Hyannis Port* où se trouve la fameuse résidence de vacances du clan Kennedy.

CAPE COD

Adresse utile

🛈 *Visitor Information Center :* situé 1 mile au sud de l'US 6 au 1481, route 132 (à l'intersection avec Phinney's Lane, tout près de la station *Mobil*). ☎ 508-362-5230 ou 1-877-492-6647. ● www.hyannis.com ● Ouvert du lundi au samedi de 9 h à 17 h et également le dimanche en été, de 10 h à 14 h.

Où dormir ?

Difficile de trouver de bons rapports qualité-prix par ici (l'effet Kennedy sans doute). Une adresse fait exception, *Captain Gosnold Village.*

🛏 *Seacoast Inn :* 33 Ocean St. ☎ 508-775-3828 ou 1-800-466-4100. Fax : 508-771-2179. ● www.seacoast capecod.com ● Ouvert de mi-mai à fin octobre. En pleine saison, la double de 90 à 110 US$. À la mi-saison, compter plutôt de 60 à 80 US$, petit dej' compris. Bien situé, à 10 mn à pied des ferries pour Nantucket et Martha's Vineyard. Ce motel offre des chambres fonctionnelles et propres, toutes avec bains, certaines avec cuisine. Jacuzzi à disposition.

🛏 *Captain Gosnold Village :* 230 Gosnold St. ☎ 508-775-9111. ● www.captaingosnold.com ● Ouvert de mi-avril à mi-octobre. Compter 130 US$ pour deux de mi-juin à début septembre, 210 US$ pour 4 personnes. Presque moitié moins à la mi-saison. Trois nuits minimum l'été.

Idéalement situé, tout près de Hyannis Port et de la plage, dans un joli coin résidentiel, un ensemble de charmants cottages gris aux volets roses, disséminés dans un grand parc, fleuri et bien entretenu. Chaque cottage (pour 2 à 6 personnes) est bien séparé des autres et dispose d'une vraie cuisine équipée, d'une terrasse avec mobilier de jardin et barbecue. Tous très propres et confortables mais pas forcément arrangés de la même manière, car ils appartiennent à des proprios différents. La plupart ont été rénovés récemment, dans des couleurs fraîches et lumineuses, demandez ceux-là. Piscine et aire de jeux pour les enfants. Accueil très pro. Une excellente adresse pour les familles.

Où manger ?

Bon marché

🍴 *Collucci Bros Diner :* à l'angle de South et Sea St. ☎ 508-771-6896. Ouvert toute l'année, pour le petit dej' et le déjeuner. De 6 à 10 US$. Le vrai *diner,* avec les banquettes de moleskine, les tabourets chromés et les couleurs *50's.* On se croirait dans la série *Happy Days* !

Le cadre est plus attrayant que la cuisine, sans finesse et graillonneuse à souhait. *Pancakes,* sandwichs, burgers, salades, tout est énorme et vraiment pas cher. Bien pour les petits budgets ou pour un cours pratique de sociologie américaine.

Prix moyens

🍴 *Brazilian Grill :* 680 Main St. ☎ 508-771-0109. Ouvert toute l'année midi et soir. Réserver pour le dîner. Le midi en semaine, compter 13 US$ la formule *rodizio* à volonté et *salad bar* ; le week-end et le soir, 18 US$. Authentique *churrascaria* brésilienne dans un décor de western. Les serveurs font le tour des tables avec une douzaine de sortes de délicieuses viandes grillées qu'ils vous apportent au fur et à mesure, tandis que vous vous servez les accompagnements au buffet (bananes frites, haricots noirs, salades...). Le samedi soir, c'est *feijoada*. Gage de qualité, la communauté brésilienne du cap apprécie les lieux.

|●| *Roobar City Bistro :* 586 Main St. ☎ 508-778-6515. Ouvert tous les soirs de 16 h (17 h pour dîner) à 1 h. Prévoir au moins 20 US$ (un peu moins pour les pizzas et salades). Resto, bar et cuisine : tout est dans une même pièce. Musique forte, atmosphère très bruyante, lumière tamisée, joli bar branché souvent bondé. Ici on vous sert la nouvelle cuisine américaine, qui fait plus dans la qualité que dans la quantité. Bons plats originaux et délicieuses pizzas cuites au feu de bois. La patronne appartient à la famille de l'acteur Christopher Reeve, alias Superman ! Une partie des recettes est ainsi reversée à sa fondation.

Où manger une glace dans les environs de Hyannis ?

⸙ *Four Seas Ice Cream :* 360 S Main St, à Centerville (un peu avant Hyannis sur la 28). ☎ 508-775-1394. De Centerville, en allant vers Hyannis, prendre la direction de Craigville Beach jusqu'au carrefour avec South Main St. De toute façon, tout le monde connaît. Ouvert de mi-mai à mi-septembre, de 10 h à 22 h (22 h 30 le week-end). Autour de 3 US$ le cornet. Dans une petite maison en bois bleu et blanc, le plus vieux glacier du cap et le fournisseur officiel de la famille Kennedy ! Excellentes glaces aux fruits frais, *frappes* épais et crémeux à souhait, *sundaes...* À manger sur place ou à emporter.

À voir. À faire

⚲ *Le Kennedy Compound (à Hyannis Port) :* si, comme beaucoup d'Américains et de touristes en général, vous voulez jouer les paparazzis, voici l'itinéraire pour y parvenir : après le JFK Memorial sur Ocean St, prendre à droite Gosnold St. Au stop, tourner à gauche dans Sea St, puis à droite dans Ocean Ave. Au stop, emprunter à gauche Hyannis Ave. Puis tourner à gauche dans Iyanough Ave, ensuite à droite dans Wachusett Ave et, enfin, au stop, à gauche dans Scudder Ave. Vous y êtes : le *Kennedy Compound* est situé à l'angle sud-est de Scudder et Irving Ave (côté mer). De toute façon, dès que vous voyez des voitures tourner autour des blocks et ralentir, vous n'êtes plus très loin.
La propriété compte en fait plusieurs maisons, dont la plus connue (et la plus accessible) est celle des parents de John : Joseph et Rose. Pour la voir, prendre la jetée en bois qui est normalement ouverte (même si c'est écrit *Private*), puis aller à droite sur la plage. Contrairement aux idées reçues, l'imposante maison blanche à colonnes n'a rien à voir avec les Kennedy, il faut encore continuer sur la plage pour voir la fameuse grande maison blanche aux 3 pignons. Comme la plupart des maisons américaines, aucune barrière ne la protège, et personne ne vous dira rien si vous jetez un coup d'œil rapide. Celle de JFK, en retrait de celle de ses parents, est beaucoup moins visible.

⚲ *John F. Kennedy Hyannis Museum :* 397 Main St. Ouvert toute l'année (sauf février). En été, de 9 h (12 h le dimanche) à 17 h. Entrée : 5 US$; réductions.
La ville se devait de consacrer un musée à son président qui passa tant de vacances ici. Celui-ci ne vaut malheureusement pas celui des environs de

Boston. La visite se résume à une cinquantaine de photos du clan Kennedy et à un petit film d'intro un peu gnangnan. Le seul intérêt est l'arbre généalogique qui permet de mieux comprendre la descendance de cette incroyable famille.

🍴 🚶 *Cape Cod Potato Chips :* 100 Breed's Hill Rd. ☎ 508-775-3358. ● www.capecodchips.com ● Ouvert toute l'année de 9 h à 17 h.
Sur la route 6, prendre la sortie 6 et tourner à droite sur la route 132. Au 4e feu à gauche, sur Independence Dr, puis 2e à droite, vous y êtes. On peut visiter gratuitement l'usine qui fabrique ces fameuses chips locales, dont on voit les emballages illustrés d'un phare rouge et blanc un peu partout dans la région. La visite s'achève évidemment à la *gift shop,* où toutes les variétés de chips sont représentées. Sympa avec des enfants un jour de pluie.

➤ *Départs pour Martha's Vineyard et Nantucket* du port de Hyannis. Voir les rubriques « Comment y aller ? » de ces 2 îles.

CHATHAM

Mignonne bourgade côtière classe et paisible. Petit port de pêche tranquille, dominé par un des innombrables phares de Cape Cod. En contrebas du phare, jolie plage avec des bancs de sable blanc. Belles boutiques et demeures le long de Main St.

Adresse utile

■ *Chatham Chamber of Commerce :* dans la Bassett House, à l'intersection de la 28 S et de la 137. ☎ 508-945-5199. ● www.chathaminfo.com ●

Ouvert de mi-mai à mi-octobre de 10 h (12 h le dimanche) à 17 h. Également un kiosque d'informations dans le centre, 533 Main St.

Où dormir ?

🛏 *Bow Roof House :* 59 Queen Anne Rd. ☎ 508-945-1346. Chambre double autour de 90-95 US$, petit dej' inclus. Demeure un peu sombre et pas vraiment gaie mais pratiquant des prix très raisonnables pour Cape Cod. Vous trouverez ici 6 grandes chambres, toutes avec bains privés. Intéressant pour ceux qui viennent en famille. Accueil sympa. Petit dej' continental dans la salle à manger, en compagnie de la proprio qui vous raconte ses histoires.

🛏 *Chatham Highlander :* 946 Main St (un peu avant l'entrée de Chatham en venant de Hyannis). ☎ 508-945-9038. Fax : 508-945-5731. Ouvert toute l'année. À partir de 125 US$ en plein été (100 US$ à la mi-saison). Motel d'une trentaine de chambres bien entretenues. Elles sont toutes climatisées et pour la plupart spacieuses, équipées de 2 lits doubles. Déco un peu rétro mais propreté impeccable.

Où manger ?

Bon marché

🍽 *Marion's Pie Shop :* 2022 Main St (route 28 ; assez loin du centre). ☎ 508-432-9439. Ouvert toute l'année de 8 h à 18 h (16 h le di-

manche). Fermé le lundi. De 2 à 12 US$ selon ce qu'on prend. Délicieuses tourtes *(pies)* de différentes tailles, salées (au poulet, aux fruits de mer, aux légumes...) ou sucrées, aux fruits. Également des soupes, salades et autres petites douceurs sucrées (muffins, *rolls*...). À emporter seulement : parfait pour un pique-nique.

I●I *Carmine's :* 595 Main St. ☎ 508-945-5300. Ouvert toute l'année, de 10 h à 23 h en été (18 h ou 19 h sinon). Compter moins de 3 US$ la part de pizza, de 10 à 15 US$ pour une entière (énorme !). Parts de pizzas et tourtes *(pies)* de toutes sortes pour un break rapide et économique. Sur place ou à emporter.

Prix moyens

I●I *Chatham Squire :* 487 Main St. ☎ 508-945-0945. Ouvert toute l'année midi et soir, tous les jours jusqu'à 1 h. Compter 10-15 US$ pour un déjeuner et 20 à 30 US$ pour le dîner. Dans une mignonne maison à bardeaux sont réunis une taverne et un restaurant qui proposent les mêmes menus. Du burger aux *clams,* on trouve de tout, pas très cher et plutôt bien cuisiné.

Les plats de pâtes sont très copieux. Même si le resto nous a paru des plus sympas, on s'attardera sur la taverne, l'endroit le plus animé de la rue. Décoration classique d'un *sports bar* où les « Ricains casquettés » mangent attablés au bar en forme de U. Au fond de la taverne, à droite, un petit bar pour les habitués. Assurément une chouette adresse.

Où manger une glace ?

🍦 *Daisy's :* 10 Chatham Bars Ave (presque à l'angle de Main St). ☎ 508-945-7229. Ouvert d'avril à novembre, de 12 h à 23 h l'été. À partir de 3 US$. En plein centre, à deux pas de *Chatham Squire.*

Glaces à tous les parfums, servies sous toutes les formes possibles : coupe, cône, milk-shakes, *malted, sundaes,* avec plein de *toppings* (garnitures) différents.

À faire

➢ 🦆 D'ici, on peut se rendre en bateau à **Monomoy Island.** Amis ornithologues, cette île-réserve ne compte pas moins de 300 espèces d'oiseaux migrateurs. Des tours sont organisés pour aller voir les phoques qui séjournent là toute l'année (compter 15 US$) Renseignements et réservations à la *Chamber of Commerce* ou sur ● www.monomoyislanferry.com ●

ORLEANS

Où dormir ?

Camping

🏕 *Roland C. Nickerson State Park :* 3488 route 6 A, à la sortie de Brewster, en allant vers Orleans. ☎ 508-896-3491 ou 1-877-422-6762. ● www.reserveamerica.com ● Ouvert de mi-avril à mi-octobre. Compter environ 15 US$ par jour et par tente. Quatorze jours de séjour maximum. Réservation indispensable l'été, acceptée jusqu'à 6 mois à l'avance. Un parc qui donnerait envie de camper aux plus réticents ! Immense espace de forêts et de lacs avec de nombreux emplacements aménagés pour les campeurs. Douches chaudes gratuites. Plein d'activités possibles organisées par les rangers : randonnées, vélo (le *Cape Cod Rail Trail* passe par ici), canotage ou baignade dans les lacs, et même ski de fond et patin à glace en hiver (mais là, on ne campe plus).

De prix moyens à plus chic

🛏 **Nauset House Inn :** Beach Rd, à East Orleans (à 0,5 mile de Nauset Beach). ☎ 508-255-2195. Fax : 508-240-6276. ● www.nausethouseinn. com ● Ouvert d'avril à octobre. À partir de 75 US$ la nuit en chambre double, petit dej' compris. Minimum de 2 nuits le week-end en été. Dans une superbe demeure typique de la Nouvelle-Angleterre, 14 petites chambres, avec ou sans bains privés. Toutes sont décorées différemment avec un goût très sûr, on dirait des maisons de poupée. Ce *B & B* réunit toutes les conditions pour un repos total, dans un cadre incroyable. Bon et copieux petit dej' servi dans la salle à manger où 2 grandes tablées sont dressées. Joli jardin et surtout, très belle serre dont on peut profiter.

Le seul bémol : les enfants de moins de 12 ans ne sont pas les bienvenus... Une excellente adresse de charme malgré tout.

🛏 **The Cove :** sur la route 28, non loin du croisement avec la 6 A. ☎ 508-255-1203 ou 1-800-343-2233. ● www.thecoveorleans.com ● Ouvert toute l'année. À partir de 85 US$ à la mi-saison, 140 US$ en plein été. Un motel « plus chic » par sa situation privilégiée, au bord d'un des nombreux lacs de Cape Cod. La couleur vert grisé des bâtiments est en harmonie avec le paysage, parfaitement reposant. Certaines chambres ont une très belle vue sur le lac, ce sont celles-ci que nous vous recommandons, même si elles sont plus chères. Piscine.

Où manger ?

🍽 **Fancy's Market :** 199 Main St, sur la route de Nauset Beach. ☎ 508-255-1949. Ouvert tous les jours de fin mars à novembre, de 6 h 30 à 19 h (17 h le dimanche). Grande ferme-marché vendant tout ce qu'il faut pour se bricoler un pique-nique avant d'aller à Nauset Beach. Sandwichs, pâtisseries, *salad bar,* fruits, légumes...

🍽 **Joe's Beach Road Bar and Grille :** Beach Rd (non loin de Nauset Beach). ☎ 508-255-0212. Ouvert tous les jours de l'année, dès 16 h pour un cocktail et à partir de 17 h pour le dîner. Plats de 10 à 20 US$. Compter 25 US$ pour le dîner. Ambiance conviviale et bon enfant dans cette grange-resto très populaire à Cape Cod. La carte est longue comme le bras. Portions copieuses et qualité extra pour des plats allant de la classique pizza au *lobster* en passant par les *dim sum.* Gardez un peu de place pour leur crème brûlée, très réputée. Un excellent rapport qualité-prix.

À voir. À faire

🏖 **Nauset Beach :** face à l'Atlantique, une des plus belles plages de Cape Cod, longue de 14 km et bordée par une immense dune de sable blanc, elle est vraiment splendide. Elle appartient d'ailleurs au *Cape Cod National Seashore* (on y arrive...). De mi-juin à début septembre, parking payant jusqu'à 16 h 30 : 10 US$. À ne pas confondre avec Nauset Light Beach, plus au nord.

➢ **Cape Cod Rail Trail :** circuit de cyclotourisme qui s'étend sur 40 km le long d'une ancienne voie ferrée, de Dennis à Wellfleet, et traverse le Nickerson State Park. La piste serpente entre marais, *cranberry bogs,* lacs, forêts...

À voir. À faire dans les environs

Cape Cod Museum of Natural History : 869 route 6 A, à **Brewster.** ☎ 508-896-3867. • www.ccmnh.org • Ouvert de 10 h à 16 h tous les jours de juin à septembre (du mercredi au dimanche à la mi-saison ; le week-end seulement hors saison). Entrée : 7 US$; réductions.
La visite de cet écomusée instructif et original s'impose, surtout si vous êtes en famille. On commence par la partie musée, où l'on apprend tout sur le cap, de façon ludique en prime : sa géographie, ses marées, sa faune, sa flore... Puis on enchaîne avec la partie pratique... dans la nature ! Des sentiers de randonnées *(trails)* partent en effet du musée pour observer *in situ* les paysages typiques de Cape Cod, les dunes, les marais, etc. Des visites guidées sont organisées mais on peut aussi se promener librement, le nez au vent.

EASTHAM

Adresses utiles

Visitor Information Center : sur la route 6, sur la droite en venant d'Orleans. Pas très loin de Fort Hill. ☎ 508-240-7211 (toute l'année) ou 508-255-3444 (en saison). • www. easthamchamber.com • Ouvert de juin à septembre : en juillet-août, tous les jours de 9 h à 19 h ; en juin et septembre, de 10 h à 17 h. Accueil très sympa. Possibilité de réserver des *B & B* traditionnels qui ne figurent pas dans la brochure de la ville.

Salt Pond Visitor Center : sur la route 6, après le *Visitor Information Center* d'Eastham. ☎ 508-255-3421. Ouvert tous les jours, toute l'année, de 9 h à 17 h (16 h 30 hors saison). Ce *Visitor Center* gère la partie sud du Cape Cod National Seashore. Il propose le même programme d'activités que celui de Provincetown (lire plus loin), qui, lui, gère la partie nord. Infos, livres et cartes diverses. Très bons conseils donnés par les rangers. Pas mal d'activités proposées. Également, un petit film sur Cape Cod, toutes les 30 mn dans l'auditorium (durée : 20 mn), sur le thème de l'environnement et de la nature.

Location de vélos : The Little Capistrano Bike Shop. En face du *Salt Pond Visitor Center*, en traversant la route 6. ☎ 508-255-6515. Ouvert de début avril à mi-novembre, à partir de 8 h ou 9 h. Prévoir 16 US$ pour louer un vélo à la journée, et 20 US$ pour 24 h.

Où dormir ?

Auberge de jeunesse

Hostelling International Eastham : 75 Goody Hallet Dr. ☎ 508-255-2785. Fax : 508-240-5598. • mid capehostel@yahoo.com • Entre Orleans et Eastham, en fait. Sur la route 6, après la sortie 12, continuer jusqu'au rond-point d'Orleans, faire trois quarts de tour et prendre Rock Harbor Rd. Puis, 1re à droite sur Bridge Dr et encore à droite. Ouvert de mi-mai à mi-septembre. De 20 à 22 US$ la nuit en dortoir (3 US$ de plus pour les non-membres). L'originalité de cette AJ, c'est que les dortoirs sont répartis dans de petits bungalows en bois de 4 à 8 personnes, en pleine nature. On peut en réserver un entier si on vient à plusieurs. Pas de chauffage (prévoir un bon duvet à la mi-saison). Grande cuisine ouverte sur la salle commune (jeux et livres). Barbecue et tables à l'extérieur.

Motels

De nombreux motels se succèdent le long de la route 6 en direction de Provincetown. Difficile de choisir car ils se ressemblent tous. Parmi les moins chers :

🏠 *Cottage Grove :* sur la route 6, un peu après le *Visitor Information Center,* sur la gauche en allant vers Provincetown. ☎ 508-255-0500 ou 1-877-521-5522. Fax : 508-255-1288. ● www.grovecape.com ● Ouvert de fin mai à mi-octobre. En pleine saison, à partir de 110 US$ la nuit pour 2 personnes dans une maisonnette en bois très bien équipée (TV, cuisine, petite salle à manger). À la mi-saison, compter 75 US$ pour deux. Petit dej' continental. Dans un joli parc séparé de la route par une haute barrière (mais on l'entend quand même...), 8 cottages rustiques propres et très fonctionnels. Barbecue et meubles de jardin. Préférable de réserver à l'avance car ces cottages sont plutôt loués à la semaine, laissant peu de disponibilité pour seulement une nuit.

Où manger dans les environs ?

🍽 ♪ *The Wellfleet Beachcomber :* sur Cahoom Hollow Beach, tout au bout de Cahoom Hollow Rd. Sur la route 6, en direction de Provincetown, tourner à droite après le resto *PJ's,* à l'entrée de Wellfleet. Autres repères utiles, les stations Mobil et Texaco en face de *PJ's.* ☎ 508-349-6055. Resto ouvert de 12 h à 21 h de fin mai à début septembre. Compter environ 10 US$ pour un déjeuner et 15 US$ pour un dîner. Le vrai resto de plage. À l'intérieur, une grande salle à la déco bien ricaine avec de grandes tablées. Dehors, une vaste terrasse en bois. Belle vue sur l'océan. Le parking de la plage est gratuit pour ceux qui viennent déjeuner ici (le montant du ticket est un avoir sur l'addition). Dommage que, les jours de grande affluence, le stationnement des voitures soit autorisé devant la hutte, ce qui gâche un peu la vue. Le soir, le *Wellfleet Beachcomber* se transforme en bar-discothèque.

À voir. À faire

⌂ *Les plages :* voir ci-dessous « Cape Cod National Seashore ».

TRURO

Où dormir ?

🏠 *Truro Youth Hostel :* tout au bout de North Pamet Rd, à Truro. C'est la dernière maison à droite (la blanche) avant le passage privé. ☎ 508-349-3889 ou 617-304-4803 (hors saison). Ouvert de fin juin à début septembre (check-in de 8 h à 22 h). Le bus qui relie Hyannis à Provincetown peut vous déposer pas trop loin de l'AJ, à la poste de Truro exactement. La nuit ici coûte de 18 à 26 US$ (3 US$ de moins avec la carte des AJ). Ancienne *coastguard* perchée en haut des dunes, en pleine nature. Magnifique panorama sur la mer. C'est du dortoir des filles, au 1er étage, que l'on a la plus jolie vue ! Grande cuisine à l'américaine tout en bois, vieux piano, bouquins jaunis et canapés râpés. Une ambiance de colonie de vacances ! La plage, très sauvage (l'accès y est d'ailleurs très difficile), n'est qu'à 200 m. Idéal pour une re- | traite loin du monde. Réservation indispensable.

À voir. À faire

%% *Cape Cod Lighthouse :* à North Truro, peu avant Provincetown (bien indiqué). ☎ 508-487-1121. ● www.trurohistorical.org ● C'est le phare blanc et noir accolé à la maison grise, peint par Edward Hopper. Le plus ancien et le plus emblématique de Cape Cod. Mais il n'est plus en haut de la falaise. En effet, comme il menaçait de s'effondrer dans la mer, il a été déplacé de 130 m en arrière en 1996.

◹ *Les plages :* voir ci-dessous « Cape Cod National Seashore ».

CAPE COD NATIONAL SEASHORE

%%% Déclaré zone protégée en 1961 grâce à l'appui du président Kennedy, le *Cape Cod National Seashore,* qui s'étend de Eastham à Provincetown, est un petit bout de Bretagne échoué de l'autre côté de l'Atlantique : paysage intact d'une beauté sauvage, patchwork de landes battues par les vents, d'immenses plages de sable blanc et de *cranberry bogs* (airelles). Le meilleur du cap.

CAPE COD

Adresses utiles

🛈 Deux *Visitor Centers* gèrent le Cape Cod National Seashore : pour la partie sud, le **Salt Pond Visitor Center** à Eastham, et pour la partie | nord, le **Province Lands Visitor Center** à Provincetown. Voir ces 2 villes pour les coordonnées.

Les plages

Les plus belles du cap sont ici. Savoir que, en été, tous les parkings sont payants de 9 h à 17 h environ (et chers, compter 3 US$ pour un vélo et 10 US$ pour une voiture). Gratuits avec le *National Parks Pass* qui coûte 50 US$. Les plages sont ouvertes jusqu'à minuit.

◹ *Nauset Light Beach :* de la route 6, à North Eastham, suivre les panneaux. Une des plages décrites dans *Cape Cod* de Thoreau : son sable blanc, ses hautes dunes et son phare rouge et blanc en retrait de la mer. À quelques minutes à pied de là se dressent les *Three Sisters Lighthouses.* Avis aux amateurs de phares !

◹ *Coast Guard Beach :* à Eastham. La plage la plus proche du *Salt Pond Visitor Center,* au bout de Doane Rd. Considérée comme l'une des plus belles plages des États-Unis. En raison de l'affluence, le parking n'est plus autorisé à proximité directe de la plage (système de navettes).

◹ *Head of the Meadow Beach :* accessible de la route 6 à North Truro. Une autre belle plage sauvage.

◹ *Race Point Beach :* la plus au nord du cap. Prendre la route 6 jusqu'à Provincetown, puis suivre Race Point Rd jusqu'au bout. De là, on peut ensuite rejoindre *Herring Cove Beach* par la célèbre *Province Lands Rd* qui serpente à travers les dunes et les plages spectaculaires.

Randonnées

Avant toute chose, procurez-vous la feuille *Self-guiding Nature Trails* dans les *Visitor Centers* (voir « Adresses utiles »), qui recense une petite douzaine de circuits pédestres au départ de Eastham, Wellfleet, Truro et Provincetown, celle sur les 3 circuits à vélo *(bike trails)* ainsi qu'une carte détaillée du cap indiquant tous les sentiers de randonnée et les pistes cyclables. De plus, un petit fascicule est en général mis à disposition à chaque début de promenade pour donner des renseignements sur l'itinéraire et ses points d'intérêt. Vous voilà armé. Demander également l'*Activity Guide* édité par le *Cape Cod National Seashore,* programme des activités proposées et organisées par les rangers. Promenades guidées à pied (gratuites) ou en canoë ; leçons de pêche (payant).

Voici quelques idées de balades parmi les circuits proposés dans la brochure :

➤ *Great Island Trail :* la randonnée se situe du côté de la baie de Cape Cod et s'étend sur toute la presqu'île à l'ouest de Wellfleet. Accès au parking : du *Salt Pond Visitor Center* à Eastham, prendre la 6 E sur un peu plus de 8 miles. Tourner à gauche en direction du « *Wellfleet Center and Harbor* ». Après avoir passé le port *(harbor),* continuer sur 2,5 miles environ, jusqu'au *Great Island Trail Parking.* Randonnée très sauvage de 13 km (environ 4 h, arrêts compris) où l'on marche aussi bien le long des marécages que sur la plage ou dans la forêt. Le but, c'est d'atteindre le *Jeremy Point,* accessible à marée basse. Variante dans le parcours. Très beaux paysages. Calme assuré.

➤ *Nauset Marsh Trail :* accès par le *Salt Pond Visitor Center*. Cette promenade de 1,6 km environ longe le *Salt Pond* et offre de très belles vues sur les marais.

➤ *Fort Hill Trail :* peu après Orleans, dans Eastham, indiqué depuis la route 6. Ce *trail* croise le *red maple swamp trail.* Ici aussi, superbes vues des marais de Nauset. Promenade très belle en automne, quand les érables prennent leurs couleurs dorées. Petit tour également apprécié des ornithologues.

➤ *Atlantic White Cedar Swamp Trail :* une promenade facile et courte (30 mn environ) qui sillonne à travers les pins, les cèdres blancs et les marais. On y croise des tas de petits écureuils et le parcours est vraiment très chouette. Départ du parking du *Marconi Station Site.*

PROVINCETOWN

🎭 Fréquenté par les artistes, les gays et marginaux de tout poil, Provincetown (Ptown pour les intimes) est une ville à part sur le cap. Il y règne une atmosphère particulière : toute la population se promène à vélo et cohabite dans une ambiance bon enfant.

Ajoutez à cela de jolies maisons blanches aux volets bigarrés, un pittoresque petit port, quelques belles plages alentour, une pléthore de galeries d'art, de restos et de magasins sur Commercial St, et vous voilà conquis. Le drapeau arc-en-ciel, symbole de la communauté homo, flotte un peu partout. Pour un peu, on se croirait à Key W. En un peu moins *trash* quand même, malgré les gadgets « sex » en vente dans les boutiques de la rue principale et les bars un peu « chauds » le soir. Un conseil, préférez les mois de mai, juin et septembre au plein été ; quand les flopées de touristes venus respirer l'air du large envahissent Commercial St, Provincetown n'est plus tout à fait la même.

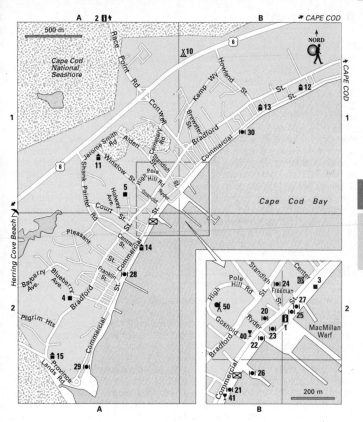

PROVINCETOWN

■ **Adresses utiles**

ℹ **1** Provincetown Chamber of Commerce
ℹ **2** Province Lands Visitor Center
@ Internet (Public Library)
3 Arnold's
4 Gale Force Bikes
5 Parking

⚊ ⌂ **Où dormir ?**

10 Dune's Edge Campground
11 The Outermost Hotel
12 The Cape-Codder
13 White Horse Inn
14 Prince Albert Guesthouse & Officers Quarters Accomodations
15 Bill White's Motel

◐ **Où manger ?**

20 The Mayflower Café
21 Café Heaven
22 George's Pizza
23 Post Office Café
24 Napi's
25 Lobster Pot
26 Ross Grill
27 Cafe Edwige
28 Lorraine's
29 The Red Inn
30 Angel Foods

🍸 **Où boire un verre ?**

40 Euro Island Grill and Cafe
41 Bubala's

🎭 **À voir. À faire**

50 Pilgrim Monument

Adresses utiles

ℹ️ *Provincetown Chamber of Commerce (zoom, 1)* : 307 Commercial St, sur McMillan Wharf. ☎ 508-487-3424. ● www.ptownchamber.com ● Ouvert de 9 h à 17 h tous les jours en juillet-août, et de 10 h à 16 h en mai, juin et septembre. Fermé le dimanche en avril, novembre et décembre. Ouvert 3 à 4 jours par semaine de janvier à mars. Pas mal de documentation. Possibilité de les appeler le matin pour connaître les disponibilités des hôtels de la ville le soir. Ils peuvent aussi expédier des brochures en France.

ℹ️ *Province Lands Visitor Center (hors plan par A1, 2)* : à un bon mile du centre-ville, sur Race Point Rd.

☎ 508-487-1256. Ouvert tous les jours de 9 h à 17 h de mai à octobre. Infos, cartes, brochures. Ce *Visitor Center* gère la partie nord du Cape Cod National Seashore (de North Truro à Provincetown). Il propose le même programme d'activités que celui de Salt Pond, qui lui gère la partie sud : canoë, pêche, randonnées, marches sur les dunes de sable. Film de 10 mn toutes les heures (4 films différents). Grimper au point d'observation qui offre une vue à 360° sur les dunes et l'océan.

@ *Internet (Public Library ; zoom)* : à l'angle de Commercial et Center St. Accès Internet gratuit pendant 30 mn.

Circuler à Provincetown

➤ *Le vélo* est le moyen de transport le plus adapté.
Vous trouverez de nombreux loueurs, qui pratiquent tous plus ou moins les mêmes prix : de 15 à 20 US$ la journée. Rajouter 2 US$ pour le garder 24 h. Un peu moins cher à la mi-saison. *Arnold's* et *Ptown Bikes* sont les adresses les plus centrales pour ceux qui n'ont pas de voiture.

■ *Arnold's (zoom, 3)* : 329 Commercial St, juste à côté de McMillan Wharf. ☎ 508-487-0844. Ouvert de mai à octobre, tous les jours à partir de 9 h. Loue aussi des poussettes 3 roues adaptées aux sentiers de randos (même tarif).
■ *Ptown Bikes :* 42 Bradford St. ☎ 508-487-8735. ● www.ptownbikes.com ● Ouvert tous les jours de mi-mai à mi-septembre de 9 h à 18 h (10 h-17 h à la mi-saison).

■ *Nelson's Bike rentals :* 43 Race Point Rd. ☎ 508-487-8849. Tout près des pistes cyclables (parking gratuit). Ouvert tous les jours de 9 h à 18 h (17 h à la mi-saison).
■ *Gale Force Bikes (plan A2, 4) :* 144 Bradford St Extension (angle de Blueberry). ☎ 508-487-4849. ● www.galeforcebikes.com ● Ouvert tous les jours de mai à octobre, à partir de 8 h en juillet-août, 9 h à la mi-saison.

➤ *Shuttle :* ☎ 1-800-352-7155. ● www.thebreeze.info ● Ces bus municipaux, qui fonctionnent de fin mai à mi-octobre uniquement, relient Herring Cove Beach à North Truro en passant, entre autres arrêts, par le Pilgrim Monument. De fin juin à début septembre, départs toutes les 20 mn, tous les jours, de 7 h 15 à 0 h 45. À la mi-saison, toutes les 30 mn ou toutes les heures, de 7 h 15 à 20 h 15 (minuit les vendredi et samedi). Prévoir 1 US$ le trajet ou 3 US$ pour une journée entière (réductions). Possibilité d'acheter les billets à bord et aussi d'embarquer son vélo.
➤ *Difficile de se garer à Provincetown* (contrairement aux autres villes du cap) : les automobilistes devront se rabattre sur les parkings payants (et très chers !) du centre. Éviter le grand parking du port, qui est hors de prix (25 US$ par jour) et préférer celui situé derrière le Pilgrim Monument *(plan A1, 5)*. Compter moins de 2 US$ l'heure et 11 US$ la journée.

Où dormir ?

Camping

⛺ **Dunes' Edge Campground** (plan B1, 10) : 386 route 6, PO Box 875. ☎ 508-487-9815. Fax : 508-487-5918. ● www.dunes-edge.com ● À 15 mn à pied du centre-ville et à moins de 2 miles des plages. Ouvert de mai à septembre. Pour une tente et 2 personnes, 30 US$ la nuit (quelques dollars de plus pour l'eau et l'électricité). Réservation recommandée l'été. Camping planté au milieu de la forêt. Les tentes sont un peu les unes sur les autres. Douches chaudes payantes. Dans le bureau d'enregistrement, un magasin de cartes postales et d'alimentation subviendra à vos petits besoins.

Auberge de jeunesse

🛏 **The Outermost Hostel** (plan A1, 11) : 28 Winslow St. ☎ 508-487-4378. ● outermost@mindspring.com ● Ouvert de mai à octobre. La nuit à 22 US$ (3 US$ en plus pour les draps). Bien située, à quelques minutes à pied du centre (derrière le Pilgrim Monument), cette AJ indépendante dispose de 5 bungalows en bois, très basiques mais avec bains privés, pouvant accueillir de 4 à 8 personnes. L'avantage, c'est qu'on peut en réserver un entier si on vient à plusieurs. Pas de salle commune, juste une toute petite cuisine, mais quelques tables à l'extérieur, sur l'herbe, pour prendre ses repas ou bouquiner. Un bon plan pour les non-motorisés au budget limité.

Guesthouses

Sur Commercial St et dans les petites rues avoisinantes, des dizaines de guesthouses, Inns et B & B. Certains sont vraiment ravissants et les prix sont souvent élevés. Pourtant, en cherchant bien, on peut dégoter quelques petites adresses qui ne grèveront pas le budget des routards. En voici quelques-unes, de la moins chère à la plus chère :

🛏 **The Cape-Codder** (plan B1, 12) : 570 Commercial St. ☎ 508-487-0131. Ouvert de début mai à début octobre. De 45 à 70 US$ la nuit en été, de 35 à 60 US$ à la mi-saison. Dans la rue principale, mais un peu excentrée (à 15 mn à pied du centre), cette guesthouse est située en face de la plage. Une quinzaine de chambres, meublées simplement, toutes avec bains partagés, ce qui explique les prix modiques. La n° 16, avec vue sur la mer, est une de nos préférées. Café et muffins offerts aux clients en été uniquement. Jardin devant la maison et petit coin de plage privée. Très bon rapport qualité-prix, mais accueil irrégulier. Réserver à l'avance car l'adresse est prisée.

🛏 **White Horse Inn** (plan B1, 13) : 500 Commercial St. ☎ 508-487-1790. Ouvert toute l'année. Compter 100 US$ la chambre pour deux en plein été, et 60 US$ hors saison. À 10 mn à pied du centre, au calme, voici une vraie guesthouse de charme, tenue par Frank, artiste dans l'âme. Dans une grande maison de capitaine, 11 chambres propres et confortables, la plupart avec bains privés, toutes décorées de bric et de broc avec des meubles de récup' peints dans des couleurs vives, des tapis et plein d'œuvres d'art contemporaines aux murs. Un côté bohème, pas léché pour deux sous, qu'on adore. Et des prix étonnamment raisonnables. Également 6 studios/apparts pour 3-4 personnes (avec cuisine complète) mais plus chers, cela va de soi. Notre coup de cœur à Provincetown.

🛏 *Prince Albert Guesthouse & Officers Quarters Accomodations* (plan A2, 14) : 164 et 166 Commercial St. ☎ 508-487-0859 ou 1850. Réservations : 1-800-992-0859 ou 1-800-400-2278. ● www.princealbertguesthouse.net ● www.provincetownvacations.com ● Ouvert toute l'année. En haute saison, de 140 à 200 US$ la double avec bains privés, de 90 à 110 US$ hors saison (un peu moins si elle est partagée). Minimum de 5 nuits en saison (a priori...) Il s'agit en fait de 2 *guesthouses* qui communiquent entre elles, récemment rénovées et bénéficiant d'une situation idéale en plein centre. Seize chambres en tout, spacieuses et élégantes, certaines avec de superbes lits à baldaquin en bois sculpté, des tentures de couleurs sombres... Très théâtral tout ça ! La plupart ont leur salle de bains privée. Petit dej' continental offert aux clients. Terrasse en bois avec jacuzzi à l'arrière de la maison.

Motel

🛏 *Bill White's Motel* (plan A2, 15) : 29 Bradford St Extension. ☎ 508-487-1042. ● bwm@cape.com ● Ouvert de mi-mai à fin octobre. Compter 90 US$ pour deux l'été et 72 US$ à la mi-saison. Situé à 15 mn à pied de la plage et à 20 mn du McMillan Wharf, ce motel propose 15 chambres un peu sombres mais propres. Pas le charme d'une *guesthouse,* mais prix raisonnable et bien situé. En plus, le *Bill White's* est desservi par le *shuttle.*

Où manger ?

Bon marché

|●| *The Mayflower Café* (zoom, 20) : 300 Commercial St. ☎ 508-487-0121. Ouvert tous les jours de 11 h 30 à 22 h de début avril à fin octobre. Plats de 6 à 15 US$. Voilà un nom qui colle parfaitement à l'atmosphère de cet endroit qui résiste au temps. La déco vieillotte et l'ambiance populaire font de l'adresse l'un des derniers bastions non « paillettisés » de la rue. Ici, pas de *drag queens* en cuisine ou de spots meurtriers, mais tout simplement les sandwichs et les burgers les moins chers de la ville. Pizzas, salades, plats italiens et portugais, *seafood* également bon marché. Idéal pour prendre des forces au calme avant la soirée.

|●| *Angel Foods* (plan B1, 30) : 467 Commercial St. ☎ 508-487-6666. Ouvert tous les jours de 8 h à 20 h (18 h le dimanche). Compter moins de 10 US$. Épicerie fine proposant *salad bar,* sandwichs, pâtisseries... le tout à emporter pour un pique-nique sur la plage. Un peu excentré et pas donné, mais quand même moins cher qu'un resto assis.

|●| *Café Heaven* (zoom, 21) : 199 Commercial St. ☎ 508-487-9639. Ouvert tous les jours de mai à octobre. Compter 10 US$ pour un breakfast ou un lunch ; de 15 à 20 US$ pour le dîner. Pas mal de gays dans ce sympathique petit resto décoré de toiles d'artistes locaux. Bon breakfast, tendance *healthy* (ça change un peu) : délicieux *eggs Benedict,* omelettes variées, *French toast, banana pancakes, Heaven made granola...* Pour le déjeuner, sandwichs accompagnés de délicieux pains, salades fraîches, *wraps* (tortillas roulées) au poulet, aux légumes... Tout est frais et léger. Atmosphère *arty* et accueil tout sourire.

|●| *George's Pizza* (zoom, 22) : 275 Commercial St. ☎ 508-487-3744. Ouvert toute l'année, tous les jours de 11 h 30 à 22 h minimum (2 h

en pleine saison). De 6 à 13 US$ environ. Pizzas correctes (en parts ou entières, à manger sur place ou à emporter), mais aussi pâtes, sandwichs et salades. La salle est commune mais la grande terrasse donnant sur la plage est vraiment chouette.

|●| Post Office Café (zoom, **23**) : 303 Commercial St. ☎ 508-487-

3892. Ouvert tous les jours de l'année, de 8 h à 23 h environ. Prévoir autour de 10 US$ pour un petit dej', un sandwich ou un burger, et à partir de 15 US$ pour un plat de pâtes ou de *seafood.* Les plats vont du simple sandwich aux assiettes de pâtes et au traditionnel *lobster.* En revanche, cocktails un peu chers. Pas mal pour un petit dej' (servi jusqu'à 15 h).

Prix moyens

|●| Napi's (zoom, **24**) : 7 Freeman St. ☎ 508-487-1145. Ouvert toute l'année pour le dîner ; le midi de septembre à avril uniquement. Plats de 15 à 20 US$. Surtout, ne vous fiez pas au décor, chargé et limite de mauvais goût avec toutes ces guirlandes lumineuses accrochées un peu partout, car côté cuisine, cette adresse est un de nos meilleurs souvenirs dans la région. Longue carte de spécialités aux influences sud-américaines et méditerranéennes : poulet cuisiné de différentes façons (dont le *chicken Rancho Verde*), grillades, poissons (*cod,* notamment), plats végétariens à base de tofu... Les assiettes sont appétissantes et très généreusement servies et les saveurs fines et parfumées. Bonne sélection de cocktails également. Parking gratuit pour les clients (rare à Provincetown).

|●| Lobster Pot (zoom, **25**) : 321 Commercial St. ☎ 508-487-0842. Ouvert de mars à novembre tous les jours de 11 h 30 à 21 h ou 22 h, selon l'affluence. Compter aux alentours de 20-25 US$. Ce restaurant ressemble à un attrape-touristes, fonctionne d'ailleurs un peu comme ça, mais ce n'est pas une raison pour ne pas s'y arrêter. Situé juste en face du port, sur 2 étages, cette

usine à *seafood,* devenue une institution de Provincetown, est toujours bondée. Après avoir enregistré son nom à l'accueil, on attend le long des cuisines en pleine activité. Les ordinateurs qui gèrent tout préviennent quand une table se libère et enfin, on peut s'asseoir ! Le parcours est long, mais on sert ici une *seafood* fraîche et de qualité. On vous conseille, entre autres, le *Clambake* : *clam chowder,* puis gigantesque assiette contenant un *lobster,* des *clams,* des pommes de terre à la braise, un épi de maïs, du pain à la citrouille... Également quelques viandes au menu.

|●| Ross Grill (zoom, **26**) : 237 Commercial Wharf (au fond du petit centre commercial Whaler's Wharf, au 1er étage). ☎ 508-487-8878. Ouvert toute l'année, midi et soir. Fermé le mardi. De 10 à 15 US$ pour le déjeuner et environ 25 US$ pour le dîner. La salle est plutôt agréable avec ses plafonds aux structures d'acier peintes en vert foncé qui donnent de beaux volumes et sa chouette vue sur le port. Menu du déjeuner simple et bon : burger accompagné d'excellentes frites, sandwichs variés, salades et soupes. Le soir, les plats sont plus élaborés, comme toujours.

Chic

|●| Cafe Edwige (zoom, **27**) : 333 Commercial St (Freeman St). ☎ 508-487-2008. Ouvert tous les jours de début mai à fin octobre, pour le petit dej' (week-end uniquement à la mi-saison) et le dîner. Fermé le mercredi. Compter 10 US$ le breakfast et 30 US$ le dîner. Ouvert depuis

1974, *Cafe Edwige* est devenu une institution de Provincetown. Salle à manger au 1er étage d'une maison un peu en retrait de la rue. Probablement le meilleur petit dej' de la ville : omelettes en tout genre, *pancakes,* mais aussi assiettes de tofu, *granola...* Le soir, changement de nom :

Edwige at Night, une des tables les plus réputées de Ptown, propose une carte *world cuisine.* Cadre romantique, service attentionné, plats originaux, raffinés et joliment présentés... Difficile de se tromper.

|●| *Lorraine's* *(plan A2, 28)* : 133 Commercial St. ☎ 508-487-6074. Ouvert toute l'année, le soir seulement. Bar à *margharita* ouvert jusqu'à 1 h. Plats de 15 à 25 US$. Une autre valeur sûre de la ville, installée depuis peu dans ce nouvel endroit. Délicieuse cuisine du monde, concoctée par la fameuse Lorraine, d'origine mexicaine, et servie dans une salle chaleureuse aux murs lambrissés d'acajou. Pour les amateurs, pas moins d'une petite centaine de tequilas !

Très chic

|●| *The Red Inn* *(plan A2, 29)* : 15 Commercial St. ☎ 508-487-7334. Compter au moins 35 US$ le soir. Sinon, de 12 à 20 US$ pour le brunch du dimanche. Pour ceux qui sont prêts à y mettre le prix, voici sans conteste la meilleure table de Provincetown, plébiscitée par les locaux comme les spécialistes de la gastronomie. Située à l'extrémité de la rue principale, à l'endroit même où les Pilgrim Fathers ont débarqué du *Mayflower,* cette auberge toute rouge bénéficie d'une situation extraordinaire sur la baie, le phare de Long Point et le port. De la salle de restaurant, très romantique et élégante avec sa cheminée, son parquet à grosses lattes et ses poutres au plafond, la vue est fantastique. On y sert une cuisine de la Nouvelle-Angleterre, revue au goût du jour, légère et raffinée. Réservation vivement recommandée.

Où boire un verre ?

Le soir, surtout le week-end en été, la ville se transforme. De nombreux spectacles et shows homos sont proposés par des *drag queens* le long de Commercial St. Pour les gays ou les curieux, allez faire un petit tour du côté de *Masonic Place,* petite impasse sombre donnant sur Commercial St et où se concentrent les bars les plus chauds de la ville.
Pour connaître le programme des spectacles, procurez-vous l'hebdo gratuit *Provincetown Magazine,* disponible entre autres à l'office du tourisme.

▼ *Euro Island Grill and Café* *(zoom, 40)* : 258 Commercial St. ☎ 508-487-2505. Ouvert tous les jours de 11 h à 1 h de mi-mai à fin septembre. Perché sur une terrasse en hauteur, l'endroit a tout d'un bar de plage. Cahute en bois éclairée par des lampions où les noceurs d'un soir prennent leur dernier verre à l'air libre avant de s'engouffrer dans la boîte gay, *Club Euro,* dont l'entrée se situe derrière le bar. Fait aussi resto. Si le cadre est sympa, on ne vous conseille pas forcément d'y manger.

▼ *Bubala's* *(zoom, 41)* : 183-185 Commercial St. ☎ 508-487-0773. Bar ouvert jusqu'à 1 h en saison. Une des terrasses les plus prisées de Provincetown. Fait aussi resto, mais on préfère y boire un verre en profitant de l'animation de Commercial St.

À voir. À faire

🯄 *Pilgrim Monument* *(zoom, 50)* : High Pole Hill. ☎ 508-487-1310. ● www.pilgrim-monument.org ● Ouvert d'avril à novembre de 9 h à 16 h 15 (18 h 15 en juillet-août). Entrée : 7 US$; réductions.
Inspirée de l'architecture italienne du XIVe siècle, cette curieuse tour, haute de 83 m, et qui sert de repère dans la ville, est dédiée à l'arrivée du *Mayflower* à Provincetown en 1620. Du sommet, beau panorama sur le cap.

➤ *Piste cyclable de Province Lands :* 13 km au milieu des dunes, autour de petits étangs, traversant les *cranberry bogs* entre Herring Cove Beach et Race Point Beach (là où est situé le *Province Lands Visitor Center,* voir « Adresses utiles »). Superbe !

➤ 🚶 *Balades en mer pour observer les baleines :* une expérience inoubliable, d'autant que les baleines « à bosse », qui séjournent d'avril à octobre dans les eaux de la Nouvelle-Angleterre, sont les plus ludiques et joyeuses de toutes les espèces. Dans *Moby Dick,* Herman Melville s'extasie d'ailleurs sur leur tempérament joueur. Le saut est une des figures les plus courantes. La baleine sort comme une fusée, le corps souvent entièrement hors de l'eau et les nageoires tendues comme un avion (beau splash au retour). Si les cétacés se font timides le jour de l'excursion, on vous offre un billet pour un autre jour. Tickets en vente au *Whale Watchers Store,* au 309 Commercial St, à deux pas du McMillan Wharf. Pensez à récupérer, avant, des coupons de réduction dans les hôtels et *B & B,* ainsi que dans les brochures gratuites distribuées un peu partout (dont à l'office du tourisme).
Les 2 compagnies proposent en gros les mêmes services. Compter 25 US$ l'excursion de 3 h ou 4 h (réduction pour les enfants). Les départs se font du McMillan Wharf. On vous recommande quand même *Dolphin Fleet,* pour son sérieux et son côté écolo :

🛥 *Dolphin Fleet :* ☎ 508-240-3636 ou 1-800-826-9300. ● www. whalewatch.com ●

🛥 *Portuguese Princess :* ☎ 508-487-2651 ou 1-800-442-3188. ● www. princesswhalewatch.com ●

➤ QUITTER PROVINCETOWN

➤ *Bus jusqu'à Hyannis, Boston ou New York :* Plymouth & Brockton, ☎ 508-778-9767. ● www.p-b.com ● Cette compagnie relie Provincetown à Boston (Logan Airport, Park Square et South Station) et dessert la plupart des villes du cap. Informations au ☎ 508-771-6191 ou 508-746-4795. Prix du trajet : 29 US$ jusqu'à Logan Airport. Compter 10 US$ de plus si vous transportez votre vélo entre Ptown et Boston et 5 US$ si vous montez à un autre arrêt. Prendre ses tickets dans le bus. L'arrêt des bus est sur McMillan Wharf (derrière la chambre de commerce) devant les *restrooms.* Compter 3 h 30 environ pour faire le trajet Provincetown-Boston Logan Airport.

MARTHA'S VINEYARD

Nombreuses sont les personnalités qui ont succombé aux charmes du « Vineyard », comme on dit ici : William Styron, Spike Lee, Steven Spielberg, Bill Clinton et surtout Jackie Kennedy, qui possédait une propriété près de Gay Head. Il faut dire que l'île a un sacré cachet avec ses villages de poche pimpants et fleuris, ses plages de sable blanc sur fond de mer bleu océan et ses paysages enchanteurs. Il y a moins de milliardaires qu'à Nantucket, voilà pourquoi c'est moins léché mais plus convivial. C'est au large de Martha's Vineyard qu'a été retrouvé l'avion de John John Kennedy en juillet 1999.

Comment y aller ?

En bateau

➤ Avec la compagnie *Steamship Authority :* départ de Woods Hole (passagers + voiture) et arrivée à Vineyard Heaven 45 mn plus tard. Fonctionne toute l'année. Bateaux toutes les heures, de 7 h à 22 h environ, de mi-mai à mi-octobre (fréquence réduite le reste de l'année). Également quelques liaisons Woods Hole-Oak Bluffs. Compter environ 12 US$ (réductions) aller-retour par passager, 6 US$ par vélo. Attention, cela coûte cher d'embarquer sa voiture sur le ferry (120 US$ de mai à octobre). Réservation à l'avance indispensable. Si on ne passe qu'une seule journée à Martha's Vineyard, il est plus avantageux d'en louer une sur place.

➤ La compagnie **The Island Queen** transporte uniquement des passagers. Départ sur le port de Falmouth. Les ferries fonctionnent de fin mai à mi-octobre avec au moins 7 départs par jour en plein été. Prix de la traversée : 12 US$ l'aller-retour (réductions), 6 US$ par vélo.

➤ La compagnie **Hy-Line Cruises** propose une liaison saisonnière en bateau au départ de Hyannis jusqu'à Oak Bluffs (passagers uniquement) de mai à fin octobre ; fonctionne le week-end en mai ; 3 bateaux par jour de fin mai à mi-juin (un 4e de mi-juin à début septembre) et, enfin, une seule liaison par jour de mi-septembre à fin octobre. C'est plus cher : environ 28 US$ l'aller-retour (plus 10 US$ par vélo) et surtout, beaucoup plus long : 1 h 30 de traversée. Hy-Line Cruises est la seule compagnie qui propose une liaison directe entre Martha's Vineyard et Nantucket, de début juin à mi-septembre. Compter 28 US$ l'aller-retour.

Si vous souhaitez laisser votre voiture à Hyannis ou Falmouth pour visiter l'île à pied ou à vélo, il y a plusieurs parkings près du port (compter 15 US$ par jour l'été).

◢ **Steamship Authority :** informations au ☎ 508-548-3788 ou 508-693-9130. Réservations : ☎ 508-477-8600. • www.steamshipauthority.Com •

◢ **The Island Queen :** ☎ 508-548-4800. • www.islandqueen.com •

◢ **Hy-Line Cruises :** ☎ 508-778-2600 (à Hyannis) ou 508-693-0112 (à Martha's Vineyard). ☎ 1-800-492-8082. • www.hy-linecruises.com •

Comment se déplacer sur l'île ?

À vélo

L'île mesure *grosso modo* 30 km x 15 km. Le moyen le plus agréable pour la découvrir est bien sûr le vélo mais, à moins de s'appeler Lance Armstrong, il est difficile d'en faire le tour en une seule journée. On trouve des dizaines de boutiques de location sur l'île, ouvertes généralement d'avril à octobre. La location d'un vélo à la journée oscille entre 15 et 20 US$. Certains « loueurs » peuvent vous apporter votre vélo où vous le désirez, renseignez-vous. Pour les adresses, voir plus loin dans les villes concernées.

Procurez-vous les *Rubel bike maps*, les meilleures cartes pour circuler à vélo (2 US$, dans certains *Visitor Centers*). L'une d'elles couvre Martha's Vineyard et Nantucket. Une autre, plus générale, combine les deux îles, Cape Cod et le *North Shore*. Sinon, les *Visitor Centers* distribuent aussi des cartes gratuites, mais moins détaillées.

À mobylette, en scooter ou en voiture

Le mieux, si l'on ne reste qu'un jour sur place, est de louer une mobylette ou un scooter. On trouve des loueurs un peu partout, notamment près de l'arrivée des ferries à Oak Bluffs et Vineyard Haven. Ils profitent de leur insularité pour pratiquer des tarifs exorbitants : la location d'un scooter à la journée coûte environ 50 US$ pour 2 personnes. Sachez cependant qu'il est toujours possible de grappiller quelques dollars en négociant avec les vendeurs. Les plus fortunés loueront un 4x4, idéal pour sillonner Martha's Vineyard dans ses moindres recoins. En haute saison, compter à partir de 70 US$ la location d'une voiture à la journée et 160 US$ pour un 4x4.

En bus

➤ *Martha's Vineyard Transit Authority (VTA) :* ☎ 508-627-9663. • www. vineyardtransit.com • Regroupe tous les transports en commun de Martha's Vineyard.

De mi-mai à mi-octobre, une douzaine de *bus municipaux blancs* desservent Vineyard Haven, Oak Bluffs, Edgartown, West Tisbury, Chilmark, Menemsha et Aquinnah. Ils fonctionnent de 7 h à minuit environ et s'arrêtent là où vous le souhaitez. Certaines lignes fonctionnent même toute l'année. Procurez-vous une *System Route map,* avec les horaires et le parcours. Le prix de la course est de 1 US$ par ville mais si vous allez de Vineyard Haven à Edgartown par exemple, vous paierez 3 US$ car le bus passe obligatoirement par Oak Bluffs. Il existe aussi des *passes* : 6 US$ pour la journée ou 15 US$ pour 3 jours. Tous les bus sont munis de racks à vélos.

En taxi

☎ 508-627-4566 ou 508-693-9632. Tarif des courses fixé à l'avance.

Les plages

La plupart sont superbes, mais malheureusement souvent privées et donc accessibles uniquement aux propriétaires ou aux locataires. Cependant, selon la loi, tout le monde a le droit de pêcher sur n'importe quelle plage entre les limites (sur le sable) de la marée basse et de la marée haute. Alors, tous à vos cannes à pêche pour aller explorer les plages de nantis ! Parmi les plages publiques, nos préférées sont :

◿ *Katama Beach (ou South Beach) :* près d'Edgartown. Près de 5 km de long. Sable blanc et dunes hautes.

◿ *East Beach (Cape Poge Wildlife Refuge and Wasque Reservation) :* sur *Chappaquiddick Island.* Accès en ferry d'Edgartown. Plage magnifique dans une zone protégée : très belles dunes, cèdres, marais... et peu de monde.

◿ *Aquinnah Beach :* elle s'étale sur 8 km et est appelée, du nord au sud : *Aquinnah, Moshup, Philbin* puis *Zack's Cliff.* Pas mal de falaises du côté d'*Aquinnah.* Plus on descend vers le sud, plus la plage s'élargit. *Philbin* et *Zack's* sont des plages réservées aux résidents, mais si vous passez en restant au bord de l'eau, vous ne devriez pas rencontrer de problème.

◿ *Lobsterville Beach :* pas loin de *Gay Head Cliffs.* Plage populaire familiale car l'eau y est très bonne et peu profonde. Difficile de stationner (parking réservé normalement aux résidents), mieux vaut s'y rendre à vélo.

◿ *Long Point Reservation :* *West Tisbury.* Splendide plage isolée d'où vous pourrez suivre les chemins de rando de *Tisbury Great Pond.*

VINEYARD HEAVEN

Adresses utiles

🖪 *Tourist Information Center :* petit kiosque au *Steamship Authority Terminal,* sur le port, à droite en sortant du débarcadère. Ouvert tous les jours de 8 h à 20 h en juillet-août, et du vendredi au dimanche de mi-mai à fin juin et de septembre à mi-octobre.

■ *Vineyard Heaven Chamber of Commerce :* Beach St, en face de la caserne de pompiers. ☎ 508-693-0085. • www.mvy.com • Ouvert toute l'année : de mai à octobre, en semaine de 9 h à 17 h, le samedi de 10 h à 16 h et le dimanche de 12 h à

16 h ; fermé le dimanche le reste de l'année. Un tas d'informations, de cartes, etc.

■ *Location de vélos :* MV *Strictly Bikes,* près du *Tourist Information Center,* au 24 Union St. ☎ 508-693-0782. Ouvert tous les jours d'avril à mi-octobre de 9 h à 17 h (18 h de juin à août). *Martha's Bike Rentals,* 4 Lagoon Pond, non loin de la Black Dog Bakery. ☎ 508-693-6593. Ouvert d'avril à novembre.

■ *Location de mobylettes et voitures :* Adventure Rentals (Thrifty), 19 Beach Rd. ☎ 508-693-1959 (mobylettes) ou 8143 (voitures). *Budget,* 45 Beach Rd. ☎ 508-693-1911.

■ *Bunch of Grapes Bookstore :* 44 Main St. Ouvert tous les jours de 9 h à 18 h (21 h 30 de mi-juin à septembre). Grande librairie pourvue d'un bon rayon tourisme (nombreux guides et cartes).

@ *The Five Corner Café :* Five Corners (angle de Beach et Water St, en face de *Martha's Bike Rentals*). ☎ 508-693-2223. Compter 2,50 US$ les 15 mn de connexion.

Où dormir ?

≜ *Kinsman Guest House :* 278 Main St. ☎ 508-693-2311. À 10 mn à pied du centre. Ouvert toute l'année. Compter 100 US$ pendant l'année et 125 US$ en juillet-août. Prix difficile à battre pour Vineyard Haven. Doreen Kinsman vous accueille dans une maison élégante de la fin du XIXᵉ siècle. Trois petites chambres très « Laura Ashley » dont deux se partagent une salle de bains. Petit dej' non compris, mais possibilité de se l'acheter et de le déguster sur la terrasse.

Où dormir dans les environs ?

Camping

⋏ *Martha's Vineyard Family Campground :* 569 Edgartown Rd. ☎ 508-693-3772. Fax : 508-693-5767. ● www.campmvfc.com ● À un peu plus d'un mile du centre-ville. Pour s'y rendre, prendre le bus *VTA* à Vineyard Heaven, en direction d'Edgartown, et demander l'arrêt au chauffeur. Ouvert de mi-mai à mi-octobre. Compter 40 US$ la nuit pour une tente et 2 personnes. Ajouter 10 US$ par personne supplémentaire. Propose également des *cabins* (bungalows en bois) pour 4 ou 6 personnes. Compter 105 ou 125 US$ la nuit. Le seul camping de l'île. Situation sympa dans la forêt. Douches chaudes (celles d'extérieur sont gratuites), machines à laver, jeux pour enfants.

Auberge de jeunesse

≜ *Manter Memorial AYH Hostel :* Edgartown Rd, West Tisbury. ☎ 508-693-2665. Hors saison : ☎ 617-739-3017. Fax : 508-693-2699. ● www.capecodhostels.org ● Ouvert de mi-avril à mi-octobre, de 7 h à 22 h. Check-in de 14 h à 22 h. De 20 à 24 US$ la nuit (3 US$ de plus pour les non-membres). Très agréable AJ dans une grande et belle maison perdue en pleine nature, à la lisière de la forêt (tout près du Bike Path). En saison, prendre un bus en direction de *West Tisbury* et demander au chauffeur de vous déposer devant. Dortoirs et sanitaires très propres. Agréable pièce commune avec jeux de société, piano et livres, grande cuisine en bois. Atmosphère conviviale. Barbecue. Location de vélos. Un avantage, sa situation privilégiée au centre de l'île, un inconvénient, la plage n'est pas tout près. Réservation indispensable l'été (au moins 2 semaines avant).

Où manger?

|●| *Art Cliff Diner* : 39 Beach Rd. ☎ 508-693-1224. Ouvert tous les jours de 7 h à 14 h uniquement. Fermé le mercredi et en janvier-février. Petit dej' pour 10 US$, lunch autour de 15 US$. La bonne surprise que ce typique *diner* pas touristique pour 2 sous, qui fait le plein depuis 1943. Le genre d'adresse que les rédacteurs du *GDR* adorent dénicher! La carte rassemble tous les standards de la cuisine américaine : burgers, grosses salades, soupes, *fish and chips.* Copieux et appétissant. Petit dej' servi jusqu'à 14 h : crêpes, omelettes, *eggs Benedict...* Indéniablement un chouette endroit.

|●| *The Black Dog Tavern* : Beach St Extension, Vineyard Heaven, tout près du débarcadère du ferry (en arrivant à gauche). ☎ 508-693-9223. Ouvert tous les jours matin, midi et soir. Pas de réservation, et souvent beaucoup de monde. Compter 12 US$ pour le petit dej',

15 US$ le midi et au moins 30 US$ le soir. *The place for breakfast!* Une carte longue comme le bras et des plats aussi savoureux et originaux que copieux : œufs cuisinés de toutes les manières possibles et imaginables, *French toast* et *pancakes* divers (aux noix de pécan, aux airelles...), et encore des tas de *specials,* plus alléchants les uns que les autres. Chaleureuse salle de bois sombre et patiné avec sa grande cheminée, ses vieilles gravures de bateaux et quelques tables donnant sur le port (vue magnifique). Une institution à Martha's Vineyard. À cause de leur succès sans doute, fâcheuse tendance à vous presser dès que vous avez fini votre assiette.

|●| Juste à côté, *The Black Dog Bakery* : State Rd. ☎ 508-693-4786. Ouvert tous les jours de 5 h 30 à 20 h de mai à septembre (18 h le reste de l'année). Cookies, muffins et *granolas* à emporter. Très bon ici aussi.

Où grignoter en route dans les environs?

|●| *Scottish Bakehouse* : 977 State Rd. Ouvert tous les jours, toute l'année, de 7 h à 17 h. Pâtisseries autour de 2 US$, sinon compter 10 US$ maximum pour le lunch. À 3 miles du centre de Vineyard Haven, un peu avant West Tisbury, entre Old

County Rd et Lambert's Cove Rd. À la carte : bons sandwichs, quiches, tartes à la viande mais aussi excellents *shortbreads* (sablés), tartes aux *blueberries* et *scones.* Une adresse réputée à Vineyard Haven.

OAK BLUFFS

Petite ville connue pour ses 300 *gingerbread cottages,* adorables maisons peintes de couleurs vives et ornées de frises ajourées, de pignons tarabiscotés et de flèches gothiques. Les méthodistes, qui firent construire ce *campground* au milieu du XIXe siècle, avaient un sacré sens de la déco!

Adresses utiles

🛈 *Visitor Information Center* : ☎ 508-693-4266. Situé sur Circuit Ave (au niveau de Lake Ave). Petit kiosque ouvert de 9 h à 17 h de mi-mai à mi-octobre. Infos sur la ville, les événements (concerts, tours guidés...).

■ *Location de vélos* : Anderson Bike Rentals, Circuit Ave Extension.

☎ 508-693-9346. À gauche en sortant du débarcadère. Ouvert tous les jours.

■ *Location de mobylettes* : Two Wheeled Traveler, Circuit Ave Extension. ☎ 508-696-9147. En sortant du débarcadère à droite.

■ *Taxis* : ☎ 508-693-8660.

Où dormir ?

🛏 **Nashua** : 30 Kennebec Ave (en face d'*Offshore Ale Co*). ☎ 508-693-0043. ● www.nashuahouse.com ● Ouvert toute l'année. De 90 à 140 US$ la double en haute saison. En se présentant le matin sans réservation, les prix tombent à 60 US$ (ça s'appelle les *walk-in rates*). Au cœur de la ville, dans une jolie maison ancienne typique d'Oak Bluffs, tout récemment rénovée. Une quinzaine de chambres, peintes dans des tons pastel et tout aussi fraîches côté déco, se partagent 5 salles de bains, très propres. Un bon rapport qualité-prix.

🛏 **Attleboro House** : 42 Lake Ave. ☎ 508-693-4346. Ouvert de mi-mai à mi-octobre. Chambres de 75 à 115 US$ la nuit (salle de bains partagée). Charmante vieille maison de 3 étages, admirablement bien située, tout près du débarcadère et du quartier des méthodistes. La plupart des 9 chambres de la maison ont une vue imprenable sur la mer de leur balcon. La proprio a voulu conserver l'esprit des lieux, d'où un aspect plus vieillot que *Nashua*. Au rez-de-chaussée, terrasse à disposition des hôtes pour regarder la mer, tranquillement installé dans un rocking-chair.

🛏 **Surfside Motel** : Oak Bluffs Ave. ☎ 508-693-2500 ou 1-800-537-3007. Fax : 508-693-7343. ● www.mvsurfside.com ● Ouvert toute l'année. De mi-juin à début septembre, la nuit ici revient à 165 US$ en semaine et 195 US$ le week-end. À la mi-saison, de 90 à 120 US$. Motel de qualité situé juste à côté du ferry. Chambres propres et bien équipées. Sans charme évidemment, mais avec bains privés, ce qui justifie les prix.

Où manger ?

Bon marché

🍽 **Nancy's** : 29 Lake Ave, en face de la mer. ☎ 508-693-0006. Ouvert tous les jours de mai à mi-septembre, midi et soir jusqu'à 21 h 30 environ. Compter de 10 à 15 US$. Le plus vieux resto sur le port d'Oak Bluffs. On vous conseille la partie snack en bas, pas le resto à l'étage : plus cher et moins sympa. On commande au comptoir des portions de frites, de *fried seafood,* etc., à gri-gnoter ensuite sur la grande terrasse en bois offrant une vue extra.

🍽 **Linda Jean's** : 25 Circuit Ave. ☎ 508-693-4093. Ouvert toute l'année, tous les jours du petit dej' au dîner. Presque tout est à moins de 10 US$. Toujours un monde fou dans ce resto familial genre cafétéria améliorée qui sert sandwichs, salades, soupes, burgers... Bref, les classiques américains ! Pas cher.

De prix moyens à plus chic

🍽 **Coop de ville** : Dockside Marketplace. ☎ 508-693-3420. Sur le port, près du débarcadère inter-îles de la compagnie *Hy-Line Cruises*. Ouvert toute la semaine de 11 h à 22 h de mai à octobre. De 15 à 20 US$. Sur cette petite terrasse carrée, protégée par une tente, on vient manger un morceau (*chicken wings, seafood,* huîtres de Martha's Vineyard) et siroter un verre en écoutant de la musique. On se sent un peu à l'étroit ici... c'est fait pour ! Le soir, ambiance garantie. Une adresse sympa comme tout.

🍽 **Offshore Ale Co** : Kennebec Ave. ☎ 508-693-2626. Ouvert toute l'année midi et soir. Compter 15-20 US$. Brasserie qui propose également une très bonne nourriture de pub : burgers, pizzas cuites au feu de bois... Sur chaque table, un pot rempli de cacahuètes vous attend. La tradition veut qu'on jette les épluchures par terre, elles recouvrent le sol et forment un joli parterre...

|●| *Zapotec* : 14 Kennebec Ave. ☎ 508-693-6800. Ouvert tous les jours de 17 h à 22 h. Compter 20-25 US$ pour un repas. C'est la petite maison de bois peinte dans les tons « hacienda ». Ici, point de *seafood* (pour une fois !), mais une savoureuse et authentique cuisine sud-américaine plébiscitée par les locaux. *Fajitas,* guacamole, tacos et tout le cortège de spécialités mexicaines. Les prix restent raisonnables pour la qualité. Belle carte de cocktails.

À voir

🎭 Il faut absolument se promener dans le *campground des méthodistes,* installé au XIXᵉ siècle à Oak Bluffs, vers Trinity Park, derrière Lake Ave. Des maisons de toutes les couleurs sont parsemées autour du « Tabernacle », une grande halle avec vitraux et poutres métalliques, aménagée en église. Plus loin, ne manquez pas de jeter un coup d'œil à l'adorable placette, nommée Wesleyant Grove. Un vrai décor d'*Alice au pays des merveilles* : festival de couleurs et de fleurs, décorations exubérantes des maisons.

🎭 *Flying Horses Carrousel :* près du kiosque d'informations, voici le plus vieux manège des États-Unis (il date de 1876). Les Américains sont friands de ce genre de superlatif ! Ouvert tous les jours en saison. Entrée payante.

EDGARTOWN

🎭 La plus jolie des 3 villes de l'île. Magnifiques maisons datant de l'âge d'or de la pêche à la baleine. Ici, elles sont toutes blanches, contrairement au reste de l'île où le gris domine. Atmosphère très chic, très « Ralph Lauren ».

Adresses utiles

🈯 *Information Center :* dans un magasin de souvenirs qui fait aussi office de poste, sur Church St, devant l'arrêt des bus. Ouvert de 8 h 30 à 18 h (15 h le samedi) ; fermé le dimanche.

🅿 *Location de vélos :* RW Cutler Bicycle rentals, 1 Lower Main St, tout près du port. ☎ 508-627-4052. Ouvert tous les jours quasiment toute l'année.

⛴ *Ferry pour Chappaquidick Island :* sur le port. ☎ 508-627-9427. Fonctionne toute l'année de fin mai à mi-octobre, de 7 h à minuit (horaires restreints le reste de l'année). On paie sur le ferry : 2 US$ par personne, 8 US$ par voiture et 5 US$ par vélo.

Où dormir ?

Edgartown est la ville la plus chère pour se loger à Martha's Vineyard. Ça n'est déjà pas bon marché ailleurs mais là, on atteint des sommets invraisemblables : presque toutes les adresses de *guesthouses*, B & B et autres *Inns* avoisinent les 200 US$ la nuit pour deux. On vous indique 2 adresses pratiquant des tarifs un peu plus raisonnables.

🏠 *Edgartown Inn :* 56 N Water St. ☎ 508-627-4794. Fax : 508-627-9420. ● www.edgartowninn.com ● Ouvert de début avril à fin octobre.

Chambres de 115 à 250 US$ la nuit en été et à partir de 85 jusqu'à 180 US$ *off-season*. Pendant la mi-saison, à partir de 100 US$ la nuit

MARTHA'S VINEYARD

pour deux. *Guesthouse* dans une élégante maison de capitaine, datant de 1798. Pièces communes et chambres pleines de charme : mobilier d'époque, livres anciens, canapés en cuir et tableaux de bateaux au mur. Pour quelques dollars supplémentaires, vous pourrez prendre votre petit dej' dans la jolie salle à manger, décorée de bric et de broc, et goûter aux *pancakes* maison. Un patio-jardin agréable est ouvert aux hôtes. Il est plus économique de prendre une chambre de l'autre côté du patio, dans la *Garden House* (et non pas dans la maison principale). Une excellente adresse.

🏠 *Edgartown Commons :* Pease Point Common. ☎ 508-627-4671 ou 1-800-439-4671. ● www.edgartown commons.com ● Studio pour deux autour de 170 US$ en haute saison, 200 US$ pour 4 personnes. Dans le style motel, un ensemble de petites unités plutôt bien situé, en haut de la ville. Tous les studios (pour 2, 4, 6 ou 8 personnes) disposent d'une salle de bains, d'une cuisine et d'un coin salon. Jolie piscine, pelouses, aire de jeux pour les enfants. Pas le charme d'une *guesthouse* mais intéressant pour les familles qui ne veulent pas trop dépenser.

Où manger ? Où boire un verre ?

|●| ☕ *The Newes from America :* 23 Kelley St (et N Water St). ☎ 508-627-4397. Ouvert toute l'année, tous les jours de 11 h 30 à 23 h. Compter 15 US$ maximum. Dans une vieille auberge du XVIIIᵉ siècle, un pub bien patiné et tamisé, tout en brique et bois sombre. On peut y descendre une bonne bière brassée maison, mais aussi y manger : délicieuse *Caesar salad*, *New England clam chowder*, *Reuben sandwich*, *fish and chips*. Rien de gastronomique, mais de la bonne bouffe locale servie généreusement. Fait aussi bar à côté, mais la salle est un peu moins agréable. Une chouette ambiance, pas du tout guindée, simple et authentique.

|●| *The Wharf :* Lower Main St (en descendant, sur la gauche, près du port). ☎ 508-627-9966. Ouvert toute l'année de 12 h 30 à 22 h. De 10 à au moins 20 US$ pour de la *seafood*. Restaurant assez traditionnel tout en bois, proposant des plats variés : burgers, sandwichs, poissons et fruits de mer à prix raisonnables.
☕ À côté, un *pub* ouvert tous les jours jusqu'à 0 h 30.

|●| *Among the flowers :* Mayhew Lane (près du port). ☎ 508-627-3233. Ouvert tous les jours de mai à octobre pour le petit dej' et le déjeuner, ainsi que pour le dîner en juillet-août. Prix raisonnables : compter 10 US$ pour le breakfast, 15 US$ maximum pour le déjeuner et 20-25 US$ pour le dîner. Peu de tables à l'intérieur, mais terrasse extérieure fermée et chauffée si nécessaire. À la carte : quiches, salades, soupes, omelettes...

À voir. À faire

🦆 *Cape Poge Wildlife Refuge and Wasque Reservation :* au sud-est de Chappaquiddick Island. ☎ 508-693-7662.
Bord de mer sauvage et isolé, entouré de dunes. Près de la moitié de la récolte des coquilles Saint-Jacques du Massachusetts se fait là, à côté du *Cape Poge Lighthouse*. Endroit rêvé pour échapper à la foule estivale. Possibilité de faire un tour de cette zone protégée avec un naturaliste. Réservations au ☎ 508-627-3599. Le tour en 4x4 dure 2 h 30, au départ de Mytoi Garden. Prévoir 35 US$ par adulte ; réductions. D'autres tours sont proposés (kayak, pêche...).

🦆 *Felix Neck Wildlife Sanctuary :* entrée sur Vineyard Haven Rd. ☎ 508-627-4850. *Visitor Center* ouvert tous les jours de juin à août de 8 h à 16 h, du mardi au dimanche aux mêmes horaires de septembre à mai. Entrée : 4 US$; réductions.

Près de 10 km de chemins de promenades ouverts de l'aube à 19 h environ. Ces *trails* parfaitement balisés traversent la forêt, rencontrent des petits lacs, des plages, prairies et marais... On y croise aussi, selon les saisons, des papillons, des tortues et bien sûr de nombreux oiseaux.

MENEMSHA

🎥 Nous ne sommes pas les seuls à avoir été séduits par ce petit village de pêcheurs et ses « boîtes à sel » mignonnes comme tout. Spielberg *himself* y planta dans les années 1970 le décor de son film culte *Les Dents de la mer*.

Comment y aller ?

Prendre un bus de Oak Bluffs ou Vineyard Heaven en direction de Gay Head. Demander à aller à Menemsha, et le chauffeur vous déposera à environ 1 mile du centre. Pour le retour, il faudra retourner au carrefour où l'on vous a déposé et prendre le 1er bus qui passera par là (environ toutes les heures).

Où manger ?

Bon marché

l●l *The Galley of Menemsha :* N Country Rd, sur le port de Menemsha. ☎ 508-645-9819. En face du resto *Homeport*. Ouvert de mi-mai à mi-octobre de 11 h à 15 h (20 h le samedi) ; comptoir de glaces jusqu'à 21 h. Pas plus de 10 US$. Des snacks de toutes sortes pour un prix défiant toute concurrence (le *lobster roll* doit être le sandwich le plus cher : 10 US$; les glaces *large* sont à 2,50 US$!). Vous commandez du côté « rue » du resto et vous êtes servi sur une chouette terrasse, face au port.

l●l *Menemsha Market :* juste à côté de *The Galley of Menemsha.* ☎ 508-645-3501. Petit supermarché ouvert de mi-mai à mi-septembre de 8 h à 18 h au moins (21 h en juillet-août). Dans une minuscule maison grise, vous pourrez vous fabriquer votre propre pique-nique, ils ont tout ce qu'il faut pour.

l●l *Larsen's Fish Market :* poissonnier situé sur la route qui va vers la plage, le long du port. ☎ 508-645-2680. Ouvert de mai à fin octobre de 9 h à 18 h (19 h le week-end). Prévoir 10 à 15 US$. Notre meilleure adresse pour déguster un homard, pêché quelques heures auparavant. Nez à nez avec les chalutiers, vous pourrez le manger à la bonne franquette, assis sur des cageots. Assiettes de moules et de palourdes également. Prix du marché.

À voir dans les environs

🔦 *Gay Head Cliffs :* falaise érodée aux tons ocre et gris, dominée par un phare. Pas mal, mais pas renversant non plus. De mi-juin à mi-septembre, le week-end, possibilité de monter en haut du phare pour assister au coucher du soleil (2 US$). Le territoire est essentiellement occupé par les Indiens *wampanoags*. Snacks et boutiques d'artisanat. Belle plage en contrebas *(Moshup Beach)*. On peut se garer sur le parking des Cliffs, puis y aller à pied, ça n'est pas trop loin.

MARTHA'S VINEYARD

NANTUCKET

10 000 hab.

Des landes superbement désolées, parsemées de maisons à bardeaux, de majestueuses plages bordées de dunes balayées par les vents, un port enveloppé dans une brume grisâtre... « The Little Grey Lady of the Sea » a l'âme d'une sauvageonne. Située à 2 h des côtes de Cape Cod – son nom signifie « île lointaine » en indien –, elle ne se donne pas à tout le monde. Quand Martha's Vineyard dévoile ses charmes et vous les jette en pleine figure, Nantucket la Puritaine s'apprivoise doucement, timidement. Quand la première attire les stars du show-biz, la seconde accueille la haute bourgeoisie bostonienne, les amoureux de la mer et du calme et les nostalgiques de *Moby Dick*.

Toute l'histoire de Nantucket est liée à la pêche à la baleine qui joua un rôle prépondérant dans l'essor économique de l'île. Les baleiniers rentraient chargés de barils de graisse, laquelle assura pendant plus d'un siècle l'éclairage des grandes villes européennes. La production était telle qu'à l'âge d'or de la pêche à la baleine, Nantucket atteignit le 1er rang mondial. Les riches capitaines se firent construire de luxueuses maisons, que l'on peut toujours voir dans Main St et les rues avoisinantes.

Mais dès la seconde moitié du XIXe siècle, le déclin commença : le terrible incendie de 1846 et l'apparition du pétrole comme nouveau mode d'éclairage mirent un terme à l'activité baleinière qui avait contribué à la réputation de Nantucket. Aujourd'hui, les artisans continuent de façonner avec fierté et respect des traditions les célèbres paniers, véritables œuvres d'art, en rotin finement tressé, et ornées de *scrimshaw* (dents de baleine gravées et sculptées), jadis fabriqués par les marins dans les phares.

LES FAMEUSES « BOÎTES À SEL »

Vous serez sans doute surpris par l'harmonie architecturale de l'île. Toutes les maisons sont à bardeaux, c'est-à-dire recouvertes de petites lattes de cèdre rectangulaires. Au départ, le bois est beige, puis se patine avec le temps, prenant ces jolis tons gris plus ou moins foncés, plus ou moins délavés. D'où ce surnom de « boîtes à sel ». Les bardeaux doivent être changés tous les 30 ans.

Comment y aller ?

En ferry

Au départ de Hyannis. Arrivée à Nantucket Town environ 2 h 15 plus tard.

➤ La compagnie **Steamship Authority** effectue la traversée toute l'année pour les voitures également. Départs du S St Dock. Compter environ 28 US$ aller-retour par personne, 12 US$ par vélo. Transporter sa voiture coûte très cher (réservation obligatoire). Les tarifs changent selon les saisons : de 200 US$ l'aller-retour de janvier à mars à 350 US$ de mi-mai à mi-octobre. Possibilité également de faire le trajet en 1 h avec un ferry à grande vitesse (passagers seulement). Il fonctionne de mai à fin décembre uniquement, 5 à 6 fois par jour. L'aller-retour coûte 55 US$.

➤ Mêmes prestations avec **Hy-Line Cruises**, mais le *regular ferry* fonctionne de mai à fin octobre seulement. Départs de l'Ocean St Dock. Pas de transport de voiture avec cette compagnie. Deux tarifs différents selon la durée du trajet : environ 28 US$ l'aller-retour et 2 h de traversée ou 59 US$ pour le ferry rapide qui met 1 h environ. Ce dernier est en service toute l'année et effectue 5 à 6 trajets quotidiens. Dans les deux cas, compter 10 US$ de plus par vélo. On peut laisser sa voiture à Hyannis pour visiter l'île à pied ou à vélo, il y a plusieurs parkings près du port (compter 15 US$ par jour en été).

🚢 *Steamship Authority :* informations pour un départ le jour même, à Hyannis : ☎ 508-771-4000 ; à Nantucket : ☎ 508-228-0262. Informations générales et réservations : ☎ 508-477-8600. ● www.steamship authority.com ●

🚢 *Hy-Line Cruises :* informations à Hyannis : ☎ 508-778-0404 pour les réservations. Réservations à Nantucket : ☎ 508-228-3949 ou 1-888-492-8082. ● www.hy-linecruises. com ●

Comment se déplacer sur l'île ?

➢ À *vélo*, bien sûr. L'île ne mesure que 22 km x 6 km, on peut en faire le tour dans la journée, même si l'on n'est pas un pro de la petite reine. Vu le nombre de pistes cyclables, ce serait dommage de s'en priver. Attention, certains sites, comme Great Point et Eel Point, ne sont accessibles qu'à pied ou en 4x4. On vous indique des loueurs plus loin.
➢ En *bus avec NRTA Shuttle :* ☎ 508-228-7025. ● www.shuttlenantucket. com ● Fonctionne de fin mai à fin septembre tous les jours de 7 h à 23 h 30, toutes les 20-30 mn environ. Pour Surfside et Jetties Beach, de mi-juin à début septembre de 10 h à 18 h. Pour Siasconset et l'aéroport, en juillet-août seulement. Le trajet coûte 1 ou 2 US$ selon la destination. *Pass* pour 3 jours à 12 US$, pour la semaine à 20 US$. Plusieurs destinations : *Siasconset, Madaket, South Loop, Miacomet Loop,* l'aéroport et les plages comme *Jetties Beach* ou *Surfside Beach*. Les bus se prennent en ville, au croisement de Washington et Salem St ; pour Madaket et Jetties Beach, sur Broad St. D'autres arrêts le long du parcours. Transport des vélos autorisés. Se procurer le dépliant avec les horaires précis dans les *Visitor Centers.*
➢ En *taxi :* ☎ 508-325-5508, 508-228-6610 ou 508-228-9410. Tarif des courses fixé à l'avance.

NANTUCKET TOWN

🏛🏛🏛 Fière de ses racines et de la richesse de son patrimoine architectural, épargnée par les promoteurs immobiliers, la « capitale » de l'île a conservé son aspect d'autrefois. Le port, bien que très rénové, est vraiment charmant. Quel régal de se promener dans les pittoresques Main St, Center St et Broad St, jalonnées de maisons de capitaines, témoignages encore vivants de la prospérité de Nantucket au XIXᵉ siècle. Main St fut pavée en 1837 avec les galets qui servaient de lest dans les bateaux, afin de décharger plus facilement les barils de graisse de baleine. À vélo, ça secoue sec ! À la tombée de la nuit, il arrive que le port s'embrume, un moment magique et étrange...

Adresses utiles

■ *Nantucket Island Chamber of Commerce :* 48 Main St (au 1ᵉʳ étage). ☎ 508-228-1700. Fax : 508-325-4925. ● www.nantucket chamber.org ● Ouvert toute l'année de 9 h à 17 h du lundi au vendredi. Pléthore de brochures, dont *The Official Guide : Nantucket,* très intéressant ainsi qu'une excellente carte de l'île, avec index des rues.
🛈 *Nantucket Visitor Services and Information Bureau :* 25 Federal St.

☎ 508-228-0925. Ouvert tous les jours de 9 h à 18 h de juin à octobre et de 9 h à 17 h 30 le reste de l'année. Ils peuvent vous aider à trouver un logement en fonction des disponibilités des hôtels et des *B & B* de l'île. Sur *Straight Wharf,* un kiosque sert d'antenne au *Visitor Information Bureau* l'été.
@ *Even Keel Café :* 40 Main St. ☎ 508-228-1979. ● www.evenkeel cafe.com ● Bien situé, près de la

NANTUCKET

Chamber of Commerce. Compter 4 US$ les 15 mn, donc cher (comme tout ici !).

■ *Location de vélos :*
– *Young's Bicycle Shop,* Steamboat Wharf. ☎ 508-228-1151. À deux pas du débarcadère. Ouvert tous les jours de 8 h à 18 h l'été. Le reste de l'année, ouvert de 9 h à 17 h (16 h le dimanche). Fermé 6 semaines après Noël. Compter 18-20 US$ pour un vélo à la journée (25 US$ pour 24 h). Demander une carte des pistes cyclables de l'île (gratuite). Également des voitures (75 US$ les 24 h) et des jeeps (le double).
– *Nantucket Bike Shop :* Straight Wharf, près du débarcadère. ☎ 508-228-1999. Ou Steamboat Wharf (même téléphone). Ouvert tous les jours d'avril à fin octobre de 9 h à 17 h (de 8 h à 18 h l'été). Mêmes tarifs que *Young's.* Donne aussi une carte, mais moins détaillée. Également des mobylettes (70 US$ la journée pour deux). Vélos et mobylettes de bonne qualité.

Où dormir ?

Le camping est interdit sur l'île (protection du site oblige).

🛏 *The Nesbitt Inn :* 21 Broad St. ☎ 508-228-0156 ou 2446. Fermé entre mi-décembre et mi-mars. En saison, un minimum de 2 nuits est exigé. Compter de 85 à 95 US$ pour deux en plein été (petit dej' continental inclus). Dans une belle maison victorienne, à quelques enjambées du port et du centre, un *B & B* pas cher pour l'île, offrant 13 jolies chambres doubles, confortables et meublées à l'ancienne. Lavabo dans chaque chambre et bains à l'étage. Bien tenu et bon accueil.

Où dormir dans les environs ?

🛏 *Hostelling International :* 31 Western Ave. ☎ 508-228-0433. Fax : 508-228-5672. ● nantuckethostel@ yahoo.com ● À 3,5 miles de Nantucket Town. Pour s'y rendre, prendre le bus en direction de Surfside Beach (de mi-juin à début septembre uniquement). Ouvert de mi-avril à mi-octobre. *Checkout* et check-in de 8 h à 11 h et de 15 h à 22 h. Compter de 20 à 24 US$ par nuit selon la saison pour les membres, 3 US$ de plus sinon. Idéalement située, à deux pas de la plage, cette AJ fut en 1874 le 1er centre de sauvetage en mer de l'île (les naufrages étaient alors fréquents). Propre et bien gérée par un jeune vraiment sympa, Jeff. Cuisine, accès Internet gratuit. Indispensable de réserver à l'avance pour l'été.

Où manger ?

La concentration de restos gourmets à Nantucket est l'une des plus denses des États-Unis. Ces restos sont aussi parmi les plus coûteux, cela va de soi. Les plats principaux y avoisinent souvent les 40-50 US$. Pour le routard sans le sou, il est donc difficile de se nourrir à prix raisonnable. Enfin, on a tout de même réussi à vous dégoter quelques adresses...
Attention, pendant la « mi-saison », les restos ne servent pas tous les soirs, seulement du vendredi au dimanche.

Bon marché

❀ Un supermarché : *Grand Union Family Markets* au 9 Salem St, tout près du débarcadère. ☎ 508-228-9756. Il est très bien approvisionné et ouvert tous les jours de 7 h à 21 h (19 h le dimanche). L'été, il ferme parfois plus tard.

☞ Possibilité de manger bon marché également aux comptoirs des deux *pharmacies-drugstores* situées 45 et 47 Main St. Au n° 47, c'est la

Congdon's Pharmacy. Ouvert toute l'année, de 8 h à 18 h ou 19 h (22 h en été). Vous y trouverez des petits dej', des sandwichs et boissons à prix très raisonnables. Au n° 45, même principe pour la *Nantucket Pharmacy.* ☎ 508-228-0180.

Prix moyens

|●| *Fog Island Café :* 7 S Water St (et Cambridge). ☎ 508-228-1818. Ouvert pour le petit dej' et le déjeuner ; le soir, du vendredi au dimanche uniquement (tous les soirs en plein été. Fermé en hiver. Compter 10-12 US$ pour le breakfast et le lunch, 15-20 US$ le soir. À deux pas du débarcadère, la café' à l'améri-caine, avec son éventail de spécialités : salades variées, sandwichs, burgers... et ses plats un peu plus sophistiqués le soir. Même les végétariens y trouveront leur compte. Sans prétention, mais bon et copieux. Un bon plan pour le petit dej' ou pour un repas pas trop cher.

Chic

|●| *Centre Street Bistro :* 29 Centre St (entre Chestnut et India St). ☎ 508-228-8470. Ouvert toute l'année, matin, midi et soir, mais pas tous les jours (vérifier avant). Compter 8 US$ pour le petit dej', 15-20 US$ le midi et 25 US$ le soir. Probablement le resto préféré des habitants de Nantucket. Un cadre tout simple, une salle de poche et une terrasse à peine plus grande au fond d'un minicentre commercial, une ambiance pas guindée pour 2 cents, mais une cuisine... mémorable ! Des saveurs fines et relevées, d'inspiration méditerranéenne ou asiatique. Délicieux, et d'un rapport qualité-prix tout à fait étonnant pour l'île.

|●| *Black Eyed Susan's :* 10 India St. ☎ 508-325-0308. Ouvert de mai à octobre, pour le petit dej' et le dîner (pas le midi) ; fermé le dimanche soir. Compter 10-12 US$ pour le petit dej', de 25 à 35 US$ le soir. Ici aussi, on fait dans la nouvelle cuisine américaine tendance *world food,* tout en saveurs : poulet tandoori, *pad thai...* Également de bons plats de pâtes, moins chers (délicieux *clams linguine*) et d'excellent petits dej'. Tout est préparé devant vous, dans une cuisine ouverte sur la petite salle, à la déco sobre et chic. Ambiance jeune et branchée. Seul inconvénient, c'est toujours bondé, mieux vaut passer avant pour réserver. Pas de cartes de paiement, pas de licence d'alcool non plus, mais on on peut apporter sa bouteille de vin (petit droit de bouchon). Un de nos coups de cœur dans le coin.

|●| ☘ *Ropewalk :* 1 Straight Wharf. ☎ 508-228-8886. Ouvert tous les jours de mai à mi-octobre de 11 h à 15 h pour le lunch et de 17 h à 22 h le soir. Prévoir 15-20 US$ le midi et pas moins de 30-35 US$ le soir. C'est le seul restaurant de Nantucket directement sur le port. Sa terrasse à quelques mètres de l'eau est extra, et la salle, avec ses grandes baies vitrées donnant sur la mer, bien agréable. On vous conseille plutôt de venir y boire un verre car la cuisine n'est pas exceptionnelle et assez touristique (*seafood* principalement). On vient ici surtout pour la vue.

Où boire un café ?

☘ *The Bean :* 29 Centre St (entre India et Chestnut St). ☎ 508-228-6215. Ouvert toute l'année de 6 h 30 à 20 h (22 h le week-end). À l'entrée d'un minicentre commercial qui abrite aussi le *Centre Street Bistro* (voir « Où manger ? »), voici une super petite adresse pas chère pour boire un café (un vrai !) dans une ambiance *easygoing* tendance baba, et grignoter un petit gâteau. Les locaux apprécient le grand choix de cafés fraîchement moulus, les *frappes* (café glacé nappé de crème fouettée), les tisanes et thés variés, à siroter sur un coin de table en lisant le journal, ou à emporter. Jeux de société et bouquins à disposition.

À voir

– Il est possible d'acheter un *pass* qui permet de visiter toutes les demeures et musées appartenant à la *Nantucket Historical Association*. Compter 15 US$ par adulte pour le *History Ticket*. Le *pass* s'achète dans n'importe quel musée agréé ou à la *NHA*, 2 Whalers Lane à Nantucket. ☎ 508-228-1894. ● www.nha.org ● Leurs bureaux sont ouverts tous les jours de 9 h à 17 h.

🍴 **Whaling Museum :** 13 Broad St. ☎ 228-1736. Ouvert en théorie tous les jours, en mai de 11 h à 16 h et de juin à mi-octobre de 10 h à 17 h.
Ce musée, implanté dans une ancienne fabrique de cire, est consacré à l'âge d'or de la pêche à la baleine : maquettes, ateliers d'artisans reconstitués, squelettes de cétacés, exceptionnelle collection de *scrimshaws*, etc. Il vient de subir une importante rénovation et a rouvert au printemps 2005.

🍴 **Hadwen House :** 96 Main St. ☎ 508-228-1894. Ouvert d'avril à octobre du jeudi au lundi de 11 h à 16 h. Visites guidées payantes toutes les 30 mn. Luxueuse demeure ayant appartenu à un riche marchand de chandelles au milieu du XIXe siècle.

🍴 **First Congregational Church :** 62 Centre St. ☎ 508-228-0950. Ouvert de fin avril à mi-juin le week-end de 10 h à 14 h, puis de mi-juin à mi-octobre, du lundi au samedi de 10 h à 16 h. Contribution libre. Très beau point de vue sur l'ensemble de l'île.

À voir dans les environs

🚶🚶 **Siasconset :** situé à 7 miles de Nantucket, « Sconset », comme l'appellent les locaux, est un adorable village où il faut absolument aller se promener. Le plus simple pour y accéder, c'est le vélo mais il existe également des bus (voir plus haut « Comment se déplacer sur l'île ? »). Les maisons construites ici servaient d'abris aux pêcheurs et chasseurs de baleines qui habitaient seuls sur l'île alors que leurs familles vivaient sur le continent. Quand femmes et enfants ont rejoint les hommes, ces *shanties* (baraques) ont été agrandies. À la fin du XIXe siècle, Sconset devient un lieu de villégiature très recherché du gratin new-yorkais et autres artistes. De grosses propriétés apparaissent. Mais pas de fausse note, rien n'est venu enlever à ce village son unité. L'été, toutes les maisons aux jardins parfaitement entretenus croulent sous les fleurs, c'est magnifique ! Il faut déambuler dans les petites ruelles autour du centre du village pour apprécier le calme qui règne ici. Beaucoup de maisons ont vue sur la grande plage de sable blanc, également très jolie, très chic et pas tellement bondée.

🍴 Si vous êtes là seulement pour la journée, possibilité de vous bricoler un pique-nique au **Siasconset Market,** sur la place du village. ☎ 508-257-9915. Ouvert de mi-mai à septembre ou octobre tous les jours de 8 h à 19 h (22 h en plein été). On trouve dans ce petit super-marché des sandwichs déjà préparés mais aussi tout ce qu'il faut pour se préparer soi-même son lunch. Bien sûr, comme partout sur l'île, c'est cher. Cafés, bagels, cookies et brownies sont également en vente au comptoir. Pratique.

🍃 *Wauwinet :* accessible par la *Polpis Road bike path* puis par la *Wauwinet Rd.* À l'entrée de ce « village », vous devez laisser vos vélos et voitures sur le parking. Ce coin est en effet protégé et seuls les 4x4 qui ont un permis spécial peuvent le traverser (il s'achète à la cahute sur le parking ; 25 US$ par voiture et par jour). Quand on marche sur cette bande de sable, entouré par l'océan Atlantique d'un côté et la « tête » du port de l'autre, on croit rêver. On passe devant de superbes maisons, toutes avec pieds dans le sable et vue sur la mer. Partout autour, des fleurs sauvages roses et blanches poussent à même le sable. Pour aller sur la plage, pas de problème mais comme chaque proprio a son petit bout de plage, il faut marcher jusqu'à la dernière maison (environ 1,5 mile après le parking) et se poser seulement après. Pas beaucoup de monde sur cette immense et magnifique plage de sable blanc, et on ne s'en plaint pas ! Il est possible de partir de là à pied pour accéder au *Great Point Lighthouse.* C'est une balade de 11 miles aller-retour, en partant du village. Prévoir donc une bonne journée de marche car tout le parcours est dans le sable. Les moins courageux opteront pour un tour en jeep accompagné par un guide naturaliste qui vous conduira jusqu'en haut du phare pour une vue spectaculaire ; de mi-mai à mi-octobre (compter 40 US$; réductions). Réservations au ☎ 508-228-6799. Avec un peu de chance, vous y verrez des phoques...

🍃 *Surfside Beach :* superbe plage de sable blanc s'étendant sur plusieurs miles, très populaire parmi les jeunes (l'AJ se trouve ici) et les familles. Voir « Où dormir ? ».

🍃 *Dionis Beach :* à environ 3 miles de Nantucket, cette plage est la seule de l'île à être bordée de dunes. Elle est très agréable pour s'y baigner en famille ou pour y ramasser des coquillages.

🍃 *Cisco Beach et Madaket Beach :* deux autres belles plages, fréquentées par les surfeurs. Celle de Madaket est très populaire pour ses couchers de soleil.

🍃 D'autres plages encore comme *Jetties Beach,* la plage la plus proche de la ville de Nantucket. Beaucoup de monde l'été. Si elle reste jolie, elle est vraiment un peu trop fréquentée.

NEWPORT
30 000 hab.

Deuxième ville du Rhode Island (le plus petit des États américains), Newport, situé à 1 h 30 de Boston, mérite bien une petite excursion à la journée. Newport, c'est au premier abord une ville guindée, destinée aux *wealthy people.* Architecture et décors sont soignés, parfois un peu surfaits. Mais en déambulant dans les rues, comment ne pas être charmé par ce vieux port aux couleurs vives ? Les quais, bien que truffés de restos, cafés et autres nécessités touristiques, donnent à cette ville une sympathique ambiance de petit port. Et les *mansions* méritent une visite. Y passer la journée nous paraît être la solution idéale.

UN PEU D'HISTOIRE

En 1524, Giovanni Da Verrazano, explorateur italien, découvre l'île nommée « Aquidneck » par les Indiens. Il est tellement ébloui par sa luminosité qu'il la compare à Rhodes (Grèce). Un siècle plus tard, l'île où Newport est construite est rebaptisée « Rhode Island » et donne son nom à l'État. Les premiers colons qui s'installent viennent du Massachusetts où ils n'ont pas trouvé la tolérance religieuse à laquelle ils aspiraient (on ne rigole pas avec les puritains !). La ville de Providence (capitale de l'État) est fondée en 1636 par Roger Williams, pasteur exilé du Massachusetts pour ses opinions nouvelles. Il est ensuite rejoint par un groupe de Bostoniens.

Suite à une embrouille politique entre deux des « grands » de la récente Providence, William Coddington s'installe au sud de la baie avec un groupe de disciples : Newport est né. Attirés par l'ouverture d'esprit des habitants du Rhode Island, quakers, baptistes, juifs et autres minorités religieuses s'installent bientôt dans cet État.

Au XVIIIᵉ siècle, Newport devient un grand port. La ville prospère notamment grâce au commerce triangulaire.

La guerre d'Indépendance et l'occupation anglaise réduisent Newport en miettes. Jamais par la suite la ville ne retrouvera sa splendeur commerciale. Mais ce qui la sauve, c'est qu'elle est aussi, dès le XVIIIᵉ siècle, un lieu de villégiature très prisé d'abord des riches planteurs du Sud, puis de toute la jet-set de la côte Est (Newport est idéalement situé, entre Boston et New York).

Les Vanderbilt, Astor, Belmont et autres richissimes familles américaines recrutent la crème des architectes américains pour se faire construire, à la fin du XIXᵉ siècle, des *mansions* (manoirs) aux dimensions hallucinantes et dont le style est largement emprunté à l'Europe. L'été, tout ce beau monde se retrouve à Newport. Les dames organisent soirées et activités originales pour occuper tous ces grands enfants qui ne savent plus quoi inventer pour se distraire. On met sur l'océan des maquettes de bateau grandeur nature pour donner à la mer un air de port ; on dîne au champagne et au caviar avec chiens et autres animaux domestiques... La Première Guerre mondiale annonce la fin de cette période de faste. Des charges financières trop lourdes obligent la plupart des héritiers à vendre. C'est ainsi que la *Preservation Society of Newport County* a pu racheter un bon nombre de ces propriétés pour les ouvrir ensuite au public.

UN PEU DE SPORT

Quels sports pouvaient bien pratiquer ces nantis de Newportais ? Golf, polo, tennis et voile, pardi !

C'est d'ailleurs ici que se tinrent les premiers championnats de tennis américain sur herbe et de golf amateur (respectivement en 1881, sur les terrains du Newport Casino, devenu depuis le *Tennis Hall of Fame*, et en 1894).

Mais la renommée internationale de Newport est surtout due à la voile. Entre 1930 et 1983, la ville accueille les régates de l'*America's Cup*. Cette compétition internationale naît en 1851 quand le *New York Yacht Club* fait traverser l'Atlantique à sa goélette *America* pour défier les Britanniques dans la *Hundred Guineas Cup*. Les Américains gagnent. Ils rapportent aux États-Unis cette coupe en argent qui porte depuis le nom de « coupe de l'America ». Elle y reste jusqu'en 1983, date à laquelle les Australiens s'emparent du trophée.

Aujourd'hui, Newport est toujours la destination d'une course célèbre (bien qu'un peu éclipsée en France par le *Vendée Globe Challenge* et la *Route du Rhum*) : la *Transat anglaise en solitaire* qui part de Plymouth (Angleterre).

Comment y aller ?

En bus

➤ *Bonanza Bus :* ☎ 1-888-751-8800. ● www.bonanzabus.com ● Huit bus par jour environ de Boston. Durée du trajet : 1 h 45. Agence *Bonanza* à Boston : South Station bus terminal, 700 Atlantic Ave. ☎ 617-720-4110. Ⓜ South Station *(Red Line)*. Compter 36 US$ pour un aller-retour, peut-être moins si vous faites l'aller-retour dans la même journée. Agence *Bonanza* à Newport : Gateway Center, 23 America's Cup Ave. ☎ 401-846-1820.

En voiture

On vous indique un loueur pratiquant des prix raisonnables dans la rubrique « Adresses utiles » de Cambridge (Boston). De Downtown Boston, prendre la 1 S (JFK Expressway) jusqu'à la 495 W. Après quelques kilomètres, bifurquez sur l'autoroute 24 S qui devient la 114 avant d'arriver à Newport. Cette route est plus rapide et moins encombrée que celle, plus évidente, qui passe par l'I 95 et le pont de Newport (péage de 2 US$).

Transports

À vélo ou en scooter

■ *Ten Speed Spokes :* 18 Elm St, à côté du *Newport Gateway Visitor Center* sur l'America's Cup Ave. ☎ 401-847-5609. ● www.tenspeed spokes.com ● Ouvert toute l'année. L'été, de 10 h (12 h le dimanche) à 18 h (17 h le week-end) ; en hiver, du lundi au samedi de 10 h à 18 h (17 h seulement le samedi). Location de vélos à la journée : 25 US$. Le moyen de transport idéal à New-port, très encombré par les voitures l'été.

■ *Scooters :* 411 Thames St, dans le Newport historique. ☎ 401-619-0573. ● www.scootersofnewport.com ● Ouvert de 9 h à 19 h (18 h le dimanche). Location de scooters à la journée : 89 US$ (30 US$/h). Aussi location de vélos à la journée : 25 US$. Le scooter est également un moyen de transport idéal à Newport.

En bus

Possibilité d'acheter des *passes* à la journée au *Visitor Center* (environ 5 US$ par adulte ou 10 US$ par famille ; sinon, 1,25 US$ le ticket à l'unité) pour avoir accès à la navette touristique qui circule dans Newport. Départs fréquents du *Visitor Center.* Une carte du parcours est disponible.

En voiture

■ *International Car Rental :* ☎ 401-847-4600. Le loueur local.
■ *Hertz :* ☎ 401-846-1645.

Adresse et infos utiles

🖪 *Visitor Center :* 23 America's Cup Ave, au terminal de bus. ☎ 401-845-9123 ou 1-800-976-5122. ● www.gonewport.com ● Ouvert tous les jours de 9 h à 17 h, sauf à Noël et à Thanksgiving. Brochures variées et personnel accueillant. Lignes téléphoniques directes avec des hôtels et des *B & B*.

– *Internet :* attention, nous n'avons pas trouvé d'Internet à moins de 12 US$/h, et il faut souvent payer un minimum de 5 US$. Bref, c'est l'arnaque généralisée.

Où dormir ?

Compte tenu des prix exagérés de l'hébergement, on conseille plutôt d'y passer seulement la journée. Si vous tenez à dormir sur place, renseignez-vous auprès des associations de *B & B* de Newport :
● www.14bestbnbsofnewport.com ● www.newportinns.com ●

NEWPORT

Où manger?

Les quais, anciens entrepôts transformés en restaurants et boutiques, et Thames St, sont les deux artères vivantes de la ville. Bien sûr, c'est touristique, mais on y trouve sans problème de quoi se restaurer dans des endroits agréables, à des prix raisonnables.

|●| *Charlie's Good Egg :* 12 Broadway St (près de Farewell St). ☎ 401-849-7817. Ouvert tous les jours de 7 h à 14 h. Typique breakfast américain autour de 8 US$, dans ce quartier un peu reculé, fréquenté par les locaux. Décoration très personnelle mais amusante : les murs sont recouverts de photos de clients et amis des propriétaires. Les omelettes sont leur spécialité depuis une quinzaine d'années.

|●| *Coffee Grinder :* au bout du Bannister's Wharf. Ouvert en saison seulement et uniquement pendant la journée. Ah, qu'il est bon de se prendre un petit café accompagné d'un brownie ou autre douceur dans cette échoppe. Sandwichs et quiches sont également en vente. Peu de chaises à l'intérieur, mais quelques grandes chaises de paquebot dehors. Un peu cher, mais c'est directement devant la marina.

|●| *The Sea Fare's American Cafe :* America's Cup Ave, dans l'enceinte du Brick Market (près du magasin *Dansk*). ☎ 401-849-9188. Ouvert tous les jours en été de 11 h à 22 h (23 h les vendredi et samedi). L'hiver, ils ferment 1 h plus tôt. Compter de 8 à 13 US$ le déjeuner et plutôt 18 US$ pour le dîner. On vous conseille de vous installer dehors car la salle n'est pas très sympa. À l'extérieur en revanche, ça fait un peu construction de bric et de broc mais l'ensemble est coloré et gai.

Sandwichs, burgers, salades et bonne sélection de pizzas grillées. En bref : service agréable, prix abordables et saveurs honnêtes.

|●| *Brick Alley Pub and Restaurant :* 140 Thames St. ☎ 401-849-6334. Ouvert tous les jours de 11 h 30 à 1 h (service jusqu'à 22 h en semaine et 23 h le week-end). De 10 à 15 US$ environ. Menu typique d'un pub américain dans ce bar-resto populaire de Newport. Sandwichs, burgers, soupes, plats mexicains, *seafood,* poissons et plats de pâtes. La combinaison *all you can eat* (salade + soupe + pain) à 10 US$ est un bon choix. Grande terrasse derrière.

|●| *Black Pearl :* Bannister's Wharf, qui est le quai le plus agréable de Newport. ☎ 401-846-5264. Ouvert tous les jours de 11 h 30 à 22 h. Compter autour de 6 US$ pour une soupe ou un sandwich, environ 15 US$ pour un plat (8 US$ pour un sandwich-frites). Deux grandes pièces chaleureuses aux plafonds bas où certaines tables ont vue sur les bassins. La reine du menu, c'est la délicieuse et réputée *clam chowder,* crémeuse comme on l'aime. Grand choix de sandwichs, d'œufs, de salades mais aussi des plats de poisson et de viande. Gare à l'usage généralisé de l'*American cheese,* cette matière composite orangée. Une grande terrasse est plantée en plein milieu du *wharf,* très prisée quand les beaux jours arrivent.

À voir

Les mansions

– *Preservation Society of Newport County :* 424 Bellevue Ave. ☎ 401-847-1000. Fax : 401-847-1361. ● www.newportmansions.org ● Infos sur les tours organisés, les horaires et directions, les prix... par téléphone ou sur leur site Internet. Manoirs en général ouverts tous les jours de 10 h (9 h pour *The Breakers*) à 18 h, dernière admission à 17 h. Tous fermés à Thanksgiving et les 24 et 25 décembre. De petites modifications d'horaires ont lieu en cours d'année. L'été et les jours fériés, l'affluence frise la démence; mieux vaut faire la visite des manoirs les plus populaires le matin. Parkings gratuits. Pas d'endroit pour se restaurer dans les manoirs.

Ces demeures comptent parmi les plus surprenantes des États-Unis. Elles combinent l'élégance européenne et les avancées techniques américaines (ces châteaux avaient l'électricité, le gaz, l'eau courante...). Onze propriétés au total sont ouvertes au public. Les visites, d'environ 45 mn, en anglais seulement, sont obligatoirement guidées (sauf pour Marble House et The Elms qui procurent des audioguides) et le guide est inclus dans le prix. Le coût de la visite pour une demeure est de 10 US$ par adulte (15 US$ pour les *Breakers*). Réductions pour les 6-17 ans (5 US$ par demeure) et gratuit en dessous de 6 ans. Il existe aussi des tickets combinés. Tarifs adultes : 23 US$ pour 2 propriétés (incluant les *Breakers*); 32 US$ pour 5 personnes. Nous décrivons les plus grandes et célèbres.

♉♉♉ *Marble House :* construite entre 1888 et 1892 pour la famille de William Vanderbilt (petit-fils de Cornélius, celui qui établit la fortune de la famille dans les bateaux à vapeur), la décoration de cette propriété est, dit-on, un mélange du Parthénon et du Petit Trianon de Versailles. Ne partez pas en courant, elle vaut le détour. Onze millions de dollars de l'époque furent engloutis dans sa construction, dont sept pour le marbre. Le résultat n'est pas des plus légers ! Dans l'entrée, belles tapisseries des Gobelins. Dans la salle de bal, marbres, miroirs et lustres en cristal à vous donner le vertige ! À l'étage, une étonnante pièce de recueillement de style gothique. La salle à manger est toute de marbre rose d'Algérie. Autour de la table, les chaises en bronze Louis XIV sont tellement lourdes que les maîtres de maison devaient prévoir, quand ils recevaient, un valet de pied par invité pour bouger la chaise ! Le jardin donne directement sur la mer.

♉♉♉ *The Breakers :* Cornélius Vanderbilt II, autre petit-fils du Cornélius cité ci-dessus, se fit construire en 1885 cet opulent cottage de plus de 70 pièces. Vu de l'extérieur, les *Breakers* rappellent la Renaissance italienne par leurs arcades, leurs colonnes cannelées, leurs corniches et l'utilisation de pierres et marbres. À l'intérieur, marbres précieux, ornements de bois, plâtres dorés, mosaïques et plafonds peints. À noter : la grande salle au décor théâtral autour de laquelle s'ordonnent les pièces de façon géométrique. La salle à manger est également remarquable, dans son décor d'albâtre rouge et de dorures. Les pièces du rez-de-chaussée donnent sur des terrasses avec vue sur la mer.

♉♉ *Rosecliff :* en 1891, Herman Oelrichs, fille d'un riche immigrant irlandais, s'installe à Newport avec son mari. Ils achètent le domaine de *Rosecliff*, surnommé ainsi pour sa roseraie, et décident de le transformer en une imitation du Grand Trianon de Versailles, histoire d'impressionner la galerie. On s'y croirait presque ! Notez sur les murs extérieurs l'utilisation de terre cuite émaillée blanc cassé qui imite la pierre. À l'intérieur se trouve la plus grande salle de bal de Newport, qui servit d'ailleurs de décor pour quelques scènes de *Gatsby le Magnifique*. Vous y apprendrez qu'un chef français, exaspéré de trop travailler, fit une petite révolte récompensée par une expulsion instantanée.

♉ *The Elms :* en 1898, Edward Berwind se fait construire une maison sur le modèle du château d'Asnières construit au XVIIIe siècle. Edward souhaite rivaliser avec les belles demeures de Newport et espère ainsi s'intégrer à la société newportaise qui le considère comme un parvenu, lui qui fait fortune avec le charbon. Aux *Elms,* les proportions des pièces sont impressionnantes, notamment celles du hall et de la salle de bal. C'est le style classique qui domine ici : jardin d'hiver pour les plantes tropicales, salon de réception Louis XVI...

🍴 **Château-sur-Mer** : avant l'arrivée des Vanderbilt à Newport, cette demeure de style Second Empire était la plus imposante de la ville. À force de remodèlements et d'arrangements successifs, cette maison rassemble toutes les tendances en vogue dans la société newportaise de l'époque. À l'intérieur, quelques effets décoratifs, comme les boiseries de chêne très travaillées du hall. Dans le salon victorien, mobilier et objets orientaux, européens et américains. Rien que ça ! La bibliothèque et la salle à manger sont, elles, de style Renaissance. Ironie du sort, ce Château-sur-Mer ne donne pas sur l'eau.

Dans le Newport historique

Tous les styles architecturaux qu'ont connus les États-Unis entre les XVIIe et XIXe siècles sont représentés à Newport. Il y a tout d'abord les imitations des châteaux français et des palais italiens décrits ci-dessus. Ensuite, le style colonial, présent dans des bâtiments tels que la *Quaker Meeting House* ou la *Trinity Church*. Enfin, le style géorgien que l'on retrouve dans la *Touro Synagogue* ou dans le *Brick Market*.

■ **Newport Historical Society** : 82 Touro St. ☎ 401-846-0813. ● www.newporthistorical.org ● Ouvert du mardi au vendredi de 9 h 30 à 16 h 30 et le samedi matin de 9 h 30 à 12 h. Donne toutes les infos nécessaires à la visite de la ville. Ils organisent même des tours entre mi-mai et mi-octobre.

🍴 **Trinity Church** : en face du Queen Ann Sq. ☎ 401-846-0660. Ouvert du lundi au vendredi de 10 h à 13 h de mai à mi-juin puis jusqu'à 16 h la 2e quinzaine de juin. De juillet à début septembre, ouvert tous les jours de 10 h à 16 h et en septembre et octobre du lundi au vendredi de 10 h à 13 h. Visites sur rendez-vous le reste du temps. La chaire à 3 étages vaut le coup d'œil.

🍴 **Touro Synagogue** : 85 Touro St, à 7-8 mn de marche du *Visitor Center*. ☎ 401-847-4794. ● www.tourosynagogue.org ● Visites guidées obligatoires. Horaires de visite très variables, se renseigner par téléphone. Entrée gratuite. Bâtie en 1759, c'est la 1re synagogue construite aux États-Unis, et la première de l'époque coloniale. Son architecture intérieure, qui contraste avec la simplicité de l'extérieur, est marquée par le chiffre sacré 12 : 12 colonnes soutiennent les tribunes, 12 autres le plafond...

🍴 **Museum of Newport History** : tout près du Brick Market, au 127 Thames St. ☎ 401-841-8770. Ouvert de 10 h (13 h le dimanche) à 17 h. Fermé le mardi. Entrée : 5 US$; réductions.
Toute l'histoire navale de la ville, le commerce maritime et la vie quotidienne des premiers colons.

🍴 **International Tennis Hall of Fame** : 194 Bellevue Ave, avant d'arriver aux mansions. ☎ 401-849-3990 ou 1-800-457-1144. ● www.tennisfame. com ● Ouvert tous les jours de 9 h 30 à 17 h. Fermé à la Thanksgiving et à Noël. Entrée : 8 US$; réductions.
Vaste musée dédié au tennis, dans un grand bâtiment victorien entouré de gazon (les lignes blanches et le filet sont en option). Le Hall of Fame consacre les plus grands joueurs de l'histoire de ce sport. Le musée est bien ficelé et très complet, les amateurs pourront y passer des heures. Cerise sur le gâteau : on peut même y jouer pour 30 US$/h par personne.

À faire

➤ **Cliff Walk** : sentier de 3,5 miles entre la mer d'un côté et les *mansions* de l'autre. Il commence au Chanler Hotel, près de la route 138 A, juste à l'ouest d'*Easton Beach,* et passe devant les *Breakers, Rosecliff* et *Marble*

House. Au XIXe siècle, pour avoir la paix, les propriétaires des *mansions* ont essayé de faire fermer ce chemin. Cependant, les pêcheurs se sont rebellés et l'État leur a donné raison. La 2e partie, non pavée, est moins fréquentée mais tout aussi sympa. Gratuite, cette balade est une des activités les plus populaires ici.

⌂ **Les plages :** les plages publiques se situent sur le côté est de l'île, le long de *Memorial Blvd.* Elles n'ont rien de sensationnel, mais un peu d'air frais ne peut pas faire de mal après tant de culture américaine ! Attention, les parkings sont payants en été. Renseignez-vous à l'office du tourisme.
– *Easton's Beach,* nommée aussi *First Beach* : la plus grande.
– *Sachuest Beach* ou *Second Beach,* à l'est d'Easton's. C'est la plus sympa des trois.
– *Third Beach,* surtout fréquentée par les fanas de planche à voile.
Il existe d'autres plages le long d'*Ocean Ave.* Souvent minuscules et la plupart du temps privées. Une fait exception : *Gooseberry Beach.* Elle est en effet publique mais attention, même les piétons doivent payer pour y accéder.
D'autres plages se trouvent à Narragansett, en passant par la « Scenic Route 1 A », au sud-ouest de Newport.

– **Assister à un match de base-ball :** très bon niveau de jeu dans un petit stade historique (il date des années 1920, ce qui est rare) devant le *Visitor Center.* De juin à août, les *Newport Seagulls* (☎ 401-845-6832. ● www.new portgulls.com ●), composés de l'élite collégiale de la région, jouent contre leurs rivaux de la New England Collegiate Baseball League. Les billets coûtent une poignée de dollars. Atmosphère familiale et *all American.* L'occasion de vivre l'esprit bon enfant, mais âprement compétitif, de l'américanité.

Festivals

– **Newport Music Festival :** tous les ans, en juillet, des concerts de musique classique sont donnés dans les grandes *mansions* comme *Rosecliff, The Breakers, The Elms...* Renseignements au ☎ 401-846-1133.
– **Newport Jazz Festival (JVC Jazz Festival) :** né en 1954, ce festival annuel aoûtien est renommé dans le monde de la musique. Les concerts sont donnés au Fort Adams State Park. ☎ 401-847-3700. ● www.gonew port.com ●
– **Newport Folk Festival :** tous les ans, durant le 2e week-end d'août, les concerts sont donnés au Fort Adams State Park. Renseignements au ☎ 401-847-3700.

➤ *QUITTER NEWPORT*

➢ **Vers Boston :** 8 bus par jour environ avec la compagnie *Bonanza,* au départ du Gateway Center : 23 America's Cup Ave. Durée du trajet : 1 h 45.

MYSTIC SEAPORT MUSEUM

Mystic n'a plus rien à voir avec la ville portuaire qu'elle a été ; ce n'est plus qu'un joli village de Nouvelle-Angleterre parmi tant d'autres. Mais la popularité du Mystic Seaport Museum (un million de visiteurs par an) fait de Mystic le lieu touristique majeur du Connecticut.

MYSTIC

UN PEU D'HISTOIRE

Colonisée au XVIIe siècle, Mystic s'est développée le long du fleuve du même nom. Profitant du boom de l'économie maritime américaine, la paisible bourgade portuaire prospère rapidement. On construit là les fameux clippers (navires à grande vitesse qui transportaient des marchandises) dont la marine américaine est si fière. À la même époque, Mystic est aussi un haut lieu de la chasse à la baleine et abrite dans son port près d'une vingtaine de baleinières. Deux siècles plus tard, Mystic est n° 1 aux États-Unis, ses chantiers navals comptant parmi les plus importants du pays.

Au début du XXe siècle, fini la pêche à la morue et l'éclairage à l'huile de baleine. Place aux loisirs et à la voile. Les chantiers de la région se reconvertissent dans la construction de navires de plaisance et depuis la Seconde Guerre mondiale, de vaisseaux de guerre pour la *Navy* !

Comment y aller ?

➤ **En train :** les trains d'*Amtrak* entre Boston et New York s'arrêtent à *Mystic Train Depot,* dans Roosevelt St. C'est à moins de 1 mile au sud de Mystic Seaport.

➤ **En voiture :** compter 2 h de Boston et 1 h de Newport. De l'une ou l'autre de ces villes, il faut rejoindre la 95 S et sortir à l'*exit* 90. De là, prendre la route 27 (appelée aussi Greenmanville Ave) puis suivre les indications.

Adresse utile

■ **Mystic & Shoreline Visitor Information Center :** route 27, juste au sud de la 95 ; sur la gauche (bien fléché) dans le Olde Mystick Village. ☎ 860-536-1641. ● www.mystictravelsource.com ● Ouvert tous les jours de l'année, de 9 h à 18 h (de 10 h à 17 h le dimanche). Très pro. Bon système d'assistance pour trouver un hébergement. Allez-y avant de passer au musée, vous économiserez 2 US$ sur l'entrée.

Où manger ?

|●| **Seamen's Inne restaurant & pub :** le restaurant du Mystic Seaport est bien agréable (ouvert aux heures d'ouverture du musée). En salle, dans le pub ou sur la terrasse, on y sert des *clam chowders* et autres incontournables plats régionaux à prix raisonnables. Compter 12 US$ pour un planureux sandwich au homard.

À voir

🐾 **Mystic Seaport Museum :** 75 Greenmanville Ave (route 27). ☎ 860-572-0711. ● www.visitmysticseaport.com ● Ouvert tous les jours, de 9 h à 17 h (10 h à 16 h de novembre à mars), sauf le 25 décembre. Entrée (valable 2 jours) : 17 US$; réductions. Petite réduction en réservant sur Internet. Petit dépliant en français.

Ce musée en plein air, qui s'étend sur près de 7 ha, regroupe environ 60 bâtiments maritimes originaux. La visite se concentre autour des quais, le long desquels sont amarrés navires et bateaux de pêche d'époque. En déambulant dans les rues adjacentes, on découvre la voilerie, la corderie, la banque, l'imprimerie, le forgeron, etc. Bref, tout ce qui faisait la vie d'une petite ville portuaire au XIXe siècle.

Malgré le prestige de l'endroit, nous le recommandons seulement aux aficionados de la vie maritime. En effet, le Mystic Seaport présente les symptômes d'un endroit qui vit sur sa réputation. C'est dommage, ça fait plus musée que village vivant.

Les seules nouveautés du Mystic Seaport sont des expositions. La principale, *Voyages : Stories of America and the Sea,* est un hymne à la gloire de tout ce qui est américain, cette fois du côté de la mer (pêche et guerre). Ce qui est désolant, c'est qu'il n'y a aucune analyse critique de rien, même pas de l'effet de la surpêche sur l'environnement.

On s'attardera plutôt sur une petite exposition très sympa consacrée aux femmes et la mer *(Women and the Sea).* Les femmes y sont des pirates, guerrières, héroïnes et pas seulement de braves esseulées !

Trois voiliers importants se visitent :

– le *Charles W. Morgan :* construit en 1841, ce voilier classé Monument historique est le seul survivant de bois de la flotte baleinière américaine du XIXe siècle. On remarquera le quartier des officiers et les sections où on faisait fondre la graisse de baleine... ;

– le *Joseph-Conrad :* construit en 1882 à Copenhague pour servir de bateau-école, il fut ensuite racheté par un Australien puis par des Américains. Le Mystic Seaport se l'offrit dans les années 1940 et lui redonna sa vocation initiale. La complexité des cordages et voilures est remarquable ;

– le *L.A. Dunton :* construit en 1921 et classé Monument historique également. Cette goélette (de type *Gloucester Fishing*) est aussi l'un des derniers modèles vivants de ces bateaux de pêche des années 1920 qui naviguaient entre la Nouvelle-Angleterre et les bancs de Terre-Neuve. Le quartier des officiers se visite et un guide montre comment on pêchait et salait la morue.

➢ Possibilité de se balader sur la Mystic River à bord du mignon bateau à vapeur *Sabino,* de mi-mai à mi-octobre pendant 30 mn. Départs prévus toutes les heures de 10 h 30 à 15 h 30. Ajouter au prix de la visite 5,25 US$. La dernière excursion de la journée, à 16 h 30, dure 1 h 30 et coûte 10,25 US$. Construit dans le Maine en 1908, ce bateau a été en activité pendant une cinquantaine d'années sur la *Damariscotta River,* la *Kennebec River* et dans la *Casco Bay.*

– On peut aussi faire un tour au *Henry B. du Pont Preservation Shipyard.* C'est le chantier naval du musée. Du lundi au vendredi, de 9 h à 15 h, on y restaure là tous types de bateaux appartenant au Mystic Seaport. Une plateforme au 1er étage permet d'observer les artisans au travail.

LES CHUTES DU NIAGARA (NIAGARA FALLS)

IND. TÉL. : 716 (pour le côté américain)

Pour commencer, la récupération par les magnats du tourisme est atroce. Tout est aménagé pour permettre aux « toutous » d'admirer les chutes de tous les points de vue, américains et canadiens. D'en haut, tours panoramiques et hélicoptères ; d'en bas, bateaux et passages sous les chutes. Il faut dire aussi que c'est la capitale de la lune de miel : *water bed,* jacuzzi, *adult movies...* C'est selon les goûts ! Pour le *honeymoon certificate,* allez au 3453rd St, à l'accueil de la chambre de commerce (5e étage). Rares sont les sites naturels qui ont subi une telle exploitation commerciale. Motels, fast-foods, affreuses tours champignonnesques avec restaurants tournants (pour la vue), enseignes clignotantes à tout-va, magasins de souvenirs kitsch, la liste est longue... Une fois n'est pas coutume, ce sont les Canadiens qui remportent la palme d'or du genre devant leurs voisins américains : un véritable mini-Las Vegas. Normal, c'est du Canada qu'on a la plus belle vue sur les chutes : de face, bien plus impressionnantes que de l'autre côté. Bref, tout est mis en œuvre pour accabler le sort de ces pauvres chutes qui ne demandaient rien à personne. À part les chutes, la ville de Niagara (côté américain) n'a pas grand intérêt. Un peu triste, genre grosse bourgade à l'urbanisme très étendu. Pas vraiment le genre d'endroit pour faire du lèche-vitrines. Heureusement, il reste encore quelques bonnes petites adresses authentiques.

UN PEU D'HISTOIRE

Il y a bien longtemps, les chutes se nourrissaient uniquement de quelques vierges indiennes que les Iroquois sacrifiaient à Niagara, « le Grand Tonnerre des eaux ». Elles coulaient alors des jours heureux, jusqu'à ce que le jésuite français, Louis Hennepin, vienne y mouiller sa soutane en 1678 ; il trouva les lieux sublimes et effrayants. Tocqueville ne put s'empêcher – à son tour – d'y jeter un coup d'œil. « Dépêche-toi d'y aller. Ils ne tarderont pas à en faire une horreur », écrivait-il à un ami vers 1805. Comme c'était bien vu ! Dès 1825, les auberges, hôtels de fortune et animations en tout genre se succédèrent au fil des décennies pour arriver à ce que sont les « Falls » aujourd'hui. En effet, des dizaines d'attractions, toutes aussi décadentes les unes que les autres, viennent prouver au visiteur qu'il « s'amuse » follement. Le soir, on illumine les chutes qui passent par toutes les couleurs de l'arc-en-ciel. Complètement psyché et pas toujours du meilleur goût...

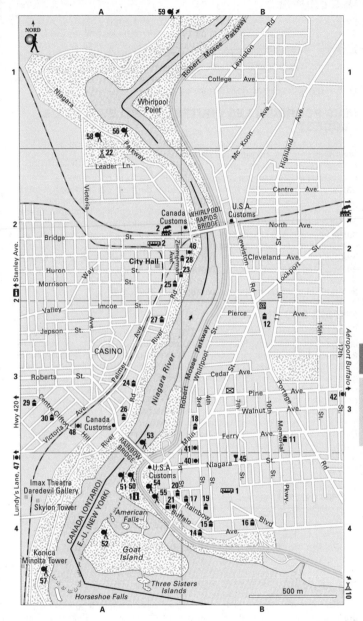

LES CHUTES DU NIAGARA

DES CHIFFRES

L'été, les chutes déversent plus de 6 810 000 litres d'eau par seconde. L'érosion de la couche calcaire atteignait 1 m par an dans les années 1950. L'alimentation des centrales hydroélectriques a freiné la vitesse d'érosion à 30 cm/an. Le « fer à cheval » mesure 675 m de long et les chutes tombent de 54 m de haut. Leur caractère spectaculaire provient de leur puissance et du bouillonnement surréaliste que les chutes produisent. Le potentiel de la rivière atteint 5 millions de chevaux-vapeur...

MAIS POURQUOI LES CHUTES ONT-ELLES TANT DE SUCCÈS ?

Si l'on vous dit que les chutes attirent les jeunes mariés parce qu'elles dégagent des ions négatifs qui sont aphrodisiaques, vous y croyez ? non ? n'empêche qu'on y a cru un temps. Alors on se retranche derrière l'explication suivante. C'est en fait Joseph Bonaparte, le frère de l'autre, qui est, en partie, responsable de la mode de « la lune de miel » aux chutes. Intrigué par le récit que Chateaubriand en avait fait, il décida, accompagné de sa jeune épouse, d'effectuer le voyage en diligence depuis la Louisiane. C'était en 1803. Une fois rentré, il en fit une telle description aux notables et personnalités du coin que ceux-ci se mirent en tête de l'imiter. La mode était lancée. Pendant l'entre-deux-guerres, le développement des automobiles accéléra l'engouement des jeunes mariés. Enfin, Marilyn Monroe vint y tourner en 1953 *Niagara,* de Henry Hathaway (on vous le conseille ; ah ! l'apparition de Marilyn dans sa robe rouge !), ce qui permit à la Fox de dire « *Niagara,* le film où 2 Merveilles du monde se partagent la vedette ».

DÉFIER LES CHUTES

Les attractions démarrent dès 1827. Des hôteliers n'hésitent pas à envoyer à la mort, enfermés dans des tonneaux ou des rafiots de fortune, de véritables arches de Noé : bisons, ours, renards, chiens, aigles et ratons laveurs. Toute la faune locale y passe. Puis, c'est au tour des humains d'effectuer plongeons et descentes en tonneaux, jet skis, bouées... Beaucoup y laissent leur vie. En 1859, le Français Jean-François Gravelet, dit Blondin, fut le 1er casse-cou à défier les chutes. Il les traversa sur un filin tendu entre les rives américaine et canadienne avec son imprésario perché sur ses épaules. La 1re personne à avoir réalisé l'exploit dans un tonneau fut Annie Taylor en 1901. Bien que ne sachant pas nager, elle en sortit indemne. Depuis 1950, ces élucubrations sont déclarées illégales. Cela n'a pas empêché les suicides. Près de 20 corps, en majorité féminins, sont repêchés en moyenne chaque année (!). À vous glacer le sang...

Comment y aller ?

➤ *En avion :* jusqu'à Buffalo, puis navette, taxi, train, bus ou voiture de location vers Niagara Falls.

✈ *Greater Buffalo International Airport :* ☎ 630-6000. Point Info (brochures, plans) au sous-sol.

De Buffalo

➤ *En navette :* pour aller aux chutes directement depuis l'aéroport, prendre la navette *Niagara Scenic Bus Lines* (environ 8 US$; renseignements : ☎ 648-1500 ou 282-7755). *ITA Buffalo Shuttle* propose également des navettes entre l'aéroport et les chutes. Compter 21 US$ l'aller ou 35 US$ l'aller-retour. Propose aussi une navette vers la ville de Niagara pour environ

14 US$, qui vous dépose à votre hôtel. Fonctionne tous les jours de 6 h 30 à 22 h. Compter 45 mn pour les 2 navettes. Renseignements : ☎ 1-800-551-9369.

➤ **En taxi :** Rainbow Taxicab (☎ 282-3221) et United Cab (☎ 285-9331). Compter 40 US$ pour aller de l'aéroport aux chutes.

➤ **En train :** gare Amtrak à l'angle de 27th St et Lockport, un block à l'est de Hyde Park Blvd. ☎ 683-8440. De la gare, bus n° 52 jusqu'à Falls/Downtown.

➤ **En bus :** de la gare routière de Buffalo, deux possibilités pour se rendre au Niagara Falls Bus Terminal ; soit le bus Greyhound (de 8 h à 16 h), soit le bus n° 40 (de 6 h 30 à 23 h 45).

➤ **En voiture de location :** à l'aéroport, location de véhicules juste en face de la sortie au sous-sol. Prendre la direction Niagara Falls, puis sortir à Niagara Blvd. C'est tout au bout. Plus de 40 mn sont nécessaires pour arriver au centre-ville. Bon à savoir, les parkings sont hors de prix en ville, on vous conseille de laisser votre voiture à l'hôtel (parking gratuit le plus souvent) et d'utiliser les transports en commun.

Adresses et infos utiles

Pensez à prendre votre passeport sur vous, si vous traversez le pont pour passer du côté canadien. Une taxe de 50 cents vous sera demandée pour retourner du côté américain.

Côté américain

🅸 **Visitor Center** (plan A4, 1) : au Niagara Reservation State Park. ☎ 278-1796. Ouvert tous les jours de 8 h à 20 h 15. Toutes les infos sur les chutes. Vente de pass, cafétéria et point de départ pour visiter à pied les chutes, à quelques minutes de là. On peut également prendre à gauche de la cafétéria un trolley (vert) du nom de View Mobile pour aller à Cave on the Winds sur Goat Island. Environ 5 US$; réductions. Fonctionne tous les jours de 9 h à 21 h (22 h le week-end).

🅸 Il y a des Visitor Centers un peu partout dans la ville et sur le Niagara Blvd, plus ou moins liés avec des groupes d'hôtels.

✉ **Poste** (plan B3) : 615 Main St. Ouvert du lundi au vendredi de 8 h 30 à 17 h, le samedi de 9 h à 14 h. Fermé les jours fériés.

@ **Internet** (plan B3) : à la Library (bibliothèque) sur Main St, en face de l'AJ. Fermé le week-end. Pas de cybercafé dans la ville. Mais ici, on trouve de nombreux ordinateurs que l'on peut utiliser au maximum 30 mn quand il y a du monde ; et gratuitement !

■ **Hôpital :** 621 10th St et Pine Ave. ☎ 278-4000.

Côté canadien

🅸 **Centre d'information touristique de l'Ontario** (hors plan par A2, 2) : 5355 Stanley Ave. ☎ (905) 358-3221. Fax : (905) 358-6441. Baraque jaune et verte en tôle à l'intersection de Stanley et Roberts St.

Sites Internet

● **www.niagarafallsstatepark.com** ● Pour toutes les infos sur les attractions, horaires, prix, etc., côté américain.

● **www.niagaraparks.com** ● Mêmes infos, côté canadien.

Où dormir ?

Côté américain, Niagara Falls City

– Procurez-vous le *USA Niagara Guide*. En dernière page, il y a une foule de coupons de réduction, souvent soumis à des conditions particulières (hors vacances, par exemple). Un conseil : demander toujours s'il reste des chambres avant de présenter le coupon.
– Bonne nouvelle : pas de problème de stationnement à Niagara, presque tous les hôtels ont des parkings privés et gratuits.
– Les prix sont ici et plus qu'ailleurs très fluctuants. Ils varient en fonction de la saison, des festivals (du côté canadien), du remplissage de l'hôtel et du temps d'occupation.

CAMPING

🏕 **Niagara Falls KOA** *(hors plan par B4, 10)* : 2570 Grand Island Blvd (à Grand Island). ☎ 773-7583 ou 1-800-KOA-0787. Compter 25 US$ par tente et 4 US$ par adulte supplémentaire. Prévoir 50 cents pour se rendre sur l'île. Camping familial avec piscine chauffée. Pas très arboré mais bien équipé et petit étang pour la pêche. À 7,5 miles des chutes et à proximité de quelques plages. Location de bungalows.

AUBERGES DE JEUNESSE

🏠 **Hostelling International-Niagara Falls** *(plan B3, 11)* : 1101 Ferry Ave. ☎ 282-3700. Compter 14 US$ pour les membres et 17 US$ pour les non-membres. Ouvert de 7 h 30 à 9 h 30 et de 16 h à 23 h 30. Fermé de mi-décembre à début janvier. Pas très loin de la station du *Greyhound*. Dans une belle maison mi-brique, mi-bois, une charmante auberge à la déco colorée où règne une atmosphère familiale. Accueil très sympa. Jolie petite cuisine et coin salon avec vidéos à dispo. Café gratis le matin. *Pancakes* pour 3 US$. On vous donne un coupon de réduction pour le *Maid of the Mist*. Réservation impérative. Propre, chaleureux.

🏠 **YMCA** *(plan B3, 12)* : 1317 Portage Rd (Pierce Ave). ☎ 285-8491. Fax : 285-1030. À 20 mn à pied des chutes, à côté de la *Public Library*. Navette gratuite au départ des gares routière et *Amtrak*. La nuit, prendre le bus n° 54 au départ de Main St. Compter 25 US$ pour un lit en dortoir. Comme il n'y a pas de *YWCA*, filles et garçons peuvent dormir dans une salle de basket sur des tapis de gym ; tolérance qui peut être remise en cause à tout moment. Chambres propres, mais une seule salle de bains par étage. Piscine, salle de sport. Accueil un peu bourru.

BED & BREAKFAST

Nombreux *B & B* dans la zone pavillonnaire. Pas très faciles à trouver, ils n'ont aucune enseigne, et de plus, n'ont pas tous des numéros de rue. Mieux vaut téléphoner avant, pour s'assurer que les proprios sont présents.

🏠 **Elizabeth House Bed and Breakfast** *(plan B4, 14)* : 327 Buffalo Ave. ☎ 285-1109. De 90 à 100 US$ la chambre avec bains privés. Téléphoner impérativement avant (son activité semble se réduire). Non-fumeurs. À deux pas des chutes, mais au calme. Un très joli *B & B* tenu par une adorable aubergiste. Belles boiseries. Un luxe élégant pour une adresse offrant un bon rapport qualité-prix. En plus, jardin et piscine circulaire. Que demander de plus ! Cartes de paiement acceptées.

LES CHUTES DU NIAGARA

🛏 **Rainbow House Inn** *(plan B4, 15)* : 423 Rainbow Blvd S. ☎ 282-1135 ou 1-800-724-3536. ● www.rainbowchapel.com ● De 65 à 120 US$ (plus cher le week-end). Maison datant du XIXe siècle. Facile à trouver, elle est toute fleurie, juste en face du *Ramada*. Agréable et au calme. Quatre chambres, pas très grandes, avec bains. Une suite, avec terrasse et balancelle. Ventilo et AC. Décoration un peu chargée. Chaque chambre a un nom en fonction de la déco : la *honey moon suite* de style victorien, avec un *king size bed, of course* ; la chambre « jardin », la chambre « bord de mer » et la « campagnarde ». Le tout est assez kitsch mais convient bien à la fonction de la maison : les cérémonies de mariage ! Réservation recommandée. Accueil très sympa.

MOTELS

🛏 **Rodeway Inn** *(plan B4, 16)* : 795 Rainbow Blvd. ☎ 284-9778 ou 1-800-44-FALLS. Fax : 284-5252. Compter de 55 à 75 US$ en basse saison et de 95 à 190 US$ en juillet-août pour une double. Plus cher le week-end. Les chambres, très vastes, ont été rénovées. Très propre. Au coin d'une intersection dans un no man's land. Pas de resto, mais thé et café à volonté (moins de 1 US$). Bon accueil.

🛏 **Ramada Inn by the Falls** *(plan B4, 17)* : 240 Rainbow Blvd. ☎ 282-1734. Fax : 282-1881. ● www.ramadainnbythefalls.com ● Prix variables, de 120 à 150 US$ la double. Motel de chaîne en plein centre de Niagara, à un block du côté canadien. Piscine. Un peu plus cosy que les deux autres. À côté, resto *L'Atrium*.

🛏 **Howard Johnson at the Falls** *(plan B3, 18)* : 454 Main St. ☎ 285-5261 ou 1-800-282-5261. Fax : 285-8536. De 75 à 130 US$ la double. Immeuble assez récent sur 3 étages. Chambres vastes, de bon standing, avec machine à café (entre autres). Agréables coloris pour les dessus-de-lit, cela change des sempiternelles fleurs. Piscine couverte et chauffée, sauna. Petit dej' compris (rare). Accueil souriant et pro. Bon rapport qualité-prix. À savoir tout de même, un hélicoptère décolle régulièrement tout à côté en juillet-août.

🛏 ▐●▌ **Holiday Inn at the Falls** *(plan B4, 19)* : 231 3rd St. ☎ 282-2211. Fax : 282-2748. ● www.holiday-inn.com ● De 90 à 170 US$ pour une double. Hôtel récent situé derrière le *Ramada*. Ne pas confondre avec l'autre *Holiday Inn*, dans la même rue. Déco un peu moins soignée que les précédents. Chambres spacieuses avec 2 grands lits. Piscine couverte, sauna, aires de jeux pour les enfants. Abrite un *Denny's* (resto de chaîne populaire). Profitez-en pour essayer les copieuses et populaires *Buffalo wings*, enrobées d'une sauce orangée et servies avec du céleri.

HÔTELS

De prix moyens à plus chic

🛏 **Travelodge** *(plan A4, 20)* : 201 Rainbow Blvd. ☎ 289-9760. Réservations : ☎ 1-800-578-7878. Fax : 285-9760. Compter 160 US$ pour une double. Grand hôtel des années 1920 tout en brique, un peu désuet (le hall d'entrée est d'un autre âge). Très central. Chambres spacieuses avec vue sur les chutes, surtout au 11e étage. TV, téléphone, machine à café, AC, coffre-fort et fenêtre à guillotine que l'on peut entrouvrir pour entendre le doux bruit des chutes. Accueil et ménage des chambres pas terribles.

Très chic

🛏 **The Red Coach Inn** *(plan A4, 21)* : 2 Buffalo Ave. ☎ 1-800-282-1459. Fax : 282-2650. ● www.redcoach.com ● De 80 à 200 US$ hors saison et de 160 à 330 US$ en saison. Petit hôtel au style *british*. La plus belle auberge de Niagara Falls. Pour ceux qui voudraient casser leur petit cochon rose, des suites et même des doubles suites fabuleuses. Pour les autres, des petites chambres à des prix presque raisonnables. Très bon restaurant. Voir « Où manger ? ».

Côté canadien

Si vous avez un véhicule, nous vous conseillons de loger côté canadien car, les prix y sont moins élevés (et les Canadiens très sympas). Pour information, fin 2004 : 1 $Ca = 0,64 €.

CAMPINGS

Quelques campings abordables pas trop loin des chutes. Attention aux moustiques.

△ **Niagara Glen-View** *(plan A2, 22)* : 3950 Victoria Ave. ☎ (905) 358-8689 ou 1-800-263-2570. Près de River Rd, à 2 miles des chutes. L'été, navette toutes les 20 mn de 10 h à 22 h. À partir de 40 $Ca (25,60 €) sur la base d'une tente pour 2 adultes et 4 enfants (sans services). Spacieux et arboré (au bord de la rivière), mais bondé. Épicerie, petite piscine. Malheureusement, c'est bruyant à cause de la piste des hélicos toute proche. Ambiance familiale.

AUBERGE DE JEUNESSE

🏠 **Backpackers International Hostel** *(plan B2, 23)* : 4219 Huron Street, angle Zimmerman Avenue. ☎ (905) 357-4266 ou 1-800-891-7022. Fax : 357-1646. Compter 18 $Ca (11 €) en dortoir avec petit dej' (délicieux muffins). Pas loin de l'AJ du réseau Hostelling International dans cette zone un peu éloignée des animations du centre. Grande maison, pleine de vieilles choses. Tenue par Charly, un patron super-sympa. Une très bonne adresse.

BED & BREAKFAST

Sur River Road, qui longe les gorges de Niagara River, nombreux panneaux « Tourist Home ». Voici quelques adresses (préférable de réserver) :

De prix moyens à chic

🏠 **The Derby House** *(plan A3, 24)* : 5207 River Rd. ☎ (905) 374-0738. Chambre double autour de 85 $Ca (54,40 €). Petite maison à façade verdoyante en bordure d'une route assez passante. Joli jardin. Quatre chambres douillettes, propres, certaines avec bains privés. Bon accueil de Martha qui reçoit des hôtes depuis une bonne douzaine d'années. Les chutes ne sont pas loin à pied.
🏠 **Bedham Hall** *(plan A2, 25)* : 4835 River Rd. ☎ (905) 374-8515. ● www.bedhamhall.com ● À côté de l'église. De 95 à 125 $Ca (60,80 à 80 €) la chambre. Non-fumeurs. Enfants de moins de 16 ans non admis. Un peu plus loin que le précédent *B & B*. À 1 mile des chutes (20 mn de marche). Quatre immenses chambres à un lit (*queen* ou *king size*) dans une maison de bois vieille d'un siècle (certaines avec jacuzzi, pour ceux qui ont encore envie d'eau). Intérieur clair et soigné. La patronne, Heather, s'y connaît en

cognac... Elle a quitté le métier il y a quelques années pour ouvrir ses chambres d'hôtes. Accueil cool.

🏠 *Glen Mhor Guesthouse* (plan A3, 26) : 5381 River Rd. ☎ (905) 354-2600. Compter environ 100 $Ca (64 €). Cinq chambres décorées avec goût. Prix et service de bonne qualité. Superbe patio où vous pouvez prendre un petit dej' complet, avec du pain tout chaud qui sort des fourneaux. Parking privé à l'arrière.

MOTELS

🏠 *Happiness Inn* (plan A-B2, 28) : 4181 Queen St. ☎ (905) 354-1688 ou 1-877-991-3443. Fax : (905) 354-0041. ● www.happinessinn.com ● De 60 à 100 $Ca (38,40 à 64 €) pour une double en basse saison ; 30 % de plus en juillet-août. Breakfast compris. Bien sûr, les *family rooms* pour 4 personnes sont plus économiques. Motel derrière l'AJ, sur Niagara Parkway. Le patron vient du Sri Lanka. Il est adorable et propose des chambres tout ce qu'il y a de plus correct (bains neufs), AC, frigo, micro-ondes, TV câblée, téléphone, parfois machines à café. Suites nuptiales et suites jacuzzi, mais ce n'est plus le même prix. Jolie piscine extérieure chauffée. Possibilité de négocier le prix ou un petit dej'. Une bonne adresse dans un coin tranquille et arboré. Accueil cordial.

🏠 *Fairway Motel* (plan A3, 29) : 5958 Fallsview Blvd (ex-Buchanan Ave). ☎ (905) 357-3005. Fax : (905) 357-3659. Dans le prolongement de Buchanan, presque à l'angle de Ferry St. Prix très variables, de 50 à 70 $Ca (32 à 44,80 €) la

🏠 *Chestnut Inn* (plan A3, 27) : 4983 River Rd. ☎ (905) 374-7623. Compter de 115 à 135 $Ca (73,60 à 86,40 €). Grande maison blanche, récente, tout en bois, avec véranda, balcon et terrasse. Chambres très bien tenues, certaines pouvant accueillir un couple avec un enfant. Deux d'entre elles, à l'arrière, ont un accès direct à la terrasse, sur le toit. Beau jardin avec petite fontaine. La gérante parle un peu le français (rare). Bonne adresse.

double. Faites-vous préciser s'il s'agit de US$ ou de $Ca, ce n'est pas toujours très net. Plus cher en fin de semaine. Malgré tout, c'est le meilleur rapport qualité-prix compte tenu de son emplacement et de la fluctuation des prix dans la ville. Chambres moyennes avec AC, téléphone, frigo. Piscine. Breakfast continental compris de mai à octobre.

🏠 *Days Inn Suites by the Falls* (plan A3, 30) : 5068 Center St. ☎ (905) 357-2550 ou 1-800-706-7666. Fax : 357-7771. ● www.days bythefalls.com ● Compter de 90 à 180 $Ca (57,60 à 115,20 €) pour deux (petit dej' continental offert). Dans le prolongement de Clifton Hill, en plein centre, avec ses avantages (restos, boutiques, attractions) et ses inconvénients (bruit, passage). Bel établissement neuf sur 3 niveaux. Chambres spacieuses tout confort avec machine à café, frigo, planche à repasser. Piscine couverte chauffée, jacuzzi, centre de musculation et surtout grand parking gratuit. En plein centre, ça vaut le coup.

LES CHUTES DU NIAGARA

– Nombreux autres motels sur Lundy's Lane (hors plan par A3). Plus on s'éloigne des chutes, moins c'est cher.

Où manger ?

Côté américain, Niagara Falls City

Bon marché

🍴 *Press Box Bar* (plan B4, 40) : 324 Niagara St (entre 3rd et 4th St). | ☎ 284-5447. Ouvert tous les jours de 10 h (12 h le dimanche) à une heure indéterminée (c'est écrit sur la porte). Burgers à partir de 3 US$. Genre de resto-pub pour routiers sympas. Dans une rare rue « animée » le soir. Un lieu d'habitués accueillants et pas trop exubérants. On choisit ses plats sur une ardoise, à l'entrée de la cuisine, et l'on inscrit son nom sur une liste. De grosses salades accompagnent les spécialités du jour. Les meilleures frites que nous ayons mangées depuis longtemps ! Boissons à prendre au bar (caisse séparée). Les murs sont couverts de dollars offerts et signés par les clients et, une fois par an, la patronne en fait don à une œuvre caritative. Une très bonne adresse. Si malheureusement c'était fermé le jour de votre passage, il vous reste le *Player* à côté ; voir « Où boire un verre ? ». Cartes de paiement refusées.

|●| *Taj Mahal* (plan B3, 41) : 4253rd St. ☎ 285-5185. Ouvert de 10 h 30 à 23 h (23 h 30 les vendredi et samedi). Compter environ 9 US$ pour un plat. Restaurant tenu par une famille d'Indiens (ils en possèdent plusieurs dans la rue), quintessence de l'assimilation réussie aux États-Unis. Dans l'entrée, grande fresque de New York au soleil couchant. Drapeau étoilé avec la mention « *We are proud to be American* » et sur le menu, à côté d'un axiome philosophique : « *In God we trust; we accept credit cards* » (!). Ça ne s'invente pas. Plats goûteux et copieux, souvent fort épicés. Nous avons adoré le poulet *Sagaa* (mariné dans une crème d'épinard avec de la coriandre). Bien préciser « pas épicé » (*mild* ou *not spicy*). La salle, un peu triste, n'est fréquentée que par des Indiens. Cuisine trop relevée pour les Yankees ? Pas de bière et d'alcool. Ceci explique peut-être cela...

|●| *Pete's Market House* (plan B3, 42) : 1701 Pine Ave (à l'angle de 17th St). ☎ 282-7225. Ouvert tous les jours jusqu'à 22 h-22 h 30. Propose le midi des formules généreusement servies pour environ 6 US$. Essayer leur *N.Y. strip steak* accompagné de vraies frites (faites avec de vraies pommes de terre !). Poisson frais le vendredi. Salle à manger au fond du bar. Côté bar, des gens du coin qui, les soirs de match (hockey, foot, base-ball ou basket), viennent écluser une mousse. Pas la grande classe, forcément.

Chic

|●| *The Red Coach Inn* (plan A4, 21) : 2 Buffalo Ave. ☎ 282-1459 ou 1-800-282-1459. À partir de 15 US$ pour un plat. Grand choix de vins. Une authentique auberge anglaise, avec poutres, cheminée et vitraux (voir « Où dormir ? »). Ambiance feutrée, plats bien présentés, saveurs respectées, service impeccable. On peut regretter cependant, pour un établissement de cette classe, l'absence de nappe (comme d'habitude aux États-Unis). Toute la tradition britannique cependant. Le soir, dîner aux chandelles, prévoir une torche pour lire le menu, pratiquement illisible (même de jour !).

Côté américain, Buffalo

|●| *Anchor Bar* (plan A3) : 1047 Main St. ☎ 886-8920. Sur la façade rouge est écrit « *Home of the Original* » doublé d'un buffle ailé. On est rassasié pour 6 US$ environ. C'est ici que furent inventées les *chicken wings* grillées et pimentées. *Buffalo* + *chicken wings* = *Buffalo wings* (fallait trouver !). Cadre pas tout à fait Midwest crapuleux, mais presque. Portions très généreuses (*small pizzas* énormes). La sauce qui accompagne les *wings*, inventée par le proprio Franck, est une « *world famous sauce* », rien que ça. Pour preuve, elle est commercialisée dans les supermarchés. *Live jazz* les vendredi et samedi soir. Bon rapport quantité-prix.

Côté canadien

Avant toute chose, même si vous voulez en mettre plein la vue à votre moitié, ne vous ruinez pas au restaurant ultra-touristique de la *Skylon Tower* (plus de 40 $Ca – 25,60 € – par personne !) : médiocre et hors de prix, sans parler de la gadgétisation outrancière du restaurant. On trouve beaucoup mieux dans une gamme de prix plus modeste. Les restos, comme les attractions, se suivent à la queue leu leu. Nous avons retenu :

Bon marché

|●| *Simon's Restaurant (plan B2, 46) :* 4116 Bridge St. ☎ (905) 356-5310. Burgers et plats à partir de 3 ou 4 $Ca (1,95 ou 2,55 €). Ouvert de 5 h 30 à 20 h (14 h seulement le dimanche). Préservez cet endroit qui épargne notre ulcère. « *The best in town* », nous a lancé un client en nous tenant la porte. Le tourisme de masse n'a pas encore tout détruit (pour combien de temps ?). Ce resto-épicerie plus que centenaire (1901) est un bric-à-brac indescriptible avec des plaques d'immatriculation, des vieux journaux un peu partout, où les petits pépés du coin viennent prendre un petit dej' ou s'enfiler un kawa, les camionneurs faire leur loto et les ouvriers se taper sur l'épaule en commentant l'actualité. Laissez-vous tenter par une tarte à la rhubarbe. Nous, on adore !

|●| *La Fiesta (hors plan par A3-4, 47) :* 6072 Main St, au nord de Robinson St. Ouvert de 11 h à 20 h (21 h le week-end). Parking privé. *Fish and chips* de 5 à 14 $Ca (3,20 à 8,95 €). Plats à emporter. Déco marine : filets de pêche, étoiles de mer et poissons séchés accrochés au mur. Simple et bon. Thérèse, la proprio, fait des gâteaux savoureux.

Prix moyens

|●| *Victoria House Restaurant (plan A3, 48) :* 5448 Victoria Ave. ☎ (905) 358-7542. De 13 à 20 $Ca (8,30 à 12,80 €). On est content de trouver une telle adresse en plein cœur du chaos touristique, surtout face à un grand parking. Nourriture d'excellente qualité : pâtes, moules-frites, délicieux steak (bien épais), salade bien préparée, cuisine assez fine. Petite salle tout en bois à l'atmosphère chaleureuse. Terrasse surélevée bien sympathique. Des groupes s'y produisent de temps en temps. Le patron indien est très attachant, c'est l'un des cuistots. Bon rapport qualité-prix.

Où boire un verre ?

Pas grand-chose en soirée, c'est assez désert. Mais si vous avez soif, pourquoi pas le :

🍸 *Player (plan B4, 45) :* 328 Niagara St (côté américain). Un des rares bars animés le soir. Lieu idéal pour les amoureux de la civilisation américaine (yankee). Tout est concentré dans ce petit espace : les TV que personne ne regarde, allumées 24 h/24, les juke-box, deux, au cas où la musique du premier ne serait pas assez forte, un bowling, un jeu de fléchettes, un billard au fond, des jeux de loto et de jackpot ; eh oui, eux aussi ! Aux murs, pas 1 cm² de libre et, devant le long comptoir, quelques panses rebondies faisant face à une lignée de bocks à moitié vides (la pression n'y est vraiment pas chère). Le nirvana !

À voir. À faire

🎭🎭🎭 Les meilleures périodes pour voir les **chutes du Niagara** sont le printemps et l'automne, mais l'hiver n'est pas mal non plus. La Niagara River marque la frontière entre le Canada et les États-Unis. Dès 1870, les chutes devinrent une grosse attraction touristique. Les Américains furent les premiers à réagir en 1885, en créant le 1er parc naturel des États-Unis. Les pièges à touristes, même s'ils ne manquent ni d'un côté ni de l'autre, sont beaucoup moins voyants du côté américain.

Il y a 3 chutes proprement dites : *American Falls* et *Bridal Veil Falls* du côté américain *(plan A4)*, *Horseshoe Falls (plan A4)* du côté canadien (la plus impressionnante). Pour voir l'essentiel, 2 h ou 3 h suffisent, mais il serait dommage de manquer la vue depuis l'Ontario.

De fin novembre à début janvier a lieu le *Festival of Lights* de Niagara Falls : les arbres sont couverts de guirlandes lumineuses et les chutes sont illuminées.

Du côté américain

🎭 ***Prospect Point Observation Tower*** *(plan A4, 50)* **:** environ 1 US$. C'est une plate-forme reposant sur une tour de 86 m de haut. L'ascenseur pour descendre à *Maid of the Mist* part de cette tour. Beau point de vue.

🎭🎭 ***Maid of the Mist*** *(plan A4, 51)* **:** compter 12 US$; réductions. Pas de réservation. L'une des plus vieilles attractions touristiques d'Amérique du Nord. Promenade en bateau de 30 mn jusqu'au pied des chutes. En été, départ tous les jours et toutes les 15 mn de 9 h 15 à 19 h 30 ; en automne et au printemps, de 10 h à 17 h. La balade existe aussi du côté canadien, mais il y a beaucoup plus de monde.

🎭🎭🎭 ***Cave of the Winds*** *(plan A4, 52)* **:** Goat Island, Niagara Reservation State Park. ☎ 278-1770. Compter 8 US$; réductions. Visites de 10 h à 20 h de mi-mai à mi-septembre (17 h de mi-septembre à octobre).

Impressionnante vue sur les chutes américaines. On vous prête un imper jaune et des chaussons antidérapants. Vous laissez vos chaussures dans un casier (on vous conseille aussi d'y laisser vos chaussettes et votre montre). Puis, on descend en ascenseur ; et au bout d'un long tunnel humide, on se retrouve au pied des chutes. Le fun consiste à s'en approcher le plus possible pour se faire arroser un max dans un bruit d'enfer. Le *Hurricane Deck* est là pour cela. On est trempé, mais la sensation est unique. Vous ne serez pas seul, autant le préciser. Au retour, une petite halte pour admirer les milliers de mouettes qui ont élu domicile à cet endroit.

🎭🎭 ***Terrapin Point*** *(plan A4, 52)* **:** au-dessus de *Cave of the Winds*. Gratuit, mais c'était trop beau, il faut quand même payer 5 US$ de parking. Pour jeter un coup d'œil de près aux chutes *(Horseshoe Falls)*. Ça mouille, mais quel spectacle ! C'est peut-être de là qu'on préfère les admirer.

🎭 Pour les amateurs de musique pop, on signale que l'énorme pont qui traverse la rivière s'appelle le **Rainbow Bridge** *(plan A3, 53)*, que l'arc-en-ciel est visible par grand soleil et qu'il a été chanté par Jimi Hendrix. Compter 3 US$ de péage pour aller au Canada, même pour les piétons. Penser à prendre son passeport.

🎭 Les férus d'architecture se doivent d'aller faire un tour sur **Goat Island** *(plan A4)*. Prendre Robert Moses Parkway, 1re sortie après le péage (donc plus économique à vélo car on évite le péage), s'enfiler sous le pont vers E River Rd. C'est ici que des gens de la classe moyenne se sont fait construire une « bicoque ». L'intérêt de la balade ? Aucune maison ne ressemble à une autre. Architecture avant-gardiste ou néo-coloniale. Le coin est également sympa pour un long jogging matinal.

🎥 ***Museum of Wax*** *(plan A4, 54)* : face au parc. Ouvert tous les jours de 9 h à 23 h 30. Entrée : environ 7 US$; réductions.

L'intérêt n'est pas dans les personnages de cire fort mal faits (n'est pas Grévin ou Mme Tussaud qui veut), mais dans l'évocation de l'histoire des chutes, depuis la visite de Hennepin et de La Salle. On peut y voir le tonneau de Saylor, des photos de Blondin le « *fabulous French aeralist* », des affiches et photos de Marilyn lors de son passage pour le film *Niagara*. La présence de sœur Teresa et de Diana est un peu tirée par les cheveux. Le côté didactique se perd un peu et le tout fait pas mal vieillot quand même. Les chutes méritent mieux.

🎥 ***Balloon Ride*** *(plan A4, 55)* : près du parc. Ouvert tous les jours de 9 h à minuit. Tarif : environ 18 US$; moitié prix pour les enfants.

18 mn de voyage au-dessus des chutes dans une immense nacelle soulevée par un non moins immense ballon.

Du côté canadien

Au risque de se faire un peu plus d'ennemis, on préfère voir les chutes du côté canadien plutôt que du côté américain. Ne pas rater l'attraction *Journey behind the Falls* (lire ci-dessous). Les chutes sont mises en lumière le soir. L'animation nocturne commence au coucher du soleil et dure 3 h.

Ne pas prévoir quand même de passer la journée là-bas, car vous aurez vu le plus intéressant en 1 h ou 2 h.

🎥 ***Téléphérique*** *(Whirlpool Aero Car ; plan A1, 56)* : compter 10 $Ca (6,40 €) ; réductions. Bondé en été.

🎥🎥 ***Table Rock Point*** *(plan A4, 57)* : au centre du balcon dominant les chutes. Il y a un guichet au 2ᵉ étage où l'on peut changer son argent. Panorama génial. Intéressant surtout le soir, quand les chutes sont éclairées.

🎥🎥🎥 ***Journey behind the Falls*** *(plan A4, 57)* : prévoir 10 $Ca (6,40 €) ; réductions. Prendre les billets au *Table Rock Complex*. À faire absolument. On vous file un ciré jaune canari et on se retrouve par groupe de 20, embarqués dans un ascenseur qui mène à l'entrée de 2 tunnels humides. Ça fait très clan secret ! On a 3 vues saisissantes sur les chutes : deux complètement dessous, et une autre plus éloignée.

🎥🎥 Pour les photographes, il est indispensable de monter à la ***Skylon Tower*** (ou à la ***Konica Minolta Tower*** *(plan A4)*, un peu moins haute mais plus proche de *Horseshoe Falls*). Vue magnifique sur les 2 chutes. Vaut la peine. Ici encore, votre portefeuille sera mis à contribution : 11 $Ca (7 € ; réductions) pour la *Skylon* (ouvert de 8 h à 23 h) et la même chose pour la *Minolta Tower* (ouvert de 7 h à minuit selon l'affluence).

– Ne jamais enjamber le petit muret qui est en face des chutes américaines (côté canadien) pour s'allonger sur la pelouse.

🎥 ***Niagara Helicopter Rides*** *(plan A1, 58)* : 3731 Victoria Ave. ☎ (905) 357-5672. ● www.niaraga-helicopters.com ● Ouvert tous les jours à partir de 9 h jusqu'au coucher du soleil. Prévoir 160 $Ca (102,40 €) pour deux. Tour en hélicoptère au-dessus des chutes. Brochure en français.

🎥🎥 ***Maid of the Mist*** : compter 13 $Ca (8,30 €) pour le petit bateau qui s'approche du bas des chutes (réductions). Fonctionne de 9 h à 20 h. Pas de sortie en hiver. Là, le ciré est de couleur bleue. Longues files d'attente fréquentes. Départ également possible du côté américain où, d'ailleurs, il y a beaucoup moins de monde (voir plus haut).

🎥 🏃 ***Butterfly Conservatory*** *(hors plan par A1, 59)* : 2565 Niagara Parkway. ☎ 1-877-642-7275. Ouvert tous les jours de 9 h à 18 h (20 h ou 21 h en haute saison). Entrée : 10 \$Ca (6,40 €) ; réductions. Situé à l'écart de la ville, dans des jardins botaniques.

La visite commence par une courte séance vidéo. On entre ensuite dans une grande serre tropicale où s'ébattent une quarantaine d'espèces de papillons. Avec un peu de chance, certains viendront exposer leurs jolies ailes colorées sur vous. Observation de chrysalides dans la nursery. Visite agréable. À la sortie, évidemment, un *gift shop*. À côté, jardin botanique (entrée gratuite).

➤ *QUITTER LES CHUTES DU NIAGARA*

Côté américain

En train

🚆 Une particularité à signaler : la *gare Amtrak (hors plan par B2, 1)* de la City of Niagara est totalement excentrée et il n'y a aucun autre moyen de s'y rendre depuis l'AJ que le taxi. ☎ 1-800-872-7245.

➤ *Vers Buffalo et New York (Penn Station) :* tous les jours avec le *Maple Leaf* (le plus rapide). Départ en début d'après-midi. Durée : 8 h.

En bus

➤ *Vers Buffalo et New York :* moins cher que le train, mais presque 2 fois plus long. Bus n° 40 depuis le *Niagara Falls Bus Terminal (plan B4, 1)*.

➤ *Vers Niagara Falls (côté canadien) et Toronto :* il n'y a pas de bus pour aller de part et d'autre de la frontière. En revanche, le *Greyhound* (☎ 1-800-231-2222) qui part de Buffalo vous emmène directement du côté canadien. Donc, ne pas oublier son passeport (on s'est fait avoir). Part aussi de l'aéroport. Trois départs en hiver (de novembre à mars) et 8 en été.

En avion

➤ *Vers Baltimore, puis Washington D.C. ou New York :* à l'aéroport de Buffalo : *Southwest Airlines,* ☎ 1-800-826-667. Pratique des prix très intéressants sur Baltimore. Compter 80 US\$. De là, vous pouvez prendre le train ou un autre avion pour New York ; un *super shuttle* (35 US\$) ou un taxi (65 US\$ environ) pour Washington. Un vol direct vers ces deux dernières villes coûte cependant très cher.

Côté canadien

En train

🚆 *Gare ferroviaire (plan A2, 2) :* Bridge St. Renseignements : ☎ 1-800-361-1235. Ouvert de 6 h (7 h le week-end) à 20 h.

➤ *Vers Toronto :* 2 à 3 départs par jour.

➤ *Vers New York :* 1 départ par jour, en milieu de journée.

En bus

🚌 *Gare routière (plan A2, 2) :* Bridge St, en face de la gare ferroviaire.

➤ *Vers Buffalo :* 8 départs quotidiens avec Tentway Wagar (☎ 1-800-461-7661). Compter un peu moins de 2 h de trajet.

➤ *Vers Toronto :* 12 départs par jour, même compagnie, même durée.

➤ *Vers Ottawa :* 4 départs quotidiens avec *Greyhound* (☎ 1-800-661-TRIP).

➤ *Vers Vancouver :* les vendredi et samedi, avec *Greyhound*.

CHICAGO   IND. TÉL. : voir plus loin la rubrique « Téléphone »

Capitale mondiale de l'architecture moderne, Chicago a presque définitivement liquidé sa mauvaise réputation. Il était temps, quand on pense au nombre de touristes qui n'inscrivaient pas la ville dans leur programme ! Au hit-parade des villes les moins sûres, Chicago ne se place qu'au 17e rang, loin derrière Washington (1re) et Los Angeles.
Mais Chicago est aussi la ville des superlatifs. Elle possède le plus vieux club d'échecs du Midwest, le plus gros trafic aérien des États-Unis, le plus grand marché aux grains du monde, le plus grand aquarium du monde, le plus vaste nœud ferroviaire du monde, et, même, sur Clark Ave, le McDo qui débite le plus de hamburgers ! C'est à Chicago que fut réalisée la 1re réaction atomique par Enrico Fermi en 1942, et que fut créé *Playboy* en 1952 par Hugh Heffner ! Pendant longtemps, la Sears & Roebuck Tower (achevée en 1974) fut, avec ses 443,17 m, ses 110 étages et ses 100 ascenseurs, la plus haute tour du monde. Même New York faisait pâle figure avec les Twin Towers du World Trade Center (412 m), aujourd'hui disparues. Mais hélas, le record détenu par Chicago ne tient plus puisque l'Asie du Sud-Est a pris sa revanche avec les tours jumelles Petronas à Kuala Lumpur. Les tours de la capitale malaisienne dépassent de 8 m celle de la « Cité des Vents ».

■ **Adresses utiles**

⊠ Post Office
@ Screenz
4 Lavomatic Laundryland

⌂ **Où dormir ?**

30 Arlington House International Hostel
31 Covent Hotel
32 Abbott Hotel
33 City Suites Hotel
34 Majestic Hotel
52 Chicago International Hostel

|◉| **Où prendre un petit déjeuner ?**

60 Ann Sather 1
61 Ann Sather 2

|◉| **Où manger ?**

70 Salt and Pepper Diner
71 Arco de Cuchilleros
72 Penny's Noddle Shop
73 R.J. Grunts
74 Chicago Diner
75 Red Rooster
76 Café Ba-Ba-Reeba !
77 Demon Dogs
78 Matsuya
79 Café de Lucca
80 Le Bouchon
81 Souk

♈ ♪ **Où boire un verre ?**
Où sortir ?

110 El Jardin
111 Cubby Bear
112 The Elbo Room
113 Exedus II
114 Déjà Vu
115 Métro
116 Berlin
117 Second City
118 Kelly's Pub
119 Katacomb
120 Double Door
121 Subterranean
122 Earwax Café

♪ **Où écouter du jazz et du bon blues ?**

140 Kingston Mines
141 B.L.U.E.S.
143 Lilly's Blues Club
144 The Green Mill
145 Rosa's Lounge

⚔ **À voir**

170 Chicago Historical Society

⊛ **Achats**

300 Hollywood Mirror
301 Village Discount Outlet
302 Strange Cargo, Flash Back Collectibles
303 Urban Outfitters
304 Chicago Comics
305 Botànica Brisas de Michoacàn
306 Uprise
307 Wonderland
308 Eclectic Junction

CHICAGO

CHICAGO

A B

144

North — Byron — St. — North — Grace — St. — Sheridan Rd

Grace — St. — North

W. — Waveland — North — Ave. — 115 — W. — Waveland — Street

Addison — **Wrigley Field / Chicago Cubs**

LAKE VIEW — 111 — 70 — North — Street

Cornelia — 4 — 78 — Ave. — 71

113 — 74

302 — 110 — Roscoe

Roscoe — St.

School — 304

Belmont — 116 — 33 — 32 — Ave.

61 — 300

Barry — Avenue — Halsted — Street

Sheffield — Clark

DEPAUL — Wellington — 301

Greenview — Ave. — George — St.

West — Diversey — 72

North — Avenue — Pkwy

114 — 143

Wrightwood — Lincoln — 140 — 141 — Orchard St.

Altgeld — St. — N.

Fullerton — Avenue — 77 — **De Paul University**

Belden

Webster — WRIGHTWOOD — 118 — LINCO

75 — O. Pa.

Dickens — 76

John F. Kennedy — 145 — Armitage — Ave. — 80 — 79 — Armitage

305, 306, 307 — W. Cortland St.

BUCKTOWN — W. Cortland St. — Chicago River

308

81

121 — 122 — West — North

120

Damen — Lincoln — Ashland — Avenue — Southport — Racine — Sheffield — Halsted — North — Elston — Clybourn — Ashland — North Elston Ave. — Seminary — Clark — Lincoln

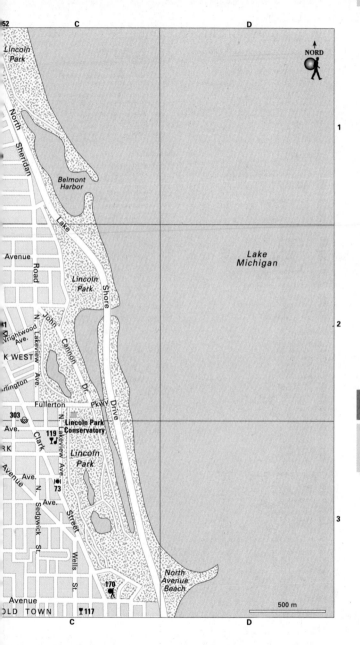

CHICAGO

CHICAGO – PLAN I (NORD)

■ **Adresses utiles**

ⓘ	1	Office du tourisme et Chicago Cultural Center
ⓘ	2	Chicago Visitor Center
✉	1	Post Office
✉	2	Poste restante
🚌		Greyhound
🚆	1	Union Station
	2	Randolph Station
🖥		Cybercafé Kinko's
	1	Alliance française
	2	Consulat de France et consulat de Suisse
	3	Supermarket Walgreens
	5	Cinema Esquire Loews
📖	6	The Chicago Public Library (Bibliothèque)
	7	Europa Books
	164	Air France (Hancock Center)

🏠 **Où dormir ?**

36	The Three Arts Club of Chicago
37	Hostelling International-Chicago
38	YMCA Lawson House
39	Tokyo Hotel
40	ST
41	New Jackson Hotel
42	Wacker Hotel
43	Cass Hotel
44	Ohio House Motel
45	Red Roof Inn
46	Essex Inn
47	Fitzpatrick Chicago Hôtel
48	Lenox Suites
49	Flemish House Bed and Breakfast
50	Gold Coast Bed and Breakfast
51	Gold Coast Inn
53	International House of Chicago

🍽 **Où prendre un petit dej' ?**

62	Lou Mitchell's
63	The Original Pancake House
64	Corner Bakery
65	Corner Bakery

🍽 **Où manger ?**

82	Cambridge House
83	Billy Goat Tavern
84	Blackies
85	Ed Debevic's
86	Rainforest Cafe
87	Food Life
88	Big Bowl
89	Su Casa
90	The Cheesecake Factory
91	Pizzeria Due, Gino's East
92	Cyrano's
93	Cru, Cafe and Wine Bar
94	Bar Louie
95	Berghoff
96	Frontera Grill
97	Brasserie Jo
98	Italian Village
99	Kiki's Bistro
100	Le Colonial

🍸 **Où boire un verre ? Où sortir ?**

123	Butch McGuire's
124	She-Nannigans
125	Mother's
126	Slow down, Life's too short
127	Bouddha Lounge
128	Excalibur
129	Bennigan's

🎵 **Où écouter du jazz et du bon blues ?**

146	Cotton Club
147	House of Blues
148	Andy's Jazz Club
149	Joe Segal's Jazz Showcase
150	Buddy Guy's Legends
151	Checkerboard Lounge

🏃 **À voir**

1	Union Station

160	Wrigley Building
161	Tribune Tower
162	John Buck Building
163	Water Tower
164	John Hancock Center Observatory
171	The Art Institute
172	Field Museum of Natural History
173	John G. Shedd Aquarium
174	Adler Planetarium
175	Museum of Contemporary Art - M.C.A.
176	Museum of Contemporary Photography
177	Spertus Museum of Judaica
178	Museum of Broadcast Communications
179	Terra Museum of American Art
181	Mexican Fine Arts Center Museum
182	The Museum of Science and Industry
183	Du Sable Museum of African-American History

🛍 **Achats**

309	Anthropologie
310	F.A.O. Schwartz
311	Filene's Basement
312	Pearl
313	Water Tower Place
314	Marshall Field and Co.
315	Urban Outfitters

CHICAGO

CHICAGO – PLAN II (SUD)

En outre, depuis les tragiques attentats du 11 septembre 2001 qui provoquèrent l'effondrement des tours jumelles du World Trade Center, il semble que le désir de construire toujours plus haut ne soit plus aussi vif.

Dans un registre plus léger, saviez-vous que le chewing-gum fut inventé ici ? D'ailleurs, à Chicago plus rien n'étonne : quand on estime qu'une rivière ne coule pas dans le bon sens, eh bien, on inverse son cours ! Après l'épidémie de choléra et de typhoïde générée par la forte montée des eaux en 1885, on décida de détourner la rivière pour préserver l'eau potable du lac, en creusant un canal qui s'ouvre sur le Mississippi. Ainsi la Chicago River ne se déverse plus dans le lac Michigan, mais vers le golfe du Mexique !

Chicago a eu de nombreux surnoms au cours de son histoire. Notamment « Porcopolis » (à cause des abattoirs), mais celui qui lui est resté est « Windy City » non à cause des vents venant du lac, qui en effet, balayent la ville, mais du fait de son incapacité, malgré les déclarations dithyrambiques des politiciens locaux, d'inaugurer à temps l'Exposition de la célébration du 400ᵉ anniversaire de l'arrivée de Christophe Colomb sur le continent. Celle-ci fut inaugurée un an plus tard, en 1893 ! Ce surnom, signifiant en fait « qui brasse de l'air », donné par la presse des villes concurrentes, et bien que péjoratif, lui est resté. Il correspond aussi à sa situation climatique. La 1ʳᵉ signification a en effet tendance à s'estomper dans la mémoire collective.

Cela étant, Chicago est une ville agréable, très vivante, avec de larges avenues bordées d'espaces verts, propre et qui se laisse découvrir à pied.

Attention aux températures : outre leurs variations importantes d'un jour à l'autre, elles vont jusqu'à - 35 °C en hiver, et + 40 °C en été.

UN PEU D'HISTOIRE

Avant même que la ville ne soit créée, cette région était recouverte par les eaux. Les Indiens appelèrent leur rivière *Checagou,* du nom des oignons sauvages qui poussaient dans cette zone marécageuse.

Cet ancien point de passage et de liaison des Indiens, des explorateurs et des missionnaires, entre le Canada et le bassin du Mississippi, devient poste permanent de traite de fourrures. C'est le coureur des bois Jolliet et le jésuite Marquette qui, en 1673, revenant d'une expédition dans le Mississippi, parviennent au site actuel de Chicago. Situé au milieu de vastes plaines recouvertes d'herbes hautes et denses, ils l'appellent « Prairies ». Neuf ans plus tard, Cavelier de La Salle, un autre explorateur français, prend possession des lieux, au nom du roi de France. Ces lieux couvraient tout le Mississippi jusqu'aux Rocheuses. Il nomme ce nouveau territoire « Louisiane ». Vers 1779, Jean-Baptiste Point du Sable, un autre Français, établit un comptoir sur la rive nord de la Chicago River (actuelle Michigan Ave). Il négocie alors les fourrures avec les Indiens locaux, les Potawatomis. Puis, il vend le comptoir à John Kenzie, marchand de fourrures à New York. La Louisiane est vendue par Napoléon au jeune État américain en 1803. La même année, les Américains construisent le Fort Dearborn à l'entrée de la Chicago River. Celui-ci marque alors le début de la conquête de l'Ouest et l'éviction des Indiens Potawatomis, par le général Anthony Wayne (général « Mad »). Au milieu du XIXᵉ siècle, la ville devient un nœud ferroviaire très important d'où part la fameuse ligne *Union Pacific* vers San Francisco (terminée en 1869). Pendant la guerre de Sécession, Chicago supplante Saint-Louis, trop proche des champs de bataille. La ville devient alors l'un des grands marchés à bestiaux du pays et développe parallèlement ses industries. Elle passe de 400 habitants en 1833 à 300 000 en 1870. Elle atteint un million en 1890, puis 2 millions 20 ans plus tard (aujourd'hui, Chicago approche les 3 millions et, avec sa banlieue, les 8 millions d'habitants). L'incendie géant de 1871 a donné le coup d'envoi définitif à la modernisation de la ville en imposant d'autres normes et matériaux de construction.

En 1886 éclatent des grèves et des émeutes ouvrières. Six leaders syndicaux, après une parodie de justice, sont pendus. Le 1ᵉʳ mai, date de leur exécution, sera d'ailleurs choisi, par la suite, comme fête internationale du Travail (mais ce jour n'est pas chômé aux États-Unis !). La célèbre « Prohibition », établie de 1919 à 1933 et interdisant la vente de toute boisson contenant plus de 0,5° d'alcool, entraîne l'apparition d'une véritable industrie de distillation illégale et le développement des *speakeasies* (débits de boissons clandestins), dénommés ainsi parce qu'il fallait demander les lieux à voix basse, à cause des surveillances de la police. La guerre des gangs pour la possession de ce juteux marché fait des centaines de morts. L'argent coule à flots et, en grande partie, dans les poches des policiers et politiciens véreux.

Au cours de l'une des années les plus sanglantes, il n'y eut, sur 1 059 crimes de toutes sortes répertoriés, que 25 cas éclaircis ! Assassinats et corruption devaient donner pour longtemps cette image négative à Chicago.

En pleine guerre du Vietnam, en 1968, d'importantes manifestations d'étudiants et de pacifistes devant la Convention nationale démocrate sont violemment réprimées (l'événement marqua toute la génération des 50-55 ans d'aujourd'hui).

Actuellement, Chicago est le 2e centre industriel du pays et l'une des plus importantes places financières mondiales (c'est ici que l'on fixe le prix du blé et du soja). Les grands abattoirs ont émigré à Kansas City en 1971. Le dynamisme de la ville a pourtant donné naissance à une pensée économique ultra-conservatrice dite « école de Chicago » (théories de Milton Friedman basées sur le libéralisme économique total). Surnommés *Chicago Boys,* ses émules furent, entre autres, conseillers de Pinochet au Chili où ces théories ont d'ailleurs complètement fait faillite.

Heureusement, Chicago a désormais une autre image. D'abord, celle d'un certain succès du melting-pot. Plus que dans toute autre ville, on sent la volonté des communautés irlandaise, italienne, juive, polonaise (2e ville polonaise au monde), etc., de s'intégrer. Les habitants de Chicago ont également montré leur ouverture d'esprit en plaçant pour la 1re fois, en 1979, une femme (Jane Byrne) à la tête d'une grande ville, puis en élisant, en 1983, un maire noir (Harold Washington, alors que la communauté noire ne représente que 40 % de la population et qu'elle vote peu). Chicago a aussi élu la 1re femme noire au Sénat lors des élections en 1992. Depuis le Chicago d'Al Capone, l'histoire a tourné bien des pages...

D'Al Capone à J. Dillinger

Nous avons tous en mémoire la visite de Tintin (dans *Tintin en Amérique*) aux abattoirs *(Union Stock Yards)* de Chicago, et ses déconvenues avec les gangsters locaux. Depuis, les abattoirs (les plus grands du monde, bien sûr) ont déménagé (en 1971) et les gangsters avec. Restent quelques souvenirs dont le « massacre de la Saint-Valentin ». Le 14 février 1929, une dizaine de gangsters furent « fusillés » contre le mur d'un garage par les hommes d'Al Capone, déguisés en flics. Symbole d'un passé honteux, le garage qui s'élevait au 2122 N Clark fut démoli à la fin des années 1960. Le mur, démonté brique par brique (417 briques pour être précis !), a été vendu pièce par pièce au Canada, mais il semblerait que ces briques aient toutes porté la poisse à leurs acquéreurs (maladie, divorce, ruine, et même mort...). On peut en revanche visiter le *Metropolitan Hotel,* qui fut l'un des quartiers généraux d'Al Capone. Malgré les soupes populaires qu'il organisa lors de la crise en 1929, il reste quand même moins « sympathique » aux yeux des Chicagoans que son « homologue » John Dillinger. Beau gosse, ce dernier incarne pour eux (et surtout pour elles) Robin des Bois. Il est devenu aujourd'hui un « produit » commercialisable. Au cours du *Untouchable Tour* (lire plus loin « À voir. À faire »), vous pourrez visiter, à bord d'un bus et guidé par de faux gangsters, les hauts lieux des faits d'arme de Joe, dont le *Biograph Theater* (2433 N Lincoln Ave). Certains voient en Joe un visionnaire et n'ont pas hésité à créer une société au nom évocateur : « *J. Dillinger died for your society* » ! Si Dillinger est mort criblé de balles par les « Incorruptibles », il n'en n'est pas de même d'Al Capone, qui lui, est décédé dans son lit d'une syphilis non soignée (il avait peur des piqûres !).

CHICAGO ET L'ARCHITECTURE

Un soir de l'année 1871, la vache de M. O'Leary aurait donné un coup de pied dans une lampe à pétrole. Ainsi débuta, semble-t-il, le grand incendie qui ravagea pendant trois jours un tiers de la ville et tout le quartier des affaires ! 300 morts et 20 000 maisons détruites. Les milliers de tonnes de gravats poussés dans le lac formèrent d'ailleurs le remblai de la future voie express *Lake Shore Drive*. Le bois ayant fait faillite, ingénieurs, urbanistes et architectes se penchèrent donc sur les métaux. Ça tombait bien, les aciéries florissantes d'à côté venaient de mettre au point des aciers capables de résister à la traction comme à la compression. Découverte essentielle, car l'armature des buildings avait besoin de répondre à divers problèmes d'importance : le poids des structures, le vent (très fort ici), le soleil qui dilate les façades au sud, pendant que du côté nord elles se rétractent, etc. Cette technique révolutionnaire allait donc permettre la naissance des premiers gratte-ciel. L'incendie de 1871 est donc à l'origine de son titre de « capitale mondiale de l'architecture moderne ». Les *Cities Boosters* que l'on pourrait traduire par « aventuriers fondateurs et promoteurs de villes » déferlèrent sur la cité meurtrie. Tout était à reconstruire. L'urbanisme devait être entièrement repensé. Quatre grands architectes, qui symbolisent l'architecture de Chicago s'attelèrent à cette tâche : Burnham, Sullivan, Wright et Mies Van der Rohe.

Pour l'Exposition de 1893, Daniel Burnham et son partenaire John Wellborn Root conçurent le plan de restructuration de la ville en imposant un style néoclassique et la protection des rives du lac. C'est à cette époque (1893-1910) que furent réalisés l'*Art Institute,* le *Palace of Fine Arts* (musée des Sciences et de l'Industrie), la *Public Library,* l'université, ainsi que de nombreux bâtiments publics. William Le Baron Jenney, formé à l'École centrale de Paris, réalisa le 1er building à structures métalliques (le *Home Insurance*) en 1885, aujourd'hui disparu. Mais c'est à Louis H. Sullivan, père de l'école de Chicago et ancien élève de l'école des Beaux-Arts de Paris, à qui la ville doit vraiment ses premières œuvres d'art. Ce « poète des gratte-ciel », en déclarant que « la forme doit suivre la fonction », ouvrit définitivement la porte à cette fantastique aventure.

Au début, il s'inspira de l'art européen et les bâtiments s'ornèrent d'incroyables façades Renaissance, gothiques, romanes, ou antiques. D'autres éminents représentants de l'école de Chicago, William Holabird et Martin Roche (auteurs du célèbre *Tacoma Building,* en 1886), et surtout, l'assistant de Sullivan, Frank Lloyd Wright, ont marqué la ville. Ce dernier, d'esprit plutôt anticonformiste, regrettant le retour au néoclassicisme, voulut ouvrir une nouvelle voie. Pour lui, l'utilisation de techniques et de matériaux nouveaux montrerait vite ses limites si l'on ne repensait pas aussi l'espace intérieur, la place de l'individu dans l'architecture et ses rapports avec la nature. Ses principes s'appliquèrent d'abord surtout aux maisons individuelles, délaissées alors par son patron Sullivan. Il réalisa ainsi près de 300 maisons dans un style appelé « Prairie » et qui fut par la suite à l'origine de la création de l'école du même nom. Il fit abolir la séparation entre l'intérieur et l'extérieur, les volumes intérieurs devant déterminer la forme extérieure et non l'inverse. Wright a été très influencé par l'architecture japonaise. L'intérieur devait être conçu comme un espace ouvert et fluide où murs et cloisons devaient disparaître. Quant à l'extérieur, composé de nombreuses fenêtres et vitraux, la ligne horizontale devait prédominer. Très bien adaptées au Middle West, ces maisons, tout en longueur, eurent beaucoup de succès. Sa réalisation la plus célèbre est le musée Guggenheim à New York (achevé après sa mort).

Enfin, le dernier du quatuor est Ludwig Mies Van der Rohe (1886-1969), architecte allemand, ancien dirigeant du Bauhaus. Fuyant le régime nazi, il vint travailler aux États-Unis à partir de 1937. Il renouvela profondément l'architecture en introduisant massivement, dans les années 1940-1950, les grandes surfaces de verre, planes ou courbes, manifestant un goût raffiné des proportions et des formes simples et rigoureuses. C'est le père de la seconde école de Chicago, qui rejetait les formes lourdes et ornementales de ses prédécesseurs au profit d'une architecture plus sobre et dépouillée, où l'ossature métallique n'était revêtue que d'une simple peau de verre. On lui doit, à Chicago, l'ondulante *Lake Point Tower* et, à New York, le fameux *Seagram*. Mies Van der Rohe aussi fit école, et ses épigones se lancèrent tous dans l'architecture de fer et de verre, donnant aux édifices ces fantastiques effets de verticalité, ces formes élancées à l'assaut du ciel...

LES ABATTOIRS DE CHICAGO

Chicago doit sa fortune et sa réputation aux énormes abattoirs *(Union Stock Yards),* installés au nord de la ville en 1865. À l'époque, ces abattoirs traitaient jusqu'à 19 millions de têtes de bétail par an, et faisaient vivre d'innombrables usines de traitement de la viande où travaillaient plus de 30 000 ouvriers. Et ce jusqu'en 1971, date de leur fermeture définitive. En l'honneur de ce sympathique ruminant (qui a quand même largement contribué à la fortune de la ville), on a attribué au bœuf le titre de symbole de la ville. Sa statue de bronze ou de bois laqué est omniprésente. Dans les boutiques, Mme *cow* est représentée sous forme de statuettes peintes pleines d'humour. Cadeau original à rapporter de la *Windy City*.

Bulls, Cubs, Bears, etc.

Avant de programmer votre voyage à Chicago, sachez quand y aller. Pour cela, on vous rappelle les saisons des principales équipes sportives phares de Chicago.

Basket

– **The Chicago Bulls :** fondée en 1966, cette équipe mythique a remporté en 1997 son 5e titre de champion de la NBA. C'est ici que joua Michael Jordan jusqu'en 1998. Lorsqu'ils jouent à domicile, c'est à l'United Center, 1901 W Madison St. Billetterie *Ticketmaster* : ☎ (312) 559-1212. La saison dure de novembre à avril.

Hockey sur glace

– **The Chicago Blackhawks :** c'est l'équipe de hockey sur glace. Pour les réservations, même endroit, même numéro que les Chicago Bulls. La saison commence mi-septembre et dure jusqu'en avril.

Base-ball

– **The Chicago Cubs :** soutenus par les habitants de N Side. C'est la plus ancienne équipe de base-ball des États-Unis (1876) ; mais elle n'a plus participé aux championnats nationaux depuis 1945. Elle joue au stade Wrigley Field. Voir aussi les bars *Cubby Bear* et *Métro,* dans « Où boire un verre ? Où sortir ? ». Billetterie *Ticketmaster* : ☎ (312) 831-2827.
– **The Chicago White Sox :** équipe soutenue par les habitants de South Side. Elle a été à l'origine d'un des plus grands scandales sportifs des États-Unis. En 1919, équipe favorite, elle se laissa acheter contre un pot de

vin en échange de sa défaite. C'est de cette époque que date le « commissaire au base-ball ». L'équipe joue au Comiskey Park. Ça a beau être le terrain de base-ball le plus vieux des États-Unis, c'est tout de même un peu loin, tout au sud, derrière l'Illinois Institute of Technology. Accessible par la *Red Line*, station : 35th St/Sox. Billetterie *Ticketmaster* : ☎ (312) 831-1769.
● www.whitesox.com ●

Football américain

– *The Chicago Bears :* au Soldier Field. Construit en 1926, au sud de Grant Park. L'équipe ne s'est qualifiée qu'une seule fois en 1986 pour le *Super Bowl.* C'est ici que s'est déroulé le match d'ouverture de la Coupe du Monde de « foutchebol » en 1994. Billetterie *Ticketmaster* : ☎ (847) 615-2327.

Chicago *deep-dish-pizza*

Le nougat de Montélimar, la saucisse de Strasbourg, les rillettes du Mans, tout le monde connaît. Eh bien, à Chicago, c'est la *deep-dish-pizza*. En fait, l'idée a germé dans l'esprit d'un certain Ric Riccardo. Il imagina une recette originale de pizza cuite dans un moule à hauts bords. Une invention qui fit d'ailleurs la fortune de son resto *Pizza Uno*. Depuis, la notoriété de la *deep-dish-pizza* créée par le père Riccardo a largement dépassé les frontières de sa chaîne de restaurants désormais omniprésente sur le sol américain. Si vous voulez tenter l'expérience, on conseille *Pizzeria Due* (voir « Où manger ? À Gold Coast, Near North et dans le Loop ») ou la chaîne *Pizza Uno.*

Talk-shows

Le talk-show est né à Chicago. Pour ceux qui veulent assister aux émissions, 3 noms importants dont certains programmes passent sur le câble en France : *Oprah Winfrey Show,* la plus célèbre, à Harpo Studio, 1058 W Washington St, ☎ (312) 591-9222; *Jerry Springer Show, NBC Tower,* 454 Columbus Dr, ☎ (312) 321-5365; et *Jenny Jones Show* aussi à *NBC Tower,* même adresse, ☎ (312) 836-9485.

Arrivée à l'aéroport

Il y a *2 aéroports,* O'Hare et Midway Airport.

→ *O'Hare :* le principal, situé à 30 miles au nord de Chicago. C'est l'aéroport le plus fréquenté de la planète après celui d'Atlanta, qui lui a piqué la 1re place. La plupart des vols domestiques de *United* y transitent (terminal 1). *Air Canada* (États-Unis/Canada) est au terminal 3. Enfin, tous les vols internationaux arrivent au terminal 5. Pour changer de terminal, il y a un train suspendu *(Airport Transit System).*

– *Infos sur l'arrivée des vols :* ☎ (773) 686-2200.

– *Assistance-Information :* au stand de renseignements, aux niveaux inférieurs des terminaux de vols domestiques. Un autre stand à la sortie du terminal des vols internationaux. ☎ (773) 894-2427. Ouvert tous les jours de 6 h à 22 h. Nombreuses brochures. Accueil en anglais seulement.

– *Consignes :* dans les terminaux 2 et 3 uniquement.

– Pas de *location de voitures* au terminal 5, mais des téléphones gratuits permettent de joindre directement les comptoirs situés dans les autres terminaux. Les navettes de tous les loueurs assurent une liaison constante entre les différents terminaux.

– *Bureau de change :* à la sortie du terminal 5. Ouvert tous les jours de 8 h à 20 h.

➤ *Pour aller dans le centre :* le meilleur moyen pour aller à Downtown est le *City Train.* Il se prend au niveau inférieur du terminal 2. Compter 45 mn de trajet et 3 US$. Attention : il faut avoir l'appoint, car il n'y a pas de guichet, seulement des distributeurs qui ne rendent pas la monnaie. Prendre la *Blue Line,* descendre à la station Washington, en plein Loop. Autre station intéressante, point de rencontre de nombreuses lignes : Clark/Lake. Le taxi coûte plus de 35 US$ et risque d'être pris dans les interminables embouteillages de l'autoroute (sauf tard le soir). Il y a aussi plusieurs *limo*-navettes qui, pour 20 US$, desservent les principaux hôtels du centre.

✈ *Midway Airport :* 5700 Cicero Ave, à 20 mn au sud-ouest du centre-ville. C'est le second aéroport, où atterrissent beaucoup de lignes nationales bon marché *(America West...)*.

– *Informations :* ☎ (773) 838-0600. Le stand d'informations et les services de location de véhicules sont regroupés au comptoir principal, à l'entrée centrale.

➤ *Pour aller dans le centre :* prendre le métro *(Orange Line,* attention, elle est fermée la nuit ; dernier train de Midway vers le Loop avant minuit), sinon le taxi (environ 20 US$). Il y a des bus, mais ils ne sont pas à conseiller car ils doivent traverser les banlieues peu sûres du sud de Chicago.

Arrivée par la route

Nombreuses *toll freeways* (autoroutes à péage). Avoir toujours le plein de monnaie en poche (pièces de 25 cents) pour les machines automatiques qui ne rendent pas toujours la monnaie.

Orientation

Chicago se compose de plusieurs grands quartiers. Du nord au sud :
– *Le quartier de Lincoln Park (plan I) :* c'est là que se retrouvent les jeunes et les étudiants. Très vivant le soir (voir « Où boire un verre ? Où sortir ? »).
– *Old Town et Near North (plan II) :* au nord de la Chicago River, longue série de superbes buildings et de commerces de luxe. Le quartier le plus dynamique de la ville.
– *Le quartier de Bucktown (plan I) :* à l'ouest de la Chicago River. C'est ici que se trouvent la plupart des galeries de peinture, des boutiques design, des revues d'art et des labels de rock indépendant. Un quartier à parcourir absolument. En continuant Milwaukee Ave vers le nord (bus n° 56), on constate que l'endroit est peuplé par la communauté hispanique (surplus militaires, entrepôts, peintures murales, *salones de baile, todo para 1 US$,* etc.).
– *Le Loop (zoom Le Loop) :* situé au sud de Chicago River (quartier des affaires et des buildings historiques), délimité par le *El,* métro aérien.
– *Au sud du Loop (hors plan II) :* Grant Park, les musées scientifiques du Museum Campus, Little Italy et Chinatown. Quartier aéré et calme.
– *Orientation :* State St (direction nord-sud) coupe Madison St (est-ouest), au point O. C'est à partir de ce point central que commencent l'orientation nord-sud-est-ouest et la numérotation. C'est en quelque sorte le point cardinal de Chicago. De là, il faut savoir qu'un block (un pâté de maisons) vaut environ – et en principe – 100 numéros. Ainsi, si l'on veut aller au 825 N Michigan, on sait qu'à l'intersection de Michigan (vertical) et de Madison (horizontal) il faudra compter 8 blocks vers le nord. Attention, certains immeubles n'ont pas de numéros ; difficile alors de savoir si l'on va vers le nord ou vers le sud, l'est ou l'ouest. Une boussole est conseillée, surtout pour les quartiers périphériques avec de grands espaces vides entre les immeubles. Armé de vos cartes, vous pouvez maintenant vous attaquer à cette ville merveilleuse.

CHICAGO

Téléphone

Plusieurs indicatifs téléphoniques selon les quartiers :
– le 312 (surtout pour Downtown) ou le 773 pour Chicago City ;
– le 847 pour la banlieue nord et nord-ouest ;
– le 630 pour la banlieue ouest ;
– le 708 pour la banlieue sud ;
suivi du numéro à 7 chiffres.
Pour vous éviter de vous torturer les méninges, nous les indiquons systématiquement devant chaque numéro de téléphone, dans le texte.

Transports en ville

Le bus et le métro

– *Chicago Transit Authority (CTA)* : ☎ (312) 836-7000. ● www.transit chicago.com ● Cet organisme gère le réseau de bus et de métro (souterrain et aérien). Le métro aérien, surnommé le *El*, fonctionne jour et nuit. Hyperpratique. En revanche, le métro souterrain est peu utilisé : peu d'accès visibles et faible densité du réseau. C'est la raison pour laquelle il n'est jamais fait mention, dans les adresses, de la station de métro la plus proche. Le système de bus n'est pas trop compliqué. Se procurer une *CTA Map* (plan des transports en commun). Prix unique pour un trajet : 1,75 US$ que l'on introduit dans la caisse du chauffeur. Attention, la machine ne rend pas la monnaie, mais accepte les billets. Évitez d'y introduire un billet de 20 US$, il sera avalé immédiatement. Compter 25 cents de plus pour une correspondance. On peut aussi acheter un carnet de 10 tickets à 17,50 US$, ou encore des tickets magnétiques rechargeables, dont la valeur va de 3,50 à 100 US$. On les trouve dans certaines stations, dans de nombreux supermarchés et dans les *check cashed* devant les magasins dotés du sigle jaune. Possibilité aussi d'acheter des forfaits touristiques de 1, 2, 3 ou 5 jours (de 5 à 18 US$). Petit rappel : ne pas oublier de demander la correspondance au chauffeur de bus. Attention, c'est à vous d'ouvrir la porte lorsque vous voulez descendre. En règle générale, les transports en commun de Chicago sont très pratiques. Les bus s'arrêtent très fréquemment. Pas de bus en banlieue le week-end.
Des *trolleys gratuits* circulent également du Memorial Day au Labor Day de 10 h à 18 h, desservant les principaux sites touristiques de la ville.

La voiture

La *circulation* est relativement fluide, sauf à la sortie des bureaux, vers 18 h. Il vous sera facile de vous repérer : les rues de Chicago, longues mais peu nombreuses, sont perpendiculaires les unes aux autres. Les tours les plus hautes servent de points de repère. Pour aller facilement du nord au sud et vice versa, nous vous conseillons la « voie sur berge » (Lake Shore Dr) qui passe au milieu d'immenses pelouses avec vue sur le lac et les gratte-ciel. *Se garer* est un vrai problème. Tous les parkings sont payants, de 7 à 10 US$ pour 12 h. Quant aux parcmètres, ils n'acceptent que les pièces de 25 cents et fonctionnent en général de 8 h à 19 h. Impossible de prépayer la nuit pour le lendemain matin. Évitez absolument de garer votre véhicule aux endroits que vous croyez non payants, car ils sont pratiquement tous payants. Vous n'avez peut-être pas vu le panneau (discret) : *tow away*. La ville de Chicago est réputée pour l'enlèvement très rapide des voitures mal garées, même si elles ne gênent en rien la circulation ou les piétons. C'est

CHICAGO

une affaire (publique) qui marche et qui rapporte en plus du PV : 160 US$ par voiture. Si jamais ça vous arrivait, voici les coordonnées de la fourrière : *Sanitation Traffic,* 400 E Wacker Dr. ☎ (312) 746-4954. À côté du golf, le long de la rivière, sous l'autoroute. Lugubre. Compter au minimum 1 h pour récupérer le véhicule.

Adresses utiles

Informations touristiques et culturelles

🛈 *Office du tourisme (plan II, F6, 1) :* 77 E Randolph St. ☎ (312) 744-2400. ● www.chicago.il.org ● Dans le *Chicago Cultural Center,* près de la Randolph Station. Ouvert de 10 h (11 h le dimanche) à 18 h (17 h le week-end). Très nombreuses documentations et brochures que vous pourrez lire tranquillement dans le hall ou à la cafet' à côté. Accueil bien sympa.

🛈 *Chicago Visitor Center (plan II, F5, 2) :* 811 N Michigan Ave. ☎ 1-877-CHICAGO. ● www.ci.chi.il.us/tourism ● Dans le Water Tower Works. L'entrée se trouve au 163 E Pearson. Ouvert tous les jours de 7 h 30 à 19 h. Possibilité de s'y restaurer.

■ *Alliance française (plan II, F5, 1) :* 810 N Dearborn St. ☎ (312) 337-1070. Fax : (312) 337-3019. ● www.afchicago.com ● À l'angle de Chicago St, pas loin de la Water Tower. Réservé à ceux qui séjournent longtemps à Chicago.

Services (postes, Internet)

✉ *Post Office (plan II, F7, 1) :* à l'angle de N Clark et Adams St.

✉ *Post Office (plan I, C2) :* 2643 N Clark St et Drumont ; à côté du *Covent Hotel.*

✉ *Poste restante (plan II, E7, 2) :* S Canal et W Van Buren St.

@ *Internet :* à Chicago, les cybercafés semblent encore peu développés. Voici néanmoins 3 accès possibles au Net :

– *Screenz (plan I, C2) :* 2717 N Clark St. ☎ (773) 348-9300. Ouvert tous les jours de 8 h à 1 h, minuit en fin de semaine. Compter 1 US$ pour 6 mn ou près de 9 US$/h. Réduction au-delà de 1 h. Un des rares cybercafés de la ville. Dans le quartier qui bouge. Très spacieux, clair, tout neuf. Nombreux ordinateurs. Coin TV avec canapés moelleux à souhait. Café-boulangerie.

– *Kinko's (plan II, F5) :* 540 N Michigan Ave. ☎ (312) 832-0090. Au 2ᵉ étage de l'hôtel *Marriott,* au *business center.* Ouvert du lundi au vendredi de 7 h à 19 h ; le week-end de 9 h à 17 h. Environ 13 US$/h. Pas vraiment un café Internet, il y a juste 2 ordinateurs mais ça dépanne et c'est en plein centre. D'autres boutiques *Kinko's* à Chicago, mais elles sont relativement rares.

D'autres accès Internet dans les *business centers* des grands hôtels.

– *The Chicago Public Library (plan II, F7, 6) :* lire ci-après « Divers ». Accès Internet gratuit, mais limité à 30 mn quand il y a du monde.

Argent, banques, change

■ *Superior Bank :* 125 S Wacker Dr (angle d'Adams St). Près du pont. Pour obtenir des dollars avec la carte Visa.

■ *American Express :* 122 S Michigan Ave. ☎ (312) 435-2595. Juste en face de l'Art Institute.

■ *Bureau de change World's Money Exchange :* 6 E Randolf St, suite 204. ☎ (312) 641-2151.

Représentations diplomatiques

■ *Consulat de France* (plan II, F5, 2) : 737 N Michigan Ave, Building Olympia. ☎ (312) 787-5359. On peut entrer par le grand centre commercial *Nieman-Marcus*. Le consulat peut, en cas de difficultés financières, vous indiquer la meilleure solution pour que des proches puissent vous faire parvenir de l'argent, ou encore vous assister juridiquement en cas de problème.

■ *Consulat de Suisse* (plan II, F5, 2) : 737 N Michigan Ave. ☎ (312) 915-0061. Dans le même immeuble que le consulat de France.

■ *Consulat de Belgique* : 333 N Michigan Ave. ☎ (312) 263-6624.

■ *Consulat du Canada :* Prudential Plaza, 180 N Stetson Ave. ☎ (312) 616-1860.

Transports

🚌 *Greyhound* (plan II, E7) : Harrison St, entre Jefferson et Clinton St. ☎ (312) 408-5883.

🚃 *Union Station* (plan II, E7, 1) : ☎ (312) 558-1075.

🚃 *Randolph Station* (plan II, F6, 2) : gare de *Metra*. ☎ (312) 836-7000. • www.metrarail.com • Dessert la banlieue sud.

■ *Auto drive-away* : 310 S Michigan Ave. ☎ (312) 939-3600.

■ *Air France* (plan II, F5, 164) : 875 N Michigan Ave, Hancock Center Building. ☎ 1-800-237-2747. Au 32e étage. N'oubliez pas votre passeport, contrôle à l'entrée.

■ *Location de vélos* : *Village Cycle Center,* 1337 N Wells Ave. ☎ (312) 751-2488. Également, l'été, location de vélos et *rollerblades* au *Navy Pier* (Grand Ave et Lake Shore Dr ; ☎ 1-800-915-BIKE) et au *Lincoln Park* (Fullerton Ave et Cannon St). Ce dernier est le plus commode car ils ont 6 guichets de location sur Lake Shore Dr, ce qui permet de prendre le vélo à un endroit et de le rendre à un autre. Enfin, *Bike Chicago rentals and tours* (plan général I, D3), N Ave Beach. ☎ (312) 755-0488. Ouvert tous les jours. Dans une grande bâtisse bleue et blanche en forme de paquebot. Pour un vélo, compter 10 US$/h ou 35 US$ par jour. Les *rollerblades* sont à environ 9 US$/h ou un peu plus de 30 US$ par jour. On peut transporter son vélo dans le métro, sur certaines lignes.

Divers

■ *Standard Photo Supply* : 43 E Chicago Ave. ☎ (312) 440-4920. Ouvert de 8 h à 17 h 30 ; le samedi de 9 h à 14 h. Très central, le plus grand magasin de photo de la ville.

■ *Supermarket Walgreens* (plan II, F5, 3) : 757 N Michigan Ave. ☎ (312) 664-4000. Ouvert 24 h/24.

■ *Lavomatic Laundryland* (plan I, B1, 4) : 2662 N Clark St (à l'angle avec Cornelia). Ouvert tous les jours de 7 h à 21 h 30.

■ *Cinema Esquire Loews* (plan II, F4, 5) : Oak St. Compter 10 US$ le billet ; réductions. Un ravissant cinéma à la façade très clinquante. Pour les nostalgiques des vieilles salles américaines.

■ *The Chicago Public Library* (plan II, F7, 6) : Harold Washington Center, 400 S State St. ☎ (312) 747-4800. • www.chipublib.org • C'est le beau bâtiment éclairé la nuit. Ce temple de la culture est ouvert de 9 h (13 h le dimanche) à 19 h (17 h du vendredi au dimanche). Organise des conférences, des débats, des récitals, des concerts, des projections et des expos. Accès Internet gratuit aux étages 3, 4, 5 et 6 (ouvert du lundi au jeudi de 12 h à 18 h 30, le vendredi jusqu'à 16 h 30, le samedi de 9 h à 16 h 30). L'utilisation est en principe limitée à 30 mn par personne. En attendant, vous pouvez lire la presse internationale et française au 7e étage.

■ *Europa Books* (plan II, F5, 7) : 832 N State St. ☎ (312) 335-9677. Près de l'Alliance française. Une des rares librairies internationales de la ville. Périodiques, magazines, livres, cartes et, bien sûr, votre guide préféré.

Où dormir ?

Logement très cher. Si vous le pouvez, planifiez votre passage le week-end pour pouvoir profiter des forfaits dans certains hôtels.

À Chicago, les prix varient en fonction des disponibilités, de la période et de l'heure à laquelle on arrive. Il n'y a pas de haute et de basse saison. On peut donc légitimement demander une petite ristourne. Un conseil : plus vous arriverez tard, plus vous aurez la chance d'obtenir un bon prix. N'hésitez pas non plus à entrer dans certains hôtels qui vous sembleraient trop « luxueux ». Même s'ils le sont, leurs prix sont parfois raisonnables et peuvent se situer à un niveau de prix moyen.

Tous les hôtels de Chicago de la catégorie « Prix moyens » et « Plus chic » disposent de TV et clim'. Si vous avez une voiture, les prix des parkings d'hôtel sont relativement élevés (20 à 30 US$) ; en revanche, les motels situés le long de Lincoln Ave pratiquent des prix très abordables.

Comme les compagnies d'aviation, les hôteliers confient leurs chambres inoccupées à un bradeur. Au dernier moment, on peut parfois tomber dans un bon hôtel de standing international pour le prix d'un hôtel de catégorie « Prix moyens ». Cela dit, c'est souvent pour moins de 3 jours.

– Réservations auprès de *Hot Rooms :* ☎ 1-800-468-3500. Également un autre service : ☎ 1-877-4-LODGING.

Voici quelques indications de prix propres à Chicago.

– *Très bon marché :* moins de 30 US$ la nuit ;
– *Bon marché :* de 30 à 100 US$;
– *Prix moyens :* de 100 à 145 US$;
– *Plus chic :* à partir de 145 US$.

À *Park West, Wrightwood, Lake View et Lincoln Park* (plan I)

De bon marché à prix moyens

▲ *Arlington House International Hostel* (plan I, B2, **30**) : 616 W Arlington Pl. ☎ (773) 929-5380 ou 1-800-HOSTEL-5. Fax : (773) 665-5485. ● res@arlingtonhouse.com ● Ouvert toute l'année. Compter 24 US$ pour les membres des AJ ou les étudiants avec carte ISIC. Chambres correctes dans un quartier résidentiel. Celles avec bains communs sont évidemment moins chères que celles avec bains privés. Grand salon et salle à manger. Salle d'eau un brin sommaire. Propreté limite. Fréquenté hors saison par des ouvriers saisonniers ou des petits vieux. Accès Internet.

▲ *Covent Hotel* (plan I, C2, **31**) : 2653 N Clark St. ☎ (773) 549-3399. *Men's residence :* donc uniquement pour hommes et, comme à l'adresse précédente, ce sont souvent des petits vieux qui occupent les lieux hors saison. Location au mois pour environ 400 US$, caution de 10 US$ pour les clés. Pas le grand luxe, mais la maison est bien tenue.

▲ *Abbott Hotel* (plan I, B1, **32**) : 721 W Belmont Ave. ☎ (773) 248-2700. Chambres autour de 60 US$ en semaine, un peu plus cher le week-end. En plein cœur du quartier qui bouge la nuit. Pas cher. Accueil avec hygiaphone comme à la banque dans l'ancien temps. Vaste hôtel aux chambres glauques, à la moquette défraîchie et à la propreté limite mais avec téléphone, TV et... miroirs au-dessus des lits. En dépannage.

Plus chic

🏛 *City Suites Hotel* (plan I, B1, **33**) : 933 W Belmont Ave. ☎ (773) 404-3400. Fax : (773) 404-3405. De 135 à 180 US$ pour une double. Petit hôtel au charme un peu suranné, entretenu de manière irréprochable. Petit dej' et journaux locaux compris dans le prix, quand même élevé. Mais c'est le prix à payer pour l'intimité.

🏛 *Majestic Hotel* (plan I, C1, **34**) : 528 W Brompton St. ☎ (773) 404-3499. Fax : (312) 404-3495. ● www.cityinns.com ● De 140 à 160 US$ la chambre double, moitié prix l'hiver.

L'hôtel parfait pour filer des amours clandestines ou pour y tourner un film d'espionnage. Même style vieille Angleterre (du côté manoirs) qu'au *City Suites Hotel* (même proprio) : moquette sombre, lumières tamisées, toiles moyenâgeuses aux murs. Tapisserie fleurie dans les chambres spacieuses, L'hôtel est situé dans une rue arborée et calme, cela vous reposera de l'agitation citadine. Moins cher que les grands hôtels du Loop ou de Near North. Petit dej', *afternoon tea* et journaux inclus. Parking privé (supplément).

À Near North, the Loop et Gold Coast (plan II)

Très bon marché

🏛 *ST* (plan II, F5, **40**) : 613 N Wells. ☎ (312) 787-5715. À côté du *Ohio House Motel* se trouve ce SRO (*Single Room Occupancy*), réservé aux hommes qui désirent rester un certain temps. Compter de 65 à 80 US$ par semaine (oui, vous avez bien lu) ! Les chambres les plus chères sont plus grandes et possèdent un frigo. Sanitaires et douches sur le

palier. Ce bâtiment ancien un peu délabré abrite une centaine de chambres. Pour les plus fauchés. Chambres assez claires avec lino au sol (en piteux état), le tout pas mal défraîchi, poussiéreux et à la propreté limite. À ce prix-là, il est malvenu de faire le difficile. C'est le moins cher que nous ayons trouvé... et de loin.

Bon marché

🏛 L'été, possibilité de dormir dans les *universités* pendant que les étudiants américains sont en vacances. Se renseigner auprès de celles-ci.

🏛 *The Three Arts Club of Chicago* (plan II, F4, **36**) : 1300 N Dearborn St. ☎ (312) 944-6250. Fax : (312) 944-6284. ● www.threearts.org ● À partir de 52 US$ par nuit, petit dej' et repas du soir compris. Caution de 25 US$. Fondation créée en 1922 pour aider les femmes artistes. Assez cossu et romantico-américain : charme médiéval, cour intérieure, grande salle commune avec cheminée, parquet, piano à queue... La cerise sur le gâteau, c'est qu'on y accepte les hommes de juin à août (alors là, c'est vraiment sympa !). Réservation recommandée (au moins 3 mois à l'avance).

🏛 *Hostelling International-Chicago* (plan II, F7, **37**) : 24 E Congress

Parkway (à l'angle de S Wabash Ave). ☎ (312) 360-0300. Fax : (312) 360-0313. ● www.hichicago.org ● Ouvert toute l'année, 24 h/24. Pas de couvre-feu. En dortoir, compter 31 US$ par lit pour les membres, draps compris ; 3 US$ de plus sinon. Chambres doubles à 120 US$. Grand bâtiment en brique, genre gros cube. Une nouvelle AJ dans un bâtiment historique restauré, proposant 500 lits. Consigne, AC, cuisine et cafétéria. Autre cafétéria pour les petits dej' à prix doux, juste à côté : le *Givia*.

🏛 *YMCA Lawson House* (plan II, F5, **38**) : 30 W Chicago Ave. ☎ (312) 944-6211. Fax : (312) 944-7267. Location au mois. Compter de 340 à 435 US$ par mois ; les moins chères avec bains communs, les plus chères avec bains privés. En plein Near North, bâtiment massif et

CHICAGO

imposant avec près de 580 chambres pour célibataires (hommes). Cela fait plutôt penser à un foyer pour travailleurs. Toutes les chambres possèdent ventilo, frigo et micro-ondes. Si c'est complet, demandez qu'on vous donne la liste des hôtels les plus abordables de la ville (une dizaine d'adresses).

🛏 *Tokyo Hotel (plan II, F5, 39) :* 19 E Ohio St, près de Wabash Ave. ☎ (312) 787-4900. Compter 45 US$, taxes incluses! On entre au *Tokyo Hotel,* surpris par l'état de capharnaüm qui règne dans le bureau de la réception. Quant à la propreté et au service, ceux-ci sont d'emblée annoncés dans l'ascenseur-débarras qui affiche : « Coupure d'eau chaude de 10 h à 14 h ». On n'est pas déçu avec les chambres dont la moquette a rarement croisé le souffle d'un aspirateur, et les vitres et les miroirs la caresse d'un chiffon! Une adresse pour les plus fauchés pas très regardants. Mais à ce prix et en plein Downtown, dur de trouver moins cher.

🛏 *New Jackson Hotel (plan II, E7, 41) :* 768 W Jackson Blvd. ☎ (312) 372-8856. Autour de 70 US$ (à négocier). Dans le quartier grec, à quelques pas de Union Station. Curieusement, il faut insister pour avoir une chambre, surtout si ce n'est que pour une nuit. Chambres simples, belle moquette, téléphone et TV, mais sanitaires de l'époque d'Ulysse. Adresse intéressante pour ceux qui arrivent en train malgré l'attitude peu commerciale de la réception.

🛏 *Wacker Hotel (plan II, F5, 42) :* 111 W Huron St. ☎ (312) 787-1386. Compter 60 US$. Dans un grand immeuble de brique rouge offrant près de 200 chambres un peu poussiéreuses, aux matelas parfois fatigués, et aux radiateurs antédiluviens. Le tout est compensé par l'épaisseur de la moquette et la présence d'une TV et d'un téléphone. Néanmoins, les prix (nets) pratiqués ne sont pas trop élevés pour ce que c'est. Petite laverie. Valable pour quelques jours. Accueil indifférent.

Prix moyens

🛏 *Cass Hotel (plan II, F5, 43) :* 640 N Wabash Ave. ☎ (312) 787-4030, 1-800-CASS-850 ou 1-800-799-4030. Fax : (312) 787-8544. ● www.casshotel.com ● À partir de 95 US$. Plus cher pour les *king size bed.* Compter 110 US$ pour 2 grands lits (intéressant si vous êtes 4 personnes!). Bien situé, en plein Downtown, près du quartier des affaires. Les chambres sont correctes : simples et propres mais un peu tristounettes. TV et AC. Machines à laver. Possibilité de petit dej' pas cher. Un bon rapport qualité-prix. Pas évident du tout de garer sa voiture dans le coin. Accueil bien sympa.

🛏 *Ohio House Motel (plan II, F5, 44) :* 600 N La Salle St. ☎ (312) 943-6000. Fax : (312) 943-6063. Autour de 90 US$ la chambre. Un motel genre américain sur 2 niveaux où l'on gare sa voiture devant sa chambre en plein cœur de la ville.

Très agréable et très propre, belles salles de bains. On sent qu'il y a eu un réel effort pour la déco. Un des meilleurs rapports qualité-prix de Chicago. Éviter cependant les chambres donnant sur la rue, plutôt bruyantes. Très bon accueil. *Coffee shop.*

🛏 *Red Roof Inn (plan II, F5, 45) :* 162 E Ontario St. ☎ (312) 787-3580. Pour réserver : ☎ 1-800-RED-ROOF. Fax : (312) 787-1299. ● www.redroof.com ● Appartient à la chaîne *Accor.* Compter de 100 à 125 US$. Très bon prix vu la situation et le standing. Moins cher en janvier et février. Rien à voir avec un motel, c'est un petit hôtel (pour ici), très bien situé. Chambres raffinées et confortables.

🛏 *Essex Inn (plan II, F7, 46) :* 800 S Michigan Ave. ☎ (312) 939-2800. Fax : (312) 922-6153. ● www.essexinn.com ● Chambres autour de 130 US$. Hôtel récent, jouxtant le

CHICAGO

Hilton et face à Grant Park, bien situé pour les visites du Museum Campus et de l'Art Institute. Chambres spacieuses aux couleurs claires. Bains et w.-c. séparés. Téléphone, TV (un peu vieillotte), AC, frigo. Restaurant sans prétention.

Piscine couverte et chauffée, centre de musculation. La navette pour l'aéroport part d'en face. En revanche, le ronronnement permanent de la clim' risque d'en gêner certains.

Plus chic

▄ *Fitzpatrick Chicago Hôtel* (plan II, F-G5, *47*) : 166 E Superior St. ☎ (312) 787-6000 ou 1-800-833-4353. Fax : (312) 787-6133. • www.fitzpatrickhotels.com • Chambres spacieuses et bien conçues, de 100 à 250 US$. Ne pas se laisser impressionner par l'entrée luxueuse et les deux portiers car, si vous tombez au bon moment, vous pourriez bénéficier du confort d'un grand hôtel pour un prix tout à fait raisonnable.

▄ *Lenox Suites* (plan II, F5, *48*) : 616 N Rush St (à East Ontario). ☎ (312) 337-1000. En dehors de l'État, n° gratuit : ☎ 1-800-44-LE-NOX. • www.lenoxsuites.com • À partir de 220 US$. Plus cher en fin de semaine, mais la 2e nuit est moins chère. Très bien situé dans Downtown. Un bel hôtel offrant de superbes studios-suites et des 2 pièces tout équipés et très propres. Rapport qualité-prix vraiment imbattable, comparé aux gros hôtels de la même catégorie au cœur du Near North ou du Loop. Prix spécial pour les séjours prolongés. Charmant et agréable. Le petit dej' peut être servi dans la chambre. En revanche, parking exorbitant (environ 35 US$ pour la nuit !).

Formule *B & B*

Solution sensiblement moins onéreuse pour deux que le moins cher des bons hôtels. Le quartier le plus propice est celui de Gold Coast, très résidentiel, avec d'adorables maisons victoriennes.

■ *Renseignements et réservations :* ☎ (773) 394-2000 ou 1-800-375-7084. Ou sur le site Internet de l'office du tourisme : • www.chicago.il.org • Une quinzaine d'adresses sélectionnées.

▄ *Flemish House Bed and Breakfast* (plan II, F4, *49*) : 68 E Cedar St. ☎ (312) 664-9981. Fax : (312) 664-0387. De 125 à 160 US$ de décembre à mars et de 145 à 225 US$ d'avril à fin novembre, pour une vaste chambre tout confort. Deux nuits minimum exigées en week-end. Tom et Mike, les proprios architectes, proposent 4 studios et 2 suites élégamment aménagés avec cuisine et bains ; dans une rue calme, sûre et à deux pas du lac. Le tout dans une jolie maison en pierre de type flamand, construite en 1890. Charmant petit jardin. Petit dej' inclus. Assez chic et bien décoré. Difficile de se garer dans la rue.

▄ *Gold Coast Bed and Breakfast* (plan II, F4, *50*) : 113 W Elm St. ☎ (312) 337-0361. Fax : (312) 337-0362. Compter de 125 à 175 US$. Quatre chambres dans une maison ancienne de style victorien (datant de 1873). Chaque chambre possède tout le confort avec bains, AC, téléphone, TV. Décoration chaleureuse, moquette épaisse, tout pour satisfaire le routard le plus exigeant. Salon commun de lecture et TV, prolongé par un charmant petit jardin. Les petits dej' très copieux se prennent sur la mezzanine face au jardin. Accueil très charmant de Sally, qui se mettra en quatre pour satisfaire la moindre de vos exigences.

▄ *Gold Coast Inn* (plan II, F4, *51*) : 107 W Elm St. ☎ (312) 482-8146. Fax : (312) 482-8166. • www.goldcoastinn.net • Seulement 3 suites à 170 US$. Toutes différentes, très vastes, superbement équipées. Dé-

CHICAGO

coration assez luxueuse, même si un peu chargée. Notre préférée, celle du rez-de-chaussée d'où l'on a accès à un petit jardin. Celle du 3e étage possède cheminée et balcon. Chaque suite a sa propre sonnette d'entrée et son système de vidéosurveillance.

Dans les quartiers périphériques (plans I et II)

Bon marché

🏠 **Chicago International Hostel** (hors plan I par C1, **52**) : 6318 N Winthrop Ave. ☎ (773) 262-1011. Pour y aller, prenez le métro jusqu'à la station Loyola (Howard St N Bound Train), sortie « Sheridan Rd ». Entrez sur le campus de Loyola University, vous n'êtes qu'à quelques minutes. Des terminus de bus Downtown, allez sur State St, prenez soit le métro, soit le bus n° 151 « Sheridan-North Bound ». Descendez à « Sheridan Winthrop ». Marchez ensuite 1,5 block vers le sud. Ouvert toute l'année de 7 h à 10 h et de 16 h à minuit. Couvre-feu à minuit en semaine, à 2 h les vendredi et samedi. Attention, les retardataires dormiront dehors. Check-in de 7 h à 10 h et de 16 h à minuit. Checkout à 9 h 30. Comptez 15 US$ par personne, que vous soyez membre ou non. Pièce d'identité obligatoire. Dortoirs de 3 à 6 personnes. Pas très propre (c'est un euphémisme). Des chambres donnent sur la voie de métro.

🏠 **International House of Chicago** (hors plan II par F7, **53**) : University of Chicago, 1414 E 59th St, Chicago, IL 60637. ☎ (773) 753-2270. Fax : (773) 753-1227. ● www.uchicago.edu/adm/ihouse ● Dans l'immense campus de la très réputée University of Chicago (cadeau de Rockefeller), qui vaut d'être visitée. Juste à côté du Museum of Science and Industry. Pour les short-term guests, compter 45 US$ par personne et par nuit, et 825 US$ par mois. Petites chambres à un lit simple, parfois avec lavabo. Un peu austères. Sanitaires à chaque étage, cafétéria, machines à laver. Belles et vastes parties communes en bois. Les couloirs dégagent une atmosphère particulière... On n'est pas loin du Shining de Kubrick. Réservation au moins 24 h à l'avance.

Où prendre un petit déjeuner ?

D'une manière générale, beaucoup de restaurants sont ouverts tôt le matin. Mais certains sont plus spécialisés que d'autres dans le breakfast.

À Lake View (plan I)

🍴 **Ann Sather 1** (plan I, C1, **60**) : 3411 Broadway. ☎ (773) 305-0024. Ouvert de 7 h à 15 h (20 h 30 du vendredi au dimanche). De 5 à 11 US$. Boulangerie suédoise créée il y a plus de 50 ans par Mme Sather, dans ce quartier où ses compatriotes étaient jadis très nombreux. La grande fresque murale n'est pas folichonne, mais peu importe. Les cinnamon buns (ou rolls) frais sont à se damner, les scones gigantesques et les pecan whole wheat waffles vous rassasieront pour une bonne partie de la journée. Bref, un endroit pour se guérir définitivement des élastiques dunkin' donuts.

🍴 **Ann Sather 2** (plan I, B1, **61**) : 929 W Belmont Ave. ☎ (312) 271-6677. Près du métro aérien. Ouvert de 7 h à 22 h (23 h 30 les vendredi et samedi) ; et ce, 365 jours par an ! De 5 à 11 US$. Boulangerie suédoise. Mêmes produits qu'à l'adresse précédente, mais l'ambiance est plus cosy, malgré la façade de marbre noir. Parking privé gratuit à côté.

Dans Near North, Gold Coast et le Loop *(plan II)*

|●| *Lou Mitchell's (plan II, E7, 62)* : 565 W Jackson St. ☎ (312) 939-3111. Ouvert de 5 h 30 (7 h le dimanche) à 15 h. Environ 7 US$. Quasiment en face de Union Station, ce qui peut s'avérer d'un grand secours après une nuit de voyage. Jus de fruits frais, muffins, *pancakes*, omelettes et pommes de terre sautées au menu. Service expéditif. Le rendez-vous des familles. Prix honnêtes. Fait aussi resto. Assez populaire. Cash uniquement.

|●| *The Original Pancake House (plan II, F4, 63)* : 22 E Bellevue Pl. ☎ (312) 642-7917. En face de *Sutton Place Hotel*. Petite maison ouverte de 7 h à 15 h (17 h le week-end). Compter en moyenne 7 US$. Une chaîne où les *pancakes* n'ont rien d'original, sauf qu'elle n'en produit pas moins de 18 sortes. Copieux et café à volonté *(free refills)*. Grand choix d'omelettes, de gaufres et de crêpes. Clientèle de tous âges.

Prix encore raisonnables. Petite terrasse. Souvent du monde. Cartes de paiement refusées.

|●| *Corner Bakery (plan II, F5, 64)* : 516 N Clark St. ☎ (312) 644-8100. Ouvert à partir de 6 h 30 (7 h le week-end). Environ 9 US$ pour un petit dej' très complet. Une fabuleuse boulangerie que vous pourrez retrouver ailleurs au gré de vos balades (c'est une chaîne). Des sandwichs sublimes, des pains merveilleux (aux oignons, aux olives, au miel...). Goûter les toasts chauds de pain aux raisins et noix de pécan, un vrai bonheur. Bien sûr, il y a les must des gâteries américaines (cookies, muffins...), des salades de fruits frais, des bols de céréales. De quoi bien commencer la journée. Propose aussi des lunchs légers. Prix raisonnables, mais plus élevés que ceux des 2 précédents. Autre adresse : angle Monroe-Wabash *(plan II, F6, 65)*.

Où manger ?

Compte tenu des différences de prix pratiquées dans un même établissement, les tarifs indiqués dans le texte sont donnés à titre indicatif et concernent un plat principal.
– *Bon marché :* en moyenne de 7 à 15 US$;
– *Prix moyens :* de 15 à 25 US$;
– *Plus chic :* au-delà de 25 US$.

À Lake View, Park West, Wrightwood, Bucktown et Lincoln Park *(plan I)*

Bon marché

|●| *Salt and Pepper Diner (plan I, B1, 70)* : 3537 N Clark St. ☎ (773) 883-9800. Ouvert de 7 h à 22 h (minuit les vendredi et samedi et 18 h le dimanche). À partir de 5 US$, 7 US$ pour le dîner. Un monde d'acier et d'aluminium, des ventilos aux sièges en passant par la façade. Choix de burgers, sandwichs, salades et omelettes.

|●| *Arco de Cuchilleros (plan I, B1, 71)* : 3445 N Halsted St. ☎ (773) 296-6046. Ouvert uniquement à partir de 17 h ; fermé le dimanche. *Tapas del*

dia de 5 à 9 US$. Au cœur du quartier homo. Des petites colonnes peintes aux couleurs de l'arc-en-ciel sont disposées le long des trottoirs, en signe de reconnaissance de la communauté. Bar tout en longueur, décor moderne. Les routards qui connaissent Madrid savent que, sur la plaza Mayor, il y a une arcade qui porte le même nom car c'était jadis le quartier des bouchers. Tout ça est bien loin de Chicago, nous direz-vous ! Certes, mais l'atmosphère y est espagnole et on peut se conten-

CHICAGO

ter d'un verre ou de quelques tapas bon marché.

|●| **Penny's Noddle Shop** (plan I, B2, **72**) : 950 W Diversey. ☎ (773) 281-84488. Également 3400 N Sheffield (plan général I, B1). ☎ (773) 281-8222. Pour la 1re adresse, c'est juste à côté du métro aérien. Ouvert de 11 h à 22 h (22 h 30 les vendredi et samedi). Fermé le dimanche. Une chaîne sino-thaïlando-nippone où l'on peut manger pour moins de 6 US$. Salles spacieuses, au décor moderne et minimaliste : murs blancs, bois clairs et spots éclairant quelques toiles. Copieux et rapide. Très bon rapport qualité-prix.

|●| **R.J. Grunts** (plan I, C3, **73**) : 2056 W Lincoln Park (angle de Dickens Ave). ☎ (773) 929-5363. Ouvert tous les jours de la semaine de 11 h 30 à 22 h (22 h 30 les vendredi et samedi, 21 h le dimanche). Compter 8 US$ pour un plat. Buffet autour de 10 US$. Tout près de la Chicago Academy of Sciences. Qu'est-ce qu'un grunt? C'est tout simplement un grognement. C'est aussi le bruit que l'on fait en mangeant. Pour nous, ce sera un « hmmm » de plaisir. Vous l'avez compris, on aime ce Grunts-là. La carte, genre B.D., est géniale. Ambiance musicale. Le patron a accroché la photo de toutes les serveuses qui ont travaillé ici depuis 1971. On regrette que certaines soient parties, surtout Nicole... Le bacon cheeseburger est sublime, il est servi avec des chips maison. Portions monstrueuses. Buffet de hors-d'œuvre ultra-frais. Desserts un peu décevants. Personne n'est parfait !

|●| **Chicago Diner** (plan I, B1, **74**) : 3411 N Halsted St. ☎ (773) 935-6696. Environ 8 US$. Un resto végétarien tout en longueur, dans le quartier homo. Alignement de petits box intimes. C'est bon, pas cher, ra-

pide, frais, sympa. Que demander de plus ?

|●| **Red Rooster** (plan I, B3, **75**) : 2100 N Halsted St. ☎ (312) 929-7660. Ouvert le soir uniquement de 17 h à 22 h 30 (23 h 30 le weekend). Entre 10 et 15 US$. Derrière le café Bernard, un restaurant français qui se remarque à sa fresque murale. C'est la même direction, mais à prix plus doux, dans un quartier de maisons de brique très britannique. Cuisine plutôt continentale dans une atmosphère un tantinet élégante mais sans prétention (salle intime, lumière tamisée). Poulet à la moutarde excellent.

|●| **Café Ba-Ba-Reeba !** (plan I, B3, **76**) : 2024 N Halsted St. ☎ (773) 935-5000. Plats à partir de 10 US$, moins cher pour les traditionnelles tapas. Une incursion ibérique tout en couleur dans ce quartier très british. Resto aux multiples salles. Deux bars avec jambons, ails et piments pendus au plafond. Terrasse bâchée à l'extérieur très agréable l'été. Goûter à l'assiette de jambon serrano avec pain toasté à la tomate (hélas sans ail) accompagnée d'un verre de Rioja : le paradis sur terre ! Attention : vin au verre souvent plus cher que les plats. Quant aux bouteilles... Flamenco en musique de fond. Une adresse que l'on aime bien.

|●| **Demon Dogs** (plan I, B2, **77**) : 944 W Fullerton Ave. ☎ (773) 281-2001. Les amateurs trouveront ici les meilleurs hot dogs de la ville (servis avec des frites), le tout pour un prix dérisoire. Cela se passe sous l'arrêt du métro aérien de Fullerton. Le proprio n'utilise que des saucisses de Francfort de 1er choix. Les piments (très forts) sont en option. Les disques du décor proviennent du groupe de rock Chicago dont les membres étaient amis du fondateur des lieux, Peter Schiaverelli.

Prix moyens

|●| **Matsuya** (plan I, B1, **78**) : 3469 N Clark St. ☎ (773) 248-2677. Ouvert tous les jours de 17 h (12 h le weekend) à 23 h 30. Formule soupe au

tofu, entrée, plat, dessert et thé vert à volonté pour environ 10 US$. Sushis à la carte plus chers. Voilà un restaurant japonais fréquenté en majorité par des émigrés. Dépaysement assuré ! Les plats, minutieusement préparés devant le client, sont joliment présentés et copieux : vaste choix de sushis alléchants, poisson à la sauce soja simple et bon... Service rapide et rapport qualité-prix tout à fait convenable. Éviter les légumes frits dans le menu (un peu gras et pas trop appétissants).

À Bucktown (plan I)

Bon marché

I●I *Café de Lucca* (plan I, A3, **79**) : 1721 N Damen St. ☎ (773) 342-6000. Ouvert tous les jours de 6 h à minuit (22 h le dimanche). De 6 à 15 US$. Dans un décor de hangar aménagé, un bar-resto bien sympa et sans prétention pour se régénérer en caféine. Murs de couleur ocre sombre recouverts d'affiches d'apéros italiens. Petits plats copieux, simples et bons. Carte italo-américaine constituée de *pizzetas,* paninis, salades et *tostini*... Vins au verre (*wine list* à part). Petite terrasse sur rue. Parking gratuit.

Prix moyens

I●I *Le Bouchon* (plan I, A3, **80**) : 1958 N Damen St. ☎ (773) 862-6600. Ouvert seulement à partir de 17 h 30. Fermé le dimanche. Compter 14-15 US$ pour un plat. Petit resto familial à la devanture verte et bordeaux et aux prix encore raisonnables. Carte typiquement française : soupe à l'oignon, canard rôti ou en ragoût, arrosé de *Fisher.* Tout est étudié dans le détail pour que cela ressemble à la France. Jean-Claude Poilevey a roulé sa bosse un peu partout. Comme c'est dans Bucktown, la clientèle reste assez branchée. Pas de coin non-fumeurs, l'endroit est trop petit.
I●I *Souk* (plan I, A3, **81**) : 1552 N Milwaukee Ave. ☎ (773) 227-1818. Ouvert du mercredi au samedi à partir de 17 h 30, fermé du dimanche au mardi. Prévoir un bon 20 US$. Un peu cher. Un lieu prisé par les habitants de Bucktown. Dans une grande salle au décor branché new-yorkais, on vous sert des plats copieux d'inspiration nord-africaine, parfumés et pleins d'arômes : délicieux mouton aux abricots, salade à l'orange et aux noix de pécan, très fine. Danse du ventre le mercredi. Clientèle mi-branchée mi-guindée. Des narguilés sont mis à la disposition des clients. Idéal pour un tête-à-tête. Le cadre tape-à-l'œil reste un peu froid, on n'a pas vraiment retrouvé la chaleur des souks. À vous de voir.

À Gold Coast, Near North et dans le Loop (plan II)

Bon marché

I●I *Cambridge House* (plan II, F5, **82**) : 167 E Ohio St. ☎ (312) 828-0600. Ouvert tous les jours de 6 h à 0 h 30. Environ 6 US$ pour le breakfast. Au déjeuner, on y mange de tout : des sandwichs (8 US$), des plats plus élaborés (13 US$), que l'on déguste autour d'un grand comptoir. Les *diners* furent créés dans le Rhode Island au XIXe siècle pour servir les ouvriers jour et nuit à travers une fenêtre. En voici un vrai de vrai à quelques encablures de Michigan Ave. Une véritable institution. Hamburger juteux et pas cher. Excellents *pancakes* et cappuccino au petit dej'.
I●I *Billy Goat Tavern* (plan II, F5, **83**) : 430 N Michigan Ave. ☎ (312) 222-1525. En face du ma-

CHICAGO

gasin *Walgreens*. Descendre les escaliers sur le trottoir, puis prendre à droite. Ouvert tous les jours de 6 h à 2 h (3 h le samedi). Environ 5 US$ pour un burger. Un resto insolite (en sous-sol) qui a une âme. Dans un environnement très « Alphaville » de parkings, sans aucune poésie urbaine, voilà la cantine préférée des journalistes du *Chicago Tribune* et du *Sun Times*. À l'entrée, on lit : « *Enter at your own risk.* » C'est ce qu'avait dû se dire l'ancien proprio en entrant, un certain jour de 1945, dans le stade où jouaient les Cubs, Il avait l'habitude d'y entrer en compagnie de son bouc *(billy goat)*. Un jour, l'animal fut interdit de match par la direction. Furieux, son proprio jeta un sort sur le club : jamais plus il ne gagnerait. Et c'est ce qui arriva. Depuis, les Cubs n'ont plus remporté de finale. Un resto qui retrace ainsi la belle histoire d'amour entre Gus (c'était le nom du héros) et son bouc, avec des objets-souvenirs (comme le ticket d'entrée du bouc !), des coupures de journaux, etc. Le resto apparaît parfois dans les shows télévisés. La spécialité : le double cheeseburger servi dans un emballage de papier et que l'on assaisonne soi-même. Les boissons alcoolisées se prennent à l'autre bar. On vous recommande la salle « VIP Billy Goat », plus calme.

|●| *Blackies* (plan II, F-G5, 84) : 164 E Grand Ave. ☎ (312) 938-8700. Descendre les escaliers au niveau du 535 N Michigan Ave, en face du *Nordstrom*. Spécialité de hamburgers à 5-6 US$. Salle tout en longueur comme le bar. Comptoir superbement marqueté. Ambiance relativement feutrée, malgré une fréquentation importante d'employés de bureau. Épaisse moquette, ventilo, lumière indirecte, tout un décorum pour déguster les meilleurs hamburgers de la ville. Le tout à prix très doux. Notre préféré le *Blue Cheese Burger*, avec cornichons, tomates et *coleslaw*. On peut choisir la cuisson de sa viande. Frites en option (un peu énormes à notre goût). Un *Billy Goat* de luxe, sauf pour le prix. Très bonne adresse.

|●| *Ed Debevic's* (plan II, F5, 85) : 640 N Wells St. ☎ (312) 664-1707. Ouvert de 11 h à minuit (1 h les vendredi et samedi, 22 h le dimanche). À partir de 7 US$. Leur slogan : « *If you are really a good customer, you'd order more* », sans commentaire... Resto typiquement américain avec une déco méchamment *60's,* vraiment ringarde : distributeurs de *bubble-gums,* flippers et un bœuf en plastique grandeur nature près de la terrasse couverte au fond. Au menu : bons gros hamburgers servis dans des paniers, hot dogs, salades largement servies, chilis... On peut également composer son sandwich selon ses goûts. Si la nourriture n'est pas vraiment alléchante, il faut plutôt y aller pour l'ambiance, surtout le week-end (les serveurs déguisés reprennent en chœur les tubes des *sixties*). La cuisine est ouverte sur la grande salle, comme dans les séries américaines des années 1960. Beaucoup de bruit et de monde. Et bien sûr, comme au *Planet Hollywood*, une *gift shop* à l'entrée. Parking juste devant (plus cher qu'un hamburger). Pour les fans de pizzas, non loin, le *Gino's East (plan II, F5, 91)* vous attend. Probablement l'une des plus grandes usines de *deep dish pizzas* de la ville.

|●| *Food Life* (plan II, F5, 87) : dans l'immeuble Water Tower Place (niveau mezzanine), 835 N Michigan Ave. ☎ (312) 335-3663. Ouvert de 11 h à 22 h (21 h le dimanche). Environ 8 US$ pour un plat. Au milieu d'arbres en plastique (on n'arrête pas le progrès), on vous cuisine toutes les saveurs du monde (italienne, mexicaine, américaine, thaïlandaise...). Chacun déambule de stand en stand, compose son menu suivant ses envies et s'installe librement. À l'entrée, on vous remet une *foodcard* (carte magnétique) qui enregistre la totalité de vos achats (attention aux surprises). Bien que ce soit un libre-service, n'oubliez pas d'ajouter la taxe de 10 % (et le service de 7,5 % !). Toutes sortes de jus de fruits et légumes frais. Sodas à volonté. Desserts pantagruéliques (essayer le *strawberry shortcake*). Rapide et vraiment bon; beaucoup de monde le week-end. Concept original et très réussi, qui a fait des

émules un peu partout. À côté, le *Food Market* : grand choix de délicieuses salades mixtes à emporter.

|●| *Rainforest Cafe* (plan II, F5, **86**) : 605 N Clarke St. ☎ (312) 573-8116. Compter 15 US$. Impossible de le rater. L'entrée est digne des productions *Walt Disney* : champignon géant, gorilles et grenouille en faction, lianes pendantes vous annoncent la couleur. En effet, à l'intérieur, c'est une véritable jungle factice où ne manquent ni les cacatoès, ni les toucans, ni les singes, ni le crocodile dans sa mare qui ouvre sa gueule quand vous l'observez. Lieu typiquement américain, super-kitsch, où se mêlent boutiques, restaurants, cafés, parcs ludiques. Tout pour faire rêver les enfants. L'accès aux superbes aquariums d'eau de mer est gratuit, de même pour le parcours « Indiana Jones ».

|●| *Big Bowl* (plan II, F4, **88**) : 6 E Cedar St. ☎ (312) 640-8888. Dans une rue plutôt calme, à deux pas du lac. Ouvert tous les jours de 11 h 30 à 23 h (minuit les vendredi et samedi). Vous serez repu pour un bon 10 US$. Cette chaîne propose une large palette de mets asiatiques : thaïlandais, chinois et japonais. Décor moderne et dépouillé, d'inspiration japonaise, agréable. Atmosphère branchée. On y déguste dans de volumineux bols-assiettes, de succulents poulets au coco et au curry et des légumes croquants. Délicieux thé parfumé. Goûtez le *chinese broccoli with beef* (vous nous en direz des nouvelles !). *Takeaway* en fond de salle, où se trouvent les cuisiniers qui opèrent devant vous. Une bonne adresse pour les affamés.

|●| *Su Casa* (plan II, F5, **89**) : 49 E Ontario St. ☎ (312) 943-4041. Ouvert du dimanche au jeudi de 11 h 30 à 23 h (minuit les vendredi et samedi). Formule pour environ 11 US$ le midi. C'est la maison ocre aux auvents bruns. Sympathique et fleurie. L'intérieur est un peu sombre (pas de fenêtres) et la décoration digne d'une église mexicaine. Pas vraiment copieux et assez léger (ce qui, pour la cuisine mexicaine, est plutôt bienvenu). Délicieuses *enchiladas* au poulet.

|●| *The Cheesecake Factory* (plan II, F5, **90**) : 875 N Michigan Ave. ☎ (312) 337-1101. Bar-resto ouvert de 11 h à 23 h 30 (0 h 30 le weekend). Plats variés à partir de 10 US$. Au pied de la Hancock Tower aux lignes plutôt strictes, ce resto détonne fortement par sa déco tout en courbes cuivrées. Le résultat est assez réussi. Comme son nom l'indique, on y mange des *cheesecakes* (plus d'une vingtaine de variantes) et aussi quelques pizzas. Enfin, bon, il ne faut quand même pas y aller spécialement pour manger. À part les gâteaux (essayez le *deep white chocolate dunk*), ce n'est pas vraiment Byzance... Le plus sympa, c'est l'ambiance *Vingt mille lieues sous les mers*. On se croirait dans le vaisseau du capitaine Nemo. À la mode.

|●| *Pizzeria Due* (plan II, F5, **91**) : 619 N Wabash Ave, angle Ontario. ☎ (312) 943-2400. En face du *Cass Hotel*. Ouvert de 11 h à 1 h 30 (2 h 30 les vendredi et samedi). De 6 à 20 US$. On passe sa commande avant de se mettre à table, puis on « patiente » un peu plus de 30 mn. En attendant, prenez un verre sur la terrasse ou au bar et liez connaissance pour la soirée. Quand c'est prêt, on vous appelle au micro. De la *deep-dish-pizza* en 4 tailles, de la vraie, donc du calme, ça vaut le coup d'attendre ! Pour les gros appétits. Hélas, le *doggy bag* n'existe plus, personne n'est dupe... On peut malgré tout demander gentiment : « *Could you wrap it up for me, please ?* »

|●| *Cyrano's* (plan II, F5, **92**) : 546 Wells St. ☎ (312) 467-0546. Ouvert midi et soir en semaine, le samedi le soir uniquement. Fermé le dimanche. Plats de 8 à 15 US$. À quelques dizaines de mètres de *Ed Debevic's*, dans une maison tout en blanc et bleu, à la décoration intérieure très colorée. Comme de bien entendu, carte française avec spécialités du Sud-Ouest proposées par le chef Didier. Étonnante collection de coqs dont certains aux couleurs tricolores. Et pour les plus nostalgiques, ambiance musicale bien de chez nous. Les vendredi et samedi soir, ils font cabaret (pas de *cover*). Une adresse à retenir.

De prix moyens à plus chic

|●| *Cru, Cafe and Wine Bar* (plan II, F5, 93) : 29 E Delaware St, angle Wabash. ☎ (312) 337-4001. Ouvert de 11 h 30 à 1 h (2 h les vendredi et samedi et 16 h le dimanche). Environ 12 US$ pour de la « gastronomie américaine » (sandwichs, salades...) et 14 US$ pour de grandes assiettes, genre assiettes de fromages *(French flight)*. Copieux et très bien présenté. Choix impressionnant de vins, du monde entier. Resto animé le soir, fréquenté essentiellement par la jeunesse dorée et branchée de Chicago. On vient ici plus pour l'ambiance et les gens. Le cadre est agréable et respire le calme. Coin canapés relax, ambiance un peu feutrée. Petite terrasse sur rue, sympa pour prendre un verre ou un petit dej'. Une de nos adresses préférées.

|●| *Bar Louie* (plan II, F7, 94) : 47 W Polk St. ☎ (312) 347-4000. Situé dans la Dearborn Station, ancienne gare désaffectée reconnaissable à son horloge. Quartier agréable et calme, proche de Grant Park. Intéressant pour le brunch-buffet du dimanche à 11 US$ (boissons non comprises). Grande salle mais ventilée, dans l'ancien hall de gare. Terrasse à l'extérieur donnant sur une petite place bien agréable. Pour les plats, rien de bien particulier, ce sont des classiques américains. On aime bien ce coin au charme provincial.

|●| *Berghoff* (plan II, F7, 95) : 17 W Adams St. ☎ (312) 427-3170. Ouvert de 11 h à 21 h (22 h le samedi). Fermé le dimanche. Environ 15 US$ le plat. Un grand classique de Chicago, qui rappelle que la communauté allemande y est importante. La maison *Berghoff* existe depuis 1887. C'est d'abord une (grande) brasserie et le 1er établissement à avoir servi de la bière après la Prohibition. Le resto, lui, existe depuis 1898. Les serveurs sont vêtus tout de noir et blanc avec la fameuse serviette blanche sur l'avant-bras. Déco de boiseries et de vitraux, agrémentée de nombreuses photos du vieux Chicago. Le cadre est soigné et la clientèle variée. On mange des *Sauer Braten*, des *Wiener Schnitzel*, mais également des plats américains. Pour patienter, dans une pièce annexe, un bar au long comptoir. Avant de quitter les lieux, n'oubliez pas de visiter la petite pièce du fond aux murs recouverts de photos anciennes relatant l'histoire de la maison. Service très pro, mais assez cher.

|●| *Frontera Grill* (plan II, F5, 96) : 445 N Clark St. ☎ (312) 661-1434. Ouvert jusqu'à 22 h (23 h les vendredi et samedi). Fermé les dimanche et lundi. Plats autour de 20 US$. Chic resto mexicain. Un feu d'artifice de couleurs. On prend une tequila au bar entre des marionnettes et des dragons volants. Un resto très branché, divisé en 2 salles (préférez la *cantina,* plus sympa, plus bruyante, plus animée et, surtout, beaucoup moins chère). Aux murs, beaucoup de tableaux, de masques sud-américains. Une bonne cuisine tex mex avec les best of, tels que le guacamole, les tacos, les *enchiladas...* sans oublier les bières *(Dos Equis, Corona...),* tout cela sur un rythme endiablé de salsa. Une de nos adresses préférées. Si la salle s'avère complète, allez voir à côté le *Topolobampo,* un resto dans la même veine, beaucoup plus chics.

|●| *Brasserie Jo* (plan II, F5-6, 97) : 59 W Hubbard St. ☎ (312) 595-0800. Ouvert du dimanche au jeudi de 17 h à 22 h (23 h les vendredi et samedi). Compter 20 US$ le plat en moyenne. Une sorte de brasserie parisienne style Art déco avec miroirs et plantes vertes. Le rendez-vous le midi des yuppies américains dans un cadre spacieux et classe. Steak-frites, choucroute et bière brassée sur place. Grand choix de vins français et d'apéros (pastis !). Pas donné quand même. Sympa mais très commercial (faut bien faire marcher l'usine !). On peut se contenter d'un verre pris autour de l'énorme bar qui domine la salle à manger.

|●| *Italian Village* (plan II, F6, 98) : 71 W Monroe St. ☎ (312) 332-7005. Trois restos composent l'ensemble : l'*Italian Village,* le *Vivere* et la *Cantina.* La *Cantina,* en sous-sol, est ou-

verte tous les jours de 11 h 30 à 23 h (minuit les vendredi et samedi). Fermé le dimanche. Compter 15 US$ le plat. Le *Vivere*, au rez-de-chaussée, est ouvert du lundi au vendredi de 11 h 15 à 14 h 15 et de 17 h à 22 h (23 h les vendredi et samedi). Également fermé le dimanche. Plus raffiné à environ 25 US$. *The Village*, à l'étage, est ouvert jusqu'à 1 h (2 h les vendredi et samedi, de 12 h à minuit le dimanche). Compter en moyenne 16 US$ le plat. Un peu plus pour un plat *dinner* qui comprend, avec le plat, une soupe, salade, dessert et café. C'est lui qui présente le meilleur rapport cadre-qualité-prix. Fondé en 1927, il propose, comme décor, une reconstitution d'un petit village italien à la tombée de la nuit. Les tables sont disposées au hasard du village, dans une petite maison, un couvent, un moulin... Des guirlandes lumineuses et quelques lampadaires vénitiens. Atmosphère poétique et intime. Un bémol : comme en Italie, ici on paie le couvert et on doit surveiller son addition qui a parfois tendance à s'envoler. Accueil un peu *commedia dell'arte* par le maître d'hôtel. Le *Vivere* a été élu plus beau resto de Chicago. La lourde porte s'ouvre sur une déco très recherchée ; normal, c'est l'un des décorateurs les plus en vogue qui s'en est chargé. Un délire de spirales symbolisant l'architecture baroque italienne. Spécialités de fruits de mer. Nettement plus cher et plus chic que les 2 autres. La *Cantina*, en revanche, ne présente pas de caractère particulier. Gare aux rhums, la salle est humide ! On se croirait presque dans la cave d'un château médiéval.

|●| *Kiki's Bistro* (plan II, F5, *99*) : 900 N Franklin St. ☎ (312) 335-5454. Lunch du lundi au vendredi de 11 h 30 à 14 h. Le soir, ouvert du lundi au jeudi de 17 h à 22 h (23 h les vendredi et samedi). Fermé le dimanche. De 15 à 25 US$. Brasserie plutôt sélect, dans une ancienne imprimerie. L'un des restos préférés des Chicagoans. Déco en bois et joli parquet. Le poulet rôti et le gigot d'agneau y sont excellents, la cave est très bien fournie, le service impeccable et les plats parfaitement dosés. Une valeur sûre. Parking gratuit. Réservation recommandée en soirée.

|●| *Le Colonial* (plan II, F4, *100*) : 939 N Rush St, angle Oak. Dans le quartier chic de Gold Coast. ☎ (312) 255-0088. Compter autour de 20 US$ le plat. S'il est un resto branché à Chicago, en plein « triangle d'or » de la ville, c'est bien *Le Colonial*. Cadre raffiné évoquant l'Indochine française. Restaurant au rez-de-chaussée. Ambiance feutrée et service classe. À l'étage, le bar est le rendez-vous des yuppies. Cuisine vietnamienne avec quelques réminiscences françaises comme le filet mignon. Souvent plein et très animé.

Où boire un verre ? Où sortir ?

Pour programmer leur soirée, on conseille aux lecteurs de se procurer les journaux hebdomadaires gratuits comme le *Reader*, le *New City* (surtout), le *Culture Club*, ou encore *Key (This Week in Chicago)* et *Chicago Welcome*. Le *Reader* est particulièrement complet avec, dans la section 3, les rubriques : « Rock-Pop », « Country-Folk », « Blues-Gospel-Rhythm'n'Blues » et « Jazz ».
Bonne nouvelle, les boîtes de Chicago sont plutôt bon marché, parfois même gratuites.

À Park West, Wrightwood, Lake View et Lincoln Park (plan I)

On dit souvent que New Orleans est la capitale du jazz et Chicago, celle du blues. C'est vrai. Néanmoins, le jazz a réellement été baptisé à Chicago. En effet, en 1917, quand les autorités ferment le quartier réservé de Storyville

(New Orleans), les musiciens désormais au chômage décident de s'installer à Chicago. Parmi eux, Louis Armstrong. Il est difficile de déterminer l'exacte origine du terme « jazz ». Parmi les différentes versions avancées, celle-ci nous a plu. C'est un ivrogne enthousiaste qui s'écria pour encourager les musiciens : « *Jass it up !* » Ce qui, à peu de chose près, signifie : « Vas-y, chauffe ! » avec une certaine connotation sexuelle. De là, la 1re affiche « Stein's Dixie Jass Band ». On s'est vite aperçu que les gamins s'amusaient à arracher les « J », transformant « Jass » en « ass » (cul) ! D'où la nouvelle orthographe « jazz », C.Q.F.D.

🍸 **El Jardin** *(plan I, B1, 110)* : 3335 N Clark St. ☎ (773) 528-6775. Ouvre à partir de 11 h tous les jours. Resto bar mexicain tout en bois, proposant des tacos au poisson. Petit et agréable patio sur le côté, l'endroit idéal pour siroter une *margarita* (le cocktail le plus populaire chez les Américains) et écouter de la musique mexicaine.

🍸 ♪ **Cubby Bear** *(plan I, B1, 111)* : 1059 N Clark St (à l'angle d'Adisson). ☎ (773) 327-1662. Ouvert jusqu'à 1 h 30 en semaine et 2 h 30 le samedi. Concerts de rock tous les week-ends (environ 7 US$). Y aller absolument un soir de victoire des Cubs, l'équipe de base-ball de Chicago. C'est le rendez-vous des supporters. Ambiance très chaude pour y rencontrer des *frat boys*, sportifs devant la TV.

🍸 ♪ **The Elbo Room** *(plan I, B2, 112)* : 2871 N Lincoln Ave. ☎ (773) 549-5549. ● www.elboroom chicago.com ● Ouvert jusqu'à 2 h (3 h le samedi). De 5 à 8 US$ l'entrée ; 15 US$ pour les grandes pointures. Cette adresse nous a été conseillée par un trompettiste qui nous a pris en stop. Sorte de cave-parking super-sympa fréquentée par des musiciens. Bar agréable avec 50 sortes de bières du monde. Du mercredi au samedi, c'est rock, funk, pop, *national pop (késako ?)*, *acoustic*, hip-hop, acid jazz. Le programme est affiché à l'extérieur. Concert de 21 h 30 à 2 h environ. Au-dessus, il y a un autre bar avec la triade infernale « flipper/billard/juke-box ».

🍸 ♪ **Exedus II** *(plan I, B1, 113)* : 3477 N Clark St (au croisement avec Cornelia). ☎ (773) 348-3998. ● www.exeduslounge.com ● Fermé le mardi. À partir de 6 US$. Parfois gratuit. Les concerts commencent à 10 h :

dub, ragga, reggae évidemment. Programme mensuel affiché à l'extérieur. Une boîte reggae pour changer du jazz de Chicago. Ambiance très relax, beaucoup de « rastamen ». Salle sans prétention, beaucoup plus petite que celle de son voisin *Wild Hare* (au 3530, sur la même rue). Il propose aussi des concerts live.

🍸 ♪ **Déjà Vu** *(plan I, B2, 114)* : 2624 N Lincoln Ave. ☎ (773) 871-0205. ● www.dejavuchicago.com ● Ouvert tous les jours de 21 h à 4 h. Entrée : 6 US$. Jeudi, salsa et *merengue*, le week-end, *dance music* avec DJ aux commandes. Dans une maison colorée, grande salle abritant un bar branché, souvent bondé. De l'ambiance. Faune mi-branchée, mi-populaire, pas encore trentenaire. Lieu « in » du moment. Sans plus, du déjà vu comme son nom l'indique si bien. Mais bon, allez y faire un tour si vous voulez du défoulement.

🍸 ♪ **Métro** *(plan I, B1, 115)* : 3730 N Clark St. ☎ (773) 388-3838. ● www.metrochicago.com ● Ouverture vers 21 h. Fermeture variable selon l'ambiance et les shows proposés. Programme mensuel à l'entrée. Vous arrivez aux limites du quartier qui se branche. Pas loin du célèbre Wrigley Field (le terrain des Chicago Cubs). Nous, on aime bien ce *Métro*, ancien théâtre installé dans un superbe immeuble de 1928 qui a, de plus, conservé toute sa déco intérieure. Trois niveaux. Concerts presque tous les soirs. Musique rock, new wave, hard rock, *alternative jazz*, très bonne acoustique. Mercredi, c'est punk. Allez faire un tour au bar, il mérite le coup d'œil, ainsi que la faune : look déjanté à la Marylin Manson, piercing, tatouages, crânes rasés, futal en cuir... À côté, boutique hard rock : pins, CD et T-shirts à l'effigie de vos stars préférées.

🍸 ♪ *Berlin (plan I, B1, 116)* : 954 W Belmont Ave. ☎ (773) 348-4975. À côté du métro aérien. Ouvert jusqu'à 4 h en semaine et 5 h le week-end. Entrée : 6 US$ le week-end. Une des rares boîtes (homo) ouvertes en semaine. Et en plus, l'entrée y est justement gratuite la semaine. Musique alternative : jazz, punk, house. Soirées à thème assez variées. Y passer pour connaître le programme des festivités. DJ. Assez petite, donc rapidement bondée. Pas trop mal. Accueil cool.

🍸 *Second City (plan I, C3, 117)* : 1616 N Wells St. ☎ (312) 337-3992 ou 1-877-778-4707. ● www.second city.com ● Dans une rue piétonne réservée aux vélos et aux marchés d'artisanat. À partir de 20 h 30 du mardi au jeudi, 20 h les vendredi et dimanche. Seconde représentation à 23 h uniquement les vendredi et samedi. Également spectacles (gratuits) d'improvisation du lundi au jeudi à 22 h 30, le samedi à 1 h et le dimanche à 22 h. Compter 17 US$ environ (2 spectacles par soir).

Théâtre d'avant-garde et de spectacles satiriques. L'un des plus imaginatifs. Beaucoup de jeunes. Nécessaire de réserver.

🍸 *Kelly's Pub (plan I, B3, 118)* : 949 W Webster St. ☎ (773) 281-0656. Ouvert tous les jours jusqu'à 2 h (3 h le samedi). Tout près de l'université *De Paul*. C'est donc un bar d'étudiants, souvent bondé en milieu de semaine. Déco d'inspiration irlandaise. Petite terrasse près du métro aérien : parlez fort ! Fait aussi resto.

🍸 ♪ *Katacomb (plan I, C3, 119)* : 1916 N Lincoln Park W. ☎ (312) 337-3000. Sur Lincoln Ave, tourner à Lincoln Park W au niveau de Wisconsin St, le bar est sur la gauche. Ouvert jusqu'à 4 h le vendredi et 5 h le samedi. Fermé les dimanche et lundi. Entrée payante. Bar en sous-sol, dans une espèce de cave bien aménagée, avec recoins intimes. Dans ces catacombes nouveau genre, plus de sépultures... mais une jeunesse branchée (un peu lisse) qui discute ou danse sur fond de hip-hop, *groove*... Musique assez forte. Pas mal d'ambiance.

À Bucktown *(plan I)*

Ce quartier est décalé, délabré et branché à la fois. Ancien quartier des artistes de la ville. Bucktown jouit d'un charme surprenant. Dans les artères principales (Milwaukee, North Damen...) se jouxtent boutiques à la mode, magasins de déco ou de fringues *sixties*. Il y a de quoi y passer un après-midi à chiner et à déambuler (surtout qu'il n'est pas très étalé). On y trouve aussi de bons plans pour manger ou boire un verre.

♪ *Double Door (plan I, A3, 120)* : 1551 N Damen Ave. ☎ (773) 489-3160. Ouvert uniquement le week-end. Ferme à 2 h. Entrée payante selon les groupes (6-17 US$ sans boisson). Sous le métro aérien. Du vrai rock plus que solide. Les Smashing Pumkins sont passés par ici. Si vous voulez voir de vrais Midwesterners aux gros bras et aux cheveux longs, genre ex-fan d'ACDC ou de David Lee Roth, cet endroit est pour vous. Grande salle sombre, look gothique. Si ça vous plaît et que vous souhaitez le programme des week-ends prochains, il est affiché en façade. Bonne acoustique.

♪ ⭘❘ *Subterranean (plan I, A3, 121)* : 2000 W N Ave, angle Milwaukee. ☎ (773) 278-6600. Ouvert en semaine de 19 h à 2 h, 3 h le week-end. Tarif : 6 US$ par concert. Compter 7 US$ si vous voulez dîner. Non loin du *Double Door*. Forcément, le *Subterranean* en pâtit un peu. De ce fait, les groupes qui s'y produisent sont de moins grosses pointures. Cependant, la déco intérieure est sympa. Il s'agit d'une sorte de petit théâtre avec plusieurs galeries. On peut aussi y dîner : burgers et salades.

🍸 *Earwax Café (plan I, A3, 122)* : 1564 N Milwaukee Ave. ☎ (312) 772-

CHICAGO

4019. Fermé à minuit sauf les vendredi et dimanche. Beaucoup de Chicagoans ne jurent que par ce café, soi-disant une des Mecques de l'esprit « Village » qui plane sur Bucktown. On vient boire un verre dans un décor coloré genre cirque avec des loupiotes multicolores un peu partout. Plancher usé, ambiance baba cool avec un fond musical un peu fort. Endroit idéal pour refaire le monde.

Dans Gold Coast, Old Town, Cabrini Green, Loop *(plan II)*

🍸 *Butch McGuire's (plan II, F4, 123) :* 20 W Division St. ☎ (312) 787-3984. Ouvert en semaine de 10 h à 4 h (5 h le samedi). Le resto n'est ouvert que de 11 h à 22 h avec brunch le week-end jusqu'à 16 h (10 US$). Un « bar familial » pas banal. À l'origine, le patron, un architecte irlandais, voulut créer un endroit pour réunir tous ses amis. Sa bande de copains a amplement grandi depuis. Il adore les rousses et les Irlandais. Déco assez soignée avec des chopes pendues au plafond, des poutres apparentes, une collection d'objets en cristal. Jeux de fléchettes. Le chaleureux *Butch McGuire's* est réputé pour sa décoration de Noël, son *bloody Mary,* ses œufs Bénédicte et son *Irish coffee.*

🍸 *She-Nannigans (Irish pub and sports bar ; plan II, F4, 124) :* 16 W Division St. ☎ (312) 642-2344. Ouvert du lundi au vendredi de 16 h à 4 h ; le samedi de 11 h à 5 h et le dimanche jusqu'à 4 h. Un pub irlandais très convivial (à côté du précédent) sur le thème du sport. Bonnes bières à la pression, ça va de soi. De 16 h à 20 h, les meilleurs *happy hours* de la ville. Retransmission de matchs sur écran vidéo. Il y a même un coin pour s'entraîner au basket ou faire une partie de billard. Excellente musique rock. Une de nos meilleures adresses.

🍸 ♪ *Mother's (plan II, F4, 125) :* 26 W Division St. ☎ (312) 642-6800. Ouvert tous les jours de 20 h à 4 h (5 h le samedi). Fermé le lundi. En sous-sol, immense plateau de danse où se pressent des centaines de jeunes qui viennent se déhancher sur de la musique alternative, progressive et de la *dance.* Parfois 30 mn d'attente pour entrer. Organise également des cours de danse.

🍸 ♪ *Slow down, Life's too short (hors plan II par E5, 126) :* 1177 N Elston Ave. ☎ (773) 384-1040. Un peu excentré, prendre la voiture. Ouvert du lundi au jeudi de 9 h à 3 h, le vendredi de 11 h à 4 h, le samedi de 11 h à 5 h. Entrée gratuite. Possibilité de casser la croûte pour environ 7 US$. Bar atypique coincé au bord de la rivière, installé dans une baraque un peu bringuebalante. On a l'impression d'un bric-à-brac multicolore. À pied ou en voiture, il saute aux yeux. Intérieur très vaste et terrasse donnant directement sur la rivière. Des bateaux en carénage chez le voisin donnent au coin une ambiance de vacances. Pont à voiture juste à côté, un peu bruyant. Salle hétéroclite faite de bric et de broc, très sympa et chaleureuse. La déco regorge d'objets en tout genre, du camion miniature au vieux juke-box. Musique très variée, renseignez-vous pour les concerts. Bonne bière, essayez la *Goose Island* pour changer de la *Bud.*

🍸 ♪ *Bouddha Lounge (plan II, E5, 127)* : 728 W Grand Ave. ☎ (312) 666-1695. Proche du carrefour Milwaukee/Halsted. Assez difficile à trouver, au milieu des nombreux ponts métalliques ; de plus, la façade n'est pas très visible. Ouvrez bien les yeux ! Ouvre ses portes à 21 h tous les jours. Ferme à 2 h en semaine (3 h le samedi). Pas donné pour boire un coup ! Compter au moins 20 US$ pour les garçons et 12 US$ pour les filles le samedi. Un peu moins cher les autres soirs. Entrée qui ne paie pas de mine, mais assez élégant et sélectif à l'entrée. Des coins canapés intimes, presque romantiques, sont nichés dans une salle sombre tout en longueur. Musique très variée : funky, acid jazz, *cuban jazz,* house, hip-hop, soul, *groove...*! Une adresse relax, vraiment sympa.

🍸 ♪ ***Excalibur*** *(plan II, F5, **128**) :* 632 N Dearborn St. ☎ (312) 226-1944. À l'angle d'Ontario. Pas de *cover charge* en semaine. Le week-end à partir de 8 US$. L'un des plus grands clubs de la ville. La boîte est installée dans une grande et belle bâtisse de style néoroman, construite en 1892 pour la *Chicago Historical Society*. Au rez-de-chaussée, deux ambiances : musiques du moment genre top 50 ou alors techno et *transe*. À l'étage, salsa, *merengue*, house dans un décor moderne à la *Basic Instinct*. Très chouette. Enfin, au sous-sol, un bar à l'ambiance plus tranquille avec billards, jeux électroniques et miniresto. Insolite : *The Lobster Zone,* pour 3 US$, tentez votre chance à la pêche au homard ou au crabe. Les peluches sont remplacées par des crustacés que l'on attrape à l'aide d'une pince, comme à la foire. Le cuistot les prépare gratuitement. Il y en a vraiment pour tous les goûts.

🍸 |◐| ***Bennigan's*** *(plan II, F7, **129**) :* 150 S Michigan Ave. ☎ (312) 427-0577. Ouvert du samedi au jeudi de 8 h à 12 h 30 ; les vendredi et samedi jusqu'à 1 h 30. Compter 7 US$ pour un plat. Juste en face de l'*Art Institute*. Grand café-restaurant. Nombreux plats variés typiquement américains. Très animé et bruyant surtout le soir. Ambiance jeune où la bière coule à flots et les TV crachent leurs décibels. Animateurs en fin de semaine. Large terrasse sur le trottoir.

Où écouter du jazz et du bon blues ?

– Bon à savoir, *Hot Tix* est le service qui commercialise les invendus des places de concerts, théâtres, opéras, jusqu'à 50 % du prix si vous téléphonez le jour de la représentation. Spécialisé dans les grands noms. ☎ (312) 977-1755.
– Également, *Jazz Hot Line,* ☎ (312) 427-3300, et *Concert Hot Line,* ☎ (312) 666-6667.

À *Halsted Street* (plan I)

Balade conseillée sur Halsted de jour comme de nuit. De jour, pour ses gentilles petites maisons provinciales souvent en bois (vers le n° 2600). De nuit, pour ses quelques lieux où l'on distille l'un des plus beaux « Chicago blues » de la ville. D'autres ont pris brillamment la relève de Muddy Waters.

♪ ***Kingston Mines*** *(plan I, B2, **140**) :* 2548 N Halsted St. ☎ (773) 477-4646. • www.kingstonmines.com • En face du *B.L.U.E.S.* Ouvert tous les jours de 20 h à 4 h (5 h le samedi). Attention, les shows commencent vers 21 h 30. Prévoir au moins 15 US$ le week-end, un bon 10 US$ en semaine. Programme avec photos en vitrine. Créé en 1972, ce bar porte le nom d'une ville du sud de l'Illinois. Le *Kingston Mines* est sans doute le meilleur bar de blues de Chicago. Deux salles de concerts dans un décor boisé. Du bon gros blues qui groove. Pour ceux qui aiment le genre « *Tonight, I got the blues but I feel gooooood !* ». Super-ambiance qui met à l'aise immédiatement. Au fait, Mr et Mrs Theblues ont eu une fille, comment s'appelle-t-elle ? Réponse... Agathe (vous aviez trouvé, bien sûr) !

♪ ***B.L.U.E.S.*** *(plan I, B2, **141**) :* 2519 N Halsted St. ☎ (773) 525-8371. Ouvert jusqu'à 2 h (3 h le samedi). Premier concert à 21 h 30. Prévoir 7 US$ en semaine, de 10 à 12 US$ le week-end. À quelques pas du *Kingston Mines*. Moins grand que celui-ci et un peu plus intime. Clientèle surtout jeune et étudiante. Si le concert vous a plu, vous pourrez vous procurer les CD au bar.

♪ ***Lilly's Blues Club*** *(plan I, B2, **143**) :* 2513 N Lincoln Ave. ☎ (773) 525-2422. Ouvert en semaine de 16 h à 2 h et 3 h le samedi. Jazz du mercredi au samedi de 21 h 30 à 2 h, du mercredi au samedi de 21 h 30 à 2 h. Entrée variable, 6 US$ en moyenne. Une chance, il n'est pas encore très connu des agences de voyages et des gros hôtels. L'endroit est charmant, c'est une salle intime où trône un vieux piano sur une scène minuscule, ambiance baba cool.

♪ **The Green Mill** (hors plan I par B1, **144**) : 4802 N Broadway St. ☎ (773) 878-5552. Assez loin, dans Uptown (au nord). À l'angle de Lawrence Ave (enseigne très voyante, ampoules clignotantes). Ouvert en semaine de 12 h à 1 h (4 h le samedi). Prévoir 6 US$ la semaine, 8 US$ le week-end. Très raisonnable pour l'endroit. Une boîte de jazz ouverte depuis 1907 et jadis fréquentée par Al Capone et ses amis.

N'hésitez pas à y faire un saut. Déco années 1940 au charme suranné, atmosphère pleine d'entrain. Les mardi et jeudi, c'est swing, et jazz les autres soirs. Un de nos coups de cœur sur Broadway. Préférable d'y aller en taxi.

♪ **Rosa's Lounge** (hors plan I par A3, **145**) : 3420 W Armitage St. ☎ (773) 342-0452. Assez loin sur Armitage (ne pas confondre avec Hermitage). Fermé les dimanche et lundi. Ouvre à 20 h les autres jours, mais les concerts ne commencent qu'à 21 h 30. Ferme à 2 h (3 h le samedi). Entrée : 6 et 12 US$. Une boîte de blues, du nom de la patronne qui officie derrière le bar depuis près de 20 ans. Jolies photos en noir et blanc aux murs. Une référence pour les amateurs.

Dans le Loop et à Near North *(plan II)*

♪ **Cotton Club** (hors plan II par F7, **146**) : 1710 S Michigan Ave. ☎ (312) 341-9787. Pas tout près, au sud de la ville. Ouvert très tard, jusqu'à 5 h. Fermé le mardi. Compter 6 US$ en semaine. Le week-end, environ 11 US$ jusqu'à minuit, 16 US$ pour les 2 concerts. Boîte de jazz, blues (le mercredi de 18 h à minuit) et reggae le mercredi de minuit à 4 h. Plus de 30 ans d'existence. Murs couverts de grandes affiches des dieux du jazz. Pour vous obliger à être de bonne humeur, c'est 2 consos au minimum par personne. Accueil simple et chaleureux. Tout le monde est bienvenu. Salle ordinaire. Beaucoup d'Afro-Américains de tous âges qui dansent avec plaisir. Parking à côté.

♪ **House of Blues** (plan II, F6, **147**) : 329 N Dearborn St. ☎ (312) 923-2020 (infos) ou 2000 (réservations). ● www.hob.com ● Ouvre à 18 h, *main show* à partir de 21 h 30. Ferme à 1 h 30 le week-end, 0 h 30 en semaine. De 8 à 12 US$ pour les concerts dans la salle de restaurant, au rez-de-chaussée. À partir de 20 US$ pour les grosses pointures dans la salle de concerts, à l'étage. Vous ne pouvez pas louper ce bâtiment aux gros

néons bleus derrière un parking en épi de maïs *(Marina Towers)*. Déco très atypique, genre western australien revisité par des aborigènes. C'est Dan Aykroyd qui possède cette boîte, pas vraiment spécialisée en blues (contrairement à son nom) mais en *groovy-jazzy* et tout ce qui swingue. Quand les grosses pointures viennent (Chick Corea, Joshua Redman, Aretha Franklin, Groove Collective), s'armer de patience et d'obstination pour obtenir un ticket. En face, hôtel du même nom avec une superbe décoration orientale. Lobby très original. Très belle adresse que ne laisse pas présager l'aspect extérieur de sa façade. Notre coup de cœur.

♪ |●| **Andy's Jazz Club** (plan II, F6, **148**) : 11 E Hubbard St. ☎ (312) 642-6805. À deux pas de N Michigan. Ouvert du lundi au vendredi de 11 h 30 à 1 h, le samedi de 15 h à 1 h 30 et le dimanche de 17 h à 0 h 30. Compter 5 US$ l'entrée, le double du vendredi au dimanche. Pas de droit d'entrée avant 17 h pour le restaurant. Un resto-boîte de jazz super-sympa qui va réjouir les couche-tôt : 2 concerts, un à 17 h et un à 21 h. Quel plaisir de manger une bonne (et gigantesque) pizza

(10 US$, plus cher pour les plats) tout en écoutant un traditionnel *Round Midnight,* un *Take the « A » Train* ou un *Girl from Ipanema* ! Sur les murs, le *Wall of Fame* avec les photos des musiciens qui ont joué chez *Andy's.* Parmi les plus prestigieux : Buddy Rich, Max Roach et Dizzy Gillespie. Excellent jazz. Ambiance sage et pas trop étouffante. Accueil vraiment chaleureux. Le dimanche, il y a souvent des *special events* : téléphonez !

♪ *Joe Segal's Jazz Showcase* (plan II, F5, *149*) : 59 W Grand Ave (et Clark St). ☎ (312) 670-2473. L'entrée est sur le côté. Ouvert jusqu'à minuit en semaine, 1 h le week-end. Fermé le lundi. Compter un bon 20 US$. Même si on peut y siroter un verre, ce n'est pas un bar mais une authentique salle de concerts. Attention, jetez vos mégots avant d'entrer : non-fumeurs. Fondé en 1947, c'est ici que Charlie Parker, pour contourner la loi en vigueur interdisant aux Blancs de jouer avec les Noirs, a fait passer Red Rodney (un Blanc) pour un chanteur noir albinos. Il s'agit d'un lieu chargé d'histoire où tous les plus grands sont venus jouer (Dizzie Gillespie, Count Basie...) ; le patron est là depuis la nuit des jazz : les vrais connaisseurs trouveront à qui parler... Parking à côté.

♪ *Buddy Guy's Legends* (hors plan II par F7, *150*) : 754 S Wabash Ave, angle 8th St. ☎ (312) 427-0333. ● www.buddyguy.com ● À l'arrière de Grant Park, dans une rue un peu désaffectée. Ouvert de 21 h 30 à 2 h (3 h le samedi). Prévoir 10 US$ en semaine, 12 US$ les jeudi et vendredi et 15 US$ le week-end. Contrairement à ce que l'on pourrait croire, le voisinage ne déteint pas sur ce lieu. Programmation de qualité, la bonne humeur de certains virtuoses est communicative, surtout quand Buddy se met à faire un bœuf avec ses invités. Bar-restaurant à prix raisonnable. Salle de billard.

Dans le South Side *(plan II)*

♪ *Checkerboard Lounge* (hors plan II par F7, *151*) : 423 E 43 St, angle King Junior Dr. ☎ (773) 624-3240. Dans le quartier noir, tout au sud, près des cités-dortoirs, dans une baraque en brique rouge. Ouvert de 13 h à 2 h. Entrée : 5 US$ en semaine, 7 US$ le week-end. Pas très loin du métro aérien, station Ashland *(Green Line)*. Station pas trop recommandée la nuit, le quartier est plutôt mal famé et *destroy*. La salle est à l'image de l'extérieur, simple et presque antédiluvienne. Cela dit, c'est quand même ici que vous trouverez le jazz et le blues les plus authentiques (les Muddy Waters et Stevie Wonder y sont passés) où les touristes ne débarquent pas par cars entiers. Une de nos adresses qui se rapproche le plus de ce que pouvait être une boîte de blues dans les années 1950... Parking gratuit mais non gardé.

À voir. À faire

Eh oui ! Chicago peut tout à fait se visiter à pied ! Les dingues de photo s'en donneront à cœur joie. En gros, 7 quartiers. Au centre : le Loop ; puis, au nord de Chicago River : Near North, Old Town, Magnificent Mile et Lincoln Park ; enfin, au sud : Grant Park, Chinatown et les divers musées scientifiques. Le métro et le bus, fort opportunément, permettent de raccourcir les distances entre ces centres d'intérêt.

Balades à pied

■ *Loop Architecture Walking Tour :* 224 S Michigan Ave. ☎ (312) 922-TOUR ou 922-3432 (infos concernant les tours). Organisé par la Chicago Architecture Foundation. Dans le magasin *CAF Shop and Tour Center,* building Santa Fe. Il s'agit en fait de 2 tours différents :

l'un donnant accès aux buildings anciens entre 1870 et 1935 *(early skyscrapers)* et l'autre aux plus récents *(modern skyscrapers)*. Compter un bon 10 US$ pour l'une des 2 visites ou environ 15 US$ pour le combiné.

Tarifs réduits. Les tours commencent à 13 h 30 tous les jours (de mars à novembre il y en a un en plus le samedi à 11 h). Durée approximative par tour : 2 h.

🏖 *La plage (plan II, F-G4) :* à partir de Oak St s'étend la Golden Coast (Côte dorée), un des quartiers résidentiels les plus chers d'Amérique. Et surtout, devant lui, s'étale la plage la plus populaire de Chicago : la *Gold St Beach.*

🏃 *Old Town (plan I, C3) :* remontez Well's St. À partir de Goethe St jusqu'à Armitage s'étend le quartier le plus agréable de la ville, qui n'est pas sans rappeler Greenwich Village à New York : petites maisons victoriennes, magasins de fringues, antiquités, restos sympas.

Dans les quartiers ethniques

🏃 *Chinatown :* au sud-ouest du centre, aux abords de Cermack Rd et Wentworth Ave. C'est une importante communauté (20 000 personnes), la 2e des États-Unis. À voir : l'hôtel de ville chinois, le temple chinois et le Ling Long Museum. On y trouve aussi une vingtaine de restaurants. Pour dénicher le vôtre, choisissez celui où il y a le plus d'Asiatiques. En général, c'est de bon augure.

🏃 *Polish Area :* la communauté polonaise réside du 1200 au 3000 N Milwaukee. Nombreux restos et boutiques. Au 984 N Milwaukee Ave, on trouve le *Polish Museum of America.* ☎ (773) 384-3352.

🏃 *Little Italy :* situé du 900 au 1200 W Taylor. Pour nos lecteurs amoureux du Sud, nostalgiques des bons effluves méditerranéens.

Balades en bus

■ *Chicago Trolley Co. :* ☎ (773) 648-5000. ● www.chicagotrolley.com ● Ouvert tous les jours de 9 h à 18 h 30. Les billetteries se trouvent aux 13 arrêts prévus dans le tour. Compter autour de 20 US$, ou 30 US$ pour un ticket sur 2 jours. Promenade à travers la ville autour des principaux sites en trolley rouge ou en *double deck* l'été. Haltes à Sears Tower, Art Institute, Hilton Tower, Navy Pier, Museum Campus... Prévoir 1 h 30 de trajet, commenté par le chauffeur (seulement en américain). On peut s'arrêter à chaque station et prendre le bus suivant, environ 30 mn après. Un bon truc pour repérer les quartiers sympas.

■ *Gray Line of Chicago :* ☎ (312) 251-3107. Comme le *Chicago Trolley,* billetteries devant tous les principaux arrêts. Ne fonctionne pas le lundi. Plusieurs formules de visite de 3 à 12 h à laquelle on peut éventuellement ajouter une croisière de 1 h sur le lac.

■ *Untouchable Tours (plan II, F5) :* N Clark St, départ en face du *Rock'N'Roll McDonald's.* ☎ (773) 881-1195. ● www.gangstertour.com ● Tarif : 24 US$. Premier départ en été à 10 h. Compter 2 h de visite. Réservation obligatoire. Huit acteurs et un historien (qui a rédigé le script du tour) vous emmènent sur les traces d'Al Capone, dans un bus qui ressemble plus à un théâtre sur roues qu'à un véritable véhicule. Les guides sont déguisés en gangsters et, mitraillette à la main, vous content les histoires interdites de la ville d'Al Capone et recensent les coins de rues à éviter pour rester en vie.

Balades en bateau sur la rivière et sur le lac

■ *Mercury Chicago Skyline Cruiseline* **:** Michigan Ave et E Wacker Dr. ☎ (312) 332-1353. Uniquement de mai à septembre. Trois tours d'environ 1 h, 1 h 30 et 2 h. Départs de 10 h à 19 h 30. Téléphoner pour connaître l'heure exacte du tour. Compter une quinzaine de dollars pour un tour.

■ *Wendella Boats* **:** 400 N Michigan Ave, devant le Wrigley Building. ☎ (312) 337-1446. Également 3 petites croisières touristiques. Mêmes durées et mêmes périodes que la précédente compagnie.

■ *Shoreline Sightseeing* **:** 474 N Lake Shore Dr. ☎ (312) 222-9328. ● www.shorelinesightseeing.com ● L'été, départs toutes les 30 mn de 10 h à 23 h, tous les jours. Arrêts et billetteries au *Navy Pier,* devant le Shedd Aquarium, l'Adler Planetarium et Buckingham Fountain (Grant Park). Durée de la balade sur le lac : 30 mn. En basse saison, départs tous les jours de 11 h à 17 h. Compter 10 US$; réductions. La société organise également des « architecture tours » le long de la Chicago River.

Balades à bord et autour du métro du Loop *(zoom)*

🛉🛉🛉 De mi-juin à fin septembre, chaque samedi, le *Chicago Cultural Center* organise une promenade gratuite de 40 mn en *El* intitulée **Go round and about the Loop.** Dans chaque wagon, un guide commente l'architecture du quartier. Prendre les billets un peu à l'avance (et les horaires) au 77 E Randolph St. Très intéressant. Tour également organisé, mais payant, par la *Chicago Historical Society.* Les départs se font devant le grand magasin *Marshall Field and Co.*

🛉🛉 *The « El » (ou « L »),* abréviation de *Elevated* : c'est le métro aérien tout rouillé et bringuebalant qui délimite le quartier des affaires. Édifié en 1893 à l'occasion de la World Columbian Exposition. Complètement anachronique, avec ses stations rétro, ses quais en chêne massif. Historiquement, le Loop correspond au quartier délimité par la boucle *(loop)* effectuée par le *El.* Face aux modernes gratte-ciel, il apporte d'emblée une dimension supplémentaire au quartier. Il fut, il n'y a pas longtemps, sauvé de la démolition par quelques amoureux de ce vieux métro qui firent campagne de manière énergique pour son maintien. En effet, certains politiciens et spéculateurs pensaient pouvoir redonner, grâce à sa disparition, une énorme plus-value à leurs édifices ou commerces. À leurs arguments (métro inesthétique et bruyant, structures métalliques rivetées d'un autre âge, etc.) les défenseurs opposèrent, au contraire, toutes ses qualités très positives : rupture originale dans les lignes architecturales, dimension supplémentaire dans l'espace et, argument majeur, le *El* apporte une chaleur, une urbanité qui fait tant défaut à bien des villes américaines. C'est aussi le cadre de certains films. Rappelez-vous, c'est dans le *El* que Harrisson Ford, dans la dernière version du *Fugitif,* se fait poursuivre par le type de la sécurité au bras en résine. De nombreux

www.routard.com

Plein d'infos sur 125 destinations, des forums, un magazine de voyage, de bons plans, des promos de dernière minute sur les vols et les séjours... Et, chaque mois, de beaux voyages à gagner !

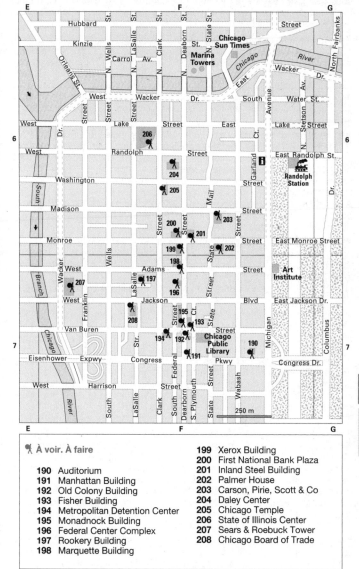

CHICAGO – ZOOM (LE LOOP)

plans de la série *Urgences* (*E.R.* en américain) y ont été tournés, même si le reste de la série a été « mis en boîte » à Los Angeles.
À l'intention de ceux qui ne pourraient effectuer le *Loop Walking Tour,* ou le *Go round and about the Loop* (lire ci-dessus), voici les quelques buildings les plus fascinants. Avant de vous organiser une belle balade dans Chicago, on

vous conseille de relire la rubrique « Chicago et l'architecture ». La promenade part du sud en direction du nord. Nous commençons par les bâtiments les plus représentatifs.

🐾🐾 *Auditorium* (zoom F7, *190*) : 430 S Michigan Ave. ☎ (312) 922-2110 ou 4046. Visite les lundi et mardi. Œuvre de Sullivan. À l'origine, en 1887, cet immeuble en forme de parallélépipède uniforme devait répondre à un programme à fortes contraintes fonctionnelles (théâtre-resto-hôtel). Sullivan n'utilise pas encore l'acier, un an plus tard ce sera fait. Mais ses innovations et la décoration stupéfièrent (il y avait même l'AC !). Après l'avoir visité, le président Harrison s'exclama : « Ça y est, New York va abandonner la partie ! »

🐾🐾 *Manhattan Building* (zoom F7, *191*) : à l'angle de Congress et de S Dearborn St. Réalisé par Le Baron Jenney, admirateur de Viollet-le-Duc. Le plus vieux bâtiment à structures métalliques (1890). Jenney voulut faire de ce building un « palais de la Renaissance ». Trois ans plus tard, Chicago envisage d'élever une tour métallique plus haute que la tour Eiffel pour l'Exposition universelle de 1889.
À côté, l'*Old Colony Building* (zoom F7, *192*) date de 1893. Au 343 S Dearborn St, le *Fisher Building* (zoom F7, *193*), créé par Burham en 1895, à la délicate déco gothique.

🐾🐾 *Metropolitan Detention Center* (zoom F7, *194*) : angle de Van Buren et de S Federal St. C'est ce curieux bâtiment triangulaire élevé en 1975. On dirait un Toblerone géant posé verticalement et criblé de meurtrières. Même les prisons peuvent inspirer les architectes !
Un peu plus loin sur Van Buren, on aperçoit un curieux immeuble rouge, le *CNA Building*.

🐾🐾 *Monadnock Building* (zoom F7, *195*) : S Dearborn St (entre Van Buren et W Jackson). Voici l'exemple le plus intéressant de l'évolution des techniques. Cette façade « étonne sans charmer ». La partie la plus ancienne (1889), réalisée par Burnham et Root (façade gauche), fut construite en partie suivant les vieilles techniques, et encore sur une base trapue, en saillie, comme pour rassurer ! Ce bâtiment traduit « la volonté d'un bâtisseur superposant sans la moindre recherche 15 étages semblables ». La seconde partie, construite en 1892, à la suite de l'autre, par Holabird et Rohe, tire mieux parti de la charpente en fer. Architecture plus légère, ouvertures plus larges. Notez que Holabird a tenu à respecter le style global de l'ensemble et a même été jusqu'à reproduire scrupuleusement la forme des fenêtres.

🐾🐾 *Federal Center Complex* (zoom F7, *196*) : 219 S Dearborn St. Construit par Mies Van der Rohe (1959 et 1966). Le *Federal Center Complex*, le *John C. Kluenzynski Federal Complex* (230 S Dearborn), la *poste* (superbe réalisation en verre fumé) et le *Flamant Rouge* de Calder composent un ensemble très équilibré. Flamboyant, du haut de ses 5 pattes, il contraste avec la solennité des noires façades de verre tout autour. Noter plus loin, sur le même trottoir, le *Berghoff*, l'un des tout premiers immeubles reconstruits après le grand incendie (1872).

🐾🐾 *Rookery Building* (zoom F7, *197*) : 209 S La Salle St (et Quincy). Œuvre de Burnham (1885). À l'extérieur, noter la technique de pointe de la façade constituée de verre et de granit. Piliers sculptés d'oiseaux, statues dorées (assez rococo). Entrez dans cet immeuble conçu à l'origine pour être l'espace de bureaux le plus vaste des États-Unis. Un petit air des *Mille et Une Nuits*, cour intérieure vitrée magnifique (mosaïque au sol, escalier et lustres majestueux). L'intérieur fut aménagé par Frank L. Wright (1905). Mérite une petite visite.

🐾🐾 *Marquette Building* (zoom F7, *198*) : 140 S Dearborn St (Holabird and Roche, 1894). En face du Federal Center. Cocorico ! Enfin un monument en l'honneur d'un Français (Pierre Marquette) qui, prêchant la bonne parole parmi les Indiens, a découvert par hasard l'Illinois. Une des plus belles et plus anciennes façades au décor de terre cuite et aux fenêtres « type Chicago » : grand panneau fixe au centre avec deux fenêtres à guillotine de chaque côté. Dans le hall intérieur, des panneaux de bronze, des sculptures d'Indiens, des mosaïques (de Tiffany) évoquent le voyage du père jésuite. En face, le **Xerox Building** *(zoom F6, 199),* tour ovale aux 1 000 reflets.

🎞🎞 *First National Bank Plaza (zoom F6, 200) :* Monroe et Dearborn St. L'un des ensembles architecturaux les plus remarquables. La *First National Bank* présente une stupéfiante façade concave (c'est la banque la plus haute du monde). Sur la plaza, admirez les *Quatre Saisons* de Chagall (1974), magnifique mosaïque de pierre et de verre pour laquelle il se servit de plus de 250 nuances de couleurs. Le toit protecteur a été réalisé ultérieurement (1996). En face, au 30 W Monroe, s'élève l'*Inland Steel Building (zoom F6, 201 ; 1956),* 1er gratte-ciel construit après guerre et utilisant un maximum de verre.

🎞🎞 *Palmer House (zoom F6, 202) :* Monroe et State St. Édifié en 1925. Potter Palmer, le prince des marchands de Chicago, plaça son argent dans l'immobilier et les impressionnistes (riche collection qu'il légua au musée). Voir absolument l'hyper-luxueux lobby de ce qui est devenu l'hôtel *Hilton.* Décoration grandiloquente : plafond décoré souligné par un bas-relief, statues-lampes, mobilier ancien, nombreux petits boudoirs. Pour ceux qui auraient touché le tiercé-quarté-quinté +, offrez-vous le 24e étage, le *Penthouse* de 1 800 à 2 000 US$ la nuit ! Pour vous : 3 chambres, 5 bains, 2 bars. Les moins chanceux se contenteront d'une visite gratuite de l'hôtel grâce à l'écran vidéo situé juste à côté de la réception. George Bush Senior apprécie particulièrement cet hôtel. Il a du goût, c'est très pimpant.

🎞🎞🎞 *Carson, Pirie, Scott & Co (zoom F6, 203) :* State et Madison St. Chef-d'œuvre de Sullivan et Burnham (1899). En particulier, la foisonnante décoration extérieure, l'admirable dentelle de bronze qui orne les portes de ce grand magasin qui donnait sur le coin de rue « le plus fréquenté de la terre ». Sullivan avoua qu'il voulait avant tout séduire les femmes, leur donner l'impression que l'on honorait leur visite de façon princière.

🎞🎞 *Daley Center (zoom F6, 204) :* Washington et Dearborn St. Une autre place célèbre pour sa monumentale statue de Picasso. Installée en 1967, elle déclencha au début une hostilité et des polémiques comparables à celles que suscitèrent la tour Eiffel et le centre Pompidou à Paris. Aujourd'hui, les habitants de Chicago en sont évidemment très fiers : la présence du drapeau américain est là pour en témoigner. Même les enfants l'ont adoptée : c'est leur toboggan préféré. À côté, la flamme du soldat inconnu dédiée aux soldats du Vietnam. Tables et chaises pour une halte bien méritée. En face du Richard J. Daley Center, entre le Tokyo Bank Building et le **Chicago Temple** *(zoom F6, 205),* une statue de Miró (1981) aux allures féminines et guerrières. Une curiosité : de l'autre côté de la rue, au coin, le *McCarthy Building,* le 1er immeuble de l'après-incendie (1872). À quelques pas, vers le lac (Washington et State St), le *Reliance,* l'une des réalisations les plus marquantes de Burnham (1890).

🎞 *State of Illinois Center (zoom F6, 206) :* angle Clark et Randolph St. Rebaptisé le *James R. Thompson Center.* Fermé le week-end et pendant les vacances. C'est l'une des dernières constructions (1984) de Chicago, annonçant clairement l'architecture du XXIe siècle. Une espèce de gros champignon en verre qui donne le vertige. Volume intérieur très impressionnant, mais édifice assez controversé, surmonté d'une gigantesque verrière. D'insurmontables problèmes se posent pour climatiser tout ça correctement.

À l'intérieur, *shopping center,* boutiques et restos. Montez au 16ᵉ étage pour jouir de la vue aérienne sur le hall. Devant trône le *Monument à la Bête debout,* une des œuvres majeures (et l'une des dernières) de Dubuffet (1984), en fibre de verre.

🎥🎥 *Sears & Roebuck Tower (zoom F7, 207) :* 233 S Wacker Dr. L'entrée du *Skydeck* se trouve sur W Jackson Blvd, billetterie au sous-sol. ☎ (312) 875-9696. • www.theskydeck.com • Ouvert de mai à septembre, de 10 h à 22 h, et d'octobre à avril de 10 h à 20 h. Entrée : environ 10 US$; réductions. *Family pass* autour de 30 US$. Une fois le ticket acheté, la visite se fait à l'heure qui vous arrange. Très belle vue de nuit.

Terminé en 1974, c'était (voir l'intro de Chicago) le plus haut bâtiment du monde avec ses 110 étages, ses 443 m de haut et ses 2 antennes blanches. Quelques chiffres : l'ensemble pèse 222 500 t (dont 76 000 t d'acier), possède 16 000 fenêtres et 100 ascenseurs. On pourrait construire 52 000 voitures rien qu'avec l'armature ! 16 500 personnes y travaillent. Elle est visitée par 1 500 000 touristes par an (soit plus de 4 000 par jour... bon courage pour l'attente). Plate-forme panoramique au 103ᵉ étage. N'oubliez pas votre appareil photo. Beaucoup d'attente. Par beau temps, vous ne serez pas déçu du voyage. On peut y voir 4 États : Indiana, Wisconsin, Illinois, Michigan, et admirer l'horizon jusqu'à 80 km à la ronde. Siège des magasins Sears and Roebuck. Cet organisme est la plus grande société de vente par correspondance du monde. Son célèbre catalogue est encore la bible des communautés rurales. Mais, traversant une grave crise, le groupe a décidé de mettre en vente la Sears & Roebuck Tower au plus offrant. L'opération devrait rapporter au groupe quelque 1,2 milliard de dollars.

🎥 *Chicago Board of Trade (CBOT ; zoom F7, 208) :* 141 W Jackson Blvd. ☎ (312) 435-3590 ou 3625. Au 5ᵉ étage. Ouvert de 8 h à 14 h. Fermé le week-end et les jours fériés. Gratuit. Visite libre ou visite guidée à peu près toutes les heures jusqu'à 12 h 30. Âge minimum : 16 ans.

Quand on arrive par La Salle St, on a l'impression que le CBOT (la Bourse de Chicago) est entouré de 2 temples grecs (la *Continental Illinois Bank* et la *Federal Reserve Bank*). Le Board of Trade Building est un magnifique bâtiment Art déco de 45 étages, construit en 1930 par Holabird and Root. Au sommet, une statue de Cérès, déesse de la moisson, veille au grain. La surface des salles du CBOT consacrées à la négociation équivaut à un terrain de football. Il y a plus de 16 000 km de câbles téléphoniques sous les planchers. Projection d'un film sur l'évolution de la bourse toutes les 30 mn. C'est ici que se négocient des contrats à terme sur les taux d'intérêts, les indices boursiers, les produits manufacturés, les denrées alimentaires (blé, soja...), les métaux précieux et les devises. Demandez aux copains de Sup de Co de vous expliquer. On peut voir les négociateurs s'agiter dans les salles de marché.

🎥 Les amoureux de *La Dernière Séance* iront jeter un œil à l'intérieur du *cinéma Chicago* sur State St (après Randolph St). Superbe style baroque-rococo, fauteuils d'époque. Une salle comme on n'en fait évidemment plus depuis longtemps. Actuellement, elle est utilisée comme salle de concerts.

Les autres buildings aux abords du Loop *(plan II)*

🎥 *Union Station (plan II, E7, 1) :* 210 S Canal St (entre Adams St et Jackson Blvd). Une gare co-los-sa-le. C'est ici, entre autres, que fut tournée la fameuse scène du landau dans *Les Incorruptibles* de Brian De Palma avec Kevin Costner et Sean Connery. On peut retrouver les costumes du film au *Planet Hollywood.*

🎥 Les amateurs d'urbanisme iront étudier la reconversion de *Printer's Row,* l'ancien quartier des imprimeurs. Il s'étend de Congress Parkway à Polk St.

CHICAGO

Bel exemple de revitalisation d'un quartier longtemps en pleine décadence et qui fut très dangereux le soir. Les anciens entrepôts et ateliers sont transformés peu à peu en lofts désormais très recherchés. Sur *Polk St,* la pittoresque ancienne gare.

🏃🏃 Ne pas rater, face au lac, le superbe alignement d'immeubles sur le **Michigan** (à la hauteur de Monroe ; *plan II, F-G6*). Prendre du recul pour en admirer l'harmonieuse disposition. À côté de l'édifice de style néogothique s'élève le ***Cage Building*** (1898), avec un étage de plus. L'une des œuvres les plus représentatives de l'art de Sullivan.
Depuis l'escalier de l'Art Institute, belle perspective sur les 80 étages de marbre blanc du *Standard Oil Building* et le tout nouveau et remarquable *Associate Building* (facilement reconnaissable à son sommet en forme de losange biseauté).

🏃🏃🏃 **Le Magnificent Mile :** sur N Michigan Ave. Ces « Champs-Élysées » représentent la promenade architecturale la plus intéressante de la ville. À la hauteur du pont, en traversant la Chicago River (côté sud), superbe perspective sur les édifices la bordant. On y trouve notamment les *Marina Towers (plan II, F6).* Construites entre 1959 et 1967, ces 2 tours cylindriques à alvéoles, appelées « épis de maïs », ouvrent leurs balcons-corolles au-dessus de garages en spirales. Des copies « miniatures » ont été réalisées en France, à Créteil. Sur sa droite, le *IBM Plaza,* le *Chicago Sun Times-Daily News.*

🏃 **Merchandise Mart** *(plan II, F6) :* sur la rivière, à hauteur de Wells St. C'est le magasin-entrepôt le plus grand du monde (410 000 m^2). Très imposant ! Construit en 1930 dans le style Art déco. Façade rénovée récemment, qui a ainsi retrouvé sa blancheur immaculée. Le bâtiment appartient à la famille Kennedy. Visites guidées (environ 10 US$, se renseigner à l'office du tourisme). À noter, à l'entrée, les piliers en marbre supportant des bustes de bronze : ce sont les grands capitaines du commerce de détail des États-Unis. Il faut marcher des heures pour passer d'un magasin à l'autre... alors que l'on trouve les mêmes sur Michigan Ave ! À vous de juger si cela vaut le coup.

🏃 **Wrigley Building** *(plan II, F5-6, 160) :* 410 N Michigan Ave. Œuvre de Graham (1919-1921), qui réalisa deux immeubles pour le prix d'un, reliés par une passerelle. Dans celui de gauche, tour des fameux chewing-gums avec la réplique de la Giralda de Séville et son horloge richement décorée. L'immeuble chouchou des Chicagoans. À l'époque, ils allèrent même jusqu'à proclamer orgueilleusement que l'endroit deviendrait « aussi célèbre que la place de la Concorde à Paris » (là, ils exagéraient un peu !). La construction ressemble curieusement à une pièce montée. Certains cuisiniers n'ont pas tort lorsqu'ils disent avec humour que « l'architecture est une branche reconnue de la pâtisserie ».

🏃 **Tribune Tower** *(plan II, F5-6, 161) :* 435 N Michigan Ave. Comme son nom l'indique, ce building abrite le journal de l'Illinois, *Chicago Tribune.* Le summum du pastiche gothique flamboyant (1925). Construit comme une cathédrale avec une parfaite copie de la tour au Beurre de Rouen. D'ailleurs, le portier s'entend demander au moins 10 fois par jour l'heure des messes par des touristes de passage. Noter qu'à la base du building, on inséra un certain nombre de pierres ou d'éléments provenant des monuments les plus célèbres de la terre : Parthénon, Taj Mahal, Fort Alamo, Grande Muraille de Chine, Notre-Dame de Paris, mur de Berlin... Curieux, non ?

🏃 **John Buck Building** *(plan II, F5, 162) :* 515 N State St. Entre State St et Grand Ave. Œuvre du génial architecte japonais Kenzo Tange (1990). Un building ultramoderne qui a une case en moins ! Superbe façade saillante. Majestueux hall d'entrée. Une leçon d'architecture pour les amateurs de design.

🍴 **Water Tower** *(plan II, F5, 163) :* 800 ou 806 N Michigan Ave, angle Pearson. ☎ (312) 744-2400. Ouvert de 10 h à 18 h 30 (17 h le dimanche).

L'un des rares édifices du centre qui échappèrent au grand incendie de 1871, d'où son importance symbolique. Construit en 1869 dans un style gothico-rococo invraisemblable. La tour servait à contrôler la distribution de l'eau potable dans la ville. « Le moulin à poivre gothique », comme l'appelait Oscar Wilde. À l'intérieur, une petite galerie de photos axées sur la ville et les habitants de Windy City.

Autour de la Water Tower, on trouve très souvent de bons musiciens jouant dans la rue et dans le petit jardin. Sur le trottoir d'en face, c'est la *Chicago Waterworks,* ex-*Pumping Station,* siège actuel du *Visitor Center.* Genre de château fort digne des productions *Walt Disney.*

À côté, sur Chicago Ave, le *Park Hyatt,* l'hôtel favori d'Elizabeth Taylor. Elle s'y réserve à chaque fois une suite à plus de 2 000 US$ par nuit !

🍴🍴 **John Hancock Center Observatory** *(plan II, F5, 164) :* 875 N Michigan Ave. ☎ 1-888-875-VIEW. ● www.hancock-observatory.com ● Ouvert tous les jours de 9 h à 23 h. Compter 9,50 US$; réductions. Accès à l'ascenseur au sous-sol. Audioguide pour 3 US$, en anglais, espagnol et allemand (mais pas en français !).

Le 3e gratte-ciel le plus haut du monde (tour toute noire, assez imposante, avec les 2 antennes). 96 étages, du haut desquels le panorama est époustouflant. On y trouve un resto ainsi qu'un bar. Avis aux fauchés : plutôt que de monter à l'observatoire, emprunter un autre ascenseur, celui du rez-de-chaussée, qui vous mènera gratuitement au niveau du resto, le *Signature Room,* étage 95. De là, la vue est certes moins dégagée mais tout de même impressionnante. Au pied de cette tour, un petit jardin ombragé où l'on peut pique-niquer. En face, le magasin *Bloomingdale's.* Un block plus haut, le *Playboy Building* (ancien édifice *Palmolive*), d'où prolifèrent, de par le monde, tous les petits *bunnies...* À côté, face au lac, l'hôtel *Drake* où descendent toutes les têtes couronnées.

Les musées

Énormément de musées à Chicago. Si vous êtes fan et fauché à la fois, le *City Pass* valable 9 jours vous offre la possibilité d'accéder aux 6 attractions les plus réputées pour 49 US$ – au lieu de 92 US$ – (le Planétarium, le Hancock Observatory, The Field Museum, The Art Institute of Chicago, le musée des Sciences et de l'Industrie et le Shedd Aquarium). Disponible dans tous les musées concernés.

🍴🍴 **Chicago Historical Society** *(plan I, C3, 170) :* Clark St et N Ave. ☎ (312) 642-4600. ● www.chicagohistory.org ● Pour y aller : prendre le bus n° 22 ou n° 36 sur Michigan Ave ; descendre à N Ave ou La Salle St. Bien placé dans Lincoln Park, entouré de verdure. Ouvert du lundi au samedi de 9 h 30 à 16 h 30 (le dimanche de 12 h à 17 h). Compter 5 US$; réductions. Gratuit le lundi.

Deux grands thèmes : l'histoire des États-Unis et de Chicago. Quelques belles pièces, comme un exemplaire de la Déclaration d'indépendance des États-Unis, quelques objets personnels du 1er président des États-Unis (George Washington, pour ceux qui avaient oublié) ou encore une locomotive grandeur nature. Tout ce que vous vouliez savoir sur la guerre de Sécession (1861-1865), avec la table sur laquelle a été signée l'abolition de l'esclavage (1863) et le lit sur lequel Lincoln nous a quittés. Et puis l'histoire de Chicago : plans d'archi, coupures de journaux, objets, témoignages... Il y a même des cookies qui ont survécu au grand incendie de 1871. Très instructif et très sympa. N'hésitez pas à demander au gardien qu'il vous donne un petit cours d'histoire. Accueil adorable. Organise aussi un tour de la ville en métro. Le départ se fait habituellement devant le grand magasin *Marshall Field and Co.*

🎭🎭🎭 *The Art Institute (plan II, F7, 171)* : 111 S Michigan Ave (angle de Jackson Blvd). ☎ (312) 443-3600. • www.artic.edu • Ouvert en semaine de 10 h 30 à 16 h 30 (20 h le jeudi) et le week-end de 10 h à 17 h. Entrée : 12 US$. Gratuit le mardi. Le resto en plein air est très agréable. Boutiques. L'un des plus importants musées américains, inauguré en 1893. Dans un style Renaissance italienne, il a été réalisé par le mécène Charles Lawrence Hutchinson. C'est également *THE* musée de Chicago. Une sorte de « Louvre-Orsay » avec l'une des plus belles collections d'impressionnistes, dont une grande partie des œuvres a été léguée par Bertha Palmers, épouse du milliardaire. Tous les plus grands sont réunis : Vlaminck, Rouault, Gauguin, Cézanne, Monet, Degas, Renoir, Matisse... C'est là que se trouvent, entre autres : *Un dimanche après-midi à l'île de la Grande Jatte* de Seurat, *La Chambre à Arles* et un *Autoportrait* de Van Gogh. Il y a aussi *Paris, un jour de pluie* de Caillebotte, *Le Vieil Homme à la guitare* de Picasso, et la sublime *America Windows* de Chagall. Des artistes contemporains, tels Edward Hopper, David Hockney. Ne pas rater *American Gothic* de Grant Wood (repris par Paul Newman pour ses produits alimentaires). Des galeries d'art asiatique, africain, américain... des œuvres de Man Ray... Une magnifique salle exposant un tas d'armes et armures. À voir aussi, la galerie des Miniatures. Prévoir beaucoup, beaucoup de temps.

🎭🎭🎭 🧍 *Field Museum of Natural History (hors plan II par G7, 172)* : 1400 S Lake Shore Dr. ☎ (312) 922-9410. • www.fieldmuseum.org • Au sud de la ville, sur le Museum Campus en face du lac. Ouvert tous les jours de 9 h à 17 h. Entrée : 17 US$; moitié prix pour les enfants. Grosse réduction les lundi et mardi de mi-septembre à mi-décembre ainsi qu'en janvier-février. Évitez le week-end, c'est bondé.

C'est le bel édifice aux allures de temple grec. Il fut construit par D. Burnham dans les années 1920 et financé par Marshall Field, propriétaire du grand magasin de luxe de la ville. Un des plus importants musées d'Histoire naturelle et d'Ethnologie du monde. Plus de 4 ha d'exposition sur 2 niveaux. Dans le hall, 2 éléphants et probablement le plus complet des squelettes de *Tyrannosarus rex* au doux prénom de Sue (ce n'est pas une femelle, le fossile a hérité du prénom de la personne qui l'a découvert : Susan). Le crâne est une reproduction : l'original, trop lourd, se trouve à l'étage. Le rez-de-chaussée est consacré à l'histoire des civilisations du continent nord-américain. Une grande partie est réservée aux dinosaures. Très prisé des enfants pour son côté ludique. À l'étage, tout sur les plantes, les arbres et les minéraux. Une aile entière est dédiée aux cultures africaines, esquimaudes, tibétaines, avec leurs rituels, costumes, masques, armes, instruments de musique. Rassemble sous le même toit un musée de l'homme, des sciences, de la nature, des minéraux, de la préhistoire et des civilisations. Prévoir pas mal de temps. Pour les affamés, présence d'un agréable *Corner Bakery*. Très importante *gift shop* avec cadeaux des pays du monde.

🎭🎭 🧍 *John G. Shedd Aquarium (hors plan II par G7, 173)* : 1200 S Lake Shore Dr. ☎ (312) 939-2435. • www.sheddaquarium.org • Sur le Museum Campus. Navette gratuite entre les musées du Museum Campus, de 10 h à 18 h. Ouvert de 9 h à 18 h (17 h en hiver et 18 h le week-end en hiver ; 21 h le jeudi de juin à septembre). Entrée : 8 US$ pour l'aquarium seul, 18 US$ pour l'océanorium seul, 23 US$ pour les deux (réductions). N'oubliez pas de mettre une petite laine. Il y fait frisquet.

Situé à côté du Field Museum, il a été réalisé en 1929, en même temps que ce dernier et que l'Adler Planetarium. Deux attractions : il y a d'abord l'*aquarium* avec une multitude de petits bassins classés par régions. On constate qu'il ne fait pas bon faire trempette sur la barrière de corail australienne. Les requins léopards sont au n° 11, les poissons vénéneux au n° 16, les poissons fluo au n° 27. Au n° 65, une pieuvre du Pacifique. Les tortues sont aux n°s 92 et 93. Les plus grosses bébêtes (y compris un *shark* un peu anti-pathique) sont dans l'aquarium central qui contient des centaines de pois-sons. L'été, des plongeurs descendent nourrir les poissons tous les jours à 11 h, 14 h et 15 h. L'*océanorium,* la seconde attraction, est une magnifique reconstitution d'un écosystème de la côte nord-ouest du Pacifique. Très bien fait. Il y a des dauphins, des bélugas, des pingouins... Magnifique vue sur la marina et les gratte-ciel. Concerts de jazz de 17 h à 21 h de temps en temps en basse saison (tous les jeudis en été), se renseigner avant.

🦐🦐 🏃 *Adler Planetarium (hors plan II par G7, 174) :* 1300 S Lake Shore Dr. ☎ (312) 922-7827. ● www.adlerplanetarium.org ● Derrière le John G. Shedd Aquarium. Ouvert du lundi au vendredi de 9 h 30 à 16 h 30 (22 h le 1er ven-dredi du mois). Entrée : 13 US$ pour un « Sky Show », 16 US$ pour deux. Gratuit les lundi et mardi de mi-septembre à mi-décembre. Le vendredi, observation des étoiles au télescope à partir de 18 h par temps clair (15 US$).

Musée sur l'astronomie et l'univers. Pour les scientifiques ou pour ceux qui sont toujours dans les nuages. À quoi ressemblent les autres planètes ? De quoi sont faites les étoiles ? Sommes-nous seuls dans l'univers ? L'Adler Pla-netarium apportera une réponse à toutes vos questions galactiques. C'est aussi une belle collection d'instruments de mesure et d'exploration, comme le télescope utilisé par Galilée. Également des projections de films sous un dôme (à peu près toutes les heures) ; le programme change régulièrement, mais ça tourne toujours autour des mêmes thèmes : l'univers en 3D (avec lunettes), la galaxie... Superbe vue sur la marina.

🦐🦐 *Museum of Contemporary Art-M.C.A. (plan II, G5, 175) :* 220 E Chicago Ave. ☎ (312) 280-2660. ● www.mcachicago.org ● Ouvert de 10 h à 17 h (20 h le mardi). Fermé le lundi. Entrée : 10 US$. Gratuit le mardi à partir de 17 h. Plaquette en français.

Propose des expos temporaires et des collections permanentes. Il s'agit d'œuvres et de compositions ultramodernes. Musée étonnant. On se sent un peu perdu dans cette réalisation de l'architecte berlinois Joseph Paul Klei-hues. En fait, rien n'est disposé au hasard, même si certaines expos peuvent vous sembler vides. Il s'agit d'un « art réactif et provocateur ». La plupart des expos et des collections sont au 4e étage. Le 2e étage abrite un restaurant réputé *(Puck's)* avec terrasse et boutiques. Au 1er étage *(ground floor)*, un théâtre organise, le 1er vendredi de chaque mois, des spectacles de 18 h à 22 h, incluant un repas.

🦐 *Museum of Contemporary Photography (plan II, F7, 176) :* Columbia College Chicago, 600 S Michigan Ave. ☎ (312) 663-5554. Ouvert de 10 h (12 h le samedi) à 16 h. Fermé le dimanche, ainsi qu'en août. Gratuit. Dépend de l'université.

Petite galerie de photos sur 3 étages, exposant des œuvres d'artistes contemporains tels Irving Penn et Robert Franck. De magnifiques photos très bien mises en valeur. Thèmes variés et expos temporaires.

🦐 *Spertus Museum of Judaica (plan II, F7, 177) :* 618 S Michigan Ave. ☎ (312) 322-1747. ● www.spertus.edu ● À quelques pas du Museum of Contemporary Photography. Ouvert de 10 h à 17 h (19 h le jeudi, 15 h le vendredi). Fermé le samedi. Entrée : 5 US$. Gratuit le vendredi.

Expos permanentes et temporaires sur 3 500 ans de culture juive : bijoux, torahs, costumes.

🦐 *Museum of Broadcast Communications (plan II, F6, 178) :* 78 E Was-hington St. Dans le *Chicago Cultural Center* (office du tourisme). ☎ (312) 629-6000. Ouvert de 10 h à 16 h 30 ; le dimanche, de 12 h à 17 h. Fermé pendant les vacances. Gratuit. Au fond d'un long couloir aux murs recouverts de photos anciennes, représentant les principaux immeubles de la ville.

CHICAGO

Un petit musée qui retrace l'histoire de la TV et de la radio américaines avec quelques documentaires, les premiers récepteurs de radio, les premiers téléviseurs et les premières caméras... Présentation de nombreuses célèbres marionnettes de TV. Vitrine spéciale pour « Bozo le Clown ». On peut aussi écouter les interviews des plus célèbres chroniqueurs (Larry King, entre autres).

Pendant que vous êtes au *Chicago Cultural Center,* profitez-en pour aller jeter un œil au dôme qui se trouve au 2ᵉ étage. Le centre culturel organise également des conférences, des expositions, des concerts, des récitals...

🦃 *Terra Museum of American Art (plan II, F5, 179) :* 666 N Michigan Ave. ☎ (312) 664-3939. ● www.terramuseum.org ● À quelques encablures de la Water Tower. Ouvert du mercredi au samedi de 10 h à 18 h, le mardi jusqu'à 20 h et le dimanche de 12 h à 17 h. Fermé le lundi (à vérifier). Gratuit, mais donation suggérée de 5 US$.

Petit musée créé en 1987, entièrement consacré à l'art américain (sur plusieurs étages). Expos pointues essentiellement temporaires (changeant tous les 3 mois environ) pour initiés ou mordus d'art américain. On a bien aimé *Pip and Flip* de Reginald Marsh. Quelques belles œuvres de Whistler, Chase, Sargent, Demuth, Hopper, Wyeth... agréable. La fondation, dont le but est la promotion de l'Art américain de par le monde, a réalisé le « musée d'Art américain » à Giverny en France.

🦃 *Mexican Fine Arts Center Museum (hors plan II par F7, 181) :* 1852 W 19ᵗʰ St. ☎ (312) 738-1503. ● www.mfacmchicago.org ● Au sud de la ville. Le plus grand musée des États-Unis sur les civilisations précolombiennes du Mexique.

🦃🦃🦃 🚶 *The Museum of Science and Industry (hors plan II par G7, 182) :* 57ᵗʰ St et Lake Shore Dr. ☎ (773) 684-1414. ● www.msichicago.org ● Tout au sud de la ville, à l'est de l'université, près du lac, dans le quartier Hyde Park. Ouvert tous les jours de 9 h 30 à 17 h 30 (16 h en basse saison). Entrée : 9 US$; 15 US$ avec l'Omnimax ; réductions. Assez long à visiter. Plan à l'entrée. Pour ceux qui circulent en voiture, l'entrée se trouve au bout de 57ᵗʰ St qui, curieusement, pénètre dans un parking souterrain, en fait celui du musée : 12 US$ le stationnement ! Pour éviter cette arnaque, contournez le musée par la gauche, stationnement gratuit à l'arrière. Entrée sous la coupole du *Space Center* où se trouve le simulateur de vol spatial.

Le plus ancien et le plus grand musée du genre. Un peu comme le palais de la Découverte de Paris, mais aux dimensions américaines. Ce bâtiment monumental, avec son dôme majestueux et sa longue colonnade ionique de 276 colonnes, a été construit par l'équipe de Burnham pour recevoir le *Palace of Fine Arts* lors de l'Exposition de 1893. Il abrita ensuite le *Field Museum.* Ce n'est qu'en 1930 qu'il fut consacré à l'avance technologique. Un musée génial, qui plaira à toute la famille, auquel il faut bien consacrer une journée entière pour tout voir. Vous pourrez descendre dans une mine de charbon et vous en faire expliquer le fonctionnement. Si vous n'avez pas encore déjeuné, n'allez pas voir les *body slices* (un corps humain découpé en tranches fines dans le sens de la longueur) ! À voir également, le train électrique géant, le « Santa Fe », la « Yesterday Main Street » (reconstitution grandeur nature d'une rue des années 1910 avec un cinéma, un resto, des boutiques d'époque...). Également le *U-505* (un sous-marin), le « Fairy Castle ». On peut entrer dans un bloc opératoire, à l'intérieur d'un cœur humain, comprendre comment fonctionne le cerveau. Ici, on apprend en s'amusant, tout est ludique. Et toujours cette touche américano-écolo-didactique. Il y a aussi un cinéma Omnimax ; au moins 4 ou 5 séances par jour. |●| Possibilité de manger un petit quelque chose sur place.

🦃 *Du Sable Museum of African-American History (hors plan II par G7, 183) :* angle 57ᵗʰ et Cottage Gr. ☎ (773) 947-0600. ● www.dusablemuseum.org ● Tout au sud, juste avant le musée de la Science et de l'Industrie.

CHICAGO

Aux abords ouest du Washington Park. Ouvert de 10 h (12 h le dimanche) à 17 h. Entrée : 3 US$. Gratuit le dimanche.

Enfin un petit musée à taille humaine. Facile à visiter. Beaucoup d'expos à thème. Des objets de toutes sortes, quelques peintures murales, des photos, des sculptures, des costumes retraçant l'histoire des Noirs américains et européens (Du Sable était métis). Une petite expo sur l'histoire de l'esclavage. Et des tableaux d'Henri O. Tanner, Motley Dawson... Enfin, concerts, récitals, conférences.

À voir pour ceux qui ont du temps

À l'extérieur du centre de Chicago

🏃 *Frank Lloyd Wright Historic District :* 951 Chicago Ave, à Oak Park. ☎ (708) 848-1976. ● ● www.wrightplus.org ● À l'extrême ouest de la ville. Par la route, 30 mn de voiture. En partant de Michigan Ave, prendre la Congress Parkway, sortie 21 B. Puis continuer sur S Harlem Ave, tourner à droite sur Chicago Ave. Pour les non-motorisés, accès par le métro Lake St, station « Oak Park ». Visites à 11 h, 13 h et 15 h. Le week-end, toutes les 20 mn de 11 h à 15 h 30. Compter 9 US$ (réductions) pour la visite guidée de la maison-studio de l'architecte, 16 US$ si vous effectuez en plus le tour du quartier avec un guide (places limitées) ou un audioguide (en français), où il y a une dizaine de maisons construites par le célèbre architecte. Prévoir d'arriver 15 mn avant le début de la visite. Demander Gina pour faire le tour du propriétaire, elle est vraiment intéressante. La visite guidée du quartier est gratuite le dimanche.

Entre 1889 et 1909, Wright construisit dans le coin de Oak Park près de 25 édifices. Ces « Maisons de la Prairie », comme on les a surnommées en raison de leur adaptation aux plaines du Middle West, réunissaient déjà les caractéristiques de l'architecture organique de Wright : plan ouvert sur l'extérieur et intégration parfaite au site. Très chouette pour qui s'intéresse à l'architecture moderne.

– Vous pouvez profiter de votre passage dans cette agréable banlieue résidentielle pour visiter la *maison natale d'Ernest Hemingway :* 339 N Oak Park Ave. ☎ (708) 848-2222. ● www.ehfop.org ● Le musée dédié au célèbre écrivain se trouve à un block de là, au 200 de la même rue.

🍖 *Cimetière de Graceland :* 4001 N Clark St, à Lake View, au nord de la ville (angle Clark St et N Irving Park Rd). ☎ (312) 525-1105. Ouvert de 8 h à 16 h 30. La réception ouvre un peu plus tard et reste fermée le dimanche. Les gens célèbres (les *tycoons*) de Chicago y sont enterrés : Marshall Field (le commerçant), Allan Pinkerton (le détective), George Pullman (les trains), Sullivan (les belles façades), Mies Van der Rohe (les buildings), Potter Palmer (le magnat du coton)... Grand cimetière à l'anglo-saxonne, avec les tombes disséminées dans de grandes pelouses et bosquets d'arbres, le tout dégageant une douce sérénité. Beaucoup de mausolées à l'architecture kitsch ou s'inspirant de l'Antiquité. De l'autre côté de N Irving Park Rd, un ancien cimetière juif dans un cadre boisé romantique.

🍖 *Baha'i House of Worship :* 100 Linden Ave (et Sheridan). ☎ (847) 853-2300. ● www.us.bahai.org ● Situé à Wilmette. De Michigan Ave, prendre la Lake Shore Dr au nord. Sortir à W Bryn Mawr Ave. Tourner à droite sur Ravenswood Ave. Elle se transforme en N Ridge Ave. Continuer ensuite au nord sur Sheridan Rd. Ouvert en été de 10 h à 22 h. Auditorium ouvert de 7 h à 22 h.

À 12 miles au nord de la ville s'élève le principal sanctuaire de cette étonnante religion baha'i, qui rassemble les principes des quatre plus grandes religions. Ressemble à un temple hindou avec son remarquable dôme blanc haut de 57 m, dominant les jardins environnants. Le monument, construit en 1920 par un architecte québécois, est installé dans un quartier résidentiel près du lac.

🥢 **Wilmette Sailing Beach :** en front de lac, à deux pas de la Baha'i House, dans un quartier résidentiel calme et cossu. ☎ (847) 256-9662. Ouvert du lundi au vendredi de 5 h à 18 h, le week-end de 9 h à 17 h 45. Location de petits catamarans, style hobbie. À partir de 40 US$/h en semaine, 55 US$ le week-end. Assez cher, mais le coin est vraiment paisible.

🥢 **Le tout premier McDo :** 400 Lee St, à Des Plaines, dans la banlieue nord. ☎ (847) 297-5022. Voilà l'endroit où tout a commencé par un beau mois d'avril 1955. Ray Krok ouvre les portes du 1er McDo dans la banlieue de Chicago. Aujourd'hui, il est transformé en musée qu'il est possible de visiter du jeudi au samedi de 10 h 30 à 14 h 30. Pas la peine de faire autant de route si vous n'avez que ça à voir dans le coin.

Dans la ville

🥢 **Lincoln Park Conservatory** (plan I, C2-3) : 2400 N Stockton Dr, Fullerton et Stockton Dr. ☎ (312) 742-7736. Au nord de la ville. Ouvert tous les jours toute l'année, de 9 h à 17 h. Gratuit.
Dans 4 grandes serres, style palais de verre. Construit en 1891, sur le modèle du *Crystal Palace* de Londres, il abrite une magnifique collection d'orchidées.

🥢 🏃 **Le zoo** (plan I, C2-3) : 2200 Cannon Dr. ☎ (312) 742-2000. ● www.lpzoo.com ● À côté du Conservatory, dans le Lincoln Park. Ouvert toute l'année de 9 h à 17 h. Profitez-en, c'est gratuit (mais parking payant, lui : 12 US$). Et en plus, vous pouvez passer un agréable après-midi dans cet immense et beau parc : aire de pique-nique, lac avec canoës et pédalos.

🥢 **L'université de Chicago** (hors plan II par G7) : 59th St et University Ave, au sud de la ville, dans le même coin que le Museum of Science and Industry. Véritable ville dans la ville, cet immense campus est délimité du nord au sud entre 56th et 60th St et de l'ouest vers l'est entre Blackstone Ave et Cottage Gr.
L'une des 10 premières universités du pays qui a engendré plus de 70 prix Nobel. Fondée en 1890 par les baptistes de la ville, aidés financièrement par John D. Rockefeller, elle s'ordonne autour d'une vaste esplanade de pelouses. Certains bâtiments possèdent une architecture imitée des cloîtres médiévaux, ce qui donne au campus un petit côté vieille université anglaise, genre Oxford ou Cambridge.
Sur 59th St, notez la *Rockefeller Memorial Chapel* (1928), de style gothique, qui possède un carillon de 72 cloches.

🥢 **Le National Vietnam Veteran Museum** (hors plan II par G7) : 1801 S Indiana St, angle 18th St. Ouvert du mardi au vendredi de 11 h à 18 h ; le samedi de 10 h à 17 h et le dimanche de 12 h à 17 h. Entrée : 5 US$.
Dans une grande bâtisse moderne sur 2 étages, lieu d'évocation de la guerre du Vietnam et de tous ses intervenants. Photos, objets, maquettes. À l'entrée, fac-similés des plaques d'identités des militaires avec les noms des principaux donateurs. Fréquenté, vous l'aurez deviné, par les vétérans du Vietnam.

Fêtes et manifestations

– Le grand événement, c'est le **Ravinia Festival,** qui se tient de fin juin à mi-septembre. Musique classique, danse, jazz, les plus grands noms sont à l'affiche. Pour tout renseignement : ☎ (312) RAVINIA.

– En été, activités culturelles nombreuses et souvent gratuites : le midi, les jours de semaine, **concerts gratuits** au *Cultural Center* ou au *First National Plaza.*

– *Du 29 mai au 1ᵉʳ juin :* **Chicago Blues Festival,** dans Grant Park. ☎ (312) 744-3315.

– *De juin à fin août :* **Grant Park Music Festival.** ☎ (312) 742-4763. ● www.grantparkmusicfestival.com ● Le soir, 3 ou 4 fois par semaine, concert de musique classique. Amusant de voir les Américains pique-niquer en écoutant du Brahms...

– *Du 6 au 8 juin :* **Chicago Gospel Festival,** dans Grant Park. ☎ (312) 744-3315.

– **Old Town Art Fair,** foire artistique en plein air, durant tout le mois de juin, entre 1900 N Lincoln Ave et 1800 N Orleans Ave.

– *Du 27 juin au 6 juillet :* **Taste of Chicago.** Grande fête située à Grant Park, derrière l'Art Institute. C'est le rassemblement de 80 restaurants de Chicago, autrement dit, la fête de la Grande Bouffe de tous les pays. Beaucoup d'animation de 11 h à 21 h, concerts gratuits notamment (Stevie Wonder y a joué).

– *4 juillet :* **Independence Day.**

– *Mi-juillet (généralement) :* **grande fête chinoise** à Chinatown.

– *26 juillet :* **Venetian Night,** fête de nuit sur le lac, à la hauteur de Grant Park.

– *2ᵉ et 3ᵉ semaines d'août :* **fête japonaise** très colorée au 435 W Menomonee St.

– *23-24 août :* **Viva Chicago!,** festival de musique latine dans Grant Park. ☎ (312) 744-3315.

– *Du 28 au 31 août :* **Chicago Jazz Festival** à Grant Park. Il dure 5 nuits et c'est gratuit. Un des plus grands festivals du monde.

– *13-14 septembre :* **Celtic Fest Chicago,** grande fête irlandaise, dans Gaelic Park.

– *25 octobre :* **Halloween Happening.**

– *23 novembre :* **Tree Lighting.** Nombreux spectacles : parades de Mickey et saint Nicolas, feux d'artifice. Renseignements : *Colleen Coke,* ☎ 642-3570.

Enfin, Chicago possède un important complexe récréatif, le long du lac Michigan, au *Navy Pier.*

– *Le Navy Pier (plan II, G5) :* après avoir traversé le parc parsemé d'imposantes sculptures, on arrive sur l'ancien quai construit en 1916. Il fut tour à tour utilisé, avec ses bâtiments, par la marine marchande, puis militaire (1940-1945), puis par l'université (1945-1965). Après plusieurs plans de restructuration et d'aménagement, il a été transformé en vaste *Luna Park.* Vous y trouverez tout ce qui peut faire la joie des petits et des grands : carrousel, grande roue (45 m de haut), théâtre, patinoire, location de vélos, jardin botanique, cinéma IMAX... et un musée dédié aux enfants.

Parades

Très nombreuses parades, pratiquement chaque minorité a la sienne. Voici les principales :

– *17 février :* **Chinese New Year Parade.** Dans Wentworth et Cermak.

– *16 mars :* **Saint Patrick's Day Parade.** C'est la journée des Irlandais. Ils paradent sur Columbus Dr de Balbo à Monroe.

– *25 mai :* **Chicago'Memorial Day Parade.** Comme pour les Irlandais, sur Columbus Dr de Balbo à Monroe.

– *30 juin :* **Gay and Lesbian Pride Parade,** sur Halstead et Belmont.

– *1ᵉʳ et 7 septembre* : **Mexican Independence Parade.** Ambiance sud-américaine dans les cafés mexicains. Il y a deux parades, car deux organisations différentes. La 1ʳᵉ défile sur 47ᵗʰ St, alors que la seconde défile sur le parcours classique de Columbus Dr.

– *7 septembre* : **Von Steuben Day Parade.** La *German American Parade* défile dans State St et les flonflons retentissent dans les restos allemands.

– *23 novembre* : **Magnificent Mile Lights Festival.** Sur Michigan Ave, de Oak St à Wacker. C'est aussi la fête de *Tree Lighting* où les arbres sont illuminés.

– *31 décembre* : feux d'artifice et éclairage de la Buckingham Fountain.

Achats

À Park West, Wrightwood et Lincoln Park *(plan I)*

✥ **Hollywood Mirror** *(plan I, B1-2, 300)* : 812 W Belmont Ave. ☎ (773) 665-8790. Ouvert du lundi au samedi de 11 h à 21 h, 20 h le dimanche. Une véritable caverne d'Ali Baba cool, le paradis des néo-hippies. Sur 2 étages sont entreposés çà et là d'innombrables souvenirs et trésors des *sixties* (fringues marrantes, mobilier en formica, gadgets...). Si vous ne savez pas encore quoi ramener à tante Berthe... Pas encore trop cher.

✥ **Village Discount Outlet** *(plan I, B2, 301)* : 2855 N Halsted St. Ouvert de 10 h à 18 h (17 h le dimanche). La fripe des objets genre Emmaüs, pour les fauchés, pas extraordinairement originaux, plutôt style récup'.

✥ **Strange Cargo et Flash Back Collectibles** *(plan I, B1, 302)* : 3450 N Clark St. Pas ouvert avant 12 h pour le premier. Les 2 magasins se jouxtent et sont aussi sympas l'un que l'autre. Paires de *Converse* pour une bonne vingtaine de dollars et plein d'autres fringues intéressantes,

genre chemises de policeman ou look à la Deschiens. Enfin, si vous avez toujours rêvé d'accrocher dans votre chambre un poster des *Drôles de Dames* ou de l'équipage de *La Croisière s'amuse*, c'est à la seconde adresse qu'il faut aller.

✥ **Urban Outfitters** *(plan I, C2-3, 303)* : 2350 N Clark St et 935 N Rush St *(plan II, F4-5, 315)*. Ouvert de 10 h à 21 h 30 (le dimanche de 11 h à 19 h). Hangar avec fringues originales et branchées, objets de déco, cadeaux du monde, etc. Assez cher mais, dans chaque boutique, il y a un rayon spécial *bargains*.

✥ **Chicago Comics** *(plan I, B1, 304)* : 3244 N Clark St. ☎ (773) 528-1983. Ouvert du lundi au samedi de 12 h à 22 h ; le dimanche jusqu'à 18 h. Toutes sortes de B.D. sympas pour compléter sa collection (une foule de vieux *Trashman*) ou découvrir quelques ersatz américains de *Fluide Glacial*. Vous y trouverez également des B.D. en langue européenne, et des figurines de *Popeye,* de la famille *Simpson,* de *Dark Crystal*.

Dans Bucktown *(plan I)*

✥ **Botànica Brisas de Michoacàn** *(hors plan I par A3, 305)* : 1524 N Milwaukee Ave. ☎ (773) 486-5894. Ouvert du lundi au samedi de 10 h à 18 h. Ici on parle l'espagnol. Tout pour soigner l'âme et le corps. Une foule de bondieuseries du monde, toutes plus kitsch les unes que les autres (statuettes religieuses très

colorées), et un grand choix de plantes médicinales du Mexique. Amusant et exotique.

✥ **Uprise** *(hors plan I par A3, 306)* : 1357 N Milwaukee Ave. ☎ (773) 342-7763. ● www.upriseskateshop.com ● Horaires élastiques, selon l'humeur de la direction. Banc pour attendre l'ouverture, à l'entrée. Une boutique dédiée aux skateurs : skates, fringues, magazines... Ambiance décontractée.

⊛ *Wonderland* (hors plan I par A3, **307**) : 1339 N Milwaukee Ave. ☎ (773) 235-3110. Une boutique d'occases des années 1960 : vieux postes radio, pas mal d'accessoires de toutes sortes. Assez fouillis. Poussiéreux. Genre débarras de grenier.

⊛ *Eclectic Junction* (plan I, A3, **308**) : 1630 N Damen St. ☎ (773) 342-7865. Ouvert du lundi au vendredi de 11 h à 19 h, le samedi de 11 h à 18 h, le dimanche de 12 h à 17 h. On y trouve à la fois des objets décoratifs design ainsi que des œuvres d'artistes plutôt originales. Beau mais très cher. Juste pour le plaisir des yeux.

À Near North et dans le Loop *(plan II)*

⊛ *Anthropologie* (plan II, F4, **309**) : 1120 N State St. ☎ (312) 255-1848. Ouvert en semaine de 10 h à 20 h et le dimanche de 11 h à 18 h. Sous une immense charpente, type entrepôt. Dans le même genre que *Urban Outfitters*. Vêtements tendance, objets en tout genre, bijoux, meubles...

⊛ *F.A.O. Schwartz* (plan II, F5, **310**) : 840 N Michigan Ave. En face de la Water Tower Place. Le paradis du « petit d'homme américain ». Peluches, de toutes tailles et de toutes espèces. Au fond, stand Barbie : *F.A.O.* est LE distributeur de la célèbre poupée. Plein d'autres babioles (souvent fabriquées en Asie) dans les étages, et des animations grandeur nature pour faire plaisir à votre chérubin (entre autres, des jouets en bois). Un dernier conseil, les périodes de fêtes sont à proscrire totalement sous peine de crise de nerfs.

⊛ *Filene's Basement* (plan II, F5, **311**) : à côté de *F.A.O. Schwartz* et en face de la Water Tower Place. Invendus de créateurs et divers articles : papeterie, jouets, bijoux, cosmétiques pour un prix qui parfois vaut le coup. Double étiquetage avec prix réel et prix soldé. Une autre adresse au cœur du Loop : 19 S State St *(plan II, F6)*.

⊛ *Pearl* (plan II, F5, **312**) : 225 W Chicago Ave. ☎ (312) 915-0200. Ouvert du lundi au samedi de 9 h à 19 h et le dimanche de 12 h à 17 h. Près du métro aérien. Grande mercerie-quincaillerie. Tout pour fabriquer avec ses petites mains de jolis cadeaux à sa gentille maman. Pour les amateurs de travaux manuels.

⊛ *Water Tower Place* (plan II, F5, **313**) : gigantesque centre commercial de 7 étages, situé à l'angle de Michigan Ave et de Pearson St. Même si vous n'en avez pas les moyens, il faut visiter cet endroit. L'entrée avec ses plantes vertes et cascades évoque la grande époque hollywoodienne. Ne manquez pas non plus les deux ascenseurs tout en verre, dignes des plus beaux musées d'Art moderne, qui desservent les 7 étages. Au 67ᵉ étage de la tour, on trouve les appartements les plus chers de la ville (autour de 5 millions de dollars!). Oprah Winfrey, la grande prêtresse du talk-show, y possède d'ailleurs un appartement. C'est ici que se trouve *Food Life* (voir « Où manger ? »). Il y a aussi les *gift shops* des deux géants du dessin animé, *Warner Bros* et *Walt Disney*. Comme d'habitude des T-shirts, des tasses, des montres, des cravates... cher.

⊛ *Marshall Field and Co.* (plan II, F6, **314**) : à l'angle de State St et Washington Ave. Ouvert tous les jours. Magasin énorme, l'un des plus grands du monde, avec 12 étages de surface de vente. Dans le business depuis 1852. On y trouve de tout, même si on ne veut rien acheter. Il existe des visites guidées du lundi au vendredi.

⊛ *Gallery 37* (plan II, F6) : 66 E Randolph St. ☎ (312) 744-8925. ● www.gallery37.org ● Une bien curieuse maison que cette galerie. Elle a été créée en 1991 afin d'aider les jeunes à s'insérer dans le monde du travail, à travers l'art sous toutes ses formes. C'est à la fois une école (danse, vidéo, peinture, sculpture, céramique, musique...) et une boutique. Vous pouvez y acheter toutes les œuvres des élèves et des profs qui y sont exposées. Intéressant et insolite. Caféteria.

⚜ *Nike Town* (plan II, F5) : 669 N Michigan, en face du Terra Museum. Ouvert de 10 h à 21 h (18 h le dimanche). Le temple des sportifs, créé en 1992 sur 3 niveaux, où les vendeurs sont griffés *Nike* de la tête aux pieds. Ambiance décontractée, choix impressionnant d'articles pour toutes les bourses.

➤ DANS LES ENVIRONS DE CHICAGO

🦌 *Indiana Dunes National Lakeshore* : c'est sur ces plages que les Chicagoans échappent à la chaleur de la ville le week-end. Assez sympa pour les enfants car, en été, les gardes du parc naturel organisent des activités sur le thème du sanctuaire (écosystème, formation géologique des dunes, etc.). L'escalade (!) du point culminant (le mont Baldy, 42 m) offre également une belle vue sur les gratte-ciel de Chicago.

Comment y aller

➢ *En voiture :* prendre la Dan Ryan Express/Interstate 90/94 E, direction Michigan City (*grosso modo* 1 h de route).
➢ *En train :* depuis Randolph Station par le Northern Indiana Commuter S Shore Line Eastbound (on reprend son souffle...). Premier train avant 9 h, dernier avant 1 h (environ 1 h de trajet). Infos : ☎ 1-800-356-2079. C'est plus sûr de louer un vélo à Chicago, car on n'a pas trouvé de loueur sur place et les distances sont assez importantes.
– *Indiana Dune State Park :* 1600 NE, Chesterton, IN 46304-1142. ☎ (219) 926-1952.
– *Dorothy Buell Memorial Visitor Center :* sur Kemil Rd, à quelques encablures de Beverly Shores Railway Station. Ouvert toute l'année, de 8 h à 18 h en été.

⚏ Des 2 *campings,* préférer le *Dunewood Camp Ground,* car il se trouve le plus près de la gare (même téléphone que Indiana Dune State Park).

🎢 🎡 *Six Flags Great America :* 542 N route 21, à *Gurnee* (à une bonne douzaine de miles de Chicago). ☎ (847) 249-INFO. ● www.sixflags.com ● Sur la I 94, direction aéroport O'Hare, puis route 132 (Grand Ave). Attention, pas mal de jours de fermeture en avril, septembre et octobre. Entrée assez chère : environ 42 US$; réductions.
Un parc d'attractions extraordinaire pour amateurs de sensations fortes. Quelques-unes des machines les plus vertigineuses du monde. Déconseillé aux femmes enceintes... Le parc est très populaire chez les Américains, il est donc à éviter le week-end pendant les vacances scolaires... sous peine de longues files d'attente. Par temps chaud, essayez les rapides dans une rivière déchaînée. Vous en ressortirez complètement trempé (nous en avons fait les frais !). Autre attraction surprenante, *Batman the Ride* : on embarque dans une espèce de nacelle futuriste, les pieds pendouillent dans le vide... attention aux loopings !

QUITTER CHICAGO

En avion

– Des vols discount permettent de voyager à moindres frais, sous certaines conditions (disponibilité, avec changements, de nuit, etc.). ☎ 1-800-FLY-4-LESS. Le supplément *Voyages* de l'édition du dimanche du *Chicago Sun Times* récapitule les meilleurs tarifs au départ de Chicago.

CHICAGO

Pour O'Hare International Airport (ORD)

Pour les vols nationaux (dont ceux de *United Airlines*) et internationaux.
➤ **Métro (CTA) :** direct pour 3 US$. Prévoir 45 mn de trajet. Fonctionne jour et nuit. ☎ (312) 836-7000.
➤ **Bus :** *Continental Air Transport.* Environ 20 US$. Accepte cartes de paiement et chèques de voyage. Passe devant les principaux hôtels toutes les 30 mn. Environ 1 h pour rejoindre l'aéroport. Réservations et informations : ☎ (312) 454-7799.

Pour Midway Airport (MDW)

Surtout pour les vols nationaux, moins chers qu'en partant de O'Hare. Les avions de *Midway Airlines, North West, Orient Airlines* et *South West* y décollent.
➤ **Bus :** *Continental Air Transport* (voir ci-dessus).

En bus et en train

🚌 **Greyhound** *(plan II, E7) :* 630 W Harrison St. ☎ (312) 408-5970. Prendre le *El* jusqu'à Linton. Consignes.
🚆 **Amtrak** *(plan II, E7, 1) :* Union Station, 225 S Canal, dans Adams St, à l'ouest du Loop. ☎ (312) 558-1075 ou 1-800-872-7245. ● www.amtrak.com ● Gare ouverte de 5 h 30 à 21 h 30. Consignes. Réduction pour les étudiants allant jusqu'à 15 % en achetant la carte *Student Advantage*. C'est long, assez cher (presque le même prix que l'avion), mais plutôt confortable (sièges inclinables) et puis on profite du paysage. Attention, le supplément couchette est hors de prix. Un exemple : compter environ 170 US$ pour un trajet Chicago-Washington, rajouter 240 US$ avec la couchette. Total : 410 US$ (!).

Pour le Canada

➤ **Pour Toronto (TWO) :** un train direct : le 364, en début de matinée. Compter 12 h de trajet.

Pour la côte Ouest

La plupart des trains partent en début d'après-midi.
➤ **Pour Seattle (SEA) :** avec le train 7, compter plus de 40 h. Autres trains (encore plus longs, près de 50 h !) : via Spokane (SPK), avec le train 27 ; via Milwaukee (MKE), avec le train 335 ; ou via Portland (PDX), avec le train 27.
➤ **Pour Los Angeles (LAX) :** un train par jour, le train 3 ; départ l'après-midi, arrivée seulement le surlendemain, après 40 h de trajet. Pour ceux qui ont vraiment du temps et veulent voir du paysage, un autre départ l'après-midi avec le train 5, via Martinez (MTZ), puis Bakerfield (BFD) avec le 718, et enfin la *Ville des Anges* avec le bus n° 5818. Compter près de 60 h de trajet !

Pour la côte Est

La plupart des trains partent le soir. Compter en moyenne 20 h de trajet !
➤ **Pour New York (NYP) :** 3 trains le soir : le 48, le 40 et le 44-188 (changement à Philadelphie).
➤ **Pour Philadelphie (PHL) :** 2 trains, le 44 et le 40. Correspondance pour New York avec le 188.
➤ **Pour Washington (WAS) :** 2 trains directs, le 30 et le 50. Les autres trains sont avec changement à Philadelphie : le 44-175 et le 40-189 ; ou le 48-145 avec changement à New York.
➤ **Pour Baltimore (BAL) :** nombreux trains. Certains passent par Washington : le 30-148. D'autres passent par Philadelphie, le 44-175 et le 40-189. Enfin, un train passe par New York : le 48-145.

PHILADELPHIE
1,5 million d'hab. (6,2 millions avec les banlieues)
IND. TÉL. : 215

Dommage que Philadelphie soit dans l'ombre de New York et Washington ! La plupart des routards oublient de visiter « Philly », comme on la surnomme ici avec tendresse. Dommage, oui, car Philadelphie répond à toutes les attentes avec un joli centre historique, le 3e plus grand musée d'art des États-Unis, une vie nocturne animée et variée, une population jeune et branchée, un Downtown vivant où il fait bon déambuler le jour, de vastes parcs, des quartiers entiers de maisons de brique bordés d'arbres, des cafés chaleureux, des spécialités culinaires, de vrais marchés (si, si !) et, à proximité, une des minorités les plus intéressantes qui soient : les amish. Et puis Philly, c'est le berceau de la démocratie américaine, là où ont été menés les débats idéologiques qui ont conduit à la guerre contre l'Angleterre et donné naissance aux États-Unis.

Comme San Francisco et Boston, Philadelphie devient une bonne copine en moins d'une journée. C'est aussi une des villes les plus sûres des États-Unis (si on ne sort pas du périmètre central).

UN PEU D'HISTOIRE

Philadelphie tient une place à part dans l'histoire américaine. C'est peut-être la seule ville, avec Boston, qu'on puisse qualifier d'historique sans faire sourire un Européen.

Ici naquirent les États-Unis

Les débuts de Philadelphie sont liés à la fondation de la Pennsylvanie : tout a commencé en 1681, lorsque Charles II d'Angleterre donna le pouvoir sur la région à William Penn en remboursement des sommes colossales que la Couronne devait à son père et dont il avait hérité. Et pas n'importe quelle région ! La colonie, une des 13 colonies anglaises sur le littoral atlantique de l'Amérique, était un immense domaine de 120 000 km², délimité au nord par le lac Érié et la colonie de New York, au sud par le Maryland qui appartenait à lord Baltimore (le seul catholique dans cet univers protestant), et à l'ouest enfin par l'Ohio. À ce vaste territoire au climat tempéré, aux forêts giboyeuses et au sol fertile, il fallut trouver un nom. Penn proposa « Nouvelles-Galles » car les paysages vallonnés et verts lui rappelaient cette contrée. Mais le ministre des Colonies d'alors, d'origine galloise, refusa de donner ce nom à une terre peuplée de quakers. On songea à « Sylvania » (à cause des bois). Finalement, le bon roi Charles, pour honorer la mémoire du père de William, proposa « Penn-Sylvania », ce qui signifie « la forêt de Penn ».

Chef de file des quakers anglais persécutés par la religion officielle et le pouvoir monarchique, William Penn rêvait d'une sorte de Terre promise, un Nouveau Monde où les quakers pourraient se réfugier et vivre en paix, selon leur conscience. La Pennsylvanie fut ainsi dotée d'un type radicalement nouveau de gouvernement, fondé sur des principes d'avant-garde pour l'époque : liberté de conscience, pacifisme, souveraineté du peuple, suffrage élargi, non-violence, tolérance. « Il se peut qu'on trouve là-bas ce qui n'a pas été

possible ici : l'espace nécessaire à la création d'une Expérience sacrée »
(Holy Experiment), disait Penn.

« Dieu m'a donné ce pays à la face du monde. Il le bénira et en fera la
semence d'une nation », prophétisa-t-il. Pas de soldats, pas d'armes,
aucune forteresse dans ce nouvel État non conformiste. L'idée même de
légitime défense est proscrite à cause du cycle de représailles que celle-ci
suppose. Au centre de cette Expérience sacrée basée sur l'égalité et les
droits de l'homme : la ville de Philadelphie. À la fin du XVIIᵉ siècle, elle a une
telle réputation de tolérance qu'elle attire de nombreux immigrants persécutés en Europe : quakers d'Angleterre, de Hollande, de Suède (quelques-
uns, très rares, de France) mais aussi des mennonites d'Allemagne, de
Suisse et d'Alsace. La cité ne compte alors que quelques milliers de familles
vivant d'une façon très simple et austère. Penn, qui en a dessiné les plans,
l'a baptisée du nom grec de Philadelphie, « Cité de l'amour fraternel ».
En 1702, elle est considérée comme l'égale de New York pour son commerce et sa richesse.

Penn applique aussi ses principes évangéliques avec les Indiens. Du jamais
vu dans l'histoire de l'Amérique (voir la rubrique « Histoire » des « Généralités » au début du guide). Au printemps 1701, celui que les autochtones
appellent Onas (qui signifie « plume » en dialecte indien), reçoit dans sa propriété de Pennsbury (à côté de Philadelphie) 4 rois, 40 chefs et des milliers
de guerriers indiens, peinturlurés et armés jusqu'aux dents. Il signe avec eux
un traité d'amitié reposant sur la confiance mutuelle *(mutual trust).* Si un
Indien de la région est injurié, offensé ou blessé, les Européens doivent voler
à son secours. Et vice versa. Résultat : on prétend que, pendant 75 ans il n'y
eut pas un seul crime de sang en Pennsylvanie ! Mais le 30 juillet 1718, William Penn s'éteint à l'âge de 72 ans. Penn mort, l'Expérience sacrée est
menacée. Les relations entre colons et Indiens se durcissent, et Philadelphie
glisse lentement vers la banalisation...

Néanmoins, aujourd'hui encore, on continue de l'appeler *The Quaker City.*
L'esprit des origines n'a déserté la ville qu'en apparence seulement...

Le berceau de la Déclaration d'indépendance

De 1766 à 1774, les lois anglaises taxant durement les colons mirent le feu
aux poudres, et c'est tout naturellement à Philadelphie que les « rebelles »
se réunirent en congrès pour décréter la rupture des relations commerciales
avec l'Angleterre et fomenter la révolte. De 1774 à 1776, les actions anti-
Anglais s'intensifièrent pour aboutir à la rédaction par Thomas Jefferson de
la Déclaration d'indépendance proclamée le 4 juillet 1776. Cette date
marque la naissance des États-Unis d'Amérique.

De son côté, Benjamin Franklin vint à Paris en 1778 pour négocier un traité
d'amitié et d'alliance avec la France, qui trouva là une revanche contre
l'Angleterre. George Washington prend la tête des armées et bat les Anglais.
Il deviendra le 1ᵉʳ président des États-Unis. En 1787, c'est encore à Philadelphie que sera élaborée la 1ʳᵉ Constitution, qui mettra en place le système
fédéral et l'existence de deux chambres indépendantes. La ville sera capitale des États-Unis de 1790 à 1800.

Philadelphie et les Français

Rêve et refuge, telle est la double attirance qu'exerça Philadelphie au fil de
son histoire chez les Français. Rêve d'abord, parce que longtemps avant
New York, la *Quaker City* fut la vraie porte d'entrée des États-Unis. C'est ici
que les voyageurs de la vieille Europe recevaient pour la 1ʳᵉ fois le choc du
Nouveau Monde. Après avoir traversé l'Atlantique et remonté le fleuve Delaware, ils débarquaient, fourbus mais émerveillés. Ainsi la ville vit-elle passer
des ribambelles de voyageurs, de curieux, d'esprits libres, d'artistes et
d'aventuriers. Parmi eux, Chateaubriand, alors jeune et obscur explorateur
breton. Il logea dans un centre d'accueil en compagnie des planteurs chas-

sés de Saint-Domingue, nota les jolis visages de quakeresses (!) et fut reçu par le général Washington, 1er président des États-Unis. Mais des historiens de la littérature affirment que ce n'est pas vrai, Chateaubriand aurait purement et simplement inventé cette entrevue, relatée avec panache dans les *Mémoires d'outre-tombe...*

Moins mythomane, mais aussi génial dans un genre différent, Tocqueville passa par ici en 1830, lors d'un voyage d'étude, et loua la modernité des prisons de Pennsylvanie.

Il y a ceux qui passent, et ceux qui restent. De nombreux réfugiés et exilés trouvèrent ici la liberté dont ils étaient privés : huguenots chassés de France après la révocation de l'édit de Nantes (1685), Acadiens expulsés du Canada par les Anglais en 1755, membres de la noblesse menacés de mort par la Révolution, soldats et officiers de l'armée napoléonienne après la défaite de Waterloo (1815), et notamment Joseph Bonaparte, frère de Napoléon

---

■ **Adresses utiles**

🏠 Independence Visitor Center
🚌 Greyhound Bus Terminal
✉ Post Office
@ Kinko's

🏠 **Où dormir ?**

3 Sheraton Society Hill Hotel
4 Hostelling International-Bank Street
5 Summer Youth Hostel
7 Antique Row Bed & Breakfast
8 La Réserve-The Grand Dame of Philadelphia's Bed & Breakfast
9 Shippen Way Inn Bed & Breakfast
10 The Thomas Bond House Bed & Breakfast
11 A City Garden B & B
80 Hotel Windsor
81 Penn's View Hotel
82 Latham's Hotel

🍴 **Où manger ?**

13 Jim's Steak
14 Pizza Uno
15 Dark Horse
16 Yonny's Restaurant
17 Pietro's Coal Oven Pizza
18 Sansom Street Oyster House
19 Twenty 21
20 Dimitri's
21 Reading Terminal Market
22 Azafran
23 DiNardo's
24 The Shops at Liberty Place
25 Paradigm
26 City Tavern
28 Founders
29 Cibucan
30 White Dog Café
31 Caribou Café
32 Opus 251
33 Au Bon Pain
34 McCormick & Schmick's
35 Café Olé
36 Pif Restaurant
37 Mrs K's
38 Brasserie Perrier
55 South Caffe
90 The Grill, Ritz Carlton
91 Circa
92 Ralph's Italian Restaurant
93 La Fourno Trattoria
94 Fork

🍴 **Où manger ? Où boire une bière au nord de la ville ?**

49 Liberties

🍴🎵 **Où boire un verre ? Où sortir ?**

15 Dark Horse
40 Pontiac
41 Fluid
42 Khyber
43 Mc Gillin's Old Ale House
44 Paddy's Pub
46 Trocadero Theatre
47 Painted Bride Art Center
48 Finnegan's Wake
49 700
50 North Star Bar
53 Theatre of the Living Arts
54 Starbucks Coffee

🎵 **Où écouter du bon jazz ?**

51 Zanzibar Blue
52 Fergie's Pub
56 Ortlieb Jazzhaus

🎭 **À voir**

21 Reading Terminal Market
60 Fresques murales
61 Balch Institute for Ethnic Studies
62 National Constitution Center
64 Mütter Museum
65 Afro-American Museum
66 Pennsylvania Academy of Fine Arts
67 Elfreth's Alley
69 Christ Church
71 Cathédrale Saints-Pierre-et-Paul
72 Eastern State Penitentiary

PHILADELPHIE

Map of Philadelphia

Brown Street

Aspen Street

Pennsylvania

Fairmount

↑♥♪ 50

26 th St.

25 th St.

24 th St.

23 th Street

♥ 72

Green Street

Green

Garden

Ave.

16 th St.

15 th Street

Broad

Fairmount Park

Philadelphia Museum of Art

Spring

Hamilton

Rodin Museum

The Benjamin Franklin Parkway

Callowhill

Free Library

Municipal Court

Vine Street

Vine

21 st St.

20 th St.

19 th St.

17 th St.

676

676

LANCASTER READING

Schuykill River

22 nd

Race Street

Cherry Street

Arch St.

Franklin Institute

Logan Square

♥ 71

College of Art

80 🏛

Academy of Natural Sciences

Race

16 🍴

Cherry **66**

Academy of Fine Arts ♦

16 th

15 th

Masonic Temple

Penn Center R.R. 30th St. Sta. 🚂

J.-F. Kennedy Blvd

19 33 🍴🍴

Penn Center

City Hall

Expwy

Drexel University ✉

Market Street

Peale House of Academy of Fine Arts

24 🍴

Penn Square

90 🍴

3

23 rd St.

24 th St.

♥ 64

Chestnut Street

18 th St.

17 th St.

29 🍴

Samson Street

82 🏛

18 🍴

38 🍴

51 ♪ Str

Walnut Street

54 ♥ 🍴

28 🍴

91

Schuykill

76

Locust Street

Spruce Street

Cypress St.

Rittenhouse Square

17 🍴

Locust

32 🍴

Art Alliance

Academy of Music

Spruce

15 th

College of Art

25 th St.

24 th St.

23 rd St.

22 nd St.

21 st Street

20 th St.

Pine Street

Pine

8 🏛

Lombard St.

Gradual Hospital

16 th St.

↑ 💊 30

1

2

3

South Street

Bainbridge Street

U.S. Naval Home

Fitzwater Street

Catharine Street

Christian Street

24 th St.

23 rd Street

22 nd St.

21 st

20 th

18 th St.

17 th St.

South

Catharine

Christian

16 th

Broad

Street

A

B

PHILADELPHIE

et ancien roi d'Espagne. Citons le prince de Talleyrand qui vécut dans une petite maison d'Elfreth's Alley, entre 1794 et 1796, et le futur roi Louis-Philippe qui passa la 1re année de son exil à Philadelphie dans une maison située au 322 Spruce St.

D'autres Français vinrent et firent définitivement souche en Amérique : Stephen Girard (1750-1831), petit capitaine devenu le plus grand armateur américain de son temps ; Joseph-Alexis Bailly, né en 1825, qui fuit après la révolution de 1848 et devient l'un des maîtres-sculpteurs de la ville, spécialisé dans les monuments publics et... funéraires. Vous pourrez aussi voir ses statues au Fine Arts Museum. Également Michael Bouvier (1792-1874), qui s'exila après Waterloo et dont l'arrière-arrière-petite-fille, Jacqueline Bouvier-Kennedy, devint la First Lady des États-Unis.

Une des figures les plus attachantes parmi ces exilés français est Antoine Benezet (1713-1784). Né à Saint-Quentin dans une famille protestante, devenu quaker, il part pour Philadelphie en 1736 et y restera toute sa vie. Il créa la 1re école pour sourds-muets, s'insurgea violemment contre l'esclavage, prit la défense des Indiens. Pionnier de l'égalité raciale, il fonda l'African School et influença par ses écrits Thomas Clarkson, qui fut à l'origine du vote de l'abolition de la traite des Noirs en 1807 par le Parlement britannique. Une rue de Philadelphie porte encore son nom. Mais qui connaît cet idéaliste en France ?

QUELQUES HOMMES ILLUSTRES

– *Benjamin Franklin* (1706-1790) : imprimeur, scientifique, inventeur, philosophe et diplomate. C'est lui qui proposa l'union des colonies en 1754, qui scella une alliance avec la France (1778) et qui négocia les traités mettant fin à la révolution. Il aida à la rédaction de la Déclaration d'indépendance. Par ailleurs, il est l'inventeur du paratonnerre, ce qui lui allait comme un gant, vu qu'il n'a cessé de négocier toute sa vie pour canaliser les orages diplomatiques. Il reste l'un des personnages les plus aimés du peuple américain.

– *George Washington* (1732-1799) : riche propriétaire et représentant de la Virginie au Congrès, il prit position très rapidement pour l'indépendance. Il est nommé commandant en chef des armées pendant la Révolution et bat les Anglais, aidé par la France. Héros de la victoire, il est élu 1er président des États-Unis, puis réélu après un 1er mandat. La grande œuvre de sa vie fut de parvenir à conserver et affermir l'unité de la nouvelle nation contre les intérêts de chaque État.

– *Thomas Jefferson* (1743-1826) : auteur de la Déclaration d'indépendance (1776). Il fut vice-président de 1797 à 1800 puis président de 1801 à 1809. Il développa l'idée du bipartisme politique de la nouvelle nation, et prôna une politique de décentralisation. Napoléon lui vendit la Louisiane en 1803. Cet achat doubla quasiment la surface des États-Unis (ce qu'on appelait la Louisiane à l'époque représente en fait 13 États actuels du centre du pays).

– *John Adams* (1735-1826) : vice-président puis président des États-Unis (1797-1801). Il participa à la rédaction de la Constitution.

Les différents quartiers

Tout le centre (au sens large) de la ville s'organise dans un grand rectangle bordé à l'est et à l'ouest par deux cours d'eau, les Schuylkill River et Delaware River.

– À l'est s'étend l'*Historic District.* Les monuments et les vieilles maisons de brique ont été retapés. Ce quartier, appelé *Society Hill,* se visite à pied. Encore plus à l'est, en bordure de rivière, *Penn's Landing,* un coin d'entrepôts rénovés. Plus au sud, au coin de South St et 4th St, le secteur le plus olé-olé de la ville. En fin de semaine, la rue ne désemplit pas avant 2 h. Toute la jeunesse s'y retrouve, même si elle se partage aujourd'hui de plus en plus avec les nouveaux endroits *trendy* de *Society Hill.*

– **Downtown** se trouve en plein centre de ce rectangle. Animé et intéressant. Au cœur de cet ensemble de buildings, le *City Hall*. Market St est l'axe principal de la ville, bordé de grands magasins. Le coin le plus sympa se situe entre 17th, 18th et 19th St et Chestnut, Walnut, Samson et Locust St, dont l'ensemble constitue le quartier recherché de Rittenhouse Sq. Boutiques, petits restos, bars. Philly possède un **Chinatown,** dont la colonne vertébrale est Race St, tout autour de 8th, 9th, 10th et 11th St.

Au nord-ouest du centre s'étend le quartier des musées, autour du *Logan Circle*. En poursuivant vers le nord-ouest par la Benjamin Franklin Parkway, on atteint le *Philadelphia Museum of Art,* autour duquel s'étend le *Fairmount Park,* véritable poumon de la ville.

– À l'ouest de la Schuylkill River s'étend le **quartier des universités.** Restos sympas et atmosphère estudiantine. Attention, ce quartier est entouré de ghettos, ne vous aventurez pas n'importe où.

À l'ouest toujours, autour de Lancaster Ave, et au-delà vers la sortie nord-ouest de la ville, se trouve le grand « **ghetto** » **noir de Philly,** quartier très pauvre et dangereux la nuit.

Arrivée à l'aéroport

✈ **Aéroport :** situé à 8 miles au sud-ouest de la ville. *Infos pour l'aéroport :* ☎ 937-5499. Des téléphones sont à la disposition du public. En composant le ☎ 69-64, on obtient des infos en français.

🛈 **Information Center à l'Overseas Terminal :** ouvert tous les jours.

Pour aller en ville

Plusieurs solutions, du moins cher au plus coûteux.

➢ **En train :** prendre l'Airport Rail Line (R1 ; Septa), compter 5,50 US$. Départ de l'aéroport toutes les 20-30 mn de 6 h à 0 h 10. Chaque terminal possède une plate-forme de départ. Trois arrêts : à l'*Amtrak Railway Station* (la gare), à la *Suburban Station* puis à *Market East* dans Downtown, près du quartier historique. Compter 30 mn jusqu'à Market East.

➢ **En van :** à chaque terminal, des vans passent par tous les grands hôtels du centre.

➢ **En bus :** bus n° 68 du *baggage claim* jusqu'à Broad et Pattison. Puis prendre Broad Saint Train (N Bound) jusqu'au City Hall (Downtown). La formule la moins intéressante. Mieux vaut prendre le train.

➢ **En taxi :** compter 20 US$ pour rejoindre le centre-ville (tarif fixe).

Pour le retour

➢ Le **train** est le plus pratique. Le prendre à l'une des trois stations citées plus haut. Départ toutes les 30 mn. Durée du trajet : 20 mn environ.

Adresses utiles

Informations touristiques et culturelles

🛈 **Independence Visitor Center** *(plan D2)* **:** 1 N Independence Mall W, à l'angle de 6th et de Market St, tout près de la Liberty Bell. ☎ 965-7676. ● www.independence visitorcenter.com ● Ouvert tous les jours de 8 h 30 à 17 h. Grand centre d'info interactif et ultramoderne. Billets sans attente pour l'Independance Hall.

■ *Traveler's Aid Society :* ☎ 523-7580. Un organisme national qui aide les touristes étrangers à trouver leurs repères dans les grandes villes américaines.

🔢 *Pennsylvania Tourism :* ☎ 1-800-VISIT-PA. ● www.experiencepa.com ● Plein de renseignements, réservations d'hôtels et de *B & B.*

■ *Quaker Information Center :* 1501 Cherry St. ☎ 241-7024. ● www.quakerinfo.org ● Pour tout savoir (uniquement par téléphone ou via Internet) sur les quakers, leur histoire, leur éthique, leur action.

■ *Alliance française :* 1420 Walnut St, suite 700. ☎ 735-5283. ● www.alliancefrancaisephiladelphia.com ● Ouvert de 9 h à 17 h. Fermé le week-end. Uniquement en cas d'urgence ou pour les longs séjours.

Représentations diplomatiques

■ *Consulat de France* (plan B2) : 1650 Market St (One Liberty Pl), suite 2500. ☎ 851-1474. Fax : 851-1420. Le consulat peut, en cas de difficultés financières, vous indiquer la meilleure solution pour que des proches puissent vous faire parvenir de l'argent, ou encore vous assister juridiquement en cas de problème.

■ *Consulat de Suisse :* 635 Public Ledger Building. ☎ 922-2215.

Banques, poste, Internet

– *Change :* de nombreuses banques changent les chèques de voyage et acceptent le retrait de liquide avec les cartes de paiement. Quelques adresses parmi d'autres :

■ *American Express :* sur JFK Blvd, entre 16th et 17th St. ☎ 587-2300.

■ *Continental Bank :* 1201 Chestnut St. ☎ 564-7188.

■ *Meridian Bank :* 1700 Arch St. ☎ 854-3549.

■ *Carte Visa :* ☎ 1-800-227-6811 (numéro d'urgence).

✉ *Post Office* (plan A2) : poste principale au coin de 30th et Market St. Fait poste restante. Ouvert tous les jours de 6 h à minuit. Boutique postale et philatélique sur place, ouverte de 7 h à 22 h, le week-end de 12 h à 19 h. Infos générales des postes américaines au ☎ 1-800-275-8777.

🖳 *Kinko's* (plan C2) : 1201 Market St (angle 12th St). ☎ 923-2520. Bien situé mais cher (30 cents/mn). On n'a pas vraiment le choix, car il y a très peu d'accès Internet publics à Philly.

Transports hors de la ville

🚌 *Greyhound Bus Terminal* (plan C2) : à l'angle de Filbert et 10th St. ☎ 931-4075 ou 2222 ou 1-800-231-2222. Nombreux départs dans toutes les directions, de tôt le matin à tard le soir. On peut y acheter des billets directement sur un terminal en français. Billetterie ouverte de 5 h 10 (6 h 10 le week-end) à 22 h 30. Attention : Philadelphie est au cœur de la *Megalopolis* américaine, les bus sont donc souvent pris dans des bouchons dans les villes et sur les autoroutes.

🚌 *Peter Pan Trailways :* 1001 Filbert St. ☎ 1-800-343-9999. Fait partie du groupe *Greyhound* et assure la liaison Philadelphie-New York et Washington. Tarifs intéressants.

🚆 *Amtrak :* à l'angle de 30th et Market St. ☎ 1-800-USA-RAIL (1-800-872-7245 ou 824-1600. ● www.amtrak.com ● Immense gare, magnifique et propre comme un sou neuf. Liaisons fréquentes, plus pratiques (et beaucoup plus chères) que le bus, avec New York, Baltimore, Washington et Boston ; aussi des trains *Acela Express* extrêmement chers (1re classe seulement). Enfin, des trains vers la Floride.

■ *Compagnies aériennes :* American Airlines, ☎ 433-7300 ; Continental Airlines, ☎ 525-0280 ; United Airlines, ☎ 568-2800 ; *Air France,* ☎ 1-888-247-2262 ; *Air Canada,* ☎ 1-800-237-2747.

Transports en ville

Puisque vous marcherez sans doute beaucoup à Philadelphie, sachez qu'ici les piétons n'ont qu'une priorité théorique. Disons que le civisme n'est pas la qualité première des automobilistes...

■ *Septa (Southeastern Pennsylvania Transportation Authority) :* compagnie de transport qui gère les bus, le métro et le train de banlieue. Le prix du jeton *(token)* de métro est dégressif : on a intérêt à les prendre au moins par deux (environ 1,30 US$ le trajet) ; sans jeton, le trajet de bus ou de métro coûte 2 US$. Sytème de *pass* à la journée (5,50 US$). Pour toutes infos : ☎ 580-7800. ● www.septa.org ● Un plan détaillé des *transit routes* est offert au *Independance Hall Visitor Center*. Quelques bus et métros importants :
– *Bus n° 38 :* du centre-ville vers Benjamin Franklin Parkway.
– *Bus n° 42 :* du centre-ville vers Civic Center et University City.
– *The Ben Franklin (bus n° 76) :* de Society Hill/S St vers le musée d'art par Chestnut St et Benjamin Franklin Parkway.
– *Deux lignes de métro :* Market-Frankford (d'est en ouest) et Broad St (du nord au sud). Métro vieux et laid mais propre ; il ne faudrait que quelques coups de pinceau pour en faire un décor de boîte *destroy*. Noter que le métro n'a pas d'escaliers roulants dans le Downtown et que les stations sont difficiles à trouver.
■ *Phlash :* minibus touristique (commentaires enregistrés) de couleur violette sillonnant le centre-ville et d'autres sites, et qu'on attrape à des arrêts bien matérialisés. Trajet :

2 US$, le double pour une *day-pass.* Renseignements au ☎ 4-PHLASH. Fonctionne de 10 h à 20 h, en théorie toutes les 10-15 mn, mais les *rush hours* peuvent détraquer le système.
■ *American Trolley Tours :* ☎ 333-2119. Car confortable qui fait le tour des lieux historiques et des musées. Départ toutes les 30 mn de la Liberty Bell. On peut descendre quand on veut et reprendre le suivant. Tarif : 15 US$; réductions.
■ *Riverlink Ferry :* ☎ 925-5465. Petit ferry sympa qui va dans le New Jersey l'été.
■ *Taxis :* Yellow Cab, ☎ 333-3333. Quaker City Cab, ☎ 728-8000. Cher, surtout si on est coincé dans la circulation. Les chauffeurs font souvent exprès de rallonger le parcours.
■ *Location de voitures :* dans le centre de Philadelphie, difficultés de stationnement comparables à Paris (voire pire). Et puis, Philly se visite avant tout à pied. Pour les environs, voiture indispensable. Les prix des loueurs dégringolent le vendredi soir, pour toute la fin de semaine. Une seule solution : appeler les grands loueurs et comparer les prix. Les moins chers sont souvent : Alamo Rent-a-Car, ☎ 492-3960 ou 1-800-327-9633 ; *Budget,* ☎ 492-9442 ou 1-800-527-0700 ; *Dollar,* ☎ 365-2700.

Où dormir ?

Ville pauvre en hôtels bon marché et même à prix moyens. Dans le centre-ville, les hôtels des chaînes sans luxe coûtent environ 100 US$, si on réserve sur ● www.priceline.com ● ou ● www.hotels.com ● Les parkings de nuit y sont chers aussi (de 20 à 25 US$). Sinon, se rabattre sur les *B & B,* en réservant longtemps à l'avance, ou prendre un petit hôtel excentré pas loin d'une station de métro ou même dans l'État du New Jersey.

CAMPING

⚓ *Timberlane Campground :* 117 Timber Lane. ☎ (609) 423-6677. À 15 miles de la ville, c'est le camping le plus proche. Pour s'y rendre : traverser le Walt Whitman Bridge vers la 295 S, prendre l'*exit* 1A et continuer jusqu'à l'*exit* 18A. Bifurquer à gauche tout de suite, puis à droite au 1er stop sur Cohawkin Rd. Faire 800 m et prendre à droite Friendship Rd. Un block plus loin, sur la droite, on atteint le *Timberlane Campground*. Bien équipé et sanitaires impeccables.

AUBERGES DE JEUNESSE

⌂ *Hostelling International-Bank Street* (plan D2, 4) : 32 S Bank St (c'est une ruelle), côté Chestnut St. ☎ 922-0222 ou 1-800-392-HOST. Fax : 922-4082. ● www.bankstreethostel.com ● Ⓜ 2nd St (ligne bleue). Ouvert de 8 h à 11 h et de 16 h 30 à 0 h 30 (1 h les vendredi et samedi). Compter 18 US$ la nuit (21 US$ sans la carte des AJ), taxes incluses. Aucune chambre privée. Cette AJ officielle est au cœur du secteur historique, une exception qui mérite d'être signalée. Dortoirs séparés pour filles et garçons (sauf celui du dernier étage, ouvert l'été). Draps et couvertures non fournis. Possibilité de prendre ses repas à la cuisine du sous-sol. AC. Entretien parfois limite en été. Réservation quasi impérative. Couvre-feu strict la nuit.

⌂ *Hostelling International-Chamounix Mansion :* W Fairmount Park, au bout de Chamounix Dr. ☎ 878-3676. Réservations : ☎ 1-800-379-0017. Fax : 871-4313. ● www.philahostel. org ● Dans le vaste W Fairmount Park. Cadre nettement plus agréable que l'AJ du centre-ville. Sans voiture, prendre le bus n° 38 (il part de Independance Hall) et descendre à l'arrêt des *River Park Appartments* sur Conshohocken Ave ; 100 m plus loin, il y a un raccourci fléché qui passe dans la forêt (10 mn de marche). Pas évident la 1re fois, mais ça vaut la peine. Si vous êtes fourbu et que vous voulez aller à l'AJ en taxi, tablez sur 15 US$ depuis le centre-ville. En voiture, moins fatigant mais pas évident non plus : Hwy 76 W (en remontant la rivière). Sortir à City Ave, *exit* n° 339 (ATTENTION : la sortie 339 est À GAUCHE de l'autoroute). Ensuite, prendre à gauche Monument Ave (demeurer alerte, c'est pas évident), puis à gauche Ford Ave et enfin à gauche Chamounix Dr, sur 1,5 km jusqu'à sa fin. Le trajet vaut le coup : on arrive à une adorable maison classée de 1799, en pleine forêt (hélas, on entend toujours un peu le bruit de l'autoroute) ! Ouvert de 8 h à 11 h et de 16 h 30 à minuit, et tout le monde au lit après minuit ! Entre 11 h et 16 h 30, tout le monde dehors, l'AJ est alors verrouillée. Compter 18 US$ la nuit en dortoir (15 US$ avec la carte *Hostelling International*). L'AJ, calme et bien tenue, possède 3 superbes salons avec mobilier de style, grande TV dans l'un, harpe dans l'autre et 50 lits organisés en dortoirs de 4 à 16 lits, superposés et en pin. Garçons et filles séparés. Cuisine équipée, machine à laver, jardin, grand salon, douche chaude... le tout sur 3 niveaux.

MOTELS

– Les *Motel 6* (● www.motel6.com ●) de la chaîne *Accor* sont confortables, avec des chambres à 2 lits doubles équipées de bains. Il faut ajouter au prix indiqué ci-dessous 6 US$ pour le 2e adulte. Gratuit pour les enfants, appels locaux et café également. Déco simple, mais suffisante. C'est l'une des solutions les moins chères à Philadelphie, où l'hôtellerie n'est vraiment pas donnée. Les indications de direction ci-dessous sont plus faciles à comprendre avec le plan d'accès du petit fascicule édité par cette chaîne d'hôtels, la moins chère aux États-Unis. Réservations nationales au ☎ 1-800-466-8356.

▲ *Motel 6 Mount Laurel :* route 73 N, Maple Shade, New Jersey. ☎ (856) 235-3550. Fax : (856) 439-9238. À 12 miles du centre de Philly. Sortie 4 sur la New Jersey Turnpike, 36b sur la 295, puis 73 vers le nord-ouest, puis Nixon Dr à droite (magasin *Home Depot* au coin). Après 2 feus, prendre la suivante à droite. Compter 46 US$. Piscine.

▲ *Motel 6 Philadelphia Airport :* 43 Industrial Hwy/Service Rd 291, Essington. ☎ (610) 521-6650. Fax : (610) 521-8846. À 11 miles du centre. Sortie 9A (Wanamaker Ave) sur la 95, puis au sud jusqu'au 1er feu. À gauche sur la 291, c'est après le resto *Denny's*. Environ 60 US$.

ADRESSES RELIGIEUSES

▲ *Divine Tracy Hotel* (hors plan par A2) : 20 S 36th St. ☎ 382-4310. En plein quartier universitaire, à l'ouest de la ville. En métro (ligne Market-Frankford), descendre à 34th St Station, c'est plus loin, à 5 mn à pied. Compter 40 US$ avec bains communs ; de 43 à 50 US$ avec bains privés. Super-promo : la semaine pour le prix de 2 à 3 nuits ! Une adresse vraiment exceptionnelle, mais pas forcément pour les raisons auxquelles on pense. Cet hôtel d'environ 100 chambres propose des tarifs imbattables pour le standing. Spacieux, bons matelas, excellent confort. L'hôtel appartient aux disciples de Father and Mother Divine, une association religieuse à but non lucratif qui travaille pour « l'élévation de l'esprit humain ». Pas cher certes, mais voici les quelques règles pas tristes qu'il convient de respecter. Chambres doubles réservées à 2 personnes du même sexe uniquement (ça pousse au vice ça, non ?). Même si vous êtes mariés, chambres séparées ! Possibilité de rencontre entre garçons et filles jusqu'à minuit... dans le *lobby.* Non

mais ! Minijupes et pantalons interdits pour les filles, chaussettes obligatoires pour hommes et femmes, pas de short pour les hommes ni d'épaules découvertes. Et la fin du fin : « Pas de chemises sorties du pantalon, sauf si la coupe de la chemise a été conçue pour être portée ainsi. » Quelle tolérance ! Interdiction aussi de dire des vulgarités (sic !), des obscénités et des blasphèmes. Tout se paie... mais pas forcément en dollars !

▲ *Summer Youth Hostel* (Old Reformed Church ; plan D2, 5) : dans le centre, à l'angle de 4th et Race St. ☎ 922-4566. Réception ouverte de 17 h à 22 h et couvre-feu à 23 h. Libération des lieux le matin à 9 h. Bâtiment tout en brique situé dans un coin assez calme du quartier historique. Ancienne église réformée dont une grande salle du rez-de-chaussée est transformée en dortoir l'été. Une trentaine de matelas à même le sol. Pas cher, central et pas besoin de carte des AJ. Sanitaires propres. Location de draps et AC en été. On peut y laisser ses affaires. Très routard.

BED & BREAKFAST

Vraiment un chouette moyen (moins cher que les hôtels) de se loger à Philly. Bien vous faire préciser s'ils prennent les cartes de paiement, et lesquelles. Ces 2 associations peuvent vous trouver une maison sympa en plein centre.

■ *Bed & Breakfast Center City :* ☎ 735-1137 ou 1-800-354-8401 (tous les jours de 9 h à 21 h). ● www.centercitybed.com ● C'est la propriétaire de *La Réserve* (voir adresse plus bas) qui répond.

■ *A Bed & Breakfast Connection of Philadelphia :* ☎ 1-800-448-3619

(répond seulement de 9 h à 17 h du lundi au vendredi, mais on peut toujours réserver sur Internet). ● www.bnbphiladelphia.com ● Maisons dans le centre, dans le secteur universitaire et les environs de la ville. Chambres doubles de 60 à 200 US$.

🛏 *The Thomas Bond House Bed & Breakfast (plan D2, 10)* : 129 S 2nd St, à côté de Walnut St. ☎ 923-8523 ou 1-800-845-BOND. Fax : 923-8504. Neuf chambres de 95 à 115 US$, plus 3 suites de 135 à 175 US$ environ. Bien que d'extérieur simple, cette maison est classée, notamment car un associé de Benjamin Franklin y a habité. En plein cœur du site historique. Ameublement dans le style XIXe siècle, beaucoup de goût, de classe, de charme. La n° 201 (la *Thomas Bond Jr*, à 175 US$), très grande, a 5 fenêtres, une cheminée qui fonctionne, un *tub* et un lit à baldaquin venu des plantations du Sud. La n° 304 *(James S. Cox)* a des murs rouges, la n° 204 *(Benjamin Eldridge)* un mobilier Chippendale, la n° 401 *(Benjamin Franklin)* et la n° 402 *(Robert Fulton)* ont toutes deux vue sur la Delaware River. L'accueil mériterait un peu plus de chaleur.

🛏 *Shippen Way Inn Bed & Breakfast (plan D3, 9)* : 416-18 Brainbridge St, entre 4th et 5th St. ☎ 627-7266 ou 1-800-245-4873. Fax : 627-7781. De 85 à 145 US$. En plein quartier historique, un havre de calme et de charme, à deux pas de la très animée South St. Il s'agit d'une vieille maison coloniale de 1750, en brique brune, avec jardin intérieur, tenue avec soin. Cheminée, plancher en bois, 9 chambres délicieusement décorées façon Laura Ashley, très romantiques. Petit dej' copieux, thé ou vin-fromage en fin d'après-midi. Réduction de 10 % pour nos lecteurs sur présentation du *GDR* (à partir de 2 nuits).

🛏 *Antique Row Bed & Breakfast (plan C3, 7)* : 341 S 12th St (entre le quartier des affaires et le quartier historique). ☎ 592-7802. Fax : 592-9692. ● www.antiquerowbnb.com ● Maximum 110 US$ pour deux. Dans une maison vieille de plus de 150 ans (ce qui est très vieux, ici), Barbara Pope loue 8 chambres assez confortables et bien décorées. Petit dej' avec jus de fruits, céréales, œufs. Le secteur des marchands d'antiquités, *Antiques Row,* sur Pine St, n'est qu'à deux pas de là.

🛏 *La Réserve-The Grand Dame of Philadelphia's Bed & Breakfast (plan B3, 8)* : 1804 Pine St (angle 18th St). ☎ 735-1137 ou 1-800-354-8401. Fax : 735-0582. Dans le centre, à proximité du quartier des affaires, à 3 blocks au sud du Rittenhouse Sq, en suivant 18th St. De 85 à 110 US$, selon la période et les sanitaires dans la chambre ou pas. Maison en brique du milieu du XIXe siècle, haute de 4 étages abritant de belles chambres spacieuses et luxueuses, décorées avec du goût et des meubles anciens. On aime beaucoup la n° 1 aux murs jaunes, la plus romantique. Bill Buchanan, le propriétaire, est un vétéran de la guerre du Vietnam et surtout un grand amateur de vins de Bourgogne. Francophile (mais pas francophone), il adore bavarder avec ses hôtes et leur montrer les portraits de Louis XVI et de Marie-Antoinette accrochés à un mur de salon (pas par regret de l'Ancien Régime, mais en souvenir de l'engagement de la France dans la guerre d'Indépendance américaine). Une bonne adresse.

🛏 *A City Garden B & B (plan C3, 11)* : 1103 Waverly St. ☎ 625-2599. ● virginia.t@worldnet.att.net ● Chambres à 100 US$, loft à 140 US$. Réduction possible à partir de plusieurs nuits, et moitié prix pour le mois complet. Dans un quartier calme, mais parfaitement situé entre Rittenhouse Sq et l'Independance Mall, maison particulière proposant 4 appartements-suites, tel ce beau et grand loft pour 2 ou 4 personnes : nombreux tapis au sol, rocking-chair, lit et canapé convertible, bains, coin cuisine. Ameublement original et ancien, sauf pour la cuisine, bien sûr.

HÔTELS

Très chic

🛏 *Penn's View Hotel (plan D2, 81)* : 14 Front St (angle Market St). ☎ 922-7600 ou 1-800-331-7634. Fax : 922-7642. ● www.pennsview

PHILADELPHIE

hotel.com ● De 135 US$ la standard à 182 US$ la suite avec lit et sofa. Petit dej' inclus. Adresse d'exception meublée de style Chippendale, chaque chambre avec un décor différent. Demandez celles côté fleuve, mais réservez très, très tôt ! Même les chambres sans vue doivent l'être au moins une semaine à l'avance. Bar très intime avec fresque, restaurant *Panorama* (compter de 30 à 40 US$), mais *Fork,* qui n'est pas loin sur Market St, est tellement tentant... Voir plus loin « Où manger ? ».

🛏 *Hotel Windsor (plan B2, 80) :* 1700 Benjamin Franklin Parkway. ☎ 981-5678 ou 1-877-784-8379. Fax : 981-5630. ● www.windsorho tel.com ● De 120 à 200 US$ selon le jour de la semaine et la saison. Petit dej' (pas génial) inclus. Hyper bien situé, près du City Hall et pas loin du musée des Beaux-Arts. Moderne, certes, mais vastes chambres avec cuisine et frigo, très propres et confortables, immenses placards, planche et fer à repasser... Salle de fitness, piscine, en saison, au 24e étage (passez par le 23e étage, sinon vous arrivez dans un cabinet d'avocats, mais ils ont l'habitude).

En outre, juste au-dessus d'un resto assez bon marché le midi.

🛏 *Latham's Hotel (plan B2, 82) :* 135 S 17th St (angle Walnut). ☎ 563-7474. Fax : 563-4034. De 130 US$ en basse saison (voire 110 US$ si négociation) à 220 US$, parking à 20 US$. Possibilité de prendre un substantiel petit dej' au *Jolly's,* le resto sympa de l'hôtel qui fait aussi des steak-frites à 10 US$. Situation centrale. Grand lustre style cristal dans l'entrée, tableau de chasse à la réception, on est dans le très chic. Beaux meubles, *of course,* dans les salons et les chambres (armoire, commode, bureau, table de salon, fauteuils... ah oui, un grand lit), salle de fitness. Réservation vivement conseillée.

🛏 *Sheraton Society Hill Hotel (plan D2-3, 3) :* One Dock St. ☎ 238-6000. Fax : 238-6652. ● www.shera ton.com ● Chambres standard de 180 à 200 US$. Un hôtel de 370 chambres qui n'écrase pas son environnement historique ; ses 3 petits étages de brique rouge le font paraître presque horizontal. Très bel atrium avec les chambres s'ordonnant autour. Spacieuses et très confortables. Parking à 25 US$!

Où manger ?

Avis aux gourmets, Philly est devenue la capitale gastronomique des États-Unis. On trouve ici une concentration importante de jeunes chefs talentueux et créatifs, de vraies bonnes tables, souvent dans des cadres élégants et affinés. Sinon, les vins et les alcools sont fortement taxés en Pennsylvanie. Voici pourquoi certains restaurants préfèrent ne pas acheter de licence d'alcool. Le client peut alors apporter sa boisson, et on appelle ces restos les *BYOB* (*Bring Your Own Beverage*). Nous en avons sélectionné quelques-uns dans notre liste : *Dimitri's, Pif Restaurant* ou *Cibucan.*

Dans le quartier de South Street et de 4th Street

South St bouge surtout de 7th à 2nd St, le cœur du secteur est l'angle de South et 4th St. Ce petit quartier compte une soixantaine de restos, dont plusieurs sont des classiques de la ville.

Bon marché

🍽 *Jim's Steak (plan D3, 13) :* S St, à l'angle de 4th St. ☎ 928-1991. Ouvert en continu de 10 h à 1 h (3 h en fin de semaine), de 12 h à 22 h le dimanche. Environ 7 US$ pour un

sandwich énorme. Une institution qu'on adore. La façade extérieure en carrelage et alu vaut le coup d'œil. On fait la queue depuis 1939 pour déguster le fameux Philly *cheese* steak qu'un cuisinier prépare sous nos yeux (la recette n'a jamais changé). Tout un poème, la manière dont il fait valser les ingrédients entre les tranches de pain. Ces sandwichs à la viande émincée sont la spécialité de la ville. Agrémentés d'oignon, de fromage type provolone, de tomate, de salade, ils sont à déguster sur place ou en *take away*. Choix de *pepper steak* aussi, *mushroom steak*, *hoagies* (dont un *Italian special* avec salami, *capocolla*, *provolone cheese*, etc.). *Jim's* est un passage fréquenté des bonnes soirées du quartier. On y sert de la bière, ce qui change des *soft drinks* du fast-food. Côté dessert et café, pourquoi ne pas faire un saut au *South Caffe* ?

|●| *South Caffe* (plan C3, 55) : 627 S St. ☎ 922-6455. Ouvert de 7 h à minuit (1 h les vendredi et samedi). Face à *La Fourno Trattoria,* ce café sert de bons cafés et gâteaux, notamment celui à la banane et au chocolat et les baklavas, et diffuse en prime de la bonne musique. Salades et sandwichs à environ 5 US$. La déco de la salle au fond est digne d'un musée d'Art moderne, à vous de juger. Le jeune proprio Ahmed est super-sympa, c'est un expert de la machine à café.

|●| *La Fourno Trattoria* (plan C3, 93) : 636 S St. ☎ 333-9151. Ouvert de 11 h 30 (12 h 30 le dimanche) à 22 h (23 h les vendredi et samedi). De 6 à 10 US$ pour une pizza, autres plats de 9 à 15 US$. Décor simple autour d'un four et d'un comptoir, arrière-salle avec des tables garnies de nappes à carreaux vert et blanc. Au menu, 3 pages de pizzas et *calzone*, une de pâtes, un peu de *seafood* et de poulet. En dessert, *homemade Canolli*, une spécialité sicilienne très populaire aux États-Unis : c'est une petite pâte sucrée farcie de fromage ricotta et de chocolat.

Prix moyens

|●| *Dimitri's* (plan D3, 20) : 3rd St (et Catherine St). ☎ 625-0556. Ouvert de 17 h 30 à 23 h (22 h le lundi, et de 17 h à 22 h le dimanche). Plats de 9 à 16 US$. Pour faire court, disons que c'est de la *seafood* haut de gamme, à la grecque, dans une petite salle bruyante et tumultueuse. Spécialité de pieuvre grillée. Considéré comme un des meilleurs rapports qualité-prix de Philly, et peut-être même de tous les États-Unis. Difficile d'obtenir une table si l'on ne se pointe pas de bonne heure (vers 19 h) et ils ne prennent guère les réservations. *BYOB* (apporter son vin ou sa bière).

|●| *Pizza Uno* (plan D3, 14) : 509-511 S 2nd St, face au Head House Sq. ☎ 592-0400. Ouvert tous les jours midi et soir. Autour de 7 US$ la petite pizza, et 15 US$ le repas, moins cher le midi. Vente à emporter. Notre chaîne de pizzas favorite aux États-Unis. Une pizza, une chaîne... Rien d'excitant ? Goûtez et vous verrez ! Ils servent les fameuses pizzas *deep dish* (épaisses) originaires de Chicago. Cadre chaleureux de taverne avec un grand bar à l'entrée. Outre les pizzas, soupes, sandwichs, salades, burgers, lasagne, *baby back ribs*... Dommage, service mécanique et peu empressé, ça pousse à la conso.

|●| *Azafran* (plan D3, 22) : 617 S 3rd St. ☎ 928-4019. Ouvert le soir uniquement de 17 h à 22 h (23 h le samedi et 21 h 30 le dimanche). Salades de 5 à 8 US$, petits plats de 6 à 9 US$, grands plats de 13 à 20 US$. À côté de *O'Neals*. Typique de ces p'tits restos d'allure modeste qui se sont créés dans la foulée de la revitalisation de S St et capables de délivrer d'intéressantes cuisines à prix abordables. Réminiscences latinos : *empanadas, yuca fries, atun con « fu-fu »*, mais aussi saumon en papillote (et poisson suivant arrivage), etc. Pas de licence d'alcool, *BYOB* (apporter vin ou bière).

|●| *Ralph's Italian Restaurant* (plan C3, 92) : 760 S 9th St. ☎ 627-6011. Ouvert du lundi au vendredi, midi et soir jusqu'à 23 h (minuit le samedi). Fermé le dimanche. Grande fourchette, même pour les prix : de 12 à 25 US$ pour une entrée et un plat. Ouvert depuis 1900.

Existe depuis 4 générations. Institution philadelphienne souvent décorée par des *Best of Philly*. Décor agréable auquel on prête peu d'attention, car l'important est dans les assiettes qui sentent l'Italie dès l'entrée : ici, on sait faire les sauces. Le jambon et le fromage sont importés, le tour de main est local. Carte typique : *scaloppine,* veau au marsala, *a la pizzaiola, paste* bien sûr. Très bonne adresse où il faut payer en cash et *ma che* si vous n'en n'avez pas, il y a un distributeur à l'étage...

I●I Pif Restaurant *(plan C3, 36)* : 1009 S St, entre 10th et 11th St. ☎ 625-2923. Fermé le lundi. Resto français, en plein quartier vietnamien, très apprécié des Philadelphiens pour sa simplicité enrobée de qualité. Cuisine assez abordable. *BYOB.* Déco sans prétention en bois clair.

Chic

I●I Dark Horse *(plan D3, 15)* : 4212nd St. ☎ 928-9307. Plats le midi de 9 à 12 US$, le soir de 14 à 23 US$. Cette honorable maison de style anglais (située dans un adorable quartier restauré) a appartenu à l'arrière-petit-fils du célèbre auteur anglais Dickens. Les gravures dans l'escalier rappellent les personnages de ses romans. Cuisine élaborée, essentiellement d'inspiration européenne. On y vient plutôt le soir, pour un moment intime. Fait aussi bar (voir « Où boire un verre ? Où sortir ? »).

Dans le centre historique et sur le Waterfront

Bon marché

I●I Café Olé *(plan D2, 35)* : 147 N 3rd St (entre Cherry et Race). ☎ 627-2140. Ouvert de 7 h 30 à 21 h, fermé le dimanche. Dans ce quartier historique, un lieu sympa pour siroter un café fraîchement moulu, déguster de bons muffins et cookies (à moitié prix après 18 h) ou grignoter des salades israéliennes bien présentées. Voir la fresque de style cubiste à l'extérieur. Petits dej' servis jusqu'à 16 h.

I●I Mrs K's *(plan D2, 37)* : 325 Chestnut St (juste à l'est de 4th St). ☎ 627-7991. Ouvert de 6 h à 23 h. Autour de 5 US$ le breakfast (servi jusqu'à 11 h), plats autour de 7 US$. Grande café' très clean au décor tendance design italien. Grands comptoirs appétissants, où s'attablent depuis des lustres les employés du coin et les premiers travailleurs de l'aube. Longue carte de sandwichs, burgers, *hoagies,* salades, plats chauds et froids...

De prix moyens à plus chic

I●I DiNardo's *(plan D2, 23)* : 312 Race St. ☎ 925-5115. Ouvert tous les jours. Plats de 6 à 10 US$ le midi, de 16 à 30 US$ le soir (copieux). Encore une institution, le temple du crabe, la Rome des fruits de mer... Trève de métaphores, vraiment un lieu très populaire. Cadre propre, genre café' améliorée, banquettes de moleskine, tables de formica et murs décorés de hameçons. À la carte : crabe de Louisiane à la vapeur ou sauté à l'ail, *Pescatore* (crevettes, coquilles Saint-Jacques, clams et moules sur un lit de *linguini)* ou bien huîtres-frites, *Alaskan crab legs* (énormes pattes de crabe), *crab cake platter,* salades aux fruits de mer, etc. Délicieux *Imperial Seafood* (crabe, crevettes, saint-jacques en sauce blanche). Et quelques grillades pour ceux à qui la *seafood* donne de l'urticaire...

I●I Paradigm *(plan D2, 25)* : 239 Chestnut St. ☎ 238-6900. Ouvert midi et soir jusqu'à 21 h 30 (23 h le week-end). Fermé le dimanche. Repas de 12 à 20 US$ le midi (sandwichs autour de 8 US$), plats de 16 à 24 US$ le soir. Très représentatif du nouveau circuit branché influencé par la culture new-yorkaise ; Starck ne serait pas dépaysé. Décor sobre à la limite du dépouillement, lignes épurées, tendance high-tech, tons neutres, beaux volumes, intéressante distribution de la lumière, dont les couleurs varient et modifient les ambiances. Côté cuisine du soir : ravioli au fromage de chèvre, autruche grillée et le fameux poisson *sea bass* du Chili. Ça met en appétit ! Jazz live le vendredi soir. Un truc amusant, les w.-c. qui jouent la transparence !

Chic

|●| *Fork* (plan D2, **94**) : 306 Market St (entre 3rd et 4th St). ☎ 625-9425. Ouvert midi et soir jusqu'à 23 h. Plats de 14 à 24 US$. Éclairage intime et chaleureux pour un décor intelligemment minimaliste. Bar central de pierre brute, tables noires presque de bistrot, chaises confortables de couleur grise... La cuisine est au fond de la salle, ouverte aux regards. Table raffinée, gastronomique, mélange de saveurs très réussi. Petits pains délicieux pour accompagner les plats. La carte des vins est plutôt internationale, bon vin de Californie. Service distingué et piano en fond sonore.

|●| *City Tavern* (plan D2, 26) : 138 S 2nd St. ☎ 413-1443. Ouvert tous les jours midi et soir jusqu'à 22 h. Plats de 10 à 17 US$ le midi, de 18 à 28 US$ le soir. Un des restaurants les plus intéressants et les plus authentiques de la ville. Excellente reconstitution, de 1976, d'une taverne qui abritait ici, en 1774, les réunions des membres du First Continental Congress. Le banquet de la Constitutional Convention s'y tint en 1787. Le *City Tavern* comprend différents salons. L'atmosphère est recréée par le mobilier de style colonial et le personnel en costume du XVIIIe siècle. Le chef-proprio Walter Saib a réintroduit des recettes appréciées de John Adams et de Jefferson, comme la soupe poivrée des Antilles ou le canard rôti au chutney de pêche ; sans oublier la mousse au chocolat de Martha Washington, la 1re First Lady. La terrasse donne sur un beau jardin.

Au sud de l'Italian Market

Dans un coin perdu, cette agglomération de grands comptoirs populaires (pas de salle à manger) nourrit en continu jeunes en goguette, affamés et paumés du petit matin. Attention : ne pas venir ici en robe du soir et ne pas s'offusquer du jargon musclé des Italo-Américains.

De bon marché à prix moyens

|●| *Pat's King of Steaks* (hors plan par C3) : 9th St (à l'angle avec Wharton St). ☎ 468-1546. Cinq rues au sud de Christian St. Ouvert 24 h/24. Sandwichs à 5 US$. Café à 50 cents. Une institution en activité depuis 1930. Spécialiste du *steak-sandwich* avec de la vraie baguette et à emporter. Une quinzaine de variétés. Terrasse animée, on se croirait en Sicile, avec des types qui s'engueulent et menacent parfois de se tuer, pour rire, semble-t-il.

|●| *Geno's* (hors plan par C3) : 1219 S 9th St. ☎ 389-0659. Sandwichs autour de 5 US$. C'est le roi du néon ! Tables dehors. Litanie de photos de vedettes locales et nationales : catcheurs, tatoués, *bikers,* Donna Summer, Nancy Sinatra, Rocky Marciano, Clinton en campagne, etc. Steak-sandwich, provolone cheese steak, Italian hoagie et même une *pizza steak.*

|●| *Sam's Clam Bar* (hors plan par C3) : S 9th St, entre les 2 précé-

dents. Ouvert du jeudi au dimanche 16 h à 4 h. De 9 à 15 US$. Grand hall un peu glauque, aucun charme, à part la fille en fresque sur le mur. Musique rap, hip-hop, funky. Spécialiste du *fish hoagie,* des *steamed clams,* crevettes grillées, coquilles Saint-Jacques, *crab cakes* (excel-

lents !), etc. Pas d'alcool. Curieuse, la pancarte « Caution », où la direction se croit obligée de rappeler aux consommateurs que les coquillages ont des bords coupants et qu'il ne faut pas se mettre de sauce dans les yeux... Les Ricains sont parfois de grands enfants !

Dans Downtown

Bon marché

|●| *Reading Terminal Market (plan C2, 21)* : à l'angle d'Arch et 12th St. Ouvert tous les jours sauf le dimanche, mais on conseille vraiment d'y aller du mercredi au samedi. Ce sont les jours où ces amish tiennent leur stand dans ce vaste marché (voir plus loin « Les marchés »). Une excellente occasion de tester la cuisine de ces gens pas comme les autres : bretzels, plats de saucisses et purée maison, pâtisseries. Sinon, les comptoirs où les *blue collars* (employés du coin et yuppies) se serrent pour manger burgers et salades ne manquent point. Au milieu du *market,* on trouve même quelques tables. Quelques indices qui ne trompent pas, les files d'attente devant *Rick's Steaks* et *Delilah's Southern Food.* On débusque les gourmands aux rayons cookies, chez *Termini Bros, 4th Street, Chocolate...*

|●| *The Shops at Liberty Place (plan B2, 24)* : 16th St (angle de Chestnut). ☎ 861-9055. Ouvert du lundi au samedi de 9 h 30 à 19 h, le dimanche de 12 h à 18 h. Super *food court* dans la belle architecture des tours géantes, près du City Hall. Plein de boutiques autour.

|●| *Cibucan (plan A2, 29)* : 2025 Samson St, à la hauteur de 21st St. ☎ 231-9895. Petit resto cubain sans

licence d'alcool *(BYOB).* On peut apporter son vin. Les tapas sont la spécialité de la maison. Goûter à la *chowder soup* (aux fruits de mer), au thon à la banane ou au poulet goyave. Un délice exotique.

|●| *Au Bon Pain (plan A2, 33)* : juste avant le 2005 Market St (à l'angle avec 21st St). ☎ 563-0577. Ouvert de 6 h à 18 h. Dans la cour intérieure du Commerce Sq. De 8 à 12 US$. Fast-food... à la française ! *Au Bon Pain* est une chaîne appréciée. Cadre propret, marbre sur les tables, sodas attendant dans la glace, grand choix de soupes, salades, sandwichs et pâtisseries. Intéressants combos.

|●| *Yonny's Restaurant (plan B2, 16)* : 1531 Cherry St (angle Mole). ☎ 665-0407. Ouvert du lundi au vendredi de 6 h à 15 h. De 9 à 15 US$ pour un repas complet (5 US$ pour un copieux petit dej'). On croit rêver : une maisonnette, toute petiote, en brique rouge et aux volets verts... en marge du quartier financier. Chaleur et authenticité dans ce décor de bois, chargé d'affiches, d'objets familiers et de vieux cadres jaunis. Petit ou grand déjeuner composé de salades, sandwichs au steak, soupes, cookies maison et gâteaux. On se sent bien dans cette maison de poupée !

PHILADELPHIE

De prix moyens à plus chic

|●| *Caribou Café (plan C2, 31)* : 1126 Walnut St. ☎ 625-9535. Ouvert tous les jours midi et soir jusqu'à minuit (22 h le dimanche). *Sunday brunch* de 11 h à 15 h. Le midi, sandwichs autour de 9 US$, en-

trée + plat de 14 à 21 US$; le soir, plats autour de 25 US$ (cassoulet à 19 US$). Tenu par un Français installé depuis une vingtaine d'années, qui a contribué à populariser l'*espresso* et le cappuccino à Philadelphie. Salle au grand volume et élégant décor de brasserie française : bois sombre, affiches anciennes, box, comptoir et mezzanine. Bon accueil, service efficace. Excellente musique *swingy*, genre jazz années 1930-1940 et Andrews Sisters. La carte va du pan-bagnat au filet mignon ! Délicieuse *cheese salad* au roquefort et lamelles de poire. À signaler : un des rares restos de Downtown ouverts le dimanche.

|●| *Pietro's Coal Oven Pizza (plan B2, 17)* : 1714 Walnut St (entre 17th et 18th St). ☎ 733-0675. Ouvert midi et soir. Spécialités de pizzas italo-américaines cuites dans un four au charbon de bois, de 10 à 14 US$ (on peut les partager). Plats de pâtes fraîches de 8 à 14 US$. Les portions sont vraiment copieuses et c'est pas cher pour le coin : on est à deux pas de Rittenhouse Sq, le quartier le plus onéreux de la ville. Par ailleurs, café médiocre mais bières pression excellentes. Le service est sympa, mais variable.

Plus chic

|●| *Sansom Street Oyster House (plan B2, 18)* : 1516 Samson St. ☎ 567-7683. Ouvert du lundi au samedi de 11 h à 22 h, de 15 h à 21 h le dimanche. De 15 à 30 US$ avec un dessert. Le midi, *lunch special* à divers prix. Le soir, menu de poisson à 20 US$, d'un bon rapport qualité-prix. Dans une petite rue, à l'écart de l'activité branchée du quartier. Cadre chaleureux d'une vieille institution (1947). Beaucoup de classe sans prétention, on adore. Spécialiste des produits de la mer. Peintures marines, belle collection d'assiettes à huîtres. En faisant attention, on peut surfer sur la carte sans se retrouver en cale sèche ! Les huîtres proviennent de plusieurs endroits (Nouvelle-Écosse, Maine, New Jersey, Virginie...). Éviter les salades, pauvrettes. Joli bar et bière locale à la pression.

|●| *Circa (plan B2, 91)* : 1518 Walnut St. ☎ 545-6800. Ouvert midi et soir, sauf le dimanche midi. Plats à environ 15 US$ le midi et 25 US$ le soir. Classicisme de l'architecture du hall (c'est une ancienne banque), où sont installés le restaurant et le bar, discrétion du mobilier, sobriété des miroirs, des bouquets de fleurs et de la tapisserie au fond. Le chic est de suggérer le luxe sans qu'il soit écrasant. Bougies sur les tables et dans le hall. Intimité, bien que les voûtes amplifient un peu trop, hélas, les conversations et la musique. Poissons, gibier, fruits de mer, agneau, petits légumes, purée... La cuisine américaine rejoint ici l'Europe, avec des produits de base simples, bien travaillés. Goûter la succulente *scallop gallet*, galette de noix de saint-jacques avec sa cressonnade et champignons. Enfin, la porte des anciens coffres-forts se trouve... dans les w.-c.

|●| *McCormick & Schmick's (plan B2, 34)* : 1 S Broad St, juste à côté du City Hall. ☎ 568-6888. Ouvert du lundi au samedi de 11 h 30 à 23 h, le dimanche de 16 h à 22 h. De 15 à 30 US$ pour les plats copieux. *Happy hours* du lundi au vendredi de 15 h 30 à 18 h et de 22 h 30 à 23 h 30 (plat à 2 US$ si vous prenez 2 boissons). Une touche d'intimité pour un ensemble à mi-chemin entre l'époque victorienne et l'Art déco. *Seafood* essentiellement, salades, remarquable carte des vins, belle carte de cocktails (de 7 à 12 US$).

|●| *Twenty 21 (plan A2, 19)* : juste avant le 2005 Market St (à l'angle avec 21st St). ☎ 851-6262. Dans la cour intérieure du Commerce Sq. Compter de 30 à 45 US$ avec le dessert. Vaste salle au décor feutré (musique jazz en fond sonore), où les Philadelphiens chic font leurs repas de famille. Vue sur la cour arborée et la terrasse, qui sert aux beaux jours. Côté plats : escargots *a la polenta* au gorgonzola, thon aux 7 épices, *apricot cheesecake*, et une mention spéciale pour les plats de *seafood*, délicieux et inventifs. Très bons vins, en bouteille ou au verre. Jeter un œil au bar, avec sa grande échelle pour saisir les bouteilles tout en haut.

PHILADELPHIE

|●| *Founders* (plan B2, **28**) : Broad et Walnut (au 19ᵉ étage du *Park Hyatt*). ☎ 790-2814. Le midi (du lundi au vendredi), menu à 19 US$. Sinon, compter de 25 à 40 US$ le midi, de 40 à 50 US$ le soir. Dans un luxueux décor (splendide bar-bibliothèque), une des très bonnes tables de la ville avec vue panoramique en prime. La cuisine se veut créative, mais c'est le temple de la tradition : clientèle chic et service plutôt guindé. Brunch intéressant le samedi, suivi du *Sunday caviar brunch*. Réservation conseillée.

Très chic

|●| *Opus 251* (plan B3, **32**) : 251 S 18ᵗʰ St, à côté de Rittenhouse Sq. ☎ 735-6787. Fermé le lundi. Plats de 22 à 30 US$. Situé dans un splendide hôtel particulier quasi centenaire. Bar cosy et jardin privé ouvert en été. Une adresse très sélect à Philadelphie, célèbre pour son menu abordable à condition de le prendre le midi du lundi au vendredi. Sinon, c'est le double. Les plats changent selon la saison. Peut-être aurez-vous la chance de goûter au risotto à la sauce homard ou aux brocolis aux champignons. Une excellente cuisine américaine avec des influences méditerranéenne et asiatique.

|●| *Brasserie Perrier* (plan B2, **38**) : 1619 Walnut St. ☎ 568-3000. Tenu par Georges Perrier, le cuisinier français propriétaire du célébrissime resto *Le Bec Fin*. Menu à 26 US$ servi le midi du lundi au samedi. Plus cher le soir. Quelques spécialités : canard croustillant au poivre du Sechuan, saumon sauté à la purée de haricot. Ambiance très branchée, dans le style Art déco, tendance sombre. Petite terrasse donnant sur l'animation de Walnut St.

|●| *The Grill, Ritz Carlton* (plan B2, **90**) : 10 Ave of the Arts, juste à côté du City Hall (2 entrées). ☎ 735-7700. Le resto du *Ritz* est ouvert de 11 h 30 à 23 h. Plats de 11 à 23 US$ le midi, de 21 à 38 US$ le soir. Le décor d'abord : un fronton de temple grec et sa coupole, accolé à un building de style classique et de taille moyenne qui abrite les chambres (c'est aussi un hôtel). Le resto est luxueux comme le *Ritz* et le *Carlton* réunis, et on y sert une délicieuse cuisine. Faites un tour sous la coupole, dans le salon où l'on joue parfois du piano et souvent du jazz. Un excellent moment en perspective.

Dans le quartier des universités

|●| *White Dog Café* (hors plan par A2, **30**) : 3420 Sansom St. ☎ 386-9224. Ouvert tous les jours midi et soir jusqu'à 22 h (23 h le week-end). Plats le midi de 7 à 13 US$, le soir de 15 à 23 US$. Plusieurs salles et un bar. *Piano Parlor* pour les lecteurs *jazzy*. Cadre chaleureux : bois vernis, dentelles, petits objets familiers, photos, nappes à carreaux. Terrasse agréable aux beaux jours. Clientèle puisée largement dans l'université toute proche. Intime et bruissant tout à la fois. Excellente cuisine créative, élaborée à partir de produits frais, souvent bio. On pourrait presque parler de « nouvelle cuisine américaine ». Sensibilité écolo assez développée aussi, puisque la maison s'est associée à la campagne de sauvegarde de l'espadon et l'a retiré de la carte. Grand choix : délicieux guacamole, salades composées copieuses (souvent originales), *batter-fried oysters*, etc. Ne pas manquer de jeter un œil aux w.-c., et choisir selon vos goûts (animaliers ou politiques). Penser à emporter le journal du resto *Tales from the White Dog Café* (avec la liste des *table talks*, les discussions savantes du resto). Une de nos adresses préférées, vous l'aviez deviné !

Où manger ? Où boire une bière au nord de la ville ?

Ce vieux quartier industriel ne s'est pas encore remis de la crise des années 1980-1990 et de la fermeture de ses usines. Il plaira cependant aux amateurs (pas paranos) de poésie urbaine, friches, terrains vagues et autres décors *destroy*... La *brasserie Ortlieb,* l'une des plus fameuses de la côte Est, fut créée ici par Trupert Ortlieb en 1869. Trupert émigra d'Allemagne et combattit pendant la guerre de Sécession dans les troupes de l'Union. À la fin du conflit, décoré comme un héros, il vint ouvrir une taverne à Philly. Il y brassa sa propre bière (suivant une recette familiale) qui devint la préférée de nombreux consommateurs locaux pendant des dizaines d'années. Mais tout passe, tout lasse, la brasserie ferma en 1981 et la marque fut vendue. À propos, c'est aussi dans le coin que se trouve notre boîte de jazz préférée (*Ortlieb Jazzhaus,* voir plus loin). Voilà donc plusieurs bonnes raisons de venir traîner dans le coin !

|●| ♟ *Liberties* (plan D1, *49*) : 705 N 2nd St (et Fairmount). ☎ 238-0660. De 18 à 25 US$ l'entrée et le plat (réduction de 15 % à partir de 6 convives). Ce vieux bar-resto résiste bien. Normal, avec ce nom et sa statue... et surtout grâce aux avant-gardes yuppies curieuses et aventureuses, ainsi qu'à une vieille clientèle de quartier qui s'accroche ferme. Le comptoir et le décor en bois sculpté du bar sont superbes, beau plafond à caissons. Souvent plein. Une dizaine de pressions différentes, bonne cuisine, à la fois simple et inventive. Le choix peut se porter sur une soupe et des *Buffalo wings* qui vous caleront (pour moins de 10 US$), ou bien de surprenants *rigatoni* à la vodka. Également salades et *crab cakes.*

Où boire un verre ? Où sortir ?

Procurez-vous d'abord les deux grands hebdos gratuits de la ville : le *City Paper* et le *Philadelphia Weekly.* Bourrés d'infos sur la vie culturelle et nocturne, les concerts, etc. Disponibles dans quasiment tous les bars et certains restos, parfois dans la rue et quelques lieux publics. Pour le jazz, on vous a créé une rubrique à part.

Dans le quartier de South Street

Le coin le plus animé le soir, le Saint-Michel de Philly, c'est **South St, entre 3rd et 4th St.** Les adresses pour boire un verre sont au coude à coude. Et pour une petite faim, on trouve pizzas, *falafels, Philly-sandwiches* ou hot dogs. À noter toutefois que South St est de plus en plus jeune et de moins en moins *trendy.* Si vous avez plus de 25 ans, les nouvelles boîtes du Historic District répondront probablement mieux à vos attentes.

♟ ♪ *Pontiac* (plan D3, *40*) : 304 S St (et 3rd St). ☎ 925-4053. De 3 à 8 US$ l'entrée, selon les jours. L'un des bars-concerts dégageant le plus d'énergie. Bruyant, sombre, souvent bondé. Clientèle vaguement marginale et *destroy.* Punk rock de 21 h 30 à 23 h 30. Rock karaoké le mardi.

♟ ♪ *Theatre of the Living Arts* (plan D3, *53*) : 334 S St. ☎ 922-1011. Repérer ses concerts. Un des endroits les plus réputés pour son atmosphère électrique. De 15 à 25 US$ pour un show.

♟ *Dark Horse* (plan D3, *15*) : 421 S 2nd St. ☎ 928-9307. Ferme à 2 h. On vous a déjà parlé du resto (voir plus haut), voici les bars (plusieurs salles) : large sélection de whiskies et de bières importées. En fin de se-

PHILADELPHIE

maine, chaleureusement pris d'assaut par la belle jeunesse de Philly, gentille et propre. Sinon, on y suit même les matchs européens de finales de foot !

🍷 *Fluid* (plan D3, *41*) : 613 S 4th St, au-dessus de *Latest Dish*, entrée dans la petite rue perpendiculaire. ☎ 629-0565. Ouvert tous les soirs. Fait boîte à l'étage du jeudi au samedi, parfois le lundi, jusqu'à 2 h. Sympa, pour amateur de musique néofunky, hip-hop, house et autres.

Dans Downtown, dans le Historic District et sur le Waterfront

🍷 ♪ *Khyber* (plan D2, *42*) : 56 S 2nd St. ☎ 238-5888. Ouvert tous les soirs. De 0 à 10 US$ l'entrée, selon le spectacle. Très fréquenté. Comptoir de bois et beau décor sculpté derrière, tout le long du mur. Bon choix de bières. Petite salle de concerts. Musique plutôt hard. Shows commençant entre 21 h et 22 h. En semaine, *happy hours* de 17 h à 20 h. Prix des plats variant en fonction de la taille de l'assiette.

– D'autres *bars* animés sur 2nd St jusqu'à Market.

🍷 *Mc Gillin's Old Ale House* (plan B-C2, *43*) : 1310 Drury St. ☎ 735-5562. Ouvert de 11 h 30 à 2 h. Fermé le dimanche. Autour de 7 US$ le plat du midi (*fish and chips* par exemple). Ouvert en 1860, un des plus vieux pubs de la ville. Style rustique, décoré de caricatures, photos. Au-dessus du bar, les vieilles licences obtenues année après année. Animé, bruyant, clientèle jeune. Malgré le grand espace, souvent plein comme un œuf. Une vingtaine de bières *on tap* (*Yards Ale, Dog Fish Head, Flying Fish Porter, Victory,* etc.). Tous les soirs, un *special*, genre 6 US$ le *pitcher* de *Coors* et les pizzas à moitié prix ou, par exemple, le *six ounces sirloin steak* autour de 7 US$!

🍷 *Starbucks Coffee* (plan B2, *54*) : angle de Walnut St et 16th St. Ouvert de 7 h à 19 h 30. Le roi du café serré aux États-Unis. Au-delà des *espresso* et des cafés frappés (de 2,5 à 4,5 US$ selon la taille et le goût), voici les *frapuccino* (de 3 à 5 US$ selon la taille), dont le *coconut* ! Apportez votre journal pour faire comme les Américains du coin.

🍷 *Paddy's Pub* (plan D2, *44*) : 228 Race St (entre 2nd et 3rd St). Ouvert tous les jours de 11 h à 2 h. Oh, rien d'extraordinaire. Juste un petit *local bar*, signalé par un grand drapeau irlandais avec une bonne atmosphère de la même origine. On aime bien aussi la belle fresque figurant le quartier en effet loupe, devant le parking. Petits verres de bière pression locale à 1,50 US$.

🍷 ♪ *Trocadero Theatre* (plan C2, *46*) : 1003 Arch St (près du carrefour de 10th St, en bordure de Chinatown). ☎ 922-LIVE. ● www.thetroc. com ● Escalier bien décrépi pour y arriver. Public plutôt rock, cuir et tatoué. Derrière s'ouvre un ancien théâtre. Atmosphère *rough* garantie pour de super concerts purs et durs.

Au nord de la ville

Un poil en dehors des sentiers battus, voici quelques adresses qui bougent pas mal et méritent le détour.

🍷 *Painted Bride Art Center* (plan D2, *47*) : 230 Vine St (entre 2nd et 3rd St). ☎ 925-9914. ● www. paintedbride.org ● Ouvert de 10 h (12 h le samedi) à 18 h. De 10 à 20 US$ le spectacle. Ravissante entrée dans le décrochement de la fa- çade, en mosaïque de verre, glace et céramique. Pittoresque galerie d'art offrant de bons concerts de jazz créatif de temps à autre. Renommé pour la grande qualité de ses présentations. Spectacles de danse également, théâtre, poésie,

PHILADELPHIE

etc. Pour entrer en contact avec l'innovante et dynamique communauté artistique de Philly.

🍴 🍺 *Finnegan's Wake (plan D1, 48)* : angle de 3rd St et Spring Garden St. ☎ 574-9240. Ouvert de 11 h à 2 h. Après 19 h : 5 US$ l'entrée. Le long cortège des jeunes prétendant y entrer un vendredi ou un samedi soir est impressionnant. Pourtant, cet immense pub irlandais est venu s'implanter dans un coin plutôt paumé! Il faut dire que, côté musique, ça pulse et c'est bon! À l'intérieur, c'est presque l'émeute. En semaine, c'est plus calme. Le décor explique comment on faisait la bière, dans le bon temps. Fresques intéressantes aussi derrière le bar. Parfois des petits groupes s'y produisent. On peut aussi y prendre son lunch : sandwichs, burgers, *buffalo wings*, etc. Les plats portent des noms d'Irlandais célèbres, Maureen O'Hara, Grace Kelly ou le commodore John Barry... Prix modérés pour les *sirloin steak, crab cake platter* et autres *ham and cabbage*. Bon choix de bières : *Yuengling, Saint Pauli Girl, O'Douhls* et, bien sûr, *Harp* et *Guinness*.

🍴 🎵 *700 (plan D1, 49)* : 700 N 2nd St. ☎ 413-3181. Fermé le dimanche. En face du *Liberties* (voir plus haut « Où manger? Où boire une bière au nord de la ville? »), c'est son antithèse : clientèle plus bohème, plus marginale. Musique rock pure et dure. Bar étroit, on fait vite connaissance. Concerts quasiment tous les soirs. *Never a cover!*

🍴 🎵 *North Star Bar (hors plan par A1, 50)* : 27th et Poplar. ☎ 235-7826. • www.northstarbar.com • Ouvre à 17 h. En principe, pas de *cover charge* du mardi au jeudi. Consommations à moitié prix du lundi au vendredi de 17 h 30 à 19 h 30. Téléphoner pour les horaires de spectacle, en général vers 21 h. Entrée à 6 US$, et environ 20 US$ pour une grosse pointure. Une dizaine de blocks au nord du Philadelphia Museum of Art. Pour amateurs du *out of the beaten tracks* sans concession. Au milieu d'un quartier pas en très bonne santé. Luciole dans la nuit glauque, genre dernière station-service avant le désert. Taxi obligatoire, parking gratuit pour les autres. Sympathique *neighbour bar* offrant, pratiquement tous les soirs, d'excellents concerts (rock, musique cajun, zydeco, blues, country, etc.). Billard. On peut y dîner.

Où écouter du bon jazz?

🎵 *Ortlieb Jazzhaus (plan D1, 56)* : 847 N 3rd St. ☎ 922-1035. Ouvert tous les soirs de la semaine, sauf le lundi, de 18 h à 1 h (2 h le week-end). Dans un quartier *derelict*, la meilleure boîte de jazz de la ville. On peut s'y rendre à pied, mais on traverse des zones de friches industrielles et de terrains vagues. Taxi conseillé donc (toutefois, les bus nos 5 et 57 s'arrêtent à côté). C'est probablement cet environnement qui donne une telle énergie au jazz local. Passé la porte, salle tout en longueur, décor de bois sombre, belle tête de buffle naturalisée, atmosphère tamisée, long bar à l'entrée. Remarquable programmation et public d'aficionados fidèles. Sets de 20 h (au plus tôt) à 1 h 30 (au plus tard). Super-*jam sessions* le mardi soir. En profiter pour y dîner (pas de cover charge pour les concerts). Cuisine cajun honorable et à prix modérés.

🎵 *Zanzibar Blue (plan B2, 51)* : Broad St (et Walnut St). ☎ 732-5200. Concerts quasiment tous les soirs. Très grande salle au sous-sol de l'hôtel *Bellevue*, bar à côté. L'antithèse du *Ortlieb*. Décor élégant, voire sophistiqué, clientèle chicos pour un jazz d'excellente qualité. Possibilité de se restaurer. *Happy hours* du lundi au mercredi de 17 h à 19 h (avec petit buffet gratuit). À propos, une curiosité : devant, on trouve le *Walk of Fame*, les noms gravés dans le trottoir de tous ceux et celles qui contribuèrent à la gloire musicale de la ville (Bessie Smith, Dizzy Gillespie, John Coltrane, Bill Haley, Chubby Checker, Mario Lanza...). Soit qu'ils (elles) y sont né(e)s, soit qu'ils y ont vécu ou effectué une partie de leur carrière.

♪ *Fergie's Pub* *(plan C2, 52)* : 1214 Samson St (entre 12th et 13th St). ☎ 928-8118. Ouvert jusqu'à 2 h. Concerts de bonne qualité ou *jam sessions*. Au rez-de-chaussée, pub irlandais traditionnel et chaleureux, avec une partie du décor issue du précédent resto allemand et l'inscription : « Si tu bois, tu meurs, si tu ne bois pas, tu meurs quand même, alors bois ! »... Possibilité de petite restauration sans prétention (*fish and chips,* sandwichs, burgers, salades, etc.).

♪ Suivre aussi la programmation de *South Street Blues,* 21st St (et S St). ☎ 546-9009. Ainsi que celle de l'*Eden Rock,* 1437 S St (entre Broad et 15th St). ☎ 732-3939.

À voir

Le quartier historique

🎥🎥🎥 Toutes les racines de la ville et une partie de l'histoire des États-Unis sont là. La visite de ce quartier composé d'édifices de brique du XVIIIe siècle superbement restaurés se fait à pied, le nez en l'air. C'est là que l'on retrouve tous les grands noms de la jeune nation, au gré des commentaires des guides-rangers.

– La plupart des monuments du parc sont ouverts de 9 h à 17 h, et la visite est généralement gratuite.

🎥🎥 *Second Bank of the United States* *(plan D2) :* ouvert de 10 h à 16 h. Entrée : 2 US$.

Exemple typique du style Greek Revival qui primait au début du XIXe siècle. À l'intérieur, galerie de portraits de tous les personnages importants de l'époque qui firent Philadelphie, la Pennsylvanie et les États-Unis. Tous les signataires de la Constitution sont là. Une sorte de *Who's Who* sur toiles. On y voit Thomas Jefferson, George Washington, John Dickinson, Benjamin Franklin, John Adams et tous leurs copains. À côté de chaque portrait, un bref historique. Remarquer que c'est le seul portrait de Jefferson où il apparaît tel qu'il était : roux. Visite à ne pas manquer, d'autant que les peintures sont de bonne qualité. Ne pas rater une pièce à gauche consacrée à la *Cosmopolitan City*. On y voit quelques Français célèbres comme La Fayette (vieux), de retour en Amérique, et Volney. Et d'autres moins connus comme le chevalier de La Luzerne, Conrad Alexandre Gérard (1er ambassadeur de France en Amérique) et Ternant. Ce dernier fut président d'une société charitable destinée à aider financièrement les Français indigents de Philadelphie (des réfugiés en fait). Dans la *Military Gallery,* superbes portraits de La Fayette (jeune) et de Rochambeau.

🎥 *Independence Hall* *(plan D2) :* ouvert de 9 h à 17 h. Visite guidée et gratuite toutes les 15 mn, mais nécessite de retirer son billet au *Visitor Center*. En fin de semaine, prévoir une attente de 15 à 45 mn. Venir tôt.

Construit entre 1732 et 1756, cet édifice est célèbre car c'est là que fut signée la Déclaration d'indépendance et que fut adoptée la Constitution américaine. Le nom même de l'édifice fut donné par La Fayette, de passage dans le coin en 1824. Visite assez moutonnière. Un peu trop rénové. La chaise présidentielle, utilisée par le président George Washington, fit l'objet d'un mot d'humour et d'espoir de sa part. Sur le dossier du siège, un bas-relief représentant le soleil est ciselé dans le bois. Le président s'était toujours demandé s'il s'agissait d'un soleil levant ou couchant. À l'issue des travaux de la Convention et de la signature de la nouvelle Constitution, il déclara sans équivoque que ce soleil se levait. La chaise prit donc le nom de *Rising Sun Chair*.

🎥🎥 *Old City Hall* *(plan D2) :* édifice qui abrita la mairie de 1791 à 1800. Ouvert de 9 h à 17 h.

🎞 **Congress Hall** *(plan D2)* **:** bâtiment où se réunit le Congrès des États-Unis de 1790 à 1800, pendant que Philadelphie fut capitale. On y établit le *Bill of Rights*. À l'époque, le pays comptait 13 États uniquement. À l'étage, belle salle du Sénat. Dans une pièce, votre œil sagace n'aura pas manqué d'observer les deux grandes toiles de Louis XVI et Marie-Antoinette, données par Giscard d'Estaing en 1976 pour le bicentenaire de la Déclaration d'indépendance. Déjà, à l'époque de la Révolution française, des portraits des souverains français trônaient dans cette pièce. Lors de leur exécution, un drap noir fut placé sur les toiles, en signe de deuil. Cette solidarité envers le roi s'explique par le traité d'amitié qu'avaient signé les deux pays en 1778.

🎞🎞 **Liberty Bell Center** *(plan D2)* **:** du côté ouest du *Independence Mall*. La foule se presse pour voir cette grosse cloche, symbole de la liberté. Historiquement, disons qu'elle n'a pas une grande importance, mais les Américains ayant le chic pour faire d'une petite anecdote un gros événement, de fil en aiguille, elle acquit une importance symbolique considérable. Toujours est-il qu'elle fut commandée au milieu du XVIIIe siècle, mais son timbre était si terrible qu'elle fut changée. La nouvelle se mit à se fêler doucement. On la répara pour une célébration en l'honneur de George Washington, mais elle craqua à nouveau. Elle devint donc célèbre pour sa malfaçon. Et aujourd'hui, elle est un prétexte à une visite touristique prisée, commentée et gratuite, dans une salle nouvelle et mieux adaptée à sa popularité.

🎞 **National Constitution Center** *(plan D2, 62)* **:** 525 Arch St (sur la portion nord du Independance Mall). ☎ 923-0004. ● www.constitutioncenter.org ● Ouvert tous les jours de 9 h 30 à 17 h (18 h le samedi). Entrée : 7 US$; réductions.
L'objectif de ce nouveau centre est de favoriser la compréhension de la fameuse Constitution américaine et de montrer sa pertinence dans la vie quotidienne des Américains. L'exposition permanente vedette se nomme *The Story of We the People*. Elle transporte les visiteurs dans le Philadelphie de 1787, année de la signature de la Constitution.

🎞🎞 **Franklin Court** *(plan D2)* **:** Market St (et 3rd St). Grande et belle demeure toute de brique vêtue. Cet ensemble faisait autrefois partie de la demeure de Benjamin Franklin. La maison elle-même fut détruite. Sur l'emplacement, on a reconstitué une petite imprimerie (B. Franklin fut imprimeur). Très intéressante visite. Au fond de la cour, en sous-sol, un *musée* modeste avec des reproductions d'objets que Franklin l'inventeur mit au point. Et puis un intéressant film de 20 mn sur sa vie et sa famille.

🎞 **La vieille poste :** 316 Market St. Ouvert tous les jours de 9 h à 17 h. C'est la seule poste « coloniale » des États-Unis et la seule où ne flotte pas le drapeau américain (*because* il n'existait pas encore à l'époque !). L'une des 5 maisons possédées par Benjamin Franklin dans Franklin Court. Cadre comme dans le temps. On peut envoyer des courriers cachetés à la signature du diplomate. Vous noterez d'ailleurs le mot *Free* qui se glisse entre le prénom Benjamin et son nom, rappelant la lutte qu'il mena pour l'indépendance. Tout petit musée postal au 1er étage. Maquettes, planches, photos de vieilles voitures postales, etc. Documents sur le *Pony Express* qui délivrait une quarantaine de lettres en Californie. Ça coûtait en fait très cher, l'expérience ne dura que 18 mois. En 1861, le télégraphe le rendit définitivement obsolète (mais le *Pony* entra dans la légende).

🎞🎞 **La cathédrale Saints-Pierre-et-Paul** *(plan B2, 71)* **:** ce monument rose de style classique vaut surtout le coup d'œil pour ses œuvres d'art à l'intérieur. Grande église avec colonnes carrées, plafonds à caissons dorés et coupole. Beaux vitraux jouant sur la variation des couleurs bleues et vertes : baptême du Christ (en entrant à gauche) ; dans le chœur, vie de saint Pierre (crucifixion la tête en bas, remise des clés du paradis, la pêche miraculeuse) et de saint Paul (chemin de Damas, prédication et martyre), encadrant la

PHILADELPHIE

Cène et la Multiplication des pains. Au-dessus de l'entrée, crucifixion, avec Marie et Jean. À droite dans la nef, remarquable Cène en haut-relief de bronze.

Autres sites historiques en ville

🏃🏃 **Elfreth's Alley** *(plan D2, 67)* : juste à l'est de 2nd St (entre Arch et Race St). La rue résidentielle la plus ancienne des États-Unis, habitée depuis 1713. Bordée d'une trentaine de maisons datant toutes du XVIIIe siècle. Absolument adorable, et cohérence architecturale parfaite sur une centaine de mètres. Ce quartier était à l'époque le centre commercial de la ville. Artisans et riches marchands y demeuraient, comme le forgeron Jeremiah Elfreth... Restaurées, les maisons privées sont encore habitées, elles datent de 1728 à 1836. Malheureusement, les cars de touristes fréquentent souvent les lieux...

🏃 Les amateurs de **fresques murales** ne manqueront pas d'aller admirer celles situées à 5 blocks au nord, à l'angle de 2nd et Callowhill St *(plan D1, 60)*. C'est l'un des plus beaux et des plus impressionnants ensembles de la ville. *L'Histoire de la découverte de l'Amérique et de l'immigration,* dans un style réaliste à la manière d'Orozco ou de Diego Rivera. L'environnement de nœuds autoroutiers renforce d'ailleurs le réalisme de la composition.

🏃 **Christ Church** *(plan D2, 69)* : 2nd St (près de Market St). Ouvert du lundi au samedi de 9 h à 17 h et le dimanche à partir de 12 h.
La plus ancienne église de Philadelphie, datant de 1727. Architecture coloniale géorgienne. De nombreux révolutionnaires y prièrent. William Penn y a été baptisé. Intérieur frais. Non loin, à l'intersection de 5th et Arch St, le *cimetière de Christ Church* abrite la tombe de Benjamin Franklin (entrée : 2 US$).

🏃 **Free Quaker Meeting House** *(plan D2)* : 4th N St (à l'angle avec Arch St). Ouvert de 10 h à 16 h (service religieux le dimanche à 10 h 30 et le mercredi à 19 h).
Maison où se réunissaient les quakers sur un terrain donné par William Penn (bel exemple de continuité). Ces quakers-là, contrairement à d'autres, prirent fait et cause pour la révolution. Ce fut d'abord, de 1693 au début du XIXe siècle, un grand cimetière. Puis, en 1804, on construisit la partie principale de cette *meeting house*. L'intérieur n'a quasiment pas changé. Pas de décor, cadre et atmosphère très austères comme il se doit. On n'aurait aucun mal à y tourner un film d'époque.
Pour les fans d'architecture coloniale, un intéressant groupe de maisons (de 1745 à 1788), à l'angle de 4th N et Cherry St. Alternance de brique rouge et noire et fronton triangulaire.

🏃🏃 **City Hall** *(plan B2)* : visite gratuite, y compris la montée à la tour, du lundi au vendredi de 10 h à 15 h.
Construction néo-Renaissance de la fin du XIXe siècle (largement inspirée du Louvre), la plus grande mairie du pays et longtemps l'édifice le plus haut de la ville... Jusqu'en 1987, une règle tacite voulait qu'aucun bâtiment ne dépasse l'hôtel de ville (la construction du One Liberty Place y mit fin). La ville de Philadelphie vient d'achever de le rénover entièrement. C'est Alexander Calder qui réalisa la statue de 27 t de William Penn, au sommet (la plus grande sculpture du monde au sommet d'un édifice). On a poussé la perfection jusqu'à faire figurer un texte sur la charte qu'il tient à la main (à vos jumelles !). L'accès à la tour se fait par l'angle nord-ouest : 3 ascenseurs mènent au 7e étage, prévoir un peu d'attente car ces derniers contiennent à peine 8 personnes. Dépliant en français détaillant les points de vue et expo de photos : ne pas rater celles avec la statue de Penn revêtue d'un T-shirt ! Deux minutes d'une impressionnante montée dans les étages de brique, puis dans la charpente métallique, pour arriver à une petite lanterne ceintu-

rée d'une véranda protectrice. Magnifique vue sur le musée des Beaux-Arts, le Masonic Temple, le Delaware et le Benjamin Franklin Bridge, le building de l'*hôtel Loews,* Broad St où l'on voit en quelques blocks les buildings disparaître au profit des petites maisons, la Schuykill River au sud-ouest et les complexes pétrochimiques...

🎥🎥 *Masonic Temple (temple maçonnique ; plan B2)* **:** 1 N Broad St (juste en face du City Hall). ☎ 988-1917. Visites guidées (3 US$) du lundi au vendredi à 11 h, 14 h et 15 h, le samedi à 10 h et 11 h seulement. Fermé le samedi en juillet-août et le dimanche toute l'année.

Le monument le plus surprenant, le plus dingue de Philadelphie. Par sa taille, c'est le plus grand temple maçonnique du monde. Inauguré en 1873, il ressemble à une imposante église sans style particulier, avec une haute tour qui rivalise avec sa voisine de la mairie. L'intérieur surprend par son luxe de palace.

On visite d'abord le *musée de la Franc-Maçonnerie* (américaine) qui abrite des trésors, notamment un tablier maçonnique *(masonic apron)* brodé par Mme de La Fayette et offert à George Washington par « Brother La Fayette », en 1784, lors de son 1er retour en Amérique.

Voir aussi les portraits des différents présidents américains qui étaient francs-maçons (l'ineffable Gerald Ford en fait partie). Puis, comme dans un palais, on découvre une à une les immenses salles où se tiennent les assemblées selon le degré d'initiation des membres : le *Ionic Hall,* tout en velours bleu, l'*Egyptian Hall* (la plus insolite), reconstituant l'univers pharaonique de la vallée du Nil, la *Normal Room,* ornée de motifs celtiques et scandinaves, le *Renaissance Hall* et le *Corinthian Hall...* Et partout des symboles sacrés et profanes comme le compas et l'équerre (Dieu et la Géométrie). Ouvrez l'œil : vous verrez, au fil des couloirs, un tableau de La Fayette (un héros en Amérique) et un buste de Voltaire. Ce qui frappe dans ce temple, c'est la ferveur et la force avec lesquelles les valeurs maçonniques sont affichées, Foi, Raison et Progrès n'étant jamais dissociés.

En sortant du temple, prenez un billet de 1 US$, observez-le bien : d'un côté, la phrase religieuse *In God We Trust,* de l'autre, une pyramide surmontée d'un grand œil ouvert (la Raison guidée par la Conscience), symbole maçonnique qui fait désormais partie du quotidien des citoyens américains !

🔍 *Petits clins d'œil à la France* **:** au fil de votre balade, ouvrez l'œil sur les quelques monuments, sites ou œuvres qui suivent, car leurs auteurs se sont inspirés de modèles ou de styles existant déjà en France. Petits clins d'œil à Paris dans la plus authentique des vieilles villes américaines.

– *Le City Hall :* construit entre 1871 et 1901. Style néo-Renaissance française. Les magnifiques façades viennent d'être rénovées.

– *Academy of Music :* l'opéra de Philadelphie (1857) a été conçu par Napoléon Le Brun, architecte français.

– *Benjamin Franklin Parkway :* les « Champs-Élysées » de la ville. Grande avenue dessinée par le *distinguished Frenchman* Jacques Gréber (1882-1962).

– *La statue de Jeanne d'Arc :* là, on croit rêver. Jeanne, ici ? Au bord de la Benjamin Franklin Parkway ! C'est vrai qu'elle ne supportait pas la tutelle anglaise, comme les soldats de la Liberté...

– *Rodin Museum :* c'est le sculpteur français le plus connu aux États-Unis. Le musée a été dessiné par l'architecte français Paul Gret (1876-1945). Voir sa description dans « Les musées ».

– *The Free Library of Philadelphia, The Municipal Court :* copies américaines de l'hôtel *Crillon* sur la place de la Concorde à Paris.

– *Rittenhouse Square :* les créateurs de cet îlot de verdure, en plein quartier des affaires, ont pris comme modèle le parc Monceau à Paris. On dirait un morceau d'Europe parachuté en Amérique. Ce square est le cœur du *French Quarter,* quartier de restos et boutiques chic *frenchy* créé par des promoteurs touristiques philadelphiens.

Les musées

Chers routards, Philadelphie vous a gâtés !

🎨🎨🎨 *Philadelphia Museum of Art (plan A1) :* 2600 Benjamin Franklin Parkway (au niveau de 26ᵗʰ St). ☎ 684-7506. ● www.philamuseum.org ● Ouvert du mardi au dimanche de 10 h à 17 h (20 h 45 les mercredi et vendredi). Fermé le lundi. Entrée : 10 US$; réductions. Le dimanche, on donne ce qu'on veut.

Le Louvre de Philadelphie. Musée superbe, à ne pas manquer. Un résumé de l'histoire artistique d'une grande partie du monde avec ses collections européenne, asiatique et américaine. Le musée est grand mais pas trop, l'architecture est ancienne mais la présentation moderne et surtout le choix des pièces, que ce soit en peinture, sculpture, arts décoratifs ou religieux, est d'une remarquable pertinence. Voici quelques points de repère, histoire de vous mettre l'eau à la bouche.

– *Grands escaliers à l'extérieur :* c'est sur ces marches, face à la ville de Philadelphie, qu'ont été tournées les premières images du film *Rocky,* une saga ayant connu un succès fou aux États-Unis et qui raconte l'histoire d'un p'tit mec des quartiers pauvres, plein d'ambition. Son rêve de devenir un boxeur célèbre deviendra réalité. Autrement dit, ce sont les marches de la gloire... Tout en haut des marches, au milieu du parvis, on a même sculpté les empreintes des baskets de Rocky.

– *Rez-de-chaussée (ground floor) :* cafétéria, resto, boutique du musée, qui vend des objets intéressants, dont le catalogue de la fondation Barnes, si vous n'avez malheureusement pas réservé à temps pour la visiter.

1ᵉʳ niveau

On y trouve les expos temporaires, les collections américaines, européennes (de 1850 à 1900) et l'art du XXᵉ siècle.

– *Art américain :* à gauche de l'East Entrance. Mobilier et belle argenterie. Toiles de Thomas Eakins, portraitiste américain dont les visages expriment une douce mélancolie.

– *Art européen :* Corot d'abord, dont la *Chevrière de Terni* à la lumière si italienne ; Whistler ; Millet ; Boudin. Belle marine de Courbet et le fameux *Combat du Kearsarge et de l'Alabama* au large de Cherbourg que Manet peignit en direct. Après, festival Degas, Gauguin, Cézanne et ses célèbres *Baigneuses,* Pissarro, Sisley, Renoir... Pas moins de 13 Monet, dont un des *Pont d'Argenteuil* et le *Sheltered Path* à la luminosité si intense. *Chevaux à l'abreuvoir,* un Delacroix plein de vigueur et aux couleurs somptueuses ; l'*Île Lacroix,* un étonnant Pissarro (qu'il encadra lui-même) ; puis un beau Toulouse-Lautrec et le *Portrait de Madame Augustine Roulin* de Van Gogh. Sur le plan technique, saluons l'atmosphère bien rendue et la diffusion de la lumière du *London Wharf with Carriage at Night* de J. A. Grimshaw. Dans la rotonde, *Deux Jeunes Filles* de Renoir et le *Pont japonais à Giverny* de Monet. Petite pièce discrète cachant presque d'intéressants Vuillard et Bonnard. Splendide *Pont Neuf* de Pissarro et deux beaux Douanier Rousseau.

– *Art moderne :* Pollock ; Braque ; Picasso (dont certaines œuvres de 1906 encore figuratives) ; le *Man in a Café* de Juan Gris, à la remarquable déconstruction ; puis Chagall, Matisse, Léger... Magnifique *Horse, Pipe and Red Flower* de Miró ; puis Magritte, Dalí et Tanguy, un surréaliste breton qui termina son existence aux États-Unis. Et encore, Max Beckmann, Kandisky, Klee, Willem De Kooning...

– *Peinture américaine contemporaine :* Mark Rothko, Kline, Motherwell, la *Chaise électrique* d'Andy Warhol, Franck Stella, Rauschenberg, *Painting with 2 Balls* de Jasper Johns, puis Orozco et une « provoc » de Jeff Wall... Tout au fond, de superbes Matisse. Ne pas manquer la salle dédiée à Cy Twombly, vif et lumineux, dans le style de Basquiat. Autre salle où l'on a ingénieusement associé Mondrian et Brancusi.

PHILADELPHIE

Marcel Duchamp, de son côté, est magnifiquement représenté. Peintre et sculpteur, fer de lance du mouvement « Ready Made », Duchamp a réalisé un grand classique, exposé ici, et nommé *La Mariée mise à nu par ses célibataires, même,* œuvre connue de tous les élèves en histoire de l'art. Cette pièce singulière, comportant une large partie vitrée, fut brisée lors du transport vers les États-Unis ; on appela Duchamp pour l'en informer. Il fit le déplacement et trouva la fêlure du verre remarquable, faisant admirablement partie de l'œuvre. Ah, sacré Marcel ! De lui encore, l'un de ses célèbres urinoirs, ses boîtes et le portrait du *Docteur Dumouchel.* Quelques collègues : Jacques Villon (son frère), Kupka...

2e niveau

Délirante collection d'armures de tous les genres et de toutes les formes. Remarquez les 3 petites armures pour enfants, très rares. Puis, dans une aile, on découvre une incroyable section d'art médiéval et de la toute 1re Renaissance. Voir le très beau portail roman de l'abbaye de Saint-Laurent (près de Cosne-sur-Loire) et la reconstitution du cloître de Saint-Michel-de-Cuxa (Pyrénées-Orientales). D'autres reconstitutions (genre très apprécié en Amérique) dans la partie asiatique : le palais d'un mandarin chinois, un temple hindou et une maison de thé japonaise.

– *Art européen du XIIe au XVIIIe siècle :* immenses tapisseries sur des cartons de Rubens, primitifs religieux, meubles gothiques, reliquaires, etc. Superbe meuble à deux corps, chef-d'œuvre de la sculpture bourguignonne (1570) ; beau plat en majolique de Nicola de Urbino, représentant un combat à cheval aux couleurs époustouflantes (1523) ; fascinantes œuvres de Limoges et autres objets d'art ; admirable retable de 1535 avec scènes de la Passion ; etc. École hollandaise : *Prométhée* de Rubens, l'une des grandes « pièces » du musée ; paysages de Ruisdael. École française du XVIIe siècle : Poussin, Simon Vouet. Salles consacrées à Gainsborough, une autre à Romney. Écoles française et italienne du XVIIIe siècle : Canaletto, Tiepolo, Coypel, Natoire, Hubert Robert...

Ne pas louper la *collection Johnson,* une étonnante salle où reposent une centaine d'œuvres de toutes les époques et de tous les styles. Le donateur, riche avocat de Philadelphie, insista pour que les pièces soient exposées exactement comme chez lui. Ça donne à la fois un gentil désordre et une atmosphère particulière à la salle. Il a dû gagner pas mal de procès pour s'acheter tout ça !

Enfin, l'un des grands attraits de ce musée est sa scénographie : la plupart des toiles du 2e niveau sont exposées dans des salles consacrées au pays d'origine des peintres : salons anglais, français, Renaissance, etc. Ces intérieurs ont tous été acquis en Europe, démontés à Philadelphie et remontés. Une galerie extérieure permet un éclairage indirect, complété par un jeu de lumières très harmonieux.

Après la visite du musée, descendez la colline vers la rivière. À 500 m, vous apercevez des sportifs s'exerçant dans les environs et de splendides *houseboats.*

🎗 *Musée Rodin (plan A1) :* Benjamin Franklin Parkway (près de 22nd St). ☎ 763-8100 ou 787-5476. Ouvert du mardi au dimanche de 10 h à 17 h. Donation de 3 US$ recommandée.

Avec ses 128 œuvres, c'est la plus grande collection de l'artiste réunie dans un musée hors de France. On y trouve aussi bien *Saint Jean Baptiste prêchant,* un bel *Adam,* un plâtre du *Nu de Balzac,* les *Portes de l'Enfer,* ainsi que les célèbres *Bourgeois de Calais.*

🎗🎗 🚶 *The Franklin Institute Science Center (plan A-B2) :* à côté de Logan Sq, près du 20th St. ☎ 448-1200 ou 1208. Ouvert tous les jours de 9 h 30 à 17 h ; séances IMAX toutes les heures de 10 h à 16 h (21 h les vendredi et samedi et 17 h le dimanche). Entrée : 13 US$ (17 US$ avec l'IMAX) ; réductions.

PHILADELPHIE

Un « palais de la Découverte » ultramoderne. Présentation vivante et interactive de tous les domaines scientifiques et technologiques (optique, mécanique, espace, électricité), aussi bien que des domaines naturels et biologiques (le corps humain, la terre, l'énergie, les maladies...). Plein d'expériences à réaliser pour les enfants. Bien sûr, Philly n'a pas le monopole de ce genre de musée, mais ici c'est fait à l'américaine, avec panache et pédagogie. Abrite aussi le planétarium (spectacle laser) et un cinéma IMAX.

🦌 *The University Museum of Archeology and Anthropology* (hors plan par A2) : University of Pennsylvania, 33rd St (et Spruce St). ☎ 898-4000. Ouvert du mardi au samedi de 10 h à 16 h 30 et le dimanche de 13 h à 17 h (l'été seulement). Fermé le lundi. Entrée : 5 US$; réductions. Gratuit le dimanche.
Énorme musée à l'ancienne où sont regroupées d'étonnantes collections ethnologiques concernant une multitude de régions du globe. Gros problème cependant : présentation mortellement ennuyeuse et, l'été, l'absence de clim' rend l'endroit pénible. Néanmoins, la collection n'est pas banale : sphinx de 12 t, vestiges du palais Merenptah en Égypte, Grèce antique, textes cunéiformes, Asie, bronzes africains, préhistoire américaine, îles du Pacifique...

🦌🦌 *Atwater Kent Museum* (plan C2) : 15 S 7th St. ☎ 685-4830. Ouvert de 10 h à 17 h. Fermé le mardi. Entrée : 5 US$.
Atwater Kent fonda, au début du XXe siècle, à Philadelphie, une fabrique de postes de radio qui devint, en 1922, la plus importante au monde. En 1927, plus d'un million de foyers américains en possédaient au moins un. L'élégant édifice abritant aujourd'hui le musée, œuvre du célèbre architecte John Havilland (en 1826), fut pourtant menacé de destruction (Henry Ford se proposait de racheter la façade). Notre homme de radio racheta alors l'immeuble en 1938, sous trois conditions : qu'il soit transformé en musée d'histoire de la ville, qu'il porte son nom et qu'il soit gratuit (ce qui est presque encore le cas). Il abrite donc des dizaines de milliers d'objets se rapportant à Philadelphie. Vieilles enseignes, objets domestiques, posters, lithos, jouets, etc. Présentation par roulements.
Mais le plus important, c'est la récupération de la *collection Norman Rockwell*, déménagée du journal *Saturday Evening Post*. De 1916 à 1963, Rockwell réalisa 323 couvertures du célèbre hebdomadaire. Il était spécialisé dans la peinture des multiples situations de la vie quotidienne, mais toujours sur le mode de l'humour, teintée d'une certaine tendresse. Témoin de l'Amérique bien-pensante, il avait le chic pour capter les situations les plus cocasses. Il avait coutume de dire : « J'ai juste montré l'Amérique que j'observais et celle que je connaissais à ceux qui ne l'avaient peut-être pas remarquée ! » Son travail se rapproche plus de la photographie sur le vif que de la peinture traditionnelle. Réaliste et optimiste, il peignait des scènes toujours positives, drôles et jamais grinçantes. Amérique sûre d'elle, Amérique joie de vivre : son travail témoigne de l'application au quotidien du rêve américain. On reste ébloui par la fraîcheur, la décontraction et la qualité de la mise en scène de ces tableaux.

🦌 *Balch Institute for Ethnic Studies* (plan C2, 61) : 18 S 7th St. ☎ 732-6200. Ouvert de 10 h à 16 h. Fermé les dimanche et lundi. Entrée : 3 US$; réductions.
À deux pas du Atwater. Institut travaillant sur l'histoire de l'immigration qui forgea les États-Unis et œuvrant pour la popularisation et le respect de la culture et de ses composantes ; expliqué au travers de riches expos temporaires.

🦌🦌 *Pennsylvania Academy of Fine Arts* (plan B2, 66) : à l'angle de Broad et Cherry St, en plein centre. ☎ 972-7600. Ouvert de 10 h (11 h le dimanche) à 17 h. Fermé le lundi. Entrée : 7 US$; réductions ; un peu plus cher pendant les expos temporaires.

Musée consacré à l'art américain. Fondée en 1805 sous le mandat du président Jefferson, ce fut la 1re académie d'art du pays. Elle en est maintenant à son 3e emplacement. Architecture intéressante, dite High Victorian gothic, datant de 1876 (le bâtiment a été construit pour le centenaire de la Révolution). Façade particulièrement ornementée. À l'intérieur, décor souvent flamboyant, comme les grandes colonnes, qui mérite à lui seul que l'on y passe. Le fonds permanent du musée tourne sans arrêt. Intéressante collection de peintures et sculptures américaines des XVIIIe et XIXe siècles. Présentation d'expos d'art contemporain bien mis en valeur par le bâtiment et son éclairage, ainsi que par une intelligente muséographie. Une simple visite de l'espace central (sans payer) et de la boutique n'est pas du temps perdu.

🏃 *Afro-American Museum* (plan C2, **65**) **:** à l'angle de 7th et Arch St. ☎ 574-0380 ou 0381. Ouvert de 10 h (12 h le dimanche) à 17 h. Fermé le lundi. Entrée : 6 US$; réductions.
Est-ce une manière de se donner bonne conscience ou une réelle volonté de réhabilitation des Noirs ? Nous optons pour la 1re hypothèse, compte tenu des faibles moyens mis en œuvre (essentiellement des photos). Ce modeste « musée » a donné autrefois un bon aperçu du calvaire qu'ont connu les gens de couleur depuis leur arrivée forcée d'Afrique jusqu'aux luttes pour la liberté. Il offre aujourd'hui un témoignage sur la vie d'un Noir, bien intégré dans la communauté américaine.

🏃 *Eastern State Penitentiary* (plan A1, **72**) **:** 22nd St (et Fairmount St). ☎ 236-3300. Ouvert de juin à août, du mercredi au dimanche de 10 h à 17 h ; en mai, septembre et octobre, le week-end. Entrée : 9 US$; réductions. Enfants de moins de 7 ans non admis. Tour guidé. Pour s'y rendre : le *Phlash* et les bus *Septa* n°s 76, 48, 43, 33, 32 et 7.
Allure massive de château médiéval. Construit en 1820, ce fut à l'époque le bâtiment public le plus cher des jeunes États-Unis et, longtemps, la prison la plus célèbre du pays. Elle servit de modèle à nombre d'autres pénitenciers, jusqu'en Europe, Asie et Amérique du Sud. Aujourd'hui désaffectée et dans un état d'abandon avancé, elle se visite et attire, bien sûr, tous les amateurs d'insolite. Certains ont cru voir passer les ombres de fameux locataires, comme Al Capone ou le braqueur de banques Willie Sutton.

🏃 *Mütter Museum* (plan A2, **64**) **:** 19 S 22nd St (angle de Chestnut). ☎ 563-3737. Ouvert tous les jours de 10 h à 17 h. Entrée : 10 US$; réductions. Situé dans le College of Physicians. Ça n'intéressera pas seulement nos lecteur(trice)s étudiant la médecine, mais aussi les curieux, les pervers, les âmes peu sensibles raffolant des horreurs médicales, des maladies de peau insoutenables, des tumeurs ignobles, des erreurs de la nature... En prime, plus de 20 000 instruments médicaux, planches et illustrations diverses, modèles, et un petit jardin de plantes médicinales.

🏃 D'autres petits musées en ville comme les *Philadelphia Maritime Museum*, *Port of History Museum*, *National Museum of American Jewish History*, *American Swedish Historical Museum*, *Civil War Library and Museum*, *Academy of Natural Sciences*, *Mummers Museum* (présentation des costumes de la parade du 1er janvier)... Listes et adresses à l'office du tourisme pour ceux qui n'en auraient pas assez.

Les marchés

Vous ne rêvez pas ! Philadelphie compte deux grands marchés, hauts en couleur. On ne doit manquer ni l'un ni l'autre.

🏃🏃 *Reading Terminal Market* (plan C2, **21**) **:** à l'angle d'Arch et 12th St. ☎ 922-2317. Ouvert tous les jours de 8 h à 18 h (sauf le dimanche) mais, en fait, ce sont les jeudi, vendredi et samedi qu'il est préférable d'y aller. Un énorme marché couvert avec toutes sortes d'étals, qui existe depuis 1893.

Ce qui le rend unique, ce sont les nombreux étals et échoppes tenus par des amish (voir plus loin dans « Pennsylvania Dutch Country » le commentaire les concernant). Ils viennent ici proposer leurs bons produits fermiers. On reconnaît les hommes grâce à leur longue barbe sans moustache et leurs cheveux rabattus sur le front. Les femmes portent une robe claire, unie, et leurs cheveux, séparés par le milieu, sont retenus par un chignon serré que maintient un petit bonnet blanc. Beaucoup vivent dans la région de Hatville. Goûtez leurs bretzels préparés sous vos yeux. Spécialité aussi de *custard pudding, pickles* et confitures. Pour les gâteaux et *pies,* aller chez *Beilers.* Le *Stoltzfus Snack Bar,* juste à côté, prépare des petits plats copieux et pas chers. Aller au marché le matin et y déjeuner. Plein de possibilités culinaires (voir plus haut « Où manger ? »).

🍴🍴 *Italian Market (plan C3) :* sur 9th St (entre Federal et Christian St). C'est la forte population italienne du quartier qui a, petit à petit, recréé son art de vivre dans ce coin-là. Marché de rue ouvert tous les jours, mais la pointe de l'animation est évidemment le samedi. Ça fait vraiment chaud au cœur de voir en Amérique des cageots de légumes, de la viande sanguinolente, du pain tout chaud, et de sentir des odeurs de fromage. D'ailleurs, pour un casse-croûte, aller au n° 930, *The House of Cheese Di Bruno's Bros* (400 sortes de fromages) puis en face, chez le petit boulanger italien. On retrouve là les accents de toutes les minorités italienne, noire et asiatique. Au coin de 9th et Washington St, on pourrait tourner un film style années 1930-1940 chez *Giordano,* le marchand de légumes, sans modifier quoi que ce soit. Quelques scènes du film *Rocky* furent tournées dans les entrepôts des boucheries du quartier.

Achats

IMPORTANT : il n'y a pas de taxes en Pennsylvanie, pour les vêtements et les chaussures. Profitez-en !

🏵 *Daffy's (plan B2) :* 17th St et Chestnut. Un grand magasin ne proposant que des vêtements soldés ou fins de série (40 à 60 % de réduction). De bonnes affaires, à condition de bien fouiner.

🏵 *The Gallery (plan C2) :* Market St et 9th St. Assez populaire. Certaines des 150 boutiques sont intéressantes, surtout pour une clientèle jeune. Et il y a un *K-Mart,* pour les fauchés en mal de nécessités de la vie routarde.

🏵 *King of Prussia :* 160 N Gulph Rd. Dans la ville de King of Prussia, à l'ouest de Philadelphie.

Pour y aller : sortie 327 (Mall Blvd) de la route 202. ☎ (610) 265-5727. ● www.kingofprussia.com ● Ce serait le plus grand centre commercial du nord-est des États-Unis. Sept grands magasins (dont le chicos *Bloomingdale's*) et 365 boutiques (dont la funky *Urban Outfitters*).

🏵 *Franklin Mills :* à 35 mn au nord-est de Philadelphie. Du centre, des navettes sont assurées par la *Philadelphia Trolley Works.* Au total, 200 boutiques proposant des *discounts* de 20 à 70 % : Ralph Lauren, Levi's, Kenneth Cole, DKNY... Sur place, restos et bowling.

➤ *DANS LES PROCHES ENVIRONS DE PHILADELPHIE*

🎭🎭🎭 *Barnes Foundation :* à **Merion,** 300 N Latch's Lane. ☎ 667-0290. Fax : 667-8315. ● www.barnesfoundation.org ● (site en français extrêmement bien fait). À 20 mn en voiture de Philadelphie. Pour y aller, prendre la 76 W (direction opposée à celle de l'aéroport), sortie n° 339 (attention : par la voie de gauche), prendre la 1 vers le sud (Montgomery Ave puis City Ave) ; tourner à droite dans Old Lancaster Ave, puis à gauche dans Latch's Lane.

PHILADELPHIE

C'est au 300 sur la gauche. Une autre route, la plus directe, passe par un grand ghetto. En transports en commun, bus n° 44 du centre-ville ou train R5. En juillet-août, ouvert SEULEMENT les mercredi, jeudi et vendredi de 9 h 30 à 17 h. Et de septembre à juin, ouvert SEULEMENT le vendredi et le week-end de 9 h 30 à 17 h. Prix : 5 US$ (+ 2 US$ si vous réglez par carte de paiement). Parking payant : 10 US$. Possibilité de visites guidées de la collection ou de l'arboretum (sans réservation, à voir sur place), sinon audioguide à 7 US$. IL EST IMPÉRATIF DE RÉSERVER 1 À 2 MOIS À L'AVANCE, via Internet (très pratique et rapide) ou via les agences de voyages suivantes, si vous réservez également d'autres prestations : *Voyageurs aux États-Unis et au Canada, La Compagnie des États-Unis et du Canada* (coordonnées dans le chapitre « Comment y aller ? » au début du guide).

Quelques infos quand même sur les raisons de ces jours d'ouverture aussi restrictifs... En fait, la direction du musée souhaiterait l'ouvrir plus souvent et augmenter le nombre de visiteurs (qui est de 400 par jour actuellement)... mais ce sont, tenez-vous bien, les voisins qui refusent ! Pour eux, le musée, situé dans un quartier résidentiel, est une nuisance. C'est comme si les riverains du *musée d'Orsay* ou du *centre Pompidou* à Paris avaient signé une pétition contre leur création. On mesure bien là le degré d'égoïsme et de bêtise d'une fraction significative de la population américaine. Qui était cet Albert Barnes qui constitua une telle caverne d'Ali Baba ? Un médecin qui, au début du siècle, inventa l'*Argyrol*, un collyre pour les yeux (qui disparut en 1960 avec l'arrivée de la pénicilline). Il découvrit la peinture française post-impressionniste en étudiant en Allemagne. Il avait de l'argent, mais surtout un goût très sûr, puisqu'il investit seulement 13 millions de dollars pour sa collection, ce qui n'est pas si considérable par rapport à la valeur de la collection et comparé à certaines fortunes américaines. Au total, tenez-vous bien : 181 Renoir, 69 Cézanne (presque tous des chefs-d'œuvre, parmi lesquels *Les Joueurs de cartes*), 60 Matisse (dont *Luxe, Calme et Volupté*), 46 Picasso, et puis, en veux-tu, en voilà, des Modigliani, Soutine, Monet, Manet, Van Gogh, le Douanier Rousseau ou Degas. Sans compter les Greco, Titien et l'art africain, très cher à Barnes. D'ailleurs, vous ne verrez que le quart de la collection, car Barnes était très généreux : il offrit des centaines d'œuvres à des amis ou des employés. Issu d'un milieu modeste, il avait une véritable compassion pour la classe ouvrière, et animait des groupes d'éducation artistique avec son personnel.

Seul Barnes décidait de l'accrochage des toiles. Il ne tenait compte d'aucune chronologie ou d'école. Et pourtant, rien n'était fait au hasard. Ce type de muséographie était totalement révolutionnaire à l'époque. Amusez-vous à décrypter les liens entre les œuvres, les symétries. Cela peut être une rose ou des seins nus. On retrouve parfois des identités de couleur ou de forme entre les œuvres, le mobilier et la ferronnerie accrochée au mur... Barnes refusait tout académisme : il s'amusait !

Parfois, il y eut des gags : dans la grande salle, vous apercevrez *La Danse* de Matisse. Bizarre, on trouve la même au musée d'Art moderne de la ville de Paris ! Il en existe bel et bien deux exemplaires, car Matisse vint lui-même prendre les dimensions mais se trompa : il fallut refaire le tableau.

Il appelait son domaine *Ker-Feal,* ce qui signifie, en breton (eh oui !) « la maison de Fidèle », le nom de son chien. En 1951, Albert Barnes grilla un stop en voiture et mourut sur le coup. Impossible d'approcher le corps à cause de la férocité du chien. Il fallut l'abattre.

Aujourd'hui, la fondation connaît de gros problèmes financiers, notamment à cause des restrictions de visites imposées par le voisinage. Voilà pourquoi elle reçoit des subventions de la ville et de la richissime *Fondation Getty*. D'ailleurs, on envisage même de transférer la collection dans le centre de Philadelphie pour améliorer sa rentabilité. Ce déménagement serait alors une entorse aux dernières volontés du docteur Barnes, qui avait exigé que ses œuvres restent exactement à la place où elles étaient de son vivant.

PENNSYLVANIA DUTCH COUNTRY   IND. TÉL. : 717

Pour comprendre l'histoire des minorités de cette région qui intriguent tant les touristes, il faut remonter au début du XVIe siècle, en Europe. Après la Réforme de Luther en 1517, de nombreux courants sectaires virent le jour au sein de la nouvelle religion dissidente, le protestantisme. Parmi ceux-ci, les anabaptistes, dont la particularité était de n'accorder le baptême qu'aux adultes et de mener une vie très simple, conforme aux enseignements des premiers chrétiens (et notamment de l'Évangile des Béatitudes). Menno Simons (1492-1559), ancien prêtre catholique hollandais, fut le leader des anabaptistes, dissidents catholiques aussi bien que protestants. La plupart d'entre eux moururent torturés, pendus, noyés. Bientôt les mennonites restants, appliquant les préceptes de la Bible à la lettre, subirent un schisme dont l'origine était l'interprétation des textes. Cette nouvelle branche, menée par un jeune fermier alsacien et mennonite, Jacob Amman (originaire de Sainte-Marie-aux-Mines, dans l'actuel Haut-Rhin), témoignait d'une application encore plus orthodoxe de la Bible. La scission avec les mennonites se produisit à la fin du XVIIe siècle, et les disciples de cette nouvelle doctrine furent appelés *amish*. Quand William Penn reçut plein pouvoir sur ce nouveau territoire, qui s'appellera la Pennsylvanie, des mains du roi Charles II d'Angleterre, il souhaita que ces colonies soient le refuge des opprimés et des persécutés, ainsi que le berceau de la tolérance religieuse. Les premiers réfugiés mennonites débarquèrent rapidement, un an seulement après William Penn, en 1683 et s'établirent d'abord à Germantown, aujourd'hui faubourg de Philadelphie. Mennonites, frères moraves et amish s'installèrent peu à peu dans la région. Ces derniers arrivèrent au début du XVIIIe siècle, provenant de Suisse, d'Alsace et du Palatinat. Tous ces immigrants sont connus sous le nom de *Pennsylvania Dutch* (« Dutch », ici, est une déformation du mot *Deutsch,* qui signifie « Allemand ») mais ils regroupent un nombre incroyable de sous-minorités religieuses, qui ont toutes en commun l'application stricte de la Bible, une grande simplicité dans le mode de vie, le refus de la modernité ainsi que l'usage du dialecte germanique (que les Alsaciens parlent encore). Aujourd'hui, les anabaptistes se divisent en 3 familles : les *brethren* (9 groupes), les *mennonites* (21 groupes) et les *amish* (8 groupes). La majorité des brethren et la moitié des mennonites sont habillés comme les Américains classiques.

LES AMISH

Devenus en quelque sorte des mennonites purs et durs, les amish, qui comptent environ 22 000 âmes dans le comté de Lancaster, ont été popularisés par le film de Peter Weir, *Witness,* en 1985.

Quand on traverse cette région en voiture, on croise souvent ces petites carrioles noires que conduisent de drôles de personnages : l'homme est barbu mais se rase la moustache (car celle-ci évoque la triste image des soldats moustachus qui les persécutaient naguère dans la vieille Europe), il porte un chapeau noir et une chemise simple. La femme est vêtue d'une robe également très simple qui peut être de couleur (en général terne) mais toujours unie (tissus imprimés et bijoux interdits). Leurs cheveux, jamais lâchés, jamais coupés, sont maintenus en chignon dans un bonnet à l'ancienne. Celui-ci peut être plus ou moins enveloppant en fonction de l'âge. Certains sous-groupes refusent également les boutons, parce qu'ils évoquent les capotes militaires et sont symbole d'orgueil. Non, ce ne sont pas des comédiens attardés, mais des personnes vivant selon leur conscience, des non-conformistes, séparés du monde (mais – ô combien ! – entourés par la culture américaine...), dont la différence spirituelle avec le protestantisme officiel doit être visible au travers du costume ancien, de l'apparence physique, du mode de vie (c'est un des préceptes de Jacob Amman, le fondateur). Ils sont donc parmi les derniers dans le monde à montrer ainsi leur différence (à ne pas confondre avec les moines qui vivent derrière des murs) avec les quelques communautés mennonites que l'on trouve dans les plaines centrales canadiennes et au Belize. Les amish ont refusé tout changement depuis leur arrivée, et suivent pas à pas les préceptes de la Bible. Tout est dédié à la communauté et chaque règle de vie est inscrite dans l'*Ordnung,* une sorte de code de bonne conduite amish. L'un des principes, pour accepter ou non une innovation, est que celle-ci ne doit pas « faciliter la vie », rendre les travaux moins pénibles. Si c'est son unique but, ce n'est pas un progrès acceptable. L'évolution est donc lente, et la tradition bien ancrée. Ainsi, la possession de voitures est interdite, bien qu'il soit accepté qu'un amish monte à bord d'un véhicule appartenant à un « étranger ». L'électricité est proscrite, les tracteurs aussi, mais pas le moteur permettant d'entraîner la faucheuse. S'il y avait néanmoins utilisation de tracteur il y n'a pas de pneus en caoutchouc, car c'est un élément de confort, et un symbole de vitesse et de progrès. L'énergie produite sur place par un générateur diesel est acceptée (notamment pour réfrigérer le lait). La TV et le téléphone sont bannis. Une seule concession : un téléphone extérieur (commun à plusieurs fermes) pour les urgences (mais pas de conversations privées).

Toutefois, des nuances importantes existent dans le mode de vie amish. Certaines familles, tout en arborant le costume traditionnel et une façon de vivre simple, voire austère, possèdent quand même l'électricité, une voiture, un certain confort avec machines et outils modernes. Elles appartiennent souvent au groupe des *Beachy amish* ou amish-mennonites. Ceux-ci ont des missions dans 60 pays et font du prosélytisme, alors que les amish n'en font pas. Il y a quelques cas de personnes devenant amish, mais c'est long, et rare ! Il faut apprendre le métier d'agriculteur, entre autres...

La plus fermée des communautés américaines parle en famille un « dialecte allemand » (que l'on parlait dans la région du Palatinat au XVIIe siècle), mais beaucoup de parents souhaitent que leurs enfants apprennent l'anglais, puisque la survie des amish dépend malgré tout du rapport commercial qu'ils ont avec les non-amish. Dans les écoles amish, l'anglais est donc utilisé prioritairement ; mais dans les offices religieux, c'est le « haut allemand » *(hochdeutsch)* qui domine : on peut donc dire que les amish purs et durs sont trilingues.

La Cour suprême des États-Unis les a exemptés de l'école obligatoire au-delà de 8-10 ans. Avant cet âge, la classe unique est la règle. Ils apprennent à lire (utile pour lire les Écritures saintes), à écrire, à compter. Le système éducatif repose sur l'apprentissage de la vie en communauté et rejette la compétition. Les surdoués sont traités comme des enfants normaux et, à l'inverse, les moins doués sont très entourés. Concernant les enfants handicapés, c'est un signe de bénédiction pour un foyer, qui a ainsi été choisi par Dieu pour assumer la lourde tâche de les élever.

Très pieux, les amish se réunissent chaque dimanche pour l'office. Les enfants sont baptisés tard, entre 16 et 20 ans. Les méthodes de travail (artisanat, agriculture) sont les mêmes qu'au XVIIIe siècle, ce qui leur donne une réputation de grande expérience. Est-ce un hasard si, avec des méthodes ancestrales, les fermiers amish parviennent à des rendements supérieurs aux autres producteurs, suréquipés en matériel ? La région de Lancaster arrive, grâce aux amish, au tout 1er rang du pays pour la production de lait (leur spécialité), de poulets, œufs, bœufs, porcs et moutons. La réussite de cette minorité à l'esprit éminemment communautaire et à la discipline de fer est un véritable pied de nez à la société américaine contemporaine.

Généralement, les amish paient des impôts, mais refusent de profiter de la Sécurité sociale et des services publics mis à leur disposition comme dans le reste du pays. Cela a mené la Cour suprême à les exempter de cotisations sociales, dans les années 1980. Autres règles de vie essentielles : le pacifisme et la non-violence. Les amish, là encore, appliquent à la lettre deux préceptes bibliques connus : « Tu ne tueras point » et « Si ton ennemi te frappe sur la joue gauche, tends-lui ta joue droite ! » Objecteurs de conscience, ils ne peuvent servir dans l'armée, refusent de prêter serment, et ne se défendent pas en cas d'attaque. Mais si un routard se fait agresser par des malfrats, ils voleront à son secours.

Toute rose, la vie des amish ? Pas forcément. Des scissions continuent à naître dans les différents groupes, dues à l'interprétation toujours délicate des textes concernant l'intégration de la modernité au mode de vie. Les jeunes gens, confrontés malgré tout à la vie extérieure, ont parfois bien du mal à suivre les préceptes interdisant les rapports sexuels avant le mariage (on les comprend), et des défections sont à noter parmi eux.

Avertissement : depuis une quinzaine d'années, le comté de Lancaster connaît un développement touristique et commercial sans pareil (important effet du film *Witness* !). Si on se contente de se balader sur la 30, la 340 et les routes qui leur sont perpendiculaires, on ne rencontrera que d'énormes centres commerciaux *(factory outlets),* des fermes touristiques, des parcs d'attractions, des cohortes de bus, et on risque d'être un peu déçu !... Bref, le coin s'est quasiment transformé en « Amishland », car situé à peu de distance de Philadelphie, cette région est devenue l'une des excursions les plus populaires des groupes et des agences. Force est de constater qu'elle a perdu de ce fait beaucoup de son naturel. Impossible également d'imaginer que la communauté amish ne soit pas touchée par ce phénomène commercial et que cela n'affecte pas son mode de vie. Des familles amish avisées ont d'ailleurs ouvert leur propre business pour profiter de la manne, contribuant à la dégradation de leur culture et de son environnement. Il faut donc quitter les sentiers battus pour retrouver plus de vérité et de naturel. En particulier, intéressantes routes pour se balader à vélo au nord de *Bird-in-Hand,* ou bien dans le secteur de *Lititz, Ephrata* et *Brownstown.* Routes secondaires tranquilles, ponts couverts, jolis reliefs, villages à peu près intacts.

– Ne pas manquer de récupérer l'*Explorer's Map Guide* édité par le *Pennsylvania Dutch Convention and Visitor Bureau.* Très complet.

Comment y aller ?

En train

Jusqu'à Lancaster (compter une bonne heure de trajet depuis Philadelphie).

En voiture

➤ *De Philadelphie :* 2 routes possibles. La route *historique* qu'empruntèrent naguère les communautés amish pour se rendre dans le comté de Lancaster, mais nous ne la conseillons pas. Elle part de Market St. Sortir de la ville par l'ouest, traverser la rivière Schuylkill, en direction du quartier universitaire. Puis prendre Lancaster Ave à la hauteur de 38th St, traverser les quartiers pauvres de Philadelphie (totalement déglingués, véritable ghetto noir), en suivant le métro aérien. Continuer toujours tout droit jusqu'à la Hwy 30 qui mène, en principe, directement à Lancaster, en passant par Wayne, Paoli (encore des Corses !), Kinzer et Paradise (début du pays des amish). Alors, là on vous le dit ! Abandonnez cette vision romantique de l'approche du pays amish, laissez tomber la 30. Quasiment pas de panneaux « Hwy 30 », énormément de feux rouges, importantes fourchettes sans indications (sans compter les travaux). Résultat, on perd rapidement ses repères et à un moment donné, on se perd tout court. Avec un peu de chance, on se retrouve à West Chester comme nous, avec un mal fou à rejoindre à nouveau la 30. En outre, du point de vue paysage, intérêt très limité ! Bref, préférer les solutions qui suivent.

L'autre route consiste à sortir de Philadelphie par la *Schuylkill Expressway* n° 76, puis la Hwy 202 qui rejoint la route 30 en direction de Lancaster. De là, la 30 commence vraiment à être matérialisée. Approche autoroutière peu poétique certes, mais sûre et rationnelle. En revanche, si l'on va à Lancaster directement, il vaut mieux suivre la 76 jusqu'à la 222 S. Sur la carte, ça paraît plus long, mais c'est nettement plus court en temps !

Entre Philadelphie et Lancaster, il y a 71 miles, compter environ 1 h 30 de route pour y aller. On peut faire l'aller-retour dans la journée sans problème, mais on se sent un peu frustré de ne pas passer une nuit ou 2 dans cette si belle campagne.

➤ *De Washington et Baltimore :* prendre l'I 95 N, puis l'I 83 N pour la 30 E qui mène à Lancaster.

Conseil fondamental

Austères mais très courtois, les amish ne s'offusquent pas trop des regards. En revanche, ils n'apprécient pas qu'on les photographie car ils considèrent que toute photo dans laquelle ils peuvent se reconnaître viole le précepte de la Bible : « *Thall shalt not make unto thyself a graven image* ». Même si vous leur demandez la permission, ils refuseront poliment. Essayez de les comprendre et de respecter leurs valeurs. Il faut dire que, depuis le film *Witness*, ils en voient débarquer du monde ! Et pas forcément la crème : il y a par exemple eu des incidents avec des Américains qui frappaient des amish, pour vérifier s'ils étaient réellement non violents ! Alors, soyez intelligent, rangez votre appareil photo ou votre caméra, et contentez-vous de regarder.

La visite

– Tout d'abord, passer au *Visitor Bureau* pour se munir d'un plan de la région et prendre la documentation sur les différentes activités.

– Si vous êtes à pied, des tours en bus partent de presque tous les villages, restaurants, magasins... Vous pouvez même vous faire promener 1 h en buggy, la charrette locale, qui ressemble à une chaise à porteurs avec des roues.

– En voiture, suivez les tout petits chemins à votre fantaisie. Vous pouvez aussi louer une cassette audio (et même le magnéto, éventuellement) qui vous conduira lentement dans la campagne, en 2 h, avec beaucoup d'explications, en anglais uniquement. On se la procure au *Visitor Bureau* et en plusieurs points sur la route 30 près de Lancaster *(Dutch Wonderland, Holiday Inn East...)*.

☀ Si vous voulez rapporter quelques souvenirs, on vous conseille de passer à la boutique de l'*Amish Village* (voir adresse plus loin) où ils vendent notamment des bouquins de photos très bien faits sur les amish. Cela dit, même dans ces bouquins-là, on ne voit pratiquement jamais leur visage mais leur dos... C'est l'esprit qui compte, n'est-ce pas ?

➤ Nombreuses possibilités de *balades organisées* pour ceux qui sont à pied. Se renseigner au *Visitor Bureau*.

Adresses utiles

🏛 *Pennsylvania Dutch Visitor Bureau (plan comté de Lancaster, A1) :* 501 Greenfield Rd, Lancaster. ☎ 299-8901. Fax : 299-0470. À l'est de Lancaster, au bord de la Hwy 30.

En venant de Philadelphie via Paradise, prendre la 1re sortie sur la droite après l'intersection de la route 30 et de la route 340. Venant de l'ouest, sur la 30, sortie Greenfield, puis à droite prendre le pont, vous y êtes. L'office du tourisme est juste à côté de l'hôtel *Holiday Inn*. En été, ouvert de 8 h à 18 h (17 h le dimanche) ; horaires restreints en hiver. Efficace et compétent. Abondante documentation sur les hôtels, les motels, les *B & B* et les activités culturelles. Demander la carte de la région (bien faite) et les différentes brochures utiles. Présentation d'un diaporama.

■ *The Mennonite Information Center :* 2209 Millstream Rd, à Lancaster. ☎ 299-0954. Sur la gauche de la route 30 quand on vient de Philadelphie à la hauteur des 2 hôtels *Econolodge* (*South* et *North*). Ouvert du lundi au samedi de 8 h à 17 h. Une pièce expose une reproduction de l'arche de l'Alliance d'Israël *(Hebrew Tabernacle)*. Explications des mœurs locales et présentation d'un film de 30 mn sur les mennonites et amish, gratuit. Informations sur l'hébergement dans la région.

■ *People's Place :* 3513 Old Phila Pike, à Intercourse, à 11 miles de Lancaster. ☎ 1-800-390-8436. ● www. thepeoplesplace.com ● Ouvert de 9 h à 20 h (17 h de septembre à mai). Arrêt conseillé pour mieux connaître les amish. Diaporama *Who are the Amish ?* de 30 mn. Bien fait (payant).

LANCASTER

56 350 hab. (470 700 avec les banlieues)
IND. TÉL. : 717

La capitale du Lancaster County est la ville intérieure américaine la plus ancienne. Fondée au début du XVIIIᵉ siècle. Son *Central Market* (1730) est d'ailleurs le plus vieux encore aujourd'hui en activité. En 1764, prélude aux grands massacres du XIXᵉ siècle, pour assurer l'expansion coloniale, une bande armée (« vigilantes »), appelée *Paxton Boys,* tua tous les Indiens conestogas de la région. L'espace d'une journée, la ville fut même capitale du pays, lorsque, en 1777, le Congrès s'y réfugia et y tint réunion, fuyant l'occupation de Philadelphie par les troupes anglaises. Puis le lendemain, il partit à York. Lancaster fut aussi capitale de l'État, en 1777-1778 et de 1799 à 1812. Ville agréable se visitant en quelques heures.

Attention, si vous arrivez par l'est (par la 462, route de Philadelphie), aucune pancarte n'indique le Downtown. La King St menant à Penn Sq étant à sens unique, c'est un peu la confusion. Nécessité de prendre alors Broad St, puis à gauche Orange St jusqu'à Prince St. Là, tourner à gauche à nouveau, puis prendre King encore à gauche, pour Penn Sq et le Central Market.

Adresses utiles

🖫 *Downtown Visitor Center (plan B3) :* W Vine St (et S Queen St). ☎ 397-3531. À un block de Penn Sq. Ouvert d'avril à novembre du lundi au vendredi de 8 h 30 à 17 h, le samedi de 9 h 30 à 15 h 30 et le dimanche de 10 h à 14 h. Balades historiques guidées d'avril à août, du lundi au samedi à 13 h (les vendredi et samedi, un tour de plus à 10 h). Renseignements au ☎ 392-1776.

🚌 *Terminal Greyhound :* 22 W Clay St. ☎ 1-800-231-2222. Deux ou 3 liaisons par jour avec Philadelphie. Compter 2 h de route, mais le train est plus confortable, pour une fois.

🚆 *Gare Amtrak :* 53 McGovern Ave. ☎ 824-1600. Environ 10 liaisons pour Philadelphie, 5 liaisons quotidiennes pour New York, 2 pour Chicago et 10 pour Harrisburg (de 6 h à 20 h environ). Gare routière à côté, qui dessert, en plus, Baltimore, Washington, Pittsburgh, Saint Louis, Buffalo (Niagara), Atlantic City.

■ *Location de voitures :* Hertz. Renseignements : ☎ 396-0000.
– Il vous sera difficile de visiter l'Amish Country sans véhicule, à moins de louer un vélo.

Où dormir ?

– Tous les *motels* sont rassemblés quelques kilomètres avant l'entrée de la ville sur la 462. La plupart sont toutefois aussi chers que d'autres adresses plus charmantes, dans le comté de Lancaster (voir plus loin). En basse et moyenne saisons, pas de problème pour y trouver une chambre.

🛏 *Lincoln House Inn Bed & Breakfast (plan Comté de Lancaster, A2, 9)* : 1687 Lincoln Hwy E, Lancaster. ☎ 392-9412. En venant de Philadelphie par la route 30 puis la 462, en direction du centre-ville de Lancaster, c'est sur la droite avant la *D and S Brasserie.* Chambres doubles avec douche et w.-c. de 90 à 110 US$ pour deux. Tenu par une famille amish. Intérieur chaleureux. En haut, 2 chambres communicantes. Superbe *Birthday Suite.* Bon accueil. Loue aussi des studios-appartements pour une durée minimum de 2 ou 3 jours. Non-fumeurs (mais vous l'aviez deviné !) et pas de petit dej' le dimanche (mais un *certificate* pour le prendre dans un resto à côté).

🛏 *Hotel Ramada Brunswick (plan B2, 11)* : Chestnut St (et Queen St). ☎ 397-4801. L'hôtel de centre-ville classique et fonctionnel, avec un effort de déco dans l'entrée. Chambres correctes de 80 à 110 US$.

🛏 *The King's Cottage* : 1049 E King St. ☎ 397-1017. Fax : 397-3447. ● www.kingscottagebb.com ● De 150 à 240 US$ (petit dej, *afternoon tea* et *evening cordials* inclus), réductions en hiver. Style colonial bien que de construction récente, intérieur luxueux. Chambres harmonieuses tout en étant fonctionnelles, intérieurs raffinés. La chambre « Contessa » et son entrée privée, la « Duchess » dont le baldaquin fait voir la vie en rose, la « Princess » et ses bains géniaux, la « Baroness suite » avec son salon et ses grands volumes... Vous avez le choix entre 8 décors différents. Un raffinement qui a tout de même son prix.

Où manger ?

Bon marché

🍽 *Zimmerman's (plan A2, 18)* : 66 N Queen St. ☎ 394-6977. Ouvert de 6 h 30 à 20 h ; fermé le lundi. Breakfast de 5 à 7 US$, repas de 10 à 12 US$. Resto-bar typiquement semi-rural fréquenté par les locaux de tous âges. Poissons et viandes grillés, spécialités grecques, très bon sandwich aux huîtres, frites, *coleslaw, tapioca pudding, sundaes...* Finir par les délicieux chocolats chez *Miesse*, le commerce d'à côté, fourrés au massepain, à la crème, au nougat, etc.

🍽 *The Lancaster Dispensing (plan A2, 12)* : 33 N Market St. Ouvert de 11 h à 2 h (le dimanche de 12 h à 22 h). Cadre sympa de pub victorien et bonne nourriture. Après 22 h, plus de plats, mais les traditionnels burgers, sandwichs et salades. Goûter à l'excellent *Old World reuben*. En fin de semaine, *music sessions*.

🍽 *Pressroom (plan A3, 16)* : 26-28 W King St. ☎ 399-5400. Ouvert de 11 h 30 à 15 h et de 17 h à 21 h 30 (22 h 30 les vendredi et samedi). Compter de 12 à 20 US$ pour une entrée et un plat, plutôt 5 à 10 US$ pour un sandwich ou une pizza. Le soir, certains plats peuvent dépasser les 30 US$. Décor brut de décoffrage (briques apparentes et béton), bel aménagement très « British style » avec un bar impressionnant et des box aux banquettes de cuir vert. Très couru, surtout pour les mariages le samedi. Quelques plats originaux, comme la pizza ou les *linguini* au crabe et la *spinach salad.*

🍽 🍷 *Sanford's (plan B2, 14)* : 37 E Orange St. ☎ 290-1833. Lieu animé pour boire un verre essentiellement, cuisine assez médiocre.

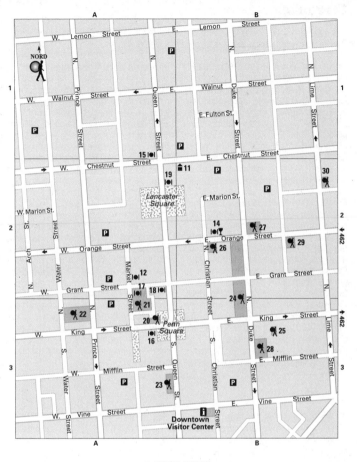

LANCASTER

LANCASTER
ET SON COMTÉ

■ Adresse utile	🍴 À voir
ℹ️ Downtown Visitor Center	**20** Heritage Center Museum
	21 Central Market
⚐ **Où dormir ?**	**22** Fulton Opera
11 Hotel Ramada Brunswick	**23** Lancaster Newspaper Museum
	24 Old County Courthouse
	25 Charles Demuth House et
🍽 **Où manger ?**	Demuth Tobacco Shop
12 The Lancaster Dispensing	**26** First Reformed United Church
14 Sanford's	of Christ
15 Belvedere	**27** Saint James Episcopal Church
16 Pressroom	**28** Trinity Lutheran Church
17 Carr's	**29** First Presbyterian Church
18 Zimmerman's	**30** Lancaster Museum of Art
19 J-M's Bistro and Pub et Zola	

Très chic

Oui, on peut bien manger dans le pays amish et, dans sa capitale, la gastronomie a élu domicile. Voici les « must » de la cité !

|●| **Belvedere** (plan A1, 15) : 402 N Queen St. ☎ 394-8387. De 20 à 35 US$. Grande adresse pour Lancastériens distingués. Excellent rapport qualité-prix. Très souvent plein le soir, réserver impérativement. Dans la salle, la très belle cheminée à chandeliers focalise le regard, et fait presque oublier la riche décoration intérieure. De la *bruschetta* au *crab dip* en entrée, du *Louisiana catfish* au filet mignon avec un vin venant de France, d'Australie ou des États-Unis, vous ferez un tour du monde culinaire. Atmosphère intime et romantique. En revanche, pas de desserts.

|●| **J-M's Bistro and Pub** (plan A2, 19) : 337 N Queen St. ☎ 392-5656. Ouvert du lundi au samedi de 11 h 30 à 16 h et de 17 h à 23 h (22 h le dimanche). Compter de 20 à 30 US$. Cocorico mérité pour ce chef français qui a marié une entrée style Art déco avec un bar et une salle moderne (pas mal, les tableaux !). Son précepte : « *Live, Love, Eat* ». Quelques vieilles recettes françaises inspirées de Zola (la blanquette comme dans *Le Ventre de Paris*) mais aussi des saint-jacques aux pâtes, des champignons et canard fumé, des *crab cakes* fins et légèrement épicés, et un goûteux *Cajun meat loaf*. Très bons vins, notamment un chardonnay légèrement boisé. Le restaurant *Zola*, à côté, partage avec celui-ci le même patron et le même style de cuisine.

|●| **Carr's** (plan A2, 17) : 50 W Grant St. ☎ 299-7090. Ouvert de 11 h 30 à 14 h 30 et de 17 h 30 à 20 h ; fermé le lundi. L'entrée est dans un décrochement de bâtiment, pas loin de celle du resto *Meritage*. De 30 à 40 US$, *sushi lunch* de 9 à 12 US$ au sous-sol. Estampes japonaises, bois clairs, fauteuils aux dossiers et assises tressées, tout ici est simple, net et raffiné. Même tendances côté cuisine, japonaise ou chinoise certes, mais aussi italienne avec une touche d'Australie, et un peu d'Amérique. Un grand moment pour un gourmet.

À voir

🍴 **Heritage Center Museum** (plan A3, 20) : Penn Sq. ☎ 299-6440. Ouvert d'avril à décembre, du mardi au samedi de 10 h à 17 h. Entrée gratuite. Installé dans l'ancienne mairie, classée bâtiment historique. De style Queen Ann, l'un des rares édifices datant du XVIIIe siècle. Intéressant petit musée ethnographique sur la région. Dans la grande salle de l'étage, fresque d'une ancienne salle de loge maçonnique (1790). Belles collections de pendules et de vieilles portes de ferme, meubles peints ou sculptés, *quilts,* artisanat amish, objets domestiques, etc. Expos temporaires. Boutique.

🍴 Sur **Penn Square,** voir la *colonne en l'honneur des défenseurs de l'Union* pendant la guerre civile (1874), et les plaques rappelant le nombre de morts des différentes guerres : celle du Vietnam (200 000 victimes) a été pour les États-Unis presque aussi meurtrière que la Première Guerre mondiale (300 000 morts). Noter aussi la belle façade ornementée du grand magasin *Watt et Shan.*

🍴 **Central Market** (plan A2-3, 21) : ouvert les mardi et vendredi de 6 h à 16 h et le samedi de 6 h à 14 h. La structure actuelle, de style Romanesque Revival, date de 1889, mais le marché, qui existe depuis 1730, a toujours fonctionné au même endroit, ce qui en fait le plus ancien des États-Unis. On disait à l'époque qu'il n'y avait pas un légume frais produit dans l'État qui ne passe par le marché de Lancaster. Les choses n'ont guère changé au niveau du comté !

🎭 *Fulton Opera* *(plan A3, 22)* : King St (et Prince St). ☎ 397-7425 ou 394-7133. Là aussi, l'un des plus anciens théâtres du pays. Construit en 1852, de style victorien. Mark Twain y tint des conférences en 1872. L'année suivante, Buffallo Bill et son compère Wild Bill Hickok y produisirent leur show, « Scouts des Grandes Plaines » et, en 1907, le fameux W. C. Field y fit ses débuts. Visite le vendredi de juin à août.

🎭 *Lancaster Newspaper Museum* *(plan A3, 23)* : 28 S Queen St. ☎ 291-8600. Entrée gratuite. Un insolite petit musée visible uniquement de la rue : dans de grandes vitrines, toute l'histoire de la fabrication des journaux ; panneaux, photos, vieilles machines. Présentation intéressante et didactique.

🎭 *Old County Courthouse* *(plan B2-3, 24)* : N Duke St (entre King et E Grant St). Bien dans l'imposante tradition architecturale de la justice, avec sa façade monumentale à colonnes, de style néoclassique.

🎭 *Charles Demuth House* *(plan B3, 25)* : 114-120 E King St. ☎ 299-9940. Ouvert du mardi au samedi de 10 h à 16 h, le dimanche de 13 h à 16 h. Entrée gratuite.
Visite de la maison XVIIIe siècle et de l'atelier de l'un des plus fameux aquarellistes du pays (1883-1935). Il peignit d'abord des fleurs, inspiré par le très beau jardin de sa mère. Il eut une période impressionniste avant d'inventer son style géométrico-réaliste, et de puiser son inspiration dans le monde industriel. L'un des premiers artistes américains modernes, donc.

🎭 *Demuth Tobacco Shop* *(plan B3, 25)* : 114 E King St. ☎ 397-6613. Ouvert du lundi au vendredi de 9 h à 17 h, le samedi jusqu'à 15 h.
Considérée comme la plus vieille fabrique de cigares des États-Unis ; la même famille s'en occupe depuis 1770. Les fumeurs pourront y acheter de très bons havanes et similaires, mais surtout des cigares américains de la région. Cigares amish à 1 US$ pièce, ceux à bagues rouges ont un parfum d'herbes légèrement amères et les panatellas sont assez légers. Bons produits de chez *F.X. Smith's*, à moins de 1 US$ pièce ; mais, pour 0,5 US$ de plus, vous aurez une « feuille de cape du Connecticut » ; ces cigares sont les meilleurs du monde, bien que la nervure centrale n'ait pas été ôtée, ce qui leur confère une petite amertume. Un jour, on vous fera un vrai topo sur ce passionnant sujet !

🎭 *Lancaster Museum of Art* *(plan B2, 30)* : 135 N Lime St. ☎ 394-3497. Ouvert de 10 h (12 h le dimanche) à 16 h. Entrée gratuite.
Installé dans une élégante demeure, dans un bel environnement bucolique. Expositions d'artistes régionaux, qui peuvent être très intéressantes. Passer au moins jeter un coup d'œil.

🎭 Quelques *églises* intéressantes : sur E Orange et N Duke, on trouve la *Saint James Episcopal Church* *(plan B2, 27)* datant de 1744, reconstruite en 1820. Ouvert du lundi au vendredi de 8 h à 17 h. Visite guidée le dimanche à 12 h 30. Dans son cimetière reposent le général Edward Hand, qui fut aide de camp de Washington pendant la révolution, et George Ross, l'un des signataires de la Déclaration d'indépendance. Au 31 S Duke St s'élève la *Trinity Lutheran Church* *(plan B3, 28)* de 1766. Ouvert de 8 h 30 à 17 h tous les jours. Visites guidées le dimanche à 9 h 45 et 12 h 15 (de mai à septembre, tour supplémentaire le samedi à 10 h). L'une des plus imposantes. La *First Presbyterian Church* *(plan B2, 29)*, au 140 E Orange St, était celle du président James Buchanan et a été édifiée en 1850. Ouvert du lundi au vendredi de 9 h à 16 h. Visite guidée le dimanche à 12 h. Enfin, la *First Reformed United Church of Christ* *(plan B2, 26)*, 40 E Orange St, date de 1729 et a été reconstruite en 1852. Ouvert de 9 h à 13 h du lundi au vendredi et le dimanche.

➤ DANS LES ENVIRONS DE LANCASTER

🐾🐾 **James Buchanan Wheatland** *(hors plan par A2, vers l'ouest par Grant St)* **:** 1120 Marietta St. ☎ 392-8721. Ouvert tous les jours d'avril à décembre de 10 h à 17 h. Visite guidée toutes les 30 mn, dernière vidéo à 16 h, dernière visite à 16 h 15. Entrée : 7 US$; réductions.

Demeure de James Buchanan, 15e président des États-Unis (1857-1861). Il y mourut en 1868. C'est une élégante maison de style fédéral (1828), présentant encore une partie de l'ameublement original. C'est ici que Buchanan se reposait des contrariétés et vicissitudes de sa fonction. Il dut en avoir pas mal car on était, à l'époque, en plein débat national sur le problème de l'esclavage (où, dit-on, il ne se mouilla pas trop, car il avait lui-même des esclaves, et son vice-président était du Sud) et à la veille de la guerre de Sécession. D'ailleurs, il n'arriva pas à maintenir l'union de son parti, les démocrates, qui firent sécession avant l'heure, ce qui permit l'élection d'Abraham Lincoln. On connaît la suite... Pour la petite histoire, il fut fiancé à Anne Coleman, la fille d'un des plus riches maîtres de forges de Pittsburgh, dont il était l'avocat. Son père refusa le mariage avec ce Buchanan inconnu, car un avocat, même s'il gagnait 18 000 US$ par an, soit 50 fois environ le revenu moyen de l'époque, était trop pauvre à son goût. Anne Coleman en mourut de chagrin. James Buchanan ne s'en remit pas non plus et devint ainsi le seul célibataire élu président (en tout cas, vraiment, quel manque d'intuition de la part de son ex-futur beau-père). Pour la petite histoire, c'est sa nièce qui endossa le rôle de First Lady pendant son mandat. Il se rattrapa après et se maria 3 fois, eut 8 enfants de ses 2 premiers mariages, et sa dernière épouse avait 20 ans alors qu'il en avait 70 (!).

🐾🐾 **Hans Herr House** *(plan Comté de Lancaster, A3, 36)* **:** 1849 Hans Herr Dr, Willow St, à 6 bons miles au sud de Lancaster. ☎ 464-4438. Ouvert tous les jours, sauf le dimanche, d'avril à novembre, de 9 h à 16 h.

Ah, la jolie maison que voilà ! On se croirait partout sauf aux États-Unis : de gros murs épais en pierre, des petites fenêtres comme dans les chaumières alsaciennes, une très jolie campagne aux alentours. Il s'agit là de la plus ancienne maison mennonite en Amérique, et du plus vieux bâtiment du comté de Lancaster. Construite en 1719 par un réfugié mennonite allemand, elle témoigne de l'architecture coloniale germanique en Pennsylvanie au XVIIIe siècle.

🐾🐾 **Historic Rockford Plantation** *(hors plan par B3)* **:** 881 Rockford Rd, Lancaster County Central Park. Au sud-est de la ville. ☎ 392-7223. Ouvert d'avril à octobre, du mardi au vendredi de 10 h à 16 h, le dimanche de 12 h à 16 h.

Demeure géorgienne (1792) joliment restaurée du général Edward Hand, aide de camp de Washington pendant la guerre d'Indépendance. Bel ameublement colonial. À côté, le *Kauffman Museum,* installé dans une grange du XVIIIe siècle, propose une collection ethnographique très variée, allant des vieux meubles aux armes à feu anciennes, en passant par divers objets domestiques, étains, cuivres, etc.

Pour ceux qui ont du temps

🐾 **North Museum of Natural History and Science** *(hors plan)* **:** College St et Buchanan Ave. ☎ 291-3941. ● www.northmuseum.org ● Ouvert de 10 h à 17 h, le dimanche de 12 h à 17 h. Fermé le lundi. Entrée : 5,50 US$; 7 US$ avec l'accès au planétarium ; réductions.

Collections minéralogiques, oiseaux, reptiles, etc. Témoignages variés de la culture indienne.

LE COMTÉ DE LANCASTER

IND. TÉL. : 717

Où dormir ?

AUBERGES DE JEUNESSE

Il y en a deux, situées dans la partie est de la région de Lancaster. Avoir une voiture. Voici la plus proche de Lancaster :

🛏 *Hostelling International-Geigertown* (hors plan) : Geigertown Rd. ☎ 286-9537. Fermé après 21 h 30 et de décembre à février. Non loin du French Creek State Park, qu'on atteint par la route 82. Au nord de Geigertown, prendre la 1re route à droite après la poste.

HÔTELS

Bon à savoir : les prix chutent littéralement en hiver (qui est enneigé et parfois gadouilleux, d'où une baisse de fréquentation des touristes), en dehors de certaines vacances scolaires américaines. À l'inverse, ils sont les plus élevés de juillet à octobre. Entre les deux, ça va du simple au double !

Prix moyens

🛏 ▮●▮ *Harvest Drive Family Motel* (plan D2, 11) : 3370 Harvest Dr. ☎ 768-7186 ou 1-800-233-0176. Pas facile à trouver, mais fléché sur les routes 340 et 30. Rejoindre Intercourse, un village situé à 11 miles à l'est de Lancaster sur la route 340 en venant de Lancaster. Après la cave du Mount Hope Wine, prendre à droite Leacock Rd puis, moins de 1 mile plus loin, tourner à gauche sur Harvest Dr. C'est à un 0,5 mile. Selon la saison, de 45 à 90 US$ pour deux, de 50 à 100 US$ pour 4 personnes. Au resto (buffets) : petit dej' à 5 US$, déjeuner à 8 US$, dîner à 10 US$. Enfants : environ 1 US$ par année d'âge. Motel contigu à une exploitation agricole, calme, au milieu des champs et des fermes amish. Une cinquantaine de chambres avec AC et vue sur la campagne environnante, labourée encore par les chevaux de trait des amish (d'ailleurs, un *deck* en bois en surplomb, avec chaises longues, permet d'admirer leur labeur !). Assez touristique : cars de groupes et emporium à traverser pour se rendre au resto. Attention, ce dernier ferme tôt le soir. Location de vélos.

⚐ 🛏 *Flory's Cottages and Camping* (plan C2, 17) : 99 N Ronks Rd, Ronks. ☎ 687-6670. Fax : 687-9245. ● info@floryscamping.com ● De 40 à 60 US$ la double, de 50 à 70 US$ la quadruple. Camping pour 2 adultes et 2 enfants : de 22 à 30 US$. Situé au centre du comté, face à une ferme amish. Calme et agréable, très confortable, bien aménagé et meublé. Petit resto sur place. Que demander de plus ?

🛏 *Cherry Lane Motor Inn* (plan C2, 19) : 84 N Ronks Rd, Ronks. ☎ 687-7646. De 46 à 95 US$ la chambre à 2 lits doubles, avec petit dej'. Motel calme, à la sortie du petit village amish de Ronks. Belles chambres bien meublées, à la moquette épaisse. L'office est dans une ancienne maison amish, où officie... un sympathique Mexicain. Grande piscine.

🛏 *Travelers Rest Motel* (plan D1-2, 8) : 3701 Old Philadelphia Pike, Intercourse. ☎ 768-8731. De 50 à 92 US$ selon la saison et la période de la semaine. Gratuit pour 2 enfants. Breakfast inclus. L'un des nombreux motels, tous semblables, de la région. Vaste pelouse pour se détendre, face à la route (sur laquelle peuvent passer des buggies). Relativement calme, car en périphérie de la zone hyper-touristique.

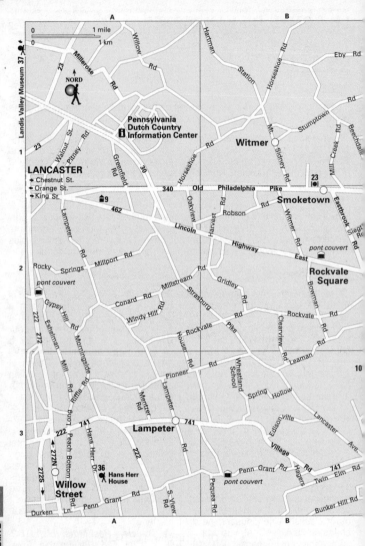

■ **Adresse utile**

ℹ Tourist Office

🏠 🏕 **Où dormir ?**

8 Travelers Rest Motel
9 Lincoln House Inn Bed & Breakfast
10 Hershey Farm Motor Inn
11 Harvest Drive Family Motel

12 Best Western Intercourse Village Inn
13 Netherlands Inn
14 Smucker Farm Guesthouse
15 Maple Lane Farm Guesthouse
16 Eby's Pequea Farm
17 Flory's Cottages and Camping
18 Intercourse Village B & B Suites
19 Cherry Lane Motor Inn

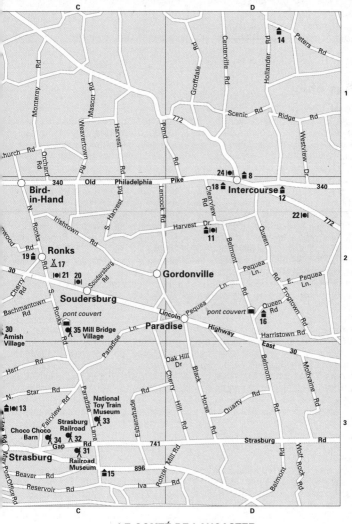

LE COMTÉ DE LANCASTER

◉ **Où manger ?**	🎭 **À voir**
10 Hershey Farm Restaurant	**30** Amish Village
11 Harvest Drive Family Motel	**31** Railroad Museum of Pennsyl-
20 Dienner's Country Restaurant	vania
21 Miller's Smorgasbord	**32** Strasburg Railroad
22 Stoltzfus Farm Restaurant	**33** National Toy Train Museum
23 Alex Austin Steakhouse	**34** Choo Choo Barn
24 Kitchen Kettle Village	**35** Mill Bridge Village
	36 Hans Herr House
	37 Landis Valley Museum

Proximité des commerces d'artisanat d'Intercourse.

🏠 *Chimney Corner Restaurant and Motor Lodge* : 707 Rothsville Rd, Lititz. ☎ 626-4707. Du centre de Lancaster E Main St sur un ou 2 miles.

Prix attractif : 55 US$ la double, et gratuit pour 2 enfants. Repas pour 10 à 15 US$. Motel économique, simple et sans prétention, à l'image de son restaurant coordonné de vert, tables en bois, coin bar.

Plus chic

🏠 |●| *General Sutter Inn* : 14 E Main St, Lititz (intersection de la 501 et de la 772, au centre de Lititz). ☎ 626-2115. Fax : 626-0992. ● www.generalsutterinn.com ● De 85 à 120 US$ la double, de 100 à 160 US$ la quadruple. Ceux qui ont lu *L'Or,* de Blaise Cendrars, auront le cœur battant en voyant, en face, la « General Sutter House », au n° 19. Si la salle du petit dej' (qui fait aussi petit resto) est de décor « fermier », l'hôtel est de style anglais : merveilleuse maison extrêmement confortable au mobilier adorablement vieillot qui, s'il est un peu hétérogène, donne à l'ensemble un caractère « *so lovely* ». Notre coup de cœur en lisière du pays amish ! Voir l'ancêtre du combiné radio-TV dans le salon de lecture du 1er étage, ainsi qu'un stéréoscope en bois (permet de voir en volume des photos). Un livre racontant l'histoire de Sutter est disponible à la réception. Les repas sont aussi soignés que la déco de la salle à manger : potage, salade, *lemon-mint sorbet,* plat, dessert, café, vous ne regretterez pas vos 12 US$!

🏠 |●| *Netherlands Inn* (plan C3, 13) : Historic Dr, route 896. ☎ 687-7691 ou 1-800-872-0201. Sur la route principale reliant la 30 à Strasburg. Chambres confortables de 100 à 120 US$ (de 140 à 150 US$ en été). Très grand complexe hôtelier en plein champ, dont l'architecture respecte assez bien l'environnement. On a su recréer efficacement, à l'américaine, un certain charme rural XVIIIe siècle. *Fit-*

ness room, spa, jacuzzi, piscine chauffée. Plusieurs restos : *The Bistro* pour boire une vieille *ale* ou manger léger et informel (salades, sandwichs et *favorites* abordables), *The Lounge,* avec sa superbe cheminée. Atmosphère coloniale et ravissant décor (papier peint désuet, portraits anciens, lustres en cuivre) pour une belle et assez chère cuisine.

🏠 *Hershey Farm Motor Inn* (plan B3, 10) : 240 Hartman Bridge Rd (route 896). ☎ 687-8635. À mi-chemin entre la route 30 (à 1,5 mile environ au sud) et la ville de Strasburg. Chambres doubles autour de 70 US$ (95 US$ le week-end). De juillet à début septembre : 100 US$. Non loin de l'Amish Village, au nord d'une petite route assez calme, un gros motel attenant à un bon restaurant, avec de grandes chambres, spacieuses et sans bruit, ouvrant sur la campagne. Prix raisonnables vu le confort offert. Tout cela bien pratique, fonctionnel, mais ce n'est cependant pas là qu'on trouvera l'intimité (point de chute des groupes aussi).

🏠 *Best Western Intercourse Village Inn* (plan D2, 12) : dans le centre du village, à l'intersection des routes 340 et 772. ☎ 768-3636 ou 1-800-717-6202. Chambres de bon confort de 70 à 130 US$ (plus cher les vendredi et samedi). Genre de motel à un étage. Architecture évoquant un peu le style rural local. Quelques suites pour familles. Bon resto (rappel : après 20 h, on ne sert plus !).

LANCASTER ET SON COMTÉ

BED & BREAKFAST

Pas mal d'adresses. Voir au *Pennsylvania Dutch Visitor Bureau.* Toutes les associations de *B & B* que nous indiquons pour Philadelphie ont des hébergements dans le Lancaster County. S'y reporter.

🛏️ **Lincoln House Inn** *(plan A2, 9)* : 1687 Lincoln Hwy E, Lancaster. Voir texte dans les pages consacrées à Lancaster.

🛏️ **The Bella Vista** : 1216 E Main St, Akron. ☎ 859-4227. ● www.bellavis tabandb.com ● Au centre d'Ephrata, prendre la 272 vers le sud et, dans Akron, couper Main St et tourner vers l'est. Autour de 85 US$. Dans un petit jardin soigné, belle maison avec jolie véranda donnant sur une rue calme. Confortable, meublé avec charme, l'aménagement a été pensé dans les moindres détails. Superbe chambre blanche avec lit à baldaquin et moquette épaisse (+ 10 US$), mais nous préférons les 2 grandes chambres du 2e étage, surtout celle avec baignoire. Deux autres chambres extérieures, dans le jardin où chantent les oiseaux.

🛏️ **Smucker Farm Guesthouse** *(plan D1, 14)* : 484 Peters Rd, New Holland. ☎ 354-6879. À une douzaine de miles à l'est de Lancaster, en plein cœur du pays amish. Pour y aller, rejoindre Intercourse puis, à la sortie du village sur la route 340, prendre à gauche une petite route (la Hollander Rd) qui monte au nord vers New Holland. À moins de 2 miles, tourner à droite sur Yost Rd, puis plus loin à gauche sur Tabor Rd, et encore à gauche sur Peters Rd. Si vous vous perdez, demandez l'adresse au 1er amish venu. Compter 60 US$ pour deux, 75 US$ pour 3 et 85 US$ pour 4 personnes. Quatre chambres simples, mais impeccables. C'est la seule adresse de chambres d'hôtes qui soit tenue par des fermiers amish, qui se feront un plaisir de vous raconter leur mode de vie et de vous expliquer leur éthique. Attention : si vous y dormez un dimanche, sachez que pour eux, le jour du Seigneur est sacré : ils ne pourront pas accepter d'argent puisqu'ils ne doivent pas travailler. Mais vous pouvez néanmoins déposer vos billets dans un coin avant de les saluer et de partir. Également, pas de *sunday check-in*.

🛏️ **Maple Lane Farm Guesthouse** *(plan C3, 15)* : 505 Paradise Lane, Paradise. ☎ 687-7479. Pour la trouver, gagner Strasburg par la route 896 (à une bonne douzaine de miles au sud-est de Lancaster). De là, prendre la route 896 vers Georgetown. La *Maple Lane Farm Guesthouse* est à environ 2 miles plus loin, sur la droite après l'intersection de Paradise Lane. De 55 US$ pour deux et 60 US$ pour 3 personnes, à 95 US$ pour une suite de 2 chambres ; petit dej' inclus. Prix négociables pour plusieurs nuits. Charmantes chambres d'hôtes à la ferme dans une très verte campagne. Accueil affable. Quatre chambres sympas avec clim' et tissus coordonnés. Vue très étendue sur les environs. Petit dej' avec les produits fermiers et repas amish.

🛏️ **Eby's Pequea Farm** *(plan D2, 16)* : 459 A Queen Rd, Gordonville. ☎ 768-3615. À un peu plus d'un mile de la 30 (donc pas de bruit de circulation). Compter 65 US$ la double avec bains communs, sinon 75 US$, et 85 US$ la suite familiale pour 4 personnes. Hors saison (de novembre à mars), réduction de 10 US$. Une vraie ferme laitière en pleine campagne. Accueil chaleureux de la famille Eby. Copieux petit dej' inclus (aux bons produits de la ferme). Chambres meublées avec goût, sympathique baignoire ancienne... Si c'est plein, logement (proche) possible chez des parents (un peu plus cher).

Plus chic

🛏️ **Smithton** : 900 W Main St, Ephrata. ☎ 733-6094. ● www.smith toninn.com ● De 85 à 150 US$, et de 115 à 180 US$ du vendredi au dimanche et les jours fériés. Non-fumeurs. *Historic Smithton, since 1763...* La chambre jaune, la moins chère, est déjà géniale. Vieux meubles peints dans certaines salles de bains, abat-jour aux dessins variés, cheminées qui fonctionnent l'hiver... chaque objet a été choisi et possède une petite note originale, personnelle. Sans doute est-ce parce que le couple mennonite qui anime ce lieu l'a créé avec foi et avec un authentique souci de l'hospitalité. Ils vous parleront volontiers de leur religion, sans prosélytisme, et vous pourrez consulter, dans le salon aux toiles de style légèrement naïf, des livres et d'anciennes cartes postales sur les amish, la religion mennonite, mais aussi sur les impressionnistes.

🏠 **The Alden House :** 62 E Main St, Lititz. ☎ 627-3363. ● inn@alden house.com ● De 95 à 125 US$ la double. Pas d'animaux domestiques ni de fumeurs. Maison de brique avec petite véranda sur la rue. Adresse de charme à l'intérieur confortable, fauteuils ou canapés dans les chambres lumineuses parées de doubles rideaux, mobilier de style (vous aurez peut-être le lit à baldaquin de dentelles), salle à manger en harmonie, et quels petits-dej' !

Très chic

🏠 **Twine Pine Manor :** 1934 W Main St, Ephrata. ☎ 733-8400. Fax : 733-8300. ● www.twinpinemanor. com ● Deux chambres à moins de 100 US$, et 6 autres de 130 à 170 US$. Suite pour 4 personnes à 190 US$. Bien que moderne, ce manoir mérite bien son qualificatif, vu l'exceptionnelle décoration des chambres (ah ! La *Windsor*...) et des pièces communes (deux salons dont un avec piano quart de queue, salle à manger, salle de fitness...). Spa extérieur avec vue sur la calme campagne. Un impressionnant rapport qualité-prix, plus le charme et le calme.

🏠 **Intercourse Village B & B Suites** (plan D2, **18**) **:** Main St, route 340, Intercourse. ☎ 768-2626 ou 1-800-664-0949. Selon la saison et que l'on soit ou non en week-end, de 120 à 180 US$ la chambre double. La plus belle des maisons ! Superbe demeure victorienne de 1909 avec véranda, rénovée avec beaucoup de goût et classée. Ameublement et décoration exceptionnels, harmonieux dans les moindres détails (téléphone ancien en guise de sonnette à l'entrée...). On ne fume pas à l'intérieur,

et les chambres sont sans téléphone ni TV (celle-ci est en bas). Une annexe construite à côté respecte globalement le style architectural local et propose des suites adorablement meublées et décorées (presque 2 fois plus chères que les chambres traditionnelles). *Honeymoon Suite* avec jacuzzi, *king bed*, cheminée, téléphone, suite traditionnelle avec *queen bed*, frigo, machine à café, micro-ondes. Clim'. Copieux breakfast dans une remarquable salle à manger.

🏠 **Boxwood Inn :** Diamond St, Akron. ☎ 859-3466. Au centre d'Ephrata, prendre la 272 vers le sud et, dans Akron, couper Main St, tourner vers l'est, Diamond St s'embranche dans Main St. Quatre chambres de 115 à 160 US$, ou... une petite maison séparée, de 185 à 210 US$. Grand calme et charme d'une maison bourgeoise avec beau living-room (cheminée) et terrasse. Décoration particulièrement soignée, accueil attentionné. La petite maison est pour 4 personnes, avec de quoi cuisiner simplement, baignoire à remous et cheminée.

Où (et que) manger ?

Il ne faut sous aucun prétexte manquer le tourisme culinaire, tout aussi dépaysant. La cuisine du pays des amish mêle les influences de la Suisse germanique, de la vallée du Rhin, de l'Alsace. Elle est plutôt simple, bonne et très copieuse. Attention, nombre de restos dans les villages ne servent plus après 20 h. Nombreux plats très originaux, en voici quelques-uns :
– *Seven sweets and seven sours :* hors-d'œuvre ou dessert. Chou, citrouille, cornichon, miel, fromage, cannelle, pêche, pomme, coing, muscade, rhubarbe, épicés et marinés.
– *Fleish und Kas :* entrée, pâté à la viande.

– *Buddboi :* plats complets, ragoût de pâtes, poulet, oignon, céleri.
– *Schnitz und Knepp :* boulettes avec pommes séchées et jambon.
– *Shoo fly pie :* desserts, tourte à la mélasse, gingembre, muscade.
– *Schnitz pie :* dans le même genre avec des fruits secs.

Ne négligez pas non plus les autres spécialités très allemandes :
– *Lebanon* est la capitale de la charcuterie (saucisse célèbre).
– On trouve des usines de *bretzels,* et même un musée du Bretzel. Vous pouvez façonner le vôtre à l'usine de Lititz, sur la route 501 !
– Achetez de l'*apple butter :* compote de pommes aux épices, en pots comme la confiture.
– *Hershey :* le plus célèbre fabricant de chocolat.

À l'est et au sud-est de Lancaster

|●| *Kitchen Kettle Village (plan D1-2, 24) :* à l'angle de Newport Rd et de la 340. ☎ 768-8261. Du lundi au samedi, petit dej' de 8 h à 11 h et déjeuner de 11 h à 16 h. Du mardi au samedi, dîner de 16 h à 19 h. Compter 5 US$ pour le petit dej', 6 US$ pour une soupe et un demi-sandwich, de 10 à 18 US$ pour un repas. Dans un centre commercial en forme de village (une trentaine de boutiques en tout, qui valent un coup d'œil). Le service, assuré par des amish, est particulièrement attentionné. Agréable véranda, mais l'intérieur a plus de charme, avec ses étagères remplies de livres et de bibelots, son horloge et ses tableaux. La cuisine est l'une des plus authentiques de la région, avec d'anciens plats originaux, *dutch* et amish. Amuse-bouches locaux, très bonne *chicken corn soup,* et délicieux *Schnitz und Knepp* (pommes cuites séchées, jambon et pommes de terre, avec des pickles pas trop vinaigrés et des petits légumes). La cuisine, « *since 1954* », se visite... c'est aussi un magasin où vous trouverez, entre autres, de la confiture de café ou de poivre, des recettes (gratuites)... Y passer avant d'aller au resto.

|●| *Dienner's Country Restaurant (plan C2, 20) :* 2855 Lincoln Hwy E (la 30). ☎ 687-9571. Venant de Lancaster, peu après Ronks Rd. Ouvert de 7 h (8 h en hiver) à 18 h (20 h le vendredi). Fermé le dimanche. Copieux petit dej'-buffet autour de 5 US$, *lunch buffet* autour de 7 US$ et *dinner buffet* à 10 US$ environ (un peu plus les vendredi et samedi soir). Gratuit pour les moins de 2 ans. Après, curieux mode de calcul (mais assez juste) : c'est 60 cents par année jusqu'à 10 ans ! Un vrai resto amish, car on y trouve des familles locales en grandes tablées (ce qui prouve la qualité de l'établissement). Excellente cuisine traditionnelle, mais vous vous en doutiez ! Notez aussi qu'on y mange de bonne heure.

|●| *Hershey Farm Restaurant (plan B3, 10) :* Rd 896, à 1,5 mile au sud de la route 30, en allant vers Strasburg, sur la droite. ☎ 827-8635. Le meilleur rapport quantité-qualité-prix à des miles à la ronde. *All you can eat* autour de 13 US$ le midi et 16 US$ le soir (plus 2 US$ le week-end). Cuisine excellente et copieuse : salades, viandes et légumes cuisinés simplement, typiques du pays amish. Serveuses aimables, ambiance très familiale malgré quelques groupes. Gardez une petite place pour le buffet de desserts, vous pouvez y demander des glaces.

|●| *Stoltzfus Farm Restaurant (plan D2, 22) :* route 772 E, Intercourse, au sud-est de la ville. ☎ 768-8156. Ouvert de 11 h 30 à 20 h. Fermé le dimanche et du 1er novembre au 1er mai (ouvert les week-ends d'avril et de novembre). Repas à 15 US$, 7 US$ jusqu'à 11 ans, gratuit jusqu'à 4 ans. Bonne cuisine traditionnelle amish (saucisses du jour, poulet, jambon et pain sont faits maison) servie en *all you can eat*. Accueil affable et atmosphère pas trop touristique.

|●| *Harvest Drive Family Motel (plan D2, 11) :* 3370 Harvest Dr. ☎ 768-7186 ou 1-800-233-0176.

Pas facile à trouver, voir « Où dormir ? Prix moyens ». Ouvert de 7 h à 20 h. Buffets : breakfast pour 5 US$, lunch pour 8 US$, dîner pour 10 US$. Décor et nourriture simples et agréables, comme toujours chez les amish !

I●I *Alex Austin Steakhouse (plan B1-2, 23)* : 2481 Old Philadelphia Pike (route 340). ☎ 394-2539. Ouvert de 11 h à 22 h. Fermé le dimanche. Le royaume du steak, du *New York steak* au poivre, en passant par le *super sirloin* et le *cow-boy steak...* *Prime rib* les vendredi et samedi après 16 h. Sinon, poulet *cheesapeake* ou au parmesan, salades copieuses, sandwichs divers, menuenfants.

I●I *Miller's Smorgasbord (plan C2, 21)* : ☎ 687-6621. Au carrefour de N Ronks Rd, à 10 km à l'ouest de Lancaster sur la route 30 avant Soudersburg. Ouvert tous les jours. Petit dej' de 7 h à 11 h. Compter 20 US$ environ. Très touristique et le plus cher des *all you can eat* du coin. Cadre un peu trop moderne à notre goût. Immense salle à manger avec vue sur les champs et les fermes prospères. Grand choix, bien sûr, mais certains plats manquent de goût et de caractère. À l'évidence, il paraît difficile de concilier recettes familiales et restauration de masse. Quelques plats et desserts inhabituels cependant : *sweet and sour ham,* fromage blanc à la gelée de citrouille, *vegetable souffle,* etc. En dépannage.

Au nord et au nord-est de Lancaster

I●I *General Sutter Inn* : 14 E Main St, Lititz (intersection de la 501 et de la 772, au centre de Lititz). ☎ 626-2115. Fait aussi hôtel (voir plus haut). Vous ne regretterez pas de choisir le menu à 12 US$ (de 20 à 35 US$ à la carte) : les repas sont aussi soignés que le décor de la salle à manger. Menu avec potage ou salade, plusieurs plats au choix, dessert ou café ! Dans le domaine gastronomique, tout est dans la finesse des plats et la saveur des ingrédients ; c'est le cas ! Ici, la soupe se fait crème légère et raffinée, une simple salade est délicieuse, avec ses tomates miniatures, ses quartiers de mandarine, sa sauce douce et légère, quelques amandes effilées. La suite est à la hauteur. Lors de grandes occasions (fête des Mères, etc.), menu très complet et remarquable pour environ 25 US$.

I●I *Donecker Center Barn and Grill* : 333 N St, Ephrata ☎ 738-9501. Dans un grand bâtiment en brique, ancienne usine reconvertie en « centre artistique » (boutiques, etc.). Salle très simple avec une collection de paniers pendus au plafond et un grand comptoir en U où l'on se sert. Spécialité de *cheese steak* et de *chicken cheese steak,* mais il y a aussi d'autres bons produits. Ambiance sympa et décontractée. Voir aussi le *Oh Beans Coffee Shop*.

I●I *Family Time* : 1737 W Main St (sur la route 322), Ephrata. Ouvert du mardi au samedi de 11 h à 20 h, le dimanche de 11 h à 15 h. Les vendredi et samedi soir : buffets *land and sea* à 18 US$, *landlovers* à 14 US$. Le reste du temps, plats à 8 US$. Dans une grande salle moderne avec poutres apparentes, ensemble de tables impeccablement dressées. Simple et efficace.

I●I *Jimmy's Place* : 50 E Main St, Ephrata. ☎ 733-4942. Ouvert de 6 h 30 à 21 h (22 h les vendredi et samedi). Autour de 5 US$ le breakfast, de 12 à 20 US$ le repas. « *A German-American Café* »... pas amish, mais un peu *dutch* quand même ! Décor rose-mauve et blanc, drapeau américain au mur, service attentionné. Ne désemplit pas le week-end. Poulet et bœuf, mais aussi produits de la mer, et surtout les *Jaegerschnitzel, Kassler Ripchen* et *Krautwichel...* On a bien dit « German », non ? Glaces pour les gourmands.

I●I *The Doughboy* : à Leola. ☎ 656-9907. Environ 10 US$. Si, perdu au nord de la 340, vous tombez sur Leola (sur la 23, presque à l'intersection de la 272), allez voir son originale grange en bois presque brut, qui abrite un bar et un restaurant. Ensemble un peu sombre (c'est une grange, quand même !), grand bar rectangulaire au milieu de la salle, billards sur le côté. Certes rien d'amish (une pression, fiston ?), mais pas de touristes et on y trouve soupes, salades et pizzas.

|●| *Old Lincoln House :* 138 W Main St (angle Market St), Ephrata. Bar très fréquenté et animé, mais sans excès, où tout est rouge et en bois, pour autant que l'éclairage permette de le voir. On peut y manger : plats d'huîtres frites, de *crab cakes,* au jus, mais il faut tout de même débourser de 20 à 30 US$. Alors, juste une bière pour l'ambiance ?

À voir

Avant tout, un tuyau concernant la circulation : laisser systématiquement la priorité aux buggies (carrioles), on ne sait pas sur quelle distance un cheval peut bien freiner, surtout quand il est au trot. Enfin, détendez-vous ! Laissez-vous prendre par le charme de ces paysages champêtres balisés par de hauts silos, aux maisons de couleurs discrètes et variées, roulez lentement, personne ne vous klaxonnera derrière (surtout pas les buggies), et... observez bien.
C'est surtout la campagne qui se visite. Le dimanche, jour du Seigneur, on ne travaille pas, bien sûr, mais c'est le jour de sortie ! Circulation intensive (si l'on peut dire...) de buggies sur les routes, surtout dans l'Est, entre la 30 et la 340. Les tout petits champs, labourés avec un cheval, suscitent l'envie des fermiers d'ailleurs. Pour les grandes surfaces, 4 ou 5 mules de front tirent une énorme charrue. Pas d'engins motorisés, mais une utilisation quasi scientifique de l'assolement et des engrais, et de l'énergie humaine dépensée sans compter. Les parcelles sont souvent petites, les silos se dressent et sont le signe distinctif qui permet de repérer les fermes, dont l'apparence est simple, mais moins austère que celle des costumes. On les érige en un seul jour pour chaque nouveau ménage car tous les voisins s'y mettent !

🏃 *Les ponts couverts :* on en a recensé une trentaine, poétiquement nommés *kissing bridges.* Il y en a un, par exemple, entre Intercourse et Paradise, sur Belmont Rd (heureusement pour les esprits anglicistes moralistes, la route continue sur Fertility). Il a l'avantage d'être encore ouvert à la circulation. D'autres sont fermés, on ne peut que les contourner. Pour mieux les localiser au fil de votre découverte, reportez-vous à la carte (gratuite) du *Visitor Bureau.* La plupart des ponts couverts ont été construits au milieu du XIXe siècle, *grosso modo* entre 1844 et 1891.

➤ À L'EST DE LANCASTER

🏃🏃 *Le village d'Intercourse (plan D1-2) :* à une douzaine de miles à l'est de Lancaster. S'il est un des plus touristiques de la région (ce qui n'empêche pas qu'on n'y mange plus après 20 h), il a conservé un certain cachet, et c'est ici que vous pourrez voir le diaporama « *Who are the Amish ?* », qui est à la fois beau, instructif, et relaxant. Village fondé en 1754. Sur l'originalité du nom, 3 ou 4 versions circulent. Trop long pour vous les expliquer ici, ça vous fera une introduction avec les gens du pays. Une grande partie du film *Witness* a été tournée dans le coin. Jeter un œil sur le **People's Place Quilt Museum,** 351 Old Philadelphia Pike. Ouvert d'avril à octobre, du lundi au samedi de 9 h à 17 h. Entrée libre. Belle collection de quilts anciens des communautés amish et mennonite, qui permet de mieux comprendre la place importante prise par le *quilt* dans les arts et traditions populaires locaux.

➤ AU SUD ET AU SUD-EST DE LANCASTER

🏃🏃 🚶 **The Amish Village** *(plan C2, 30) :* route 896, à 1 mile environ de la route 30, en direction de Strasburg (2 miles au nord de cette ville). ☎ 687-8511. Ouvert tous les jours de 9 h à 18 h (17 h l'été). Entrée : 7 US$.

Une bonne introduction à la culture et au mode de vie des amish. Il s'agit d'une ferme de 1840 entourée de plusieurs granges et de bâtiments reconstitués à l'ancienne. Visite guidée obligatoire uniquement dans la maison (pendant 20 mn, puis visite libre) avec un assez bon commentaire. On découvre le rez-de-chaussée de la maison, la cuisine (sans électricité), la pièce commune (peinte en bleue, couleur divine) et la chambre à coucher, au 1er étage, meublée à la façon amish avec le vieux lit au confort spartiate, recouvert d'un dessus-de-lit typique en patchwork.

Dans les prés aux alentours, on verra aussi l'école amish, les étables, l'entrepôt, la grange, l'éolienne et la pompe à eau. Au magasin de souvenirs, tout plein d'objets réalisés par les amish pour les touristes. Là, on s'aperçoit qu'ils ont un extraordinaire sens pratique, en plus de leur rigueur morale.

🚶 🧑‍🦯 ***Mill Bridge Village*** *(plan C2, 35)* **:** Ronks Rd, à gauche de la route 30 après Paradise et Soudersburg, en venant de Philadelphie. ☎ 1-800-645-2744.

Reconstitution d'un village amish autour de son vieux moulin à eau de 1738. Présentation et explication du mode de vie amish, balades organisées en carriole à cheval *(buggy)* ; on passe même sous un pont couvert. Tout ça est très touristique, et ça peut devenir énervant à la longue de voir cette minorité religieuse, longtemps coupée du reste du monde, s'ouvrir au business et au tourisme.

⚓ Fait aussi *camping* (très calme). ☎ 687-8181.

STRASBURG

Charmant village à l'homogénéité architecturale intéressante. Demeures anciennes en bois ou en brique, avec véranda, tout au long de Main St. Autour de l'église luthérienne *Saint Michael,* adorable vieux cimetière aux vénérables tombes sculptées (dont celle d'un patriote de la Révolution).

🚶🚶 🧑‍🦯 ***Railroad Museum of Pennsylvania*** *(plan C3, 31)* **:** 300 Gap Rd, à l'est de Strasburg, sur la 741. ☎ 687-8628. Ouvert du 5 juillet au 1er septembre, de 9 h (11 h le dimanche) à 17 h (18 h les vendredi et samedi). D'avril à juin et en septembre-octobre, ouvert de 9 h (12 h le dimanche) à 17 h. Hors saison, fermé le lundi. Entrée : 7 US$; réductions.

Un des plus formidables musées du Chemin de fer qu'on connaisse. Il retrace une grande partie de l'histoire des trains de l'État de Pennsylvanie de 1825 à nos jours et, surtout, présente plus de 90 locomotives et wagons. On admire les plus impressionnantes, de véritables monstres, comme la *Lima* (de 1915) ou la *7002* qui battit le record mondial de vitesse en 1905 (127,5 km/h) ou encore l'énorme *7006* Diesel qui fonctionna jusqu'en 1988. Mais notre coup de cœur, c'est la fascinante *4935* électrique *(GG1)* datant de 1935. Retirée de la circulation seulement en 1983, pionnière du design industriel, sa superbe forme aérodynamique fut créée par le grand Raymond Loewy *himself* ! Sinon, c'est l'enchantement de se balader entre vieille gare et locaux de la *Western Union* et du télégraphe. Audiovisuel et expo de centaines d'objets et matériels ferroviaires divers, programmes éducatifs, etc. Se renseigner sur les animations particulières chaque mois (genre visite de nuit à la lanterne). Intéressante boutique, avec notamment un rayon de trucs historiques authentiques, comme les certificats d'actions de compagnies de chemin de fer, les timbres liés au train et les enveloppes timbrées anciennes avec premiers jours d'émission, etc.

🚶 🧑‍🦯 ***Strasburg Railroad*** *(plan C3, 32)* **:** route 741 E, à côté du Railroad Museum of Pennsylvania. ☎ 687-7522.

Possibilité de faire une petite balade dans un vieux train tiré par une locomotive à vapeur, à travers les champs des fermes amish. Bien avec des enfants.

🚶 🧑‍🦯 ***National Toy Train Museum*** *(plan C3, 33)* **:** Paradise Lane, en marge de la 741, à l'est de Strasburg. ☎ 687-8976. Ouvert tous les jours de mai à

octobre de 10 h à 17 h (en avril, novembre et décembre, seulement le week-end). Entrée : 3 US$; réductions.
Pour les amoureux des trains miniatures, des centaines de pièces et des réseaux géants. Pas saturé, vous avez encore la *Choo Choo Barn (plan C3, 34)* sur la 741 E. ☎ 687-7911. Là aussi, de belles maquettes et de nombreux petits trains en mouvement. Ouvert d'avril à décembre, tous les jours de 10 h à 16 h 30 (plus tard en été).

➤ AU NORD ET AU NORD-EST DE LANCASTER

🍴 🚶 *Landis Valley Museum (hors plan par A1, 37)* : Landis Valley Rd (et Oregon Pike). ☎ 569-0401. • www.landisvalleymuseum.org • À 2,5 miles au nord de Lancaster. Ouvert d'avril à octobre de 9 h (12 h le dimanche) à 17 h. Entrée : 9 US$; réductions.
Dans un cadre bucolique, une quinzaine de bâtiments des XVIIIᵉ et XIXᵉ siècles et un hôtel victorien ont été remontés ici et offrent une bonne idée de ce que furent la vie rurale et les activités des Pennsylvanian Dutch dans le temps. Agréable balade dans l'histoire. Quasiment tous les jours, artisans divers montrant leur travail aux visiteurs.

EPHRATA

À une petite dizaine de miles au nord-est de Lancaster, on vous propose de passer par Lititz (voir ci-après), puis de suivre son E Main St jusqu'à Rothville, où s'embranche la Rothville Rd pour Ephrata.

🍴🍴 *Ephrata Cloister :* 632 W Main St (route 322, juste après l'intersection avec la 272). ☎ 733-6600. Ouvert de 9 h (12 h le dimanche) à 17 h. Première visite guidée 1 h après l'ouverture, dernière à 16 h. Elle dure 1 h et inclut 15 mn d'une intéressante vidéo. Le guide porte le costume de la communauté. Tarifs : 6 US$; réductions. Le tarif est le même, que l'on suive la visite ou non ! Prendre le plan explicatif pour se repérer, une partie de la visite est libre.
Ce fut l'une des plus anciennes communautés religieuses du pays. Fondée en 1732 par *Conrad Beissel,* un prédicateur allemand, elle eut à son apogée, dans la seconde moitié du XVIIIᵉ siècle, jusqu'à 100 frères et sœurs et plus de 300 membres. Outre l'agriculture, la communauté avait une importante activité d'imprimerie. Elle publia, en 1748 pour les mennonites, *Martyrs Mirror,* le plus gros livre jamais publié pendant la période coloniale (1 200 pages). 500 blessés de la bataille de Brandywine y furent soignés pendant la Révolution. Les quelques maisons qui les accueillirent furent brûlées pour éviter les épidémies, mais la majorité du site est intact. Au XIXᵉ siècle, la communauté déclina. Vers 1814, ses derniers membres rejoignirent l'Église baptiste du Septième Jour, qui administra l'ensemble jusqu'en 1934, avant que les autorités de l'État ne le transforment en musée.
On peut visiter aujourd'hui une vingtaine de sites et bâtiments de style campagnard germanique du XVIIIᵉ siècle, presque tous d'origine. La maison du fondateur, construite 20 ans avant sa mort (à proximité de l'église, car il avait alors plus de mal à se déplacer) et celle des sœurs, la *meeting house* (la chapelle) ne sont visibles qu'en suivant la visite guidée. Se visitent librement : la boulangerie, l'atelier d'imprimerie, la menuiserie, la petite cuisine avec son intéressant matériel pour fabriquer des chandelles, la maison du pharmacien, « l'amphithéâtre », le cimetière. À l'entrée du site, l'école (fermée en 1926) et la boutique de souvenirs sont d'époque. Un atelier, qui sert aujourd'hui pour d'intéressantes expos (photos, costumes plus gais que ceux des amish), a déménagé en 1940 pour y être réimplanté. Cela prouve que ce style de bâtiment était répandu dans toute dans la région. Vous noterez les portes basses visant à faire baisser la tête des membres de la communauté en signe d'humilité.

🦌 Deux autres petits musées à Ephrata : le ***musée historique*** au 249 W Main St. ☎ 733-1616. Ouvert les lundi, mercredi, jeudi de 9 h 30 à 18 h (le samedi de 8 h 30 à 17 h). Installé dans une belle maison victorienne. Ameublement, photos du passé, objets d'art anciens, etc. Un peu plus loin, l'***Eicher Indian Museum,*** Ephrata Community Park, Cocalico St. ☎ 738-3084. Ouvert tous les jours de 11 h à 16 h. Objets religieux rituels et artisanat indiens, bijoux, vannerie, etc. Hommage tardif à une culture liquidée brutalement au XVIIIe siècle (voir le texte concernant le gang des Paxton dans l'introduction à Lancaster).

🦌🦌 Ne pas manquer le ***Green Dragon Market and Auction*** du vendredi (de 9 h à 21 h), 955 N State St.
Un marché vrai de vrai, des montagnes de viandes, légumes frais, pâtisseries, produits artisanaux, etc. Avec toujours une vente de bétail.

🦌 Belles demeures dans ***Main Street,*** qui s'embranche sur la route 322, vers le sud-est, après le cloître (jusqu'au 1er feu uniquement ; après, le style change vite !).

LITITZ

Pour ceux qui veulent passer un peu plus de temps dans le coin, plusieurs lieux intéressants aussi à Lititz, sur la 501, à environ 8 miles au nord de Lancaster. Ne pas manquer de se procurer le plan-promenade décrivant une quinzaine de sites et intéressantes demeures (dont celle du fameux général Sutter) à découvrir dans le centre-ville.

🦌 ***Heritage Map Museum :*** 55 N Water St. ☎ 626-5002. Ouvert du lundi au samedi de 10 h à 17 h.
Des centaines de cartes anciennes, du XVe au XIXe siècle, pour nos lecteurs géographes et bourlingueurs. Même les autres aimeront ces émouvantes cartes, qui ne bénéficiaient pas à l'époque des photos-satellite et qui se révèlent souvent merveilleusement dessinées.

🦌 ***Lititz Museum :*** 137 et 145 Main St. ☎ 627-4636. Ouvert de mai à octobre, de 10 h à 16 h sauf le dimanche.
Musée présentant l'histoire de la ville. Insolites collections de pièges à souris de toutes sortes, d'éventails, etc. Visite également de l'élégante *Mueller House* de 1792 (façade de pierre), avec son ameublement d'origine.

🦌 ***Lititz Moravian Church and Museum :*** Church Sq. ☎ 626-8515. Ouvert de mai à septembre le samedi de 10 h à 16 h.
Église construite par des immigrants de Moravie (région à l'est de Prague) en 1787. Communauté qui colonisa la région et fonda Lititz à partir de 1756. Pendant un siècle, dans le village ne vécurent que des Moraviens et leurs descendants. Les premiers non-Moraviens ne furent admis qu'à partir de 1855. Petit musée contant cette tranche d'histoire.

🦌 Enfin, pour les plus gourmands de nos lecteurs, visite au ***musée Wilbur,*** 48 N Broad St. ☎ 626-3249. Ouvert du lundi au samedi de 10 h à 17 h. Entrée libre.
Succursale (de 1930) de la fameuse fabrique de bonbons et chocolat, dont la maison mère fut fondée à Philadelphie en 1884. Environ 50 000 t de friandises sont produites ici. On vous y expliquera le processus de fabrication des *candies* et des chocolats. Expos de vieilles pubs, machines anciennes, etc.

🦌 Dans le même ordre d'idées, pour ceux achevant un mémoire sur les traditions culinaires de la Pennsylvanie, possibilité de visiter, 227 E Main St., la ***Sturgis Pretzel Bakery,*** ou « ***Pretzel House*** », 1re fabrique de bretzels créée dans le pays. ☎ 626-4354. Tour guidé du lundi au samedi de 9 h à 17 h. Entrée : 2 US$.

C'est dans cette maison que, en 1861, un certain Julius Sturgis lança la 1re commercialisation des bretzels. Vous aurez même l'occasion, pendant la visite, de fabriquer les vôtres. Vieux fours en brique. On raconte que Julius Sturgis ayant un jour donné à manger à un vagabond, celui-ci, pour le remercier, lui aurait révélé la vraie recette du bretzel.

🏃 Enfin, Lititz, dans **Main St E,** recèle de belles façades, dont celle en bois du n° 166, et le *Linden Hall,* la plus ancienne école de filles des États-Unis (1746).

➤ À L'OUEST DE LANCASTER

🏃 **Amos Herr Family Homestead :** Amos Herr Park, Landisville. ☎ 898-8822. À moins de 4 miles au nord-ouest de Lancaster. Ouvert d'avril à octobre, le week-end de 13 h à 16 h.
Visite d'une ancienne ferme de la fin du XIXe siècle, pour une fois pas amish. Cadre et ameublement qui n'ont quasiment pas changé.

COLUMBIA

Une intéressante ancienne petite ville industrielle du XIXe siècle. À l'origine de sa création, une hardie pionnière, *Susanna Wright,* arrivée de son Lancashire natal (Angleterre) en 1714. Tandis que ses parents s'établissaient à Philadelphie, elle fut la 1re personne à acheter des terres si loin de la civilisation naissante. Il faut dire que, pétrie des idées de William Penn, elle entretint rapidement d'excellents rapports avec les Indiens locaux, tout en développant l'économie de la région.

🏃 **Wright Ferry Mansion :** 38 S 2nd St. ☎ 684-4325. Ouvert de mai à octobre, les mardi, mercredi, vendredi et samedi de 10 h à 15 h.
Visite de la belle demeure de Susanna Wright construite en 1738, en style géorgien. L'occasion rare d'admirer un cadre et un décor datant de la 1re moitié du XVIIIe siècle. Le plus étonnant quand même, c'est la richesse et le bon goût de tous ces objets d'art quand on songe aux conditions rustiques d'installation à cette époque. La maison demeura au sein de la même famille jusqu'en 1922, ce qui explique son bon état de conservation.

🏃 **The National Watch and Clock Museum :** 514 Poplar St. ☎ 684-8261. Ouvert de 10 h à 17 h, le dimanche de 12 h à 16 h. Fermé le lundi. Entrée : 7 US$; réductions.
Un des plus importants musées au monde dans ce domaine. Près de 10 000 montres, pendules, horloges, de toutes les époques, toutes les formes. Le musée a bénéficié de travaux de rénovation. Beaucoup de pièces rares et particulièrement pittoresques. Ici, on ne prend même plus le temps de visiter ce musée, on s'en empare !

🏃 **Columbia Museum of History :** 19 N 2nd St. ☎ 684-2894. Ouvert le dimanche de 13 h 30 à 16 h 30.
Petit musée d'intérêt local (et aux horaires peu souples) sur l'histoire de la ville. Installé dans l'ancienne *First English Lutheran Church.*

🏃 **First National Bank Museum :** 170 Locust St. ☎ 684-8864. Ouvert du mercredi au vendredi de 10 h à 17 h, le week-end de 12 h à 17 h.
Ancienne maison de ville de 1814 qui, avant d'être une banque, fut aussi taverne, hôtel, etc. Visite guidée à 5 US$, uniquement sur réservation. Intéressante architecture intérieure.

MARIETTA

Quelques miles au nord-ouest de Columbia, petite ville bordant la Susquehanna River. Elle posséda jadis une certaine importance industrielle et fut un gros nœud ferroviaire régional. De ce passé prospère subsistent de nombreuses belles demeures victoriennes, au point que la moitié de la ville est classée.

🏃 *Le musée d'Histoire de la ville (Old Town Hall Museum) :* dans l'ancienne mairie de 1847, Waterford Ave et Walnut St. ☎ 426-4736. Ouvert de mai à décembre, le samedi de 10 h à 15 h et le dimanche de 13 h à 15 h.

🏃 Voir aussi le *musée des Boîtes à musique (Musical Boxes Museum) :* 255 W Market St. ☎ 426-1154. Ouvert de mars à décembre, les samedi et lundi de 10 h à 16 h et le dimanche de 12 h à 16 h.
Abrité dans une jolie maison de style fédéral. Très riche collection, avec des pièces remarquables.

🏠 La *Railroad House,* au coin de W Front et S Perry. ☎ 426-4141. Une douzaine de chambres coquettes et à prix abordables dans une grande demeure de 1820 qui fut un temps taverne pour les gens travaillant sur le canal, puis gare provisoire pendant la construction de la Marietta Station. Bel ameublement victorien, superbe petit dej', et la patronne parle le français.

➤ À VOIR PLUS À L'OUEST

🍴 *Harley Davidson Final Assembly Plant :* 1425 Eden Rd. ☎ 1-877-883-1450 ou (414) 343-7850. À York, entre Gettysbury et Lancaster, au nord de la 30 (sortie Arsenal Rd, 9 E Off Interstate 83). C'est l'usine d'assemblage des fameuses motos. Fermé le week-end et à certaines périodes, téléphoner avant d'y aller. Tours guidés et gratuits, en anglais uniquement, en principe à intervalles réguliers de 9 h à 14 h (durée : 1 h). Premier arrivé, premier servi ! Enfants acceptés à partir de 12 ans.
« *Old Harleys never die, they go to museums.* » On visite donc d'abord le musée, puis l'usine à proprement parler, au milieu des chaînes d'assemblage et des chariots élévateurs. Muni de lunettes de protection et d'une radio portable (pour entendre le guide malgré le bruit des machines), on assiste aux différentes étapes de la carrosserie et à l'assemblage final des motos. Enfin, on peut voir les aires de test où des petits veinards sont payés à rouler en Harley toute la journée !

🏃 Plus à l'ouest encore, à 60 miles de Philadelphie, le champ de bataille historique de *Gettysburg.* Bataille décisive où, le 3 juillet 1863, les confédérés du général Lee furent battus par les troupes de l'Union du général Meade. L'un des sites de la guerre de Sécession les plus visités. *Visitor Center,* musées, National Military Park de 65 km^2, cimetière des héros, etc.

Quelques bonnes adresses

🍴 *Bird-in-Hand Farmer's Market* (plan C2) : dans le village du même nom. Marché les vendredi et samedi de 8 h 30 à 17 h 30 ; en été, quelques autres jours en plus. Boutiques d'artisanat ouvertes toute la semaine en été.
🍴 *The Old Country Store* (plan D1-2) : Main St, Intercourse. Tous les jours sauf le dimanche, de 9 h à 20 h (17 h de novembre à mai). C'est dans cette région qu'on peut encore trouver les plus beaux *quilts,* aux prix les plus abordables, ce qui reste cher toutefois.
🍴 Assez curieux de constater que le pays amish, quand même symbole de simplicité (voire de rusticité), emblématique aussi du détachement des choses matérielles, voit se

développer ces immenses *factory outlets,* centres commerciaux proposant des marchandises de grandes marques *(Nike, Levi's...)* à prix défiant toute concurrence. Ainsi, le

Rockvale Square (plan B2), à l'intersection de la 30 et de la 896 abritant plus d'une centaine de magasins et d'immenses parkings.

WASHINGTON

570 000 hab. (7,6 millions avec les banlieues)
IND. TÉL. : 202

Pas d'usines, pas de cheminées visibles. Washington est une ville propre, car l'administration et la politique forment l'industrie principale. Quelque 300 000 employés fédéraux, 80 000 lobbyistes et 40 000 avocats ! La plus forte concentration de journalistes au monde !

Les larges avenues, les immeubles d'habitation jamais plus hauts que 8 étages et les monuments nobles font de Washington une des belles villes du monde occidental, particulièrement au printemps, quand les cerisiers sont en fleur sur le Mall. L'été y est horriblement chaud (moyenne de 32 °C en juillet !) et humide : c'est l'Amazonie urbaine, vous êtes averti. Les musées sont climatisés... mais les nombreux monuments extérieurs ne le sont pas. L'automne a la fraîcheur du printemps, sans ses vagues de petits touristes écoliers.

Remarque : préciser *Washington D.C.* Si l'on dit seulement Washington, un Américain croit parfois qu'on parle de l'État et non de la ville. L'État en question est sur la côte Pacifique ! Le district fédéral de Columbia a été créé extraterritorialement, si l'on peut dire, avec des terres du Maryland et de la Virginie (laquelle en a d'ailleurs récupéré un morceau à une époque où l'on pensait que cette capitale n'avait pas grand avenir...). Aujourd'hui, une partie de l'agglomération est située dans le Maryland (ville de Bethesda). Du coup, la taxe sur les repas et boissons est de 10 % dans le D.C., et de 6,5 % seulement à Bethesda ! Quant aux habitants du D.C., ils votent... pour l'État auquel ils sont rattachés, car le District of Columbia n'a pas d'élus !

Depuis le 11 septembre 2001, Washington semble assiégée. Les musées et les centres d'information imposent souvent des fouilles dignes d'un aéroport. Si vous allez au Capitole et dans d'autres endroits dits sensibles, soyez prêt à dégainer votre passeport. Au bout de quelques jours, c'est un peu énervant, mais il n'y a pas moyen d'y échapper.

Malheureusement, derrière les beaux musées se cachent des drames sociaux considérables à Washington : près d'un homme noir (âgé de 18 à 35 ans) sur deux est ou en prison, ou en liberté conditionnelle, ou en attente de procès ou en cavale...

Arrivée par avion

➤ *Du Ronald Reagan National Airport :* ☎ (703) 417-8000. Cet aéroport est réservé aux vols en provenance de villes situées à moins de 1 125 miles (1 800 km) de Washington. Le *métro* (ligne bleue ou jaune) met 15-20 mn pour atteindre le centre-ville. Si vous avez beaucoup de bagages, les *vans super shuttle,* sortes de taxis en commun fonctionnent 24 h/24 (☎ 1-800-BLUE-VAN), vous déposent à une adresse spécifique pour 13 US$. Un *taxi* vers le centre coûte une douzaine de dollars (hors frais de bagages).

Avertissement : le *National Airport* est à quelques kilomètres de la Maison Blanche et du Capitole, juste de l'autre côté du Potomac. Alors imaginez les mesures de sécurité...

Washington Cathedral

National Zoological Park

NORD

Massachusetts Ave

Connecticut Ave

16th St.

Woodley Park
National Zoo

ADAMS MORGAN

Massachusetts

Wisconsin

37th Street

EMBASSY ROW

voir plan III

Avenue

New Hampshire Ave.

DUPONT CIRCLE

Island

GEORGETOWN

Avenue

Dupont Circle

Massachusetts

16th Street

Rhode

Ave

M Street

M Street

Potomac River

Pennsylvania

Washington Circle

Farragut North

K Street

K Street

Farragut West

14th Street

Avenue

McPherson Square

Rosslyn

Foggy Bottom G.W.U.

FOGGY BOTTOM

White House

Kennedy Center

23rd Street

THEODORE ROOSEVELT MEMORIAL BRIDGE

Federal Triangle

Court House

Constitution

Avenue

14th Street

Lincoln Memorial

Washington Monument

ARLINGTON MEMORIAL BRIDGE

Smithsonia

Arlington Cemetery

Jefferson

Tibal Basin

Davis Highway

Arlington National Cemetery

GEORGE MASON MEMORIAL BRIDGE

voir plan II

Pentagon (Department of Defense)

Pentagon

Potomac River

Pentagon City

Ronald Reagan National Airport

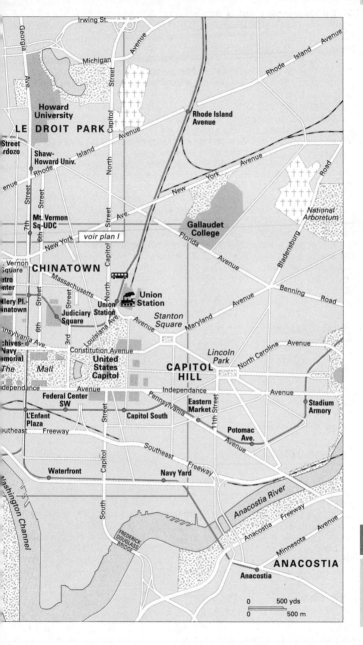

WASHINGTON – PLAN D'ENSEMBLE

WASHINGTON

➢ *Du Washington Dulles International Airport :* ☎ (703) 572-2700. À 25 miles (40 km) de Washington D.C. par l'autoroute. L'aéroport Dulles (prononcer *dâ-losse*) est le plus fréquenté de la région. La plupart des vols en provenance d'Europe atterrissent ici.

– *Bus de luxe Washington Flyer Coach Service* jusqu'à la station métro W Falls Church (ligne orange) : 8 US$ le trajet (14 US$ l'aller-retour). Renseignements : ☎ 1-888-WASHFLY. ● www.washfly.com ● Toutes les 30 mn de 6 h 15 à 22 h 45.

– *SuperShuttle* à 22 US$.

– Le *taxi* est cher : compter 50 US$ pour rejoindre le centre-ville.

– L'aubaine : pour 2,50 US$, suivre les panneaux *Metrobus,* descendre au niveau des taxis et des navettes de loueurs de voitures, au panneau *Metrobus* (en bleu sur fond blanc), ligne 5 A (en rouge). Liaison directe en un peu moins de 1 h avec les stations de métro Rosslyn (ligne orange) et L'Enfant Plaza. Un bus toutes les heures environ. Moins confortable que le *Flyer Coach.*

➢ *Du Baltimore-Washington International Airport :* ☎ 1-800-435-9294. ● www.bwiairport.com ● À 50 km de Washington (l'autoroute Baltimore-Washington est souvent bouchonnée). C'est l'aéroport des charters et des compagnies *low-cost.* Pour rejoindre le centre-ville, un *taxi* coûte environ 55 US$, si on n'est pas coincé dans le trafic. *SuperShuttle* à 30 US$. Sinon, des *trains* Amtrak (compter 23 US$) et *Maryland Rural Commuter* (5 US$) desservent le métro Union Station en 30 mn (fréquences irrégulières). Toutes les 10 mn, navette de l'aéroport à la gare ferroviaire. Enfin, l'*Express Metro Bus* (40 mn) se rend pour quelques dollars à la station de métro Greenbelt (terminus de la ligne verte).

Orientation

Du Capitole partent 4 axes : North Capitol, South Capitol, East Capitol et le Mall. Ils divisent la ville en quadrants : NW (North West), NE (North East), SW (South West) et SE (South East). Les grandes rues nord-sud sont numérotées. Les grandes rues est-ouest sont désignées par une lettre de l'alphabet. Dans les rues est-ouest, les numéros d'immeubles correspondent normalement aux numéros des rues nord-sud (par exemple, le 1250 sera entre 12th et 13th St). Facile, non ?

Transports urbains

Évitez de rouler en ville : parkings éloignés des centres touristiques, circulation démente aux heures de pointe et qui change de sens au fil de la journée dans certaines rues. Vous bénirez parfois l'urbaniste français Pierre-Charles L'Enfant qui a donné une touche européenne au plan urbain (rues qui ne débouchent sur rien, géométrie d'avenues jolie mais farfelue...). En revanche, quand le Congrès n'est pas actif, en juillet-août et certaines autres périodes, le trafic et les difficultés de parking sont nettement réduites, on peut même se garer gratuitement le long du Mall... Transports en commun assez faciles, parmi les meilleurs des États-Unis.

Le métro

La taille, la nudité et l'uniformité des stations du *Metrorail* étonnent : vastes voûtes qui abritent les stations formant une sorte de plafond à caissons, brut de décoffrage, murs gris, stations toutes identiques, pas ou peu de publicité. D'abord impressionnant, ce décor sombre devient rapidement ennuyeux. Mais ce métro est efficace et c'est ce qui compte.

WASHINGTON

■ **Adresses utiles**

ℹ 1 Washington D.C. Convention and Tourism Corporation *(plan I)*

ℹ 2 White House Visitor Center *(plan II)*

ℹ 3 D.C. Chamber of Commerce Visitor Information Center *(plan II)*

🚉 Union Station *(plan II)*

🚌 Greyhound Terminal *(plan II)*

✉ Poste *(plan II)*

🛏 **Où dormir ?**

10 Woodley Park Guesthouse *(plan I)*

11 Washington International Student Center *(plan I)*

12 Davis House *(plan I)*

13 Windsor Park Hotel *(plan I)*

14 The Kalorama Guesthouse at Kalorama Park *(plan I)*

15 The Kalorama Guesthouse at Woodley Park *(plan I)*

16 Adam's Inn *(plan I)*

17 Hotel Topaz *(plan I)*

18 Hostelling International Washington D.C. *(plan II)*

19 Tabard Inn *(plan I)*

20 Carlyle Suites Hotel *(plan I)*

21 Taft Bridge Inn *(plan I)*

22 Allen Lee Hotel *(plan II)*

23 Hotel Harrington *(plan II)*

24 Hereford House *(plan II)*

25 The Swiss Inn *(plan II)*

26 State Plaza Hotel *(plan II)*

27 Loews L'Enfant Plaza Hotel *(plan II)*

28 Hotel George *(plan II)*

🍴 **Où manger ?**

19 Tabard Inn *(plan I)*

40 Brickskeller Dining Home & Saloon *(plan I)*

41 Java House *(plan I)*

42 Kramerbooks & Afterwords Cafe & Grill *(plan I)*

43 Luna Grill & Diner *(plan I)*

44 Sushi Taro *(plan I)*

45 El Tamarindo *(plan I)*

46 Saigon Gourmet *(plan I)*

47 Jyoti Restaurant *(plan I)*

48 Addis Ababa Restaurant *(plan I)*

49 Perry's *(plan I)*

50 Meskerem *(plan I)*

52 Ben's Chili Bowl *(plan I)*

53 U-topia *(plan I)*

54 Florida Avenue Grill *(plan I)*

55 Bohemian's Cavern *(plan I)*

56 Coppi's *(plan I)*

57 Union Station *(plan II)*

58 The Pavilion *(plan II)*

59 The Dubliner *(plan II)*

60 Andale *(plan II)*

61 Old Ebbitt Grill *(plan II)*

62 Market Inn *(plan II)*

63 McCormick&Schmick's *(plan II)*

64 Two Quail *(plan II)*

65 Poli-Tiki *(plan II)*

66 Cosi *(plan II)*

67 Il Radicchio *(plan II)*

68 China Doll *(plan II)*

69 Tony Cheng's Mongolian Barbecue *(plan II)*

70 Wok and Roll *(plan II)*

🍸 🎵 **Où boire un verre ? Où sortir ?**

90 Tryst *(plan I)*

91 Madam's Organ *(plan I)*

92 9 : 30 *(plan I)*

93 Velvet Lounge *(plan I)*

95 ChiCha Lounge *(plan I)*

96 Café Nema *(plan I)*

97 Polly Esther's *(plan II)*

98 Capitol City Brewery Company *(plan II)*

🍸 🎵 **Où écouter du jazz et du blues ?**

94 Twins *(plan I)*

🚶 **À voir**

120 Phillips Collection *(plan I)*

121 Textile Museum *(plan I)*

122 Anderson House *(plan I)*

123 Woodrow Wilson House *(plan I)*

124 Maison Blanche *(plan II)*

125 Washington Monument *(plan II)*

126 Lincoln Memorial *(plan II)*

127 Vietnam Veterans Memorial *(plan II)*

128 Capitole *(plan II)*

129 Library of Congress *(plan II)*

130 Union Station *(plan II)*

131 Old Post Office *(plan II)*

132 Bureau of Engraving and Printing *(plan II)*

133 Smithsonian Institution Building *(plan II)*

134 Air and Space Museum *(plan II)*

135 National Gallery of Art *(plan II)*

136 National Museum of American History *(plan II)*

137 Hirshhorn Smithsonian Museum and Sculpture Garden *(plan II)*

138 Arts and Industries Building *(plan II)*

139 Freer Gallery of Arts *(plan II)*

140 National Museum of Natural History *(plan II)*

141 National Museum of African Art *(plan II)*

142 National Portrait Gallery et Smithsonian American Art Museum *(plan II)*

143 Renwick Gallery *(plan II)*

144 Corcoran Gallery of Art *(plan II)*

145 National Museum of Women in the Arts *(plan II)*

146 Federal Bureau of Investigation (FBI) *(plan II)*

147 Washington Post *(plan II)*

148 U.S. Holocaust Memorial Museum *(plan II)*

149 National Building Museum (Pension Building) *(plan II)*

150 National Postal Museum *(plan II)*

151 National Geographic Explorer's Hall *(plan II)*

152 Watergate Building *(plan II)*

153 National Archives *(plan II)*

154 Mémorial de la guerre de Corée *(plan II)*

155 Franklin Delano Roosevelt Memorial *(plan II)*

156 Jefferson Memorial *(plan II)*

157 Porte de Chinatown *(plan II)*

158 International Spy Museum *(plan II)*

159 Albert Einstein Memorial *(plan II)*

160 Martin Luther King's Library *(plan II)*

161 City Museum of Washington D.C. *(plan II)*

162 National Museum of the American Indian *(plan II)*

WASHINGTON

Ouvert de 5 h 30 à minuit (à partir de 8 h le week-end et jusqu'à 2 h les vendredi et samedi). Système de carte magnétique nommée *Fare Card*. Le tarif varie selon les trajets et les heures de pointe : de 5 h 30 à 9 h 30 et de 15 h à 20 h. Gardez votre carte car elle est nécessaire pour sortir. Achetez une carte de 20 US$ si vous comptez faire plusieurs trajets (à partir de 20 US$, on vous crédite 10 % sur la carte). Tant qu'il reste de l'argent sur votre carte, celle-ci vous est restituée à la sortie, et la somme restante est imprimée. Si

WASHINGTON – PLAN I
(ADAMS MORGAN, U STREET ET DUPONT CIRCLE)

besoin, vous pouvez la recréditer avant la sortie (bornes marquées *Exit Fares*). Également un système d'abonnement illimité à la journée utilisable après 9 h 30 en semaine ou toute la journée le week-end (*One Day Pass* à 6,50 US$). Pour la semaine, abonnements très avantageux à 22 US$ (ou 32 US$, couvrant une aire maximale, mais le premier devrait suffire). Le week-end, possibilité de bénéficier du *Family Tourist Pass*. Intéressant au bout de quelques parcours. Distributeurs automatiques (on paie en petites

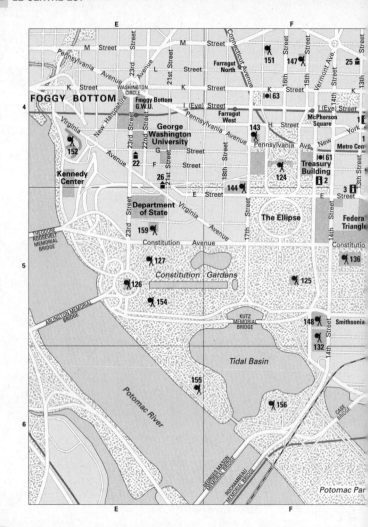

WASHINGTON

coupures ou par carte de paiement) et poste de renseignements dans chaque station. Il est strictement défendu de boire ou manger dans le métro (pour conserver la propreté notoire du lieu). Amendes encore plus salées qu'un sac de chips jeté par terre.

– **Renseignements :** *Metrorail* et *Metrobus,* ☎ 637-7000. ● www.wmata. com ●

Le bus

Pour se rendre sans marcher dans les quartiers un peu loin du métro (Georgetown, Adams Morgan, etc.). Se procurer, dans une station de métro, un plan complet des lignes de bus. Ticket de correspondance à prendre au dis-

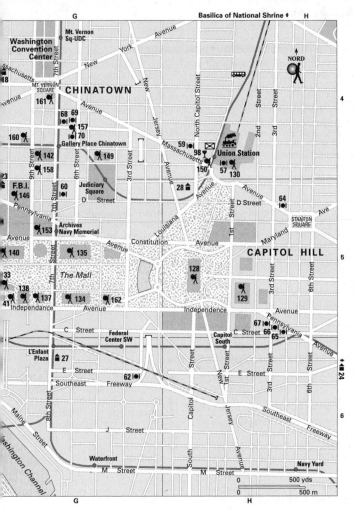

WASHINGTON – PLAN II (DOWNTOWN)

tributeur dans le métro (AVANT de prendre la rame), et 25 cents à payer une fois dans le bus. La *Regional One Day Pass* de bus est une très bonne affaire (3 US$).

Le taxi

– **Yellow Cabs** (☎ 544-1212) : pas de compteur, on paie par zone (affichées dans le taxi). Demander le prix au départ, sinon c'est à la tête du client. Et ce n'est pas donné. Suppléments exigés pour les passagers supplémentaires et les bagages (un peu énervant comme système). Pour toutes réclamations concernant un taxi : ☎ (703) 417-0981.

WASHINGTON

Adresses utiles

Informations touristiques et culturelles

D.C. Chamber of Commerce Visitor Information Center *(plan II, F4-5, 3)* : 1300 Pennsylvania Ave NW (angle 13th St : en fait, c'est à 200 m au sud de l'entrée principale du building), au rez-de-chaussée du Ronald Reagan Building, aussi nommé International Trade Center, à 2 blocks du Mall et à 1 block du *White House Visitor Center*. ☎ 328-4748. ● www.dc visit.com ● Ouvert du lundi au vendredi de 8 h 30 à 17 h 30, de 9 h à 16 h le samedi, fermé le dimanche. C'est le plus grand centre d'informations à Washington. On peut y réserver des tickets pour des monuments importants et des spectacles par TicketMaster (frais de réservation). Vidéo *Destination D.C.* très bien faite sur la ville. Autre bureau d'infos au nouveau *City Museum* (voir plus loin la rubrique « Les Musées »).

Washington D.C. Convention and Tourism Corporation *(plan II, F4, 1)* : 1212 New York Ave NW, suite 600 (6e étage). ☎ 789-7000 ou 1-800-422-8644. Ⓜ Metro Center. Ouvert en semaine seulement de 9 h à 17 h. Documentation variée et cartes de la ville.

White House Visitor Center *(plan II, F4, 2)* : 1450 Pennsylvania Ave (entre 14th et 15th St). ☎ 208-1631. Ⓜ Federal Triangle. Ouvert tous les jours de 7 h 30 à 16 h. Excellente documentation. Films et présentations sur la Maison Blanche.

■ **Hotel Reservation Network :** central de réservation d'hôtels à prix réduits opéré par ● www.hotels.com ● ☎ 1-800-964-6835.

■ **Alliance française :** 2142 Wyoming Ave. ☎ 234-7911. Fax : 234-0125. ● www.francedc.org ● Ouvert du lundi au vendredi de 10 h à 18 h. Pour ceux qui séjournent longtemps sur place.

Représentations diplomatiques

■ **Ambassade de France :** 4101 Reservoir Rd NW (en face de Georgetown University Hospital). ☎ 944-6000. Ouvert du lundi au vendredi de 8 h 45 à 12 h 45. Téléphone en cas d'urgence : ☎ 944-6100.

■ **Ambassade de Belgique :** 3330 Garfield NW. ☎ 333-6900. Ⓜ Woodley Park Zoo, puis 15 mn à pied.

■ **Ambassade de Suisse :** 2900 Cathedral Ave NW. ☎ 745-7900. Ⓜ Woodley Park Zoo.

■ **Ambassade du Canada :** *chancellerie,* 501 Pennsylvania Ave NW (au nord du Mall, près du Capitole). ☎ 682-1775. Ouvert du lundi au vendredi de 8 h à 18 h.

Banques et postes

■ **American Express :** 1150 Connecticut Ave NW. ☎ 457-1300. Ⓜ Farragut N. Ouvert en semaine de 9 h à 17 h 30. *Chèques volés :* ☎ 1-800-221-7282. *Cartes de paiement volées :* ☎ 1-800-528-2121.

✉ **Postes :** N Capitol St, à côté de Union Station *(plan II, H4)*. Ouvert en semaine de 7 h à minuit (20 h le week-end). Et aussi sur Pennsylvania Ave NW, entre 12th et 14th St : ouvert jusqu'à 16 h en semaine. Également à Georgetown *(plan III, I-J8)*, 1215 31st St : ouvert du lundi au vendredi de 8 h à 17 h 30 et le samedi de 8 h 30 à 14 h.

Transports

🚌 **Greyhound Terminal** *(plan II, H4)* : 1005 1st St NE. Derrière Union Station. Pour infos sur les trajets et les prix : ☎ 289-5155 ou 1-800-231-2222.

■ *Auto Driveaway Co.* : 1408 N Fillmore St, suite 2, Arlington, Virginia. ☎ (703) 524-7302. Ⓜ Clarendon *(Orange Line)*.
■ *Budget Rent-a-Car :* 1620 L St NW (centre-ville). ☎ 466-4544. Agences à Dulles International (☎ 703-486-3059) et à Ronald Reagan National Airport (☎ 703-920-3360). Réservations nationales au ☎ 1-800-527-0700.
■ *Mac's Tire Service* : 423 Florida Ave NE. ☎ 543-5835. Ouvert tous les jours 24 h/24. Une de ces adresses précieuses en cas de crevaison. Sympa et rapide.
■ *Air France :* ☎ 1-800-237-2747.

Santé, urgences

■ *Pharmacie ouverte 24 h/24 :* CVS Pharmacy, 6 Dupont Circle. ☎ 785-1466. Ⓜ Dupont Circle.

■ *Renseignements :* ☎ 411.
■ *Urgences :* ☎ 911.

Où dormir ?

Bonne nouvelle : le prix des hôtels a diminué un peu depuis quelques années... mais ça demeure cher. Préférer un quartier animé le soir (comme Adams Morgan ou près de Dupont Circle), car les environs du Mall sont désertés après la fermeture des bureaux et des musées et y loger est plus cher. Ne pas oublier de rajouter au prix des chambres d'hôtel 14,5 % de taxes, plus 1,50 US$ par personne. Chambres nettement moins chères le week-end. C'est aussi moins cher en juillet-août quand le Congrès est en congé.

Camping

À 3 miles du métro Greenbelt (terminus nord de la ligne verte). En voiture, compter 20 mn de trajet du centre de Washington (si ça roule bien).

⛺ *Greenbelt Park Campground :* 6565 Greenbelt Rd. ☎ (301) 344-3948. Réservations nationales : ☎ 1-800-365-CAMP. On peut réserver via Internet ● www.reservations. nps.gov ● De la station de métro Greenbelt, suivre la route qui va vers l'est sur 1 mile (vers l'hypermarché), passer au-dessus de l'autoroute, l'entrée est à droite, en face d'un bâtiment à vitres fumées. Parcourir ensuite 2 bons miles, le camping est à l'intérieur de Greenbelt Park, parc national tenu par des rangers. Compter 15 US$ pour une tente. Cadre agréable, mais confort simple (pas de douches ni de boutique).

Bon marché

🛏 *Hostelling International Washington D.C. (plan II, G4, 18) :* 1009 11th St NW (et K St). ☎ 737-2333. ● reserve@hiwashingtondc. org ● Pour se rendre à l'AJ en métro : ligne bleue, station Metro Center. Sortir à 11th et G St, puis remonter 3 blocks. Très central. Ouvert 24 h/24. Compter 26 US$ par personne pour les membres, 29 US$ sinon. Édifice pas très romantique mais propre et rénové. Draps fournis. Chambres de 4 ou dortoirs de 8 ou 10 lits. Cinq chambres privées. Cuisine très bien équipée et grande salle à manger. Spacieuse salle de TV. Téléphone et accès Internet (1 US$ pour 8 mn). Casiers gratuits dans les chambres mais il faut un cadenas. Durée maxi du séjour : 7 nuits (prolongation possible s'il y a de la place). Réservation très recommandée en pleine saison (24 h à l'avance).

🛆 *India House Too Backpacker's Hostel (hors plan)* : 300 Carroll St NW. ☎ 291-1195. Ⓜ Takoma (ligne rouge vers le nord). Très excentré, mais facile à trouver du métro (on aperçoit la maison de la sortie). Lit en petits dortoirs à 16 US$ et chambres pour deux autour de 38 US$. Probablement le moins cher de Washington. Grande maison un tantinet vieillotte, dont 2 étages sont reconvertis en dortoirs et chambres. Cuisine et salon. Sur l'arrière, une véranda comme dans le vieux Sud pour goûter aux douces soirées. Dans l'ensemble, rustique, mais bien tenu. Bon accueil. En résumé, conviendra aux routards pas trop exigeants sur le confort et souhaitant redécouvrir une chaleureuse ambiance *fellow travellers* comme dans le temps. Internet gratuit.

🛆 *International Guesthouse (hors plan)* : 1441 Kennedy St NW. ☎ 726-5808. ● igh-gc@juno.com ● Situé à 4,5 miles au nord de la Maison Blanche, en droite ligne. Pour s'y rendre : bus S2 et S4 Silver Spring. Du *Greyhound,* bus n° 96 McLean Gardens jusqu'à 16th et U St, puis prendre le S2 ou S4 sur 11th et H St. Descendre à Kennedy St (30 mn de trajet si tout va bien). Également, bus n°s 50, 52, 54 et 70. En voiture, descendre 14th ou 16th St (beaucoup plus rapide). Couvre-feu à 23 h. Autour de 35 US$ par personne (petit dej' compris), il faut réserver. Quartier mixte *middle* et *upper middle classes,* en marge de quartiers plus défavorisés. Grande et belle maison particulière, remarquablement tenue par des mennonites : s'attendre au bénédicité au petit dej' (8 h précises) et à une atmosphère familiale. Les étrangers ont la priorité. On peut y manger. Micro-ondes et frigo à dispo. Thé et cookies offerts à 21 h. Chambres disponibles pour les couples, et d'autres à 2 ou 3 lits (on réunit des gens du même sexe). Une adresse assurément éloignée, qui ne conviendra qu'aux non-fumeurs qui souhaitent un séjour très paisible !

🛆 *Washington International Student Center (plan I, B2, 11)* : 2451 18th St NW. ☎ 667-7801 ou 1-800-567-4150. ● www.dchostel.com ● Ⓜ Woodley Park Zoo (et 15 mn de marche). Compter 22 US$ par personne. AJ privée au cœur d'un quartier sympa (Adams Morgan). Quarante lits en dortoirs (lits superposés dans chacun). Annexe avec 16 lits. Autant le savoir, l'été, c'est parfois une saturation difficile à vivre. Mais payer seulement 22 US$ dans Adams Morgan permet à certains d'accepter des conditions de logement difficiles. Petite cuisine. Petit dej' (léger) compris. Pas de couvre-feu. Check-in de 8 h à 23 h. Steve, le proprio, va chercher gratuitement ses hôtes à la station *Greyhound* ou à la gare *Amtrak* (Union Station). Téléphonez-lui à votre arrivée. Mieux vaut réserver. Le gérant, Antonio, est français et plutôt sympa.

Prix moyens

🛆 *Davis House (plan I, B3, 12)* : 1822 R St NW. ☎ 232-3196. Fax : 232-3197. Ⓜ Dupont Circle, à 3 blocks. Fermé entre Noël et le Jour de l'An. Compter 80 US$ la double. Tout le charme des chambres d'hôtes, où l'on se sent chez soi. Accueil sympathique de Keith (qui parle très bien le français) et de Lolly. Cette pension quaker accueille les étrangers (11 personnes au maximum), et a une longue tradition d'hospitalité. Elle fut l'une des premières à se battre contre la ségrégation qui frappait les Noirs (et dut même déménager une fois en 1950 devant l'hostilité du voisinage). Chambres coquettes, meublées avec goût, très propres. Bains communs. Attention, n'accepte ni les enfants ni les fumeurs (ni, d'ailleurs, les cartes de paiement). Réservation recommandée. Pas de restauration, mais breakfast (avec réduction) à la *Student House* en face, et puis, le quartier regorge de restos.

🛆 *Allen Lee Hotel (plan II, E4, 22)* : 2224 F St NW (entre 22nd et 23rd St). ☎ 331-1224. Ⓜ Foggy Bottom. Proche de la Maison Blanche et de l'université. Doubles autour de

65 US$ (sanitaires extérieurs) et 75 US$ (avec bains). Quartier plaisant la journée, peu animé le soir. L'hôtel le moins cher du centre. La qualité des chambres est très inégale. Certaines sont très acceptables, d'autres présentent une plomberie parfois négligée, entre autres petits problèmes. Le laisser-aller de l'établissement ne conviendra pas à nombre de lecteurs. Néanmoins, ça semble assez bien côté sûreté. C'est une aubaine pour les budgets serrés. À vous de juger (possibilité de voir plusieurs chambres).

🛏 *Motel 6 Capitol Heights* (hors plan I par D2) : 75 Hampton Park Blvd, Capitol Heights, Maryland. ☎ (301) 499-0800. Fax : (301) 808-7253. Ⓜ Capitol Heights (ligne bleue). À 10 miles à l'est du Capitole. Sortie 15 B de la 95 vers Washington, puis à gauche au 1er feu. Compter environ 70 US$. Hôtel confortable et sans surprise de la chaîne la moins chère des États-Unis.

🛏 *Motel 6 Washington D.C.* (hors plan I par C1) : 6711 Georgia Ave, Washington D.C. ☎ 722-1600. Fax : 723-3979. Le motel est très au nord de Le Droit Park et de Howard University. À 6 miles au nord de la Maison Blanche. Bus vers le centre toutes les 15 mn, compter 30 mn de trajet. Compter environ 70 US$. Petite piscine.

🛏 *Hereford House* (hors plan II par H6, **24**) : 604 S Carolina Ave SE. ☎ 543-0102. ● herefordhs@aol.com ● Ⓜ Eastern Market (à 200 m environ). Doubles de 74 à 82 US$. *B & B*

qui se veut très british. Petite maison de brique située dans une rue calme d'un quartier de charme, à proximité de Capitol Hill. Chambres très agréables dont une grande avec bains et 2 avec sanitaires extérieurs. Loue également des chambres dans une autre maison à 10 mn de là, dans un coin sympa aussi. Conviendra à ceux ou celles souhaitant un peu plus d'indépendance. On y trouve un salon plaisant, un coin cuisine avec micro-ondes et un petit jardin derrière. Prudent de réserver. Cartes de paiement refusées.

🛏 *Adam's Inn* (plan I, B2, **16**) : 1744 Lanier Pl NW. ☎ 745-3600 ou 1-800-578-6807. Fax : 319-7958. ● adamsinn@adamsinn.com ● Ⓜ Woodley Park Zoo. Puis environ 10 mn à pied. Il est pratique de s'y rendre en bus (bus nos L2, 42, 46, 90, 92 et 96). Doubles autour de 70 US$ (sans bains) et 85 US$ (avec bains). Petit dej'-buffet compris. Rue tranquille entre Calvert St et Ontario Rd. *Townhouse* victorien à deux pas de l'animation d'Adams Morgan. Bureau ouvert de 8 h (13 h le dimanche) à 21 h. Atmosphère de super-AJ, car l'absence de TV et de téléphone dans les chambres force les rassemblements dans les agréables pièces communes. Un peu moins bien décorées que les pièces communes, les chambres sont agréables, pour une à 4 personnes. AC, possibilité de lavage et repassage. Gérance accueillante. Cinq places de parking de nuit à 10 US$, penser à réserver. Accès Internet gratuit. Une bonne adresse.

Plus chic

🛏 *Hotel Harrington* (plan II, G4-5, **23**) : 11th St et E St NW. ☎ 628-8140 ou 1-800-424-8532. Fax : 347-3924. ● www.hotel-harrington.com ● Ⓜ Metro Center. Chambres à 2 lits doubles pour 115 US$, chambres pour 5 personnes à 135 US$. Immense hôtel de 250 chambres construit en 1940 (design d'époque pour l'ascenseur et la boutique, dans l'entrée). Alors, charmant ou un peu

vieillot ? À vous de décider, mais les lits sont récents et ça, ça compte ! Atmosphère certes impersonnelle, mais très bien situé, en plein centre du secteur touristique, entre le Capitole et la Maison Blanche. Chambres bien meublées, avec bains (parfois un peu vieillots), petit bureau, TV : certaines sont non-fumeurs. Réception un peu débordée, voire parfois sur les nerfs. Grande salle de restaurant au rez-de-chaussée, à des prix corrects. Bus pour l'aéroport de Dulles à l'entrée.

🏛 **The Kalorama Guesthouse at Kalorama Park** *(plan I, B2, 14)* : 1854 Mintwood Pl NW. ☎ 667-6369. Fax : 319-1262. Ⓜ Woodley Park Zoo ou Dupont Circle. Pas loin d'Adams Morgan et de 18th St. Chambres doubles avec sanitaires extérieurs de 60 à 90 US$, avec bains privés de 85 à 115 US$. Suites de 125 à 165 US$. Petit dej' continental compris. Grande *townhouse* dans une rue résidentielle, où flotte une atmosphère victorienne. Vastes chambres meublées à l'ancienne, certaines ont même une cheminée et la photo de supposés grands-parents au-dessus du lit... on a vraiment l'impression de rentrer *at home* ! Endroit réellement charmant pour dormir. Réservation obligatoire.

🏛 **Taft Bridge Inn** *(plan I, B2, 21)* : 2007 Wyoming Ave NW. ☎ 387-2007. Fax : 387-5019. Ⓜ Dupont Circle. Doubles (sanitaires extérieurs) depuis 84 US$ et avec bains jusqu'à 150 US$ environ, petit dej' (complet) compris. Dans le quartier résidentiel de Kalorama, une très élégante demeure de style géorgien de la fin du XIXe siècle. Pas de grande enseigne, regardez bien les numéros ! Jardin et belle entrée à colonnes. Chambres de charme personnalisées : lits à colonnes, bains avec anciens lavabos et baignoires. Les chambres sans bains sont plus petites et plus simples que les autres. Salon et pièces communes particulièrement agréables. Accueil affable. Parking privé.

🏛 **Windsor Park Hotel** *(plan I, A2, 13)* : 2116 Kalorama Rd NW (près de Connecticut Ave). ☎ 483-7700. Réservations : ☎ 1-800-247-3064. Fax : 332-4547. • www.windsorpark hotel.com • Un peu éloigné du métro Woodley Park Zoo, à mi-chemin de Dupont Circle et Woodley Park (près de Taft Bridge). Doubles autour de 125 US$. Quartier résidentiel, verdoyant et agréable. Élégant petit immeuble victorien en brique dans une rue calme. Proche du quartier branché et animé d'Adams Morgan (18th St N). Quatre chambres très

correctes, fonctionnelles, avec AC. Petit dej' offert le matin.

🏛 **The Kalorama Guesthouse at Woodley Park** *(plan I, A1, 15)* : 2700 Cathedral Ave NW. ☎ 328-0860. Fax : 328-8730. Ⓜ Woodley Park Zoo. Chambres pour deux avec sanitaires extérieurs de 60 à 90 US$, avec bains privés de 85 à 115 US$. Petit dej' continental compris. Même direction que l'autre *Kalorama* (plus haut). 19 chambres au confort douillet, réparties dans 2 demeures victoriennes situées dans un quartier résidentiel, tout près de la station de métro Woodley Park Zoo. Navette pour l'aéroport de Dulles au *Sheraton,* juste à côté.

🏛 **The Swiss Inn** *(plan II, F4, 25)* : 1204 Massachusetts Ave NW, angle 12th St. ☎ 371-1816 ou 1-800-955-7947. • www.theswissinn.com • Ⓜ Metro Center ou McPherson Sq. Doubles autour de 100 US$. Petit immeuble de brique rouge. Chambres agréables avec kitchenette équipée, frigo, micro-ondes, TV et AC, comme des studios. Clientèle surtout européenne. Le gérant parle le français. Possibilité de négocier une réduction de 10 US$ s'il lui reste des chambres à louer.

🏛 **Woodley Park Guesthouse** *(plan I, A1, 10)* : 2647 Woodley Rd NW. ☎ 667-0218 ou 1-866-667-0218. Fax : 667-1080. • www.woo dleyparkguesthouse.com • Ⓜ Woodley Park Zoo. Du métro, remonter Connecticut Ave sur 200 m, tourner à gauche sur Woodley (point de repère, le *Marriott* à l'angle de la rue). C'est la 1re maison à droite, en brique et bois peint évoquant le style colonial. Bureau ouvert de 7 h 30 à minuit. Chambres de 75 à 150 US$, les prix fondent en juillet-août quand le Congrès est en congé. Un petit tuyau : il y a des minichambres à 55 et 65 US$, mais seuls les clients réguliers et vous le savez... Grande et vénérable maison particulière rénovée. Intérieur agréable, style maison de bon goût rustique. Planchers de bois super propres. Ni TV ni radio pour la tranquillité. Clim'. Bon accueil. *Baked goods* maison au petit dej'.

Très chic

🛏 *Tabard Inn* (plan I, B3, **19**) : 1739 N St NW. ☎ 785-1277. Fax : 785-6173. Ⓜ Dupont Circle. Pas loin de l'intersection avec Connecticut Ave. Doubles avec bains de 140 à 210 US$ (de 88 à 140 US$ avec sanitaires extérieurs). Formé par plusieurs *townhouses,* ça ressemble plus à une grande pension de famille qu'à un hôtel. 17 chambres en tout. Hall et salon de style vieux *british* (feu de cheminée en hiver), avec profonds fauteuils et décor de vénérables et beaux objets. Impression de confort très club tout en étant sympa. Chambres toutes personnalisées. Bel ameublement ancien, y compris les lavabos et les baignoires. Beaucoup de charme. En basse saison, sur place, on peut choisir sa chambre sur catalogue de photos. En particulier, pour les romantiques fortunés ou écrivains à succès, l'une d'entre elles nous a tapé dans l'œil : très spacieuse, mansardée, au plancher de bois, au cadre chaleureux, et avec glace vénitienne, frigo, 2 grands lits, petit *deck,* etc. Des décors pour tous les goûts, certes, mais aussi un bon restaurant (voir « Où manger ? Plus chic »). L'endroit a très bonne réputation. Un vrai coup de cœur.

🛏 *Hotel Topaz* (plan I, B3, **17**) : 1733 N St NW. ☎ 393-3000 ou 1-800-424-2950. ● www.topazhotel. com ● Ⓜ Dupont Circle. À deux pas du *Tabard Inn* et à 3 blocks du Dupont Circle. Chambres à partir de 90 US$ quand c'est mort (mais ça peut monter autour de 200 US$ à certaines périodes chargées). Un *boutique-hotel* hors du commun, au décor coloré ultra fun. Petit bar funky et minimaliste.

🛏 *State Plaza Hotel* (plan II, E4-5, **26**) : 2117 E St NW. ☎ 861-8200 ou 1-800-424-2859. Fax : 659-8601. Ⓜ Foggy Bottom. Bien situé, entre la Maison Blanche et Georgetown. Chambres pour 4 personnes à 2 lits doubles, de 170 US$ (certains week-ends) à 190 US$. Moins cher en juillet-août : de 115 US$ le week-end à 160 US$ la semaine.

L'adresse peut donc s'avérer très intéressante question prix. Grand hôtel récent, chic, agréable et très confortable. Beaucoup de chambres possèdent une petite cuisine équipée. Jolis décor et ameublement. Bon *garden café.*

🛏 ▯◉▯ *Loews L'Enfant Plaza Hotel* (plan II, G6, **27**) : 480 L'Enfant Plaza. ☎ 484-1000 ou 1-800-23-LOEWS. Ⓜ L'Enfant Plaza. Grand hôtel standard perché dans une tour de bureaux à deux pas au sud du Mall, avec accès direct dans un centre commercial et dans le métro *L'Enfant Plaza,* en plein centre-ville. Un bon plan : les salons des grandes suites, avec canapé-lit, proposés pour environ 100 US$ sur le site ● http://expedia.voyages-sncf.com ● (les autres chambres sont tout à fait standard dans le genre). Excellent resto, l'*American Sea Grill* qui propose un menu à 3 plats au prix fixe de 20 US$ avant 18 h 30.

🛏 *Carlyle Suites Hotel* (plan I, B3, **20**) : 1731 New Hampshire Ave NW. ☎ 234-3200 ou 1-800-964-5377. Fax : 332-1488. ● www.carlyle suites.com ● Ⓜ Dupont Circle, à 3 blocks. Compter 112 US$ la double. Beaucoup de charme. Superbe aménagement Art déco. Chambres avec petite cuisine et grand salon, très confortables. Réductions le week-end et tous les jours pendant l'été. Possibilité de loger à 4 ou 5 personnes dans les chambres (très grandes).

🛏 *Hotel George* (plan II, H5, **28**) : 15 E St NW (entre New Jersey Ave et N Capitol St). ☎ 347-4200 ou 1-800-576-8331. Ⓜ Union Station. ● www.hotelgeorge.com ● Chambres de 130 à 230 US$, selon le jour, la chambre et la période de l'année. Tout près du Capitol. Un des hôtels les plus remarquables de Washington pour son décor chaleureux et contemporain, son service à la fois cool et accueillant, et son restaurant, le *Bistro Bis* où le tout-Capitol Hill va se restaurer après de longues journées de travail.

Où manger ?

Washington s'honore également du titre de capitale gastronomique. Toutes les cuisines ethniques y sont représentées, l'éthiopienne en vedette. Un tour du monde formidable pour faire saliver à tous les prix.

Dans Capitol Hill, au nord du Mall

Bon marché

|●| **Union Station** (plan II, H4, **57**) : le sous-sol de la gare fourmille de fast-foods en tout genre, on mange bien pour moins de 10 US$. Choix aussi grand... qu'un hall de gare ! Indien, mexicain, italien, hot dogs de Frank & Stein (sic !), japonais, français, grec, *delicatessen*, grills, barbecue... vous allez bien trouver votre bonheur ! Extrêmement populaire. The Corner Bakery, bien connu des locaux, est un bon plan pour le breakfast et le lunch.

|●| **The Pavilion** (plan II, G5, **58**) : à l'angle de Pennsylvania Ave et 12ᵗʰ St. Ⓜ Federal Triangle ou Archives. C'est l'ancienne *post office* dont l'intérieur a été rénové. Grand espace circulaire sous atrium avec des tables pour s'asseoir, manger et discuter, et plein de petites boutiques sur 2 étages avec des fast-foods *carryout*. Concerts gratuits, animation vers 12 h et entre 17 h et 18 h. Sympa, animé et bon marché. On y trouve encore un petit bureau de poste, et l'ascenseur (gratuit) qui mène à une vue superbe.

|●| **Wok and Roll** (plan II, G4, **70**) : 604 H St NW, près de 6ᵗʰ St. ☎ 347-4656. Ⓜ Gallery Place Chinatown. Ouvert du dimanche au jeudi, de 10 h 30 à 22 h 30 (3 h les vendredi et samedi). Trois formules lunch de 5 à 7 US$, carte de 10 à 16 US$.

Décor très zen, avec un bar à sushis et ses croisillons de bois clair sur papier de riz, égayé par 2 grandes lanternes rouges. Cadre historique : c'est ici que fut ourdi l'assassinat de Lincoln. Côté nourriture, c'est un mélange de cuisine chinoise (de Séchuan), japonaise et singapourienne, avec 112 plats différents. Enfin, essayez le thé au tapioca, ou l'une des 21 autres sortes !

|●| **China Doll** (plan II, G4, **68**) : 627 H St, près de 7ᵗʰ St. ☎ 289-4755. Ⓜ Gallery Place Chinatown. Ouvert du dimanche au jeudi de 11 h à 22 h (minuit les vendredi et samedi). Menu à 8 US$ servi midi et soir (c'est rare !). De 13 à 35 US$ sinon, mais le rapport qualité-prix peut alors sembler discutable. Cadre simple mais rénové. Petite galerie des glaces en face du bar, où l'on fait parfois aussi la cuisine. Menu avec 3 soupes, dont une bonne *Wonton soup* (avec de gros raviolis), 14 plats au choix dont 8 de poulet, les plus typiques étant le *Kung Pao chicken* et le *chicken Hunan style* (lamelles de poulet frit en sauce légèrement épicée, champignons et brocolis, riz blanc). Enfin, n'oubliez pas que dans le *fortune cookie* qui symbolise le dessert, il y a un petit papier avec le proverbe du jour...

De prix moyens à chic

|●| **The Dubliner** (plan II, H4, **59**) : 520 N Capitol St NW. ☎ 737-3773. Ⓜ Union Station. En face de la grande poste. Ouvert de 11 h à 1 h 30 (2 h les vendredi et samedi). De 15 à 30 US$ le repas, copieuses salades de 5 à 10 US$. Resto-bar irlandais assez chic. Élégante décoration intérieure en bois sombre

sculpté (notamment le vieux comptoir du 1ᵉʳ bar et son décor derrière), avec gravures anciennes et belles estampes historiques (sur Robert Emmet et les Irish Volunteers de 1799, par exemple). Un certain charme. Plein le midi. En fin d'après-midi et le soir, l'un des rendez-vous des yuppies, mais pas seulement.

WASHINGTON

Excellente *Guinness* à la pression. *Irish stew* et *beef O'Flaherty*, bien sûr ! De 11 h à 15 h le dimanche, *Irish country brunch*. Tous les jours à 21 h (19 h 30 le dimanche), musique celtique.

|●| *Tony Cheng's Mongolian Barbecue* *(plan II, G4, 69)* **:** 619 H St NW. ☎ 371-8669. Ⓜ Gallery Place Chinatown. Ouvert de 11 h à 15 h et de 17 h à 23 h, 365 jours par an. Environ 16 US$ le buffet à volonté. De 12 à 30 US$ à la carte, à l'étage. Plus chinois que ce mongolien, tu meurs ! Façade assortie à la grande porte de Chinatown dont elle est voisine, statue de la prospérité dès l'entrée, tables impeccablement dressées autour d'un grand buffet octogonal. Aux murs, les vitrines de poteries alternent avec les tableaux. Buffet de salades et de viandes (bœuf, poulet, porc, agneau), mais aussi de crevettes, avec 9 sauces pour essayer de multiples saveurs. Tout cela est frais et cuit devant vous sur la grande plaque ronde qui trône au centre du buffet. À l'étage, une salle de gastronomie chinoise, et notamment de *seafood*.

|●| *Brickskeller Dining Home & Saloon* *(plan I, A3, 40)* **:** 1523 22nd St. ☎ 293-1885. Ⓜ Dupont Circle. Ouvert de 11 h 30 (18 h le week-end) à 2 h (3 h le vendredi). Carte de 15 à 25 US$. Pub renommé pour ses 1 000 variétés de bières, dont l'alignement réfrigéré est impressionnant. Décor de brique en sous-sol, comme l'indique le nom germanique. Géré par la même famille depuis 1957. Le rendez-vous des yuppies (le midi), et des amateurs de bière de tout poil ! Cuisine américaine très correcte (*ribs,* steaks, *clams,* etc.) à des prix raisonnables. Vrais burgers de bison du South Dakota (et excellent choix de burgers en général). Huîtres abordables, beau *cheeseboard*. Chaude ambiance après 18 h. *Game room* pour les amateurs de fléchettes, backgammon, cartes, etc.

Chic

|●| *Two Quail* *(plan II, H5, 64)* **:** 320 Massachusetts Ave NE (Capitol Hill). ☎ 543-8030. Ⓜ Union Station. Ouvert tous les jours de 11 h 30 à 14 h 30 et de 17 h à 21 h 30. Lunch à 10 US$ (soupe ou salade avec sandwich) et 15 US$ à la carte. Le soir, de 20 à 35 US$, plus 7 US$ si vous allez jusqu'au dessert. Cadre particulièrement chaleureux, décoration riche et variée dans une maison très victorienne... Cuisine traditionnelle, mais raffinée, avec des accents originaux et inventifs (canard au gingembre, à l'orange et à la mangue...). Recommandé pour un dîner romantique.

|●| *Old Ebbitt Grill* *(plan II, F4, 61)* **:** 675 15th St NW. ☎ 347-4801. Ⓜ Mc Pherson Square. Ouvert tous les jours de 7 h 30 (8 h 30 le week-end) à 1 h. Plats de 10 à 33 US$, moins si vous vous contentez d'un burger. Prix très raisonnables compte tenu du décor, de l'histoire et de la localisation de l'endroit (tout près de la Maison Blanche). Un des bars-restos les plus anciens de la ville (1856), mais il changea plusieurs fois de lieu. Le premier, une *boarding house,* eut une belle brochette de présidents comme clients. Depuis 1983, installé au même endroit, un ancien théâtre à la belle façade Beaux-Arts. Son cadre est l'un des plus élégants qu'on connaisse : orgie d'acajou, glaces et miroirs gravés, anciennes lampes à gaz, superbes fresques aux murs, on n'en finirait pas de détailler ce décor d'un goût exquis. Les chaises sont des copies de celles du luxueux wagon-restaurant de la New York Central Railroad. Au-dessus du bar, des trophées d'animaux qui auraient été tués par Teddy Roosevelt. Tout cela en fait un des endroits les plus prestigieux pour le petit dej' (guère plus cher qu'en maints lieux bien plus ordinaires), le déjeuner ou le dîner. Fort belle carte où l'on vous conseille le *Newburg,* délicieux mélange de saumon, de crabe, de riz et de petits légumes en sauce, cuit au four : à moins que les *fish and chips,* fried oysters platter ou *seafood linguine* ne vous tentent. Beaux fromages fermiers. Ne pas oublier le

Oyster Bar (ouvert de 15 h à 18 h et de 22 h à 1 h), où la décoration évoque la chasse.

|●| ***Andale*** *(plan II, G5, 60)* : 401 7th St NW. ☎ 783-3133. Ⓜ Gallery Place. Ouvert midi et soir jusqu'à 22 h. Fermé le dimanche. Plats de 9 à 13 US$ le midi, de 12 à 22 US$ le soir. Situé dans un quartier en pleine renaissance, il a dû évoluer pour continuer à séduire une clientèle de yuppies friande de nouveautés. C'est un resto surtout mexicain : salades de tomates vertes et *tortas* (le midi), *pato al mole negro Oaxaqueno, salmon alla Veracruzana* (délicieux) et, bien sûr, *coktel de mariscos*. Décor moderne avec bar à l'entrée, jouant sur des tonalités jaune et verte, avec un grand bouquet de lis à la Diego Rivera. Belle carte des vins à un prix encore raisonnable.

|●| ***McCormick & Schmick's*** *(plan II, F4, 63)* : 1652 K St NW. ☎ 861-2233. Ⓜ Farragut West. Ouvert de 11 h à 23 h, le samedi de 16 h à 23 h et le dimanche de 16 h à 22 h. De 17 à 22 US$ pour les spécialités. Plats du lunch (plus simples) servis toute la journée de 7 à 20 US$. Se méfier toutefois du prix des boissons. Chaîne célèbre à travers les États-Unis, originaire du nord-ouest des États-Unis. Superbe décor victorien (acajou, déco Tiffany, etc.). Réputé pour la fraîcheur de son poisson et de ses huîtres. Sûrement mérité, à en juger par la foule qui s'y presse le midi. Entre 12 h et 13 h 30, peu de chances d'obtenir une table. Reste à espérer une petite place autour du long comptoir de cuivre. Beau banc d'huîtres de toutes provenances, mais dommage qu'ils les rafraîchissent à l'eau claire, elles perdent pas mal de leur goût ! Carte des vins aussi longue que celle des plats. Formules bar, bistrot et salle de restaurant.

Au sud-est du Capitole

Si vous êtes dans le coin, ne manquez pas le *Eastern Market* (225 7th St. Ⓜ Eastern Market), site historique et dernier survivant des 5 marchés publics traditionnels de Washington. Surtout des produits frais le samedi (de 7 h à 18 h). Le dimanche (de 9 h à 16 h), marchandises variées. Aussi ouvert mais moins actif du mardi au vendredi (de 7 h à 18 h).

Bon marché

|●| ***Poli-Tiki*** *(plan II, H5, 65)* : 319 Pennsylvania Ave. ☎ 546-1001. Ⓜ Capitol South. Ouvert du lundi au jeudi de 17 h à 2 h, de 17 h à 3 h le vendredi et de 8 h à 3 h le samedi. Fermé le dimanche. Compter 10 US$. Avec un nom pareil, c'est près du Capitole ! C'est vrai qu'avec les *poli-tiki*, il y a à boire et à manger ! Décor indescriptible, en voilà une partie : dominante de bois et de rouge sous les ventilos, lumière réduite, fanions de clubs de football américain, photos, 4 grands écrans TV passant des chaînes différentes... Ici, on boit une bière (9 sortes de pression différentes), avec un barbecue, des *pop corn shrimps* (à essayer), des *fried calamari* ou des *nachos*. Rien de raffiné mais sympa.

|●| ***Cosi*** *(plan II, H5, 66)* : 301 Pennsylvania Ave. ☎ 546-3345. Ⓜ Capitol South. Ouvre de 7 h à minuit. Moins de 10 US$ pour un excellent sandwich grillé et un café. De 4 à 5 US$ le cocktail (de café). Quand les Américains s'intéressent (enfin) au café, ils en mettent même des grains dans la poignée de la porte d'entrée ! Finis, les jus de chaussette qui n'attaquent pas les nerfs. Ici, l'*espresso doppio* vous fera danser au rythme d'une bonne musique.

|●| ***Il Radicchio*** *(plan II, H5, 67)* : 223 Pennsylvania Ave. ☎ 547-5114. Ⓜ Capitol South. Ouvert du lundi au jeudi de 11 h 30 à 22 h, les vendredi et samedi jusqu'à 23 h, le dimanche de 17 h à 22 h. Populaire *spaghetti all you can eat*, de 6,5 à 10 US$

(selon la sauce). Repas de 14 à 24 US$. Vieux bois peints avec des animaux de ferme, sets de bar en cotonnades aux couleurs pastel, harmonie des ocres sur les murs, ventilos noirs, éclairage soft et musique d'ambiance. Design réussi, avec un côté un peu italien. Autre chose ? *Bruschette, crostini* et *pizze* sont très abordables.

De chic à très chic

|●| *Market Inn* (plan II, G6, *62*) : 200 E St SW (et 2nd St). ☎ 554-2100. Ⓜ Federal Center SW. Descendre 3rd St, puis tourner à gauche dans E St. Ouvert tous les jours jusqu'à minuit (1 h le week-end). Menus le midi à 20 et 30 US$, carte de 20 à 40 US$. *Early bird special* (16 h à 18 h 30) autour de 24 US$. Le week-end, *New Orleans jazz brunch* de 10 h 30 à 14 h 30 : *all you can eat buffet* à 22 US$ (9 US$ pour les enfants jusqu'à 12 ans). Un peu excentré, coincé entre la voie de chemin de fer et les bouchers en gros. Grand (275 places) resto de *seafood*, calme le midi et très prisé le soir (réserver). Une institution depuis un demi-siècle. Superbe cadre et ambiance cosy, bien qu'un peu sombre dans certains recoins. À l'entrée, photos de sports américains. Les meilleures tables sont autour de l'orchestre, vers le bar, dans une salle ornée de tableaux de nu(e)s (dont Marilyn et une scène de corrida) qui cohabitent avec des gravures sur le mariage. Bon *catfish*, cohorte de sandwichs assez élaborés, salades, quiches, soupes (ah, la *New England clam chowder* !). Pour les amateurs de fruits de mer, différentes combinaisons de plateaux, et puis le steak de poisson grillé, le homard du Maine, le *blackened redfish* (recette cajun)... Très bon (et consistant) gâteau à la noix de coco. Enfin, du lundi au vendredi de 15 h à 18 h 30, *beverage and food specials* pour environ 3 US$ et autres formules de *happy hours* !

Dans le quartier de Southwater Front *(voisin du sud du précédent)*

– Sur Water St (Ⓜ L'Enfant Plaza), le long de la rivière, un **marché de poisson et de fruits de mer** très animé. Possibilité de déguster sur le marché (donc à un prix très bas) des crevettes épicées servies avec des frites, ou des fruits de mer, le tout d'une extrême fraîcheur.
– En suivant la promenade qui domine la marina, succession de **restos de poisson** plutôt chic avec terrasses.

Dans le quartier de Dupont Circle

Quartier sympa et branché, des *beautiful people* à la tonne. On y trouve aussi pas mal de lieux homos, dont la librairie *Lambda Rising* (1625 Connecticut Ave NW, ☎ 462-6969), très fréquentée. Grand choix de livres, magazines, cartes, posters. On peut s'y procurer le *Washington Blade*, hebdo homo couvrant toute l'actualité gay de la capitale. Grand choix de restos. Descendre au métro Dupont Circle d'où l'on rayonne.

Bon marché

|●| *Java House* (plan I, B3, *41*) : 1645 Q St NW (angle 17th St). ☎ 387-6622. Ⓜ Dupont Circle. Ouvert de 7 h à 11 h (minuit les vendredi et samedi). Environ 7 US$ pour une salade et un sandwich. Torréfacteur qui propose de très bons cafés fraîchement grillés, accompagnés de délicieuses pâtisseries, mais aussi des salades, quiches, sand-

wichs. Petits dej' aussi, bien sûr. Terrasse.

|●| Luna Grill & Diner (plan I, B3, 43) : 1301 Connecticut Ave NW (angle N St). ☎ 835-2280. Ⓜ Dupont Circle. Ouvert de 8 h à 23 h (6 h du matin les vendredi et samedi). Plats de 7 à 15 US\$. Menu varié avec les classiques américains (pâtes, sand-

wichs, pains de viande, steak, salades), plus les *specials of the day*. Un *diner* de quartier, sans prétention, mais soucieux de sa qualité. Tout est honnête ou bon, même le pain. Vins pas chers qui se boivent avec le sourire. Petits dej' avec des œufs servi toute la journée. Amusant petit décor intello, clientèle jeune.

Prix moyens

|●| Kramerbooks & Afterwords Cafe & Grill (plan I, B3, 42) : 1517 Connecticut Ave NW (à l'angle de Q St). ☎ 387-1462. Ⓜ Dupont Circle. Ouvert pour le petit dej', le lunch et le dîner tous les jours jusqu'à 1 h (les vendredi et samedi toute la nuit). De 13 à 20 US\$ pour un plat et un dessert. Avant tout, une grande librairie particulièrement bien fournie. Bar pour grignoter snacks et salades. Bons petits vins californiens et excellent cappuccino. Salle avec mezzanine au fond, où l'on peut commander à toute heure moult plats aussi bons et copieux les uns que les autres. Goûter aux *nachos* et *guacamole platter* pour deux, *fettuccine New Orleans, quesadillas, Cajun shrimps,* etc. Attention, beaucoup de monde le dimanche matin et terrasse recherchée aux beaux jours. Bonne atmosphère pour napper le tout. Musique live le soir du mercredi au samedi.

|●| Sushi Taro (plan I, B3, 44) : 1503 17th St NW. ☎ 462-8999. Ⓜ Dupont Circle. Ouvert midi et soir jusqu'à 22 h. Le midi, menus de 9 à 15 US\$, avec soupe, petite salade et bol de riz. Le soir, de 20 à 40 US\$. Réservation recommandée le week-end. Au 1er étage. Grande salle claire et plaisante. Le choix pour s'installer : tables classiques ou à la japonaise (très basses, on s'assoit sur des coussins) ou bien au comptoir... Accueil suave, atmosphère *easy-going* où businessmen et étudiants cohabitent. Et dégustez-y parmi les sushis et *sashimis* les plus frais de Washington. Le thon *(maguro)*, en particulier, se révèle d'un goût d'une délicatesse extrême, ainsi que le flétan *(halibut)*, le saumon, etc. Le soir, plats encore plus élaborés (mais bien sûr plus chers), comme le *jawer steak* (bœuf mariné à l'ail et au gingembre et grillé au charbon de bois), etc. Le tout arrosé de thé ou d'une *Kirin. Kanpaï !*

Très chic

|●| Tabard Inn (plan I, B3, 19) : 1739 N St NW. ☎ 833-2668. Ⓜ Dupont Circle. Compter de 26 à 40 US\$ pour un repas. C'est le restaurant de l'un de nos meilleurs hôtels chic. Cadre vieillot agréable. Carte pas très longue, mais spécialités du jour et bons petits plats comme le saumon grillé, les poissons en général, les *steamed Manila clams* ou le gril-

led *lamb tenderloin*. Excellents desserts. Le midi, burgers, sandwichs et salades à prix très abordables. Fraîcheur garantie : légumes frais longtemps achetés dans les fermes autour de Washington, et provenant aujourd'hui de la ferme acquise par l'hôtel. Belle sélection de vins du monde entier. Aux beaux jours, agréable patio avec parasols.

Dans le quartier d'Adams Morgan

Délimité par Columbia Rd au nord et Florida Ave au sud, avec 18th St comme axe central. Ancien quartier résidentiel qui périclita naguère et qui connaît aujourd'hui une formidable *revival*. Quartier multiethnique et culturel investi par artistes, écrivains, profs, avocats, humanistes et marginaux de tout poil. Pour s'y rendre, métro Woodley Park Zoo (ligne rouge). Prendre Calvert St et traverser le Duke Ellington Bridge.

Vous y ferez connaissance avec les cuisines éthiopienne, érythréenne, mexicaine et sud-américaine. Sans compter les bars et les boutiques origi- nales. Belle animation nocturne, douce et joyeuse, presque vaporeuse l'été. Le quartier le plus agréable de la ville pour sortir. Attention toutefois : les environs du quartier peuvent être dangereux la nuit, mieux vaut peut-être prendre un taxi ou un bus pour retourner au métro.

Bon marché

|●| *El Tamarindo* (plan I, B2, 45) : 1785 Florida Ave NW (et 18th St). ☎ 328-3660. Quelques blocks au sud du cœur d'Adams Morgan. Ouvert tous les jours jusqu'à 3 h (5 h du vendredi au dimanche). Plats de 8 à 11 US$. Salle bourdonnante pour une bonne cuisine salvadorienne et mexicaine. Atmosphère animée et accueil sympa. Goûter aux classiques, bien sûr, guacamole, *nachos, ce- viche, quesadilla,* les *beef chimi- changas* ou *burritos,* la pizza mexi- caine, le poisson *Veracruz.* Bon choix de *tamales* et *enchiladas,* ça va de soi. La *combinacion Guanaca* est la spécialité de la maison.

|●| *Jyoti Restaurant* (plan I, B2, 47) : 2433 18th St. ☎ 518-5892. Ⓜ Woodley Park Zoo. Ouvert tous les jours midi et soir jusqu'à 22 h 30 (minuit le week-end). Plats autour de 12 US$. Un resto indien éclairé où l'on voit ce qu'on a dans son as- siette. De l'espace aussi, une mez- zanine et les traditionnels murs de brique rouge. Une fine cuisine servie avec attention. Grand choix à la carte, dont nous avons sélectionné le tendre *lamb rogan josh* à la sauce onctueuse et parfumée, les tandoori et autres *tikka,* le *chicken vindaloo* (plat du Sud), etc. Goûter à la tradi- tionnelle *mulligatawny soup,* au *raïta* (yaourt maison) et au *rasmalai,* un délicieux dessert. Excellent chutney maison et riz basmati servi avec tous les plats. Quelques spécialités végé- tariennes, ça va de soi.

|●| *Addis Ababa Restaurant* (plan I,

B2, 48) : 2106 18th St, à l'angle de California Ave. ☎ 265-4719. Ⓜ Du- pont Circle. Ouvert de 11 h 30 à 22 h. De 8 à 15 US$. La bonne affaire, c'est le buffet du dimanche, à 8 US$ avec un verre de vin. Le meilleur rap- port qualité-prix des restos éthio- piens. Décor sans trop d'originalité, avec quelques objets rappelant l'Éthio- pie. Bonne musique (parfois africaine), serveuses pleines d'allant et de bonne volonté. En semaine, 3 « combinai- sons » permettent de goûter plu- sieurs saveurs originales, pas trop épicées. Exemples : *Doro Wat* (pou- let sauce berbère), *Yebeg Wat* (ag- neau sauce berbère), *Alicha Fitfit* (œufs durs en sauce), *Gomen* (légume vert). Le tout servi sur un plateau avec des crêpes (style éponges, mais très bonnes, si, si) pour manger avec les doigts. Comme apéro et pour accompagner le tout, un verre de *Tej,* dit *honey wine,* une sorte de vin blanc moelleux à la fois amer et doux comme du miel. On en ressort calé.

|●| *Saigon Gourmet* (plan I, A1-2, 46) : 2635 Connecticut Ave NW, angle de Calvert St. ☎ 265-1360. Ⓜ Woodley Park Zoo. Ouvert tous les jours midi et soir. Compter 16 US$ environ, sans boisson. Face à la sta- tion de métro, ce petit resto viet- namien surprend par son décor de cocotiers et bananiers artificiels, mais la cuisine est authentique, tra- ditionnelle et « fraîche ». C'est l'essentiel ! Carte très variée incluant des plats végétariens.

Chic

|●| *Perry's* (plan I, B2, 49) : 1811 Columbia Rd NW. ☎ 234-6218. Ⓜ Woodley Park Zoo. Au 1er étage.

Ouvert de 17 h 30 à 23 h 30 (minuit les vendredi et samedi). Compter 25 US$ (et 23 US$ pour le brunch du dimanche). Grande salle à la déco chaleureuse, plutôt « funky », et musique associée. Clientèle jeune, artiste, un peu frimeuse pour goûter aux excellents sushis de la maison. À table ou au bar. Beaucoup de choix. Les *Perry's sushis platters* possèdent, comme on dit ici, *a good value*. Sinon, nombreux plats japonais. Au gril, beaucoup sont bon marché. L'été, terrasse très agréable surplombant la ville. Pour le brunch du dimanche, se pointer avant l'ouverture (10 h 30) pour être sûr d'avoir une place, ou réserver. Buffet varié et bien cuisiné, incluant quelques sushis. Vers 11 h 30, une chanteuse-danseuse vient faire un numéro plutôt sexy...

|●| *Meskerem* (plan I, B2, *50*) :

2434 18th St NW. ☎ 462-4100. Ⓜ Woodley Park Zoo. Ouvert tous les jours de 12 h à minuit. Réservation obligatoire le soir. Environ 20 US$. Resto éthiopien très réputé, mais non-amateurs s'abstenir. Décor élégant, mobilier traditionnel (donc tables basses), atmosphère un tantinet chicos. Prix cependant très raisonnables. Spécialités : le *kitfo* (bœuf en lamelles servi cru avec *mitmita* et beurre), l'*assa watt* (filet de poisson grillé sauce pimentée), le *zilbo deelini* (agneau sauce douce et sucrée), le *Meskerem tibbs* (agneau sauté aux oignons et chili vert), et, pour commencer, les *sambusas* (fruits de mer farcis aux bœuf, herbes et piments). Nombreux plats végétariens et salades.

Dans le quartier de U Street

Quartier mythique de Duke Ellington, c'est une rue affreuse (soyons honnête), mais ses restaurants ont un caractère et une authenticité inoubliables. Entre entrepôts et université, le quartier est en voie d'évolution... un peu intimidant le soir, donc !

Bon marché

|●| *Florida Avenue Grill* (plan I, C2, *54*) : 1100 Florida Ave NW (à l'angle de 11th St). ☎ 265-1586. Ⓜ U St. Ouvert de 6 h à 21 h. Fermé le dimanche. De 3 à 7 US$ le breakfast, de 10 à 15 US$ le repas. Pour ceux qui veulent voir l'Amérique brute de décoffrage, ça vaut le détour, le temps d'un petit dej' ou d'un lunch. C'est l'un des derniers vrais *diners* où s'arrêtent, depuis 1944, *truck drivers* et chauffeurs de taxi. Déco d'origine : long comptoir en formica usé où se serrent, sur des tabourets en plastique et alu, des bandes de jeunes du coin mêlées aux cols-bleus et cols blancs. Au nombre de photos accrochées au mur, vous n'êtes pas la 1re personnalité à mettre les pieds ici. Nourriture *Southern*, excellente dans le genre plats simples (et copieux). Populaire *corned beef hash* pour le petit dej'.

Délicieux *cornbread muffins* (mais comme ils sont tout frais, ils partent vite !). Pas de boissons alcoolisées.

|●| *Ben's Chili Bowl* (plan I, C2, *52*) : 1213 U St. ☎ 667-0909. Ⓜ U St. Ouvert de 6 h (7 h le samedi) à 2 h (4 h le week-end), et le dimanche de 12 h à 20 h. Comme le *Florida Avenue Grill*, une belle institution. Son slogan : « *Our chili will make a hot dog bark !* » Très populaire dans tout le quartier. Petit endroit ouvert depuis 1958, le décor est daté : moleskine, néon et grand comptoir de formica, *tin ceiling* et vieux ventilo. Décor de photos et articles divers. Quelques clients célèbres : Dizzy Gillespie, Billie Holiday, Bill Crosby... Spécialités de *chili half-smoke, beef chili dogs, chili beef burgers* en bien sûr de chili con carne. Au petit dej' : *corned beef hash, salmon cake...* Copieux et vraiment pas cher.

Prix moyens

|●| *U-topia* (plan I, C2, *53*) : 1418 U St. ☎ 483-7669. Ⓜ U St. Du

lundi au jeudi, ouvert de 11 h à 23 h 30 (2 h pour le bar), les vendredi et samedi de 17 h à 1 h (3 h au bar). Le dimanche : brunch de 11 h à 16 h. De 8 à 13 US$ pour une entrée et une salade ou un sandwich, de 13 à 20 US$ pour une entrée et un plat. Ça y est, ça devait bien arriver, voilà le 1er resto-bar branché de U St. Dans la zone rénovée de la rue, il s'insère dans un bel alignement de demeures de style victorien. À l'intérieur, décor new-yorkais tendance *trash soft,* avec des morceaux de plâtre qui se détachent des murs et, en opposition, de soyeux rideaux séparant l'arrière-salle. Intéressante expo de peintures, clientèle exclusivement composée de branchés et yuppies blancs. Cuisine américaine classique, tendance cajun : *the chef's chicken pecan, sauteed filet of mahi-mahi, gulf shrimps Jambalaya,* *crab cakes,* salades, sandwichs, etc. À vérifier : le jeudi, musique brésilienne de 21 h 30 à 1 h 30 *(BYOP : Bring Your Own Percussion !).*

|●| ***Coppi's*** *(plan I, B2, 56)* : 1414 U St. ☎ 319-7773. Ⓜ U St. Ouvert de 11 h 30 à 23 h (1 h le week-end). De 11 à 19 US$ l'entrée et la pizza. Avec un nom pareil (Coppi, comme Fausto), le décor est forcément cycliste ! Des maillots, des photos en veux-tu, en voilà, il y a même Anquetil. Le soir, on se croirait en Italie, vu le volume sonore des conversations mêlées aux décibels de la musique ! Spécialité de *linguini* accommodés au crabe, au saumon fumé et asperges, etc. Bonne note pour les ingrédients bio, mais éviter les plats trop sophistiqués.

Chic

|●| ***Bohemian's Cavern*** *(plan I, C2, 55)* : 2001 11th St, à l'angle de U St. ☎ 299-0801. Ⓜ U St. Ouvert de 20 h à minuit. Compter 15 US$ de *cover,* mais le prix inclut 10 US$ pour boire ou manger. Tant mieux, car les plats ne coûtent pas moins de 19 US$. Les soirs de *Jazz Legend,* c'est un peu plus cher. De l'extérieur, l'établissement rappelle un piano à queue. Dès l'entrée, le ton est donné : nombreuses photos du Duke, de Coltrane, d'Armstrong, de Miles Davis... On y joue du jazz de l'époque du Duke, mais pas exclusivement. La caverne (en bas) fut active de 1926 à 1968, et fermée après la mort de Martin Luther King. Reconstruite à l'identique en 1997, elle offre chaque soir des concerts (jazz, rap), ou de la poésie. Bonne ambiance, volume sonore raisonnable. Au rez-de-chaussée, restaurant sage et boisé, avec fleurs sur les tables impeccablement nappées. Carte plutôt sélecte : bisque de homard et crevettes, lasagne aux épinards... Les vendredi et samedi, au 2e étage, night-club avec DJ et parfois *live band.* C'est un endroit chic, sortez vos plus belles fringues.

À Georgetown

Une pépinière de restos, et de bars où l'on joue de la musique. Impossible de tout vous indiquer... Comme à Adams Morgan, animation de rue garantie. Mais c'est nettement plus ringard. Voici quelques adresses sympas. La station de métro la plus proche est Foggy Bottom. Mais compter tout de même 15 mn à pied pour rejoindre Georgetown, le long de belles avenues bordées d'arbres.

De bon marché à prix moyens

|●| ***Georgetown Park*** *(plan III, I8, 76)* : 1080 Wisconsin Ave. Ouvert jusqu'à 20 h 30 environ. De 5 à 10 US$. *Food court* au sous-sol du très chic centre commercial (autre entrée dans M St), nombreux stands de petite bouffe : bretzels, buffet italien *(Sbarro),* sushis, cookies (Mrs Field), glaces, etc. Agréable atrium, idéal pour s'asseoir à une

table sans être obligé de consommer. Au passage, jeter un œil au stand du cireur de chaussures.

|●| *Saigon Inn* (plan III, J8, **71**) : 2928 M St NW. ☎ 337-5588. Ouvert tous les jours de 11 h à 22 h, 23 h le samedi. Fermé le dimanche midi. De 9 à 15 US$: menu le soir à 13 US$. L'un des restos les moins chers de Georgetown qui, hélas, a eu la mauvaise idée de supprimer son menu du midi. Le *GDR* est affiché en grand à l'entrée, et le patron n'est pas peu fier de montrer la photo d'un ancien président du Pérou (qui est d'ailleurs japonais, c'est compliqué !) venu festoyer chez lui. Ne pas confondre avec le resto vietnamien juste à côté (beaucoup plus cher et moins bien). Sinon, carte fournie avec quelques spécialités, comme le *caramel shrimp with blackpepper*, la *Hanoi beef noodle soup*, etc.

|●| ▼ *Fino* (plan III, I8, **77**) : 3033 M St NW. ☎ 337-4500. Ouvert de 11 h à 1 h (2 h les vendredi et samedi). Voir texte plus loin dans « Où boire un verre ? Où sortir ? ». Plats de 10 à 18 US$, pizza à 9 US$.

Chic

|●| *J. Paul's* (plan III, I8, **75**) : 3218 M St. ☎ 233-3450. Ouvert de 11 h 30 à 23 h 30 (1 h le week-end). Brunch le samedi de 11 h 30 (10 h 30 le dimanche) à 14 h 30. Plat de 11 à 23 US$; de 10 à 13 US$ la salade. *Tin ceiling*, plancher en bois, remarquable décor derrière le comptoir en acajou sculpté. Serveurs et clientèle jeunes et plutôt B.C.B.G. Cuisine américaine (pas mal de choix) fraîche et copieuse (poissons, steaks, *ribs*). Bon rapport qualité-prix (délicieuses salades à prix très abordable). Musique rock et blues au bon volume. Toujours à la mode depuis des années, et invariablement bon.

|●| *Le Bistrot Français* (plan III, I8, **73**) : 3124 M St NW. ☎ 338-3830. Ouvert tous les jours, du lundi au jeudi de 11 h à 3 h, jusqu'à 4 h les autres jours. Menu à 19 US$ servi de 17 h à 19 h et de 21 h 30 à 1 h. Sinon, plats de 15 à 22 US$. Pourquoi indiquer un resto français puisque, a priori, vous risquez d'être très critique ? Parce qu'ici, le menu du soir est une vraie aubaine : verre de vin, entrées à la carte, moules niçoises, dessert. Cela dit, le service est sans plus, les desserts itou, mais les plats (bouillabaisse et canard braisé) tiennent bien la route. En tout cas, les Américains adorent et se pressent dans les 2 salles. Brasserie Art déco éclairée aux chandelles, la salle de droite étant plus chic et plus sombre. Vous pouvez vérifier, le maître d'hôtel parle bien le français !

|●| *Papa-Razzi* (plan III, I8, **72**) : 1066 Wisconsin Ave. ☎ 298-8000. Ouvert du dimanche au jeudi de 11 h 30 à 23 h (minuit le week-end). Environ 13 US$ pour un plat, pizzas à 10 US$. Cuisine d'Italie du Nord originale. Cadre sympa (ancienne caserne de pompiers). Une plaque rappelle la mort de Bush (pas celui auquel on pense, c'était la mascotte des pompiers en 1869). À l'intérieur, immense volume aux grosses colonnes. Décor élégant : bois verni sombre, moleskine, belles lampes, comptoir de marbre. Photos et posters en noir et blanc aux murs.

|●| *Paolo's* (plan III, I7, **74**) : 1303 Wisconsin Ave. ☎ 333-7353. Ouvert de 11 h 30 à 23 h 30 (0 h 30 le week-end). Plats de 9 à 21 US$, de 8 à 11 US$ la pizza. Genre grande brasserie comme chez nous, de style italo-californien (on dit ici). Cadre assez sophistiqué (bois, glaces teintées, fleurs et tables de marbre), clientèle *trendy* bavarde, voire rugissante, plus la musique s'amplifie. Atmosphère décontractée, pour apprécier un petit blanc de la Napa Valley ou une bière et des snacks. Mais on y mange aussi étonnamment bien. Réputé pour ses *pasta*, pizzas au feu de bois, grillades et sa très belle sélection de vins. Fameux brunch le week-end. Petite terrasse sympa.

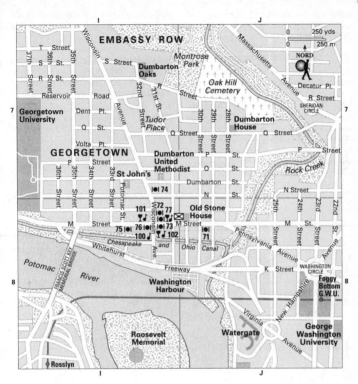

WASHINGTON – PLAN III (GEORGETOWN)

|o| Où manger ?		▼ ♪ Où boire un verre ? Où sortir ? Où écouter du jazz ?
71 Saigon Inn	
72 Papa-Razzi	**77** Fino
73 Le Bistrot Français	**101** The Saloun
74 Paolo's	**102** Mister Smith's
75 J. Paul's	
76 Georgetown Park	▼ ♪ Où écouter du jazz et du blues ?
77 Fino	
	100 Blues Alley

Où boire un verre ? Où sortir ?

À Georgetown

Avec ses dizaines de milliers d'étudiants, Georgetown se devait d'aligner un grand nombre de lieux, pour boire, écouter du rock et *cruiser*. Étrangement, l'ambiance fait plus Amérique profonde (pas nécessairement un compliment) que secteur animé d'une grande capitale. Washington n'est pas réputée pour sa *night life,* et on comprend pourquoi. Néanmoins, l'action s'ordonne sur M St et Wisconsin Ave. On vous rappelle qu'on peut s'approcher de Georgetown en métro (Ⓜ Foggy Bottom) : mais compter 15 mn d'une marche agréable.

🍷 ♪ **The Saloun** (plan III, I8, **101**) : 3239 M St NW. ☎ 965-4900. Ouvert de 19 h à 2 h 30 (musique live dès 21 h 30 les vendredi et samedi). L'endroit n'est pas très grand mais l'ambiance est sympa, et la bière ne coûte pas cher (une soixantaine de sortes, de la *Port Royal hondurienne* à la *Efes Pilsner* turque, en passant par la *Mamba* ivoirienne). Décor chaleureux (bois, brique et Tiffany), on peut même jouer au backgammon ! Le samedi, jazz de 16 h à 20 h.

🍷 ♪ **Fino** (plan III, I8, **77**) : 3033 M St NW. ☎ 337-4500. Ouvert de 11 h à 1 h (2 h les vendredi et samedi). *Antipasti*, *pasta*, pizza à 8,50 US$, repas de 17 à 24 US$. Le slogan est : « *Hot night and colonial jazz* » et c'est vrai, le public est chaud et offre à boire à la chanteuse (sympa !). Très bon jazz dès 20 h 30, disques en vente. Intérieur avec comptoir et plancher brut, boiseries et miroirs, bar éclairé par en dessous, quelques bougies et le tour est joué : la chaleur humaine fait le reste ! Prenez une bière, un verre de vin italien ou de *grappa* et, si vous avez faim, faites confiance au contenu de votre assiette car vous ne le distinguerez pas très bien.

🍷 ♪ **Mister Smith's** (plan III, I8, **102**) : 3104 M St (et 31st St NW). ☎ 333-3104. Ce lieu accueillant est ouvert tous les jours de l'année de 11 h à 2 h. Décoration avec de beaux vitraux, incitant à la tendresse et à l'intimité. Comptoir de bois usé, piano-bar dans un coin distillant des vieux airs jazzy ou be-bop. Agréable jardinet fleuri sous verrière. Consommations chères, possibilité d'y manger. Au 2e étage, spectacle sans supplément les vendredi et samedi vers 21 h.

À Adams Morgan

18th St regorge de bons cafés-bars, et il était impossible de tous les pointer sur le plan. Toutes les adresses ci-dessous s'échelonnent sur environ 300 m, et vont dans le sens nord-sud.

🍷 **Madam's Organ** (plan I, B2, **91**) : 2461 18th St NW. ☎ 667-5370. Ouvert du lundi au jeudi de 17 h à 3 h, les vendredi et samedi jusqu'à 3 h, le dimanche de 19 h à 1 h. Sandwichs à 6-7 US$ et repas de 15 à 25 US$. THE temple du blues, *bluegrass*, *R & B* et, depuis peu, latino. Tout en longueur, murs de pierre, vieux comptoir de bois (la meilleure place). Décoré d'instruments de musique, de peaux d'ours, têtes de buffle et lion rugissant... Parfaitement hétéroclite, enfumé et délicieusement bruyant. On aime. D'autant plus qu'ils ont de l'humour (leur slogan : « *Where the beautiful people go to get ugly* »). Les rouquines paient leur douce bière *Rolling Rock* demi-tarif. Belle programmation de blues, et le taux de décibels explose près du *stage*. Au-dessus de l'établissement, des *pools*, un *hideaway* *deck* avec bière à moitié prix jusqu'à 22 h (du dimanche au jeudi) et un resto servant de la *soul food*. Sinon, au bar, sandwichs pour les petites faims. Vous l'aviez deviné, une de nos adresses préférées.

🍷 **Tryst** (plan I, B2, **90**) : 2459 18th St NW. ☎ 232-5500. Ouvert de 7 h à 1 h (3 h le week-end). Sandwichs de 4 à 7 US$, plats autour de 10 US$. Pour les amateurs de cafés, 8 variétés différentes, pour les autres, de bons muffins, *scones*, cookies et autres *yummies*... La nouvelle coqueluche des jeunes. Faut dire que tous les ingrédients sont réunis pour réussir. Immense salle tamisée, ouverte en saison directement sur la rue. Long comptoir et *tin ceiling*. Atmosphère bourdonnante, avec banquettes et profonds fauteuils. Cheminée et petite bibliothèque peuvent donner l'impression qu'on se relaxe dans l'intimité de sa maison. Les étudiants, qui sont là avec leurs cours, leurs livres ou... leurs ordinateurs portables, adorent. Expos photo sur les murs.

🍷 Impossible de citer tous les autres, mais voici encore en vrac quelques adresses intéressantes : *Dan's Café* (2315 18th St), café hyper-fréquenté (et pourtant à peine visible de la rue); *Heaven and Hell* (2327 18th St), l'un des coins les plus populaires pour danser (le jeudi, géniale *80's dance party*!); *Millie and Als* (2440 18th St), un des préférés des *college boys*; et puis encore *Mo Bay Café, Mr Henry, Rumba Café, Blue Room, The Reef, Electronic Lounge, The Crush,* c'est pas le choix qui manque...

Dans le quartier de U Street

Un quartier qui bouge bien aujourd'hui, avec un éventail à peine croyable de lieux différents, pour tous les goûts, tous les fantasmes... (Voir description du quartier plus loin.) Le métro le plus proche est... U St.

🍷 *ChiCha Lounge (plan I, B-C2, 95)* : 1624 U St NW. ☎ 234-8400. Ouvert de 18 h à tard dans la nuit. Peu de décor, juste de nombreux et profonds fauteuils. Des narguilés sur les tables, pour écouter tranquillement de la musique (américaine ou latino) et l'air du temps, en sirotant de la sangria dans une atmosphère tamisée. À goûter, une bonne cuisine des Andes revisitée, pas chère et servie copieusement. La clientèle tend une oreille attentive pour le *Latin jazz* du jeudi soir.

🍷 ♪ *9 : 30 (plan I, C2, 92)* : 815 V St NW. ☎ 393-0930. Ⓜ U St, Cardozo. Quatre blocks au nord du métro Shaw Howard University. Plutôt conseillé d'y aller en taxi. Dans un environnement d'entrepôts et un quartier en voie de recomposition, le fameux *Nine Thirty* a retrouvé ici, depuis son déménagement du Downtown, une nouvelle énergie. Salle haute de plafond et *sound* remarquable, public jeune toujours très rock, un poil marginal, un zeste *destroy*, et presque blanc en totalité (dans un quartier à dominante noire, y'a des télescopages sociologiques toujours intéressants aux États-Unis!)... Superbe programmation (Joshua Redman Band, Smashing Pumpkins, Underworld, Robbie Williams...). Plusieurs bars du sous-sol au balcon.

Concerts quasiment tous les soirs.

🍷 ♪ *Velvet Lounge (plan I, C2, 93)* : 915 U St NW (entre Vermont et Florida). ☎ 462-ROCK. Ouvert de 20 h à 2 h (3 h le week-end). Bières de 2 à 5 US$. À l'étage, petite salle avec très bon jazz, parfois du rock. Entrée : 5 US$. À la limite du quartier rénové, encore un peu craignos la nuit, un petit club-café marginal, probable avant-garde du développement musical du coin. Présenter sa pièce d'identité (21 ans et plus) pour se faire tamponner le bras. Aux murs, des peintures criardes sur fond bleu outremer. Fauteuils de moleskine pour méditer sur les futurs changements sociologiques du quartier. Ça fait irrésistiblement penser à ces lieux qui s'ouvraient dans *Alphabet City* (quartier de l'*East Village*) à New York, il y a 20 ans. Petites salles vite remplies le week-end, en semaine c'est plus tranquille.

🍷 ♪ *Café Nema (plan I, C2, 96)* : 1334 U St. ☎ 667-3215. Fermé le dimanche. La journée et en début de soirée, c'est un resto-snack, la nuit un bar sympa ouvert jusqu'à 2 h. Expos d'artistes locaux aux murs. Jazz les mercredi et vendredi. Premier set à 21 h et, en principe, pas de *cover charge*. *Happy hours* du lundi au vendredi de 16 h à 20 h.

Sur Capitol Hill

🍷 *Capitol City Brewery Company (plan II, H4, 98)* : 2 Massachusetts Ave NE. ☎ 842-BEER. Ⓜ Union Station. Ouvert de 11 h à 0 h 30 (1 h 30 le week-end). Excellentes bières maison à 4,50 US$ la *pint* (pas cher !). Sandwich-frites à 9 US$, plats de 9 à 16 US$. Dans une ancienne brasserie, avec 10 m de hauteur sous plafond ! On peut encore voir les cuves de réserve en inox sur la mezzanine, ainsi que les superbes cuves de fermentation cuivrées au centre du bar. La *Capitol Kolsh* est un régal, avec sa légère amertume, subtile... Cuisine simple, mais les ingrédients sont de 1er choix. Ambiance chaleureuse, musicale et bon enfant. Une bonne adresse.

Dans le secteur du Metro Center *(Downtown)*

Juste à l'est de la Maison Blanche, le secteur du *Metro Center* (Downtown) devient le nouveau quartier qui bouge avec ses habitations, commerces et musées qui bourgeonnent comme des cerisiers au printemps. Une boîte se détache du lot.

🍸 *Polly Esther's (plan II, F4, 97) :* 605 12th St NW (entre F et G St). ☎ 737-1970. ● www.pollyesthers. com ● Ⓜ Metro Center. Un *Seventies* Club qui passe aussi des musiques des années 1980. En tout cas, c'est effervescent. Si on ne s'amuse pas ici, mieux vaut vérifier si on est vivant.

Où écouter du jazz et du blues ?

🍸 ♪ *Twins (plan I, C2, 94) :* 1344 U St NW. ☎ 234-0072. ● www. twinsjazz.com ● Ouvert dès 18 h. En principe, sets de 20 h du mardi au jeudi (21 h les vendredi et samedi) à 1 h. Entrée : 10 ou 20 US$, selon qui joue. On y a écouté le chanteur Rusty Mason et le Buck Hill Quartet dans une atmosphère mémorable, puis un septet de jeunes au jazz moderne, légèrement acide. Salle de resto décorée d'aquarelles, ambiance tamisée. Asseyez-vous sans attendre qu'on vous place car ici, on fait attention surtout à la musique !

♪ *Blues Alley (plan III, I8, 100) :* 1073 Wisconsin Ave NW (entre M St et Blues Alley, une ruelle juste au sud de Wisconsin), à Georgetown. ☎ 337-4141. ● www.bluesalley.com ● Jazz de 18 h à 0 h 30, dîner-spectacle à 20 h et 22 h (et à minuit le week-end). Cuisine créole, plats principaux de 17 à 23 US$. On peut aussi y boire seulement un verre. Cela dit, ça reste cher (30 US$ en général, plus pour les grandes vedettes genre Lou Rawls) et l'atmosphère se révèle quelque peu formelle, voire conformiste. C'est LE club de jazz chic de D.C.

Les principaux quartiers à visiter

Georgetown

Le quartier historique de Washington *(plan III)*. À côté des maisons d'habitation anciennes, restaurées à grands frais, on trouve des magasins de luxe, des boutiques et des restos chic. Le croiriez-vous, c'est un ancien quartier noir reconquis par les Blancs. Pour y aller, pas de métro. Prenez les bus pairs de 30 à 38 devant la Maison Blanche. Ou bien descendez à Foggy Bottom et remontez à pied (15 mn) Pennsylvania Ave. Le centre de Georgetown est à l'intersection de Wisconsin Ave et M St. On y trouve quand même des petites boutiques et des restos pas trop chers. Allez-y aussi le soir pour sa vie nocturne animée (démente le week-end).

Si vous abordez Georgetown par le sud, au niveau de 30th St, jetez un œil sur le *Washington Harbor*, un récent complexe commercial édifié le long du

WASHINGTON

Potomac. Architecture intéressante, bassins avec jets d'eau, galeries avec boutiques de luxe, etc.

En remontant 30th St, vous croiserez le charmant *C & O (Chesapeake and Ohio) Canal* avec voies piétonnes sur berge et quelques écluses antiques. Quartier adorable.

Au 3051 M St, possibilité de visiter la petite *Old Stone House,* la plus ancienne maison de Washington (1766). Ouvert du mercredi au dimanche de 9 h 30 à 17 h.

En remontant vers R St, vous flânerez dans la partie la plus résidentielle de Georgetown et croiserez le *Oak Hill Cemetery.* Délicieusement vallonné vers Rock Creek (entrée au bout de 30th St). L'un des plus vieux et romantiques cimetières de la ville (1844). Ouvert de 9 h à 16 h 30, sauf les weekends et jours fériés. Nombreux mausolées et tombes anciennes dans un environnement bucolique.

À côté s'étendent les *Dumbarton Oaks Gardens,* au 1703 32nd St NW (☎ 339-6400), de superbes jardins en terrasses. Maison construite en 1801 et qui abrite une petite collection d'art byzantin et précolombien. Ouvert de 14 h à 16 h 30 d'avril à octobre. Fermé le lundi. Entrée payante. Jardins ouverts tous les jours de 14 h à 18 h (17 h de novembre à mars).

Dupont Circle et Adams Morgan

Autour de Dupont Circle et sur Connecticut Ave *(plan I),* un maximum de restos, cafés et boîtes (voir « Où manger ? »). Vers le nord-ouest, Massachusetts Ave prend le surnom d'*Embassy Row.* Plus d'une centaine d'ambassades s'y alignent.

En remontant New Hampshire Ave, puis 18th St, on aborde *Adams Morgan,* un quartier multiethnique devenu le quartier le plus animé et le plus intéressant de la ville. Mélange sympa d'artistes, marginaux, bohèmes en tout genre, avec une forte communauté hispanique. Ils ont su insuffler une atmosphère bien particulière à ce quartier qui a pris plein de couleurs. Librairies, boutiques de toutes sortes, restos s'égrènent le long de 18th St, de Florida Ave à Columbia Rd. C'est un quartier tellement sympathique que les yuppies ont largement commencé à l'investir.

Old Downtown

C'est tout le territoire s'étendant à l'est de 14th St *(plan II),* compris dans un triangle formé par Pennsylvania Ave et New York Ave et qui connaît, à l'heure actuelle, un fort développement architectural autour du Metro Center. Ce quartier est de plus en plus vivant et attirant. Pourtant, 14th St fut longtemps une sorte de frontière marquant le quartier des administrations et des grands hôtels. Au-delà s'étendait un quartier pauvre, principalement habité par les Noirs. Les visiteurs, longtemps, s'étonnèrent de la présence d'un *Red Light District* autour de 14th St, à deux pas de la Maison Blanche. L'origine remonte à la guerre de Sécession, lorsque des milliers de soldats nordistes campaient dans Washington, aux abords de la Maison Blanche. Ils attirèrent, bien entendu, des légions d'Irma la Douce. Pour éviter la pagaille, le général Hooker tenta d'organiser le commerce sexuel, en ouvrant et en concentrant ici des bordels. Le coin fut surnommé *Hooker's District,* puis *Hooker's.* Pour finir, *hooker* prit le sens de « prostituée ». Le mot passa à la postérité en enrichissant le *slang* (argot).

À l'angle de 9th St et G St, vous trouverez la seule œuvre à Washington du grand architecte Mies Van der Rohe : la *Martin Luther King's Library (plan II, G4, 160).*

Autour de Chinatown et jusqu'à 2nd Street

Quartier au chamboulement immobilier largement entamé. Tout est subordonné à la construction du nouveau Convention Center. Chinatown s'ouvre, au carrefour de H St et 8th St (Ⓜ Gallery Place), par la classique **porte de Chinatown** triomphale en forme de pagode *(plan II, G4, 157)* : celle-ci est particulièrement énorme. Le quartier est, pour le moment, loin de posséder le charme et l'homogénéité d'autres Chinatown américaines. La nuit, hors de H St, ce n'est pas trop sûr. Une curiosité : à côté du resto *Big Wong* (au 610 H St) s'élève un vieil immeuble où se fomenta le complot en vue d'assassiner Lincoln.

East Capitol et Anacostia

Quartier s'étendant du Capitole au Lincoln Park (et au-delà). Pour les promeneurs impénitents possédant un peu de temps, balade agréable. Ça ressemble beaucoup à ce que put être Georgetown il y a 30 ou 40 ans. Ancien quartier noir repris, comme Georgetown, par les Blancs. Superbes maisons, hôtels particuliers avec de beaux jardins sauvages. Les rues ne possèdent pas encore le côté trop bien léché de Georgetown et accrochent le regard par des détails insolites.

Les grands quartiers noirs pauvres sont désormais **Anacostia** *(plan I)*, au sud-est (de l'autre côté de l'Anacostia River), et tout ce qui s'étend à l'est de 14th St, à partir de Q St, en remontant vers le nord. Anacostia vécut le processus inverse de Georgetown. Majoritairement blanc jusqu'en 1940, il connut jusque dans les années 1970 un afflux de familles noires. Aujourd'hui, Anacostia est à 96 % *African-American*. Voir le **Frederick Douglass National Historic Site,** belle demeure victorienne du grand abolitionniste noir, patron de presse, président de banque, ambassadeur, extraordinaire orateur, etc. : 1411 W St SW (Ⓜ Anacostia, ligne verte). Ouvert tous les jours de 9 h à 16 h (17 h de mi-avril à mi-octobre). ☎ 426-5961. Musée également très intéressant, l'**Anacostia Museum,** dépendant de la Smithsonian, 1901 Fort Pl SE. ☎ 357-2700. ● www.si.edu/anacostia ● Ouvert tous les jours de 10 h à 17 h. Pour s'y rendre : métro jusqu'à Anacostia, puis metrobus W1 ou W2. Musée dédié à la culture noire américaine sous tous ses aspects : ethnographique, artistique, sociologique.

La U Street de Duke Ellington

Ⓜ U Street, Cardozo *(plan I)*. Sur U St (entre 13th et 16th St) s'étend un quartier noir célèbre grâce à Duke Ellington, qui y passa son enfance (au 1212 T St). Des années 1920 aux années 1960, ce fut le quartier de la bourgeoisie noire de Washington. On y trouvait des boîtes de jazz où se produisaient les plus grands (*Billie Holiday, Fats Waller,* le *Duke*...). U St y avait gagné le surnom de *Black Broadway.* Des écrivains noirs de renom y habitèrent, comme *Angeline Grimke, Zora Neale Hurston, Langston Hughes, Alain Locke*... Les années suivant la fin de la ségrégation et les violentes émeutes qui suivirent la mort de Martin Luther King en 1968 virent le quartier s'appauvrir et se dégrader dramatiquement. Cependant, depuis quelques années, un processus de *revival* est entamé. Les autorités locales veulent lui redonner vie et favorisent sa revitalisation. Restos et cafés branchés qui éclosent aujourd'hui comme champignons de rosée en sont la preuve. Au fait, 2 ou 3 choses que nous savons du Duke : il naquit à Washington le 29 avril 1899 et mourut en 1974. Considéré comme le compositeur de jazz le plus important d'Amérique, il laisse près de 2 000 œuvres derrière lui. Miles Davis (qui savait de quoi il causait) disait de lui : « Tout musicien devrait se prosterner une fois par an et remercier Dieu d'avoir créé Duke Ellington. » Il sut inventer une musique totalement moderne en intégrant subtilement les traditions les plus diverses. Il sut aussi travailler avec des tempéraments aussi différents que le saxo *Johnny Hodge,* le saxo ténor *Ben Webster,* le trompettiste *Cootie William,* en respectant le mieux leur personnalité. Il avait aussi la réputation d'être un chef d'orchestre particulièrement cool. Pour lui, il convenait de ne pas altérer le caractère bagarreur de beaucoup de musiciens, pour mieux mettre en valeur leur apport, puis les amener à swinguer ensemble harmonieusement. Bref, nous vous convions à redécouvrir le Duke sur ses terres... Tours guidés avec la *Manna Community Development Corporation,* les 1er et 3e samedis du mois (d'avril à novembre), de 10 h à 12 h, 12 US$. Informations au ☎ 232-2915. ● ● www.culturaltourismdc.org ● Également avec le *Duke Ellington D.C. Tour.* Renseignements au ☎ 636-9203.

Petite balade dans U Street et ses environs

➢ Pour nos lecteurs impénitents trekkeurs urbains. À faire de jour exclusivement, ça va de soi ! Rendez-vous d'abord à l'angle de U St et de 13th St *(plan I, C2),* pour l'immense *mural* honorant Duke Ellington. En face, au 1215 U St NW, le **Lincoln Theater,** bâti en 1921, récemment restauré, haut lieu de la vie nocturne dans les années 1920-1940 (☎ 328-6000). *Cab Calloway, Ella Fitzgerald, Count Basie, Jerry Roll Morton* et tant d'autres s'y produisirent. À 3 blocks, 10th et U St, l'**African-American Civil War Memorial** (● www.afroamcivilwar.org ●), érigé en l'honneur des 180 000 Noirs américains qui combattirent dans l'armée de l'Union pendant la guerre de Sécession. Petit *musée* ouvert du lundi au vendredi de 10 h à 17 h (14 h le samedi). Au 1440 Belmont St, statues de *Malcom X* et *Marcus Garvey,* célèbres leaders nationalistes noirs. Un parc honore également Malcom X (appelé aussi **Meridian Hill Park**). Situé sur 16th St (entre Florida Ave et Euclid St). Siège de grands rassemblements pendant la lutte pour les droits civiques. Les gens du voisinage font beaucoup d'efforts aujourd'hui pour le débarrasser de sa mauvaise réputation. Il est constitué d'un jardin à la française et d'un autre à l'italienne sur 2 niveaux. Le parc est orné de 13 jolies cascades en terrasses. Allez-y le dimanche, avec les familles et ne manquez pas la statue de Marie-Antoinette. Vers Howard University, prendre un muffin au passage au *Florida Avenue Grill* (1100 Florida Ave : voir « Où manger ? »). **Howard University,** Georgia Ave NW (Ⓜ Shaw-Howard University), fut fondée en 1867 par Oliver Otis Howard, général dans les troupes de l'Union, champion des droits des Noirs et partisan acharné de leur émancipation. De nombreux leaders noirs, hommes politiques, industriels, etc., en sont issus. En plus de ses nombreuses facultés, elle possède la *Founders Library* (expos sur l'histoire des Noirs américains) et, au 2455 6th St, la *Howard University Gallery,* présentant des œuvres de la Renaissance italienne, des artistes noirs américains et de l'art africain.

Enfin, il est intéressant de faire un tour dans ce coin de **Florida Avenue,** quartier noir assez pauvre. L'envers de l'arrogant Downtown clean et de l'élégant Georgetown. Préférable de s'y balader de jour. Ensuite, petite balade sociologique : redescendre Florida Ave jusqu'au quartier d'Adams Morgan, à 10 blocks environ. À l'arrivée, vous constaterez combien, en 2 rues seulement, on change complètement de quartier.

Comment visiter Washington ?

➢ Assez pratique : le **Tourmobile Sightseeing** qui permet, en une journée, de voir tous les sites (y compris le cimetière d'Arlington). Possibilité de monter et descendre à n'importe quel arrêt (le ticket s'achète auprès du conducteur). Plusieurs tours et combinaisons possibles. Les temps d'attente aux arrêts sont parfois longs. Fonctionne de 9 h à 16 h 30 (18 h 30 du 15 juin au Labor Day, le 1er lundi de septembre). Renseignements : ☎ 554-5100. Réservations : ☎ 1-888-868-7707. Prix : 20 US$; réductions.

➤ 🚶 Un peu plus cher, mais tout aussi pratique pour une visite rapide de la ville et de ses principaux centres d'intérêt : *Old Town Trolley Tours.* De Union Station à la Library of Congress en passant par la Maison Blanche, Dupont Circle, National Cathedral, Embassy Row, Kennedy Center, le cimetière d'Arlington, le Mall, un circuit de 2 h commenté avec humour par des conducteurs qui sont aussi des guides passionnés et amoureux de leur ville. Possibilité de descendre en cours de route et de reprendre le trolley suivant. Un trolley toutes les 30 mn. ☎ 832-9800.

➤ Le *Multilingual Tour* de Gray Line (☎ 289-1995) est un tour en autocar de 4 h (35 US$, départs le week-end à 14 h) au départ de Union Station. Commentaires en plusieurs langues, dont le français.

➤ 🚶 *D.C. Ducks* : ☎ 966-3825. Anciens véhicules amphibies de la dernière guerre qui font le tour des principaux monuments et terminent dans le Potomac (de mars à octobre, de 9 h à 18 h ; durée : 1 h 30 environ). Tarif : 28 US$; réductions. Départ à l'heure pile de Union Station, côté Massachusetts Ave, à côté des trolleys. Une balade rigolote et rafraîchissante sous l'hilarité des passants qui regardent ces véhicules escalader les trottoirs ou descendre dans le fleuve.

À voir

🎬🎬🎬 *Le Mall* (plan II) : nom donné aux 3,5 km de verdure et de monuments qui séparent le Capitole du fleuve Potomac ; on y trouve surtout la Maison Blanche, le Lincoln Memorial (et autres mémoriaux), le Capitole et la Smithsonian Institution, ensemble de musées superbes et gratuits. C'est l'architecte parisien Pierre-Charles L'Enfant qui conçut, au XVIIIe siècle, le plan d'urbanisme de Washington. Il vit très grand pour l'époque, mais il affirmait que le projet devait être assez ambitieux pour prévoir les agrandissements et adjonctions qu'impliquerait nécessairement la croissance de l'Amérique. La guerre anglo-américaine de 1812, qui fit des ravages dans la capitale, enterra ce projet. L'Enfant mourut dans l'amertume et le dénuement et fut enterré au cimetière des pauvres. La guerre de Sécession et la révolution industrielle ayant redonné une importance énorme à la ville, il fallut à nouveau envisager un schéma directeur de construction. On exhuma le plan de L'Enfant. Du coup, les restes du génial architecte furent ramenés avec les honneurs au cimetière national d'Arlington. Sa tombe surplombe un superbe panorama urbain. L'Enfant serait sans doute aujourd'hui tenté de dire aux autorités d'arrêter d'empiéter sur le gazon du Mall... Les nouvelles constructions n'arrêtent pas et le gazon et les arbres battent en retraite.

🎬🎬🎬 *La Maison Blanche* (White House ; plan II, F4, *124*) : 1600 Pennsylvania Ave NW. ☎ 456-2200. Ⓜ McPherson Sq, Federal Triangle ou Metro Center. Attention : depuis les attentats du 11 septembre 2001, et pour des raisons évidentes de sécurité, les visites sont suspendues jusqu'à nouvel ordre (sauf pour les Américains a priori). Renseignez-vous au ☎ 456-7041 (infos enregistrées) ou sur ● www.whitehouse.gov ● (site web exceptionnel : on fait une visite en profondeur de la Maison Blanche et de ses employés au travers de textes, photos, dessins et vidéos).
L'architecte qui l'a construite s'est entièrement inspiré du château de Rastignac, en Périgord. Il y en a qui ne se gênent pas ! Résidence présidentielle depuis 1800, incendiée en 1814 lors de la guerre contre l'Angleterre, la Maison Blanche doit son surnom au badigeon de peinture blanche que l'on passa alors sur les murs calcinés. On précise quand même que la visite,

quand elle avait lieu, était plutôt décevante. Courte balade dans 15 des 132 pièces de l'édifice.

Côté nord de la Maison Blanche s'étend le *La Fayette Square,* baptisé ainsi après le retour triomphal du marquis en 1824. Au milieu, Andrew Jackson (la 1re statue équestre réalisée en Amérique). Les étrangers, héros de la révolution américaine, lui tiennent compagnie : La Fayette, bien sûr, Rochambeau, F. W. von Steuben (qui entraîna militairement une partie de l'armée)...

🕴🕴 *Washington Monument (plan II, F5, 125) :* National Mall (et 15th St NW). ☎ 426-6841. Ⓜ Federal Triangle ou Smithsonian. Ouvert tous les jours d'avril au Labor Day, de 9 h à 17 h. Les tickets (gratuits) s'obtiennent par *Ticket Master* (☎ 1-800-505-5040, frais de réservation) ou directement sur place, mais il faut alors arriver à 8 h maximum sinon c'est cuit. Heure de visite fixée. Le monument est fermé les jours de grand vent. Impossible de louper la plus haute structure de maçonnerie pure du monde (près de 170 m de haut), en forme d'obélisque, élevée aux alentours de 1885 en l'honneur du 1er président des États-Unis. Son achèvement dura en fait plusieurs années, ce qui explique les différences de tons de peinture sur la façade. Du sommet, bien sûr, superbe vue (même si elle est un peu obstruée par le nombre de visiteurs).

➤ Depuis ce monument part un véritable circuit des mémoriaux, qui s'enrichit régulièrement : en 2004 a été inauguré le mémorial de la Seconde Guerre mondiale (*World War II Memorial,* sur 17th Ave, entre Constitution et Independance Ave), et celui dédié à Martin Luther King est en projet. Ils se suivent dans l'ordre logique du parcours, qui constitue une très agréable promenade à pied (compliquée en voiture), d'une petite demi-journée.

🕴🕴 *Vietnam Veterans Memorial (plan II, E5, 127) :* Constitution Ave (entre Henry Bacon Dr et 21st St). ☎ 426-6841. À 25 mn de marche du métro Foggy Bottom. Toujours ouvert.

Ce monument, inauguré en 1982, a la forme d'un immense V de granit noir enfoncé comme un coin dans la terre et sur lequel sont gravés les noms des 58 022 victimes américaines de la guerre du Vietnam. La simplicité, le dépouillement architectural du monument produisent une émotion profonde. On ne voit plus que ces noms inscrits par ordre chronologique. C'est une architecte de 21 ans, Maya Lin, qui remporta le concours devant plus de 1 400 concurrents. Bien sûr, cette architecture insolite, vraiment peu conventionnelle pour un monument aux morts, suscita l'hostilité des conservateurs de tout poil. Aussi, pour les apaiser, un autre sculpteur réalisa-t-il une autre œuvre. Ces trois soldats de bronze, par leur conformisme d'exécution (muscles saillants, air déterminé), ne font que révéler encore plus la tragique et émouvante pudeur de l'autre monument.

🕴 *Albert Einstein Memorial (plan II, E5, 159) :* petit monument touchant. Le grand homme est assis, vieux, humain, entouré de ses grandes découvertes et préoccupations. Sur le terrain des *National Academies.*

🕴🕴 *Lincoln Memorial (plan II, E5, 126) :* à l'extrémité ouest du National Mall. ☎ 426-6841. Ouvert tous les jours de 8 h à minuit.

Monument qui abrite l'imposante statue de Lincoln, sculptée dans 20 blocks de marbre et haute de 6 m. Particulièrement beau et imposant la nuit.

🕴🕴 *Mémorial de la guerre de Corée (plan II, E5, 154) :* Independance Ave (près du Lincoln Memorial). Mémorial récent. Ces soldats de couleur argentée progressent en terrain ennemi peuvent sembler quelconques... Placez-vous côté est (face aux soldats) et regardez le mur de basalte sur lequel sont gravées les photos de ceux qui pensent à eux. Les statues se reflètent sur le mur dans une tonalité proche du blanc des gravures (c'est pour cela qu'elles sont de couleur argent), et l'ensemble évoque alors bien l'immatérialité du souvenir et de la pensée. Très original et remarquable effet.

🕴 *Franklin Delano Roosevelt Memorial (plan II, E6, 155) :* W Basin Dr et Ohio Dr. Ce mémorial est dédié à celui qui, exceptionnellement, pour cause de Seconde Guerre mondiale, fut élu trois fois président des États-Unis, et finit handicapé (voir la fin du film *Pearl Harbor*). On chemine entre des murs de grès rouge, des parterres fleuris et des cascades, en lisant des citations de ce président courageux, humble et bien-aimé. Un lieu qui inspire le calme et la sérénité. Particulièrement agréable à visiter le soir.

🦌 *Jefferson Memorial (plan II, F6, 156) :* rotonde de style palladien ouverte aux 4 vents, avec une imposante statue de Jefferson. Aux murs sont gravées certaines de ses déclarations, à méditer et à mettre en regard des actions américaines depuis sa présidence.

🦌🦌 *National Archives (plan II, G5, 153) :* Constitution Ave NW (entre 7th et 9th St NW). ☎ 501-5410. ● www.nara.gov ● Ⓜ Archives. Ouvert les lundi et mercredi de 8 h 45 à 17 h, jusqu'à 21 h les mardi, jeudi et vendredi et jusqu'à 16 h 45 le samedi. Fermé le dimanche.

Rénové, l'édifice abrite les originaux des principaux documents historiques américains : Déclaration d'indépendance, constitution, *Bill of Rights*, etc. De plus, d'autres documents intéressants, comme ceux des antifédéralistes qui craignaient un pouvoir central trop fort (déclarations, journaux, etc.). Pétitions contre le *Sedition Act* qui fut supprimé en 1800 (ah ! toujours la tentation autoritaire). Charte des libertés anglaises de 1297. Plus divers témoignages montrant la progression des idées d'indépendance. En 1792, déjà, une pétition contre l'esclavage. Les documents paraissent en vert en raison des propriétés du verre laminé utilisé et des filtres spéciaux qui les protègent des rayons lumineux. Librairie proposant des reproductions fort bien faites des documents, des billets de banque de l'époque, etc.

🦌🦌🦌 *Le Capitole (plan II, H5, 128)* est le siège du Congrès (c'est-à-dire du Sénat et de la Chambre des représentants). ☎ 225-6827. ● www.aoc.gov ● Ⓜ Capitol South ou Union Station. Les bus n°s 30 à 38 y vont aussi, on les attrape tout au long de Pennsylvania Ave. Ouvert du lundi au samedi de 9 h à 16 h 30 (normalement 20 h de Pâques au *Labor Day*). Visites guidées par groupes de 40 personnes maxi, toutes les 30 mn. Gratuit, mais nécessité de retirer un billet d'entrée (un seul par personne) qui porte un horaire précis, dans le kiosque situé près de l'entrée, entre 1st St et l'esplanade devant l'axe de la coupole. La distribution des billets commence à 9 h. Surtout, ne pas oublier son passeport qui sera exigé. Bien évidemment, ces conditions, mises en œuvre depuis le 11 septembre 2001, peuvent changer (vérifier sur le site Internet, ou mieux, téléphoner avant).

Incendié par les Anglais lors de la guerre de 1812-1814 (qui se vengeaient de l'incendie de York, Toronto, par les Américains), le 1er Capitole fut sauvé de la destruction par un violent orage. Chose amusante, la façade principale est tournée vers l'est parce que l'on supposait que la ville allait se développer dans cette direction. Aujourd'hui, le Capitole tourne le dos à la partie principale de la ville.

Visite : on ne peut pas tout voir, et il semble que les itinéraires de visite diffèrent selon les années. Si c'est possible, essayez d'assister à une délibération du Congrès (attention, vacances en juillet-août). Original : il est interdit d'écrire dans cette salle, alors que tout est filmé.

Voir notamment la rotonde et ses fresques, le hall des Statues (deux pour chaque État, obligé d'honorer ses deux citoyens les plus célèbres), le vieux Sénat rénové, la crypte (ancienne chambre de la Cour suprême). Globalement, c'est une visite en toute liberté, malgré la présence de nombreux policiers. Avant la visite, une personne vous fera un discours en anglais à la fin duquel elle demandera : « *Are there any foreign people ?* » (« Y a-t-il des étrangers ? »). Levez bien haut le bras et déclinez votre nationalité. Elle recommencera rien que pour vous dans votre langue maternelle ! Ne pas rater les photos des sénateurs en réunion restreinte ou officielle, jouant au football américain sur la pelouse du Capitole ou se tenant sur les marches de l'escalier principal, avec leur grenouille favorite tenue en laisse ! Ne pas

WASHINGTON

louper non plus les fresques des plafonds des couloirs, illustrant les grands événements de l'histoire américaine (*Boston Tea Party*, doctrine de Monroe, *Women's Suffrage Parade* en 1917, pose de la 1re pierre du Capitole, etc.), ni les statues des trois sénateurs « en costume de travail » : un pasteur hawaiien (Father Damien), un grand chef indien (Chief Hushahue) et un astronaute (Swiget, Apollo 13), ce qui, d'ailleurs, symbolise bien les États-Unis !

🏃🏃 *Library of Congress* (bibliothèque du Congrès ; plan II, H5, *129*) : 101 Independance Ave. ☎ 707-5000. ● www.loc.gov ● Ⓜ Capitol South. La plus grande bibliothèque des États-Unis, créée en 1800, située juste à l'est du Capitole. Visiteurs admis gratuitement du lundi au samedi de 10 h à 17 h 30 ; l'entrée et le *Visitor Center* (intéressant film de 12 mn) sont dans le Jefferson Building. Visites guidées gratuites (depuis le Great Hall du Jefferson Building) du lundi au vendredi à 10 h 30, 11 h 30, 13 h 30, 14 h 30 et 15 h 30, le samedi à 10 h 30, 11 h 30, 13 h 30 et 14 h 30. Fermé les dimanche et jours fériés.

Décoration intérieure somptueuse, réalisée par près de 50 artistes. À voir surtout, une bible de Gutenberg de 1455 et le brouillon de la Déclaration d'indépendance écrit par Thomas Jefferson, avec les corrections de Benjamin Franklin. Plus, si vous avez le temps, 80 millions d'autres ouvrages en plus de 450 langues.

🏃🏃 *Union Station* (plan II, H4, *130*) : Massachusetts Ave, au nord du Capitole. Ⓜ Union Station.

Une des belles gares du monde. Un chef-d'œuvre type gare centrale d'Helsinki. Conçue par Burnham, le célèbre architecte de Chicago, elle a été entièrement rénovée, et son architecture a été superbement remise en valeur. On peut admirer l'immense hall en marbre d'Italie et sa voûte à caissons dorée. Tout autour, nombreuses boutiques de luxe. Ne pas manquer justement d'aller jeter un œil sur l'*Adirondaks East Hall Shop* pour se délecter de l'odieux et incroyable style nouveau riche de certaines boutiques et de leurs produits. Ne manquez pas la monumentale salle des billets avec sa volée d'escaliers, ses boutiques aussi. Nombreux fast-foods et cinémas au sous-sol.

🏃 Pour ceux qui ont le temps, possibilité de visiter d'autres choses autour du Capitole (Ⓜ Capitol South) : la *Cour suprême* (1st St et Maryland Ave NE ; ☎ 479-3000). Ouvert du lundi au vendredi de 9 h à 16 h 30 ; session des 9 juges 15 jours par mois, d'octobre à avril (l'accès est autorisé pendant les sessions, mais les places sont limitées. Sinon, projection de films au rez-de-chaussée les jours sans session). La *Folger Shakespeare Library* (201 E Capitol St ; ☎ 544-7077) organise des tours du lundi au vendredi de 11 h à 13 h ; l'une des plus belles collections de manuscrits. Les *jardins botaniques* (1st St et Maryland Ave ; ☎ 225-8333) présentent, quant à eux, des collections superbes de plantes exotiques : orchidées, cactées, etc. ; ouverts tous les jours de 9 h à 17 h (21 h de juin à août).

🏃🏃 *Arlington National Cemetery* (plan d'ensemble, au sud-ouest) : de l'autre côté du Potomac s'étend le plus célèbre cimetière des États-Unis. ☎ (703) 607-8052. ● www.arlingtoncemetery.com ● Ⓜ Arlington Cemetery. Ouvert de 8 h à 19 h (17 h en hiver).

Sur plus de 240 ha reposent 175 000 soldats américains. À l'est de la maison Curtis-Lee, une flamme perpétuelle brûle sur la tombe de John Fitzgerald Kennedy, assassiné en 1963, et de sa femme Jackie, morte en 1994. À voir, la relève de la garde devant la tombe du soldat inconnu.

Un peu avant le cimetière, sur la route 50, s'élève l'une des plus grandes statues en bronze jamais coulées, le *Marine Corps Memorial*. Elle commémore tous les Marines morts au combat depuis 1775 et représente les soldats plantant le drapeau américain à Iwo Jiwa en 1945, d'après l'une des plus célèbres photographies du monde.

🦶 **Le Pentagone** *(plan d'ensemble, au sud-ouest) :* Ⓜ Pentagon. Abritant le quartier général du département de la Défense, c'est le plus grand bâtiment du monde. Sa surface habitable est 3 fois supérieure à celle de l'Empire State Building de New York : 7748 fenêtres ! C'est une ville dans la ville avec 28 km de couloirs et 23000 employés, dont les 4 cinquièmes sont en uniforme. Des chiffres réconfortants pour l'Américain moyen, qui se sent sacrément bien défendu. Mais le matin du 11 septembre 2001, une poignée de terroristes a mis le feu à ce symbole de la puissance militaire américaine. Et l'invulnérabilité de l'Amérique en a pris un sacré coup ! Armés de simples cutters, ces kamikazes ont réussi à détourner un avion d'*American Airlines* et à le précipiter sur le Pentagone, moins de 1 h après les 2 premiers crashs sur le World Trade Center de New York. Le bâtiment, conçu en 1942 (en 16 petits mois !) pour résister à toutes les attaques, n'a pas résisté à celle-ci : le choc de l'explosion a provoqué un cratère béant dans l'aile ouest et la mort de près d'un millier de personnes. Les visites guidées sont suspendues, vous vous doutez pourquoi, et ce pour une durée indéterminée (renseignez-vous sur leur site Internet ● www.defenselink.mil/pubs/pentagon ● ou par téléphone ☎ 703-695-1776). Franchement, on n'avait pas été emballés par la visite en elle-même ; seule la partie *shopping center*, avec ses restos, boutiques, coiffeur, etc., mérite le détour.

🦶 **Watergate Building** *(plan II, E4, 152) :* 2650 Virginia Ave NW. Ⓜ Foggy Bottom.
Connu de tous depuis un certain scandale. A, semble-t-il, donné naissance à d'autres expressions synonyme de « sale affaire » : *Irangate, Rainbow Warriorgate, Monicagate...* Assuré d'être réélu, pourquoi Nixon prit-il le risque insensé de faire écouter ses adversaires ? Il était persuadé que le parti démocrate avait entamé des négociations secrètes avec l'ennemi pendant la guerre du Vietnam.

🦶 **The Old Post Office** *(plan II, G5, 131) :* Pennsylvania Ave et 12th St. ☎ 606-8691. Ⓜ Federal Triangle. Ouvert de 8 h à 23 h 30 d'avril à septembre, et de 10 h à 18 h le reste de l'année.
Construite à la fin du XIXe siècle, elle est aujourd'hui transformée en centre commercial. Il est possible de monter gratuitement en haut de la tour, d'où l'on a une vue superbe sur Washington (sans la queue du Washington Monument).

🦶 **Bureau of Engraving and Printing** *(plan II, F5-6, 132) :* à l'angle de 14th et C St. ☎ 874-3019. Ⓜ Smithsonian. Visite du lundi au vendredi de 9 h à 14 h. Entrée gratuite. Mieux vaut téléphoner avant d'y aller, on ferme le musée quand une menace terroriste est prise au sérieux.
Créées en 1862, les presses débitent 7000 planches/h, soit 125 millions de dollars par jour. Ici, on apprend tout sur le billet vert. Trois étapes importantes ont marqué son histoire : 1792, le dollar est créé sous forme de pièce ; en 1861, le papier-monnaie apparaît en pleine guerre civile ; enfin, en 1929, le dollar prend sa forme, sa couleur et son odeur définitives. Rien ne distingue les billets de 1, 5, 10, 20, 50 ou 100 US$, sauf le portrait qui y figure en médaillon. Des coupures allant jusqu'à 10000 US$ ont été émises. C'est en 1957 qu'apparut la mention obligatoire *In God we trust* (*Others pay cash*, ironisent certains commerçants). La seule monnaie au monde en simple bichromie. On montre comment repérer une contrefaçon, que faire si l'on a un faux billet entre les mains, quel genre de talent il faut pour l'imprimer.

🦶🦶 **Washington National Cathedral** *(plan d'ensemble, au nord-ouest) :* angle Wisconsin Ave et Massachussetts Ave NW. ☎ 537-6200. ● www.natio nalcathedral.org ● Ⓜ Tenleytown (et 15 mn de marche) ; bus n° 30 ou 34 (*Friendship Heights*). Ouvert de 10 h (12 h 30 le dimanche) à 16 h 30 (horaires prolongés en été). Vêpres avec chœurs du dimanche au mercredi, à 16 h. Orgue le mercredi à 12 h 30 et le dimanche après les vêpres de 16 h.

Quelques visites guidées par jour. Messe dominicale à 11 h. Messes la semaine à 12 h.

Monument néogothique commencé en 1907, consacré en 1976 et achevé en 1990, cette cathédrale a bien l'apparence de celles du Moyen Âge et n'est pas dominée par des gratte-ciel. Avec ses 158 m de long, ses 32 m de haut, ses 7712 m² et sa flèche culminant à 206 m (au-dessus du niveau de la mer), elle revendique à la fois d'être au 6e rang mondial des cathédrales et le point culminant de Washington. Remarquable façade et, à l'intérieur, belles rosaces et vitraux, dont l'un a même un morceau de pierre de lune enchâssé (mission Apollo 11). Voir aussi le cloître et les bâtiments des écoles tout autour. Agréable quartier verdoyant et résidentiel, près des ambassades. Boutique et serre ouvertes de 9 h 30 à 17 h, sauf à Noël et au Jour de l'An.

🖌🖌 *The Basilica of the National Shrine of the Immaculate Conception* *(hors plan II par H4)* **:** 400 Michigan Ave NE (angle 4th St). ☎ 526-8300. ● www.nationalshrine.com ● Ⓜ Brookland/Catholic University *(Red Line).* Ouvert de 7 h à 18 h (au moins).

Cette basilique, la 8e église du monde par la taille, a été récemment construite afin de suivre le développement de la religion catholique aux États-Unis (notamment grâce à la communauté hispanique). C'est la plus grande d'Amérique. Elle jouxte une université catholique et est un lieu de pèlerinage, un mémorial avec ses chapelles dédiées à des saints ou des vierges de différents pays, ayant tous apporté leur pierre à l'immigration américaine. Un peu trop imposante de loin mais, de près, sa tour campanile est plutôt élégante (elle fait même penser à Ravenne) et, globalement, son style roman passe. Portail aux sculptures de style roman un peu naïf, avec le nom du saint ou la phrase de la Bible expliquant la scène gravée. Intérieur impressionnant, mais pas démesuré : profusion de marbre beige aux murs, gris et malachite au sol, grandes mosaïques sur fond doré (lointaine parenté byzantine) et beaux vitraux, chœur grandiose et chapelles richement décorées. Dans le transept droit, Ève, plus américaine que sémite, a les cheveux longs et blonds et la Création vaut aussi pour les dinosaures et les varans... Spielberg a encore frappé ! Remarquez le serpent qui guette déjà (au centre droit, à côté de la girafe). Près de l'autel de la Vierge, notez les vêtements contemporains de certains personnages de la mosaïque. Plus généralement, on remarque sur différentes mosaïques de l'église les différents peuples (y compris les Esquimaux et les Incas...).

L'amplitude du chœur est exceptionnelle. Il abrite 2 autels. Voûte en forme de coupole écrasée comme dans les mosquées d'Istanbul, représentant la descente du Saint-Esprit sur les apôtres et la Vierge, mais aussi sur les simples humains : l'influence du mouvement charismatique apparaît. Au fond du chœur, surprenant Christ drapé de rouge, un bras levé et assis en tailleur comme Bouddha, avec les flammes de l'esprit autour de la tête, comme les divinités d'Asie du Sud-Est ou d'Inde ; quel syncrétisme religieux ! En symétrie du cierge pascal, le drapeau américain, ce qui est monnaie courante sur le continent. Fine mosaïque de l'Assomption de la vierge (remarquer la couleur des angelots). Enfin, des sujets (souvent symétriques par rapport à l'axe de l'église) ont des correspondances entre eux : crucifixion et sacrifice de l'agneau ; apôtres endormis au Golgotha, et Adam et Ève chassés du paradis ; liaison entre les métiers d'hier, les pêcheurs (la pêche miraculeuse), les travaux champêtres, et ceux d'aujourd'hui (éboueurs, mineurs), avec analogie du rang social.

Une visite à ne pas manquer pour comprendre le catholicisme américain. Boutique de souvenirs et super-cafétéria, à des prix très catholiques, en sous-sol (il y a d'ailleurs aussi une crypte pour 400 personnes, géante pour ce genre d'endroit, au même niveau). Par ailleurs, bel éclairage nocturne.

Les musées

La richesse de ses musées et monuments est l'attrait touristique principal de Washington. Et puis, ils sont impeccablement équipés pour les handicapés ; on pourrait en prendre de la graine. N'oubliez pas de vous procurer la brochure (gratuite) de la Smithsonian Institution, qui donne des explications sur tous les musées, comment y aller, etc. Les musées Smithsonian sont tous gratuits et ouverts tous les jours (sauf Noël) de 10 h à 17 h 30 (parfois 22 h l'été).

Remarque : les Américains sont friands de musées sur l'espace, les sciences naturelles, etc., mais ils délaissent les musées d'art. Alors, quand les foules vous pèsent, réfugiez-vous dans le grand art...

🏃🏃🏃 ***Smithsonian Institution Building*** *(plan II, G5, 133)* : 1000 Jefferson Dr SW. ☎ 357-2700 ou 2020. ● www.si.edu ● Ⓜ Smithsonian (sortie « Mall »). Ouvert de 8 h 30 à 17 h 30, ce qui permet de s'y rendre avant l'ouverture des musées Smithsonian.

Il sert de centre d'information du complexe de musées le plus important au monde. Appelé familièrement *The Castle,* il fut achevé en 1855 et devint alors le 1er musée de l'institution... Une addition récente : de jolis jardins.

🏃🏃🏃 🧍 ***Air and Space Museum*** *(plan II, G5, 134)* : Independence Ave (entre 5th et 7th St). ☎ 357-1400. ● www.nasm.si.edu ● Ⓜ L'Enfant Plaza. Ouvert de 10 h à 17 h 30. Entrée gratuite.

Près de 9 millions de visiteurs par an (c'est la destination préférée des familles qui visitent Washington). On y montre le développement de l'aviation et de la conquête spatiale, à travers ses progrès décisifs : 1er avion à moteur qui ait fait plus que les sauts de puces de l'Éole d'Ader, celui des frères Wright de 1903 (il tint l'air 59 secondes), le *Spirit of Saint Louis* avec lequel Lindbergh a traversé l'Atlantique en 1927 (drôlement courageux, avec un seul moteur et 33 h 30 sans dormir), celui d'Amelia Earhart (mêmes conditions de vol pour la 1re femme à réaliser cet exploit, en 1932), le DC3 (13 000 exemplaires, le premier et le seul à n'avoir pas eu besoin de subvention !), mais aussi le Messerschmitt 262 (1er avion à réaction, allemand, en 1944 !), le X-1 (rouge-orange, 1er mur du son en 1947), le Douglas Skyrocket (Mach 2 en 1953), le X-15 (plus de Mach 6 !) et le X-29 de Grumman, très beau avec ses ailes allant vers l'avant, et le premier à ne pouvoir voler qu'avec une assistance informatique, recalculant la stabilité 40 fois par seconde.

Symbole des temps modernes, on peut aussi y voir la pierre lunaire qu'*Apollo 17* a rapportée sur terre en 1972. Et surtout des vaisseaux spatiaux (*Gemini 4,* 1re sortie dans l'espace), la 1re capsule *Apollo* (minuscule !), la 1re jeep lunaire (remarquer ses roues à lames qui assurent le tout-terrain en zone caillouteuse), et les *modules Apollo et Soyouz* arrimés ! Côté fusées, on commence avec celles de Goddard, le père de ce domaine (avec Tsiolkovsky pour la Russie et Oberth en Allemagne), puis un *V2* pour aller jusqu'aux *Atlas* (satellites), *Pershing* et autres *Tomahawks* (missiles), il y a même un *SS20* (russe). Dernier cri : la cabine du *Breitling orbiter,* 1er ballon à avoir fait le tour du monde sans escale, en 1999.

Plusieurs films sur écran géant sont à voir absolument : attention, parfois 1 h de queue. Conseil : s'y précipiter dès l'ouverture du musée, réserver les séances, se balader pour visiter entre deux... et s'installer aux derniers rangs pour éviter migraine et torticolis. Entrée : 7,50 US$ chaque film, 12 US$ les deux ; réductions. Durée : environ 30 mn. *To Fly* : du ballon (hier) jusqu'aux stations spatiales au-delà de Saturne (demain). Drôle, beau, acrobatique et impressionnant par moments. Et, en 3D, le film sur la station spatiale l'*Albert Einstein Space Atrium.* Voyage dans le ciel sur écran hémisphérique, style planétarium amélioré, avec des images prises par le télescope *Hubble* et par

Surveyor (Mars). Nécessité de bien comprendre l'anglais ou de bien connaître l'astronomie. Également des simulateurs de vol, compter 6,50 US$ les 3 mn, mais vous en aurez pour votre argent : vols libres ou programmés (*mild* ou *wild*, ce dernier avec loopings et tonneaux !).

Et puis encore, différentes expositions : passerelle d'un porte-avions et engin aux ailes repliables, « comment ça vole ? » (intéressantes, surprenantes et amusantes petites expériences de physique appliquée), les salles 1914-1918 et 1939-1945 sont quasiment les seules où sont exposés quelques appareils étrangers ! N'en déduisez pas pour autant que les États-Unis ont tout inventé dans le domaine... C'est leur côté patriotique, c'est tout. Leur leadership technique n'a débuté qu'après 1945 (mais le statoréacteur fut français, et les commandes de vol électriques, c'est *Airbus*...). À la boutique, très jolis cerfs-volants.

Enfin, depuis fin 2003, le *Air and Space Museum* a ouvert un gigantesque hall (gratuit) dans l'enceinte de l'aéroport de Washington Dulles. On peut y voir le Concorde, l'avion espion SR 71, et d'autres engins. Malheureusement pas de navette depuis l'aéroport : voiture ou taxi obligatoire.

🦅🦅🦅 ***National Museum of the American Indian*** *(plan II, G5, 162) :* 4ᵗʰ St et Independance Ave. ☎ 633-1000. ● www.nmai.si.edu ● Ⓜ L'Enfant Plaza. Ouvert tous les jours de 10 h à 17 h 30. Entrée gratuite, mais il est normalement nécessaire de se procurer un ticket stipulant l'heure de visite (en fonction de l'affluence). On peut l'obtenir sur place, le jour même à partir de 10 h, mais le nombre est très limité. Le plus sûr est de réserver sur Internet, moyennant une taxe de 1,75 US$.

Les États-Unis auront mis le temps avant de dédier un musée aux premiers occupants du territoire dans la capitale, mais au moins, ils se sont appliqués. Le directeur de ce nouveau musée, ouvert à l'automne 2004, est originaire d'une tribu cheyenne, autant dire qu'il maîtrise son sujet. Le musée est d'ailleurs le fruit d'une étroite collaboration avec des tribus indiennes de tout le continent, tant dans le choix de sa collection que dans la conception du bâtiment qui l'abrite. Le bâtiment justement. Il est situé sur le fameux Mall et s'ajoute à la longue liste des musées prestigieux (et gratuits) de la Smithsonian. Tout a été étudié pour donner à cet imposant édifice curviligne de 5 étages des caractéristiques éminemment amérindiennes. À l'extérieur, on a voulu rendre l'aspect de rochers naturels en employant un revêtement de pierres calcaires brunes rugueuses, propres à l'architecture organique. L'ouverture principale fait face à l'est, et grâce à un savant jeu de prismes, les rayons du soleil décomposés se reflètent sur les murs immaculés en strates multicolores. Bref, on retrouve dans l'agencement du musée de nombreuses références à la cosmogonie des Amérindiens et aux relations qu'ils entretiennent avec la nature. Un 1ᵉʳ bon point.

Ce souci d'authenticité accompagne la volonté de faire partager la culture des Indiens de toute l'Amérique, du nord au sud, comme le montre la projection d'un film d'une quinzaine de minutes au théâtre Lelawi (4ᵉ étage). Ce documentaire poignant rend hommage aux Indiens d'Amérique du Nord comme à ceux d'Amérique du Sud. L'« *affirmative action* » surgit un peu tard... Deuxième bon point, le *NMAI*, comme on l'appelle déjà, n'est pas un musée figé, poussiéreux ; il expose à la fois l'histoire passée des premiers habitants de l'Amérique et leur vie présente.

La collection permanente, qui compte 800 000 pièces, comprend 3 sections principales. Au 4ᵉ étage, *Our Universe* s'intéresse à la cosmogonie indienne qui repose sur l'importance des relations entre l'humanité et le monde naturel. Sous une voûte étoilée, des vidéos relatent des témoignages de diverses communautés indiennes ainsi que leur rapport à la religion.

La section *Our people* (4ᵉ étage, en face du précédent), présente les différentes communautés et l'évolution de leur histoire personnelle. Le département insiste aussi sur la lutte contre les avanies et les tentatives de destruction des Indiens, ainsi que la résistance de ces derniers contre les ubuesques croisades des envahisseurs. Une culture qui a néanmoins survécu en dépit des multiples obstacles.

Our lives, au 3ᵉ étage, montre le quotidien des Indiens aujourd'hui, et certains objets témoignent de leur ingéniosité dans des conditions très rudes.

★★★ *National Gallery of Art (plan II, G5, 135)* : Constitution Ave (et 6ᵗʰ St). ☎ 737-4215. Renseignements pour les tours en français : ☎ 842-6246. ● www.nga.gov ● Ⓜ Archives Memorial. Ouvert du lundi au samedi de 10 h à 17 h, et le dimanche de 11 h à 18 h. Gratuit (audioguides à 6 US$).

Dans un immense bâtiment principal avec une rotonde centrale monumentale et des patios latéraux aux fontaines fleuries, des dizaines de milliers d'œuvres. De la peinture, bien entendu, mais aussi sculpture, galeries d'arts décoratifs et ameublement. Le musée est dans un important processus de rénovation qui semble permanent. Les œuvres sont donc déplacées dans d'autres salles, d'autres ailes, parfois de l'étage au rez-de-chaussée, parfois aussi au gré des grosses expos temporaires. Voilà donc l'ordre dans lequel nous avons trouvé le musée, nulle garantie qu'il n'ait pas changé.

En général, les salles sont dédiées à un ou deux artistes principaux, et quelques autres de la même époque.

West Building : 1ᵉʳ étage, aile ouest (ordre à peu près chronologique)

– *Primitifs religieux :* impossible de tout citer, voici nos coups de cœur : une *Vierge à l'Enfant* (avec un ténébreux Jésus) de Filippo Lippi et une *Madone et Enfant* en marbre de l'atelier de Agostino de Duccio (Vierge gracieuse et beau mouvement des vêtements). Salle de sculpture florentine (Vierges polychromes) : finesse de la *Charité* et de la *Foi* de Mino Da Fiesole. *Ginevra de Benci*, la seule œuvre de Léonard de Vinci en Amérique ; noter le fabuleux travail sur la peau. De Botticelli, des portraits, une belle *Vierge à l'Enfant* (attribuée), et remarquable *Adoration des mages* dont on observe le bel équilibre des personnages dans la composition. Salle Verrocchio : *Alexandre le Grand*, moyen-relief (de son atelier). Superbes œuvres de Luca Della Robbia et de ses frères.

– *La haute Renaissance et Venise :* Portrait d'un Vénitien, « coprod' » de Giorgione et de Titien, magnifique *Adoration des bergers* de Giorgione, *Fuite en Égypte* de Carpaccio, festival de portraits de Giovanni Bellini.

– *Peinture florentine :* Crucifixion du Pérugin (paysages en fond exquis), Raphaël : *Vierge à l'Enfant* mais surtout *Bindo Altoviti* (raffinement du visage et de la chevelure)... Nombreux Titien (étonnant *Rannuccio Farnese*), Tintoret.

– *Goya et l'école espagnole :* célèbre *Marquise de Pontejos*.

– *Peinture allemande, hollandaise et française du XVIᵉ siècle :* salle Dürer et Cranach, *Nymphe (enceinte) de Printemps*, travail sur les voiles, le drapé et les buissons, les oppositions de couleurs. *Portrait d'homme* d'Hans Schäuffelein, *Portrait de Diego de Guevara* de Michael Sittow. Fraîcheur de *La Baigneuse* de Clouet. Salles néerlandaises : symbolisme de *Mort et Avarice* de Jérôme Bosch. Âpres *Joueurs de cartes* de Lucas Van der Leyden. Quasi surréaliste *Calice au serpent* de Memling, *Annonciation* de Jan Van Eyk, un des chefs-d'œuvre du musée. Remarquable ensemble des portraits dans l'une des salles Van Dyck. Splendides lions du *Daniel aux lions* de Rubens. Frans Hals, bien sûr, et nombreux Rembrandt : *Le Philosophe*, *Autoportrait* (de 1659), où l'artiste est moins complaisant que son atelier *(Portrait de Rembrandt)* ! Impressionnant *Bateaux en détresse sur les récifs* de Ludolf Backhuysen. Sublime *Paysage de rivière* de Bruegel l'Ancien (frais, fin, hyper-détaillé jusque dans les reflets des barques et de voiles dans l'eau). Un des chefs-d'œuvre du musée : la *Fille au chapeau rouge* de Vermeer, ainsi que *Femme tenant la balance*.

– *Peinture française du XVIIᵉ siècle :* Le Lorrain, Le Nain, Bourdon, Poussin, Simon Vouet et la sublime *Madeleine repentante* de Georges de La Tour : on reste pantois devant cette admirable distribution de la lumière.
– Enfin, salle consacrée à El Greco.

West Building : 1ᵉʳ étage, autre aile

La disposition de cette aile ne permet pas de la visiter naturellement dans le sens chronologique. Si vous souhaitez le faire, commencez par le XVIIIᵉ siècle français, continuez par la peinture anglaise et américaine jusqu'à la fin du XIXᵉ siècle, puis retournez au centre du musée pour voir le XIXᵉ siècle français (parcours parallèle au précédent), et enchaînez sur le XXᵉ siècle américain. Sinon, dans l'ordre géographique, vous passerez par le XXᵉ siècle américain avant le XIXᵉ siècle français, que vous verrez en remontant le temps, donc dans l'ordre inverse de notre description.
– *XVIIIᵉ siècle français :* Élisabeth Vigée-Lebrun, portrait de *Napoléon* par David, Gros, Ingres, bel ensemble Van Loo et Nattier, Chardin (expressions des *Bulles de savon*), Largillière, Boucher... *Comédiens italiens* de Watteau avec un superbe Pierrot. Salle Fragonard et notamment *La Liseuse*, qui, en 1776, annonce l'impressionnisme, *La Balançoire*, *Le Jeu de colin-maillard...*
– *Peinture anglaise :* charme de salles réparties entre romantisme et impressionnisme. Constable *(Salisbury Cathedral),* Reynolds, Raeburn : jeu de couleurs brun-rouge des *Jumeaux*, fraîcheur de *Miss Eleanor Urquhart*. Gainsborough : *Portrait de Mrs Sheridan*, rendant le mouvement du vent, inscrit dans une ellipse excentrée, dans les arbres et les vêtements. Turner : lumineux *Rotterdam Ferry Boat*, magique *Dogana a Santa Maria Della Salute*.
– *Peinture américaine :* ne pas rater les fantasmes mystiques et flamboyants de Thomas Cole, surtout les extraordinaires paysages du *Voyage de la Vie,* au romantisme exacerbé. Dans *La Vieillesse,* lumière et zones sombres contrastent merveilleusement. Dans *L'Âge adulte,* au lyrisme torride, le torrent symbolise bien sûr l'inconnu et ses dangers. *Watson and the Shark* et un curieux *Eleazer Tyng* (tête disproportionnée) de John Singleton Copley. Puis C. W. Peale, Benjamin West, G. Stuart (dont le pinceau exprimait toujours une grande humanité) et son célèbre *Portrait de Washington*. Un de nos préférés, le *Vieux Violon* de W. M. Harnett dont on admirera la technique picturale (noter le réalisme de l'annonce qui semble se détacher). *Fleurs* de Martin Johnson Heade, sujets originaux de Winslow Homer, faisant ressortir l'aventure, l'espace ; d'autres paysages fantastiques avec F. E. Church et son *Matin sous les tropiques.* Puis J. S. Sargent *(Le Repos,* dont la richesse du drapé souligne la simplicité et l'abandon du visage) et James McNeil Whistler avec le fameux *Wapping on Thames* et *The White Girl,* dont le lys virginal domine une peau d'ours légèrement sanguinolente... il y a du symbole là-dessous ! Enfin, voir le japonisant *Harmonie hivernale* de Twatchman.
– *École anglaise :* Constable, Hogarth, fascinant Turner et son *Keelmen Heaving in Coals by Moonlight,* la *Dogana* et *San Giorgio Maggiore*... On y sent déjà l'évolution du style vers une épuration totale des lignes, une dilution des contours tendant lentement vers l'abstraction. Inhabituel paysage de montagne de Gainsborough (et aussi sa délicieuse *Mrs Richard Brinsley Sheridan*) et encore Reynolds, Romney...
– *Peinture française :* impressionnistes, romantiques, etc. Impressionnantes *Quatre Danseuses* de Degas, ainsi que des portraits de styles très divers, exceptionnelle salle Toulouse-Lautrec, tant pour les sujets que pour les couleurs (*Marcelle Lender dansant le boléro,* quelle force, quel mouvement !). Puis Pissarro (superbe et lumineux *Phare à Honfleur*), émouvantes *Danseuses* de Renoir, intrigante *Voie ferrée* de Manet et 14 Monet (dont 2 des

Cathédrales de Rouen, ainsi que le *Palazzo de Mula à Venise*). Salle Van Gogh et Gauguin, salle un peu hétéroclite autour de Mary Cassatt *(La Loge, La Promenade en barque)* et de Renoir, sur le sujet « filles et femmes » ; lumineuse salle Cézanne, dont l'*Arlequin et le gilet rouge* semble introduire, en 1890, Picasso et le cubisme. La transition est faite avec le XXᵉ siècle. En outre, au fil des salles, Vuillard, Berthe Morisot, Seurat, Van Gogh, et peinture française de la 1ʳᵉ moitié du XIXᵉ siècle (Géricault, Delacroix, L. L. Boilly et Corot avec la *Fille italienne* et *L'Atelier de l'artiste*).

– *Peinture américaine du début du XXᵉ siècle :* Blue Morning de George Bellows, mais surtout son terrible *Combat de boxe,* où les visages des spectateurs oscillent entre Goya et Bacon. Son *New York* est fort bien rendu aussi. Intéressants *The Lone Tenement* et *The City from Greenwich Village* de John Sloan.

West Building, rez-de-chaussée

– Les *Sculpture Galleries* comprennent 10 zones distinctes : fin XIXᵉ siècle et cire perdue, Auguste Rodin, Degas et les peintres-sculpteurs contemporains, début de la forme moderne, XVIIIᵉ et XIXᵉ siècles, sculpture et ameublement du XIXᵉ siècle, porcelaines chinoises, fin de la Renaissance et baroque, Renaissance, Renaissance et Moyen Âge. Au passage, les *Petits Députés en bronze* de Daumier, la *Danseuse* de Degas, les sculptures de Rodin et tant d'autres choses...

East Building

Le nouveau bâtiment très sobre de la National Gallery a été édifié par Pei, et est en soi une œuvre d'art. Superbe lumière, volumes fascinants offrant une multitude de visions changeantes au fil de la visite. Belle vue depuis la mezzanine sur le bâtiment ouest et les pyramides obliques. Cet « anticentre Pompidou » accueille les œuvres contemporaines que le bâtiment principal gardait dans ses caves, faute de place. Au sous-sol, art contemporain : Chuck Close *(Fanny/finger)*, Rothko, semi-figuratif et non figuratif, sculptures totémisantes de Louise Bourgeois, Pollock, inhabituel Warhol *(A boy for meg)*, Lichtenstein *(Cubic still life,* qui évoque Braque), Richard Diebenkorn, Sigmar Polke *(L'espoir c'est : attendre pour tirer les nuages)*... Splendide (les mots nous manquent...) salle Calder où les mobiles (de tous types) projettent leurs ombres sur les murs blancs (aussi belles et parfois plus que l'œuvre elle-même), maquettes de stabiles et « animobiles ». Dans le hall du rez-de-chaussée, statue *Le Capricorne* de Max Ernst, tapisserie de Miró, et un grand mobile de Calder à l'impressionnant balayage aérien. En haut, salles d'expos temporaires où sont parfois exposées des œuvres de l'aile ouest, et salles du début du XXᵉ siècle. Quelques Picasso figuratifs périodes bleue, avec *La Tragédie,* et rose, mais aussi hors périodes comme le *Portrait de Pedro Manach* (1901). Rousseau, Matisse, Soutine, Modigliani, dont un portrait masculin. Pièces rares et muséographie impeccable : l'East Building, notre choc artistique de ces dernières années !

|●| Dans le musée, 3 *cafétérias* proposent des repas, mais c'est si cher qu'on se demande si c'est pas un truc pour contrebalancer la gratuité du musée. Préférer le sympathique et lumineux *Pavillon Café* du *Sculpture Garden,* juste à l'ouest de la Art Gallery, au niveau de 7ᵗʰ St.

🏛 ♟ **National Museum of American History** (plan II, F5, *136*) : Constitution Ave (et 14ᵗʰ St). ☎ 357-1481. ● http://americanhistory.si.edu/ ● Ⓜ Federal Triangle. Ouvert tous les jours de 10 h à 17 h 30. Visites guidées à 10 h 30, 12 h et 14 h 30 (vérifier). Gratuit.

Une vraie merveille (surtout le rez-de-chaussée) : tout sur l'héritage technologique et scientifique de l'Amérique. Tout n'est pas vraiment classé, c'est le moins que l'on puisse dire et, dans ce gigantesque et sympathique capharnaüm, la Déclaration d'indépendance côtoie des chevaux de bois (magnifiques au demeurant), les coffres d'immigrants, des machines d'usines et des cases d'esclave, les raquettes de ping-pong à l'effigie de Mao et Nixon (match célèbre), des planches de surf, un hula-hoop et un satellite... Au rez-de-chaussée, véhicules de toutes sortes, de la diligence de 1848 à la Cadillac de 1903, jusqu'à la gigantesque locomotive « 1401 Charlotte » de la *Southern Railways*. Intéressantes machines agricoles mécaniques, dont une moissonneuse de 1880 tractée par 20 chevaux, une lieuse automatique de 1885, les premiers tracteurs à moteur, la Ford T bien sûr, une splendide Glasspar de 1953 (1re voiture en fibre de verre), une Pontiac décapotable de 1967 (8 m de long environ...), un superbe dragster de 1986 (mais comment peut-on tenir dans le poste de pilotage ?) aux pneus hyper-lisses, un véhicule à panneaux solaires (GM, 1987), un « dream vehicle », capitonné jusqu'à l'intérieur du moteur (et ça ne flambe pas ?) et des locomotives (à vapeur).

À l'étage, des meubles, de l'argenterie, des jouets témoignent de la vie quotidienne pendant l'époque coloniale. Des pièces entières sont reconstituées dans leur aménagement originel : une maison de rondins du Delaware, la bibliothèque d'une maison bourgeoise, une imprimerie et une poste du XIXe siècle. On trouve aussi des vêtements des *First Ladies* de la Maison Blanche (merveilleux style 1920 de la robe de Grace Coolidge) et ceux des présidents : uniforme de Washington, pyjama de Harding, pantalon d'Indien porté par Theodore Roosevelt en 1885 dans son ranch du Dakota ; ainsi que la chemise « floridienne » de Harry Truman, près de la combinaison spatiale de Sheppard (1961) et non loin du saxo de Clinton ! Des timbres rares, des pièces de monnaie et même un billet de banque de 100 000 US$! Instruments de musique et guitares électriques (ah ! la « Dragon 2000 »). Ne pas rater les canons tractés par des chevaux et l'une des premières canonnières américaines, « Philadelphia », construite en deux mois en 1776. Intéressante variété de mitrailleuses, poste de commandement de sous-marin et de pilotage d'un réacteur nucléaire, non loin du... bikini (invention fondamentale !), atelier d'usine automatisée avec robot, collection d'ordinateurs depuis la 1re machine à calculer (quel engin !) jusqu'au micro, en passant par les ordinateurs à lampes. Éviter la cafétéria, pas terrible.

🏃🏃 *Hirshhorn Smithsonian Museum and Sculpture Garden* (plan II, G5, 137) : 7th St (et Independence Ave). ☎ 357-3235. ● http://hirshhorn.si.edu/ ● Ⓜ L'Enfant Plaza. Ouvert de 10 h à 17 h 30 (de 7 h 30 à la tombée de la nuit pour le *Sculpture Garden*). Gratuit.

Beau bâtiment original et peu fréquenté. Outre d'intéressantes expositions d'art contemporain, cette galerie circulaire donnant sur un beau jet d'eau abrite une remarquable collection de bronzes et de tableaux. Les sculptures sont parfois l'œuvre d'artistes plus connus pour leurs peintures, et sont donc rares.

– Au 1er étage, *Serpentine* de Matisse, *Ratapoil* (génial !) et *Buste de Dumas* par Daumier, danseuses et autres personnages de Degas. Bronzes remarquables d'artistes peu connus : *Cavalier dans la tempête,* de Meissonnier, *Les Quatre Cavaliers de l'Apocalypse,* par Domenico Mastroianni, *Eakins assis avec sa palette,* par Samuel Murray... Et encore *La Tête de fou* de Picasso, le buste de Gounod par Carpeaux et, bien sûr, Rodin *(Femme accroupie),* Maillol, Bourdelle, Giacometti.

– Le 2e étage est de la même veine : peintures depuis la fin du XIXe siècle : Eakins, Hassam *(Union Jack à New York),* surprenant *Steeple Chase Park* de Marsh (femmes dans une fête foraine), et d'autres agréables surprises : *Caprice musical* (trapézistes volants) de Daniel Vladimir Baranoff-Rossiné, très originales (donc rares) compositions de Calder *(Le Poisson, Du*

WASHINGTON

passé...), tableaux de l'école de Mondrian, sculpture de Roger de La Fresnaye *(La Femme italienne)*, *Torse de jeune homme* par Brancusi, remarquable Dalí peu connu *(Skull of Zurbaran)*, peintures de Giacometti. Et puis, du « classique » : Lichtenstein, Rauschenberg, Warhol, Pollock, Rothko, Bacon, Dubuffet, Claes Oldenburgh, Henri Moore. Ah ! Ne ratez pas Wayne Thiébaud *(Femme à la plage avec un cornet de glace)*. Enfin, vers le nord, la rotonde livre une vue magnifique du Mall, sur la plus grande concentration de musées et de pouvoir du monde.

– Et n'oubliez pas *le sous-sol* (art contemporain) !

🍴 *Arts and Industries Building (plan II, G5, 138) :* à droite de la Smithsonian (et à côté du précédent). ☎ 357-1500. ● www.si.edu/ai/ ● Ⓜ L'Enfant Plaza. Gratuit.
Construit entre 1879 et 1881, l'intérieur vaut le coup d'œil. Conçu pour projeter le visiteur en 1876, dans l'Expo universelle de Philadelphie, il abrite maintenant jusqu'à 4 expositions simultanément. Fermé pour rénovation lors de notre passage fin 2004.

🍴 *Freer Gallery of Arts (plan II, F-G5, 139) :* Jefferson Dr (angle 12th St) située à gauche du Castle et de son agréable petit jardin victorien. ☎ 357-2104. ● www.asia.si.edu ● Ⓜ L'Enfant Plaza ou Smithsonian. Ouvert de 10 h à 17 h 30. Gratuit.
De concert avec la **Sackler Gallery** (juste à côté), ce musée est consacré aux arts orientaux : Chine, Japon, Corée, Inde... Expositions très pointues. Les spécialistes adoreront. Voir la célèbre *Peacock Room* de l'artiste américain James McNeill Whistler ; on trouve ici la plus grande collection de ses œuvres.

🍴🚶 *National Museum of Natural History (plan II, G5, 140) :* 10th St (et Constitution Ave NW ; à la Smithsonian Institution). ☎ 357-2747. ● www.mnh.si.edu/ ● Ⓜ Archives Navy Memorial. Ouvert de 10 h à 17 h 30. Gratuit.
Aussi populaire que le Air and Space Museum depuis l'ouverture d'un cinéma IMAX. Tout sur l'anthropologie, la géologie et l'archéologie. Possède plus de 60 millions de pièces. Ne craignez rien, elles ne sont pas toutes exposées. Jetez un œil à la *galerie des Pierres précieuses* (à droite en entrant, au 2e étage). Certains « cailloux » sont impressionnants, comme les diamants de 14 et 20 carats des boucles d'oreille de Marie-Antoinette. Par ailleurs, une petite promenade d'environ 1 h 30 peut se révéler instructive, notamment pour les enfants. Dans la section Amérique du Sud : reconstitutions (à l'effet toutefois limité) d'une chasse à l'autruche par les Indiens, de la forêt tropicale et du Machu Picchu ; barques du lac Titicaca et des îles Guano... Côté Orient : des peintures rupestres aux villes d'Égypte (momies), la Perse et Rome ; belle mosaïque de Carthage. Sinon, en vrac : des os, des reptiles et des insectes, des squelettes d'animaux (ceux des serpents sont particulièrement rigolos) des espèces typiquement américaines empaillées.

🍴🍴 *National Museum of African Art (plan II, G5, 141) :* 950 Independence Ave SW (à la Smithsonian Institution). ☎ 357-2700. ● www.nmafa.si.edu/ ● Ⓜ L'Enfant Plaza ou Smithsonian. Ouvert de 10 h à 17 h 30. Gratuit.
Dans un superbe pavillon de grès rose, en bordure du beau et agréable jardin du Smithsonian, voici un petit musée qui n'a pas son équivalent en Europe, malgré les efforts de la fondation Dapper, à Paris. Outre les pièces exposées, de tout 1er ordre, de très belles photos montrent l'emploi des objets, souvent des objets de culte. Saisissants tambours *Baga* (Guinée), masque *Yaha* (Congo), figure féminine *Ibido* (Nigeria), puis salle des objets personnels : esthétiques repose-tête (que l'on pourrait croire japonais !) du Mozambique, de Somalie et du Kenya. Collection de pipes, d'Afrique du Sud et d'Ouganda, dont une anthropomorphe. Sièges en bois et métal du Ghana,

de Zambie, du Soudan... Curieuses figurines en ivoire du *Kerma* (Nubie), fascinantes têtes d'*Oba* en cuivre, panneaux avec personnages à sacs en léopard du XVIᵉ siècle (salle du Bénin). Salle « *Image of power and identity* » : statuettes d'une grande originalité esthétique (Mali), couronne du Nigeria, étrange serrure du Burkina Faso, statues et tambours *Baga* (Guinée), masques *Bassa* (Côte-d'Ivoire) ; magnifique porte de palais *Yoruba,* sculptée en haut-relief, et autres pièces exceptionnelles (statue de devin, bol soutenu par une ronde de personnages...). Fascinante statue *Bamum* et superbe tête mi-crocodile, mi-gazelle (Cameroun). Harpe *Zande,* hiératiques masques de 6 peuples différents, fétiches *Songyes* du Zaïre. Figures de gardiens de trésors (lieu de stockage des objets cultuels des chefferies) des peuples *Kota* (Gabon). Trône *Hébé* (Tanzanie). Admirable collection de petites statuettes en bois (Congo), mais aussi croix processionnelle éthiopienne du XIVᵉ siècle. Expos temporaires avec attractions interactives, livrets-jeux pour les enfants. Dans la rotonde, entre le 1ᵉʳ et le 2ᵉ sous-sol, ne pas manquer le masque-serpent du Burkina Faso, de 3 à 4 m de haut, porté par un danseur (photos).

🎎 *National Portrait Gallery (plan II, G4, 142) :* 8ᵗʰ et F St. ☎ 357-2700. ● www.npg.si.edu/ ● Ⓜ Gallery Place (sortie 9ᵗʰ St et G St). *Attention :* le musée est fermé pour travaux de rénovation jusqu'en 2006.
Installé dans l'*Old Patent Office Building,* l'un des plus anciens bâtiments publics de Washington, édifié suivant les plans de L'Enfant. Il y voyait déjà une sorte de panthéon des personnages illustres. Construit en 1836, pendant le mandat d'Andrew Jackson, en style Greek Revival. Pendant la guerre civile, il fut transformé en hôpital. Imaginé dès la moitié du XIXᵉ siècle, ce musée des portraits ne fut pourtant créé qu'en 1968. Il partage le loyer avec le *National Museum of American Art* (entrée sur G St) dont les collections s'imbriquent parfois avec celles de la *Portrait Gallery,* au hasard des escaliers et des couloirs. En voici les principales sections.
– *Rez-de-chaussée :* expositions temporaires (souvent photographiques) et cafétéria.
– *1ᵉʳ étage :* portraits des écrivains et banquiers célèbres : Henry James, John Pierpont Morgan, Rockefeller, Andrew Carnegie, Henry Clay Frick, Edison, Cornelius Vanderbilt ; le célèbre *Mary Cassatt* par Degas ; magnifique portrait de *Walt Whitman* par John White Alexander ; *Les Hommes de Progrès* de Christian Schussele. Plus tous ceux qui ont laissé leur nom dans l'histoire : Samuel Colt (le fameux pistolet), Charles Goodyear (le pneu), Samuel Morse (le... morse)... Avec Peter Cooper (les locos), ils furent réunis en peinture pour cette étonnante photo de groupe. Beaux portraits de Nathaniel Hawthorne par Emanuel Leutze (ainsi qu'Henry W. Longfellow). Puis portraits d'artistes, les héros de la révolution américaine. *Autoportrait* de John Singleton Copley et *L'Amérique coloniale.*
– *Salle Auguste Edouart* et ses silhouettes d'Américains célèbres.
– *Salle Washington :* portraits par Rembrandt Peale. Beaux pastels de James Sharples. Puis les hommes politiques modernes : *Reagan* par Henry C. Casselli, remarquable *Nixon* par Norman Rockwell (il arriverait presque à le rendre sympathique). En revanche, Carter semble compter pour du beurre (de cacahuète), tout petit portrait ! Clinton, pour le moment, en buste seulement. Original F. D. Roosevelt (intéressant travail sur les mains). Puis *Lincoln* par George P. Alexander Healy. Enfin, *Thomas Jefferson* par Gilbert Stuart, l'un des plus grands peintres américains (qui mourut dans la misère !).
– *Portraits contemporains :* Edward Weston par Peter Krasnov (1925), autoportraits de Thomas Hart Benton (1922) et de Stanton McDonald-Wright (1951), qui renouvelle le genre. Superbe portrait d'Andy Warhol par James B. Wyeth (1975). Un *Man Ray* bien dans le ton par David Hockney. *Dashiel Hammett* par Edward Biberman (1937).

🎎🎎 *Smithsonian American Art Museum (plan II, G4, 142) :* 8ᵗʰ et G St. ☎ 357-2700. Ⓜ Gallery Place.

Attention : le musée est fermé pour travaux de rénovation jusqu'à mi-2006. En attendant sa réouverture, quelques œuvres sont exposées à la Renwick Gallery (lire ci-dessous).

Remarquables collections de peinture, la quintessence de l'art américain dans ce domaine. Accès par la National Portrait Gallery également (si ce n'est pas déjà l'overdose, vu la richesse des deux musées).

– *Portraits de l'ère coloniale :* Le Rapt d'Hélène par Pâris de Benjamin West (1776).

– *Premières années de l'indépendance :* Hermia and Helena de Washington Allston, le 1er peintre romantique ; *John Adams* du grand portraitiste Gilbert Stuart ; et William Page, l'académique...

Belle collection de délicates miniatures, œuvres de Joshua Johnson, 1er peintre américain d'importance (fin du XVIIIe siècle). *Scène de prison* émouvante de John Adams Elder (1854). Noter le comportement détaché du gardien, le seul qui n'ait pas de lumière.

De Walter Launt Palmer, remarquable *Forest Interior* (1878), où il exprime bien l'atmosphère lourde, compassée du vieux Sud.

Les « indigènes » se devaient également de nourrir la recherche d'exotisme des peintres : le crépusculaire *Firedon* de Frederic Remington ; les beaux portraits d'Eldridge Ayer Burbank ; *Young Omahaw* de Charles Bird King ; *Trial of red Jacket* de John Mix Stanley (1869). Composition assez classique, mais quelle palette de couleurs ! Galerie avec Catlin, peintre des Indiens (1796-1872).

– *Les peintres du peuple et les paysagistes :* Winslow Homer, peintre de la campagne et des gens simples, témoin d'une grande partie du XIXe siècle. *We both must fade* de Lily Martin Spencer. On craque devant sa belle robe bleue, superbe travail sur les tissus, les dentelles, les nuances... On a aimé aussi l'intimité de la famille exprimée par Thomas Le Clear. Quelques tableaux orientalistes au passage. Noter l'élégance et la *touch* personnelle à la Renoir de Harry Siddons Mowbray dans *Idle Hours*. *Marché à Tanger* de Tiffany, le célèbre verrier, peintre aussi à ses heures. Paysages splendides de F. E. Church ; mais le plus étonnant reste Albert Bierstadt et sa nature idéalisée à l'extrême ou l'exaltation de son état originel poussé au maximum. Dans *Among the Sierra Nevada Mountains,* remarquez cette lumière fantastique sur la montagne. Ravissants vitraux de John Lafarge aux couleurs merveilleuses. Portraits hiératiques de John Singer Sargent. Et puis encore, un remarquable *Valparaiso Harbor* de James McNeill Whistler. Au passage, le style curieux d'Albert Pinkham Ryder, puis Frederic Carl Frieseke qui lorgne du côté de Renoir assurément ; et, pour finir, le très beau rendu (à la Monet) de *Round Hill Road* de J. H. Twachtman.

– *Les contemporains :* Ryder's House d'Edward Hopper ; Peter Blume ; Reginald Marsh ; puis section « *Work and Progress* », les peintres de la ville et de la vie industrielle. Œuvres exprimant le social et le travail dans le style Fernand Léger ou proche du réalisme socialiste. Pittoresques personnages de William H. Johnson, *Godly Susan* de Robert Medearis, *Homecoming* de Norman Rockwell, *The Farmer Kitchen* de Ivan Albright. Puis, section « *Models in modernism* » : Georgia O'Keeffe (Cityscape with Roses), Gertrude Greene, Frank Stella, Motherwell...

🎨 **Renwick Gallery** *(plan II, F4, 143)* : Pennsylvania Ave (et 17th St). ☎ 357-2700. Ⓜ Farragut West. Ouvert de 10 h à 17 h 30. Entrée gratuite. Elle dépend du Smithsonian American Art Museum mais reste ouverte pendant les travaux de rénovation de ce dernier.

Construit pendant la guerre civile, ce fut le 1er musée d'art de la ville. Belle construction de style Second Empire français qui abrita, de 1874 à 1897, les collections de la Corcoran Gallery, puis jusqu'en 1964, l'*US Court of Claim*. Son *Grand Salon* au 1er étage, avec son ameublement victorien, est considéré comme l'un des plus luxueux de la ville. En revanche, ses murs présentent un des plus beaux festivals du style pompier et de tableaux kitsch qu'on connaisse ! Les autres salles proposent, quant à elles, les dernières créations en matière d'*American craft*, à savoir des œuvres particulièrement originales dans le domaine des arts décoratifs, pour lesquelles tous les matériaux possibles et imaginables sont utilisés. Les plus belles pièces du fond sont présentées en roulement. Cependant, une dizaine d'entre elles sont là de façon quasi permanente, comme le stupéfiant *Game Fish* de Larry Fuente, fait de perles et peignes de couleur, soldats en plastique, dominos, pinceaux, etc. Dans le même genre, la *Ghost Clock* de Wendell Castle, *Four Seasons* de Harvey Littleton, *Gate* d'Albert Paley, *Reflections* de Cynthia Schira, *Feast Bracelet* de Richard Mawdsley, et tant d'autres artistes inclassables et au style si personnel !

🎥 *Corcoran Gallery of Art* (plan II, F4-5, *144*) : 500 17ᵗʰ St (et New York Ave NW). ☎ 639-1700. Infos par téléphone : ☎ 638-1439. ● www.corcoran.org ● Ⓜ Farragut West. Ouvert du mercredi au lundi de 10 h à 17 h (21 h le jeudi). Fermé les mardi et jours fériés. Entrée : 7 US$; réductions. Donation libre le lundi et, après 17 h uniquement, le jeudi.
La plus importante et la plus ancienne des galeries privées de Washington. Collections léguées par William W. Corcoran, banquier de son état et fondateur de la galerie en 1869. Installé dans un splendide édifice de style Beaux-Arts de la fin du XIXᵉ siècle qu'admirait beaucoup F. L. Wright. Impossible de citer toutes les richesses de ce musée qui, de plus, vient de s'agrandir et présente des expos temporaires qui envahissent l'espace ! Voici donc ce que vous devriez voir :
– *Au rez-de-chaussée* (s'il n'y a pas d'exposition temporaire) : beau vitrail de la cathédrale de Soissons (XIIIᵉ siècle). Superbe porcelaine d'Urbino (XVIᵉ siècle), *Vierge à l'Enfant* de l'atelier du Pérugin, nombreux peintres flamands et hollandais, Corot, Constable, *42 Kids* de G. W. Bellows ; puis Robert Henri, de remarquables John Sloan, *Ground Swell* d'Edward Hopper, etc. Les plus beaux Gainsborough qu'on connaisse sont exposés ici, parmi lesquels *Lady Dunstanville*. Élisabeth Vigée-Lebrun avec sa *Madame du Barry* annonce Renoir dans la manière. Au passage, un magnifique *Cabinet italien,* chef-d'œuvre d'ébène incrusté d'ivoire et os gravé. Vient ensuite une de nos idoles, Thomas Cole, le lyrique fou, celui qui nous fait rêver fastueusement. Admirer *The Departure,* un modèle de luminosité, de profondeur, de paysage fantasmé, idéalisé à l'extrême, ainsi que *Le Retour,* aux teintes d'incendie dans le soir... Et encore, J. S. Copley, Gilbert Stuart et un Renoir, *Vue sur Monte-Carlo de cap Moulin.*
– *Rotonde du 1ᵉʳ étage* : expo d'arts graphiques.
– *Dans le grand escalier* : statues, dont une *Nana* de Niki de Saint-Phalle.
– *Dans le petit escalier qui mène au 1ᵉʳ étage* : tableaux français et américains du XIXᵉ siècle.
– *1ᵉʳ étage* : *Washington à Yorktown* de Rembrandt Peale, la *Visite pastorale* de Richard Noris Brooke, qui nous plonge dans la dure condition des Noirs. Grande salle pour accueillir F. E. Church dont la noie son public dans ses chutes, puis *The Last of the Buffalos* d'Albert Bierstadt, le peintre de l'Ouest, aux brumes vaporeuses nimbées de lumière, un disciple de Thomas Cole. Un généreux *Washington* de Stuart, une fine scène de genre de William Sydney Mount, puis West, Blackburn, Heale...
– *2ᵉ étage* : entièrement contemporain, avec un fond permanent et des expos (très intéressantes, allant jusqu'à nos jours). Vous y verrez des Warhol *(Elvis),* des Jasper Johns et Cy Twombly (amis de Rauschenberg), des Lichtenstein (belle salle, dont *Non Objective,* un Mondrian malicieusement revu), des combinés photos plus toiles de John Baldessari (très original), etc.
– Enfin, le Corcoran s'enorgueillit de posséder le *Salon doré,* provenant de l'hôtel de Clermont (début du XVIIIᵉ siècle) à Paris. Il avait été acheté en 1904 par le sénateur William A. Clark, un industriel francophile, pour meubler sa résidence à New York.

Le Corcoran, dont la muséographie est plus avant-gardiste que celle de la National Art Gallery, symbolise vraiment la confrontation harmonieuse et complémentaire de l'art moderne avec les XVIIIe et XIXe siècles !

🎭🎭 *National Museum of Women in the Arts* (plan II, F4, *145*) : 1250 New York Ave NW (et 13th St). ☎ 1-800-222-7270. • www.nmwa.org • Ⓜ Metro Center. Ouvert de 10 h (12 h le dimanche) à 17 h. Entrée : 8 US$; réductions.

Il faut d'abord parler du bâtiment. C'est une élégante construction de 1907 de style Renaissance Revival. Ancien siège de la Grande Loge franc-maçonne de Washington, rénové et transformé en musée d'art en 1987. Cadre remarquable, à la hauteur des intentions du musée. Admirer le hall principal tout en marbre avec sa double volée d'escaliers à balustres et sa mezzanine. Sol à figures géométriques polychromes. Chaque marche de l'escalier porte une plaque le nom d'une femme des familles donatrices... il y a des familles complètes !

Essentiellement des œuvres de femmes artistes (originaires d'une trentaine de pays) qui n'auraient pas, vu la misogynie des milieux de la peinture aux États-Unis, trouvé de place dans les musées traditionnels (ou si peu). En effet, on ne trouve quasiment pas d'œuvres de Lilla Cabot Perry (une impressionniste, grande amie de Monet et auteur du remarquable portrait *Femme au bol de violettes*, exposé ici) dans les musées importants. Idem pour Helen Mary Hale (*June*, portrait insistant sur la netteté de l'action en cours alors que le reste est, volontairement, légèrement flou). Et que tant que le talent des femmes sera minoré, il faudra des National Museum of Women in the Arts pour rétablir un semblant d'équilibre et de justice. En bas, salle d'expositions contemporaines, puis galerie avec mezzanine allant du XVIIe siècle aux impressionnistes. Les œuvres tournent souvent, mais vous retrouverez régulièrement les artistes qui suivent : Élisabeth Vigée-Lebrun, Blanche Rothschild (*La Robe de mariée*), Suzanne Valadon (*Fille sur un petit mur*), Philomène Bennett (*Rivière rouge vers le paradis*), Connie Fox (*Wind and Wing in the Parapet*), Rosa Bonheur (grand peintre animalier). Belle salle Élisabeth H. Kasser Wing : portraits de femmes (dont celui de la donatrice, aussi belle que riche), peints au fil des siècles, jusqu'en 1965, par des femmes (dont Sofonisha Anguissola, 1532-1625, et Elisabetta Sireni, 1638-1665, deux peintres italiennes intéressantes, invisibles même en Italie).

– *Dans les étages :* mélange d'expositions temporaires et de collections permanentes. Sylvia Snowdon (*Lenita*) ; Martha Jackson-Jarvis (*Hands of Yemaya*, extraordinaire composition murale) ; Marcia Gygli King (*Storn series II*) ; Frida Khalo ; Emily Carr ; Dorothea Tanning (superbe *Jeux d'enfants*) ; Eve Drewe Lowe ; Romaine Goddard Brooks ; Isabel Bishop (remarquables gravures) ; Georgia O'Keeffe (une des plus présentes dans les musées américains, avec Mary Cassatt) ; Lilla Cabot Perry ; Mary Jane Peale (*Portrait of Mrs Rubens Peale*) ; Jean Maclane (*The Visitor*) ; Joan Personette ; Sonia Delaunay ; Elizabeth Sinani. Présentation de planches animalières richement détaillées et colorées (façon Audubon) de Maria Sibylla Merian (1647-1717). Salle japonaise avec un très beau paravent. Grand centre de recherche (sur rendez-vous) et bibliothèque sur l'art des femmes.

🍴 Possibilité de se restaurer au *Palette Café,* sur la mezzanine, avec belle vue sur le hall principal (☎ 628-1068). Ouvert la semaine de 11 h 30 à 14 h 30. Bonne cuisine : *daily spe-cials,* salades, sandwichs, *carrot* ou *chocolate mousse cakes,* etc. Entrée gratuite pour ce café... qui permet d'admirer presque le tiers de la collection !

🎭🎭 🚶 *International Spy Museum* (plan II, G4, *158*) : 800 F St NW. ☎ 393-7798 ou 1-866-SPYMUSEUM. • www.spymuseum.org • (très beau site qui montre bien l'esprit du lieu). Ⓜ Gallery Place, Chinatown (sortie 9th St/ Museums). Ouvert de 10 h à 20 h d'avril à octobre (18 h de novembre à mars). Entrée : 13 US$; réductions. On vous recommande vivement une visite en milieu de semaine après 14 h, alors que le musée est plus tranquille; sinon, le troupeau de visiteurs gâche le plaisir.

Un musée sur l'espionnage ! Ouvert depuis 2002 et situé dans de très beaux bâtiments datant de la fin du XIXe siècle, c'est le premier du genre au monde. Son objectif est de faire découvrir au grand public l'espionnage depuis les temps bibliques jusqu'à nos jours, ainsi que le rôle et l'impact des espions dans l'histoire, de manière pédagogique, ludique et interactive. Dès l'entrée, le ton est donné : l'espion, c'est vous. Après avoir choisi une identité factice et avoir mémorisé ses caractéristiques (âge, sexe, durée et objectif de la mission...), vous devrez présenter vos faux papiers au douanier et suivre le parcours fléché destiné à mesurer vos capacités d'espion en herbe. Au milieu d'une amusante exposition de quelque 600 gadgets (parmi lesquels le minipistolet dissimulé dans un bâton de rouge à lèvres utilisé par la police secrète de Staline dans les années 1960, une réplique de l'Aston Martin de James Bond 007, un parapluie bulgare avec ses flèches empoisonnées, des boutons de manteau dissimulant une caméra...), il vous faudra apprendre à repérer les dangers, identifier vos ennemis, savoir lire une carte satellite, et même ramper dans un conduit d'aération pour espionner une conversation secrète dans le bureau de Fidel Castro... Des vidéos et diverses reconstitutions, comme l'affaire Dreyfus, la guerre froide, complètent ce vaste projet; compter au moins 2 h de visite, beaucoup plus si le sujet vous passionne. Ne manquez pas la dernière attraction : un logiciel qui enregistre votre adresse et vous présente immédiatement votre quartier vu du ciel grâce à des photos-satellite d'une incroyable précision ! Ce qui, finalement, étonne et impressionne le plus de ce musée privé (conçu pour faire des profits), c'est le sérieux des expositions et la quantité extraordinaire de choses qu'on y apprend sur l'histoire, la politique, la technologie et la psychologie.

🏛 *City Museum of Washington D.C. (plan II, G4, 161) :* 801 K St NW (entre 7th et 9th St), près du Chinatown. ☎ 785-2068. • www.citymuseumdc.org • Ⓜ Mount Vernon Square ou Convention Center (lignes jaune et verte). En face du nouveau *Convention Center.* Ouvert de 10 h à 17 h (21 h le jeudi), fermé le dimanche. Entrée : 5 US$; réductions (cher, entre nous). Antenne du *DC Visitor Bureau* ouvert sur place de 10 h à 17 h du mardi au dimanche.

La *Historical Society of Washington* s'est relocalisée ici (sa bibliothèque aussi), dans le bel édifice de la Carnegie Library. Son but : présenter au monde entier une autre vision de Washington : celle d'une ville habitée, et pas seulement une capitale et des musées. Pourtant, l'exposition nous ramène constamment dans l'histoire de la ville qui est intimement liée à sa vocation de capitale. On a beaucoup aimé les plans du Washington naissant et les précisions sur la vie de Duke Ellington dans la présentation multimédia de 28 mn. Soyons indulgent, le musée a ouvert récemment. Ses expositions vont être étoffées progressivement. En tout cas, souhaitons-le...

🏛 *Federal Bureau of Investigation (FBI; plan II, G5, 146) :* E St (entre 9th et 10th St NW). ☎ 324-2080. Ⓜ Metro Center ou Gallery Place. Fermé pour rénovation (tant mieux, l'ancienne expo faisait vieillot) jusqu'à courant 2005. Renseignez-vous sur leur site web : • www.fbi.gov •

🏛 *Washington Post (plan II, F4, 147) :* 1150 15th St NW. ☎ 334-6000. Ⓜ McPherson Square ou Farragut North.

C'est bien là que l'on fabrique le journal le plus célèbre du monde depuis l'affaire du Watergate qui entraîna la chute de Nixon. Le symbole du journalisme d'investigation et de l'indépendance par rapport à tous les pouvoirs. Visites guidées gratuites de 10 h à 15 h le lundi. Il faut faxer une demande écrite au ☎ 334-4963 pour obtenir une réservation (jusqu'à 4 semaines à l'avance). Pour plus d'infos : ☎ 334-7969. On visite les presses et les bureaux. Explication des différentes rubriques et de ce qu'est une mise en pages. Vous avez droit à tout l'historique, depuis 1877 où le journal faisait 4 pages et coûtait 3 cents. Maintenant, il peut atteindre 200 pages le dimanche, il est écrit par 275 reporters et est doté de 22 bureaux à l'étranger. Minimusée permanent et toujours ouvert à la réception.

🍴🍴🍴 *Phillips Collection* *(plan I, A-B3, 120)* **:** 1600 21st St (et Q St). ☎ 387-2151 ou 0961. • www.phillipscollection.org • Ⓜ Dupont Circle. Ouvert de 10 h (12 h le dimanche) à 17 h (20 h 30 le jeudi). Fermé le lundi. Gratuit la semaine, sinon 8 US$; réductions.

Cette collection privée est exceptionnelle par la qualité de ses œuvres, son cadre et sa muséographie. Elle comblera notamment les amoureux des maîtres français des XIXe et XXe siècles. C'est le plus ancien musée d'Amérique pour l'art moderne. À l'origine, Duncan Phillips, un riche héritier fou d'art et de peinture, amoureux de la couleur, qui commença d'acquérir avec un goût très sûr de nombreuses toiles. D'abord d'impressionnistes, puis de peintres de son époque. En 1921, il ouvrit au public quelques pièces de sa propre maison, une belle demeure victorienne de 1897. Dans cette 1re présentation, Duncan Phillips proposait rien moins que des Chardin, Monet, Sisley, mais aussi des Américains de son époque : Twachtman, Whistler, Ryder... démontrant là un flair étonnant. Aujourd'hui, la collection compte plus de 2 000 tableaux.

Près de l'entrée, peintres américains contemporains, avec une salle consacrée à Rothko. Aux 2 étages, les salles sont organisées autour de correspondances ou d'oppositions, selon la volonté de Phillips. Laissez-vous surprendre, l'ordre importe peu, d'ailleurs il y a régulièrement des changements. Harmonie des salles Bonnard (période 1918-1927), Dufy, Klee (avec notamment *Arab Song, Le Mystère de la femme voilée*...). Cabinet d'esquisses et de fusains (Fantin-Latour, Degas, Puvis de Chavannes, Millet, Daumier...), mettant en valeur un pastel et un tableau, et abritant un *Portrait du Docteur Gachet* (Van Gogh), pour une fois en noir et blanc. Les autres salles sont semi-communicantes entre elles, et les vues d'ensemble sont changeantes et variées. Les plus grands sont réunis : Braque, Matisse, Monet, Degas, Renoir (avec le chef-d'œuvre du musée, *Le Déjeuner des canotiers*), le Douanier Rousseau, Picasso (remarquable *Chambre bleue*), Van Gogh (*Les Cantonniers, L'Entrée du jardin public à Arles*), Miró, Gris... mais l'étonnement reste à venir, avec le salon de musique et ses annexes ! Les concerts sont des moments exceptionnels.

Dans une salle à la superbe décoration : plafond à caissons, boiseries et colonnes sculptées, cheminée de pierre, on admire l'alliance du Greco et de Picasso ou Rouault, de Goya et de Soutine ou Modigliani. Puis, confortablement installé dans un sofa, près de la cheminée du salon voisin, on rêve entre Ingres *(Petite Baigneuse)* et Giorgione, Corot et Delacroix, Puvis de Chavannes et Odilon Redon. Au 2e étage, intéressante salle regroupant des tableaux (originaux) sur New York et petites salles, remarquables, abritant des ensembles de toiles bien associées et exposition plus contemporaine.

🍴🍴🍴 *U.S. Holocaust Memorial Museum* *(plan II, F5, 148)* **:** situé sur Raoul Wallenberg Pl (à l'angle d'Independence Ave et de 14th St SW ; à environ 350 m de Washington Monument). ☎ 488-0400. • www.ushmm.org • Ⓜ Smithsonian. Ouvert de 10 h à 17 h 30 (20 h d'avril à mi-juin). Fermé pour Yom Kippour et Noël. Entrée gratuite, mais un ticket est nécessaire pour la visite de l'exposition permanente du musée. On peut le réserver par téléphone au ☎ 1-800-400-9373 ; sinon, venir tôt pour retirer les billets du côté de 14th St (pas après 14 h en tout cas).

Ce musée retrace le génocide juif, les actes d'héroïsme et les histoires des survivants de la Seconde Guerre mondiale. Compter au minimum 2 h de visite. Cœurs sensibles, s'abstenir.

D'abord, parlons de l'architecture du lieu. L'architecte, James Ingo Freed, visita au préalable nombre d'anciens ghettos et camps de concentration.

Pour lui, il s'agissait de réintroduire dans son projet, de façon métaphorique, subtilement (à la limite du subliminal), ses observations physiques et toutes ses émotions. Le résultat est extraordinaire. Les allusions à l'Holocauste ne sont jamais évidentes ou ouvertement suggérées. D'ailleurs, chaque visiteur peut interpréter à sa façon ces signes. Mais c'est peut-être leur accumulation qui est destinée à le « troubler », voire à le perturber. Ainsi, pour les signes les plus évidents, les arches en brique de nombreuses portes évoquent-elles celles des camps. L'addition des barrières, rambardes, passerelles, etc., est, semble-t-il, l'illustration de symboles du cheminement menant à la séparation. Ces symboles, on n'en finirait pas de les relever un par un d'ailleurs. Comment ne pas interpréter le rétrécissement de l'escalier du hall principal vers le sommet comme la voie étroite des rails menant aux camps et, de loin, semblant vouloir converger par un effet de perspective... Déroulement chronologique de la visite :

– *Fourth Floor (dernier étage)* : la période 1933-1939 (la prise de pouvoir des nazis). Les persécutions de la communauté juive, les livres brûlés, centres culturels dévastés, synagogues incendiées... Vidéos incroyables, les discours de Goebbels, etc. La dramatique histoire du *Saint-Louis* qui erra avec ses 936 passagers juifs sur l'Atlantique d'un pays à l'autre et fut même refusé par les États-Unis. Contraints de revenir en Europe, nombre de ces passagers disparurent dans l'Holocauste. Extraordinaires photos de Roman Vishniac et témoignage sur la vie d'un *shtetl* du Yiddishland (village juif d'Europe de l'Est).

– *Third Floor (2ᵉ étage)* : 1940-1945 (la Solution finale). Mise en place des instruments de la destruction du peuple juif. Les ghettos et les camps de transit en France, comme Pithiviers, Drancy, Gurs, Beaune-la-Rolande... Témoignages sur les ghettos de Terezin, Lódź & Kovno... Vestiges du mur de Varsovie. Massacres par les *mobile killing squads*. Photos émouvantes des dirigeants de l'insurrection du ghetto de Varsovie dont *Marek Edelman*, aujourd'hui le dernier survivant. Expo d'un wagon de la déportation, témoignages sur la sélection à l'entrée des camps, la vie à l'intérieur, le travail comme esclaves. Photos terribles de l'*escalier de la mort* à Mauthausen. Maquettes de camps, objets et mobilier (lits provenant de Birkenau, table de Majdanek).

– *Second Floor (1ᵉʳ étage)* : The Last Chapter. La résistance des partisans juifs, les actes de courage et de solidarité dans les pays occupés, les révoltes des ghettos et des camps, terribles vidéos de leur libération (notamment Bergen-Belsen). Alors que leur héroïsme sans tapage n'est guère connu des Français, hommage appuyé ici aux habitants de Chambon-sur-Lignon (Haute-Loire) qui sauvèrent des milliers de juifs pendant la Seconde Guerre mondiale. Ainsi qu'au *groupe Manouchian* (l'Affiche rouge) et à *Marcel Rayman*, l'un de ses membres. Dessins des enfants de Terezin. *Hall of Remembrance* dédié à toutes les victimes de l'Holocauste.

– *First Floor (rez-de-chaussée)* : mur du Souvenir *(Children Tile Wall)* érigé à la mémoire des 1,5 million d'enfants victimes de la barbarie nazie. Ce sont des enfants américains qui peignirent les 3 000 carreaux le composant. Expos temporaires.

– Pour les historiens (et les autres), le *Holocaust Research Institute* abrite une riche bibliothèque contenant de nombreuses archives. À déconseiller cependant aux jeunes enfants et aux personnes sensibles (certaines images sont vraiment dures).

🍴🍴 *Anderson House (plan I, A3, 122)* : 2118 Massachusetts Ave NW. ☎ 785-2040. Ⓜ Dupont Circle. Ouvert du mardi au samedi de 13 h à 16 h. Fermé le dimanche, lundi et jours fériés.
C'est le siège de la *Society of the Cincinnati*, créée en 1783 par les officiers de l'armée américaine pour préserver les acquis et libertés de la révolution et maintenir la solidarité entre frères d'armes (Cincinnatus fut un sénateur

romain qui sauva deux fois Rome dans l'Antiquité). Washington en fut le président jusqu'à sa mort et L'Enfant, La Fayette, Rochambeau, De Grasse, etc., en firent partie aussi. Seuls leurs descendants et ceux de leurs alliés français, à raison d'un membre par famille, peuvent en faire partie (aujourd'hui, environ 200 Français, descendants des officiers de La Fayette et de De Grasse, en sont membres). Quand l'Ohio fut créé, son gouverneur, membre de la société, donna le nom de Cincinnati à la nouvelle capitale de l'État.

Pour les amoureux de prestigieuses demeures, Anderson House vaut le déplacement. Elle fut léguée à la société par Larz Anderson, ancien ambassadeur des États-Unis au Japon. On peut d'ailleurs embrayer la visite après celle de la Phillips Collection, toute proche. À l'intérieur, décor époustouflant : immenses salles, cheminées monumentales, plafonds à caissons, loggia sur colonnes torsadées, galerie sur jardin. Incroyable *Cadies Room* et riche ameublement colonial. Superbes collections d'objets d'art : miniatures, soldats, reconstitution de batailles célèbres et nombreux souvenirs de la révolution américaine.

– *1er étage :* lourde décoration de marbres noirs et bois sombres, meubles asiatiques. Silver Cabinet. Pièce unique : un très rare fourreau de sabre géant de samouraï en ivoire sculpté. Art japonais : coffrets et boîtes laquées en or, écritoires, icônes, couronne bouddhique népalaise. Luxueuse salle à manger avec plafond stuqué, sol en marbre, magnifiques tapisseries, *Isabel Anderson* par Cecilia Beaux, paravent japonais en bois sculpté et remarquables émaux, porcelaine de Chine et maints objets d'art.

🎎 *National Building Museum (Pension Building ; plan II, G4, 149) :* 401 F St NW (angle 5th St). À 2 blocks de la National Portrait Gallery. ☎ 272-2448. • www.nbm.org • Ⓜ Judiciary Square. Ouvert de 10 h (11 h les dimanche et jours fériés) à 17 h. Fermé à Thanksgiving, à Noël et le Jour de l'An. Gratuit, mais un don de 5 US$ est suggéré. Excellente boutique de souvenirs. Voici une visite intéressante pour les amoureux d'architecture du XIXe siècle. Ce *Pension Building* se révèle un édifice assez exceptionnel. Construit en 1882, il nécessita près de 16 millions de briques et le minimum de bois pour éviter les incendies. L'une de ses originalités réside dans la frise de terre cuite de 366 m de long qui court tout autour du bâtiment et reproduit pas moins de 6 régiments de la guerre civile. Il abrita d'ailleurs le service des pensions de l'armée jusqu'en 1926. À l'intérieur, impressionnant hall principal rythmé par de longues galeries à arcades et 8 immenses colonnes corinthiennes de 25 m de haut (chacune d'entre elles nécessita 70 000 briques), peintes en faux marbre. Effet de perspective saisissant.

➤ Le National Building Museum abrite d'intéressantes expos sur l'architecture, l'urbanisme et les techniques de construction par thèmes. Tours guidés du mardi au vendredi et le dimanche à 12 h 30, le samedi à 12 h 30 et 13 h 30.

🎎 *Textile Museum (plan I, A3, 121) :* 2320 S St NW. ☎ 667-0441. • www.textilemuseum.org • Ⓜ Dupont Circle (sortie Q St et 10 mn de marche). Ouvert de 10 h (13 h le dimanche) à 17 h. Fermé les lundi et jours fériés. Gratuit, mais on suggère un don de 5 US$.

Dans 2 élégantes demeures d'un joli quartier, pour les fans de tissus, textiles divers et tapis orientaux, plusieurs milliers de spécimens venant de tous les pays du monde.

🎎 *National Geographic Explorer's Hall (plan II, F4, 151) :* 17th St (et M St). ☎ 857-7588. Ⓜ Farragut North (sortie L St). Ouvert tous les jours de 9 h (10 h le dimanche) à 17 h. Gratuit.

Pour les fanas d'aventures et de découvertes, expos sur les plus fameuses expéditions scientifiques et anthropologiques. Vous y trouverez aussi le plus gros globe terrestre (3,5 m de diamètre).

🍴 Pour ceux (celles) qui rédigent une thèse concernant ce président, possibilité de visiter la **Woodrow Wilson House** (plan I, A3, **123**), 2340 S St NW, tout à côté du Textile Museum. ☎ 387-4062. Ⓜ Dupont Circle. Ouvert de 10 h à 16 h. Fermé les lundi et jours fériés. Entrée : 5 US$.
On pourra y voir ses clubs de golf, ses smokings et toutes sortes de cadeaux reçus durant sa présidence. L'intérêt principal est que la maison est demeurée pratiquement inchangée depuis les années 1920.

🍴 **National Postal Museum** (plan II, H4, **150**) : Massachusetts Ave et N Capitol St. ☎ 633-5555. • www.postalmuseum.si.edu • Ⓜ Union Station. Dans le magnifique bâtiment de la poste, à côté de Union Station. Ouvert de 10 h à 17 h 30. Entrée gratuite.
Création commune de la Smithsonian Institution et des services postaux américains, ce musée retrace l'histoire de la poste aux États-Unis, de l'époque coloniale à nos jours, en passant par le Pony Express. Des curiosités à ne pas manquer : Owney, le toutou-mascotte des services postaux ; de bien étranges boîtes aux lettres, résultat d'un concours organisé par le musée ; les restes calcinés du bureau de poste de Craig (Alaska)...

Loisirs et culture

– **John F. Kennedy Center for the Performing Arts** (plan II, E4) : New Hampshire Ave (à Rock Creek Parkway). ☎ 467-4600 ou 1-800-444-1314. • www.kennedy-center.org • Ⓜ Foggy Bottom. Immense complexe théâtral, comparable au Lincoln Center de New York. Visites gratuites en semaine de 10 h à 17 h et de 10 h à 13 h le week-end. On y trouve l'American National Theater, le Washington Opera et 3 autres théâtres. Siège également du National Symphony Orchestra et du National Ballet. Bonne cafétéria et panorama sur la ville de la terrasse.
– Pour des informations sur les concerts, les expositions, les spectacles, les programmes et les horaires des cinémas, se procurer le **City Paper,** hebdo gratuit largement diffusé dans les commerces.

➤ DANS LES ENVIRONS DE WASHINGTON

🎥🎥🎥 **Alexandria :** à 1 mile du métro King Street (lignes bleue et jaune) ; navette gratuite le week-end, bus local le reste du temps. Avant que Washington (la ville) existe, Washington (l'homme) avait un pied à terre à Alexandria. C'est ici que le grand George allait quand il sortait de chez lui à Mount Vernon. En 1750, Alexandria était un port important. Les navires en provenance des Caraïbes s'arrêtaient ici avant de faire la traversée vers l'Angleterre. Alexandria est donc le secteur bâti le plus vieux de la région de Washington. On y découvre plusieurs maisons de brique rouge bien préservées, bon nombre de jolies boutiques et de petits musées logés dans des habitations du XVIIIe siècle, ainsi qu'un parc portuaire enjolivé d'ateliers d'artistes (la Torpedo Factory, où on trouve un food court). À voir, la Carlyle House, une des plus belles maisons de Virginie. Faites une halte à la Gadsby's Tavern, là où George dobeuliou Ier éclusait un gorgeon. Office du tourisme au 221 King St, ☎ (703) 838-4200 ou 1-800-388-9119, • www.funside. com •

🎥🎥🎥 **Mount Vernon :** à 16 miles au sud de Washington sur le George Washington Parkway (route magnifique). ☎ (703) 780-2000. • www.mount vernon.org • Mansion de George Washington qui domine la Potomac River. Ouvert de 8 h à 17 h l'été. Entrée : 11 US$; réductions. Plan remis à l'entrée (utile, c'est vaste !). Possibilité d'y aller en bateau par le Spirit of Washington. Excursion de 4 h. En été, départ à 9 h et 14 h (sauf le lundi) du Pier 4 (6th et

Water St). Également, métro jusqu'à Huntington, puis bus n° 101 (moins de fréquences les dimanche et jours fériés), juste à la sortie de la station de métro. En hiver, difficile d'accès. Plutôt que de prendre un tour organisé, préférable de louer une voiture. Interdiction absolue de fumer sur tout le site, y compris dans les jardins. Pas de photos à l'intérieur, mais le « mitraillage » extérieur est autorisé.

Magnifique demeure de style géorgien, imitée au moins 10 000 fois tout au long des États-Unis. Elle fut dessinée et en partie édifiée par George Washington. Il se définissait comme un « fermier », sachant que, à l'époque, une ferme devait être autosuffisante et constituait donc à la fois une petite entreprise et un village. Beaucoup de monde, car c'est l'un des hauts lieux de pèlerinage patriotique... On peut ne visiter que la maison, mais l'ensemble, qui s'étend sur une vaste surface, vaut la peine. D'abord, un jardin (potager, médicinal et d'agrément, un peu comme dans certains châteaux Renaissance) ; puis la maison, avec une magnifique vue sur le Potomac, scintillant sous le soleil à travers les arcades coloniales. Décoration de style XVIIIe, très européen car – à l'époque – les styles étaient encore indifférenciés. Mobilier remarquablement conservé. Dans la salle à manger, voir au plafond les motifs « fermiers » de pelle et de râteau, de fléau et de faux. Belle cheminée sculptée avec vases. Salon de musique puis Potomac plein cadre avec fauteuils pour contempler cette vue : peut-on faire plus paisible que cela ? Chambre à coucher digne de l'une de nos adresses de charme (ou l'inverse), petite salle à manger avec service en porcelaine chinoise. L'étage, avec ses chambres fonctionnelles donnant sur un petit palier, rappelle curieusement l'ambiance des maisons de lotissements construites en série. Celle de George Washington est située après la chambre jaune (mais sans mystère particulier). Il y mourut dans son lit. Très fonctionnelle et confortable, conçue pour le repos et le travail. Dans le bureau au rez-de-chaussée, originale presse à lettres avant leur archivage, et curieux fauteuil avec dispositif ajustable pour retenir la tête en cas d'assoupissement ! À l'extérieur, pavillon pour la cuisine (isolée pour limiter les risques de propagation en cas d'incendie). Même le cellier a été reconstitué, avec son gibier pendu... Les communs sont juste après : *Smokehouse* veut dire « fumoir », pour les viandes et les poissons ; ce n'est pas celui pour les invités ! Voir la confortable charrette à chaise suspendue dans l'écurie (dont même l'odeur est bien conservée...) et le traîneau pour l'hiver (il neigeait beaucoup).

Ici commence un autre type de visite. Descendre vers le monument du cimetière des esclaves, très simple (l'important, ce sont les trois mots gravés sur les marches : « Amour, Espoir, Foi »). Il faut se souvenir que cette région était à la limite du Nord, à la frontière lors de la guerre de Sécession, et que les mentalités étaient partagées, ou moins évoluées que dans le Nord industriel. Continuer la descente jusqu'à l'embarcadère (sa vue, ses tours sur le Potomac) et vers un vaste champ permettant de comprendre le type de cultures pratiquées, et « l'écosystème » colonial. En défrichant la forêt (immense, on était vraiment seul, d'où le besoin d'autosuffisance), on avait le bois pour construire granges et maisons, et on créait des champs. Une maisonnette abrite une notice intéressante pour comprendre la construction d'une grange ; la grange du fond permet de voir l'ingénieux système créé par Washington pour séparer la paille et le blé sur deux niveaux lors du foulage des chevaux. De là, belle vue sur le Potomac. Bref, une des demi-journées les plus paisibles de votre vie !

|●| *Cafétéria :* avec sa *gift shop,* elle est plus grande que la maison de Washington ! Très chouette, avec une agréable terrasse et des stands variés, dont un *Café La Fayette* aux appétissantes pâtisseries (bretzels originaux, dont un épicé). Prix très raisonnables. Du côté des w.-c., amusante galerie de photos des personnalités mondiales ayant visité le site, de Nehru à George VI en passant par Henry Ford (qui fit cadeau au site d'un engin spécial pour la lutte anti-incendie !).

🍴 *Fredericksburg :* plus au sud, par l'I 95. C'est là que George Washington passa sa jeunesse. On y visite la maison de sa mère et de sa sœur. Nombreuses maisons anciennes. Dans les environs, champs de batailles historiques de la guerre de Sécession. *Visitor Center* en ville avec présentation audiovisuelle.

QUITTER WASHINGTON

En avion

➤ *Pour rejoindre les aéroports National, Dulles et BWI :* le meilleur rapport qualité-prix est *SuperShuttle* (☎ 1-800-BLUE-VAN), une compagnie qui vous ramasse où vous voulez et vous conduit à l'aéroport. Minivan contenant une dizaine de personnes (mais en moyenne on en prend de 3 à 6). Réserver 24 h à l'avance. Prix : 30 US$ pour BWI, 22 US$ pour Dulles et 13 US$ pour National.
Voir la rubrique « Arrivée par avion » pour des renseignements spécifiques sur les métros, bus, navettes et taxis qui desservent les aéroports.

En bus

🚌 *Greyhound :* 1005 1st St NE (derrière Union Station). ☎ 289-5154 ou 1-800-231-2222. Évitez de vous y rendre à pied, le quartier craint un peu.

En train

🚆 *Gare Amtrak :* ☎ 484-7540. Départ de la superbe gare de Union Station, la plus grande des États-Unis. Presque aussi rapide (et cher) que l'avion pour le trajet Washington-New York (3 h de trajet en *Acela,* le train rapide américain). Renseignements et réservations au numéro gratuit : ☎ 1-800-USA-RAIL ou 1-800-872-7245. Dessert New York, Philadelphie, Baltimore. Nouveau train pour les joueurs d'enfer : l'*Atlantic City Express.* Trains de nuit pour Miami, Chicago et Boston... Beaucoup plus cher que le bus.

ANNAPOLIS
IND. TÉL. : 410

Capitale du Maryland depuis 1695. Siège d'une importante école navale. Capitale des États-Unis pendant 9 mois après la guerre d'Indépendance. Située à une bonne trentaine de miles de Washington, à l'embouchure de la Severn River qui se jette dans la Chesapeake Bay.
Belle ville historique qui possède plusieurs marques importantes du passé. Mérite vraiment le détour au départ de Washington si on a le temps de faire des excursions. De la capitale donc, sortir par New York Ave (la 50), puis suivre la 301. Pour les non-motorisés, métro jusqu'à New Carrollton (terminus de la ligne orange), puis bus jusqu'à Annapolis.

Adresses et infos utiles

🛈 *Office du tourisme* (Visitor Center ; plan A2) : 26 W St. ☎ 268-8687. ● info@visit-annapolis.org ● À deux pas de Church Circle. Annexe sur le port *(plan D2).*

■ *Annapolis Tour :* intéressante visite guidée à pied dans la ville. ☎ 263-5401. Fax : 263-1901. Conférenciers ayant en général pas mal d'humour. Inclut en principe un petit tour à l'Académie navale. Départ du *Visitor Center* d'avril à octobre à 10 h 30 et 13 h 30 de l'*Information Booth,* City Dock. Du 1er novembre au 31 mars, le samedi seulement à 14 h 30 depuis *Gibson's Lodging's,* 110 Prince George St. Prix : 10 US$ environ (grosse réduction pour les étudiants). Téléphoner pour confirmation des horaires et réserver.

Où dormir ?

CAMPING

⚐ *Capitol KOA Campground :* 768 Cecil Ave, Millersville, MD 21108. ☎ 923-2771.

BED & BREAKFAST

🛏 *Gibson's Lodgings (plan C2, 10) :* 110 Prince George St. ☎ 263-2523. Réservations : ☎ 268-5555. À partir de 80 US$ (dans la *Patterson House*) et 100 US$ (dans la *Berman House*) pour deux, parking et petit dej' inclus. Chambres avec bains dans la *Lauer House* de 135 à plus de 150 US$. Ensemble de 3 élégantes demeures situées dans une rue calme à deux pas du port, en plein quartier historique. Belles chambres meublées à l'ancienne, avec ou sans bains *(shared bathroom)*. Bon accueil. Notre meilleur rapport qualité-prix.

🛏 *The Scotlaur Inn (plan B2, 11) :* 165 Main St. ☎ 268-5665. Au-dessus du restaurant *Chick & Ruth's Delly* (voir plus loin « Où manger ? »). De 90 à 120 US$ et *special daily rates.* Dix chambres avec bains et AC. Plus simple, mais bien tenu et moins cher que l'adresse précédente. Au rez-de-chaussée, notre resto préféré !

🛏 *The Corner Cupboard (plan C1, 12) :* 30 Randall St. ☎ 263-4970. Fax : 280-6271. Quelques chambres correctes à partir de 110 US$. Breakfast compris. *B & B* non-fumeurs. Pas loin du port. Vénérable demeure en bois d'un étage avec véranda. Ameublement ancien. Parking.

🛏 *Chez Amis B & B (plan B1, 13) :* 85 E St, Annapolis, MD 21401. ☎ 263-6631 ou 1-888-224-6455. Fax : 295-7889. Dans le centre historique. Vieille maison de charme, offrant des chambres personnalisées autour de 150 US$ *(Capitol room)* pour deux, petit dej' compris. Accueil sympa. Décoration chaleureuse (lits en cuivre, ameublement à l'ancienne). Attention, *B & B* non-fumeurs.

🛏 *Prince George Guest-Inn (plan B1, 14) :* 232 Prince George St. ☎ 263-6418. Fax : 626-0009. ● pginn@ annap.infi.net ● Élégante maison victorienne de 1884. Fort bien située. Quatre chambres avec *shared bathroom* (bains communs). Bel ameublement. Jardin agréable. Un poil plus cher que *Chez Amis B & B.*

🛏 *Two-O-One B & B (plan B1, 15) :* 201 Prince George St. ☎ 268-8053. Fax : 263-3007. Chambres doubles de 140 à 200 US$. Là aussi, belle demeure géorgienne adorablement meublée style *British* et *early American.* Accueil très courtois. Jardin agréable et parking. En priorité pour nos lecteurs amis des bêtes, car plusieurs beaux chiens, tout à fait civils, font la fierté du proprio.

– D'autres *B & B* dans des maisons de charme. Téléphoner à l'office du tourisme.

Où manger ?

La plupart des restaurants sont situés sur le port, dans *Main Street,* et à *Eastport* (franchir le pont situé au-delà de City Dock et tourner à gauche dans Severn Ave).

ANNAPOLIS

Dans le centre

IOI Dans **Market Space,** possibilité de manger sur le pouce sandwichs et poulet grillé à prix modérés.

IOI *Chick and Ruth's Delly (plan B2, 20)* : 165 Main St. ☎ 269-6738. Ouvert tous les jours 24 h/24. Pour amateurs de *deli,* un des plus sympas qu'on connaisse ! Tout en longueur, avec des box, dans un cadre jaune pimpant. Une véritable institution. Régale la ville depuis des dizaines d'années. Produits frais, qualité constante ; Ted, le patron, veille (avec sourire et bienveillance et dès l'aube) à la bonne marche de l'affaire. Si vous avez des enfants, demandez-lui d'effectuer quelques tours de magie, ils vont adorer. Cuisine familiale, simple, goûteuse. Copieux breakfast et les meilleurs *pancakes* du Maryland. Goûter aux *home made buffalo wings* et aux *submarines,* aux bons vieux milkshakes à l'ancienne et autres *sundaes ice creams...* Enfin, les plus patriotes seront là pour le serment au drapeau *(pledge of Allegiance)* à 8 h 30 en semaine et 9 h 30 le dimanche. À propos, arriver de bonne heure, c'est vite plein. Une tranche chaleureuse de la vieille Amérique comme on l'aime, longue vie Teddy !

IOI *Buddy's (plan B-C2, 21)* : 100 Main St. ☎ 626-1100. Au 1er étage. Ouvert jusqu'à 2 h du mardi au samedi (23 h les dimanche et lundi). Genre grande cafétéria ; pas de charme en soi. Spécialités de *crabs and ribs* et *seafood.* Prix raisonnables. Un truc intéressant : du lundi au vendredi, de 16 h à 19 h, buffet de fruits de mer à volonté *(all you can eat, happy hours, raw bar)* pour 10 US$ environ : *clams,* huîtres, crevettes, moules et autres fruits de mer. *Saturday seafood buffet* aussi le samedi de 11 h à 15 h, un peu plus cher. Brunch le dimanche de 8 h 30 à 13 h. Vins à prix abordables.

IOI *New Moon Café (plan C2, 22)* : 137 Prince George St. ☎ 280-1956. Un bon truc pour échapper à l'atmosphère touristique de Market Space. Ici, c'est plutôt style relax étudiant baba, avec une excellente musique de jazz en fond. Piano dans un coin et une cuisine simple qui lorgne un peu vers l'Inde et la Méditerranée. Burgers, salades, snacks divers, yaourt *Deluxe,* etc. Prix très modérés.

IOI *Maria's (plan C1-2, 23)* : 12 Market Space. ☎ 268-2112. Une vraie, belle et plantureuse cuisine italienne. Accueil sympa. Salle à manger

---

■ **Adresse utile**

🛈 Office du tourisme (Visitor Center)

🛌 **Où dormir ?**

10 Gibson's Lodgings
11 The Scotlaur Inn
12 The Corner Cupboard
13 Chez Amis B & B
14 Prince George Guest-Inn
15 Two-O-One B & B

IOI **Où manger ?**

20 Chick and Ruth's Delly
21 Buddy's
22 New Moon Café
23 Maria's
24 Middleton Tavern
25 McGarvey's

26 Davis Pub
27 Carrol's Creek
28 Lewnes
29 Chart House

🍸 **Où boire un verre ?**
   Où déguster un bon café ?

51 Ram's Head Tavern
52 Galway Bay
53 49 West Coffeehouse

🏛 **À voir**

40 Maryland State House
41 William Paca House
42 Shiplap House
43 Hammond-Harwood House
44 Governor's House
45 Banneker Douglas Museum
46 Charles Caroll House
47 Maynard-Burgess House

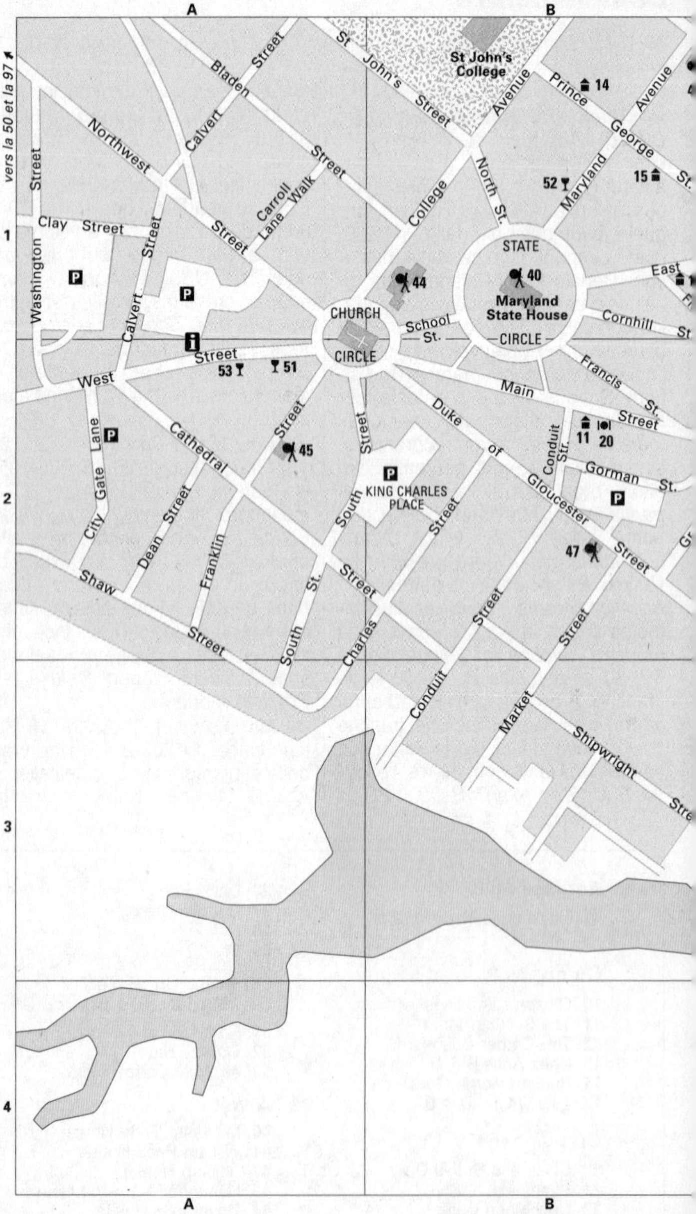

vers la 50 et la 97

A

B

St John's
College

Bladen   Street

St John's Street

Avenue   Prince   14

Northwest   Calvert

Calvert

Street   Carroll   College

Lane Walk

George

Avenue

52   Maryland   15   St.

Washington   Clay   Street

Street

Street

Street

North St.

P

P

44

CHURCH
CIRCLE

Street   School
St.

STATE

40
Maryland
State House

CIRCLE

East

Cornhill   St.

i

53   51

West   Street

Francis   St.

Main   Street

Cathedral   Street

45

South

Street

Street

Duke   of

Conduit
Str.

Gorman   St.

11   20

City Gate Lane

Dean Street

Franklin

KING CHARLES
PLACE

P

Gloucester

P

Street

47   Street

Shaw

Street

Street

South St.

South

Charles

Street

Street

Conduit

Market

Street

Shipwright   Street

A

B

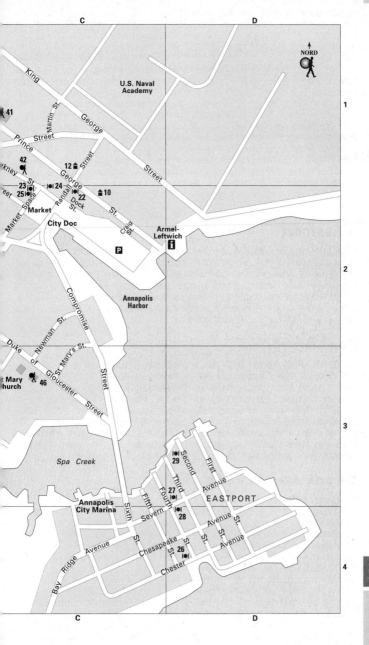

NORD

C   D

U.S. Naval Academy

King

Martin St.

George

Prince

Street

Street

41

42

kney

12

George

Street

23

St.

24

25

Market

Space

Randall

22

Dock

St.

10

Market

City Doc

ing

Cl.

St.

Armel-Leftwich

P

Annapolis Harbor

Compromise

Newman   St.

St. Mary's St.

Duke

of

Gloucester

46

Mary

hurch

Street

Spa Creek

Annapolis City Marina

Second

Avenue

29

Third

First

Fourth

27

Avenue

EASTPORT

Fifth

Severn

28

Sixth

St.

Avenue

St.

Bay Ridge   Avenue

Chesapeake

26

St.

Avenue

St.

Chester

C   D

ANNAPOLIS

surplombant le port et quelques tables dehors. Lunch moins cher, bien sûr.

|●| *Middleton Tavern (plan C1-2, 24)* : Market Space (et Randall St). ☎ 263-3323. Dans une ancienne taverne du XVIIIe siècle qui a conservé tout son charme. Aux murs, nombreux souvenirs et témoignages du passé. George Washington, Benjamin Franklin et Thomas Jefferson furent des clients réguliers pendant la période révolutionnaire. Fine cuisine, excellent poisson. *Oysters bar* avec arrivage quotidien. *Sunday brunch* de 10 h à 13 h. À l'extérieur, tables et bancs rugueux.

Au 1er étage, piano-bar. Touristique et plus cher, bien sûr, que les adresses précédentes.

|●| *McGarvey's (plan C1, 25)* : 8 Market Space. ☎ 263-5700. Ouvert du lundi au samedi jusqu'à 2 h. De son origine irlandaise, cet endroit tient sa chaleur communicative et son ambiance super-amicale. Excellents fruits de mer aux mêmes prix qu'à la Middleton Tavern. Long bar bien agréable. Brunch le dimanche de 10 h à 14 h. Bon choix à la carte : *New England style clam chowder, bluefish* fumé, belles salades, sandwichs, burgers au charbon de bois, *New York Strip steak,* etc.

À *Eastport*

C'est la presqu'île au sud du centre historique. Depuis Market Space, suivre la rue qui longe le port à droite jusqu'au pont. De l'autre côté, on trouve les chantiers de réparation de voiliers, de nombreux restos et des *neighbor* et *local bars*. Beaucoup de rues encore habitées par des familles noires montrent la part importante de l'héritage *African-American* à Annapolis (brochure intéressante à récupérer à l'office du tourisme). Au XIXe siècle, un tiers de la population de la ville était noire.

Bon marché

|●| *Davis Pub (plan D4, 26)* : 400 Chester Ave, Eastport. ☎ 268-7432. *Local bar* typique dans un quartier populaire. Des *Irish* durent aussi s'installer dans le coin, car la devise du *Davis Pub* est : « Ici, il n'y a pas d'étrangers, seulement des amis que nous n'avons pas encore rencontrés », expression irlandaise typique (mais, c'est bien sûr, ce trèfle sur la boîte d'allumettes !). 0L'atmosphère enfiévrée du lieu l'est aussi. Préparez-vous à attendre si vous souhaitez manger. Foule rugissante le week-end. Spécialité de poisson et *seafood* servis à la bonne franquette. Bonnes viandes aussi. Prix tout à fait modérés.

De prix moyens à plus chic

|●| *Carrol's Creek (plan C-D3, 27)* : 410 Severn Ave (et 4th St), Eastport. ☎ 263-8102. Tourner à gauche, juste après le pont. Bien indiqué. Service le soir jusqu'à 21 h (22 h le week-end). Menu du *dinner* autour de 30 US$. En été, une des plus agréables terrasses sur le port des yachts. Le cadre offre le plus beau coucher de soleil de la ville ! À l'intérieur, salle panoramique également, bois verni, lumières doucement tamisées, clientèle chic sans trop d'ostentation. Service efficace. Cuisine assez fine sachant allier des saveurs intéressantes. Quelques plats vedettes : saumon polenta et parmesan, tendre filet de *black angus,* tartare de thon, fameuse *Maryland cream of crab,* etc. *Sunday brunch* réputé. Addition pas scandaleuse en soi. Réservation ultra-conseillée.

|●| *Lewnes (plan D3-4, 28)* : 4th St (et Severn Ave). ☎ 263-1617. Service jusqu'à 22 h (22 h 30 le week-end). Cadre sobre, tons neutres, décor bois et photos noir et blanc, atmosphère conformiste. Ici, vous êtes au petit royaume du steak, au même endroit depuis 1921. Ce fut le

1er établissement à servir de l'*US prime aged beef* (2 % de la production de bœuf américain) de la région. Voilà pourquoi ses adeptes sont prêts à payer assez cher pour participer à l'office. Fidèles aussi aux ténors de la carte : les *Spiro's famous Greek salad,* le *New York Strip sirloin,* le *filet mignon petite,* etc. Rares aussi sont ceux qui oublient de réserver pour cette grand-messe de la viande.

I●I *Chart House* *(plan D3, 29)* : 300 N² St, Eastport. ☎ 268-7166. Très chic. Le futur officier de l'Académie navale y emmène souvent sa promise. Cadre séduisant. Haut de plafond, charpente de hangar à bateaux, beaucoup de bois verni façon yacht, décor de la mer, lumières douces et musique discrète. Élégant et cependant assez relax. Autre salle avec bar et profonds fauteuils pour manger plus simplement sandwichs, snacks, gâteaux et glaces. À la carte, *prime rib, whole New England lobster, coconut shrimp.* Si vous n'avez ni uniforme, ni fille d'amiral à séduire, choisir le *champagne brunch* du dimanche. Fameux à 10 miles marins à la ronde !

Où manger dans les environs ?

I●I *Cantler's Riverside Inn* : 458 Forest Beach Rd. ☎ 757-1467. Pas facile à trouver, mais voilà la marche à suivre : du centre-ville, prendre King George St, puis Taylor Ave à droite. Franchir la Severn River. Au bout, à droite, suivre la 648 N, puis l'Annapolis-Baltimore Blvd. Au bout, tourner à droite en direction de la 50 et de la 179. Arrivé à une fourche (avec une maison marron au milieu), prendre à droite. C'est Brown Woods Rd. En haut, *Cantler's* est indiqué, à droite. Une queue de voitures vous arrêtera (parking trop petit). Enfin, vous êtes arrivé, mais pas au bout de vos peines si vous n'avez pas réservé. Beaucoup de monde, donc risque d'attente. Ouvert tous les jours jusqu'à 23 h (minuit le week-end). Salle à manger intérieure bourrée à craquer, salle sous véranda tout autant, terrasse prise d'assaut aux beaux jours (en revanche, votre seule chance d'être assis rapidement les mauvais !). Voilà, vous êtes dans l'institution, la Mecque du crabe et du crustacé. On y met les doigts de façon rabelaisienne, les babines se colorent et piquent sous les assauts du piment qui les enrobe (et provoque des commandes inconsidérées de bière pour éteindre le feu !). On déguste les crabes par 6, 12 ou 24 suivant sa faim (12 est la moyenne). Sinon, *baskets* de *Strip clams, calamari, crab cakes,* etc., sandwichs, poissons frais du jour et même du filet mignon...

Où boire un verre ? Où déguster un bon café ?

Y *Ram's Head Tavern* *(plan A2, 51)* : 33 W St. ☎ 268-4545. Ferme à 2 h. Nombreuses salles avec des ambiances qui changent. Clientèle branchée à dominante *trendy.* Bar particulièrement animé. Près de 200 bières proposées, dont des productions maison (microbrasserie). Bonne cuisine et un agréable patio.

Y *Galway Bay* *(plan B1, 52)* : 61 Maryland Ave. ☎ 263-8333. Ouvert de 12 h à 2 h (la cuisine s'arrête à 22 h 30, à 23 h le week-end). Un vrai pub irlandais, un peu en dehors des flux touristiques. Joli cadre, avec ses hauts murs de brique rouge agrémentés de gravures et peintures. *Guinness* bien tirée. De l'autre côté, la salle de resto. Cuisine irlandaise correcte : le traditionnel *stew* bien sûr, *Molly Malones cockles and mussels,* saumon, *tullack mor steak* (flambé au whisky) et l'incontournable *rhubarb and strawberry tart.*

Y *49 West Coffeehouse* *(plan A2, 53)* : 49 W St. ☎ 626-9796. Ouvert de 7 h 30 à minuit (2 h le week-end

ANNAPOLIS

et 22 h le dimanche). Un côté chaleureux et une bonne odeur de café
et pâtisserie. Intimité renforcée par
la bibliothèque. Possibilité de grignoter quiches, muffins, *scones,* sandwichs. Belles expos de peintures.

À voir

🏃🏃 Superbe balade à pied dans le quartier historique. Annapolis est l'une
des villes des États-Unis ayant le plus conservé son aspect du XVIIIe siècle.
Le plan de la ville, avec ses deux *circles* et rues rayonnantes, est le même
depuis 1694. Très nombreuses vieilles demeures de charme. Beaucoup de
boutiques restent d'ailleurs dans le ton (voir la banque rétro sur Main St).
Parcourir en particulier Main Francis, Cornhill, East Street et toutes les rues
convergeant vers le Capitole. Bien sûr, en été, énormément de monde. Le
printemps, en revanche, est particulièrement propice aux promenades tranquilles et romantiques. Tous les sites décrits plus bas sont aisément accessibles à pied de Market Space.

🏃🏃 *Maryland State House (plan B1, 40) :* ouvert tous les jours de 9 h à
17 h. Renseignements : ☎ 974-3400. En principe, visites guidées gratuites
tous les jours à 11 h et 15 h.
C'est la plus ancienne des États-Unis. Construite de 1772 à 1779. Du
26 novembre 1783 au 13 août 1784, elle abrita le Congrès américain.
Superbe édifice colonial. Dôme en bois assemblé uniquement avec des che-
villes. Une nouvelle aile fut construite en 1902 (une ligne noire à travers le
hall délimite nettement les deux périodes de construction). On y trouve la
Chambre des députés et le Sénat de l'État du Maryland. Dans la partie la
plus ancienne, on découvre les premières assemblées. Dans le vieux Sénat,
le général Washington démissionna de ses fonctions de commandant en
chef de l'armée continentale ; trois semaines plus tard, on y ratifia le traité de
Paris mettant fin à la guerre, et l'acte de naissance des États-Unis. Belle
peinture de Charles W. Peale décrivant la bataille de Yorktown. Quelques
meubles de l'époque. À côté, galerie des portraits et un service en argent
reproduisant les principaux événements historiques du Maryland. L'assemblée de l'État se réunit chaque année pendant 90 jours à partir du 2e mercredi
de janvier (galerie pour le public).
À côté de la State House, le *Old Treasury Building* (1735), l'édifice public le
plus ancien de l'État (ouvert sur rendez-vous en téléphonant au ☎ 267-
8149).

🏃 *William Paca House (plan C1, 41) :* 186 Prince George St. ☎ 263-5553.
Ouvert de mars à décembre, du lundi au samedi de 10 h à 16 h, le dimanche
de 12 h à 16 h. En fait, venir au moins 30 mn avant la fin pour le dernier
départ de la visite. Entrée : 4 US$; réductions.
C'est William Paca, gouverneur du Maryland et l'un des signataires de la
Déclaration d'indépendance, qui fit construire cette élégante demeure géorgienne (1765) avec de superbes jardins derrière. On y trouve un parterre
d'herbes médicinales, d'anciennes variétés de roses, un jardin « sauvage »,
un autre avec les fleurs de saison, une petite *Summer House,* etc. Le tout
s'étendant sur 5 terrasses. Accès aux jardins par Martin St.

🏃 Au n° 18 Pinkney St (rue donnant sur Market Space), la *Shiplap House
(plan C1, 42),* l'une des plus vieilles maisons d'Annapolis, ancienne taverne
(1713). ☎ 267-7619. Ouvert du lundi au vendredi de 14 h à 16 h. Entrée
libre. Au n° 43, *The Barracks,* reconstitution historique de la vie des soldats de la révolution.
☎ 267-7619. Visite sur rendez-vous.

🏃🏃 Sur Maryland Ave, voir des édifices géorgiens typiques : au n° 19, la
Hammond-Harwood House (plan B1, 43). ☎ 269-1714. Ouvert du mardi au
samedi de 10 h à 16 h (mais la dernière visite commence à 15 h) et le

dimanche de 12 h à 16 h (dernière visite 1 h avant). Fermé le lundi. Entrée : 5 US$.

Une des demeures les plus élégantes de la ville (de 1774), avec de très beaux jardins. Remarquables ameublement et décor intérieur. Nombreux objets d'art, cheminées sculptées, portraits de Peale, tout est ravissement. Noter comment l'architecte sut composer avec l'exiguïté de la cage d'escalier et construire ce dernier avec harmonie. À mi-chemin, une très originale pendule de 1790. Pittoresque cuisine.

Au n° 22, en face, la **Chase-Lloyd House** (de 1769). ☎ 263-2723. Ouvert du lundi au samedi de 14 h à 16 h (tour 1 h avant). Fermé en janvier-février. Téléphoner pour confirmation des jours et horaires.

Demeure de Samuel Chase, l'un des 4 signataires de la Déclaration d'indépendance. En 1796, Washington le nomma à la Cour suprême où il officia jusqu'à sa mort en 1811. Superbe salle à manger. Noter les moulures en forme de corde encadrant les fenêtres. Une très élégante fenêtre palladienne sculptée domine la cage d'escalier. Plusieurs meubles de *John Shaw,* le plus grand ébéniste de l'époque. Dans la salle de réception, noter la fausse porte à gauche de la cheminée.

🥢 **Governor's House** *(plan B1, 44) :* entre State et Church Circles. ☎ 974-3531. Maison du gouverneur de l'État. Construite pendant la période victorienne. Ouvert d'avril à décembre, les mardi, mercredi et jeudi de 10 h à 14 h (de janvier à mars ouvert les mardi et jeudi). Quelques pièces se visitent sur rendez-vous. Beaux meubles coloniaux.

🥢 **Banneker Douglas Museum** *(plan A2, 45) :* 84 Franklin St. ☎ 974-2893. Ouvert de 10 h à 15 h, le samedi de 12 h à 16 h. Fermé les dimanche et lundi. Rue donnant sur Church Circle.

Ancienne église du XIXe siècle de style Gothic Revival transformée en musée de la Culture et de l'Histoire afro-américaines.

🥢 **Charles Carroll House** *(plan C3, 46) :* 107 Duke of Gloucester St, à côté de l'église Saint Mary (Spa Creek et Duke of Gloucester St). ☎ 269-1737. Visite les vendredi et dimanche de 12 h à 16 h, le samedi de 10 h à 14 h. Entrée gratuite.

Demeure du XVIIIe siècle de Charles Carroll of Carrollton, le seul catholique à avoir signé la Déclaration d'indépendance et l'un des hommes les plus riches de la colonie.

🥢 **Maynard-Burgess House** *(plan B2, 47) :* 163 Duke of Gloucester St. Grande et modeste demeure achetée en 1845 par John Maynard, un Noir du Maryland né libre. Il passa ensuite de nombreuses années à racheter la liberté de sa femme et de sa famille. Une autre famille noire occupa la maison jusqu'en 1990, date à laquelle la ville la récupéra pour la rénover et en faire un musée sur la vie des *African-Americans* à Annapolis, qui a finalement ouvert en 2003.

🥢 **L'Académie navale** *(plan C1) :* une partie du *Yard* est ouverte au public. Visites guidées : s'adresser au *Armel-Letwich Visitor Center* de 9 h à 17 h (16 h en janvier et février). ☎ 263-6933.

La 1re école navale fut fondée à Annapolis en 1845 avec 50 étudiants (plus 4 officiers et 3 professeurs civils). Aujourd'hui, ce sont 4000 étudiants et 580 enseignants et intervenants. Visite du *musée,* de la *chapelle* et de la *crypte de John Paul Jones,* grand héros des batailles navales pendant la Révolution. Il avait curieusement disparu en France après la guerre, y était mort et avait été enterré dans un cimetière parisien. En 1905, son corps fut retrouvé par l'ambassadeur des États-Unis et rapatrié au pays. À propos de la chapelle, visite parfois impossible le samedi pour cause de mariages. La sortie des mariés (avec un rituel particulier) et du cortège reste cependant un moment pittoresque de la visite.

🥢 **Musée maritime :** 77 Main St (Market Space). Assez touristique. Ouvert tous les jours de 11 h à 16 h (17 h en été).

BALTIMORE

BALTIMORE
750 000 hab. IND. TÉL. : 410

Quinzième ville et 5ᵉ port de commerce des États-Unis. Une ville peu connue curieusement, en tout cas bien moins que ses prestigieuses voisines, Washington et Philadelphie. Ce déficit d'image ayant été, c'est sûr, largement accentué par une réputation collante (justifiée à une certaine époque) de ville dangereuse et peu attractive. Disons-le tout net, tout cela, c'est du passé. Depuis 20 ans, Baltimore connaît un dynamisme économique et culturel prodigieux qui en fait aujourd'hui l'un des grands centres urbains américains les plus séduisants à découvrir. Le paradoxe aujourd'hui, c'est que c'est même une ville que l'on qualifierait sans détour d'agréable, dans la mesure où elle possède (c'est une bonne surprise) des quartiers datant des XVIIIᵉ et XIXᵉ siècles parmi les plus homogènes et étendus du pays ! En effet, au début des années 1970, lorsque se précisa la menace d'une autoroute urbaine rayant Fells Point (le vieux quartier du port) de la carte, une poignée d'amoureux de Baltimore réussit à créer un puissant mouvement d'opinion contre et à faire annuler le projet. Résultat aujourd'hui, l'occasion de découvrir ce quartier plein de charme à pied, le long de rues et ruelles où s'alignent bars, boîtes de rock ou branchées, restos de toutes sortes, dans une animation réjouissante. D'ailleurs, Fells Point appartient radicalement aux jeunes, surtout le week-end. Rajouter à cela le pittoresque Inner Harbor, le grand port de commerce magnifiquement rénové et fier d'abriter l'un des plus beaux aquariums du pays. Une ville qui revient de loin donc, qui sait étonner... Jeune, vivante et avec des quartiers que l'on peut découvrir à pied en flânant sereinement, un curieux Visionary Art Museum... Dites, ça mérite d'être infidèle à Washington au moins deux jours, non ?

UN PEU D'HISTOIRE

Fondation de la ville en 1729, au fond d'une belle baie protégée. Elle devient vite prospère grâce à son port naturel, aux dizaines de minoteries installées en amont (la farine peut partir aux 4 coins du monde) et aux planteurs de tabac qui cherchaient aussi un débouché maritime. En 1776-1777, le *Continental Congress,* chassé de Philadelphie par les Anglais, s'y réfugie. En 1784, 1ᵉʳ vol en montgolfière du pays. Au début du XIXᵉ siècle, ses chantiers navals produisent les bateaux les plus costauds et les plus rapides. Construction du 1ᵉʳ *steamboat* en 1813. Pendant les guerres de 1812-1814 contre les Anglais, les bateaux patriotes, surnommés *Baltimore Clippers,* font merveille contre la flotte ennemie. En septembre 1814, les troupes anglaises tentent de s'emparer de la ville, qui résiste héroïquement. L'amiral britannique se distingue en déclarant : « *Baltimore is a doomed town !* » (« Baltimore est une ville condamnée ! »). Elle sera la seule cité américaine jamais occupée. Un témoin de cette résistance, Francis Scott Key écrivit en son honneur un poème, *The Star-Spangled Banner,* qui deviendra l'hymne national américain et sera imprimé pour la 1ʳᵉ fois à Baltimore. En 1816, construction de la 1ʳᵉ usine de production de gaz du pays par le célèbre peintre Rembrandt Peale et, l'année suivante, 1ʳᵉ rue (Holliday St) éclairée au gaz (la première du monde même, paraît-il). En 1828, fondation de la *Baltimore & Ohio Railroad.* Le célèbre patron d'industrie et philanthrope Peter Cooper implante la 1ʳᵉ zone industrielle du pays.

Deuxième ville des États-Unis !

En 1830, avec 80 625 habitants, Baltimore est la 2ᵉ ville du pays, après New York. En 1833, Edgar Allan Poe commence à accéder à la célébrité et obtient son 1ᵉʳ prix littéraire, ainsi que 100 US$ pour *MS. Found in a Bottle (Manuscrit trouvé dans une bouteille),* publié dans le *Baltimore Saturday Visitor.* En 1838, un des rares esclaves qui aient réussi à apprendre à lire et écrire à Baltimore, futur grand homme d'État et acharné abolitionniste, Frederick Douglass, arrive à s'échapper de sa condition par le « chemin de fer souterrain » (voir plus loin). La ville est d'ailleurs profondément divisée sur la question de l'esclavage. En 1861, dans Pratt St, une manif prosudiste attaque les soldats du *6th Massachusetts Infantry* quittant la ville pour défendre Washington. Ce sont les premiers morts de la guerre de Sécession. Certains habitants se battront avec les Nordistes, d'autres avec les Confédérés, vérifiant cette définition de la ville : « *The tip of the South and the toe of the North!* » (« L'extrémité du Sud et l'orteil du Nord ! »). Comme beaucoup d'autres villes, Baltimore a souffert de la guerre civile, mais elle retrouvera une santé économique rapide grâce au développement de ses conserveries, au commerce du grain en pleine ascension (suivant par là le rythme frénétique de la conquête de l'Ouest) et, surtout, à son immigration. Après Ellis Island, Baltimore devient le 2e port d'entrée des immigrants.

Baltimore, arrêt primordial du « train souterrain »

La ville fut une importante étape de l'*Underground Railroad*, le réseau d'aide et de soutien à la fuite des esclaves du sud vers le nord. L'une des figures les plus marquantes de ce réseau fut Harriet Tubman, ancienne esclave elle-même, née près de Baltimore, et qui, de concert avec les autres abolitionnistes (quakers, presbytériens, Blancs libéraux, etc.), organisa le passage de plusieurs centaines d'esclaves dans les États non esclavagistes. Bien sûr, beaucoup d'esclaves en fuite prirent le train (comme *Frederick Douglass*), mais c'est la terminologie des activités qui se révèle surtout à l'origine de l'expression *Underground Railroad*. Ainsi, les routes secrètes utilisées pour fuir étaient appelées *lines,* les refuges *stations,* les passeurs *conducteurs,* et les esclaves eux-mêmes... *fret* ou *marchandise* ! Harriet Tubman mourut à New York en 1913 et eut des funérailles solennelles.

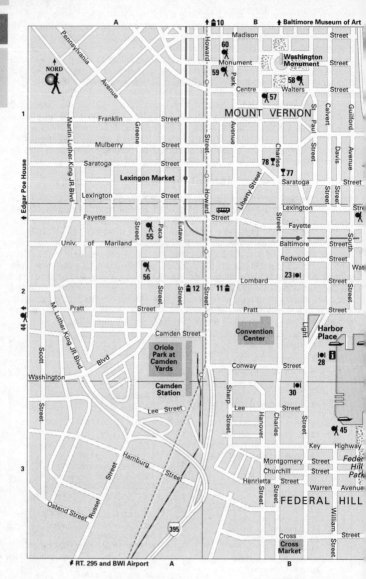

La période contemporaine

En 1904, violent coup d'arrêt à l'expansion de la ville. Un incendie monstre détruit une grande partie du secteur industriel et de Downtown. 1 500 immeubles anéantis et 2 500 commerces qui disparaissent. Incroyable, quasiment pas de victimes ! Baltimore ne sera cependant pas longue à recouvrer la santé, et la reconstruction se révélera rapide et même stimulante pour l'économie (à l'image de San Francisco, victime à la même épo-

BALTIMORE

que d'un séisme ravageur). Mais c'est en 1935 seulement que la faculté de droit acceptera pour la 1re fois des étudiants noirs.

Après la Seconde Guerre mondiale, avec le boom économique et la frénésie de consommation, le Downtown se vide progressivement de sa petite bourgeoisie et de ses classes aisées. C'est la ruée vers la maison individuelle et les banlieues résidentielles, laissant le centre des villes aux pauvres et à l'immigration rurale. Les commerces y périclitent, l'habitat se dégrade, l'insécurité s'installe : c'est la redoutable évolution que subissent alors toutes les grandes métropoles américaines. Les années 1960 connaissent un Baltimore déprimé, voire dépressif. Les émeutes, incendies et pillages qui suivent la mort de Martin Luther King en 1968 précipitent la chute de la ville. Baltimore touche le fond du gouffre.

Pourtant, dès 1971, le maire William Donald Schaefer prend le problème du renouveau du Downtown à bras le corps. Un plan de redéveloppement audacieux de l'*Inner Harbor* est lancé. Conserveries et entrepôts abandonnés sont démolis, les quais réaménagés, des programmes de logements et d'immeubles de bureaux entamés, le petit commerce aidé et encouragé, des sièges sociaux d'entreprises se réinstallent et de grands hôtels se construisent... En 1981, inauguration de l'Aquarium national, qui attire à nouveau les touristes, puis création du Musée maritime. Dans le même temps, l'insécurité diminue considérablement. Début des années 1990, pari gagné : la renaissance du centre-ville est quasiment achevée. Il ne reste plus qu'à réhabiliter l'image de marque de la ville (qui souffre toujours un peu de sa mauvaise réputation auprès des visiteurs) et à trouver de l'argent et des solutions pour résoudre le problème des ghettos noirs qui ceinturent la ville. Quant à nous, nous espérons apporter notre petite pierre à cette « reconnaissance » méritée...

QUELQUES BALTIMORIEN(NE)S CÉLÈBRES

Voici quelques Baltimoriens nés ou ayant vécu assez longtemps dans la ville, en plus de ceux et de celles dont on parle dans l'historique, le chapitre précédent et dans le texte courant. Rappel : *Edgar Allan Poe* (on ne le présente plus, sa tante, dont il épousa la fille, Virginia, vivait à Baltimore, et c'est là qu'on retrouva l'écrivain dans une rue, sur le point de mourir, en 1849), *Frederick Douglass* (ancien esclave devenu homme d'État), *Francis Scott Key* (auteur des paroles de l'hymne national), *Johns Hopkins* (financier, grand fondateur d'universités privées), *Rembrandt Peale* (un des plus grands peintres américains du XIXe siècle), *H. L. Mencken* (journaliste et écrivain), *Dashiell Hammett,* qui y travailla comme détective de la Pinkerton et y écrivit *The Glass Key* (*La Clé de Verre,* un polar basé sur la corruption politique à Baltimore), *Wallis Warfield,* plus connue sous le nom de *Wallis Simpson,* puis de duchesse de Windsor, épouse de l'ex-roi Édouard VIII (elle était d'une grande famille de la ville). *Gertrude Stein* y vécut longtemps, de même que *Russell Baker,* écrivain (et prix Pulitzer pour *Growing Up*), *Ann Tyler,* écrivain (prix Pulitzer pour *The Accidental Tourist,* qui devint un film de Lawrence Kashan avec William Hurt) ; *Scott* et *Zelda Fitzgerald* eurent leur dernière maison à Baltimore. *Spiro Agnew,* ancien vice-président de Nixon, était d'ici. Le génial *Frank Zappa* y naquit. De fameux cinéastes sont aussi originaires de la ville et y puisèrent largement leur inspiration. À commencer par *Barry Levinson,* réalisateur de *Good Morning Vietnam, Rain Man* (ainsi que de *Dinner, Avalon* et *Tin Men,* tournés à Baltimore). On comprend mieux aussi comment Baltimore, cette ville si riche socialement et culturellement, a pu engendrer un réalisateur aussi talentueux (et déjanté) que *John Waters.* Aujourd'hui, la plupart de ses films sont quasiment des films cultes : *Pink Flamingos, Hairspray* avec le (la) regretté(e) *Divine, Cry-Baby, Serial Mom...* Enfin, de grands musiciens de jazz étaient de la ville aussi et y jouèrent longtemps : *Cole Porter, Chick Webb, Cab Calloway, Eubie Blake* et... la grande, la très grande... *Billie Holiday,* à qui nous consacrons ce chapitre spécial...

Lady sings the blues

Billie Holiday adorait raconter qu'elle était née à Baltimore, mais sa mère, *Sadie Harris,* dès qu'elle sut qu'elle était enceinte, préféra se réfugier à Philadelphie pour fuir l'opprobre de sa famille. Fille-mère de 18 ans, elle accoucha au General Hospital et revint à Baltimore quelques jours après la naissance de sa fille. Le père était un musicien de jazz du nom de *Clarence Holiday* qui ne reconnut pas l'enfant. La petite fille, prénommée *Eleanora*, aura une enfance chaotique, au gré des déménagements de sa mère. À 9 ans, elle chante déjà du blues et rêve à ce père absent qui est en train de devenir un joueur de banjo célèbre. À 10 ans, c'est le drame, Eleanora est violée, humiliée, envoyée dans une pension catholique très dure. Après 9 mois d'épreuves, elle retrouve sa mère et la suit à Fell's Point (dans Durham St), alors le quartier chaud de Baltimore. La petite Eleanora chante de plus en plus le blues. Son idole, c'est *Bessie Smith*. Sa mère partie travailler à New York, la gamine est livrée à elle-même et fréquente le milieu des musiciens de nuit, des durs et des proxénètes. La recherche du père la hante sûrement (d'ailleurs, elle appellera toujours les hommes « Daddy » !). La petite Eleanora finit, sans surprise, par se prostituer et travaille dans quelques maisons closes de Fells Point. Mais, paradoxalement, c'est sa voix qui intéresse les clients, et on la retrouve plus souvent à côté d'un piano d'une *good time house*, comme au 20 Bond St (populaire endroit à l'époque pour écouter du jazz, boire et fumer un joint) qu'au bordel. Elle commence à acquérir une petite notoriété locale. Elle sait qu'elle sera chanteuse et envisage déjà son nom de scène : *Billie* (le prénom d'une actrice qu'elle adorait) et, pourquoi pas, *Holiday*, le nom de son père mythifié. Il est d'ailleurs temps de partir. Une valise faite à la hâte, et en avant pour New York. Nous sommes en 1928, elle a 13 ans. Elle va retrouver sa mère, puis son père dans la nuit interlope new-yorkaise et affiner son blues... mais la suite n'appartient déjà plus à Baltimore !

Adresses et infos utiles

🏢 *Baltimore Area Visitor Center* (plan B2) : 301 E Pratt St. Dans Inner Harbor. ☎ 837-4636 ou 1-800-282-6632. Ouvert tous les jours de 9 h à 17 h 30.

✉ *Poste* : 900 E Fayette St.

🚌 *Terminal Greyhound* (plan B2) : 210 W Fayette St. ☎ 752-1393.

🚆 *Amtrak* : ☎ 1-800-USA-RAIL.

🚆 *Penn Station* : N Charles St. ☎ 291-4261. Trains pour New York, Washington D.C. et Philadelphie.

✈ *Baltimore-Washington International Airport* : ☎ 859-7111 ou 1-800-I-FLY-BWI. *Shuttle* pour l'aéroport : ☎ 821-5387 ou 381-2772.

– Les *bons plans de sortie,* événements, expos, concerts, etc., se trouvent dans un journal gratuit (on le trouve, entre autres, dans les cafés) : *Citypaper,* ainsi que dans une élégante petite brochure, *Radar*.

Transports urbains

➢ *Water taxi :* une façon agréable et pratique de visiter la ville et pas mal de musées. Il y a une dizaine d'arrêts, depuis l'Aquarium jusqu'à *Canton,* en passant par *Fort McHenry.* Renseignements au ☎ 563-3901 ou 1-800-658-8947. Du 1er mai au 6 septembre, fonctionne de 9 h à 23 h (minuit le weekend et 21 h le dimanche). Horaires différents en basse saison. Billet pour la journée : 5 US$ (réductions pour les moins de 10 ans).

➢ *Métro :* une seule ligne, passant au nord de Little Italy, traversant Downtown et remontant au nord vers Bolton Hill. Dessert en fait peu de centres d'intérêt ou alors musarde toujours à 4-5 blocks.

➢ *MTA (Mass Transit Administration) :* gère le réseau de bus local, le métro et le *Light Rail.* ☎ 539-5000. *Pass* quotidien à 3 US$ valable pour les 3 modes de transport.

➢ *Taxis :* ☎ 327-0330 ou 727-7300.

Où dormir ?

Pourtant bien moins aristocratique que Boston ou Philadelphie, il n'y a malheureusement pas d'hébergements bon marché à Baltimore. Voici quelques suggestions.

Chic

🏠 **Days Inn** (plan B2, 11) : 100 Hopkins Pl. ☎ 576-1000. Fax : 659-0257. ● www.daysinnerharbor. com ● À 4 blocks de l'Inner Harbor, en face du Convention Center. À partir de 150 US$. Moins cher en basse saison, plus cher quand il y a des congrès, se renseigner avant. *Nothing fancy*, un solide parallélépipède de brique rouge. 250 chambres confortables. Piscine extérieure et centre de fitness. Pour ceux qui ont une voiture, le *Days Inn* de Baltimore E, à 11 miles du centre, offre des chambres à partir de 60 US$. ☎ 882-0900.

🏠 **Holiday Inn** (plan A2, 12) : 301 W Lombard St. ☎ 685-3500. Fax : 727-6169. ● www.holidayinn. com ● Très central aussi. Béton fonctionnel, pas de charme en soi, prix acceptables (en dehors des périodes de congrès). 375 chambres correctes. Grande piscine intérieure et sauna.

🏠 Guetter les réductions de fin de semaine des grands hôtels. Par exemple, à certaines périodes, le *Sheraton Inner Harbor* (☎ 962-8300. ● www.sheraton.com ●) propose, du jeudi au dimanche soir, des chambres autour de 140 US$.

Encore plus chic

🏠 **Ann Street Bed and Breakfast** (plan D3, 13) : 804 Ann St, Fells Point. ☎ 342-5883. Doubles à 100 et 110 US$ environ. Coin plus tranquille que Broadway, tout en étant proche de l'animation. Là aussi le charme colonial de 2 maisons du XVIIIᵉ siècle. Jardin privé. Chambres correctes avec bains et bon petit dej' compris.

🏠 **Abacrombie Badger Bed and Breakfast** (hors plan par B1, 10) : 58 W Biddle St. ☎ 244-7227 ou 1-888-9-BADGER. Fax : 244-8415. ● www.badger-inn.com ● Doubles de 115 à 155 US$, certaines avec lit à baldaquin ! Une douzaine de chambres dans ce *B & B* de charme, à la décoration cosy. Tout le confort nécessaire : bains, téléphone avec répondeur, et même « concession au XXIᵉ siècle », TV dans chaque chambre ! Bien desservi par le *Light Rail* (le tram) et proche des principales activités culturelles de Mount Vernon et du quartier des antiquaires. Une alternative, donc, à l'activité dense de l'Inner Harbor ou de Fells Point.

🏠 **Celie's Waterfront Bed and Breakfast** (plan D3, 14) : 1714 Thames St, Fells Point. ☎ 522-2323 ou 1-800-432-0184. Fax : 422-2324. ● www.baltimore-bed-breakfast.com ● Doubles de 140 à 240 US$. Fort bien situé. Sept chambres de charme (non-fumeurs) et de bon confort. TV satellite, téléphone avec répondeur, ventilo, frigo, machine à café, petit dej' continental compris, etc. Certaines chambres (avec jacuzzi) pour 2 nuits minimum le week-end. Deux à 3 nuits minimum pour toutes les chambres en périodes de vacances et certains week-ends « spéciaux ». *Roof deck* avec belle vue sur le port. Petit jardin. Réservation obligatoire avec arrhes.

🏠 **Admiral Fell Inn** (plan D3, 15) : 888 S Broadway, Fell's Point. ☎ 522-7377 ou 1-800-292-4667. ● www.admiralfell.com ● Doubles à partir de 200 US$. Dans ce vieux quartier du port plein de charme, l'adresse chic la plus séduisante. Ancien hôtel de marins de 4 étages en brique. Superbement rénové. Il s'appelait à l'époque l'*Anchorage Hotel*. Songez que pendant des dizaines d'années, des matelots de tous les pays s'y entassèrent. Les chambres à 35 cents la nuit étaient tellement petites qu'on le surnommait « The Doghouse ». Aujourd'hui, il est au cœur de l'animation nocturne. En voyage de noces ou prêt à consentir un petit écart financier pour une nuit, c'est là qu'il vous faut descendre. Les chambres sont personnalisées et joliment décorées, meubles de style fédéral, agréable *lobby,* beau petit dej' et un resto réputé. *Water taxi* au pied de l'hôtel pour rejoindre l'Inner Harbor.

Où manger ?

De bon marché à prix moyens

|●| *Attman's Delicatessen (plan C2, 20) :* 1019 Lombard St. ☎ 563-2666. Leur slogan : « Meilleur *deli* au sud de New York », c'est pas loin d'être vrai ! Créé en 1915, à cet endroit depuis 1927 et toujours tenu par la même famille. Salle à côté de la boutique. Cadre frais et sympathique. S'est à peine modernisé et a su conserver une petite *flavour* du passé. Thon empaillé au mur, bocaux de condiments en rangs serrés, gants de Mohammed Ali, photos de la rue en 1930 et de tous les présidents démocrates qui ont fait l'honneur de leur visite : Kennedy, Johnson, Carter, Clinton, et aussi... Reagan. Dégustez ici le meilleur de la cuisine juive : foie haché, *lox*-fromage blanc, corned-beef et *hot pastrami* préparés quotidiennement, « chiens chauds » kasher réputés et d'excellents *combination sandwiches* aux noms rigolos : *Tongue Fu, The Gay Liveration, The Black Russian,* etc. Toujours des produits frais... Leur recette de *halva* daterait de 5 000 ans, ils sont même un peu de Marseille !

|●| *Blue Moon Cafe (plan D3, 21) :* 1621 Aliceanna St. ☎ 522-3940. Ouvert tous les jours de 7 h à 3 h, du jeudi au samedi à partir de 11 h, les vendredi et samedi toute la nuit. Plats autour de 6-8 US$. À Fells Point, on adore ce petit morceau de Lune tombé sur Terre. L'astre bleuté se décline sur les murs et dans les assiettes. *The Morning Moon,* petit dej' de rêve, propose une gamme impressionnante de préparations. À toute heure, la dizaine de tables est occupée par toutes sortes de jeunes gens et jeunes filles appréciant une cuisine simple, fraîche et inventive. Les omelettes sont tombées du ciel, *quesadillas* et *gourmet burgers* ne sont pas en reste. Quant au *cinnamon roll* (roulé à la cannelle), fait maison, bien sûr, il vous fera hurler... à la lune, cela va sans dire. Cartes de paiement refusées.

|●| *Bertha's (plan D3, 22) :* Broadway et Lancaster, Fells Point. ☎ 327-5795. Ouvert tous les jours, sauf les jours fériés, midi et soir jusqu'à 23 h (minuit le week-end). Bar ouvert jusqu'à 2 h. Plusieurs salles. Quelques box avec bancs en bois. Tableaux et estampes aux murs. Décor à l'ancienne. Spécialiste des moules (une dizaine de variétés), *broiled stuffed shrimps, oysters William, T-Bone steak,* salades, sandwichs, etc. *Lunch special* de 11 h 30 à 17 h du lundi au vendredi. *Scottish afternoon tea* de 15 h à 17 h (sauf le dimanche). *Jazz in the bar* du mardi au jeudi. Belle atmosphère.

|●| *Duda's (plan D3, 24) :* Thames St (et Bond St), Fells Point. ☎ 276-9719 ou 7555. Cuisine ouverte de 18 h à 23 h (le bar jusqu'à 2 h). Fermé le dimanche. Une des plus anciennes tavernes de Fells Point (1949), et elle ne semble pas vouloir changer beaucoup. Clientèle jeune, grosse animation. Parmi les meilleurs burgers qu'on connaisse, le reste se révèle d'une qualité régulière : *crab cakes,* steaks généreux au charbon de bois, salades copieuses, *seafood* du jour. Une quinzaine de bières à la pression, certaines aux consonances exotiques (la *Flying Dog,* l'*Utenos* lituanienne, la *Browar Okocim,* etc.). Sur une ardoise, la bière du jour.

De prix moyens à plus chic

|●| Burke's Cafe (plan B2, 23) : 36 Light St. ☎ 752-4189. Ouvert tous les jours de 7 h à 23 h. Réservation conseillée en fin de semaine, obligatoire les soirs de match de base-ball ! Légèrement à l'écart du port, cet établissement a été fondé en 1934. D'un côté, un immense bar tout en longueur, de l'autre une spacieuse salle au décor de *Weinstub*. Cuisine à la hauteur. *Seafood, deli sandwiches, crab cake,* mais aussi *sour beef, pan fried chicken* : il y en a pour tous les goûts, et les prix sont très raisonnables (attention, portions très copieuses). À l'étage, *Comedy Factory* (impros, saynettes, courtes pièces de théâtre), les vendredi et samedi soir. Renseignements : ☎ 752-4189.

|●| Joy America Café (plan C3, 25) : American Visionary Art Museum, 800 Key Hwy. Pas loin de l'Inner Harbor. ☎ 244-6500. Ouvert midi et soir en semaine, brunch le dimanche. Fermé le lundi. Réservation très conseillée. Plats de 10 à 20 US$ environ. Bien sûr, on ne paie pas l'entrée du musée. Grande salle lumineuse, avec une belle vue sur le port (à préciser à la résa pour une place à côté de la fenêtre). Terrasse. Quelque temps déjà que les hommes d'affaires ont repéré ce lieu d'agapes et de culture pour leur repas du midi. On y découvre une vraie nouvelle cuisine américaine, bio, tout imaginative, jouant sur les jeux de saveurs, les associations originales de produits. Service courtois et souriant.

|●| John Steven (plan D3, 26) : 1800 Thames St, Fells Point. ☎ 327-5561. Ouvert tous les jours de 11 h à 23 h (minuit le week-end), le pub ferme à 2 h. Cadre particulièrement plaisant pour une bonne et fraîche cuisine. Spécialité de *shellfish* à la vapeur, sinon *muffaletta* (sandwich *New Orleans*), *Cajun crawfish pie, Baltimore bouillabaise* (dans le texte), *broiled Maryland crab cakes,* etc. Excellents sushis (servis jusqu'à 1 h 30). Aux beaux jours, on mange dehors dans un agréable patio.

|●| Victor's Café (plan C3, 27) : 801 Lancaster St (Landing 7). ☎ 244-1722. Bonne cuisine. Réputé pour son lunch autour de 12 US$ le midi. Plus cher le soir, bien sûr. Comme on dit, *good value for the money.* D'ailleurs, yuppies et employés du coin qui s'y pressent ne s'y trompent pas !

|●| Phillips (plan B2, 28) : 301 Light St, Inner Harbor. ☎ 685-6600. Ouvert tous les jours. Réputé pour son *all you can eat seafood buffet* du midi à prix abordable. Très touristique, vu l'emplacement. Arriver de bonne heure pour éviter la queue. Si vous réservez, demandez une place avec vue sur le port. Piano-bar.

|●| Ne pas oublier les **restos italiens** de Little Italy (plan C2). Assez touristiques pour la plupart, mais atmosphère assurée. Les plus réputés sont **La Tavola** (248 Albemarle St ; ☎ 685-1859 ; pâtes et poisson grillé excellents) ; **Boccaccio** (925 Eastern Ave ; ☎ 234-1322 ; bonnes viandes, cuisine sérieuse, un peu chère peut-être !). Quant au **Da Mimmo** (217 S High St ; ☎ 727-6876), il a tellement l'habitude de bien recevoir les stars (Richard Gere, Tom Selleck...) qu'il en oublie parfois d'accorder les mêmes droits aux autres. Cuisine réputée certes, mais pas donnée !

Plus chic

|●| Hamilton's (plan D3, 29) : 888 S Broadway. ☎ 522-2195. Entrées et salades de 8 à 12 US$ environ. Plats de 20 à plus de 35 US$. Un des meilleurs restos de Baltimore. Cadre élégant pour une très belle « nouvelle cuisine américaine ». Carte assez réduite d'où nous vous avons extrait la *quail Aurellia* (caille au jambon de parme), le ris de veau grillé aux champignons, le saumon canadien sauce poivron, etc. Vins au verre.

|●| Hampton's (plan B3, 30) : Harbor Court Hotel, 550 Light St. ☎ 347-9744 ou 234-0550. Ouvert du mardi au dimanche pour le dîner. Considéré par certains comme le meilleur restaurant de la ville. Remarquable cadre à l'image du grand hall et de la belle volée de l'escalier. Service impeccable. Cuisine fraîche et inspirée, avec en prime un super panorama sur le port. *Champagne brunch* le dimanche. Ne pas manquer d'aller boire un verre à l'*Explorer Lounge*; là aussi, décor très réussi.

Où boire un verre? Où sortir?

À Fells Point

Fells Point se révèle le grand lieu de rassemblement nocturne de la jeunesse (et des autres). On a compté plus de 70 bars! Le week-end, atmosphère d'enfer sur Broadway South et au port. Ne pas tenter de s'y rendre en voiture! Parmi les dizaines de lieux qui débordent le soir, quelques pistes...

🍷 *Wharf Rat Bar* (plan D3, *70*) : 801 S Ann St (et Lancaster St). ☎ 276-9034. Vieux rade, plancher en bois usé, 2 comptoirs (dont l'un joliment sculpté), billard, musique *loud*, clientèle 25-35 ans totalement mélangée. Au fond, c'est plus relax, avec une grande cheminée. Sur une ardoise, les snacks du jour. Jusqu'à 19 h, tous les jours, 3 bières *draft* pour 3 US$, imbattable! Intéressante formule *pizza and pitcher* aussi. *College night* le jeudi (1 US$ la *draft* jusqu'à la fermeture!).

🍷 *Cat's Eyes* (plan D3, *71*) : 1730 Thames St (et S Broadway). ☎ 276-9085. Pub irlandais, peintures, photos, drapeaux rappellent le pays. Excellente bande-son. En semaine, plus calme. Concerts de temps à autre. Snacks et burgers pas chers. À côté, la *Daily Grind Coffee House* accueillait, il y a peu, les cinéphiles du défunt *Orpheum*. Bons gâteaux.

🍷 *Dead End* (plan D3, *72*) : 935 Fell St. ☎ 732-3602. C'est ce qu'on appelle un *local bar*. Joyeux, animé, bruyant. Seize bières à la pression. Au fond, 2 *pools*. Possibilité de suivre les matchs de base-ball sur grand écran. Bon *pub grub*.

🍷 *Admiral Cup* (plan D3, *73*) : 1647 Thames St (et S Broadway). ☎ 522-6731. Ferme à 2 h. Vieux rade de marins récupéré par les étudiants. Musique à tue-tête. La foule le week-end.

🍷 *The Horse you came in on* (plan D3) : 1626 Thames St. ☎ 327-8111. Tout en profondeur. Plancher bien *worn out*. Beaucoup de jolies étudiantes et de frais minois. Jusqu'à 21 h 30, 2 bières pour le prix d'une. Sinon, traîner à la *Leadbetters Tavern*, au 1639 (*live music* tous les soirs) ou chez *Kooper's*, au 1702 (en activité depuis 1897, bien animé aussi, *live music*).

🍷 *Bertha's* (plan D3, *22*) : 734 S Broadway. ☎ 327-5795. On l'indique comme resto (voir plus haut « Où manger? »), mais c'est aussi un excellent lieu pour écouter du jazz et du blues (les mardi, mercredi et jeudi). Bar tout en longueur, décor hétéroclite, au plafond un morceau de barque, espadon empaillé, vieux instruments de musique. Vite plein et chaleureux.

🍷 *Fletcher's* (plan D3, *74*) : 701 S Bond St. ☎ 880-8124. Ouvert tous les jours. Le dimanche, *happy hours* toute la soirée. Tout en longueur. Bien sombre et bruyant. Atmosphère très rock. Quatre *pools*. Du mercredi au samedi, de sacrés concerts.

🍷 *Bohager's* (plan D3, *75*) : 515 S Eden St. ☎ 563-7220. Parmi les nuits les plus folles de la ville. Il faut dire que les *happy hours* des vendredi (avec *live music*) et samedi, de 17 h à 21 h, aident à chauffer l'atmosphère (toutes les *drafts* à 1 US$ et réduction sur les autres boissons avec buffet gratuit). Ancien entrepôt. Grand espace, malgré cela bourré à craquer, musique plutôt disco et funky. Pour éviter les émeutes au bar, des bacs en zinc en plus pour vendre la bière. En été, agréable *deck* sous les étoiles. Concerts en fin de semaine.

🍸 Aux n°s 719-721-723 S Broadway, les boîtes se succèdent. Chacune sa personnalité, mais elles ont en commun d'être prises d'assaut par les jeunes des banlieues en virée. Vers 2 h, ambiance assez électrique « in » et « out » ! Le *Club 723* est plutôt orienté techno, *progressive,* house, disco, etc.

Downtown

🍸 *Buddies Jazz Pub (plan B1, 77) :* 313 N Charles St. ☎ 332-4200. Atmosphère pépère, voire conformiste, pour des petits concerts de jazz bien ficelés.

🍸 *Mike O'Shea (plan B1, 78) :* 328 N Charles St. ☎ 539-7504. Ouvert jusqu'à minuit (2 h le week-end). Ici, tout rappelle l'Irlande : aussi bien les murs que l'atmosphère. Fort sympathique, donc. Groupes live 2 fois par semaine. Plats du jour le midi (les *daily specials*), salades et bons sandwichs.

À voir

🚶🚶🚶 *Baltimore Museum of Art (hors plan par B1) :* 10 Art Museum Dr. ☎ 396-7137 ou 396-7100 (répondeur). • www.artbma.org • Au nord de la ville, à 2,5 miles du port (au niveau de 31st St). Bus n°s 3 et 11. Ouvert de 11 h à 17 h (18 h le week-end). Fermé les lundi, mardi et les principaux jours fériés. Entrée : 7 US$, gratuit pour les enfants et pour tous le 1er jeudi de chaque mois.

Musée très complet, prévoir 2 h de visite minimum (en courant).

– *Peinture française :* Fragonard, Poussin, Chardin, Greuze, Nattier, Élisabeth Vigée-Lebrun...

– *Peinture anglaise :* Gainsborough, George Romney, Reynolds. Puis, accrochage assez éclectique : statue de Degas *(Petite Danseuse)* ; Corot ; Pissarro ; Van Dyck ; Tiepolo ; Titien ; Frans Hals ; Canaletto ; une superbe *Madone adorant l'Enfant avec cinq anges,* de Botticelli ; deux Guardi remarquables (comme d'habitude !) ; ravissante *Vierge à l'Enfant* de Bachiacca ; Van Dyck ; Rembrandt...

– *1er étage (Main Level) :* l'art contemporain. Particulièrement riche en Matisse *(Blue Nude, Intérieur avec chien, La Robe jaune),* Cézanne, Picasso, Georgia O'Keeffe, George Morris, Willem De Kooning, Franz Kline, Motherwell et, pour ses fans... beaucoup d'Andy Warhol. Et encore, Jasper Johns, Frank Stella, Roy Lichtenstein, Rauschenberg...

– *Rez-de-chaussée :* les surréalistes. Nombreuses gravures, photographies, Man Ray ; *Tête, étude pour un monument* de Picasso ; ravissants Miró *(Personnages attirés par la forme d'une montagne)* ; Max Ernst ; Tanguy ; Matta ; Dalí ; André Masson ; Wifredo Lam.

– *Dans l'atrium (Main Level) :* on peut admirer de belles mosaïques d'Antioche, notamment un *Lion furieux* très expressif.

– Enfin, les amateurs garderont un peu de souffle pour les intéressantes *sections d'arts décoratifs américains* (réparties dans tous les étages). Bel ameublement colonial et du XIXe siècle, peintures de Gilbert Stuart, adorables maisons de poupée, intérieurs reconstitués, etc.

– Les fans d'*arts asiatiques, africains, mélanésiens, précolombiens,* etc. trouveront leur bonheur, quant à eux, au rez-de-chaussée *(Lower Level).* Pièces souvent magnifiques comme ce *chameau* en terre cuite polychrome du VIIIe siècle, ce *cheval chinois* (période Han, IIe siècle av. J.-C.), la superbe *coiffure de danse d'mba* (Guinée) et ces *masques* du Liberia et du Sierra Leone. Jardin des sculptures.

🍴 *Restaurant Gertrude's :* ☎ 889-3399.

♥♥♥ ♣♣ *National Aquarium (plan C2, 40)* : Pier 3, 501 E Pratt St. ☎ 576-3800. ● www.aqua.org ● Ouvert en juillet-août tous les jours de 9 h à 18 h (fermeture des caisses) et jusqu'à 20 h le week-end. De mars à juin et en septembre-octobre, ouvert du samedi au jeudi de 9 h à 17 h (20 h le vendredi). De novembre à février, du samedi au jeudi de 10 h à 17 h (20 h le vendredi). Entrée assez chère (18 US$), *but it's worth the money*, comme on dit. Demi-tarif pour les enfants.

Impossible de rater cette étonnante architecture futuriste, aujourd'hui l'une des images de marque de l'Inner Harbor. On monte d'abord tout en haut pour la spectaculaire jungle tropicale (niveau 5). Puis on redescend par une rampe en spirale, comme au milieu d'un merveilleux tunnel d'eau où s'ébattent des milliers d'espèces de poissons. Reconstitution parfaite de l'*Atlantic Coral Reef*. Secteurs des requins (niveaux 1 à 4) et des raies mantas (niveau 1), bien sûr assez impressionnants. Il faut également souligner le souci particulièrement pédagogique de la présentation (dioramas, coupes des différents milieux aquatiques). Le sentiment d'immersion, le bonheur d'un vrai dépaysement sont complets. Au passage, énormes grenouilles, tortues, saisissants serpents de mer (brrrr...). Et puis, plein d'autres attractions : le bassin des phoques, l'*Exploration Station*, la galerie sous l'eau, le show des dauphins au *Marine Mammal Pavilion* (réservez votre horaire), etc. *Aqua Shop* particulièrement bien approvisionnée.

♥♥♥ *American Visionary Art Museum (plan C3, 41)* : 800 Key Hwy. Pas loin de l'Inner Harbor. ☎ 244-1900. ● www.avam.org ● Ouvert de 10 h à 18 h. Fermé le lundi. Entrée : 9 US$; réductions.

Un musée qu'on adore. Expos des œuvres des artistes les plus « barges » : névrosés géniaux, poètes, margeos et illuminés divers, ménagères de moins de 50 ans autodidactes, retraités inspirés, SDF, facteurs Cheval de banlieue, etc. Œuvres, produits des amours déjantées et croisées de l'art naïf, du dadaïsme, du pop art et de la *trash culture*. Violent, coloré, jouissif, drôle, subversif, érotique, véritables *cris et gémissements* populaires... bref, venez arpenter les 3 étages aux noms étranges de *Lost, Profane* et *True* ! Les œuvres tournent pas mal bien sûr (elles tournent plutôt bien d'ailleurs), aussi nous ne citerons que les noms des artistes qui reviennent le plus souvent.

– *3ᵉ étage : Survival of the Installement Plan* de Joe Coleman (à mi-chemin entre Crumb et Gotlib) ; Élisabeth « Gran Ma » Layton ; Sylvain Fusco et, surtout, Devorah Kleinbeast et son *Significant Other Husband*.

– *2ᵉ étage : Cowboy Love* de Frank Bruno ; *Annonciation, Pronunciation,* etc., de Norbert Kox ; Ody Saban ; Malcolm McKesson ; *Forgiveness* de Mary L. Proctor. Collages, *quilts*, tous les matériaux sont utilisés.

– *1ᵉʳ étage :* Danielle Jacqui et ses grandes tapisseries naïves ; Richard Sahott ; Frank Bruno pour notre plaisir encore ; *Behold the White Horse* et les visions torturées d'Alex Grey.

|●| Enfin, le ***Joy America Café*** (voir « Où manger ? ») se révèle être un sympathique resto, livrant l'une des cuisines les plus... imaginatives.

♥♥♥ ♣♣ *Musée maritime (plan C2, 42)* : Pier 3. ☎ 396-3453. ● www.balto maritimemuseum.org ● Entrée : 7 US$; réductions.

Visite du sous-marin *Torsk*, qui coula le dernier navire de guerre japonais, du *Taney*, dernier survivant de l'attaque de Pearl Harbor, du bateau-phare *Chesapeake* et du *Seven Foot Knoll Lighthouse*, une sorte de phare « flottant », ainsi que du Coast Guard *Plaza*. Voir aussi l'*USS Constellation*, superbe voilier, ultime témoignage de la flotte d'avant la guerre civile, magnifiquement restauré (Pier 1, ☎ 539-6238. Accès : 7 US$; réductions). Quant au *Pride of Baltimore II*, c'est une copie des fameux clippers issus des chantiers navals de la ville dans la 1ʳᵉ moitié du XIXᵉ siècle (la 1ʳᵉ réplique coula tragiquement au large de Porto Rico en 1986). Enfin, Pier 1, on peut visiter le *SS John W. Brown*, l'un des derniers *Liberty Ships*, héros à leur manière de la Seconde Guerre mondiale (accès, quand il est à quai, les mercredi et

samedi, de 9 h à 13 h. ☎661-1550). Le *Seaport Pass,* un peu cher (24 US$; 13,50 US$ pour les enfants), inclut aussi le *water taxi.* Faites vos comptes.
– Dans le périmètre de l'Inner Harbor, jouxtant le *Hard Rock Cafe* (immanquable avec sa guitare géante aux couleurs criantes déchirant la nuit), on recommande une halte paisible chez *Barnes & Noble,* immense librairie sur plusieurs niveaux (installée dans une ancienne usine totalement relookée) : on peut y lire, s'y reposer, y prendre une collation à toute heure. Vue imprenable.

🍴 🚶 *Musée de l'Industrie (hors plan par C3, 43) :* 1415 Key Hwy. ☎727-4808. Ouvert tous les jours de 10 h (12 h le dimanche) à 17 h. Entrée : 7 US$; réductions. Accessible en *water taxi.*
Installé dans une ancienne conserverie d'huîtres de 1870. C'est toute l'histoire industrielle de la ville au travers de reconstitutions d'ateliers et de jeux interactifs pour les mômes. On y trouve la dernière *steam tug* (de 1906) du pays encore en service, une presse d'imprimerie de 1880 qu'on peut faire fonctionner, une petite fabrique d'outils du XIXe siècle, etc. Au *Kid's Cannery,* les enfants peuvent expérimenter les conditions de travail de l'époque, se mettre eux-mêmes en conserve, et tant d'autres choses.

🍴🍴 🚶 *B & O Railroad Museum (hors plan par A2, 44) :* 901 W Pratt St. ☎752-2490. ●www.borail.org ●Ouvert tous les jours de 10 h à 17 h, fermé les jours fériés. Entrée : 8 US$; réductions.
À l'endroit précis où démarra sa grande aventure américaine en 1830, découvrez ce riche musée du chemin de fer. Plusieurs édifices historiques subsistent, dont une magnifique rotonde (la *Roundhouse*) de 72 m de diamètre et 37 m de haut (de 1884), abritant de belles locos du XIXe siècle. Elle fut utilisée jusqu'en 1953 pour réparer les wagons de voyageurs. Plus de 120 locos, machines et wagons s'offrent aux visiteurs, dont la fameuse *Allegheny* de 320 t qui développait 7 500 chevaux, et les énormes diesels. Matériel ferroviaire, documents, souvenirs divers, modèles réduits. Combien d'adultes seront heureux de retrouver leurs émotions d'enfants... Intéressante *gift shop.*

🍴 🚶 *Maryland Science Center (plan B3, 45) :* 601 Light St. ☎685-5225. ● www.mdsci.org ● Ouvert en été de 10 h à 18 h (19 h les vendredi et samedi). Le reste de l'année, de 10 h (12 h le dimanche) à 17 h (18 h le samedi). Entrée : 12 US$; réduction pour les enfants.
Le palais de la Découverte local, avec 3 étages d'expériences à réaliser par les enfants. Également, des expositions, un planétarium et l'un des cinémas IMAX les plus grands du pays.

Balades au fil des quartiers

Pour avoir une petite idée de la ville et vous créer des repères, il est conseillé de prendre un tour. *Harbor City Tour* propose une balade intéressante et ses guides ont souvent pas mal d'humour. Départs depuis l'Inner Harbor (Harbor Pl), près du *Visitor Center,* à 10 h, 12 h, 14 h et 16 h. On peut réserver au ☎254-8687.

Fells Point

Le quartier du vieux port qui échappa au grand incendie de 1904 et à l'autoroute urbaine dans les années 1970. L'un des ensembles architecturaux des XVIIIe et XIXe siècles les mieux conservés des États-Unis. Chargé d'histoire, bien entendu. Abrita les chantiers navals qui fabriquaient les célèbres *Baltimore Clippers,* puis nombre de conserveries. Les marins adoraient Fells Point, qui traînait une réputation de Tanger ou de Macao de la côte Est. C'est ici que *Frederick Douglass,* le grand réformateur, apprit à lire et à écrire (dans Durham St, que l'on parcourt avec émotion). Son livre, *My Bondage and my Freedom*, doit largement à ses années d'existence dans le quartier. *Billie Holiday* y vécut aussi (voir la rubrique « Quelques Baltimorien (ne)s célèbres » plus haut). Dans les années 1920-1930, ce fut l'âge d'or du jazz. Quartier très vivant et créatif sur le plan musical. *Duke Ellington* y faisait régulièrement des descentes pour repérer les nouveaux talents. Le nom des rues distille toujours une petite atmosphère coloniale *British : Thames, Shakespeare, Wolfe* (général anglais vainqueur des Français au Canada en 1759), *Fleet, Bond St*... Ce qui, dit-on, révèle aussi le profond attachement des Baltimoriens pour leur histoire.

Arpentons quelques rues à la recherche des signes du passé. Sur Broadway, entre Lancaster et Fleet, s'étend le marché datant du XVIIIe siècle. Thames St aligne nombre d'anciennes demeures, vénérables cafés et pubs. Sur Shakespeare St, aux 1611 et 1621, vieilles bâtisses fort bien restaurées. Sur Wolfe St, au 612-614, très rares exemples de maisons urbaines en bois, datant de 1750. Sur Ann St, d'autres belles demeures anciennes, notamment, au 812, celle de *Robert Long*, un négociant quaker, qui date de 1765. Visite tous les jours à 12 h 30, 13 h 30 et 15 h. ☎ 675-6750. Juste à côté, au 808, se trouve le *Fell's Point Visitor Center* (même téléphone). ● www.pre servationsociety.com ● Ouvert de 12 h à 16 h. Presque en face, au 717-719, ont survécu 2 maisons en bois. À propos, vous aurez remarqué que pas mal d'édifices de Fells Point et de Canton, à côté, présentent une sorte de façade grise assez laide. La faute au *Formstone*, revêtement industriel imitant la pierre et très à la mode après la dernière guerre (la brique, ça faisait vraiment par trop prolo et ringard !). Aujourd'hui, nombre de proprios tentent de s'en débarrasser et de retrouver l'authenticité et le charme de la brique nue... Pour ceux qui veulent continuer à trekker urbain, le quartier voisin et plus résidentiel de ***Canton*** s'offre aux amateurs. Il propose le beau *Patterson Park* et nombre de rues tranquilles, petits bistrots sympas et clins d'œil architecturaux. Quelques suggestions de rues : *Montford* et *Luzerne Ave*, *O'Donnel St*, la promenade de bord de baie, etc.

Little Italy et Old Town

Entre Caroline St et Inner Harbor s'étend l'ancien *quartier italien* et le *vieux centre*, qui conservent encore un certain caractère. Au nord, un quartier habité dans le temps majoritairement par la communauté juive. Il abrita de nombreux écrivains, cinéastes et gens de médias, comme *Leon Uris* (auteur de l'extraordinaire *Trinity*), *Barry Levinson, Ken Waissman* (auteur de la comédie musicale *Grease*), *David Jacobs* (créateur du feuilleton *Dallas*) et plusieurs poètes. Synagogues et musée juif du Maryland en témoignent aussi aujourd'hui. Autre vedette d'Old Town... les *Booth,* une famille d'acteurs qui déclama Shakespeare sur toutes les scènes d'Amérique. C'est un des fils, *John Wilkes Booth,* qui eut le plus de succès au théâtre en assassinant Abraham Lincoln. Quartier chargé d'histoire également. Affûtez vos crampons, on y va. Le quartier reçut ses premiers immigrants italiens vers 1850, mais beaucoup continuèrent vers l'ouest. D'autres vagues d'immigration amenèrent ensuite Irlandais, Allemands, juifs russes, etc. Vivait là aussi une petite minorité de Noirs, anciens esclaves libres, mais qui n'avaient pas la vie facile. Nina Simone le chanta : « *Oh, Baltimore, ain't it hard just to live ?* » Tous se retrouvaient à suer dans les centaines de *sweat shops* de l'industrie textile.

🎣 Au 844, E Pratt St, on trouve la ***Star-Spangled Banner Flag House*** *(plan C2, 46)*. ☎ 837-1793. Ouvert de 10 h à 16 h (dernier tour à 15 h 15). Fermé le lundi.

C'est dans cette mignonne maison de brique que *Mary Pickersgill* cousit, en 1812, pendant la guerre contre les Anglais, le drapeau américain qui flotta victorieusement sur Fort McHenry. Grand exploit de ses petites menottes, car le drapeau mesurait 12 m x 9 m ! Exploit qui devrait être réitéré sous la forme d'une vitrine gigantesque abritant une réplique exaltant le « patriotisme » et l'« esprit américain »...

🚶 Toujours sur Pratt, c'est là que, le 19 avril 1861, une foule sudiste attaqua à coup de briques un contingent nordiste en route pour la capitale. Seize personnes furent tuées, dont 4 soldats. Premiers morts de la guerre civile. L'ancienne *President St Station,* d'où débarquèrent les soldats, abrite aujourd'hui le *Civil War Museum (plan C3, 47).* Situé au 601 President St. ☎ 385-5188. Ouvert tous les jours de 10 h à 17 h.

🚶 🚶 À deux pas, un petit musée insolite, abrité dans une ancienne *pumping station,* le *Public Works Museum (plan C2, 48),* 751 Eastern Ave. ☎ 396-5565. Ouvert de 10 h à 16 h. Fermé les lundi et mardi.
À notre connaissance, le seul musée des États-Unis consacré aux travaux publics, à la distribution de l'eau, au système d'égouts, à l'entretien des rues, à l'éclairage public, etc. Plus de 2 000 objets liés à ces activités sont exposés. Les enfants peuvent même visiter un petit chantier de construction.

🚶 Les fans d'*Edgar Allan Poe* verront peut-être, quant à eux, passer son fantôme à l'angle de President et d'Eastern (ancienne Milk St). En 1829, il habitait le coin et passait beaucoup de temps, entre deux pubs, à chercher un éditeur pour ses premiers poèmes. Célèbre désormais, il devait bientôt se remarier après la mort de sa 1re femme et, en chemin pour New York, s'arrêta quelques jours à Baltimore. Le 3 octobre 1849, à la sortie d'un pub, dans Lombard St (Old Town), on le retrouva totalement inconscient, comme drogué, et ne portant pas ses vêtements habituels. Il mourut à l'hôpital sur Broadway et Fayette St. Le mystère de son décès demeure entier.

🚶 Sur Fayette et Front, une actrice du paysage urbain qui ne passe pas inaperçue : la *Shot Tower (plan C2, 49).* Édifiée en 1828, avec ses 71 m, ce fut un temps l'édifice le plus haut du pays. Elle nécessita un million de briques pour sa construction. Du sommet, on laissait tomber du plomb fondu dans un récipient d'eau pour fabriquer les balles.

🚶 *Le Jewish Museum of Maryland (plan C2, 50) :* 15 Lloyd St. ☎ 732-6400. ● www.jewishmuseummd.org ● Ouvert du mardi au jeudi ainsi que le dimanche de 12 h à 16 h. Entrée : 5 US$; réductions.
Au cœur de l'ancien quartier juif. Visite du musée, retraçant 150 années d'histoire, et des deux synagogues (à 13 h et 14 h 30). Librairie, boutique, présentation interactive pour les enfants. La *Lloyd Street Synagogue* fut la première construite dans le Maryland (1845) par la communauté d'origine allemande. C'est la 3e plus ancienne des États-Unis. Architecture néoclassique (Greek Revival), avec 4 grosses colonnes ioniques. On y verra les *wooden pews,* le balcon des femmes et les fenêtres peintes. L'autre synagogue, au 27 de la rue, la *B'nai Israel Synagogue,* fut édifiée en 1876 par les juifs d'origine russe. Construction de brique rouge de style néogothique (teinté de Moorish Revival).
En sortant, ne pas manquer d'aller déguster, sur E Lombard St, un bon *reuben* ou une *bubbie's matzo ball soup* chez *Attman's !* (Voir « Où manger ? ».)

Downtown

À l'ouest de President Ave, partie de la ville qui brûla lors du grand incendie de 1904. Au nord du quartier, au 100 N Holliday St, s'élève le *Town Hall (plan B2, 51).* Ouvert en semaine. Renseignements : ☎ 396-4900. Bel exemple d'architecture « post-guerre civile » grandiloquente. Demander à visiter la *rotonde.* Parfois, expos temporaires sur la ville.
Quartier d'ancienne immigration germanique. Dans l'église en face de la mairie, messe en allemand le dimanche. Sur *Gay St* et *E Baltimore,* les vestiges de l'ancien quartier chaud de la ville, le *Block (plan B-C2).* Dans les années 1940-1970, il s'étendait beaucoup plus. En ces temps de dépression, on disait que c'était la seule attraction touristique de la ville. On imagine l'ambiance déglinguée à l'époque. *Porno shops,* strips minables à bout de souffle, un paysage urbain qui n'en a plus pour longtemps !

À l'angle de Gay, Lombard et Water St s'élève le *mémorial* dédié aux victimes de l'Holocauste.

🎥🎥 *Top of the World* (plan B2, 53) : 401 E Pratt St. ☎ 837-VIEW. Ouvert du mercredi au dimanche de 10 h à 19 h en hiver et de 9 h à 21 h en été. Entrée : 4 US$. La caisse ferme 30 mn avant.

Du haut de ce World Trade Center, panorama évidemment privilégié sur l'Inner Harbor et au-delà. C'est le plus haut édifice pentagonal du monde, œuvre de ce bon M. Pei (auteur de la pyramide du Louvre). Avec ses grandes baies vitrées du sol au plafond, il nous plonge quasiment dans le port.

🎥🎥 🏃 *Port Discovery* (plan C2, 54) : 35 Market Pl. ☎ 949-2-FLY. ● www.portdiscovery.org ● Se renseigner pour les horaires, notamment pour les nocturnes. Entrée : 12 US$; 8,50 US$ pour les enfants ; 15 US$ pour tous en nocturne.

Un truc créé par Disney pour les mômes. Sur 3 étages, un tas de jeux interactifs et de « *hands-on exhibits* » où nos chers petits pourront développer leur *skill*. À proximité, ascension en ballon à bord du *HiFlyer* : vue saisissante sur la ville et le port (sujets au vertige, s'abstenir !).

🎥🎥 *Westminster Burying Grounds* (plan A2, 55) : cimetière situé à l'angle de Fayette et Greene St. ☎ 706-2072. En principe, visites guidées les 1er et 3e vendredis du mois, sur réservation.

Les amoureux d'*Edgar Allan Poe* ne manqueront pas, bien sûr, de lui rendre visite. Sa tombe se trouve à l'entrée (avec un poème de Mallarmé). C'est l'un des plus anciens cimetières de la côte Est (1786). Curieusement, l'église a été bâtie dessus (1852), avec arches enjambant les tombes (en fait, les nouvelles églises n'avaient pas le droit de créer de cimetières, mais pouvaient garder l'ancien). On y trouve des vétérans de la guerre d'Indépendance, de celle de 1812, et des politiciens locaux (le général *Samuel Smith*, le 1er maire, *James Calhoun*, *James A. Buchanan*). Vieilles pierres tombales sculptées, caveaux familiaux en ligne ou dans un joyeux désordre. Contourner l'église jusqu'à un étroit passage, le chemin se prolonge sous le bâtiment et ressort de l'autre côté. Par jour de pluie sombre et venté, frissons garantis.

🎥 Si les cimetières vous font claquer des dents, c'est le moment de visiter le *National Museum of Dentistry* (plan A2, 56), de création récente, le seul du pays (et au monde paraît-il !). Situé au 31 S Greene St. ☎ 706-0600. Ouvert de 10 h (13 h le dimanche) à 16 h. Fermé les lundi, mardi et jours fériés. Entrée : 4,50 US$; réductions.

Où l'on apprend que Jojo (George Washington) *himself* n'avait pas de si bonnes canines. Où l'on peut mettre aussi une pièce dans un juke-box en forme de dentier... À propos, c'est vrai qu'on est à côté de la faculté dentaire, la première créée dans le pays. Le fameux *Doc Holliday* (qui épaula *Wyatt Earp* lors du mythique règlement de comptes à OK Corral) y étudia. Élégant bâtiment avec colonnade blanche.

🎥 Ceux qui ont souvent recours à l'Alka Seltzer, les matins blêmes, le béret particulièrement serré, admireront l'impressionnante *tour-horloge* au coin de Lombard et Paca. Un chimiste génial, *Isaac Emerson*, inventa le Bromo-Seltzer contre les maux de tête. Ça fit sa fortune. En 1911, au-dessus de son usine, il construisit cette tour inspirée du palazzo Vecchio de Florence, avec 4 énormes cadrans d'horloge, longtemps les plus larges du monde. À la place des chiffres, les lettres de la marque. La tour était surmontée d'une bouteille illuminée du fameux remède, de 16 m de haut. Elle tournait aussi et était visible à 30 km à la ronde. En 1936, la bouteille fut enlevée pour réparation, mais jamais replacée. Une pétition circula : « *Bring back the Blue Bottle !* », tant elle faisait partie du paysage. Aujourd'hui, l'usine a disparu, il ne reste plus que cette tour.

🎥🎥 Pas loin s'élève le stade de l'équipe de base-ball de la ville, les *Orioles.* Possibilité de visiter l'historique *ballpark (plan A2)* de 48 000 places, 333 W Camdem St. ☎ 547-6234. Ou même, pourquoi ne pas assister à un match (le spectacle est aussi sur les gradins !) ? Mais attention, les gloires locales ne se produisent pas toujours à domicile (la saison va d'avril à octobre). Billetterie : ☎ 1-888-848-BIRD. ● www.theorioles.com ● Pour ceux qui veulent en savoir plus sur ce sport national, le *Babe Ruth Museum* s'offre à vous, 216 Emory St. ☎ 727-1539. ● www.baberuthmuseum.com ● Toute l'histoire de cette équipe mythique et de son célèbre joueur, *George Herman « Babe » Ruth,* longtemps recordman du nombre des *home runs.* Il y joua 2 503 matchs pendant 22 ans, marquant, en 1927, 60 *home runs,* record seulement battu en 1961 (sur une saison plus longue). À travers ce culte, on comprend mieux l'identification des Baltimoriens à leur équipe, à ses succès et à leur ville.

🕯 *La maison d'Edgar Allan Poe (hors plan par A2) :* 203 N Amity St. À l'ouest de la ville, un peu décentré. ☎ 396-7932. Ouvert en principe du mercredi au samedi, de 12 h à 15 h 45 (il vaut mieux vérifier).

Poe y vécut avec sa tante et se maria avec la fille de cette dernière (donc sa cousine, qui n'avait pas 14 ans quand il l'épousa !). C'est là qu'il écrivit, entre autres premières œuvres, *Manuscrit trouvé dans une bouteille.*

Le quartier de Federal Hill

Quartier qui se développa au XIXe siècle autour des conserveries. Y logeaient les ouvrières des canneries, en de longs *rows* de maisons basses et modestes. En gros, délimité par *Lee, Hanover S, William* et *Cross St (plan B3).* Là aussi, dans les années 1950-60, les habitants combattirent fermement le projet de raccordement sur leur territoire de l'I 95 avec l'I 83 et d'un pont qui aurait traversé l'Inner Harbor jusqu'à Fells Point. Cependant, le quartier était dans un pauvre état. Pour remotiver les gens, 120 maisons furent mises en vente... 1 US$! Charge aux nouveaux proprios de rénover eux-mêmes. On dut instaurer une loterie pour départager les candidats. Aujourd'hui, les maisons valent entre 200 000 et 300 000 US$! Balade délicieuse, en détaillant les différences architecturales entre demeures des XVIIIe et XIXe siècles, en particulier sur *E Montgomery.* Noter certaines façades étroites. Détailler les n°s 111, 114, etc. Le n° 125 est une ancienne caserne de pompiers, et, au n° 130, subsiste encore une maison en bois. À l'intersection avec *Charles St,* quelques intéressantes bâtisses du XVIIIe siècle. Sur Charles, autour des n°s 206 et 208, on lorgne vers le style grec ; en revanche, du n° 226 au n° 240, la mode se fait italianisante. Dans certaines maisons, noter les petites fenêtres presque au ras du sol : ce sont d'anciennes entrées pour le charbon. Ne pas manquer de rendre visite au *Cross Street Market* (datant de 1842), au n° 1065 S Charles St, qui a conservé toute son authenticité. Belle animation les vendredi et samedi. Possibilité d'y grignoter crevettes et huîtres au *raw bar.* Pour la vue, ne pas oublier de grimper en haut du *Federal Hill Park.* D'autres rues pittoresques : *Henrietta, Churchill, Sharp St.* Dans cette dernière vivait *Joshua Johnson,* un très grand portraitiste noir de la 1re moitié du XIXe siècle. On peut imaginer les paradoxes de cette époque : dans toutes ces rues cohabitaient Blancs et Noirs, anciens esclaves affranchis et esclaves encore soumis à un maître...

Le quartier de Mount Vernon

Au nord de Downtown. Élégant quartier résidentiel, dominé par l'imposant *Washington Monument (plan B1).* Monument haut de 54 m, en marbre blanc, la statue faisant elle-même 5 m. Du mercredi au dimanche, de 10 h à 16 h, hardi petit, on peut grimper les 228 marches pour bénéficier d'une belle vue de la ville. ☎ 396-1049. Ce fut le 1er monument érigé dans le pays en l'honneur du père de la patrie. Œuvre de *Robert Mills* qui débuta sa réalisation en 1831, avant de commencer, 5 ans plus tard, le Washington Monument de la capitale. Il imagina l'insérer au milieu de 4 grands squares. Ultime hommage, cet espace en forme de croix grecque fut baptisé *Mount Vernon Pl,* nom de la résidence du 1er président de l'histoire du pays.

Tout autour, superbes immeubles. À l'époque, les gens qui en avaient les moyens voulaient tous habiter en face du monument. On s'en doute, ce fut aussi une belle opération immobilière. Jeter plus qu'un œil sur la luxueuse entrée du *Fidelity Building* de 1893 (Saratoga et N Charles St).

🏃🏃🏃 *Walters Art Museum (plan B1, 57) :* 600 N Charles St, entrée par Centre St. ☎ 547-9000. ● www.thewalters.org ● Ouvert de 10 h à 17 h, jusqu'à 20 h le 1er mardi du mois. Fermé le lundi. Entrée : 8 US$; gratuit pour les enfants et le samedi matin.

Riche collection privée constituée en galerie en 1906. Abrité dans plusieurs édifices dont l'un évoque un palais italien. Bel ensemble d'œuvres d'art couvrant de nombreux pays et périodes : antiquités égyptiennes et gréco-romaines, magnifiques enluminures médiévales, armures, primitifs religieux, tableaux de la Renaissance italienne et du XIXe siècle français, impressionnistes (Ingres, Delacroix, Corot, Monet...). À l'origine, *William Walters,* qui fit fortune dans le chemin de fer et alla faire ensuite son shopping d'œuvres d'art à Paris. Son fils Henry prit fébrilement sa succession. Une grande compétition opposait à l'époque banquiers et riches industriels : c'était à qui rapporterait les plus belles œuvres. Ainsi, Henry battit le célèbre financier J. P. Morgan pour importer le 1er Raphaël. Un des plus beaux musées d'Amérique, c'est dit !

🏃 *Le conservatoire de musique Peabody (plan B1, 58) :* 1 E Mount Vernon Pl. ☎ 659-8124. Forme un ensemble appartenant, avec la bibliothèque, à l'*université Johns Hopkins.* Cadeau d'un généreux philanthrope, *George Peabody,* qui fit fortune dans la finance à Londres. En 1857, il manifesta le désir de construire un centre culturel ouvert à tous, incluant les arts, les lettres et la musique. Il le voulut grandiose et luxueux. Le chef-d'œuvre est incontestablement la *bibliothèque,* immense et lumineux atrium de 6 étages, balcons ouvragés, sol en marbre... Heureux z'étudiants qui bénéficient de près de 300 000 ouvrages, dont l'*Encyclopédie* de Diderot, et la *Danse de la Mort,* de Hans Holbein (1548). À ne pas manquer. Sur le plan musical, se renseigner sur les *concerts* (classique, jazz, musiques traditionnelles) et les *petits récitals* des étudiants et des nouveaux diplômés.

🏃🏃 *Maryland Historical Society (plan B1, 59) :* 201 W Monument St. ☎ 685-3750. ● www.mdhs.org ● Ouvert de 10 h à 17 h (à partir de 9 h le samedi), le dimanche de 11 h à 17 h. Fermé le lundi. Entrée : 4 US$; gratuit pour les enfants, et pour tous le dimanche.

C'est le musée de l'histoire du Maryland, aux riches collections. Vous y découvrirez le manuscrit original du *Star-Spangled Banner* et une importante section consacrée à la guerre de Sécession : uniformes, armes, souvenirs divers racontent l'histoire de cet État esclavagiste qui fut l'un des plus déchirés. Section consacrée à son histoire maritime également (modèles réduits des fameux *Baltimore Clippers,* outils des chantiers navals, etc.). On y trouve aussi la plus grande collection d'argenterie américaine au monde (dit-on), de beaux meubles coloniaux et du XIXe siècle, des centaines de peintures, jouets, maisons de poupée, etc.

🏃🏃 *Eubie Blake National Jazz Institute and Cultural Center (plan B1, 60) :* 847 N Howard St. ☎ 225-3130. ● www.eubie.org ● Ouvert du lundi au vendredi de 10 h à 17 h.

Pour les fans de jazz, visite quasi obligatoire. Eubie est un *landmark* de la ville. Très grand joueur de *ragtime,* il aimait rappeler qu'à 15 ans il officiait déjà dans les troquets louches d'Old Town et de Fells Point. Mais sa plus grande fierté était d'avoir pu se produire au fameux *Godfield Hotel,* appartenant au champion de boxe Joe Gans. Ce dernier avait été le 1er Noir à posséder une voiture à Baltimore. Il côtoya tous les grands de l'époque et croisa la prometteuse Billie Holiday. Dans son show, *Shuffle Along,* il fit débuter une petite jeunette de 15 ans pleine de talent : Joséphine Baker... À plus de 90 ans, il jouait toujours aussi passionnément. L'un de ses derniers concerts fut pour le président Carter, dans les jardins de la Maison Blanche. Ses doigts divorcèrent du clavier à 101 ans. Panorama donc de près d'un siècle de jazz à Baltimore, au travers d'objets-souvenirs, de partitions, d'enregistrements, etc. Également, expositions temporaires, notamment sur la contribution des Noirs américains dans le domaine artistique, et aussi témoignages sur la lutte pour les droits civiques. Visite pleine d'émotion.

À voir si on a encore du temps

🎋 *Fort McHenry (hors plan par C3) :* E Fort Ave. De l'autre côté de la baie, face à Canton (accès en *water taxi* et navette). ☎ 962-4290. ● www.nps.gov/fomc ● Ouvert tous les jours de 8 h à 16 h 45, jusqu'à 19 h 45 en saison. Entrée : 5 US$; gratuit pour les enfants.
Le fort résista héroïquement aux assauts anglais en 1814. C'est là que flotta le fameux drapeau cousu par *Mary Pickersgill* et qui inspira *Francis Scott Key,* l'auteur de *The Star Spangled Banner.* Celui-ci, prisonnier sur un bateau anglais et témoin de la bataille, comprit la force symbolique de cet immense drapeau narguant l'ennemi et fédérant les énergies des assiégés. Le fort servit aussi de prison pour les soldats confédérés et de centre d'accueil pour les nouveaux immigrants. Pour les Américains, aujourd'hui encore, c'est plus qu'un lieu chargé d'histoire...

🎋 *Homewood House Museum (hors plan par B1) :* 3400 N Charles St. ☎ 516-5589. Situé sur le campus de la Johns Hopkins University. Ouvert de 11 h (12 h le dimanche) à 16 h. Fermé le lundi.
À combiner avec la visite du Baltimore Museum of Art. Tour guidé. Superbe demeure de style fédéral (1801) qui appartenait à Charles Carroll Jr. À voir pour les amateurs de beaux décors intérieurs d'origine.

🎋 *Evergreen House (hors plan par B1) :* 4545 N Charles St. ☎ 516-0341. Ouvert tous les jours de 10 h à 16 h, le week-end de 13 h à 16 h. Dernière visite à 15 h. Réservation recommandée.
Édifiée dans les années 1850, très (très) belle villa de type palladien, au style italianisant, au milieu de grands jardins. Magnifique façade monumentale, colonnes corinthiennes cannelées soutenant un fronton ouvragé. À l'intérieur, pas moins de 48 pièces bourrées d'objets d'art, de livres vénérables, d'œuvres Tiffany, avec même un petit théâtre.

🎋 *Mount Clare Mansion (hors plan par A2) :* 1500 Washington Blvd, Carroll Park. ☎ 837-3262. Visites guidées toutes les heures, de 11 h à 15 h, le week-end de 13 h à 15 h. Fermé le lundi.
Pour ceux qui veulent se faire toutes les grandes demeures. Celle-ci se distingue comme étant la seule prérévolutionnaire (1760). Belle architecture géorgienne et ameublement et décor intérieurs exceptionnels. Le proprio, *Charles Carroll,* possédait un goût incontestable !

🎋 🎋 *Baltimore Streetcar Museum :* 1901 Falls Rd. ☎ 547-0264. ● www.baltimoremd.com/streetcar ● Ouvert le dimanche (toute l'année), ainsi que le samedi (de juin à octobre), de 12 h à 17 h. Entrée : 6 US$; réductions.
Pour les amoureux des vieux trams des années 1859 à 1963, embarquement obligatoire !

🎋 🎋 *Fire Museum of Maryland (hors plan) :* 1301 York Rd, à Lutherville. ☎ 321-7500. À 9 miles au nord de la ville. Sortie 26 B de la Baltimore Beltway (1695). Bus *MTA* n° 8. Ouvert seulement le samedi de 11 h à 16 h. Entrée 6 US$. Une des plus belles expos de voitures de pompiers de la côte Est. Une cinquantaine de véhicules rutilants de 1822 aux années 1950. Collection d'uniformes, ainsi qu'un vieux central télégraphique.

NASHVILLE

570 000 hab. (1,2 million avec les banlieues)
IND. TÉL. : 615

Nashville est située sur les berges de Cumberland River, en plein milieu de l'état du Tennessee. Tout compte fait, c'est une petite cité qui se la joue plutôt grande ville mais qui a de bonnes raisons pour se distinguer de ses voisines : amateurs de *country music,* découvrez-vous ! Vous êtes dans un lieu mythique d'où sont issus les grands noms de la musique américaine que sont Elvis Presley, Jerry Lee Lewis, Hank Williams et Johnny Cash (mort en septembre 2003). Nashville n'en est plus à l'âge d'or, mais on y trouve encore de très bons musiciens, et bon nombre de nos chanteurs français y enregistrent leurs disques, c'est tout dire. D'ailleurs, M. Eddy Schmoll ne chante-t-il pas « Où sont mes racines, Nashville ou Belleville ? »

Nashville est à la country ce que Memphis est au blues et La Nouvelle-Orléans au jazz. C'est une des destinations favorites des Américains car c'est le siège du *Grand Ole Opry,* temple de ce genre musical. On lui préfère quand même ses bars, où les chanteurs opèrent dès le matin ! Tradition oblige, ils coiffent le *Stetson* (chapeau de cow-boy) et chaussent leur bottes à bouts pointus sans complexes... et vous en croiserez bon nombre dans la rue. Mais, depuis quelques années, la municipalité veut en faire *The City of Musique,* et a investi des sommes colossales pour futuriser la ville, en commençant par se donner un point culminant, le *Batman Building,* immeuble original qui domine la cité de ses deux oreilles. Ensuite, un tout nouveau *Convention Center* chargé d'organiser des manifestations musicales (dans tous les styles de musique en passant par le jazz, le gospel, le rock et même le rap...) pour faire découvrir de nouveaux talents à des acheteurs du monde entier. Enfin, elle a déplacé le mythique Country Music Hall of Fame Museum où l'on pouvait découvrir dans la visite le célébrissime *RCA Studio B,* où Elvis a enregistré 20 de ses 40 plus grands succès. C'est une ville où il fait bon passer *a couple of days* dans un circuit entre la côte Est et le *Deep South.*

NASHVILLE

LA COUNTRY

On vient d'abord à Nashville parce qu'on aime la country ou parce qu'on veut la découvrir. Ceux qui ne sont pas sensibles à ce genre musical risquent de s'y ennuyer royalement ! Pour les autres, quel pied !

La country est une musique du terroir, elle est ancrée dans les racines américaines, elle chante le travail, les champs, la famille, les éternelles histoires d'amour, les voitures rutilantes, les *highways* qui n'en finissent pas, la mauvaise récolte, le *truck* qui est tombé en panne... Longtemps considérée comme la musique des ploucs *(hillbilly music)* et des culs-terreux (les *rednecks*), elle trouve ses origines dans le chant des premiers colons irlandais et écossais qui investirent les Appalaches sauvages peuplées alors d'Indiens. Ensuite, elle n'a fait que s'approprier les autres genres musicaux en passant du blues (eh oui !) au swing, du jazz à la musique cajun... On distingue ainsi l'*Old Time* des Appalaches, le *Western swing,* la *Cowboy music,* le *Honky Tonk* (venu du fond des rades miteux), le *bluegrass,* le *Nashville sound,* le *Cajun country,* les *Songwriters* (très nombreux dans la ville), le *Country boogie* qui annonçait le célèbre *rockabilly*... (on ne compte plus les rockers qui ont enregistré à Nashville !)... Mais la country est, avant tout, une musique appréciée par le plus grand nombre des Américains, tout le contraire donc d'un symbole de révolte. Nashville est donc une bonne occasion d'ouvrir devant vous le large éventail de l'Amérique profonde.

Topographie des lieux

L'axe routier principal est Broadway. Il relie Downtown qui s'organise sur plusieurs blocks entre 1st et 6th Ave, Union et Demonbreun St. Un peu plus à l'ouest, Elliston Pl. *Grand Ole Opry,* la grande scène country de Nashville, est à l'extérieur de la ville, au nord-est.

Arrivée à l'aéroport

✈ **Aéroport :** à 8 miles (15 mn à peine) de Downtown. ☎ 275-1675.
■ **Airport Welcom Center :** ouvert de 6 h 30 à minuit. Bonne doc de base mais pas de réservation.
Plusieurs solutions pour rejoindre le centre-ville :
➢ **MTA bus :** liaisons de 8 h 15 à 19 h 15, toute la semaine, à raison d'un bus par heure ; le week-end à partir de 6 h 40 mais jusqu'à 16 h 30. Va jusqu'à Downtown. Tarif unique autour de 2 US$. Trajet en 40 mn. Arrêt principal : sur Deaderick, près de l'angle avec 5th Ave. ☎ 862-5950.
➢ **Grayline Airport Express :** départ toutes les 15 mn de l'aéroport de 6 h à 23 h. ☎ 275-1180 ou 1-800-669-9463. Dessert la plupart des grands hôtels de Downtown. Minibus plus pratique que le bus, mais plus cher évidemment (compter 11 US$).
➢ **Taxis :** même prix que le *shuttle* à partir de 3 personnes.

Adresses et infos utiles

Informations touristiques et culturelles

– Pour s'informer des événements en cours, se procurer *The Rage,* le *Nashville Music Guide* (mensuel), le *On Nashville,* le *Nashville Scene* (hebdos gratuits qui sortent respectivement le mercredi et le jeudi) et le *Key* (mensuel qu'on trouve dans toutes les grandes villes). On peut se les procurer à l'office du tourisme (en général).

Nashville Visitor Center *(plan D2)* : 501 Broadway (dans le hall du *Gaylord Entertainment Centre*). ☎259-4747. ● www.nashvillecvb.com ● Au pied d'une tour futuriste. Ouvert tous les jours de 8 h 30 à 17 h 30 ; de 8 h à 19 h en juin et juillet-août. Documentation et brochures, plan de Nashville. Délivre des billets pour le Grand Ole Opry avec une petite réduction. Accueil sympa.

■ **Country and Western Grayline Tours** : 2416 Music Valley Dr (suite 102). ☎ 1-800-251-1864. ● www.graylinenashville.com ● Connaissez-vous Eddy Arnold, Minnie Pearl, Webb Pierce... ? Nous non plus ! *Grayline* organise un tour des demeures des Verchuren locaux, vedettes de l'Amérique profonde. Pas vraiment d'intérêt, et les autres circuits peuvent être faits en solo (sinon à quoi servirait-on ?).

Banques et change, postes

La plupart des banques sont situées dans Downtown sur Union St ou Church St, entre 4th et 6th Ave. Nombreux distributeurs *ATM* un peu partout en ville.

■ **Nations Bank :** dans Downtown, sur Union St, entre 4th et 5th Ave N. Ouvert du lundi au vendredi de 8 h 30 à 14 h 30 (pour le change). Distributeur situé dans le passage piéton sur la droite de la banque, au rez-de-chaussée de l'immeuble appelé *Nations Bank*. Accessible 24 h/24.

■ **AM South Bank :** à l'angle de Union St et 4th Ave. Distributeur extérieur *Visa, MasterCard*.

■ **Regions Bank :** 315 Union St (entre 3rd et 4th Ave). Distributeur extérieur *Visa, Eurocard MasterCard* et *Cirrus*.

■ **First Tennessee Bank :** 511 Union St (angle 6th Ave). Distributeur accessible 24 h/24 dans le hall de l'immeuble.

✉ **Post Office** *(plan C2)* : 10th Ave S (à côté du *Visual Arts Building* sur Broadway et en face de l'*Union Station Hotel*). Ouvert du lundi au vendredi de 6 h à 18 h et de 6 h à 13 h 30 le samedi.

✉ Autre **poste** très centrale *(plan D2)* : 16th Arcade, une allée piétonne et couverte entre 3rd et 4th Ave. Entrée par le n° 239 4th Ave, en plein Downtown.

Transports

🚌 **Greyhound** *(plan D2-3)* : 200 8th Ave S, près de l'angle avec Demonbreun St. ☎ 255-3556 ou 1-800-231-2222. ● www.greyhound.com ● Consigne. Six liaisons quotidiennes pour Memphis.

■ **Travellers' Aid :** 639 Lafayette St. ☎ 780-9471. Ouvert du lundi au vendredi de 8 h à 16 h. Aide les voyageurs en détresse.

■ **MTA (Metropolitan Transit Authority) :** ☎ 862-5950. Appelez de l'endroit où vous vous trouvez (s'il y a un téléphone !), ils vous diront quel bus prendre pour votre destination. Bus peu pratiques pour qui ne connaît pas bien la ville. Beaucoup de temps perdu.

■ **Auto drive-away :** 333 Gallatin Pike S. Un peu à l'extérieur de Nashville, dans le Madison District, suite 13. ☎ 244-8000. Voitures pour de nombreuses destinations.

■ **Rent-a-Wreck :** 201 Donelson Pike. ☎ 885-8310. Location de voitures d'occasion très bon marché. Ouvert du lundi au vendredi de 8 h à 18 h, jusqu'à 16 h le samedi.

Compagnies aériennes

■ **American Airlines :** ☎ 1-800-433-7300.

■ **Delta :** ☎ 1-800-221-1212.

■ **Southwest :** ☎ 1-800-435-9792.

■ **United Airlines :** ☎ 1-800-241-6522.

Santé, urgences

■ **Police :** ☎ 911.
■ **Metropolitan Nashville General Hospital (W) :** Albion St. ☎ 341-4000.

■ **Pharmacies :** *Wallgreens,* 5600 Charlotte Pike. ☎ 356-6161. Ouvert 24 h/24. *Kroger Company,* 5544 Old Hickory Blvd. ☎ 883-0332.

Comment se déplacer en ville ?

Nashville est une ville très étendue. L'idéal est d'avoir une voiture. Pas de problème de parking, bien qu'il soit payant et assez cher (la combine est de laisser son véhicule sur le parking réservé aux clients d'un magasin, en allant y jeter un œil, bien sûr).

➤ **Music City Taxi :** ☎ 262-0451. 24 h/24.
➤ **Allied Taxi :** ☎ 244-7433, 883-2323 ou 889-8300.

Où dormir ?

Quelques campings et beaucoup de motels. À Nashville, tout le monde veut être tout près d'Opry Mills (ex-Opryland). Résultat, des dizaines de motels tristement identiques dans ce coin-là. Ici, le routard n'est vraiment pas gâté. Aucune chouette adresse. Deux campings situés près d'Opry Mills, à 20 mn du centre. On s'endort avec le doux ronron des voitures et le brouhaha des camions. Pour y aller depuis le centre, prendre la 40 E, sortir à « Briely Parkway Opry Mills N », poursuivre et emprunter l'*exit* 12 B « McGavock ». Au 2e feu, prendre à droite « Music Valley Dr ». Dans ce coin, quelques motels également. Les campings sont sur le côté gauche... vu qu'à droite c'est l'autoroute.

CAMPINGS

⚐ **Holliday Nashville Travel Park :** 2572 Music Valley Dr. ☎ 889-4225 ou 1-800-323-8899. ● cometohnt@hotmail.com ● À 15 km du centre. Bien que le camping soit un peu en bord de route, les emplacements sont en retrait et ombragés. Autour de 20 US$ pour une tente et 35 US$ si vous venez en mobile home. On peut louer aussi de petites huttes pour 2 ou 4 personnes, respectivement pour 40 et 50 US$. Sanitaires communs avec le camping. Piscine, laverie et petite épicerie.

⚐ **Nashville KOA Kampground :** 2626 Music Valley Dr. ☎ 889-0282 ou 1-800-562-7789. À 16 km du centre. Accueil de 8 h à 19 h (jusqu'à 20 h le samedi). On peut venir avec sa tente (25 US$ pour deux), son mobile home (35 US$), mais la formule la plus sympa, ce sont des petits chalets rudimentaires en bois avec 1 ou 2 chambres pour 2 à 6 personnes. Sanitaires communs avec le camping. Ils sont loués autour de 45 US$ pour 2 personnes et 70 US$ pour 6 personnes. Éloignés de la route, ils sont entourés d'arbres et ont chacun leur barbecue. Piscine, minigolf et *music show* tous les soirs (country, cela va sans dire). Sans oublier le sourire de Jennie !

BED & BREAKFAST

Cette association vous trouvera un logement si vous vous y prenez à l'avance.

■ **Bed & Breakfast About Tennessee :** 361 Binkley Dr. ☎ 331-5244. Gère environ 100 chambres dans des maisons privées. Peu d'adresses proches du centre, et elles sont souvent prises d'assaut. Un peu plus cher que les hôtels, mais à ne pas négliger vu son côté vraiment sympa.

HÔTELS

Pas d'AJ, pas de petits hôtels sympas. La plupart de nos anciennes adresses de Downtown ont disparu. Reste l'ancien quartier des studios d'enregistrement (Music Row) assez proche du centre et le coin des motels, un peu excentré (10 mn en voiture) mais près d'Opry Mills (ex-Opryland). Pour s'y rendre : prendre l'I 24/I 65 (c'est la même sur cette portion), direction nord. Prendre l'*exit* 87 B et bifurquer sur Trinity Lane W. Nos adresses sont sur cette dernière et sur Brick Church Pike. Voici les meilleurs rapports qualité-prix du secteur. Ouvrez l'œil ! Les prix fluctuent sans arrêt. Essayez de glaner des coupons de réductions au *Visitor Center*. Puis téléphonez aux adresses qui vous intéressent pour connaître les possibilités. Les week-ends sont toujours plus chers (de 10 à 20 %), et il vaut mieux ne pas compter dessus en période de conventions ou de festivités ! En période creuse, en plus des coupons, les motels se battent à coup de rabais, qu'ils affichent parfois sur d'énormes panneaux électroniques visibles de la route.

Près du centre

Prix moyens

📍 *Best Western Hall of Fame* (plan C3, **12**) *:* 1407 Division St. ☎ 242-1631. Fax : 244-9519. En plein quartier des anciens studios et proche du centre. Chambre double entre 49 et 69 US$ selon la saison. Petit dej' continental compris (café, céréales et *donuts*). Les chambres sont vastes, mais mériteraient un petit rafraîchissement, surtout les moquettes. Au rez-de-chaussée, le bar accueille des groupes de country tous les soirs (idéal pour ceux qui n'aiment pas traîner la nuit tombée). Accueil décontracté.

📍 *Guesthouse Inn and Suites* (plan B3, **16**) *:* 1909 Hayes St (à côté de W End Ave). ☎ 329-1000. Fax : 329-4890. • www.guesthouse. net • Compter 80 US$ pour une chambre double. 108 chambres pour cet hôtel rénové. Toutes ont cafetière, frigo et micro-ondes (idéal si vous séjournez). Petit dej' continental inclus, ainsi que les appels locaux. Relativement calme. Le meilleur rapport qualité-prix dans cette catégorie. Bon accueil.

📍 *Ramada Limited at the Stadium* (hors plan par D1, **10**) *:* 303 Interstate Dr (de l'autre côté de la Cumberland River, quand on vient de Downtown). ☎ 244-6690 ou 1-800-251-1856. Fax : 742-0932. Chambre double de 49 à 169 US$ selon la saison. Bien que proches de l'autoroute, les chambres sont au calme car bien isolées. Elles sont vastes et bien tenues. De plus, veinard que vous êtes, cet hôtel possède une grande piscine couverte en forme de guitare ! Proche du centre, mais l'environnement est assez désert.

De plus chic à chic

📍 *Days Inn* (plan B3, **13**) *:* 1800 W End Ave, à l'angle de 18th St. ☎ 327-0922 ou 1-800-329-7466. Fax : 327-0102. Entre 70 et 100 US$ pour une chambre double. Elles sont grandes et bien tenues, et surtout bien isolées du bruit. Petite piscine abritée des regards indiscrets et minuscule salle de remise en forme. L'accueil pourrait être plus chaleureux.

📍 *Hampton Inn* (plan B3, **14**) *:* 1919 W End Ave. ☎ 329-1144. Fax : 320-7112. • www.hamptonhillnash ville.com • Chambre double de 94 à 104 US$. Spacieuses et confortables. Petit dej' continental inclus avec viennoiseries et un bon choix de céréales. Accueil souriant.

Près d'Opry Mills

Bon marché

🛏 **Motel 6 :** 311 W Trinity Lane. ☎ 227-9696. Impeccable et pratique. Rien à dire.

🛏 **Motel 6 :** 95 Wallace Rd. ☎ 333-9933. Dans un autre quartier que le premier. De l'I 24 ou de l'I 65, sortie 87 « Trinity Lane », que vous prenez sur l'ouest. Entre 50 et 60 US$ pour une chambre double, selon la saison. 125 chambres simples, propres et sans surprise.

Prix moyens

🛏 **Red Roof Inns :** 2460 Music Valley Dr. ☎ 889-0090 ou 1-800-843-7663. Fax : 834-1120. • music valleyhotels.com • 86 chambres qui ont fait peau neuve. Entre 50 et 75 US$ pour une double selon la saison. Petit dej' continental (très simple) compris. Petite piscine extérieure, ouverte au vent et qui donne sur l'autoroute (bonjour l'intimité !... mais ça rafraîchit).

🛏 **Fiddlers Inn :** 2410 Music Valley Dr. ☎ 885-1440. Fax : 883-6477. Chambre double entre 49 et 79 US$ selon la saison. Pas moins de 200 chambres dans ce motel de 2 étages. Chambres assez vastes et proprettes.

🛏 **Holiday Inn Express :** 2516 Music Valley Dr. ☎ 889-0086. Chambre double de 80 à 100 US$ selon la saison. Bien que l'hôtel soit à proximité de l'autoroute, les chambres sont calmes car bien isolées et bien tenues. Piscine au milieu du parking (ça vous permettra de surveiller la Cadillac !).

Où manger ?

Dans le centre

De bon marché à prix moyens

🍴 **Satsuma** (plan D2, 20) : 417 Union St. ☎ 256-0760. Ouvert du lundi au vendredi de 10 h 45 à 14 h. Belle fresque murale sur le côté gauche. Depuis 1919, on sert ici une *Southern food*. De la cuisine comme à la maison, concoctée par le patron lui-même, avec cœur. Minuscule resto où tous les midis se retrouvent les employés des bureaux alentour, des secrétaires de banque, des retraités, tous des habitués. *Turkey à la King en timbale, bowls of gumbos*... De l'authentique pour une poignée de dollars. Un conseil, le *luncheon suggestions*, toujours très bien. Une adresse coup de cœur.

🍴 **Hooters** (plan D2, 15) : 184 2nd Ave N. ☎ 244-4668. Ouvert tous les jours de 10 h 30 à 23 h. Ce qui fait le succès de cette chaîne pourrait se réduire aux accessoires vestimentaires : le petit short moulant orange fluo et le généreux décolleté des serveuses qui doivent certainement subir un casting rigoureux avant l'embauche. Sinon, grande salle brute avec tables de snack et hauts tabourets, écrans TV branchés en permanence sur les chaînes sportives. Publicités criardes et ballet incessant des demoiselles qui viennent à tout bout de champ s'enquérir des besoins d'une clientèle à dominante mâle, tout émoustillée de se voir aussi avantageusement chouchoutée. Quant à la nourriture... bof : ailes de poulet, crevettes, sandwichs et salades... cela ressemble à tous les troquets du genre en bien gras et plantureux. On comprendra aisément que l'argument commercial réside plus dans l'emballage que dans le contenu. Amusant : les commandes sont propulsées à toute allure le long d'un câble aérien.

|●| *Jack's Bar-B-Que (plan D2, 21) :* 416 Broadway Ave. ☎ 254-5715. Ouvert tous les jours de 10 h 30 à 22 h (20 h le dimanche). Compter environ 9 US$ pour une assiette avec 2 légumes au choix. Un self-service pour manger, comme son nom l'indique, des viandes grillées. Au programme : *pork ribs, texas beef brisket, smoked turkey...* Déco vieillotte et hétéroclite, composée de trophées de chasse, de photos jaunies et d'uniformes sudistes... Endroit très apprécié des gens du coin.

|●| *The Old Spaghetti Factory (plan D2, 22) :* 160 2nd Ave N. ☎ 254-9010. Ouvert du lundi au jeudi de 11 h 30 à 14 h et de 17 h à 22 h ; les vendredi et samedi de 11 h 30 à 23 h et le dimanche de 11 h 30 à 22 h. Compter de 6 à 10 US$ pour un plat. Dans la seule partie du centre qui ait conservé ses façades début XXe siècle. Nourriture égale à celle de tous les restos de cette chaîne : des pâtes délicieuses à toutes les sauces. Mais là où ils se sont surpassés, c'est pour la déco. Vraiment, ils ont mis le paquet : vaste entrée en bois de rose avec canapé et cheminée. Fauteuils, vitraux, superbes glaces, admirable trolley au milieu de la plus grande salle. Le bar est une vraie pièce de collection. Ensemble étonnant et atmosphère convenant aux grandes familles et aux groupes en goguette.

|●| *The Prime Cut (plan D2, 18) :* 170 2nd Ave N. ☎ 242-3083. Ouvert de 16 h à 22 h (23 h les vendredi et samedi). Pièces de viande de bœuf autour de 20 US$. Décor brut de dé-

coffrage dans le sous-sol d'un ancien entrepôt. Ici, on sait comment préparer le bon vrai steak. Vous pouvez même vous y exercer vous-même. Les carnivores impénitents y trouveront donc leur compte. Pour le reste, salades et pommes de terre en chemise font partie de l'accompagnement de rigueur. En dehors de la fin de semaine, l'absence de musique rend l'ambiance un peu morne. Bière brassée sur place. Service souriant.

|●| *Broadway Bistro (plan C2, 24) :* 1001 Broadway. Ouvert de 11 h à 22 h (23 h les vendredi et samedi) et de 16 h à 21 h le dimanche. Autour de 12 US$. Dans le hall de l'hôtel *Union Station.* Cuisine américaine à prix abordables (ne pas aller au restaurant gastronomique *Arthur,* prix astronomiques !). Des soupes, de grosses salades, des pâtes et des burgers. Pour le même prix, quelques spécialités comme le *chicken pot pie* ou le *chicken Valencia.* On viendra également visiter cette ancienne gare de chemin de fer transformée en hôtel, avec ses pendules d'origine et ses horaires affichés à la réception.

|●| *Fiesta Mexicana (plan D3, 23) :* 416 4th Ave S. ☎ 259-0110. Ouvert tous les jours de 11 h à 22 h (de 11 h 30 à 22 h 30 le samedi). Compter de 8 à 10 US$. Le cadre est tout simple, mais on y déguste une délicieuse cuisine mexicaine à des prix très raisonnables. À vous les *enchiladas, fajitas texanas, quesadillas, burritos...* et autres spécialités. Service souriant et musique sud-américaine... Ça change et ça fait du bien !

Plus chic

|●| *The Merchants (plan D2, 25) :* 401 Broadway, à l'angle de 4th Ave. ☎ 254-1892. Ouvert du lundi au vendredi de 11 h à 14 h et de 17 h à 22 h ; le samedi jusqu'à 23 h ; le dimanche de 10 h 30 à 14 h 30 pour le brunch et puis jusqu'à 21 h. *Happy hours* de 16 h à 19 h. Compter de 6 à 9 US$ pour un sandwich, des soupes et des salades. Deux restos : *casual,* au rez-de-chaussée avec son vaste bar en fer à cheval, très large. Ambiance

brasserie, avec de grands ventilos qui ne cessent de ronronner, où les cols blancs déjeunent le midi de salades et de sandwichs. Le soir, ils montent à l'étage, pour une soirée entre gens comme il faut. Plats européens élaborés. Clientèle propre sur elle et addition relevée. C'est évidemment le fin du fin, quoique l'ambiance ne soit pas particulièrement délirante. Service irréprochable et réservation recommandée.

NASHVILLE

Juste au nord du centre

Bon marché

|●| *Nashville Farmers Market (plan C1, 19)* : 900 8th Ave N, à côté du *Bicentennial Capitol Mall State Park.* ☎ 254-1892. Ouvert tous les jours de 9 h à 18 h. À côté d'un marché de produits frais sous hangar (fruits et légumes, rarissimes en centre-ville) un ensemble de bâtiments couverts avec une trentaine d'échoppes qui proposent des plats en self-service.

Il y en a pour tous les goûts : du bar à huîtres à l'asiatique en passant par les *salad bars,* les tex mex et les pizzerias. Une bonne occasion de se nourrir à bon compte et grignoter son plat sur une des petites tables en plein air. Si vous devez prendre la route, profitez-en pour faire provision de fruits frais.

Du côté d'Elliston Place

Le coin animé par la jeunesse le soir. Restos, boutiques, bars et clubs de rock.

Bon marché

|●| *Rotier's (plan A3, 28)* : 2413 Elliston Pl. ☎ 327-9892. Ouvert du lundi au jeudi de 10 h 30 à 21 h 30, jusqu'à 22 h 30 le vendredi. Le samedi, breakfast de 9 h à 12 h, ouvert jusqu'à 22 h 30. Fermé le dimanche. Plats à moins de 7 US$. Ouvert depuis 1945. Évelyne, la propriétaire octogénaire, est toujours là au service du midi. L'intérieur est chaleureux et les murs en bois sont couverts d'articles élogieux et de prix décernés pour la qualité des burgers (surtout le cheeseburger) et l'accueil de la maison. Tous les jours, les plats changent. Parmi les spécialités, citons encore le *pork barbecue,* le roast-beef, le *chicken Teriyaki,* ou encore le *fried chicken breast.* Propose aussi des *seafood dinners* à moins de 10 US$. Pas cher, copieux et réussi. Notre adresse préférée

dans ce quartier. Cartes de paiement refusées.

|●| *Elliston Place Soda Shop (plan B3, 27)* : 2111 Elliston Pl. ☎ 327-1090. Ouvert de 6 h à 19 h 30 (breakfast servi de 6 h à 11 h). Fermé le dimanche. Compter moins de 6 US$ pour un plat de viande avec 2 légumes au choix. La déco n'a pas bougé d'un poil depuis l'ouverture en 1939, c'est d'ailleurs devenu le plus ancien resto en fonction à Nashville. Favori des gens qui travaillent dans le quartier. Pas de la grande cuisine mais le service est rapide et les prix doux. De plus les plats changent tous les jours... *Fried chicken* avec de vraies *french fries,* burgers et salades complètent le tout. Que demander de plus ? Authentique *Wurlitzer* au fond de la salle pour les connaisseurs.

Chic

|●| *Atlantis (plan B3, 26)* : 1911 Broadway. ☎ 327-8001. Ouvert du mardi au jeudi de 17 h à 22 h et les vendredi et samedi jusqu'à 23 h. Réservation conseillée. Entrées autour de 10 US$ et plats de 20 à 25 US$. Cadre raffiné, meubles design de bois clair, tons chauds, peintures modernes et chandeliers baroques.

Cuisine de poissons très maîtrisée, produits bien choisis (essayez le *maki-maki*). Desserts quelconques, en revanche. Vins au verre essentiellement californiens ou sud-américains. Clientèle à l'aise, ne craignant pas un peu de sophistication. Service stylé sans ostentation.

Où manger dans les environs ?

|●| *Loveless Motel and Café* : 8400 Hwy 100 (à environ 22 miles de Downtown). ☎ 646-9700. Ouvert du dimanche au jeudi de 8 h à 20 h (21 h les vendredi et samedi). Brunch le week-end de 9 h à 13 h (génial). Prendre Broadway qui devient W End puis continuer à gauche la Hwy 100 et poursuivre sur une petite dizaine de miles. Le *Loveless Motel and Café* est sur la droite, juste avant une station Shell. Compter entre 8 et 10 US$ pour un petit dej' et de 12 à 22 US$ pour le déjeuner. Une adresse coup de cœur. Dans un joli coin de campagne, maisonnette *country style*, ouverte depuis plus de 40 ans. Le tout-Nashville s'y donne rendez-vous pour les petits dej' et les déjeuners de fin de semaine. Une cuisine simple, une carte restreinte, mais tout est réalisé avec amour. On vient ici pour les biscuits, le délicieux *Southern fried chicken* et le superbe *country ham*. Purée onctueuse avec son *gravy* goûteux. Accompagné d'une succulente compote de pêches et d'une délicieuse *blackberry jam*, on ne regrette pas la longue route.

|●| *Cascades* : dans l'*Opryland Hotel.* ☎ 889-1000. Pour le buffet de salades et fruits frais à un prix modique (autour de 11 US$), dans le cadre incroyable d'une jungle artificielle (voir « Dans les environs de Nashville »), et surtout pour le somptueux *Sunday brunch* (autour de 17 US$, réservation recommandée). Dommage que le bruit de l'eau soit aussi assourdissant.

Où boire un bon café ?

Ⴤ *Just Java* : 1122ⁿᵈ Ave N (dans le Market St Emporium). Ouvert de 8 h 30 à 22 h, de 10 h à minuit le week-end. Minuscule *coffee shop* installé dans une petite galerie où 3 bars se succèdent. On commande un délicieux *espresso* et on s'installe où l'on veut. Ambiance baba qui contraste avec l'ambiance locale. Accueil sympa.

Où boire un verre ? Où écouter du *bluegrass,* du jazz, de la country ?

Ami lecteur, puisque musique rime avec alcoolique, sachez que Nashville, en plus de distiller sa propre musique, brasse sa propre bière, la *Market Street.*

Ⴤ ♪ *Bourbon Street Blues and Boogie Bar* (plan D2, 36) : 220 Printer's Alley (petite allée entre 3ʳᵈ et 4ᵗʰ Ave, au niveau de Church St). ☎ 242-5837. ● www.bourbonstreet blues.com ● Ouvert tous les soirs de 20 h à 2 h. *Cover charge :* 5 US$ (8 US$ les vendredi et samedi). Le meilleur endroit pour venir écouter du blues, croyez-nous, il y a de l'ambiance... Les formations sont importantes (4 à 8 musiciens) et la bière coule à flots. Un des habitués de l'endroit est Long John Hunter... Peu connu en France, c'est une vraie star à Nashville et s'il joue lors de votre passage, ne le manquez pas... Une super-adresse. *Happy hours* de 16 h à 19 h.

Ⴤ ♪ *Legends Corner* (plan D2, à côté du 21) : 428 Broadway Ave (angle avec 5ᵗʰ Ave). ☎ 248-6334. Ouvert tous les jours de 11 h à 2 h. Un sympathique rade dédié à la country. Les murs sont recouverts de pochettes de disques de toutes les stars du rock et de la country. Dès 11 h, les solistes commencent à gratter et entonner leurs ballades, les groupes prennent le relais à partir de 18 h. Pas de *cover charge.* On peut y grignoter sandwichs et pizzas. Un lieu qu'on aime bien.

Ⴤ ♪ *Tootsie's Orchid Lounge* (plan D2, 30) : 422 Broadway Ave. ☎ 726-0463. Ouvert de 10 h à 2 h. Il a toujours tenu le coup, ce vieux troquet. Y jouaient tous ceux qui ne passaient pas au *Grand Ole Opry* voisin. Murs noircis par la désillusion des artistes et les photos passées. Dès les premières heures d'ouverture, les musiciens de country se succèdent, d'abord en solo, puis à partir de 18 h ce sont les *bands* qui se produisent. C'est le point de repère obligé pour ceux qui aiment la country. Entrée gratuite, mais ne pas oublier de remplir la cagnotte du musicien après avoir vidé sa bière.

♥ ♪ Robert's Western World (plan *D2, 21*) : 416 Broadway Ave. Ouvert de 10 h à 2 h 30 (à partir de 12 h le dimanche). Un café où sont alignées des dizaines de paires de bottes western à vendre. Musiciens de country dès l'ouverture, le matin, plutôt en solo car il n'y a pas foule, puis, à partir de 18 h, en groupes jusqu'à la fermeture. Pas de *cover charge.* Une bonne adresse pour écouter de la country. On peut aussi y grignoter hamburgers et frites pour 5 US$.

♥ ♪ Douglas Corner Cafe (hors *plan par D3*) : 2106 8th Ave S. ☎ 298-1688. Ouvert tous les soirs, sauf le dimanche, de 20 h à 1 h ou 2 h. Certains jours, des séances dès 18 h. La façade est sombre et peu éclairée. Formations éclectiques mais restant du giron rock (*cover charge* en fonction de la réputation du groupe, mais souvent gratuit). Salle tout en longueur avec des briques aux murs, où une clientèle mûre, elle aussi, vient quasi religieusement communier sur l'autel de la musique. Un classique du circuit nocturne. *Attention,* quartier éloigné et pas vraiment sûr (taxi ou voiture indispensable).

♥ ♪ Blue Bird Café : 4104 Hillsboro Rd (*hors plan par B3,* suite de Broadway, à l'angle avec Wedgewood). ☎ 383-1461. Entrée payante et conso minimum (de 7 US$) imposée (c'est normal, l'endroit est petit). Serré comme dans la poche arrière d'un jean, chaud comme dans un four, le *Blue Bird* est devenu en quelques années le creuset du renouveau musical nashvillien. Il draine les *songwriters* de tous les États-Unis, que la clientèle assez chicos et plutôt âgée écoute religieusement. Ici, pas de débordement, ni

de beuveries... Avec une simple guitare ou en toute petite formation, les auteurs viennent jouer des compositions originales. Le lundi, c'est *open mike,* entendez « micro ouvert », où il suffit de s'inscrire à l'avance pour se produire en public. Pour certains, c'est la débâcle. Pour d'autres, le début d'une carrière. Car dans la salle, les producteurs veillent. Téléphonez pour avoir le programme avant d'y aller car c'est au moins à 10 miles de Downtown !

♥ ♪ The Station Inn (plan C3, 33) : 402 12th Ave S. ☎ 255-3307. Ici, on ne joue que du *bluegrass* pur et dur, tous les soirs à partir de 19 h et jusqu'à minuit (jusqu'à 1 h ou 2 h en fin de semaine). Prix de l'entrée (autour de 6 US$) en fonction de la popularité du groupe. Pas de *cover charge* le dimanche, car la scène est ouverte aux *new bands.* Autour des tables et face à la scène se retrouvent les aficionados qui viennent de tout le pays pour applaudir les formations qui se distinguent des autres, car il n'y a que des instruments à cordes (spécificité du *bluegrass* : guitare, violon, banjo, contrebasse...). L'atmosphère est chaude et enjouée. Bref, une adresse à ne pas manquer à condition de ne pas être un accro de la clope, interdite en ces lieux.

|●| ♪ Wild Horse Saloon (plan *D2, 34*) : 120 2nd Ave N. ☎ 902-8200. ● www.wildhorsesaloon.com ● Ouvert tous les jours de 11 h à 2 h. *Cover charge* à 4 US$ (6 US$ le weekend). Gigantesque salle de danse dédiée à la country. Des dizaines de couples jeunes ou vieux (parfois habillés de la même façon) viennent y danser, en particulier les mardi et mercredi à partir de 19 h 30. Si vous venez à 18 h, l'animateur de la maison donne des cours de danse western. Un bon moyen pour vous initier à la culture locale... De plus, vous pourrez frimer en rentrant à la maison ! Évidemment, on peut aussi y manger de 11 h à minuit.

♥ ♪ Exit-In (plan A3, 31) : 2208 Elliston Pl. ☎ 321-4400. Ouvert de 21 h à 1 h quand il y a des groupes. Grande salle, genre ancien dépôt avec une immense scène. Les murs sont noirs et l'atmosphère est chaude et enfumée. La programmation est très éclectique et, hors la country, on pourra aussi bien y écouter de la musique irlandaise que du rock alternatif. On trouve le programme dans le *Scene Nashville* et le *On Nashville*. *Cover charge* de 5 à 20 US$ qui dépend de la notoriété du groupe.

🍴 *Hard Rock Café* (plan D2) : 100 Broadway Ave. ☎ 742-9900. Ouvert de 11 h à 22 h (jusqu'à minuit le week-end). Que dire de plus sur cette chaîne que l'on retrouve partout ? Le décor est à l'identique avec sa collection de guitares, de disques d'or, de costumes de scène, et sa boutique de souvenirs... Curieusement, c'est un des seuls bars où il n'y a pas de *live music*. Remarquez, ça tombe bien, car ce n'est pas notre tasse de thé ! On l'indique seulement pour le cas où vous croiriez qu'on l'a loupé...

Les grands lieux de la country

Quand on vient à Nashville, c'est un crime que de ne pas aller écouter Johnny Cash, Willie Nelson, Dolly Parton ou Brenda Lee. Tous ces grands et bien d'autres se produisent régulièrement dans La Mecque de la *country music,* le Grand Ole Opry.

🎵 *Grand Ole Opry* (hors plan par D3, 49) : situé dans l'enceinte du parc d'attractions Opry Mills. ☎ 889-3060. ● www.opry.com ● Pour y aller : prendre l'I 60 N jusqu'à la sortie « Opry Mills ». Une des plus grandes scènes de music-hall des États-Unis. Salle couverte et moderne de 4 400 places. Le numéro de téléphone donne toutes les infos sur les artistes qui passent et les places disponibles. Achat des tickets sur place ou à l'avance au Ryman Auditorium. Vous pouvez aussi les réserver au *Visitor Center* avec une petite réduction. Un concert le jeudi de 19 h à 21 h, le vendredi de 19 h 30 à 22 h et 2 concerts le samedi de 18 h 30 à 21 h jusqu'à minuit. Prix des places : de 24 à 44,50 US$. Une vingtaine d'artistes se succèdent pour une ou 2 chansons. Les concerts passant sur une des radios locales, un animateur vient régulièrement lire des spots de pub, tandis que le produit vanté apparaît en grand écran derrière les artistes... ce qui enlève beaucoup de la magie du spectacle... on vous aura prévenu. Il arrive que les concerts soient transférés au Ryman Auditorium (lire plus loin dans « À voir »).

🎵 🍴 *Nashville Palace :* 2400 Music Valley Dr. ☎ 885-1540. ● www.nashvillepalace.com ● En face de l'entrée de l'*Opryland Hotel*. Même route que l'Opry Mills, mais prendre la sortie suivante (Music Valley Dr). Une sorte d'Olympia de Nashville. Un groupe chaque soir de 20 h à 1 h. Environ 6 US$ de *cover charge*. On peut y manger de 17 h à 23 h, salades, sandwichs et burgers (autour de 8 US$) ; quelques spécialités maisons comme le *Southern style catfish platter* ou le barbecue *combo platter* (de 12 à 22 US$). Le bar, séparé, fonctionne de 15 h à 3 h. Les murs sont recouverts de photos de musiciens de country et de T-shirts de l'équipe de base-ball de Los Angeles. Bonne programmation.

🎵 *Ernest Tubb Midnight Jamboree :* 2416 Music Valley Dr. ☎ 889-2474. ● www.etrecordshop.com ● Si vous êtes un samedi soir à Nashville sur les coups de minuit, c'est là qu'il faut aller. Tous les samedis soir, les musiciens country jouent en direct pour une émission de radio qui passe sur *WSM-ASM 650* de minuit à 1 h. Ne loupez pas cette *midnight jam session* bien sympathique. Entrée gratuite (ouverture des portes à 23 h 30).

À voir

★★★ *Country Music Hall of Fame and Museum* (plan D2, 41) : 222 5th Ave S et Demonbreun St. ☎ 1-800-852-6437. ● www.countrymusichalloffame.com ● Ouvert tous les jours de 10 h à 18 h. Entrée : 16 US$ et 8 US$ pour les enfants de moins de 17 ans.

Ce musée mythique, installé depuis 2001 sur 3 niveaux dans le Downtown, est consacré à toutes les grandes stars de la country. Vraiment bien fait : ludique, coloré, interactif et musical. Photos, documents, affiches, instruments, costumes et chansons écrites sur des nappes en papier de resto. Parmi les pièces les plus spectaculaires, on y trouve au 3e étage une délirante Pontiac *Bonneville* de Webb Pierce, une vedette du *Honky Tonk* garnie de flingues chromés et de sièges en cuir incrustés de dollars d'argent. La calandre est affublée d'une gigantesque paire de cornes de vache. Notez aussi les pédales en forme de fer à cheval. Sans oublier la Cadillac *Solid Gold* d'Elvis (1960) avec intérieur en or, tourne-disques, TV, boîte à peigne et cire-chaussures ! De même, vous pourrez y admirer son piano recouvert d'or de 24 carats ! Au même niveau : les guitares de Chet Atkins, un mur recouvert de disques d'Or et un authentique studio d'enregistrement. Le 2e étage est consacré au travail de producteur avec l'un des plus fameux : Eddie Arnold, lui-même ancien chanteur. Certains grands noms ne connaissaient pas le solfège, c'est pourquoi les partitions étaient écrites en chiffres. Les stars des *seventies* ne sont pas oubliées : Chris Kristoferson, Johnny Cash (mort en 2003), Willie Nelson et la *bombe* Dolly Parton. D'autres noms qui ont franchi les frontières : les groupes du *Southern Rock* : *Alabama*, les *Allman Brothers*, et l'émergence des filles : Linda Ronstadt, Emilou Harris, Buffy Sainte Marie... On apprend aussi que c'est à Nashville que Bob Dylan enregistra *John Wesley Harding*. Une salle sur les célèbres guitares Gibson, dont deux incroyables harpes-guitares de 1900 et 1903 ! Un musée à ne pas manquer.

🎵 *Ryman Auditorium (plan D2, 40)* : 116 5th Ave, juste à côté de Broadway. ☎ 254-1445. Réservations : ☎ 889-3060. ● www.ryman.com ● Ouvert tous les jours de 9 h à 16 h. Cette vieille salle peut se visiter, comme un musée, à ces horaires-là. Pour être sincère, plutôt que de payer 8 US$ pour voir une salle... où seules quelques vitrines distillent de maigres souvenirs, mieux vaut venir pour un spectacle, car certains soirs on peut y écouter *bluegrass*, country et music-hall (de 17 h à 20 h)...

Né en 1891 du projet d'un capitaine de bateau associé à un évangéliste qui voulaient attirer du monde à Nashville en la dotant d'un instrument de promotion de prestige, ce superbe édifice à la façade triangulaire abrita de 1925 à 1974 le *Grand Ole Opry* où défilèrent toutes les grandes vedettes de l'époque comme Hank Williams, Roy Acuff et même Caruso et Charlie Chaplin. Belle salle aux bancs de bois. Au temps où les artistes se produisent dans des stades de 50 000 personnes, on se met à regretter ces music-halls intimes où le micro était accessoire.

🎵 *Tennessee State Museum (plan D2, 44)* : 505 Deaderick St (à l'angle avec 5th Ave N). ☎ 1-800-407-4324. ● www.tnmuseum.org ● Ouvert du mardi au samedi de 10 h à 17 h, et de 13 h à 17 h le dimanche. Fermé le lundi. Entrée gratuite, accès par l'ascenseur niveau B.

Vous saurez tout sur l'histoire du Tennessee depuis le paléolithique, l'arrivée des premiers Indiens, la découverte du Mississippi par De Soto en 1541, l'arrivée des premiers colons jusqu'à Davy Crockett qui vécut dans le Tennessee de 1817 à 1821, et la guerre de Sécession. On a particulièrement aimé les intérieurs, les costumes et les très belles armes des XVIIe et XVIIIe siècles. Au 3e niveau, expos temporaires de peintures.

🎵🎵 👣 *Nashville Toy Museum (plan C2, 47)* : 162 8th Ave N. ☎ 742-5678. Ouvert tous les jours de 10 h à 18 h (jusqu'à 17 h en hiver). Entrée : 5 US$; réduction pour les enfants jusqu'à 12 ans.

Petit mais superbe musée du jouet. Gigantesque circuit de trains miniature européens en état de marche (plus de 800 m de voies), collection rarissime d'ours en peluche, poupées, bateaux (maquette du *Titanic*), vrai canon et petites voitures. Il y a aussi des soldats de plomb (grognards de Napoléon Ier ou, plus rare, des soldats portant l'uniforme nazi). À vrai dire, plus intéressant pour les adultes. *Lounge bar* victorien avec tête de rhinocéros et jardin où est censé passer un train miniature. En pleine réinstallation à notre dernier passage.

🐾 ***Nashville Nascar Speedway*** **:** ☎ 726-1818. Pour s'y rendre, prendre l'I 65 sortie 81 et suivre le fléchage « Fairgrounds ». D'avril à septembre. Quelquefois en semaine (et pratiquement tous les samedis soir à 19 h, ouverture des portes à 16 h 30), on peut assister à ces célèbres courses automobiles *(Nascar)* particulièrement impressionnantes. Entre 10 et 20 US$ selon l'importance de la course (gratuit lors des qualifications).

🐾 ***Batman Building*** *(plan D2, 48)* **:** 333 Commerce St (avec 4th Ave). On ne peut pas le manquer, il domine la ville avec son sommet qui rappelle les oreilles du masque de Batman. C'est l'immeuble de Bellsouth, une société de communications. Ne se visite pas.

Juste à côté de Nashville

🐾🐾 Le gigantesque parc d'attractions ***Opry Mills*** (ex-Opryland) a fait peau neuve il y a quelques années, avec de nouvelles attractions bien sûr, des restos à thème, des galeries commerçantes gigantesques, etc. C'est dans l'enceinte de l'*Opry Mills* que se trouve le fameux ***Grand Ole Opry*** *(hors plan par D3, 49)*, salle de spectacle de 4 400 places. Un peu comme si on avait mis, à Paris, le Zénith au milieu de la foire du Trône. Aujourd'hui, tous les grands de la country se produisent ici. Les nostalgiques préféreront aller assister à un concert au vieux *Ryman Auditorium,* l'original *Grand Ole Opry* aujourd'hui rouvert.

Pour l'achat des places au *Grand Ole Opry,* voir la rubrique « Les grands lieux de la country ». Toujours dans l'enceinte de l'Opry Mills, on peut aller jeter un œil au délirant *Opryland Hotel.* On n'y vient pas exprès, mais si vous êtes sur place, cela vaut le coup. Construction extravagante issue d'un imbroglio amoureux entre le béton, le verre... et la jungle tropicale. Il y a même une rivière qu'on peut descendre en barque. L'hôtel forme un vaste triangle, dont certaines chambres donnent sur une forêt intérieure sauvage et domestiquée à la fois et où l'on découvre un petit lac, une cascade, des ponts, des bouquets de bambous, des bananiers... et des dinosaures volants ! Une gageure architecturale et un sacré casse-tête pour les jardiniers. L'ensemble est abrité par une immense verrière climatisée ! Osé, magnifique, inquiétant (voir « Où manger dans les environs ? »).

Juste à côté, aux mêmes horaires d'ouverture, au même prix d'entrée et appartenant au même propriétaire, on trouve le *Willie Nelson Museum,* ☎ 885-1515 (pour tout connaître de ce chanteur de country qui a fait de nombreuses apparitions au cinéma) et enfin le *Wax Museum,* ☎ 885-3612, musée de cire dédié aux grands de la country (pas vraiment d'intérêt et vraiment peu ressemblant pour le peu qu'on connaissait !).

Et à voir si vous avez beaucoup de temps

🐾 ***Van Vechten Gallery*** *(plan A1, 45)* **:** Fisk University, 1018 17th Ave N. ☎ 329-8543. Ouvert du mardi au vendredi de 10 h à 17 h et le week-end à partir de 13 h. Fermé le dimanche en été. Entrée gratuite.
Sur le campus de l'université. Petite collection privée présentant surtout des artistes américains du XXe siècle comme Giorgia O' Keefe, une *Tête de femme* de la période bleue de Picasso, des dessins de Grosz et de Toulouse-Lautrec. En photo, superbes clichés de Stieglitz.

🐾 ***The Parthenon at Centennial Park*** *(plan A3, 46)* **:** entrée sur W End, près de 25th Ave S (au sud-ouest de Downtown, pas très loin d'Elliston Pl). Ouvert du mardi au samedi de 9 h à 16 h 30 (d'avril à septembre, ouvert aussi le dimanche à partir de 12 h 30). Entrée : 3,50 US$.

Grand parc dans lequel on a édifié en 1896 une copie conforme du Parthénon d'Athènes. Mais celui-ci est en ciment et pas en marbre ! Les portes de bronze ont plutôt l'air romaines et seraient les plus hautes du monde (ils sont fous ces Ricains !). À l'intérieur, comble de la contrefaçon, on a installé en 1990 une *Athéna* (réplique présumée de la vraie)... en fibre de verre. Rappelons simplement que l'original était recouvert d'ivoire et d'or. Même si cela surprend nos yeux d'Européens habitués aux ruines grecques, ça a le mérite de nous donner une idée de ce que devait être l'original. Toute petite collection permanente de peinture américaine du XIXe siècle. Rien de bien convaincant, sauf deux détails intéressants : la taille de la statue d'Athéna (13 m) et comment tenait le toit des temples grecs. Expos temporaires aussi.

Quelques événements musicaux...

... ou folkloriques, à Nashville et dans tout le Tennessee.
Les dates et les lieux sont toujours susceptibles d'évoluer. À vérifier bien sûr.
– *Fan Fair :* 2e semaine de juin (se faire préciser les dates). Au Adelphia Coliseum NFL Stadium. Pour infos : ☎ 244-2840. ● www.fanfair.com ● 40 h de show, concours de violon et *square dance* avec toutes les grandes vedettes. Ça rappelle *Nashville* d'Altman. Attention : à cette période, impossible de trouver une chambre à moins de 100 km !
– *Longhorn World Championship Rodeo :* au Gaylord Entertainment Center, à Nashville, vers le début novembre. ☎ 1-800-357-6336. Des centaines de cow-boys et cow-girls parmi les meilleurs, pour un championnat du monde très disputé.
– *Le jour de la Mule (Mule Day) :* à Columbia, début avril. Pour infos : ☎ 381-9557. ● www.muleday.com ● Foire très colorée où tout tourne autour de la mule. Courses, ventes aux enchères, concours de banjo, *square dance*...
– *Down to the Earth :* à Alexandria, Tennessee. La 2e quinzaine de juillet, un des derniers vrais concerts en plein air de gospel. Des milliers de participants.

Shopping

● *Ernest Tubb Record Shop :* 2 magasins, 417 Broadway et 2416 Music Valley Dr. Ouvert tous les jours de 9 h à 21 h (les vendredi et samedi jusqu'à minuit). Tout ce que vous avez toujours voulu écouter sur la country. Vendeurs sympas et de bons conseils.
● *Great Escape Records & Comics :* 1925 Broadway. ☎ 327-0646. Près du Vanderbilt Campus. Ouvert du lundi au samedi de 10 h à 21 h et le dimanche de 13 h à 18 h. Une des meilleures adresses à notre avis, qui ne vend que de l'occasion. Les CD sont classés par genre et les prix imbattables. Tous les styles sont représentés : country, blues, rock, pop, jazz... Beaucoup de vinyles également, une collection de *comics* ainsi que des partitions et des bouquins de photos sur les artistes. Les fans, en fouillant bien, pourront y trouver quelques raretés. Vérifiez bien l'état des CD avant d'acheter.
● *Lawrence Bros Records Souvenirs :* 409 Broadway (entre 4th et 5th Ave). Ouvert de 10 h à 18 h. Fermé le dimanche et lundi. Plein de vieux vinyles 45 et 33 tours. Pour les acharnés.
● *Tower Records :* à l'angle de W End et de 23th Ave S. La plus grande chaîne de magasins de disques des États-Unis. Pas spécialement bon marché, mais grand choix. Magasin également au 504 Opry Mills Dr.
● *Hatch Schow Print :* 316 Broadway. ☎ 256-2805. Ouvert de 9 h 30 à 17 h, le samedi à partir de 10 h. Fermé le dimanche. Reproductions

d'anciennes affiches de concerts d'Elvis, Johnny Cash...

❀ **Elder's Bookstore :** 2115 Elliston Pl. ☎ 327-1867. Ouvert du lundi au vendredi de 10 h à 17 h 30 et le samedi de 10 h à 16 h. Une incroyable librairie d'occasion où rè-

gnent les livres anciens, superbes, reliés et originaux. Plein de raretés sur tous les sujets, et encore des gravures et tout un tas de curiosités (on y trouve aussi un grand choix de cigares).

➤ *DANS LES ENVIRONS DE NASHVILLE*

🔸 *Belle Meade Plantation :* 5025 Harding Rd et Leake Ave. ☎ 1-800-270-3991. ● www.bellemeadeplantation.com ● À environ 7 miles du centre-ville, au sud-ouest. Prendre Broadway, poursuivre sur W End qui devient Hwy 70 et emprunter sur la gauche la petite Leake Ave. C'est à 200 m sur la gauche. Bus n° 3 (W End-Lynwood). Ouvert du lundi au samedi de 9 h à 17 h et le dimanche de 11 h à 17 h. Fermé pour Thanksgiving, Noël et le Jour de l'An. Entrée : 11 US$. À voir seulement si l'on a beaucoup de temps.
Vaste plantation avec des écuries du XIXe siècle où furent élevés les plus beaux chevaux de la région. Si vous allez en Louisiane, visite guère indispensable. Riche demeure joliment meublée, tout est d'époque. Belle collection de *carriages* (calèches, ignorants !). On visite aussi le *Log Cabin,* une des plus vieilles maisons du Tennessee (1790).

🔸 *The Hermitage :* 4580 Rachel's Lane. ☎ 889-2941. ● www.thehermitage.com ● À 13 miles du centre vers le nord-est. Prendre la Hwy 40 vers l'est (direction Knoxville), sortie 221 A puis la Hwy 45 (Old Hickory Blvd). C'est indiqué sur la droite. Ouvert tous les jours de 9 h à 17 h. Entrée : 10 US$; réductions.
Bâtisse du milieu du XIXe siècle où vécut pendant 8 ans Andrew Jackson, président des États-Unis, au milieu d'un vaste parc très country. On suit la visite à l'aide d'un audioguide qui nous conduit pièce par pièce à travers l'histoire. Jackson vécut là ses dernières années. D'origine irlandaise, il fit beaucoup pendant la révolution américaine. Cette maison fut reconstruite au milieu du XIXe siècle après avoir brûlé, dans un style Greek Revival assez ennuyeux. Quelques beaux meubles dans les chambres. Pas vraiment grand-chose à voir, c'est plutôt une ambiance. Dans le jardin, sa tombe et celle de sa femme. Complétant la visite, à 1 mile à l'autre bout du parc, la maison de son neveu, *Tulip Grove.*

🔸 *Cheekwood Museum of Art and Botanical Garden :* 1200 Forest Park Dr. Par la Hwy 100. ☎ 356-8000. ● www.cheekwood.org ● À 13 km au sud-ouest du centre-ville. Même itinéraire que pour aller au *Loveless Motel and Café* (voir « Où manger dans les environs ? »), prendre à gauche la petite Cheekwood Rd, puis c'est fléché. Ouvert du lundi au samedi de 9 h à 17 h et le dimanche à partir de 11 h. Entrée : 10 US$; réduction pour les enfants.
Sur 3 niveaux d'une grosse bâtisse géorgienne, des collections de peintures américaines (ennuyeux), de vaisselle (soporifique) et de photos. La visite vaut surtout pour le jardin, magnifique au printemps.

Beaucoup plus loin

🔸🔸 *Jack Daniel's Distillery :* à **Lynchburg,** à 75 miles de Nashville. ☎ (615) 759-6180. ● www.jackdaniels.com ● Pour vous y rendre, prendre l'I 65 vers Birmingham puis l'I 64 vers Chattanooga, et enfin l'I 50 jusqu'à Lynchburg (bon fléchage). Ouvert tous les jours de 8 h à 16 h. Visite guidée gratuite (pour l'instant).

Si vous aimez le whisky, voilà une visite à ne pas manquer. C'est dans le petit village de Lynchburg, qui regroupe 361 âmes, que siège depuis 1866 la distillerie du célèbre Jack Daniel. La méthode de fabrication est restée la même et, 5 jours par semaine, pas moins de 1 200 barils de 53 gallons se remplissent de ce whisky à la couleur ambrée et au goût inimitable. D'une famille de dix enfants, le petit Jack perdit sa mère très jeune et fut confié à un pasteur. Celui-ci fabriquait du whisky... Comme ce n'était pas bon pour son image de marque et voyant que Jack s'intéressait à la chose, il lui vendit tout son matériel de distillation et celui-ci ouvrit son petit commerce à l'âge de 12 ans (selon la légende)! Concernant sa mort, l'histoire n'est pas moins originale... On dit qu'un jour, voulant ouvrir son coffre-fort, il oublia la combinaison. De rage, il lui donna tellement de coups de pied qu'il se broya les orteils et, négligeant de se faire soigner, mourut de la gangrène quelques mois plus tard, à l'âge de 61 ans. Ses quatre fils vendirent l'affaire dans les années 1960, obligeant l'acheteur à garder la recette de fabrication et à rester à Lynchburg.

Passons maintenant à la fabrication du *Jack Daniel's*. Il faut d'abord du moût, mélange de trois céréales (maïs, seigle et orge) baignant dans l'eau de Cave Spring, source naturelle qui jaillit toute l'année au cœur des collines de Lynchburg. Sans teneur minérale, elle coule à une température constante de 13 °C. Elle explique l'installation de la distillerie sur ce site. Après cuisson, ce moût fermente puis est distillé dans d'immenses alambics de cuivre de 30 m de haut. Le whisky alors fait 70°! Il est ensuite filtré sur du charbon de bois (érable à sucre, très présent dans le coin et réputé comme un bois très dur) fabriqué sur place. Il termine sa maturation en tonneau pendant plusieurs années, le bois lui donnant sa couleur ambrée. Puis il est enfin mis en bouteilles. Ce sont toutes ces étapes que vous découvrirez durant la visite, ainsi que le bureau où Jack Daniel fit ses débuts. Rappelons que son whisky a été élu meilleur au monde à l'Exposition universelle de Saint Louis en 1904! Mais le plus drôle, c'est que la vente d'alcool était interdite à Lynchburg jusqu'en 1995... À la vôtre!

MEMPHIS

650 100 hab. (1,1 million avec les banlieues)
IND. TÉL. : 901

Avec un nom d'inspiration égyptienne, Memphis s'est développée au bord d'un fleuve qui s'est pris pour le Nil, le Mississipi, à la fois couloir de communication entre le nord et le sud et frontière qui sépare l'est de l'ouest. Sur l'autre rive, on est en Arkansas, l'État de Bill Clinton. Pour les autochtones, c'est quelque part dans les environs de Memphis que se rejoignent trois composantes de l'univers américain : le Deep South, le Middle West et le Far West. En plus, on fantasme dur sur Memphis depuis qu'on est tout petit. *Memphis Tennessee* de Chuck Berry, bien sûr, mais aussi W. C. Handy qui composa le fameux *Saint Louis Blues* et, pour finir, Elvis Presley, rendirent célèbre le nom de Memphis. Elvis est ici ce que Bernadette Soubirous est à Lourdes. À une différence près, c'est qu'à Memphis la fille d'Elvis, Lisa-Marie, engrange 37 millions de dollars par an de bénéfices en entretenant le culte de son *King* paternel.

Memphis est une étape indispensable pour ceux qui partent à la recherche des racines du blues. Et là, il y a de quoi faire. Sinon, on découvre une grosse ville de province (environ 700 000 habitants), relativement étendue. L'animation s'y fait dans différents quartiers... Downtown, Overton Park et Square, Graceland, Beale St... La municipalité a détruit ses vieux quartiers pour créer un Downtown agréable et qu'il fait bon découvrir à pied ou en trolley. Il tourne autour du *Peabody Hotel* (qui ne cesse d'investir les blocks alentour pour ouvrir galerie marchande, musée...). Juste à côté, le nouveau stade de base-ball, l'*Autozone Stadium* et la *Pyramide* qui accueille concerts, manifestations culturelles et sportives. Cependant, à certains moments de la journée, la ville semble morte. Elle paraît vivre au rythme du Mississippi, qui coule doucement, très doucement. Mais ne vous fiez pas à cette 1re impression, car ce sont les soirs de week-end que tout se passe. Alors que tout semble désert, l'animation se concentre sur une rue, une seule : *Beale St.* L'âme du blues se réveille alors, tel un vieux fantôme, et hante la rue jusqu'à épuisement, jusqu'au petit jour. C'est dans cette rue légendaire qu'a été plantée et que s'est développée cette petite graine qui s'appelle le blues (qui a engendré son fils prodigue, le *rock'n roll*). Tous les clubs sont là. Elle a été presque entièrement reconstruite et est en grande partie piétonne le soir et en fin de semaine (contrôles de sécurité). Dans la semaine, les habitants vont jouer dans les casinos de *Tunica,* et les cowboys s'encanaillent dans d'immenses lupanars dont on ne délivrera pas les adresses qui s'étalent sur des panneaux de pub géants.

Memphis est une ville qui distille sa puissance, son énergie à petite dose. Sa beauté n'est pas visible à l'œil nu. Ici, pas de vue époustouflante comme à San Francisco, pas de quartier historique comme à Boston. On ferme les yeux, mais on ouvre ses oreilles. On se laisse porter par la musique et le cœur bat plus fort. Memphis émeut. Elle possède un « je-ne-sais-quoi » de décadent et de fragile qui ne laisse pas indifférent. Ce n'est pas un hasard si Elvis, le 1er Blanc à avoir chanté la musique des Noirs, vivait à Memphis et si Martin Luther King y fut assassiné. Musées dédiés à la musique, aux Droits de l'homme, maison d'Elvis... Il y a plein de choses à voir ici.

LA GRANDE HISTOIRE DU BLUES À MEMPHIS

Les souvenirs des temps prospères restent profondément ancrés dans certains entrepôts désaffectés, certaines vieilles enseignes qui s'estompent. Les bords du Mississippi sont tristes, mais semblent encore résonner des sirènes des steamers, des râles des malheureux porteurs de balles de coton et de ce chant magnifique qui montait le soir des quais assoupis : le blues...

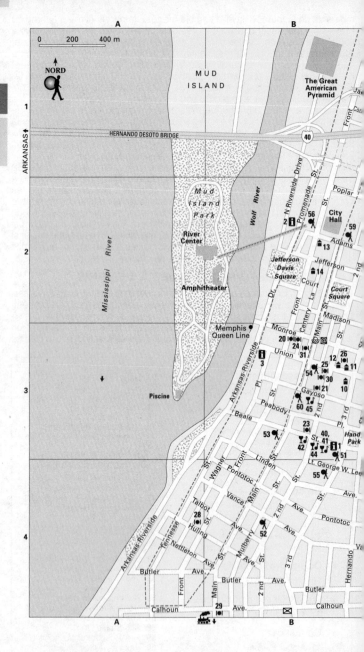

ARKANSAS

NORD

0   200   400 m

A

B

MUD ISLAND

The Great American Pyramid

HERNANDO DESOTO BRIDGE

40

Mud Island Park

Wolf River

N. Riverside Drive

Promenade St.

Poplar

City Hall

59

2

56

Adams

13

Jefferson Davis Square

14

Jefferson

Court Square

River Center

2nd

Mississippi River

Amphitheater

Court

Front

Century La.

Main St.

Jefferson

Madison

Memphis Queen Line

Monroe

20

24

31

St.

Union

26

12

11

25

30

10

54

21

Gayoso

St.

2nd

3rd Pl.

Piscine

3

Arkansas-Riverside

Pl.

60   45

Peabody

Beale

23

Hand Park

53

40, 41

1

42

St.

44

51

Lt. George W. Lee

55

Linden

Wagner

Front St.

Main St.

2nd St.

Pontotoc

Ave.

Vance

Pontotoc

Talbot

28

Ave.

Huling

52

3rd

Hernando

4

Tennesse

Nettleton Ave.

Mulberry

Ave.

2nd Ave.

Arkansas-Riverside

Butler   Ave.

Butler

Butler

Calhoun

29

Calhoun

A

B

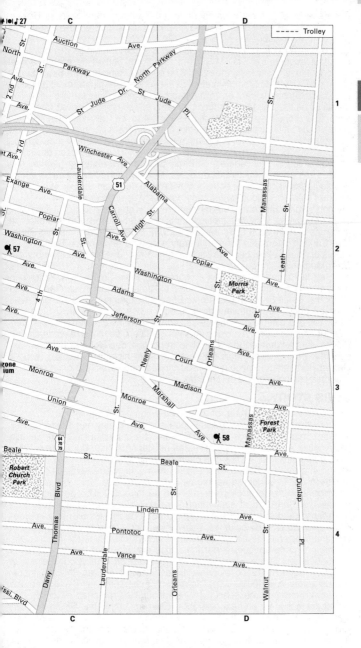

MEMPHIS – PLAN I

Encore le blues... Il est intimement lié aux rapports entre Noirs et Blancs, cette révolte qui vient du fond de la gorge et qui marque encore aujourd'hui de manière indélébile les murs de la ville.

Grand port du coton, brassant beaucoup d'argent, Memphis devint vite un carrefour important et était facilement atteint par bateau de n'importe quel point du fleuve. Dans les années 1920, le quartier compris entre Beale St (les Champs-Élysées de Memphis) et 4th St est consacré exclusivement aux jeux, à la prostitution, aux bars et, bien entendu... la musique. La ville est le lieu de plaisir de tous les fermiers, commerçants et habitants des rives du Mississippi. Des orchestres noirs sillonnent sans cesse les rues, jouant surtout, au contraire de La Nouvelle-Orléans, avec des instruments à cordes et une sorte de trompette rudimentaire, le *jug*, qui n'est autre qu'une bouteille vide dont on tire des sons bizarres en soufflant dedans. *Sonny Boy Williamson* deviendra un maître du *jug*. Les cabarets de Beale St vont ainsi résonner pendant des années des accents déchirants du blues, au milieu de la fureur des bagarres, des soûleries et du jeu. La boîte la plus célèbre de Beale St, *Pee Wee's*, affichait à l'entrée : « Nous ne fermons pas avant le premier meurtre. »

Memphis voit naître ou séjourner nombre de « grands » : Furry Lewis, qui, entre deux blues, vend des médicaments de sa fabrication ; Frank Stokes ; le guitariste Jim Jackson qui crée *Kansas City Blues* ; le Memphis Jug Band ; Gus Cannon ; Memphis Minnie, la grande vedette féminine de Beale St, en robe à carreaux et chapeau de paille et qui compose le big classique *Bumble Bee* ; Memphis Slim qui ne quitte la ville pour Chicago qu'en 1939 ; et puis encore Ma Rainey qui apprend à chanter à Bessie Smith. Avec l'attraction d'autres villes, l'introduction du blues électrifié, le déclin commercial de Memphis, Beale St meurt peu à peu. Et puis le blues noir ne perce pas dans le grand public. Un ingénieur du son, doté du sens des affaires, Sam Philipps, sait que c'est le racisme de ses contemporains qui empêche une percée décisive du blues. Avec une intuition géniale, il se met à la recherche de Blancs qui chanteraient dans le style frénétique des Noirs et découvre un certain... Elvis Presley. Mais cela est une autre histoire ! Un grand merci à Gérard Herzhaft qui, grâce à son *Encyclopédie du blues* (éditions Fédérop), a permis l'élaboration de ce chapitre.

ELVIS STORY...

Quand on s'appelle le King, on mérite bien son paragraphe !

Le 8 janvier 1935, à Tupelo (Mississippi), Gladys Presley met au monde des jumeaux, malheureusement, l'un d'eux meurt à la naissance... Elle appelle l'autre Elvis. Rapidement, la famille part habiter Memphis. Durant l'été 1953, Elvis enregistre pour 4 US$ une chanson pour sa môman.

En 1954, c'est l'ère Eisenhower, le puritanisme, la guerre froide, la haine de la différence, et surtout la ségrégation des Noirs. Ces Noirs qui n'ont pas beaucoup de droits, si ce n'est celui de se taire. Ou bien de chanter. Et encore, pas trop fort, et seulement entre eux. C'est dans cette ambiance bien-pensante du Sud qu'Elvis pousse la porte du Sun Studio, où l'on enregistre pour 30 US$ ce qu'on veut sur vinyle. Entre deux prises, Elvis prend sa guitare et entonne un vieux standard du rythm'n blues : « *It's all right, Mama* ». À cette époque, la musique noire est dans une impasse. Elle est cantonnée aux radios « ghetto ». Pour vendre de la musique noire aux Blancs, il faut qu'un Blanc la chante. En écoutant Elvis, Sam Philipps, le proprio du studio, a le déclic. C'est l'homme qu'il cherchait : un Blanc avec une voix, une sonorité, une sensualité exceptionnelles, proches de celles des chanteurs noirs. Le créneau est libre, Elvis s'y engouffre. Sa chance est d'arriver au bon moment. Il enregistre 5 titres chez *Sun Studio* (dont *Mystery Train*). Avec sa voix extraordinaire, son sourire d'adolescent, sa douce timidité et son déhanchement provocateur, il embrase le public. Au début, pour plaire aux jeunes de sa génération, il s'affuble de la tenue de cuir du rebelle, en fait, il est plutôt rebelle malgré lui. D'ailleurs, il enregistre dans tous les styles : country, gospel, rythm'n blues, rock, pop, bel canto, cantiques de Noël à la Bing Crosby, mélopées sucrées pour grosses dames permanentées de Las Vegas... Le « colonel » Parker, pas plus colonel que vous et moi, rachète son contrat et devient son manager dès 1955. Il règle les grandes lignes aussi bien que les détails de la vie du chanteur. Il en fait un produit marketing complet et cohérent. Opportun, quand on considère les multiples facettes du King. Tantôt ado gauche, zazou, rebelle provocateur et sensuel, *movie star* au bronzage nickel, milliardaire excentrique, ceinture noire de taekwondo, ou homme solitaire aux cols de chemise « pelle à tarte »...

De 1956 à 1958, ascension fulgurante. Ses premières apparitions télévisées font scandale. Mouvement de hanches, mèche rebelle, jambes écartées, micro au garde-à-vous, moue de bébé... grande inspiration... Un cri surgit : « *You ain't nothing but a hound dog...* » Des filles s'écroulent, certaines se griffent le visage, d'autres pleurent, sautent, sursautent, électriques, hystériques... Pour les familles, il a mauvais genre et ce qui les inquiète, c'est que ça plaît à leurs enfants, surtout à leurs filles. Un grand quotidien commente : « À voir Monsieur Presley, on se rend compte que sa spécialité n'est pas le chant mais tout autre chose. C'est un virtuose du déhanchement. » On interdit de le filmer en dessous de la ceinture.

De 1958 à 1960, au faîte de sa célébrité, comme ses petits camarades, il part à l'armée. Mais, en chemin (en Allemagne), il rencontre Priscilla Beaulieu, qu'il épouse en 1967. À son retour, le « Malin-Colonel » suscite artificiellement dans le public un sentiment de frustration intense. Elvis demeure célèbre par son absence. Ce sera l'idole invisible. Les seuls shows TV où il passe sont les plus grands, les plus chers, les plus prisés. Un peu comme les spéculateurs aiment à créer une pénurie de sucre dans les supermarchés. Il distribue son image au compte-gouttes. Succès énorme. Elvis enregistre beaucoup, mais est invisible sur scène pendant près de 10 ans. Tournage de 31 films dont beaucoup de navets, taillés sur mesure, par le gros légume-Parker. On retiendra surtout *King Créole* et *Jailhouse Rock*. Janvier 1968 : naissance de Lisa-Marie (qui sera brièvement l'épouse de Michael Jackson). Le King revient en piste en 1969, à Las Vegas. Le public, qui l'a attendu pendant près d'une décennie, est là, intact. Elvis vit alors à Bel-Air, et passe son temps à prendre du poids, comme d'autres à en perdre.

1972, c'est la séparation avec Priscilla et commence la boulimie de concerts, de gâteaux... et de médicaments (quelque 30 000 pilules parmi lesquelles narcotiques, sédatifs, amphétamines). « Dis Elvis, y a un truc qui cloche dans ta vie ? » 1973 : 1re alerte et divorce. 1974-1975 : plus de 150 concerts. Plusieurs alertes. Le 26 juin 1977, il donne son dernier concert dans l'arène de *Market Sq* à Indianapolis... Deux mois plus tard, le 16 août, 111 albums, 500 millions de disques vendus, Elvis Aaron Presley meurt d'une crise cardiaque à l'âge de 42 ans. Il pèse alors 110 kg (ou 158 kg d'après un documentaire de la *BBC*). Trop de sandwichs au beurre de cacahuète, trop de médicaments ? On ne saura jamais vraiment. Comme dit *Libé* : « Le rock vient de perdre le gros de sa troupe. » Le roi est mort, la légende continue. Comme la soupe *Campbell* ou la bouteille de *Coca*, Elvis est devenu une icône de l'Amérique. Mais reprenons au début... !

Ne soyons pas trop chagrin, Elvis est le premier à avoir mixé blues, gospel et country avec autant de génie. Il a fait éclater le racisme musical en imprimant profondément sa marque dans la musique des années 1950. Il reste une bête de scène incomparable, féroce et tendre à la fois. Adulé par les foules, de temps à autre les journaux clament son retour ou croient en sa réincarnation et/ou son exil dans un des coins du Sud profond.

Graceland, la maison qu'il avait offerte à sa môman, est devenue un lieu de pèlerinage de tous les fans du chanteur aux costards blancs incrustés de pierres précieuses. Elvis n'a jamais chanté à l'étranger (sauf en Allemagne et au Canada) et il a toujours chanté en anglais. C'est ce qui permit à de nombreux artistes d'adapter son style et ses chansons : Johnny, Dick et Eddy en sont les meilleurs exemples.

TOPOGRAPHIE ET HISTOIRE

C'est le général Jackson, certainement en panne d'imagination, qui baptise Memphis au début du XIXe siècle, du nom de la capitale des pharaons. Port du coton et du bois, elle utilise une forte main-d'œuvre noire tout au long de son histoire.

Memphis est étendue, mais l'animation se concentre essentiellement sur Beale St, le soir. Le Downtown est assez ennuyeux et, malgré la tentative de redonner vie à Main St qui prend le nom d'American Mall dans sa partie piétonne, l'animation ne saute pas aux yeux.

Les vendredi et samedi soir, Overton Sq, la partie de Madison Ave autour de Cooper St, s'anime. C'est le 2e point de rendez-vous nocturne.

Arrivée à l'aéroport (et retour)

✈ L'*aéroport* est à 12 miles au sud de la ville. Pas de kiosque d'information dans le hall, mais téléphone direct et gratuit en liaison avec l'office du tourisme. Pratique.

Plusieurs solutions pour rallier le centre.

➤ *En bus :* cherchez l'indication « MATA » à l'extérieur de l'aéroport. C'est le bus n° 32. Attention, peu de bus dans la journée et horaires très fluctuants. Si c'est la solution la moins chère (et de loin), ce n'est vraiment pas la plus pratique, sauf si vous avez la chance d'avoir un bus tout de suite. Descendez à l'arrêt « Liberty Land ». Puis prenez le bus n° 2. Demandez au chauffeur de vous arrêter à l'angle de Third St et Monroe. C'est le point le plus proche de Beale St.

➤ *En van :* cherchez la pancarte « Hotel Transportation Service ». ☎ 922-8338. Fonctionne théoriquement de 8 h 30 à 23 h (horaires flexibles). Il vous dépose à l'hôtel de votre choix et même à l'AJ si vous le désirez. Bien plus cher que le bus (environ 9 US$), mais départ toutes les heures environ et gain de temps énorme. Pour retourner à l'aéroport, appelez-les, ils passeront vous prendre.

➤ *En taxi :* rentable à partir de 2 personnes puisque c'est le double du van. Prix fixe (autour de 15 US$).

Adresses utiles

Informations touristiques

– Pour s'informer des événements en cours, se procurer le *Memphis Flyer* (hebdo gratuit qui sort le jeudi), le *Dateline Memphis entertainment news* (tous les 15 jours), le *Key* (mensuel gratuit) et le *Memphis Downtowner*.

🛈 *Tennessee State Welcome Center (plan I, B2, 2) :* 119 N Riverside Dr. ☎ 543-5333. Fax : 543-5335. ● www.memphistravel.com ● Ouvert tous les jours de 8 h à 18 h de novembre à avril, jusqu'à 17 h d'avril à octobre. Un toit vert en forme de clocher sous la passerelle qui mène à Mud Island. Venir en voiture, à pied c'est un peu galère. Pour toutes les infos sur Memphis et l'État du Tennessee. Fournit une carte touristique avec tous les points d'intérêt indiqués et des coupons de réductions pour les hôtels. Prendre également l'excellent *Memphis Tourist Guide* (qu'il faut demander car distribué au compte-gouttes). Statues géantes d'Elvis et de B.B.King.

🛈 *Memphis Convention & Visitor Bureau (plan I, B3, 3) :* 47 Union Ave. ☎ 543-5300 ou 1-800-873-6282. ● www.memphistravel.com ●

🛈 *Police Museum Visitor Information (plan I, B3, 1) :* 159 Beale St. ☎ 543-5333. On peut y trouver quelques infos touristiques. Les prospectus sont dans des présentoirs et des bénévoles répondent à vos questions du vendredi au dimanche de 11 h à 18 h (d'avril à octobre). Mais les flics ne sont pas là pour renseigner le public.

Banques et change, postes

La plupart des grandes banques changent les chèques de voyage. Possibilité de retirer de l'argent avec une carte de paiement. Trois grandes banques centrales qui possèdent un distributeur :

■ *First Tennessee Bank :* 165 Madison Ave (à l'angle avec 3rd St). Bureau de change au 9e étage ouvert du lundi au vendredi de 8 h 30 à 16 h. Distributeur *(MasterCard, Visa)* au rez-de-chaussée du building accessible 24 h/24.
■ *Bank of America :* 200 Madison Ave. Distributeur *(Visa, Master-Card, Cirrus)* à l'intérieur du building, accessible 24 h/24.

■ *NBC Bank :* 1 Commerce Sq (à l'angle de Main St et Monroe Ave).
✉ *Poste principale (plan I, B4) :* 5553rd St (à l'angle avec Patterson St). Ouvert de 8 h 30 à 17 h 30 et le samedi de 10 h à 14 h. Fait poste restante. Autre adresse : sur *Front St*, à l'angle de Madison St. Ouvert du lundi au vendredi de 8 h à 17 h 30 et le samedi de 10 h à 14 h.

Transports hors de la ville

🚌 *Terminal de bus Greyhound (plan I, B-C3) :* 204 Union Ave (et 4th St). Dans Downtown. ☎ 523-9253 ou 1-800-231-2222. Consigne. Dessert toutes les grandes villes, plusieurs fois par jour. Pour La Nouvelle-Orléans, on conseille le bus de nuit. Bon à savoir : le *Greyhound* dessert Clarksdale, petit village de naissance du blues.
🚆 *Gare ferroviaire Amtrak (hors plan I par A-B4) :* à l'angle de Main et Carolina St (assez excentré au sud de Downtown). ☎ 526-0052 ou

1-800-872-7245. On prend les billets dans un bâtiment préfabriqué (tout au bout du quai). Il faut dire qu'il n'y a pas foule ! Juste 2 destinations : La Nouvelle-Orléans et Chicago. Un train par jour pour chacune, le matin.
■ *Auto drive-away (plan II, F5) :* 6401 Poplar Ave. ☎ 685-3360. Ouvert du lundi au samedi de 9 h 15 à 16 h 45. Nombreuses destinations.
■ *Rent-a-Wreck :* 3508 Democrat Rd. ☎ 375-3007 ou 1-800-535-1391. Pour louer de vieilles autos pas chères.

Santé, urgences

■ *Pharmacies : Wallgreens,* 2 N Main St (angle avec Madison). Ouvert du lundi au vendredi de 7 h à 20 h, de 8 h à 19 h le samedi et de 10 h à 18 h le dimanche.

■ *Shea Ear Clinic :* 6133 Poplar Pike. ☎ 761-9720 ou 1-800-477-SHEA. Pour toutes les urgences médicales.
■ *Police :* ☎ 911.

Comment se déplacer en ville ?

➤ *Memphis Area Transit Authority (MATA) :* c'est le système de transport local. Pas super facile d'utilisation, sauf pour les grandes lignes qui traversent la ville. Pour tout renseignement concernant les bus : ☎ 274-6282 ou 722-7100. On vous donne toutes les indications en fonction d'où vous êtes et où vous voulez aller (à la condition de trouver un téléphone à proximité, ce qui est rarement possible). Quelques lignes principales : la *ligne 13*

MEMPHIS

passe par Downtown (3rd St et Monroe Ave) et va à Graceland. La *ligne 50* passe par Downtown (3rd St et Madison Ave) et va vers les musées. Elle traverse la ville d'est en ouest. Si vous voulez obtenir des renseignements complémentaires, des dépliants avec itinéraires et horaires, un bureau *MATA* se trouve en plein Downtown, au 61 Main St (et Union Ave), ouvert du lundi au vendredi de 8 h à 17 h.

➤ *City Wid Cab :* 2240 Deadrick Ave. ☎ 324-4202. 24 h/24.

➤ *Yellow Cab :* 581 S Second St. ☎ 577-7777. 24 h/24.

➤ *Trolley :* ☎ 577-2640 ou 274-MATA. Demander le plan à l'office du tourisme. C'est le moyen idéal pour se déplacer dans Downtown. Deux lignes touristiques qui suivent le même parcours entre le nord et le sud de Downtown : la *Riverfront Loop* qui longe le Mississippi (plus rapide car moins d'arrêts) et la *Main St Line*. Passe toutes les 10 mn de 6 h à minuit du lundi au jeudi, jusqu'à 1 h le vendredi ; le samedi de 9 h 30 à 1 h et le dimanche de 10 h à 18 h. Très sympa. Ce sont d'anciens tramways portugais qui donnent un peu de chaleur à Downtown. Le ticket est à 60 cents (25 cents pendant le *lunchtime,* de 11 h à 13 h 30 du lundi au vendredi) ; l'abonnement journalier est à 2 US$ (5 US$ pour 3 jours). Ne pas oublier de le composter. On peut aussi payer en monnaie à la même machine. Pour acheter des souvenirs, n'oublions pas la *Trolley Store* au 61 S Main St.

➤ *À pied :* on peut se promener dans Downtown à pied sans se fatiguer et jusqu'à Beale St, située à 10 mn du centre.

Où dormir ?

Là, ça pèche un peu ! Le prix des hôtels varie du simple au double en fonction de l'époque, de la période de la semaine et du taux de remplissage le soir venu. Il est donc préférable de téléphoner avant de se déplacer. Beaucoup de motels près de Graceland. On dort tout près du King, mais loin du centre. Si vous êtes à Memphis mi-août (date anniversaire de sa mort), réservez bien à l'avance. Un bon moyen d'obtenir les meilleurs prix est d'aller à l'office du tourisme pour demander des coupons de réductions d'hôtels. Ils appelleront pour vous les hôtels et essaieront de tirer les meilleurs prix possibles. Ils sont très efficaces. Mais n'y comptez pas aux périodes difficiles (*Memphis in May,* célébration de la naissance, 8 janvier, ou de la mort, 16 août, d'Elvis ou les nombreuses conventions).

■ Pour trouver des chambres chez l'habitant, appelez *Bed & Breakfast Memphis :* ☎ 726-5920 ou 1-800-336-2087. Attention, c'est souvent plus cher qu'à l'hôtel (sauf si votre dortoir est le *Peabody*), mais c'est évidemment plus sympa. La plupart sont en proche banlieue.

Dans le centre

De bon marché à prix moyens

🛏 *King's Court Motel* (plan I, B3, 10) : 265 Union Ave. ☎ 527-4305. Compter de 45 à 60 US$ pour une chambre double. Motel très modeste et triste qui a l'avantage d'être central (proche du *Greyhound* et à moins de 10 mn du centre à pied). Tout simplement le moins cher du centre-ville. Pas grand-chose à en dire. Accueil souriant.

De prix moyens à très chic

Ces établissements ont une fourchette de prix assez similaire, mais appelez-les car, à tour de rôle, ils peuvent offrir des rabais intéressants *(coupons)* en fonction du taux de remplissage.

■ *Benchmark Hotel* (plan I, B3, **11**) : 164 Union Ave (à l'angle avec 3ʳᵈ St). ☎ 527-4100. Hôtel de la chaîne *Best Western*. Chic et central. Chambre double entre 90 et 150 US$, selon la saison (plus avantageux pour 4 personnes). Grandes chambres confortables, bains, AC, etc. Gratuit pour les moins de 18 ans qui séjournent avec leurs parents.

■ *Holiday Inn Select* (plan I, B3, **12**) : 160 Union Ave (juste à côté du *Benchmark Hotel* et face au *Peabody Hotel*). ☎ 525-5491. En plein Downtown, près de 200 chambres de 120 à 190 US$ pour une double selon la saison. *Sushi bar*.

■ *Sleep Inn at Court Square* (plan I, B2, **14**) : 40 N Front (à l'angle avec Jefferson Ave). ☎ 522-9700 ou 1-800-4CHOICE. Chambres doubles entre 90 et 124 US$ selon la saison. Hôtel très central. Chambres luxueuses et bien tenues. Calme assuré. Petite salle de fitness. Petit dej' continental inclus. Service souriant.

■ *Comfort Inn* (plan I, B2, **13**) : 100 N Front St (à l'angle avec Adams St). ☎ 526-0583 ou 1-800-228-5150. Mêmes prix que le précédent pour un confort équivalent mais les promos commencent à 74 US$. Grand hôtel agréable face au Mississippi. Piscine sur le toit. Attention, la salle de petit dej' est minuscule et, lorsqu'il y a des groupes, vous prendrez votre café debout.

Du côté de Graceland

Ce quartier recèle de nombreux motels en raison de la proximité de la maison d'Elvis. N'y dorment que ceux qui sont motorisés, car c'est à plusieurs miles du centre. Ils se concentrent sur la portion d'Elvis Presley Blvd située entre Graceland et un peu plus au nord. Une bonne vingtaine de motels affichent des prix assez voisins. Souvent de moyenne qualité, toujours relativement bon marché. On indique les moins sordides et qui sont quand même situés à proximité de Graceland. Et que ceux qui les trouvent médiocres aillent voir ailleurs ! Ils ne seront pas déçus. Le coin n'a guèrede charme. Les rues font rarement moins de 6 voies et le trafic est important.

Campings

⚕ *T.O. Fuller State Park* (hors plan I par A3) : pour ceux qui sont motorisés, un vrai chouette endroit pour dormir, à 11 miles du centre. ☎ 543-7581. Compter 14 US$ pour deux, électricité comprise (même prix pour les mobile homes). Pour y aller : du centre, prendre 3ʳᵈ St vers le sud sur 5 ou 6 miles puis à droite sur Mitchell Rd. Poursuivre jusqu'au Fuller State Park. Dès l'entrée, suivre les flèches pour le camping. Pas d'heure d'ouverture ni de fermeture mais, si vous arrivez le soir, ouvrez l'œil, car les 45 emplacements sont peu visibles. On dort sous les arbres d'une belle forêt (prévoir une bonne lotion antimoustiques). Calme et sûr. Sanitaires propres. Sur place avec supplément, piscine et golf 18 trous, c'est pas beau la vie ?

⚕ *Memphis Graceland RV Park & Parkground* (plan II, E6) : 3691 Elvis Presley Blvd (non loin de l'angle avec Winchester). ☎ 396-7125. Réservations : ☎ (0866) 571-9236. À 2 mn à pied de la résidence éternelle du King, ce qui constitue la principale qualité de ce lieu. Huttes (environ 40 US$ pour deux), tente (22 US$ pour deux) et camping-car (30 US$ pour l'emplacement avec eau et électricité). Douche chaude. Piscine de mai à octobre. Laverie et petite boutique. Cuisine d'été pour les campeurs. Réservation possible par téléphone avec une carte de paiement.

De bon marché à prix moyens

Ces motels proposent tous la même chose, à savoir pas grand-chose, à part un lit et un bout de piscine. Très avantageux à quatre, comme toujours.

🛏 **Motel 6** (plan II, E6) : 1117 E Brooks Rd. ☎ 346-0992. À 10 mn à pied de chez Mr Presley. Toujours des adresses sûres, les *Motel 6*. Le moins cher de tout le secteur, mais comptez quand même 50 US$ pour une chambre double (prix stable pratiquement toute l'année). Choisissez une chambre sur l'arrière, plus calme. Petite piscine devant la route. Accueil sympa.

🛏 **Travelodge-Airport** (plan II, E6) : 1360 Springbrook Ave. ☎ 396-3620. De 60 à 100 US$ pour une chambre double (pas de petit dej'). Même genre que le *Motel 6* et encore plus coincé entre les *highways*. Piscine minuscule. À un petit kilomètre de chez Elvis. Accueil très moyen.

🛏 **Days Inn** (plan II, E6) : 3839 Elvis Presley Blvd. ☎ 346-5500 ou 1-800-DAYS-INN. Selon la saison, de 60 à 90 US$ pour une chambre double. Un peu plus confortable que les autres. On peut trouver des chambres pour 4 personnes. Toutes ont frigo et micro-ondes. Réception décorée à la gloire d'Elvis, dont une statue de cire qui le ferait se retourner dans sa tombe... Piscine en forme de guitare et films du King diffusés 24 h/24 sur une chaîne interne. Pour les fans.

🛏 **Days Inn Airport** (plan II, E6) : 2715 Cherry Rd. ☎ 366-0000. À moins de 1 mile de Graceland. Même confort et prix équivalant à l'autre *Days Inn*. Resto sur place. Navette gratuite pour Graceland et l'aéroport. Accueil convivial et décontracté.

De plus chic à chic

🛏 **Elvis Presley Heartbreak Hotel** (plan II, E6) : 3677 Elvis Presley Blvd. ☎ 1-877-777-06-06. Fax : 901-332-1636. ● www.heartbreakhotel.net ● Chambres de 90 à 124 US$, suites thématiques et luxueuses jusqu'à 310 US$, petit dej' continental compris. À proximité immédiate de Graceland. Entrée décorée années 1950 bien sûr, tout comme les chambres équipées d'un frigo et d'un four à micro-ondes. Utile pour se goinfrer de pizzas en visionnant les films d'Elvis qui y sont diffusés en continu. Piscine extérieure. Exclusivement pour les fans pas encore saturés par l'Elvismania.

Où prendre le petit déjeuner ?

🍽 **Mike's Bar B.Q. Pit** (plan I, B3, 20) : 73 Monroe Ave. ☎ 527-4773. Ouvert du lundi au vendredi de 6 h à 11 h pour le petit dej' (le samedi de 6 h 30 à 13 h 30) et jusqu'à 14 h pour le déjeuner. Mais c'est surtout pour le breakfast qu'on vient ici se remplir la panse au bar ou sur les banquettes en compartiments. Adresse typique, sans surprise, symptomatique d'une certaine Amérique. La nourriture est trop grasse, la TV est trop forte, et tout le monde bouffe trop. Ici, on fait d'une pierre deux coups : on se nourrit et on prend un cours de sociologie *in situ*.

Où acheter des produits frais ?

🍽 **The Market on Main** (plan I, B3, 31) : 119 S Main St. Dans la galerie du *Peabody Museum*, une petite supérette avec quelques tables dehors. Barquettes de fruits frais (rares dans le centre). *Foodbar* avec salades appétissantes à emporter et soupe du jour.

Où manger ?

Dieu qu'elle est bonne la cuisine du Sud ! Les *spareribs,* ça vous met de la sauce jusqu'aux oreilles et c'est bon ! Spécialité de Memphis, elles se dégustent accompagnées de *red beans*. Un régal. On vous a dégoté quelques adresses de derrière les fagots, rien que pour vous.

Nous n'avons pas classé nos adresses par secteur géographique car, à part deux ou trois, elles sont toutes situées loin les unes des autres. Et puis la notion de centre à Memphis n'a pas grande réalité. Une adresse proche du centre peut tout de même être à 30 mn de marche ! Pour chaque adresse, nous donnons le secteur précis. Ça aide !

Bon marché

I●I *P and H Café* (hors plan I par D3) : 1532 Madison Ave. Excentré (voiture nécessaire, c'est à 15 blocks de Downtown, à côté du building de Belsouth). ☎ 726-0906. Ouvert de 11 h à 3 h, le samedi à partir de 17 h. Plats entre 5 et 7 US$. *P and H,* ça veut dire *Poor and Hungry,* pauvre et affamé. C'est un de nos coups de cœur... On y vient avant tout pour l'ambiance et la chaleur de l'accueil. Décor composé de fresques peintes aux murs et au plafond et quantité de photos, affiches où vous pourrez découvrir le personnage insensé des lieux : Wanda ! À elle seule, elle vaut le déplacement et, croyez-nous, elle ne passe pas inaperçue ! Il faut dire qu'elle a une passion pour les perruques longues frisées et rousses, ainsi que pour les chapeaux... On vous laisse découvrir la suite. À ses côtés siègent Mr Clean et Jo au sourire enjôleur. Dans l'assiette, burgers, sandwichs, frites, spaghetti, chilis et *tamales* accompagnés de bonnes bières qu'on peut prendre au pitch (idéal si l'on est plusieurs). Clientèle essentiellement composée d'habitués, mais qui changent tous les soirs. Le mercredi soir, les joggers s'y retrouvent à partir de 19 h, le jeudi c'est le rendez-vous des théâtreux qui terminent leurs répétitions ici et le vendredi la *Ladie's night* donne droit à des réductions pour les dames. Billards et *darts* attirent aussi beaucoup de jeunes du coin. Bref, un endroit comme on les aime !

I●I *Little Tea Shop* (plan I, B3, 24) : 69 Monroe Ave. En plein Downtown. ☎ 525-6000. Ouvert du lundi au vendredi de 11 h à 14 h. Fermé le soir. Autour de 7 US$ le plat. Un des restos les plus populaires du quartier, ouvert depuis 1918 ! C'est la cantine des gens qui travaillent dans le coin... Il faut dire que les spécialités changent tous les jours, et les prix sont alléchants. Le menu est sur la table, un crayon fraîchement taillé à côté. Il suffit de cocher les cases pour passer la commande. La salle est sans âge, vaste, dépouillée. Une véritable cuisine du Sud, *deep soul cuisine,* où l'on trouve des *turn-up greens,* sorte d'épinards locaux au goût fort, une onctueuse purée maison, ainsi que les célèbres *black eyed peas.* Spécialités : *fried catfish filet, southern fried chicken, salt pork cornsticks* (sur son lit de pain de maïs), ou le *lacy special* (poulet pris en sandwich dans des *cornsticks*).

I●I *Amber Palace* (plan I, B3, 21) : 97 S 2nd St. ☎ 578-9800. Ouvert tous les jours de 11 h à 23 h. Intéressant buffet à volonté à 7 US$ pour le lunch et formule à 11 US$ le soir. Une vraie aubaine. Un resto indien (de l'Inde !) qui prépare une savoureuse cuisine du Rajasthan bien épicée. Décor lumineux tout en bleu avec vraies nappes et serviettes (un luxe !) et service attentif. TV avec clips en provenance directe de Bollywood (le Hollywood de Bombay).

I●I *Huey's* (plan I, B3, 25) : 77 S 2nd St. ☎ 527-2700. Ouvert tous les jours de 11 h à 2 h, le dimanche à partir de 12 h. Plats entre 5 et 7 US$. Une petite chaîne de burgers sympa à l'ambiance jeune et décontractée. Les murs, recouverts des tags et signatures des clients, lui donnent une atmosphère toute particulière. Soupes et chilis, burgers et sandwichs, sans oublier le *homemade fudge brownie.*

|●| **Yosemite Sam's** *(hors plan I par D3)* : 2126 Madison Ave (angle avec Cooper St). ☎ 726-6138. Sur Overton Sq, à 15 blocks de Downtown. Ouvert du lundi au samedi de 10 h 30 à 22 h. Fermé le dimanche. *Daily special* autour de 6 US$ le midi. Un décor chaleureux avec un mobilier hétéroclite et d'énormes ballons de baudruche à l'effigie des marques de bières. Le midi, *daily special* composé d'un plat de viande accompagné de 2 légumes au choix, servi avec des petits pains maison tout chauds ! Parmi les spécialités : *meatloaf, fried chicken, salmon patty, barbecue chicken roast beef...* Pas de la grande cuisine, mais l'ambiance est sympa et les prix sont doux. *Happy hours* entre 16 h et 19 h, karaoké les vendredi et samedi soir.

Prix moyens

|●| **Rendez-vous** *(plan I, B3, 26)* : on pourrait croire que l'entrée est au 52 2nd St (adresse administrative), en fait elle se situe dans une ruelle assez minable entre Union et Monroe (en face de l'entrée du *Peabody Hotel*). ☎ 523-2746. Ouvert du mardi au jeudi de 16 h 30 à 23 h et les vendredi et samedi de 12 h à 23 h 30. Fermé les dimanche et lundi. Plats entre 8 et 15 US$. En plein centre. Plusieurs salles installées au sous-sol. Déco surchargée de vieilles gravures, bibelots anciens, vitrines de fusils... Bref, ambiance brocante, chaude et attrayante. Ici, les *ribs* sont la spécialité maison ainsi que la viande grillée, mais on peut aussi prendre des sandwichs (plus économique) et des assiettes de charcuteries. Adresse très prisée, pensez à réserver ou préparez-vous à attendre...

|●| **On Teur 61** *(hors plan I par D3)* : 2015 Madison Ave (au coin de Morrisson St, juste avant Overton Sq). ☎ 725-6059. Ouvert du lundi au jeudi de 11 h à 22 h ; les vendredi et samedi jusqu'à 23 h ; le dimanche de 10 h à 22 h. Plats autour de 10 US$. Toute petite salle avec quelques tables et une immense terrasse dont une partie sous tente. Une cuisine goûteuse qui mélange les spécialités cajun, thaï, sans oublier les traditionnels *ribs* et sandwichs. On a apprécié particulièrement le *jamba laya* et le *chicken* Bangkok. Clientèle plutôt jeune et branchée, ambiance décontractée.

|●| ♪ **The North End** *(hors plan I par C1, 27)* : 346 N Main St (au terminus nord du trolley). ☎ 526-0319. Ouvert tous les jours de 10 h 45 à 3 h. Ce bar-resto est un peu l'image de l'Amérique décontractée : costards-cravates côtoient le genre artiste pour lamper une bonne bière choisie parmi la vaste sélection d'imports, ou pour déguster un des nombreux sandwichs. C'est bondé le midi, mais vous trouverez toujours de la place sur la petite terrasse en été. Spécialité maison : *marinated chicken* sur bagel. Grand choix de plats américains, louisianais, mexicains qui permettent de se repaître sans trop bourse délier. Une bonne note à leur steak aussi. Mais il faut garder une place pour le *hot fudge pie*, un exceptionnel dessert au chocolat. Musique live à partir de 22 h les mercredi, vendredi et le week-end, allant du *folk singer* solitaire aux groupes de rock ou reggae et aux formations de jazz. Karaoké le jeudi soir.

|●| **The Spaghetti Warehouse** *(plan I, A4, 28)* : 40 W Huling Ave. ☎ 521-0907. Ouvert tous les jours de 11 h à 22 h, le week-end à partir de 12 h et jusqu'à 23 h. Plats de pâtes entre 8 et 12 US$. Un classique du genre dans un grand entrepôt de brique. Le décor est superbe, composé de vieilles affiches de cinéma, de voitures et du cirque Barnum. Un vieux trolley trône au milieu de la salle pour accueillir les amoureux, tandis que les autres prendront place dans des lits en laiton transformés en banquettes confortables. Jeux vidéo et photomaton complètent le tour. Dans l'assiette, des pâtes, des pâtes et encore des pâtes accommodées à toutes les sauces... toujours ser-

vies avec une salade (sauce au choix) et de délicieux petits pains chauds. Service souriant.

▮●▮ *The Arcade Restaurant* *(plan I, B4, 29)* **:** 540 S Main St (terminus sud du trolley). ☎ 526-5757. Ouvert du lundi au jeudi de 7 h à 15 h et de 17 h 30 à 22 h, le dimanche de 7 h à 15 h. Banquettes de cuir, tons pastel. Tenu par une bande de jeunes très babas, on y mange pizzas, *pies* et burgers. On l'indique surtout parce que c'est le plus vieux café de Memphis (1919), fréquenté par le King et par les stars de cette époque...

▮●▮ *Elvis Presley's Memphis* *(plan I, B3, 23)* **:** 126 Beale St. ☎ 527-6900. Ouvert tous les jours de 11 h à minuit. C'est l'ancienne boutique de fringues des frères Lansky (fournisseurs officiels du King), et aujourd'hui le restaurant où se retrouvent les fans. À mi-chemin entre le kitsch et le chic, il ambitionne de devenir une chaîne planétaire. C'est donc ici que vous pourrez goûter la recette originale des sandwichs frits à la banane et au beurre de cacahuète pour lesquels Elvis se relevait la nuit (et ne s'en est pas relevé un jour). Groupes de *rockabilly* et d'imitateurs du King du mercredi au samedi à partir de 20 h 30. Ne pas manquer le *Sunday gospel brunch* à partir de 11 h. Ambiance et service agréables.

Plus chic

▮●▮ *Automatic Slim's Tonga Club* *(plan I, B3, 30)* **:** 83 S 2ⁿᵈ St. ☎ 525-7948. Ouvert midi et soir. Fermé le dimanche. Adresse branchée à la new-yorkaise aux relents latino-caribéens fréquentée par des jeunes couples *well-dressed* venus se mettre en condition pour affronter leur soirée à Beale St. Décor coloré avec banquettes en peau de zèbre et tableaux modernes au mur. Cocktails fruités. Cuisine plutôt sophistiquée pas avare sur les épices. Crustacés, poissons, tortillas et salades élaborées. Service souriant. Un bémol : sono crachotante et bruit assourdissant des conversations amplifié par la hauteur de la salle.

Où boire un verre ? Où écouter du blues ?

Bien sûr, plein de petites adresses sur Beale St *(plan I, B3)* essentiellement. Faites comme tout le monde, du *bar-hopping*. Le week-end, les abords sont très surveillés et, à l'entrée du périmètre barricadé, on est obligé de montrer un document d'identité (ID), souvent un permis de conduire, puisque les Américains n'ont pas de carte d'identité. On passe d'un bar à l'autre, au gré de la musique. On peut même se contenter de déambuler et écouter les petites formations qui se produisent en pleine rue et dans les passages entre les immeubles. Pour vous mettre dans l'ambiance et consulter le calendrier des *performances* : ● www.bealestreet.com ●

Tous les clubs de la ville ont le droit de rester ouverts jusqu'à 5 h et vendent de l'alcool jusqu'à cette heure, ce qui est rare aux États-Unis. Donc, l'heure de fermeture dépend essentiellement de l'affluence. Certains soirs, minuit, d'autres, 4 h. Idem pour le prix d'entrée. Il est variable, proportionnel à la popularité du groupe, mais ce n'est jamais très cher. Souvent on y danse. *Attention*, il faut avoir 21 ans pour entrer, excepté au *New Daisy Theater* (18 ans). Le week-end, achat d'un *pass* (bracelet) pour 10 US$, qui permet d'entrer dans presque tous les bars sans payer de *cover charge*.

♪ Dans le ***W. C. Handy Park,*** juste au bas de Beale St, tous les soirs d'été, groupe de blues en plein air. Gratuit et sympathique.

♫ ♪ ***Rum Boogie Café*** *(plan I, B3, 40)* **:** 182 Beale St. ☎ 528-0150. Ouvert de 23 h à 1 h. Entrée payante uniquement le week-end (autour de

7 US$). Le *Rum Boogie* possède 2 salles. La première, où se produit un groupe local tous les soirs, et celle du fond (derrière le 1er bar), où des formations plus intimes sont invitées, généralement uniquement du blues ou du rhythm'n'blues. Niveau toujours excellent. Fréquentation surtout « quadra et plus si affinités ». N'hésitez pas à pousser la porte qui sépare les 2 salles. Pour un droit d'entrée unique, on écoute 2 *bands*. Super-ambiance, bruyante dans la 1re salle, plus intime, plus sombre dans la seconde. On peut y grignoter des *ribs* dans un décor fou fou fou.

♪ ♫ *B. B. King's Blues Club* (plan I, B3, 41) : 143 Beale St. ☎ 524-5464. ● www.bbkingbluesclub. com/memphis ● Ouvert de 11 h à minuit ou 1 h (le samedi jusqu'à 2 h 30). Tous les soirs, du blues, du blues, du blues… à partir de 20 h 30 ; à partir de 18 h 30 le week-end. Normal, l'endroit appartient vraiment à B. B. King. On peut y manger des plats du vieux Sud : *ribs, catfish, red beans*… Large salle avec mezzanine, moins cosy que les autres mais la musique compense.

♪ ♫ *Willie Mitchell's R. and B. Club* (plan I, B3, 42) : 326 Beale St. ☎ 523-8400. La fille de Willie Mitchell *himself* a ouvert ce bel endroit où l'on mange, où l'on écoute de la bonne musique 4 ou 5 soirs par semaine. On peut aussi y danser même si la salle est un peu chicos, un peu coincée.

♪ ♫ *King's Palace Café* : 162 Beale St. ☎ 521-1851. Un resto plus qu'un club de jazz qui accueille chaque soir un musicien genre *folk singer*. On peut y manger salades, sandwichs, viandes grillées, pâtes et quelques spécialités cajun… Tout ça reste assez cher (entre 12 et 20 US$ pour un plat), aussi de nombreux clients se contentent d'y boire un verre.

♪ ♫ *Alfred's on Beale* (plan I, B3, 44) : ● www.alfreds-on-beale.com ● Un des classiques de la rue avec une vaste salle et un balcon en surplomb. Venez-y le dimanche soir pour écouter des jazz-bands style années 1940. Les anciens y dansent avec plaisir. Restauration un peu grasse.

♪ *New Daisy Theater* (plan I, B-C3, 43) : 330 Beale St. ☎ 525-8979. Beau cinéma rococo transformé en salle de concerts. Un des meilleurs lieux de musique de la ville. Un espace assez grand pour accueillir les très grandes pointures, mais pas trop grand afin de conserver un contact direct avec l'artiste. Ouvert uniquement les soirs où un musicien se produit. Ouvert aux jeunes à partir de 18 ans. Blues, jazz, rythm'n blues, mais aussi rock progressif. Beaucoup de jeunes. On y danse également. Un dernier truc, le 1er mardi de chaque mois, soirée boxe ! Marrant, non ? Téléphoner pour connaître les programmes.

♪ *People's on Beale Street* : 323 Beale St (pas loin du *New Daisy Theater*). Ouvert de 13 h à 3 h (les dimanche et lundi à partir de 15 h). Du monde surtout après 17 h. Pas un bar à musique, mais un bar à billards. Très belles tables et queues pas vrillées. Une halte sympa entre 2 clubs de musique.

♪ ♫ ✺ ◎ *Center for Southern Folklore* (plan I, B3, 45) : 119 S Main St. ☎ 525-3655. Dans la même galerie que le Peabody Place Museum. Ouvert de 11 h à 18 h (23 h le dimanche). À la fois *coffee shop* et snack, boutique d'artisanat (avec des superbes *quilts*) et de CD, coin Internet et petite salle de concerts où se produisent certains après-midi et dimanches des artistes dans le style Delta blues ou gospel.

Memphis, *Soulsville USA*

C'est la nouvelle appellation de la ville et vous êtes ici pour cela, alors, *let's go* pour vous en mettre plein les oreilles et les mirettes… Pour commencer, rien de tel que d'aborder la musique à Memphis par un superbe parcours historique.

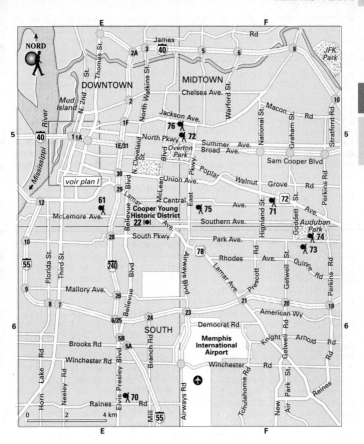

MEMPHIS – PLAN II

⌷⌷ ⸮ Où manger?	**70** Graceland
Où boire un verre?	**71** Memphis Pink Palace
	Museum & Planetarium
22 Tsunami	**72** Memphis Brooks Museum of Art
	73 Dixon Gallery and Gardens
🎔 À voir	**74** Memphis Botanical Garden
	75 The Children's Museum
61 Stax Museum of American	**76** Memphis Zoo
Soul Music	

🎔🎔🎔 *Rock'n Soul Museum* *(plan I, B4, 55) :* 145 Lt. George W. Lee Ave, à un block au sud de Beale St. Réservations : ☎ 901-543-0800. ● www.mem phisrocknsoul.org ● Ouvert tous les jours de 10 h à 18 h. Entrée : 8,50 US$ (réduction pour les enfants). Audioguide grâce auquel on peut se gaver d'enregistrements originaux tout au long de la visite.
Ce magnifique musée interactif, installé récemment dans le *Gibson Guitar Building* (possibilité de visite de la fabrique), est une émanation du célèbre *Smithsonian's Institute*. Il retrace de façon magistrale l'histoire de la musique à Memphis de 1940 jusqu'à la fin des années 1970. Elle commence par les

champs de coton et le blues inventé par les Noirs (en provenance de La Nouvelle-Orléans), pour continuer avec le rock, grâce à Elvis qui chantait comme un Noir. Pour vous mettre dans l'ambiance, les premières salles présentent la vie rurale du Sud profond avec sa terrible réalité sociale, l'esclavage et son abrogation après la guerre de Sécession. On découvre ensuite de manière chronologique toute l'évolution de la musique au cours du XXe siècle par l'évocation de la vie quotidienne des populations des campagnes : les instruments primitifs, le *washboard,* les cuillères... puis l'émergence d'une certaine modernité après 1918 avec l'arrivée de l'électricité et la percée des premières radios à batterie. Au fin fond des campagnes, on se réunissait en famille pour écouter religieusement les programmes du *Grand Ole Opry* depuis Nashville et, dans les bars, on découvrait les premiers jukebox. L'émigration des Noirs vers les grandes villes du Nord apporte le blues dans les clubs. À Memphis, les troquets de Beale St distillent une musique de Noirs, pour les Noirs exclusivement.

WDIA est la 1re station de radio qui émet pour eux, même si les techniciens sont encore des Blancs. D'autres suivent en popularisant le rythm'n blues. Des labels naissent : *Sun* de Sam Philips qui lance Carl Perkins avec *Blue Suede Shoes,* puis B. B. King (abréviation de Beale Street Blues Boy et qui fut un des premiers DJs de radio).

On parcourt les vitrines dédiées aux innombrables « grands » qui ont fait la musique d'aujourd'hui (affiches originales, costumes de scène, instruments...) : Robert Johnson (qu'on redécouvre aujourd'hui), Willie Dixton, Barbara Pittman, la seule artiste à avoir battu Elvis dans le top en 1957, Jackie Brenston et son 1er disque, *Rocket 88,* considéré comme le 1er rock'n roll. Et puis, en vrac toujours : la 1re guitare de Carl Perkins et son costume brodé de graines de coton, un clip (le premier) de Johnny Burnette...

Belles vitrines aussi sur l'univers du Sun Studio et ses artistes blancs : Jerry Lee Lewis, Johnny Cash, le country-rocker, Charlie Rich, Elvis Presley évidemment *(It's all right, Mama),* avec aussi la 1re presse à disques, véritable matrice qui enfanta les premiers bébés du rock, les plus purs. Naissance ensuite de cette sous-culture rock des teen-agers *(Sweet Little Sixteen),* dont le pouvoir d'achat grandissant commence à intéresser les producteurs. Viennent, après les années 1960, avec Willie Mitchell mais aussi les labels black : Satellite Records (qui faisait jouer des Blancs, comme les Mar-Keys) ; Stax, avec Otis Redding, Sam & Dave, Eddie Floyd. Estella Axton, la marraine du label, était favorable à l'intégration raciale : elle lança Carla Thomas et son frère Rufus. Une énorme vedette : Isaac Hayes *(Shaft)* dont on voit les costumes délirants. On enchaîne avec le piano d'Ike (et Tina) Turner.

À partir de 1968, la musique produite à Memphis s'inscrit en parallèle avec le mouvement pour les Droits civils et la *soul culture* se fond dans la *black culture.* Le concert *Wattstax* à Los Angeles en 1972 réunit 100 000 personnes à la suite des émeutes raciales du quartier de Watts. Une vraie mine d'or donc, pour qui se passionne pour la musique américaine. On peut aisément y passer une demi-journée.

♦♦♦ *Sun Studio (plan I, D3, 58) :* 706 Union Ave (au niveau de Marshall). ☎ 521-0664. ● www.sunstudio.com ● Cette visite ne fait pas partie de Graceland. Ouvert tous les jours de 10 h à 18 h. Entrée : 9,50 US$. Achat des tickets au *Sun Café,* juste à côté, décoré de photos du King.

Visite guidée du studio où Elvis, à 18 ans, a enregistré ses premiers hits en 1954. Découvert par Sam Phillips, un ingénieur du son de 27 ans, il reste un an chez *Sun* avant de signer chez *RCA.* En 2 ans, c'est une idole. Grâce à sa musique qui mixe blues, gospel et country, il enflamme les foules américaines. Si vous ne maîtrisez pas l'anglais, la visite est difficile à apprécier. Pour les fans, c'est une sorte de pèlerinage quasi obligatoire : mettre les pieds là où tout a commencé. Après un petit musée à l'étage, on reste 30 mn dans la mythique petite salle d'enregistrement à écouter une guide (déguisée années 1950) nous racontant les premiers pas du rock par le biais d'extraits de bandes enregistrées et d'anecdotes étonnantes : on y apprend par exemple que Sam Phillips a revendu le contrat d'Elvis à *RCA* pour 35 000 US$ à cause de sa rivalité avec Carl Perkins. On y voit la photo légendaire réunissant les plus grands : Elvis, Carl Perkins, Johnny Cash et Jerry Lee Lewis et, si cela vous chante, vous pouvez vous faire photographier avec le micro d'Elvis.

Émouvant pour certains, ennuyeux pour d'autres... nous, on aime. Les amateurs achèteront l'incroyable CD, *Class of 55,* un véritable monument historique (même si le son n'est pas extraordinaire), qui permet d'écouter en même temps Jerry Lee Lewis, Johnny Cash, Roy Orbison et Carl Perkins. Sachez enfin que la maison est toujours un studio d'enregistrement (on y a vu passer Bono et U2), mais que Sun n'a jamais été un label.

🎙🎙🎙 *Stax, Museum of American Soul Music (plan II, E5, 61)* : 926 E McLemore Ave. ● www.soulsvilleusa.com ● De mars à octobre, ouvert de 9 h (13 h le dimanche) à 17 h. Le reste de l'année, ouverture à 10 h. Dernière admission à 16 h. Entrée : 9 US$; réductions.

Le musée se situe à l'emplacement d'un ancien théâtre démoli et fait partie d'un ensemble comprenant des studios et une académie proposant aux jeunes de la ville un programme d'apprentissage de la musique, sponsorisé par l'équipe de basket NBA locale. Les studios ont été reconstitués à l'identique, seuls les carreaux de faïence sont d'origine.

Le label Stax est à Memphis ce que Tamla Motown est à Detroit (Michigan), à savoir un label intimement lié à la soul music américaine. On y fait donc un parcours qui rappelle les origines de la soul dans le gospel chanté le dimanche dans les églises et son développement en parallèle au mouvement pour les Droits civiques. Stax a été fondé par Jimmy Stewart et sa sœur Estelle Axton, des Blancs qui ont promu la musique noire. Fait exceptionnel à Memphis, Stax employait un personnel multiracial et les Noirs avaient beaucoup de respect pour leurs patrons. L'assassinat de Martin Luther King radicalisa malheureusement l'attitude des Noirs et le catalogue *Stax* fut vendu à *Atlantic*. Les artistes du label s'appelaient Rufus et Carla Thomas, Sam & Dave, Booker T., Isaac Hayes mais, en plus de ces noms, c'est toute la musique noire qui est évoquée tout au long des vitrines de l'expo, au travers de documents, de costumes, d'enregistrements et d'objets parmi les plus étonnants, comme la Cadillac Superfly à la calandre et enjoliveurs chromés or d'Isaac Hayes ou le saxo d'Otis Redding récupéré après le crash de son avion.

Parcours souvenir donc, passionnant pour ceux qui ont vécu ces années fastes où Aretha Franklin, Ray Charles, B. B. King, Wilson Picket, The Temptations, Gladys Knight, Diana Ross, The Supremes, Salomon Burke, Sidney Robinson, etc., écrivaient parmi les plus belles pages de la musique populaire américaine.

Le Memphis d'Elvis

🎙🎙🎙 *Graceland (plan II, E6, 70)* : 3765 Elvis Presley Blvd. ☎ 332-3322 ou 1-800-238-2000. ● www.elvis.com ● Ouvert tous les jours de 8 h 30 à 17 h (de 9 h 30 à 16 h le dimanche et tous les jours de novembre à février). Attention, le *Mansion Tour* est fermé le mardi de novembre à février. Flashs, caméras vidéo et digitales interdites, les sacs sont fouillés...

Graceland, c'est une sorte de « Presley World » que n'aurait pas renié Onc' Picsou. Quatre visites au programme : le *Graceland Mansion Tour* (18 US$), l'*Automobile Museum* (8 US$), le *Sincerely Elvis* (6 US$) et l'*Elvis Custom Jets* (7 US$). Chaque visite est payante et si vous n'êtes pas en fonds, ne faites que la première qui est la visite de sa maison. Autrement, choisir le *pass Platinium Tour* à 27 US$. Tous ces tarifs donnent droit à des petites réductions si on est étudiant, senior (+ de 62 ans) ou enfant (de

7 à 12 ans). Gratuit pour les moins de 7 ans. On vous conseille de venir le plus tôt possible pour ne pas faire trop la queue.

À la sortie de chaque musée, on passe obligatoirement par une boutique où rien n'a été oublié : blousons genre *Teddy,* couvre-lits géants à l'effigie de qui vous savez, sets de table, cartes postales, tasses, verres, porte-clés, stylos, petites voitures, posters (abordables)... et bien sûr tous les disques et vidéos. Si vous n'achetez rien, c'est que vous êtes vraiment solide ! Enfin, évitez d'y venir les 8 janvier et 16 août, jours anniversaires de la naissance et de la mort d'Elvis, et les jours qui précèdent, car Graceland subit une hausse d'affluence. Les fans viennent de partout... C'est le lieu le plus visité après la Maison Blanche !

– **Graceland Mansion Tour :** durée : 1 h, 1 h 30 environ. Demander un audiophone en français (ça fait plaisir... d'autant que les commentaires sont agréables et les extraits vous feront tortiller). Après cette visite, vous saurez tout d'Elvis. Bien sûr, c'est une vision édulcorée et l'on vous présentera un Elvis insouciant certes, mais surtout donateur généreux et fils aimant. On ne mentionnera ni alcool, ni drogue et on oubliera les kilos qu'il prit à la fin de sa vie, conséquence d'excès dans tous les domaines. De toute façon, quoi qu'on puisse en penser, il restera l'un des plus grands chanteurs du XXᵉ siècle...

Mais passons à la visite. Graceland, c'est le nom de la maison qu'Elvis acheta à une certaine Mme Grace, à l'âge de 22 ans. Ce n'est pas « le pays de la Grâce », comme le croient certains. Avec la navette, on franchit le portail de fer forgé, décoré évidemment de guitares, pour arriver au bout d'une grande allée où trône la maison... Honnêtement, on connaissait le mauvais goût d'Elvis et on pensait trouver un intérieur plus kitsch et délirant. Il est vrai que l'on ne visite pas l'étage de la maison où était sa chambre, on se contente de la chambre de la grand-mère... Viennent ensuite la salle à manger avec le salon de musique, la salle de jeux, le salon de TV jaune clinquant et bleu avec 3 téléviseurs côte à côte qui permettaient à Elvis de voir plusieurs émissions en même temps. C'était son passe-temps préféré... Pas moins de 14 postes dans toute la maison ! Enfin, notre pièce préférée, la *Jungle Room,* mais on vous laisse la découvrir. À noter, le nounours dans le fauteuil de Maria-Lisa. Dans son bureau, on a une idée de ses goûts en matière de lecture : spiritualité, new age mais aussi hobbies, sports et documents sur la guerre 1940-1945. On voit aussi son intérêt pour les armes (stand de tir) et les arts martiaux, il était ceinture noire.

Le plus intéressant est la visite du *Trophy Museum* : disques d'or et de platine par dizaines, affiches de films, objets appartenant au King, costumes avec ou sans strass, avec ou sans clous, absolument déments, que seuls Elvis et Luis Mariano pouvaient porter sérieusement. Les pantalons « pattes de mammouth » des années 1970 sont vraiment incroyables. Documents, photos relatant ses actions de charité... collection redoutable de portraits du King. Délirante thèse d'un prof de fac apparentant le physique du King à la statuaire grecque classique d'Apollon ou Hermès. Très intéressant, même si l'on répète que c'est une vision idyllique du chanteur, le véritable Elvis étant plus complexe. Si Elvis a vendu près d'un milliard de disque, il est piquant de noter qu'il n'a écrit aucune de ses chansons tout en ayant toujours été son propre producteur à l'instinct infaillible.

À la sortie de la maison, le *Meditation Garden* où repose toute la famille Presley. Vous verrez sur la droite une toute petite plaque commémorative. C'est celle de son frère jumeau, décédé à la naissance. À noter que la grand-mère a enterré toute la famille.

– **Walk a mile in my shoes :** film de 20 mn sur le King, intitulé *Marchez 1,6 km dans mes chaussures*. Inclus dans le ticket du *Mansion Tour,* début de la séance toutes les 30 mn. À voir donc et, pourquoi pas, en introduction avant de partir vers la maison, si l'affluence est trop importante. Prises de vues assez brutes, comme montées à l'emporte-pièce, mais pas dénuées d'émotion surtout lorsqu'on compare l'énergie explosive du jeune Elvis aux tentatives pour faire bouger son corps empâté lors de ses derniers shows. Seule restait la voix, brûlante et envoûtante. On a bien aimé la séquence où Elvis raconte que lors d'un concert en Floride, un policier se tenait à ses côtés pour l'empêcher de se déhancher.

– *Sincerely Elvis* : ils sont malins à Graceland ! Ils n'ont pas tout laissé dans la maison. Ils ont gardé la partie plus privée de sa vie avec les pyjamas, les liquettes, le lit et les pantoufles. Ils ont surtout conservé une partie sur sa fille, Lisa Marie, née en 1968, avec le décor de sa chambre, photos de famille et jouets... ainsi que toutes les couv' de magazines dont le King faisait la une. Entre nous, vous pouvez vous en passer.

– *Automobile Museum* : à ne pas manquer si vous aimez les belles voitures. Une bonne dizaine d'engins, certains ayant été conçus spécialement pour le King. La célèbre Cadillac Fleetwood rose bonbon, la Cadillac Eldorado de 1956, la Dino Ferrari, 4 Harley Davidson, une Honda et même une Rolls Royce de 1966. Enfin, la série de véhicules de jardin montrent comment ce grand gaillard aimait les joujoux. Dans un faux drive-in, on vous passe des extraits de films où Elvis conduit un véhicule (assez hilarant).

– *Custom Jets* : après avoir eu son petit jet privé (un *Lockheed Jet Star*, tout de même payé près de 900 000 US$) qui n'offre d'original que la couleur de son intérieur en jaune et vert et sa sono Sony intégrée, il s'achète en 1975 le *Lisa Marie* (un Convair 880 de 1958) pour 250 000 US$, qu'il aménage en véritable petit palace volant pour 800 000 US$ de plus. Notez la salle de réunion avec sièges en cuir et ceintures de sécurité avec boucles en or, la salle de jeux de cartes, la chambre avec lavabos en or (faut ç'qui faut). Un petit film au début de la visite montre Elvis traversant la ville, chevauchant son avion. Il avait dû faire couper les ailes pour qu'il puisse passer dans Elvis Ave !

Voilà, la visite est terminée... Maintenant, si vous n'êtes pas capable de chanter tout le répertoire d'Elvis en verlan, c'est que vous ne l'aimez pas assez !

Où écouter une messe gospel ?

■ *Mississippi Boulevard Christian Church :* 70 N Bellevue St (entre Madison Ave et Union Ave). Occupe tout le quadrilatère des avenues Bellevue, Madison, Montgomery et Jefferson. Difficile de la louper. Un service à 11 h chaque dimanche matin. Orgues, piano, batterie, guitare électrique... et un chœur de 100 voix. Être à Memphis et rater ça, c'est comme sauter d'un avion sans parachute, on ne s'en remet pas. Tenue clean de rigueur.

Magasins de disques

☞ *Poplar Tunes* (plan I, C2) : 308 Poplar Ave. ☎ 525-6348. Ouvert du lundi au vendredi de 10 h à 20 h (22 h le samedi). Grand magasin de disques près du centre. Nombreux CD et un rack de 33 tours anciens... Assez cher, mais la passion du collectionneur n'a pas de prix.

☞ *Shangri-La* (hors plan I par D3) : 1916 Madison Ave (à l'angle avec Tucker). ☎ 274-1916. Ouvert du lundi au vendredi de 12 h à 19 h, le samedi de 11 h à 18 h et le dimanche de 12 h à 17 h. Petite boutique bordélique jouxtant un magasin de guitare. Toutes sortes de musique, du *old blues* au new age en vinyles, CD neufs et d'occase. Le proprio est assez fier de son côté underground qui lui permet de vendre quelques fanzines oubliables.

☞ *Boutiques du Rock'n Soul Museum, du Sun Studio et du Stax Studio :* se reporter aux adresses de ces musées, plus haut. Plein de classiques du rock, du blues et de la country.

À voir aussi impérativement

🏃🏃🏃 *National Civil Rights Museum* (plan I, B4, *52*) : 450 Mulberry St. ☎ 521-9699. • www.civilrightsmuseum.org • Ouvert de 9 h (13 h le dimanche) à 17 h. De juin à août, le musée est ouvert jusqu'à 18 h. Fermé le mardi toute l'année. Entrée : 10 US$; réductions.

Le 4 avril 1968, Martin Luther King était assassiné au balcon de sa chambre d'hôtel. Quelques décennies plus tard, le *Lorraine Motel* est transformé en un exceptionnel musée des Droits civiques. À ne manquer sous aucun prétexte pour nous rafraîchir la mémoire et pour être toujours vigilant.

De manière émouvante, parfois poignante et toujours pédagogique, on passe chronologiquement en revue l'histoire du combat des Noirs pour leurs droits. Film intéressant, toutes les 20 mn. Par le biais d'innombrables documents, photos, enregistrements, films, on retrace l'histoire de la lutte pour la liberté du peuple afro-américain. Portraits de Nelson Mandela, Jesse Jackson, Malcolm X. Le musée remonte dans les premiers temps de l'esclavage pour mieux témoigner de la ségrégation, de la discrimination qui régnaient encore il y a peu aux États-Unis. Dans le *deep south,* photos de pancartes pour Noirs, pancartes pour Blancs à l'entrée des lieux publics. Émergence de l'hideux Ku Klux Klan et ses lynchages organisés. Le mot viendrait du grec *Keklos,* le cercle. Ses membres n'étaient pas seulement racistes anti-Noirs, mais aussi adversaires des catholiques, des juifs, des communistes et de tout étranger. Voir ce slogan terrible par sa bêtise : *Race mixing is communism.* On apprend aussi qu'en 1940-1945, si les Noirs étaient enrôlés dans l'infanterie (chair à canon à bon marché), ils n'étaient pas admis dans la Navy et l'Air Force et que l'Army refusait les dons de sang venant des *colored people*... Plus tard, en Alabama, autour d'un bar reconstitué, on s'assoit pour regarder un film sur l'entraînement organisé par les militants des Droits civiques pour supporter les quolibets et les vexations des Blancs lorsqu'ils s'installaient pacifiquement dans un fast-food qui leur était en principe interdit. On se sent alors gêné d'être assis là.

De même, un vrai bus reconstitué nous fait ressentir la discrimination. Assis sur certains sièges à l'avant, vous sentirez la pression sociale qui intimait aux Noirs de filer s'asseoir à l'arrière. Manifs (reconstitution de la marche sur Washington en 1963), sit-in, boycotts furent la panoplie non violente du combat pour l'égalité. Il est ici patiemment et abondamment raconté. On y trouve aussi la célèbre cafétéria *Woolworth* de Greensboro où les employés avaient interdiction de servir les Noirs et où, pourtant, 4 étudiants décidèrent de s'installer. On peut entendre plusieurs discours du leader noir, dont celui, célèbre, concluant la marche sur Washington en août 1963, « *I have a dream* », dont l'action était très proche de la non-violence prônée par Gandhi. Scène de la grève des éboueurs de Memphis que le pasteur M.-L. King était venu soutenir quand il fut assassiné. On termine, vidé et ému, par la visite de sa chambre (reconstituée) avec le balcon où le coup de feu du tueur fracassa le rêve. Une couronne est toujours accrochée.

La seconde partie (entrée sous la butte, en face du motel devant lequel sont stationnées des voitures d'époque) est consacrée à l'assassinat de Martin Luther King *(the shot who changed the world...)* et détaille très précisément toutes les hypothèses suivies par les enquêteurs pour aboutir à l'arrestation, en Angleterre, d'un certain James Earl Ray, personnage trouble au passé nébuleux... et qui purgea une peine de prison à vie sans avoir révélé quoi que ce soit sur ses motivations ou ses éventuels commanditaires. Il est mort en 1998. Condamné à 99 ans de prison après des aveux rétractés, il a toujours clamé son innocence, se disant le bouc émissaire d'une opération montée par le crime organisé et des agents du gouvernement.

Émouvantes funérailles du pasteur à Atlanta suivies par 150 000 personnes, son cercueil tiré par 2 mules, animal symbolisant les convois de la *Poor*

People Campaign ; dans le cortège, Jackie Kennedy a le visage grave ; quelques semaines plus tard, elle suivra le cercueil de son beau-frère, Bob... Panorama de ce que devint le mouvement pour les Droits civiques après sa mort (émeutes de Watts...). Difficile de sortir de là sans être passablement secoué !

Balade dans le centre et autour

🎭🎭 *Beale Street :* on en a déjà parlé plus haut. Tout en bas, *W. C. Handy Park,* avec la statue du plus célèbre musicien de la ville avant Presley. Il donna au blues ses lettres de noblesse avec son immortel *Saint Louis Blues,* mais aussi avec *Memphis Blues* et *Yellow Dog Blues.* Beale St a été en grande partie reconstruite dans le style du début du XXe siècle. Les vendredi et samedi soir, les clubs tournent à plein régime. Dans la journée et le soir en semaine, c'est très désert. Voir plus haut « Où boire un verre ? Où écouter du blues ? ».

🎭🎭 *Schwab (plan I, B3, 51) :* 163 Beale St. Ouvert de 9 h à 17 h, parfois plus tard le samedi. Fermé le dimanche.
Découvrez ce magasin extraordinaire. C'est la même famille qui le gère depuis 1876. M. Schwab est d'origine alsacienne et malgré son âge avancé, il salue encore ses clients. Chez *Schwab,* on trouve de tout dans un désordre indescriptible et tout est loin d'être de 1re qualité. Pourtant il faut y jeter un œil : du taille-crayon souvenir à la confiture de grand-mère, en passant par les sous-vêtements, les articles de ski et le livre de recettes d'Elvis (si vous voulez grossir)... Une sorte de *Tati* du début du XXe siècle, en nettement plus vieillot. Ne manquez pas le rayon jeans et chemises (hommes et dames) pour les personnes, disons, « enveloppées », ça va jusqu'à la taille 6X... Impressionnant !

🎭 *Police Museum (plan I, B3, 51) :* 159 Beale St. Ouvert tous les jours 24 h/24, toute l'année. Gratuit.
Il s'agit d'un sympathique poste de police encore en fonction. Vitrines d'armes à feu, cellule, collection de matraques, pipes à eau... de couvre-chefs de flics étrangers (mais pas de français, par contre un képi de l'ancienne Allemagne de l'Est !) et de fiches signalétiques jaunies de truands notoires dont celles de *Machine Gun Kelly* et de sa femme qui était connue sous une dizaine d'identités différentes !

🎭 *The Orpheum Theater (plan I, B3, 53) :* Main St (à l'angle avec Beale St). ☎ 743-ARTS ou 525-3000. Vieux théâtre qui accueille désormais toutes sortes de spectacles : cinéma, comédies musicales, théâtre. Superbe décoration baroque et lustre dément. Récemment rénové.

🎭 *Autozone Stadium (plan I, B3) :* en plein centre (angle Union et 3rd St). Pour le programme : ☎ 721-6050, ou à l'office du tourisme. C'est l'occasion de découvrir le base-ball (hein !) et d'encourager l'équipe de la ville, les *Redbirds,* d'autant que le prix des places n'est pas élevé : de 5 à 15 US$ environ. Visites guidées si cela vous tente.

🎭🎭 *Peabody Hotel (plan I, B3, 54) :* 149 Union Ave, dans Downtown. Le plus bel hôtel de Memphis, qui date du début du XXe siècle. On peut y boire un verre si on est en fonds. Dans la fontaine centrale du *lobby,* quelques canards. À 11 h, ils descendent, se dandinent sur l'air de *King Cotton March* et, à 17 h, ils remontent dans leurs appartements, sur la terrasse (les « shows » ont lieu à ces heures-là). On leur déroule alors le tapis rouge et ils prennent l'ascenseur. Ça attire les touristes, les enfants excités et braillards mais surtout leurs parents qui se bousculent presque pour faire crépiter leurs flashs et tourner leurs caméscopes. La tradition des canards trouve son origine en 1930 quand deux chasseurs rentrèrent bredouilles... et bourrés d'une partie de chasse. Ils placèrent comme des collégiens des leurres vivants (lesdits canards) dans le bassin. La direction adopta l'idée et en fit une tradition. Il existe une autre version des faits : un riche du coin (-coin) aurait versé toute sa fortune aux canards et à l'hôtel. Depuis, on leur déroule le tapis rouge... Allez jeter un coup d'œil sur la terrasse. On vous laisse monter sans problème. Vue étonnante. On y a tourné des scènes du *Fugitif*, avec Harrison Ford.

🐾 **Section piétonne de Main St** *(plan I, B2-3)* : la rue fut entièrement reconstruite pour tenter de réinsuffler la vie dans Downtown. Un vieux trolley portugais y circule. Pourtant, la sauce a du mal à prendre, et même dans la journée ce n'est pas la grande foule (la rue est animée uniquement aux heures d'ouverture des bureaux, après 17 h c'est désert). Bref, un coin assez calme. À noter, le bel immeuble *Kress* au n° 9 Main St, avec sa façade décorée de mosaïque. Ne manquez pas la boutique *Downtown Wigs* (88 S Main St) : incroyable collection de chapeaux que les femmes noires portent pour aller à l'église. Le trolley passe toutes les 5-10 mn sur Main St et dessert Beale St et le National Civil Rights Museum.

🐾 **The Magevney House** *(plan I, C2, 57)* : 198 Adams Ave (non loin de l'angle avec 3rd St). Ouvert du mardi au vendredi de 10 h à 14 h. Gratuit. Au cœur de Downtown, petite maison de bois, oubliée par les promoteurs, ayant appartenu à un petit politicien local d'origine irlandaise mort de fièvre jaune en 1875. On a conservé le mobilier du XIXe siècle. Pas de quoi grimper aux rideaux mais, si on passe dans le coin, on peut y jeter un œil.

Les bords du Mississippi

🐾 **The Great Pyramid** *(plan I, B1)* : 1 Auction Ave. Accès direct avec le trolley (ligne Riverfront Loop). Pour le programme : ☎ 521-9675, ou à l'office du tourisme.
Belle réalisation, dont l'idée est à mettre en parallèle avec le nom de la ville. Puisqu'elle possède le patronyme d'un des berceaux de l'humanité, il lui fallait une pyramide. Pas mal fichue d'ailleurs. C'est la plus large du monde ! On avoue qu'on n'a pas mesuré... En fait, c'est une salle multiculturelle et sportive modulable. S'y déroulent des concerts et des matchs de basket (à ne pas louper !). On peut aussi la visiter du lundi au samedi. Trois tours sont prévus à 12 h, 13 h et 14 h. Entrée : 5 US$; réduction pour les enfants. Vidéo de 20 mn sur sa construction et comment elle est devenue un des symboles de la ville, puis tour accompagné de 30 à 40 mn de la scène, coulisses, vestiaires-loges, la galerie des stars...

🐾 **Les bords du fleuve** : une partie des rives du fleuve a été nettoyée et aménagée en promenade, entre Beale St au sud et jusqu'aux alentours de Jefferson Ave au nord. La *Memphis Queen Line* (au pied de Monroe Ave, en face du *Pier Restaurant* ; ☎ 901-527-5694 ou 1-800-221-6197) organise d'avril à octobre toutes sortes de tours de 1 h 30 environ sur le fleuve. Tarif : 12,50 US$; réduction pour les enfants jusqu'à 11 ans. Balade agréable, sans plus. Il faut beaucoup fantasmer pour retrouver l'atmosphère d'antan.

🚢 Pour ceux qui ont du temps, une seule compagnie, la *Delta Queen Steam Boat Company* propose une remontée du Mississippi au départ de La Nouvelle-Orléans. ☎ 1-800-543-1949. Durée : une semaine.

Mud Island

Mud Island est une petite île située sur le Mississippi juste en face de Memphis, où il fait bon passer une journée par beau temps. On y trouve le très intéressant *Mississippi River Museum* pour tout savoir de la vie (et de la mort...) qu'a apportée ce fleuve mythique ; le *River Walk*, sorte de maquette géante (elle traverse l'île !) qui retrace le cours du fleuve avec tous ses méandres et les villes qui le bordent ; l'*amphithéâtre* avec ses gradins extérieurs qui peuvent accueillir 5 000 personnes ; et enfin la piscine de plein air... n'oubliez pas vos maillots ! Sur l'île, location de vélos, de kayaks, de canoës et tours en *airboat*.

Comment y aller ?

Si vous y allez à pied, la station de ***monorail*** se situe au 125 N Front St *(plan I, B2, 56)*. ☎ 576-7241 ou 1-800-507-6507. ● www.mudisland.com ● On peut aussi emprunter la passerelle. Si vous y allez en voiture, l'accès se fait par l'I 40 (nord du centre). Ouvert de 10 h à 20 h de fin mai à début septembre, jusqu'à 17 h le reste de l'année. Entrée : 8 US$ (6 US$ pour les moins de 17 ans et plus de 60 ans). Elle vous donne libre accès à tout ce qu'il y a sur l'île (sauf les spectacles dans l'amphi).

🎭🎭 *Mississippi River Museum (plan I, A-B2) :* prévoir une bonne heure de visite.
Histoire des *first people* avant l'arrivée des Européens. C'est encore au célèbre Hernando De Soto que l'on attribue la découverte du Mississippi. Les premiers colons français n'arrivèrent qu'un siècle plus tard. Constitution de la colonie française de la Louisiane vendue aux Américains par Napoléon. Après cette brève page d'histoire, le musée retrace l'histoire des bateaux qui descendaient le cours du Mississippi faisant halte dans les différents forts (espagnols, anglais et français) installés sur ses rives. D'abord les *lografts*, constitués de plusieurs radeaux attachés, ensuite les *flatboats* qui pouvaient transporter des familles, puis après de multiples étapes, les premiers *steamboats* (à partir de 1825), dont les célèbres *showboats*. C'est le moment d'embarquer sur le *Belle of the Bluffs*, où vous découvrirez la cabine du commandant avec musique d'ambiance appropriée. La visite se poursuit sur l'évolution des bateaux et sur un film documentaire qui commente les crues mortelles du fleuve, ses accidents de bateaux, les inondations et les épidémies qu'il a propagées. Ensuite, retour à la gaieté et au strass avec des scènes reconstituées dans l'univers des *showboats*. Après, vient la guerre de Sécession vue depuis le Mississippi où les *steamboats* se transforment en *gunboats*. Scène de combat naval mélodramatique. Arrive alors la percée du chemin de fer, qui concurrence durement le transport fluvial. En 1930, apparition du diesel et disparition des *steamboats*. Puis on passe à la naissance du blues avec W. C. Handy et on termine par une grande salle où sont réunies les plus grandes stars du blues et du rock.

Dans Midtown, le district « historique » de Cooper-Young

En fait, un simple carrefour de 2 rues dans un quartier résidentiel avec de belles maisons traditionnelles du sud, tout en bois peint avec vérandas et balcons sculptés. Une petite atmosphère bohème agrémentée de restos, de bars et de boutiques. Sur un coin du carrefour, ne pas manquer de saluer de notre part les chats qui se prélassent dans la vitrine du magasin *News*.

Où boire un verre, siroter un café ? Où manger chic ?

🍸 *Jana Cabana (plan II, E5, près du 22) :* 2170 Young Ave. ☎ 272-7210. Ouvert de 6 h 30 (pour le breakfast) à 22 h (minuit les vendredi et samedi). Fermé le lundi. Un endroit comme on les aime : un décor de bric à brac avec un mobilier hétéroclite plutôt années 1950. Ambiance bohème décontractée pour profiter des jeux de société, des recueils de poésie et des piles de vieux *National Geographic* magazines en sirotant du thé ou du vrai café (!) et déguster des pâtisseries maison. Expos d'artistes et musique le soir entre 20 h et 21 h.

|●| *Tsunami* *(plan II, E5, 22)* **:** 928 S Cooper. ☎ 274-2556. Fermé le dimanche. Un des restos gastronomiques du quartier branché autour de Cooper St. Adresse prisée des résidents locaux pour sa cuisine de poisson et sa petite terrasse en bordure d'une avenue calme. Nappes blanches et bougies dans un décor plutôt brut de ciment. Les artistes du coin se sont chargés de garnir les murs. Une franche pointe d'exotisme asiatique pour des préparations aux saveurs subtiles, mais la taille des portions décevront les gros mangeurs. Prix assez élevé mais originalité et qualité au rendez-vous. On vous recommande le vin au verre parce qu'en bouteille, vous débourserez facilement 40 US$.

Les musées

🚶 🚶‍♀️ *Memphis Pink Palace Museum & Planetarium* *(plan II, F5, 71)* **:** 3050 Central Ave. ☎ 320-6320. ● www.memphismuseums.org ● Ouvert du lundi au jeudi de 9 h à 16 h, les vendredi et samedi jusqu'à 21 h et le dimanche de 12 h à 18 h. Entrée : 7 US$. IMAX : 7 US$. Planétarium : 4 US$. Billet combiné pour tout : 12 US$.

Un genre de palais de la Découverte sur l'histoire, la culture et la géologie de Memphis et du Sud. Intéressante collection de minéraux, que l'on découvre le long d'un parcours géologique. Un des musées les plus intéressants de la ville.

Au rez-de-chaussée *(first floor)*, oiseaux empaillés, mammifères et dinosaures (dont un est animé). À l'étage *(second floor)*, tous les métiers et les costumes du début du XXᵉ siècle. Reconstitution d'intérieurs bourgeois, de boutiques (la 1ʳᵉ épicerie en libre-service), de cabinets de médecins et de dentistes, et une section sur les Indiens et les Noirs du Mississippi. À ne pas manquer, une très belle maquette géante de cirque. Visite du planétarium pour les amateurs et films sur écran géant IMAX (téléphoner pour les horaires). Sympa si vous avez un après-midi à tuer.

🚶 *Memphis Brooks Museum of Art* *(plan II, E-F5, 72)* **:** dans Overton Park. Entrée du parc sur Poplar et Kenil Worth. Ouvert de 10 h à 16 h, jusqu'à 17 h le samedi, le dimanche de 11 h 30 à 17 h. Fermé le lundi. Entrée : 6 US$; moitié prix pour les étudiants. Gratuit pour tous le mercredi. Audioguide.

Musée généraliste sis dans un grand bâtiment blanc. Un vaste atrium entouré d'agréables salles. Peintures de l'école italienne des XIVᵉ, XVᵉ et XVIᵉ siècles (Lucas Giordano, Canaletto), toiles flamandes du XVIᵉ siècle, comme celles d'Adrien Ysembrant et Jan Gossaert, et une curiosité : un autoportrait d'une femme peintre de la Renaissance italienne, ce qui n'était pas très courant. Pas mal de sculptures et arts décoratifs de toutes les époques depuis l'Antiquité, dont une section précolombienne intéressante. L'art contemporain américain, lui, est en exposition tournante. En mezzanine, quelques impressionnistes dont Corot, Sisley, Pissarro et Renoir (*L'Ingénue),* Boudin et Bourgereau. Si aucune pièce maîtresse n'est présente, l'ensemble du musée, fort bien agencé, ne manque pas d'intérêt.

|●| *Resto* un peu chic, mais abordable. Ouvert pour le déjeuner, donnant sur une belle terrasse dominant la verdure du parc.

🚶 *Dixon Gallery and Gardens* *(plan II, F6, 73)* **:** 4339 Park Ave. ☎ 761-5250. Ouvert du mardi au samedi de 10 h à 16 h (17 h le dimanche). Fermé le lundi. Entrée : 5 US$; gratuit pour les étudiants et les enfants, mais pas pour les expos temporaires.

Les Dixon, gros marchands de coton des années fastes, ont consacré une partie de leur fortune à acheter des tableaux et à faire pousser des fleurs. La maison, dans laquelle on trouve quelques toiles de maîtres impressionnistes (Chagall, Braque, Cézanne, Renoir, Sisley...) et l'agréable parc attenant sont maintenant ouverts au public. Dans les galeries, on peut voir de la porce-laine européenne du XVIIIᵉ siècle, et surtout de belles expos temporaires. L'ensemble n'a rien d'exceptionnel, mais reste agréable.

🎎 *Peabody Place Museum & Gallery (plan I, B3, 60)* : 119 S Main St. ☎ 523-ARTS. • www.belz.com • Ouvert du mardi au vendredi de 10 h à 17 h 30, le week-end de 12 h à 17 h. Fermé le lundi. Entrée : 5 US$.

Installé au niveau bas de la galerie marchande du Peabody, ce musée pré-sente une superbe collection de pièces chinoises de la dynastie Qing (1644-1911). Constituée par la famille Belz (propriétaire du *Peabody* et de la moitié du centre-ville) au cours de nombreux voyages, elle est présentée aujourd'hui au public. Petite section d'objets de culte hébraïque (les Belz sont de confession juive). Mais surtout dragons en jade, en cloisonné, sta-tues en ivoire incrustées de pierres précieuses, chevaux, tigres... superbe jonque ciselée à double proue en tête de dragon. Bref, tout à fait remar-quable ! (À voir absolument même si vous n'aimez pas trop les chinoise-ries...)

🎎 *Memphis Botanical Garden (plan II, F6, 74)* : 750 Cherry Rd dans le Audubon Park. ☎ 685-1566. Ouvert du lundi au samedi de 9 h à 18 h (jusqu'à 16 h 30 en hiver), le dimanche de 11 h à 18 h. Gratuit le mardi à par-tir de 12 h 30. Entrée : 5 US$; réduction étudiants.

Une serre tropicale, quelques essences rares, un jardin japonais, une aire de pique-nique et le tour y est. Pas passionnant... mais si vous êtes à la Dixon Gallery, c'est en face.

Pour les enfants

🎎 🧒 *The Children's Museum (plan II, F5, 75)* : 2525 Central Ave (à l'angle avec Hollywood). ☎ 458-2678. • www.cmom.com • Ouvert de 9 h à 17 h, le dimanche de 12 h à 17 h. Fermé le lundi. Entrée : 7 US$ pour les adultes ; petite réduction pour les enfants.

Si vous avez des bambins, il faut les y amener. Si vous n'en avez pas, faites-en ! Le genre d'endroit que seuls les Américains peuvent inventer. Ce petit musée-jeu met les enfants en contact avec le monde des adultes par le biais d'objets qui leur sont habituellement étrangers : on peut toucher à tout. On y trouve une vraie voiture que les enfants tripotent à merci ; ils peuvent retirer de l'argent dans une fausse banque et faire des courses au supermarché, comme les parents ; ils explorent un vrai véhicule de pompiers ; ils peuvent se déguiser... sans oublier la modernité (les ordinateurs). Pour ce genre de choses, les Américains ont une bonne longueur d'avance.

🎎 🧒 *Fire Museum of Memphis (plan I, B2, 59)* : 118 Adams Ave. ☎ 320-5650. Ouvert de 9 h à 17 h, le dimanche de 13 h à 17 h. Fermé le lundi. Entrée : 5 US$; petite réduction pour les enfants.

Curieux de classer un musée sur les pompiers dans cette rubrique, mais sachez que tous les élèves de la ville le connaissent... il se veut avant tout éducatif. Ouvert en 1998, le bâtiment principal est installé dans l'ancienne caserne de pompiers construite en 1910. Dans la partie plus récente, expo de 2 superbes camions de pompiers, dont le célèbre *water tower truck,* avec sa tour qui permettait de dominer l'incendie. Petite expo d'équipements de pompiers et de jouets anciens. Dans l'autre partie, une des premières voi-tures de pompiers, tirée par des chevaux et équipée d'une machine à vapeur pour activer la pression. À l'étage, des ordis pour apprendre aux enfants (voire aux grands) les précautions pour prévenir les incendies. Si la leçon n'a pas été assez convaincante, la *Fire Room* finira de les persuader... Créée comme une attraction de parc à l'américaine, vous êtes enfermé dans une salle dans laquelle va se dérouler un incendie vraiment convaincant. Écran géant, son stéréo, fumée dont vous serez protégé par une vitre, sans oublier

MEMPHIS

la chaleur qui monte !... Brrr ! Les enfants pourront enfin « conduire » et découvrir l'intérieur d'un camion actuel et d'une ambulance avec tout son équipement hospitalier.

🏃 🏃 **Memphis Zoo** *(plan II, E-F5, 76)* : 2000 Galloway (Overton Park). ☎ 725-3449. Ouvert de 9 h à 17 h. Entrée : 10 US$; 6 US$ pour les enfants. Ouvert en 1906, ce zoo regroupe aujourd'hui 2800 animaux pour 400 espèces différentes... Parmi les plus remarquables, notons les varans de Komodo, les tigres blancs, et le célèbre aigle américain. Pas grand-chose à dire de plus... si ce n'est que désormais il abrite un couple de pandas géants (Ya Ya et Le Le) en provenance de Chine, installés en grande pompe dans un joli pavillon chinois construit expressément pour eux et pour lequel on paie un supplément de 3 US$. On espère que vous pourrez les voir, parce que, apparemment, ils ont l'air de roupiller énormément.

🏃 N'oublions pas les films IMAX présentés au **Memphis Pink Palace Museum** (voir plus haut).

Manifestations et festivals

Demandez le magazine *Key* à l'office du tourisme ainsi que le *Downtowner*. Plein d'infos. Le *Memphis Flyer* est un hebdo gratuit. On le trouve partout.
– **Du 7 au 9 janvier :** commémoration de la naissance du King. Retransmission de concerts d'Elvis et un bout de gâteau d'anniversaire est même distribué aux visiteurs de Graceland !
– **Memphis in May :** c'est le *Beale St Music Festival,* la plus importante manifestation musicale de Memphis (à ne pas manquer). Festivités pendant tout le mois, mais la 1re semaine est la plus animée et notamment le 1er week-end. ● www.memphisinmay.org ●
Les grandes pointures du blues et du jazz descendent dans la ville. Le 3e week-end a lieu le plus grand concours de barbecue du monde. Au bord du Mississippi, 2 miles de barbecue où grillent les *ribs*. Le ciel de la ville se transforme en véritable nuage atomique.
– **Du 2 au 6 juin :** carnaval de Memphis.
– **Festivals de musique :** nombreux l'été. Tout se passe sur Beale St et dans les rues environnantes. Pour quelques dollars, on vous fournit un bracelet qui donne le droit d'entrée dans tous les clubs la nuit du festival. Demandez les dates précises à l'office du tourisme car elles varient.
– **4 juillet :** pour l'*Independence Day,* grand festival de rue.
– **Midsouth Music and Heritage Festival :** en juillet, durant un week-end. A lieu sur Main St.
– **Elvis Tribute Week :** la semaine qui précède l'anniversaire de la mort d'Elvis (16 août 1977), Graceland devient folle. Veillée nocturne sur la tombe du King avec bougies et larmes. Soirée ciné sur le parking de Graceland avec projection de ses films, etc.

➤ DANS LES ENVIRONS DE MEMPHIS

🎥🎥 **Tunica :** situé à 25 miles au sud de Memphis, c'est ici que se retrouvent tous les habitants de la ville, du plus jeune au plus vieux, du plus riche au plus déshérité... chacun avec le secret espoir de faire fortune... Il faut le voir pour le croire ! Sachez que les jeux d'argent sont interdits dans l'État du Tennessee. Pour contourner cette loi, quelques gros bonnets ont décidé d'ouvrir une dizaine de casinos dans l'État du Mississippi tout proche, là où les jeux sont autorisés. Voilà pourquoi Memphis semble déserté le soir ! Tunica est une petite bourgade typique du Sud, à forte majorité noire. Tout autour, c'est le désert... Aujourd'hui, la campagne s'illumine des néons multicolores de gigantesques casinos qui se donnent des airs de Las Vegas (c'est sans

MEMPHIS

comparaison). Ils sont regroupés par 3 ou 4 et s'égrènent le long de Tunica Ave... Vous pourrez ainsi choisir entre le *Fitzgeralds*, le *Harrah's*, le *Hollywood*, le *Sam's Town*, l'*Isle of Capri*... Notre préférence (s'il doit y en avoir une...) va au *Casino Center* qui regroupe le *Gold Strike*, le *Sheraton* et le *Horseshoe*, devant lequel siège une magnifique Cadillac Fleetwood de 8 portes... Bien sûr, on peut y dormir et se restaurer dans d'immenses caféterias avec buffet à volonté. À voir si vous n'avez pas l'occasion de voir Vegas et si vous voulez lever un coin du voile de l'*American Dream*...

🅸 Pour plus de renseignements, adressez-vous au *Tunica Visitor Center* : 13625 US Hwy 61 N. ☎ 662-363-3800. ● www.tunicamiss.com ● Pile au bord de la route avant d'arriver dans la zone des casinos.

OXFORD

Située à 60 miles au sud-est de Memphis (prendre la Hwy 55, sortie Batesville), une mignonne petite ville universitaire de 10 000 âmes, typique du Sud avec un centre-ville organisé autour du La Fayette County Courthouse de 1872. Informations à l'*Oxford Tourism Council* dans le *City Hall* : ☎ 1-800-758-9177.

Où manger ? Où boire un café tant qu'on est là ?

|●| ***Ajax Dinner*** *:* 118 Courthouse Sq. ☎ 232-8830. Ouvert de 11 h 30 à 22 h sauf le dimanche. Resto accueillant, décoré de peaux de vache. Viandes avec 2 légumes pour 6 US$ et plats végétariens. Crevettes marinées servies avec de l'ananas grillé. On est vraiment dans le Sud !

🍸 ◉ ***Square Books Cafe'*** *:* ☎ 236-2262. Une grande librairie qui possède, à l'étage, un balcon extérieur garni de tables pour siroter un café et grignoter une pâtisserie.

À voir. À faire

🎭 ***La maison de William Faulkner :*** Rowan Oak. ☎ (662) 234-3284. La demeure du génie le plus fécond de la littérature américaine du XXe siècle peut se visiter. À Oxford, en venant de la Hwy 6, suivre S Lamar Blvd vers le centre. Prendre à gauche, Old Tailor Rd. C'est à 300 m plus loin sur la droite, dans un tournant (pas vraiment bien indiqué). Visite du mardi au samedi de 10 h à 16 h, et le dimanche à partir de 13 h. Entrée : 5 US$.

Dans un beau parc boisé, cette grande maison blanche de 1848 (antérieure à la guerre de Sécession), tout en bois, fut achetée en 1930 par Faulkner qui venait de toucher plusieurs millions de dollars de droits d'auteur. Il la baptisa *Rowan Oak* (« chêne-sorbier »), un arbre légendaire, qui n'existe pas dans la réalité. Après l'avoir restaurée, il y vécut jusqu'à sa mort en 1963. Au rez-de-chaussée, on voit encore sa bibliothèque et son bureau. Rien n'a changé. La vieille machine à écrire *Underwood,* sur laquelle il écrivit la plupart de ses chefs-d'œuvre, est posée sur une table face à la fenêtre. Sur les murs, il a noté à la main le plan du roman *Une fable,* qui lui valut le prix Pulitzer en 1955 : curieux hiéroglyphes d'un génie paradoxal déchiré entre le conservatisme de son milieu social et le non-conformisme tourmenté de son œuvre. Même riche et mondialement connu, Faulkner attendait toujours la reconnaissance des habitants d'Oxford (*Yoknapatawpha* dans ses livres) qui, choqués par la violence de son univers romanesque, persistaient à voir en lui un artiste sulfureux et complexe, ou, au pire, un clochard marginal et alcoolique. Il obtint en 1949 le prix Nobel de littérature, devint le plus gros propriétaire terrien d'Oxford, mais continua malgré cela à attendre en vain cette reconnaissance villageoise à laquelle il aspirait. Ironie du destin !

🎏 *La tombe de Faulkner :* au cimetière d'*Oxford.* Sortir à l'est, à la hauteur de l'hôtel *Holiday Inn,* tourner à droite, suivre Jefferson Ave. Un demi-mile plus loin, tourner à gauche dans N 16th St. Un cimetière très champêtre. Pas une seule croix sur les tombes. Celle de Faulkner, facile à trouver (c'est indiqué), est d'une modestie déconcertante.

🎏 *Les archives du blues :* une mine d'or pour les fanas de musique, se rendre sur le campus de l'université et entrer dans la bibliothèque publique (Farley Hall). Ouvert du lundi au vendredi de 8 h à 17 h. Gratuit. On peut y consulter la collection personnelle de B. B. King. Plus de 7 000 enregistrements allant du blues classique aux *big-band jazz* en plus d'archives photos et films, de blues magazines et du matériel de promotion commerciale. Demandez le conservateur Greg Johnson. Dans la salle d'à côté, vitrines intéressantes sur Faulkner et affiches de films tirées de son œuvre.

À voir dans les environs d'Oxford

🎏 *Tupelo :* à une cinquantaine de miles à l'est d'Oxford. À Tupelo, une minuscule maison en bois attire chaque année des contingents de jeunes et de vieux venus du monde entier ! C'est ici même qu'un 8 janvier 1935, Gladys et Vernon Presley, jeune couple fauché, donnent naissance à des jumeaux, Jesse Garon et Elvis Aaron. Le premier meurt pendant l'accouchement, le second poussera très vite la chansonnette, jusqu'à révolutionner le monde musical... Évidemment, la visite de la petite maison n'a d'intérêt que symbolique (le King n'y passa que 3 ans), et le mobilier est très simple. Adresse : 306 Elvis Presley Dr (qui l'eût cru ?). Ouvert du lundi au samedi de 9 h à 17 h 30 (17 h en hiver) et le dimanche de 13 h à 17 h. Pour environ 6 US$, on a droit à la visite d'un tout petit musée où sont présentés quelques photos, souvenirs et objets personnels du King. Pour *real fans only... Visitor Center :* ☎ 1-800-533-0611.

ATLANTA
416 500 hab. (4,1 millions avec les banlieues)
IND: TÉL. : voir plus loin la rubrique « téléphone »

Pour beaucoup d'entre nous, Atlanta évoque le vieux Sud traditionnel, celui décrit par Margaret Mitchell dans *Autant en emporte le vent.* Un Sud romantique, insouciant, vivant au rythme des récoltes de coton, plein de maisons coloniales d'où résonnaient les rires de beaux jeunes gens et de jeunes filles en crinoline : tout ce beau monde plus enclin à faire la fête qu'à s'occuper de la misère des Noirs.

Le visiteur arrivant à Atlanta devra balayer toutes ces belles images. Il découvrira une grande ville moderne et impersonnelle, entièrement vouée au mythe Coca-Cola, offrant une vaste gamme de gratte-ciel du plus réussi au plus moche. Atlanta a toujours été un nœud de communication important aux États-Unis. La ville possède depuis peu le 1er aéroport du monde par la taille. Après une longue période d'expansion, la municipalité a freiné sa boulimie immobilière pour ne pas présenter au monde une ville en chantier lors des J.O. de 1996. Mais l'impression générale est plutôt froide. On a l'image d'une ville avant tout dédiée au business et il y a peu de quartiers chaleureux. À dire vrai, rares sont les touristes qui viennent ici de leur propre chef. On les comprend. Quand on a un temps limité, on ne retient pas forcément Atlanta dans le circuit.

Et pourtant, elle est l'une des plus visitées par les Américains, tout simplement parce que c'est la 1re ville de congrès du pays : colloques, conventions, séminaires, groupes de réflexion... Ils se donnent tous rendez-vous à Atlanta, qu'ils soient coiffeurs, médecins, gays, gros, grands, scaphandriers, ébénistes ou autres... Cela explique le nombre de grands hôtels et les prix pratiqués. On comprend alors pourquoi la plupart des gens dans les rues de Downtown ne sont pas des Atlantais mais de simples « colloqueurs » ou séminaristes dûment badgés. C'est aussi pour cela qu'il s'en dégage un certain anonymat.

UN PEU D'HISTOIRE

« Haut lieu de l'histoire », diront certains. « Terrible camouflet », penseront d'autres. Pour tous les Américains, le nom d'Atlanta résonne comme Austerlitz... ou Waterloo. Tout a commencé en 1860 avec l'élection de Lincoln, un abolitionniste. Les États du Sud prennent peur et la Caroline du Sud fait sécession. De 1861 à 1865, la guerre fera rage avec une cruauté méconnue. 23 États du Nord (les États de l'Union) se battent contre 11 États du Sud (États de la Confédération). Le Sud combat pour sa survie. Toutes les plantations vivent grâce au labeur des esclaves. L'abolition est pour eux synonyme de ruine. Alors ils préfèrent mourir que céder. Sherman avait bien compris l'importance de la ville lorsqu'il s'empressa de la rayer de la carte en la brûlant, après l'avoir affamée et assiégée au printemps 1864. Sur les 4 000 maisons que comptait Atlanta, 400 échappèrent au désastre. La ville avait à peine 20 ans et comptait déjà 20 000 habitants. Une blague circulait à l'époque : « Savez-vous pourquoi Sherman n'incendia pas Savannah ? Parce qu'il ne retrouvait pas ses allumettes ! » Beaucoup de maisons anciennes datent donc plutôt de la fin du XIXᵉ siècle. Le feu semble d'ailleurs être la bête noire d'Atlanta depuis 1864 : en 1917, ce sont quelque 2 000 immeubles qui s'envolent en fumée dans un nouvel incendie et en mai 1996, c'est sur la maison de Margaret Mitchell, celle précisément où elle écrivit *Autant en emporte le vent,* que s'abat la terrible malédiction. Ironie du sort, la maison était justement en cours de rénovation avant d'être ouverte au public.

La guerre prit fin en 1865, en laissant de profondes cicatrices dans l'esprit des gens du Sud. Fini la vie facile des grandes familles. À Atlanta, on utilise encore parfois le mot « yankee » pour qualifier les gens du Nord. Reste que l'abolition ne régla pas le problème des Noirs, qui avaient la liberté mais rien d'autre. À l'esclavage se substituèrent rapidement des lois ségrégationnistes, encore en vigueur il n'y a pas si longtemps. « L'esprit » du Sud se ressent encore quelquefois à Atlanta, bien que la ville ait fait beaucoup pour l'intégration raciale. Une femme noire, Shirley Franklin, préside à la mairie d'Atlanta depuis début 2002. *Sign of the time...*

Martin Luther King Story

> « Je rêve qu'un jour,
> sur les rouges collines de Géorgie,
> les enfants d'esclaves
> et les enfants des propriétaires d'esclaves
> s'assiéront ensemble à la table de la fraternité... »
>
> M. L. King.

Après la guerre de Sécession et l'abolitionnisme, une autre forme de racisme, plus sournoise, se mit en place aux États-Unis : la ségrégation. Des lois sévères furent édictées, restreignant le droit des gens de couleur et faisant de l'humiliation leur pain quotidien. L'un des plus fervents combattants contre la ségrégation fut le pasteur Martin Luther King Jr. Il reste aujourd'hui l'homme qui fit le plus pour la cause des Noirs, avec Nelson Mandela.

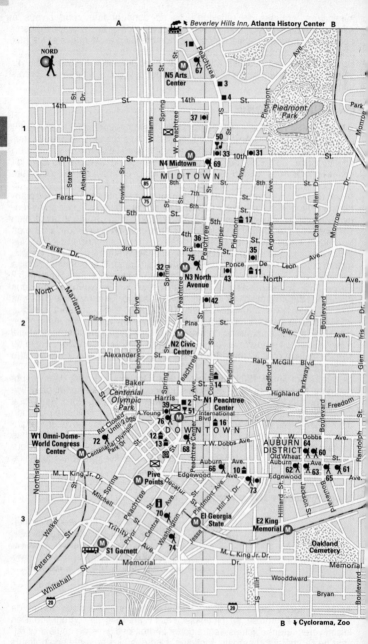

■ Adresses utiles

- 🛈 Atlanta Convention and Visitor Bureau
- ✉ Postes
- 🚌 Gare routière Greyhound
- 🚆 Gare ferroviaire Amtrak
- **1** Alliance française
- **2** Consulat de Belgique
- **3** Consulat de Suisse
- **4** Consulat du Canada
- @ Kinko's

🛏 Où dormir ?

- **10** YMCA
- **11** Atlanta Hostel
- **12** Super 8 Hotel
- **13** Quality Inn
- **14** Travel Lodge Downtown
- **15** Clermont Hotel
- **16** Sheraton Atlanta
- **17** Midtown Manor

🍽 Où manger ?

- **31** The Flying Biscuit
- **32** Varsity
- **33** Jocks and Jills
- **35** Mary Mac's Tea Room
- **36** Baraonda
- **37** Vickery's
- **38** Fontaine's Oyter House
- **39** Pittypat's Porch
- **40** Murphy's
- **41** Indigo
- **42** The Pleasant Peasant
- **43** The Abbey
- **73** Marché municipal

🍷 Où boire un verre ? Où écouter de la musique ? Où danser ?

- **38** Fontaine's
- **50** Velvet Room
- **51** Hard Rock Café
- **52** The Star
- **53** Yacht Club
- **54** Teaspace
- **55** Blind Willie's

🎥 À voir

- **60** Martin Luther King Center
- **61** Martin Luther King House
- **62** Wheat Street Baptist Church
- **63** Ebenezer Baptist Church
- **64** La nouvelle église
- **65** Fire Station N°6
- **66** Apex Museum
- **67** High Museum of Art
- **68** Folk Art and Photography Galleries
- **69** Margaret Mitchell House
- **70** Coca-Cola Pavilion
- **71** Carter Presidential Center
- **72** CNN Studio Tour
- **73** Marché municipal
- **74** Le Capitole d'État
- **75** Le Fox Theater
- **76** Westin Peachtree Plaza

Né à Atlanta en 1929, fils d'une famille de pasteurs baptistes, docteur en philosophie et pasteur lui-même, il entame très jeune son combat contre les lois blanches, notamment en appelant les Noirs à boycotter les autobus municipaux en 1956, qui contraignaient les Noirs à s'asseoir dans le fond. Première victoire. Boycotts, sit-in et marches composent la panoplie non violente de son action. En 1957, il fonde la conférence des Leaders chrétiens du Sud. La jeunesse américaine non violente est solidaire de sa cause. De 1960 à 1963, il combattra toutes les lois qu'il considère « immorales ». Emprisonné à plusieurs reprises sous différents prétextes, il poursuit son action avec détermination, ce qui provoque des réponses souvent violentes de la part de groupes blancs extrémistes (bombes, menaces, meurtres...).

L'été 1963 le conduit à l'apogée de sa popularité, avec la désormais célèbre « Marche de la liberté » qui rassemble 250 000 personnes dans les rues de Washington. Son discours « *I have a dream...* », qu'il prononce à cette occasion, reste aujourd'hui le texte phare de son action. Il est reçu par J. F. Kennedy qui, rappelons-le, avait fait du combat antiségrégation l'une de ses priorités à la Maison Blanche. En 1964, il est l'homme le plus jeune à recevoir le prix Nobel de la paix. Mais, bientôt, la non-violence ne fait plus recette. Le mouvement s'émousse, les Noirs s'impatientent. Il se voit débordé par d'autres groupes à la ligne plus dure comme le Black Power et les Black Muslims de Malcolm X. En 1967, discours d'opposition à la guerre du Vietnam.

Le 4 avril 1968, c'est lors d'une visite de soutien à des grévistes de Memphis qu'il est assassiné au balcon du *Lorraine Motel*. Le leader du « Mouvement pour les droits civiques et l'égalité raciale » avait 39 ans.

À l'annonce de sa mort, des émeutes sanglantes firent 46 morts et des milliers de blessés à Washington, Chicago, Baltimore et Kansas City.

Avec Washington, il est le seul Américain à avoir donné droit à un jour de congé pour célébrer sa mémoire et son action.

Depuis les années 1960, la situation des Noirs s'est radicalement transformée. Mais s'il existe désormais une bourgeoisie noire, une tranche non négligeable de la population de couleur est au chômage, vit dans la pauvreté et souvent la misère. Les années Reagan n'ont pas fait avancer les choses, et les acquis sociaux restent particulièrement fragiles.

Coca-Cola Story

En 1886, Atlanta découvre son or noir. De l'invention du breuvage dans l'arrière-boutique d'un petit drugstore à une distribution planétaire (le Coca-Cola est sans doute le produit le plus connu au monde), la compagnie a prouvé toute l'étendue de sa puissance marketing, certains médias allant jusqu'à rebaptiser les J.O. de 1996 « cocacolympiques ».

Mais revenons à notre petit pharmacien, John Stythe Pemberton, professeur Tournesol à ses heures, qui cherche une boisson « originale, désaltérante et commerciale ». Il multiplie les essais et finalement retrouve, dans ses archives, une vieille recette sénégalaise uniquement connue en France : le *French Wine Cola*. À base de noix de cola, aux vertus médicinales, de feuilles de coca décocaïnisées, de sucre et de plusieurs extraits végétaux, sa composition finale est pourtant le fruit du hasard.

En effet, le veilleur, de garde ce soir-là, ne sachant comment servir à un client ce tout nouveau breuvage, adjoint de l'eau gazeuse à la boisson originellement prévue plate. Quelle ne fut pas la surprise du client, le lendemain, découvrant un Coke... sans bulles, que lui tend le pharmacien. La sentence est sans appel : imbuvable ! Le Coca-Cola sera à jamais gazeux. La machine Coca est en marche et s'associe à tous les grands événements. Partenaire des J.O., jamais démenti depuis 1928, il sera déjà au rendez-vous, plébiscité par Eisenhower lorsque les *G.I.'s* débarquent au Japon. À la demande du général, 6 usines sont démontées et attendent au large le retour des petits gars. On fête la victoire au Coca, comme d'autres sabrent le champagne. À consommer sans modération !

Aujourd'hui, le nectar est servi 600 millions de fois par jour, à travers le monde. Or seules 10 personnes ont accès au coffre-fort, situé au dernier étage de la banque *Trust Company of Georgia,* qui abrite la fameuse recette, mieux gardée qu'un secret d'État. Voilà un or noir qui n'est pas près de se tarir.

Les différents quartiers

Atlanta peut se diviser en plusieurs quartiers très distincts.

– L'axe principal, la colonne vertébrale de la ville, est *Peachtree Street* qui s'oriente nord-sud. Le *Downtown* est le quartier financier, facilement repérable grâce à ses gratte-ciel. Il se prolonge vers le sud par le quartier de Five Points, carrefour entre les 2 lignes de métro et site de l'*Underground Atlanta.*

– Plus au nord, *Midtown,* sorte d'extension de Downtown avec un petit bouquet de buildings épars.

– Plus au nord encore, le quartier de *Buckhead,* sans véritable centre et qui s'étend sur plusieurs kilomètres carrés. L'axe central est, toujours et encore, Peachtree Rd. Immenses demeures, témoignages du Sud insouciant et riche autour de W Paces Ferry. Buckhead accueille une vie nocturne intense. En tout cas, c'est là que se réfugient tous les jeunes Atlantais. Nombreux cafés et restos avec terrasse. S'y rendre par les stations Buckhead ou Lenox, ou emprunter le bus n° 23 depuis Arts Center.

– À l'est de Downtown, l'*Auburn District* où vécut Martin Luther King Jr, quartier noir aujourd'hui classé. Facile d'accès, à pied ou par le bus n° 3 depuis Five Points.

– Et encore un peu plus à l'est, le coin de *Little Five Points,* marginal et sympa. On gagne ce quartier sans problème par le métro Inman Park ou Candler Park. Little Five Points est situé un peu au nord, entre les 2 stations. Compter 10 mn de marche. On peut aussi prendre le bus n° 3 sur Auburn Ave. Autour de Moreland et Euclid Ave, on croise des punks en short côtoyant des babs et des rastas. Boutiques de fringues, de disques, petits restos et bars.

– Le quartier de *Virginia Highland,* à l'est de Midtown, mérite bien une visite. La vie se concentre surtout à l'intersection de Virginia Ave et N Highland Ave, d'où le quartier tire son nom. Prendre le bus n° 45 (sauf le dimanche) depuis la station N Ave. Superbes maisons noyées dans une végétation luxuriante, quelques jolies galeries et boutiques, et une guirlande de restaurants et de bars à la fois branchés, sympas et élégants. Les jeunes Atlantais aiment y venir dîner, loin de la pollution et des gratte-ciel du centreville.

– Évitez de traîner vos baskets dans le *sud* de la ville, au-delà de *Five Points.* Un peu craignos.

Petit avertissement toponymique

À Atlanta, une rue sur deux (ou presque) répond au nom de *Peachtree.* Qu'elles soient Street, Avenue, Road, Way, Court ou Circle, vous avez des chances de vous embrouiller le guidon. Autre piège, il y a Peachtree St mais il y a aussi W Peachtree St. En revanche, une adresse comme suit : « 324 Peachtree St NE » indique que l'on se trouve sur Peachtree St dans sa partie nord-est. Quant à W Peachtree St, c'est carrément une autre rue. Et quand on est sur W Peachtree St SE, on est où, hein ? savez pas ? nous non plus ! Ce sont des fadas du pêcher, ici. Ils auraient tout de même pu varier un peu : pommier, poirier, abricotier, bananier, youkoulélé... Même en faisant très attention, vous ne pourrez pas éviter de vous gourer un bon paquet de fois. Alors, ouvrez l'œil, et le bon ! Toujours avoir une bonne carte avec soi.

Téléphone

Plusieurs indicatifs téléphoniques selon les quartiers, à composer à chaque fois (sans le 1 initial) :
– le 404 pour la plupart des numéros cités ;
– le 770 pour quelques numéros excentrés ;
suivi du numéro à 7 chiffres.
Pour éviter de s'emmêler les pinceaux, nous indiquons systématiquement l'indicatif devant chaque numéro de téléphone dans le texte. Cependant, ne pas oublier le 1 si vous appelez en dehors d'Atlanta.

Arrivée à l'aéroport

✈ **Aéroport Hartsfield :** à une dizaine de miles au sud du centre. ☎ 404-209-1700. ● www.atlanta-airport.com ● L'aéroport d'Atlanta est assez dément. Tellement vaste qu'un métro futuriste sans chauffeur relie les 5 terminaux entre eux. Résultat : il faut bien compter 1 h, parfois un peu plus, entre l'atterrissage de votre avion et votre sortie de l'aéroport ! Bon, on peut comprendre, cet aéroport étant comme par hasard le plus fréquenté du monde (près de 80 millions de passagers par an) devant Chicago et Los Angeles.

🛈 **Visitor Bureau :** ouvert de 9 h à 21 h (18 h le week-end).

◾ **Bureaux de change :** Thomas Cook dans l'aérogare vols internationaux (concourse E). Accessible uniquement aux voyageurs. Ouvert tous les jours de 9 h à 21 h. Un autre, Travelex, dans l'Atrium, mêmes horaires. Attention : pas de bureaux de change en ville !

◾ **Distributeurs de billets :** dans l'Atrium.

Plusieurs façons de rejoindre le centre-ville :

➤ **Métro Marta :** on le prend directement dans l'aérogare. C'est le plus pratique, le plus rapide et vraiment le moins cher. Prendre la ligne South-North du Baggage Claim. Descendre à « Peachtree Center » si vous voulez être dans Downtown ou à « Five Points », un peu plus au sud. Fonctionne de 5 h à 1 h.

➤ **Taxi :** compter 25 US$ pour gagner Downtown.

➤ **Shuttle bus :** à prendre à l'extérieur. Il fait le tour des grands hôtels. Bien plus cher que le Marta, 15 US$ environ.

Adresses et infos utiles

Informations touristiques et culturelles

🛈 **Atlanta Convention and Visitor Bureau** (plan A3) **:** dans l'Underground Atlanta, 65 Upper Alabama St. ☎ 404-521-6688. Téléphone général : ☎ 404-521-6600. ● www.atlanta.net ● Ouvert tous les jours de 10 h (11 h le dimanche) à 18 h. Demander le plan de la ville, les brochures Atlanta Now, Key Atlanta et éventuellement le Guide to Georgia. Pour les transports en commun, prendre le fascicule intitulé Atlanta on the go. Également une antenne à l'aéroport.

◾ **AtlanTIX :** juste à côté du Visitor Bureau de Upper Alabama St. Renseignements : ☎ 678-318-1400. ● www.atlantaperforms.com ● Ouvert le mardi de 11 h à 15 h, du mercredi au samedi de 11 h à 18 h, et le dimanche de 12 h à 15 h. Propose des ristournes sur des attractions touristiques comme *Atlanta Historic Center, High Museum of Art, Margaret Mitchell House...* Aussi, vente de tickets de dernière minute pour les concerts, spectacles et le sport. Un bon plan.

■ *Alliance française (plan A1, 1) :* 1 Midtown Plaza, 1360 Peachtree St NE, suite 850. ☎ 404-875-1211. • www.afatl.com • Ouvert du lundi au jeudi de 10 h 30 à 19 h ; fer-

meture à 17 h le vendredi. Fermé le week-end. Uniquement pour les longs séjours.

■ *Journaux d'informations :* Crea-tive Loafing, journal d'informations gratuit et hebdomadaire (tous les mardis). Tout sur la musique, les arts et la vie nocturne. Et puis, ceux qui restent longtemps se familiariseront rapidement avec l'Access Atlanta, supplément de l'Atlanta Journal (tous les jeudis).

Représentations diplomatiques

■ *Consulat de France (hors plan par B1) :* 3475 Peachtree Rd NE, suite 1840. Dans le quartier de Buckhead. ☎ 404-495-1660. • www.consulfrance-atlanta.org • Le consulat peut, en cas de difficultés financières, vous indiquer la meilleure solution pour que des proches puissent vous faire parvenir de l'argent, ou encore vous assister juridiquement

en cas de problème.

■ *Consulat de Belgique (plan A2, 2) :* 235 Peachtree St NE, N Tower, suite 850. ☎ 404-659-2150.

■ *Consulat de Suisse (plan B1, 3) :* 1275 Peachtree St NE, suite 425. ☎ 404-870-2000.

■ *Consulat du Canada (plan B1, 4) :* 100 Colony Sq, suite 1700. ☎ 404-532-2000.

Banques et change, postes, Internet

La plupart des banques changent les chèques de voyage et permettent de retirer de l'argent avec une carte de paiement. Nombre d'entre elles possèdent un distributeur accessible 24 h/24.

■ *Banques :* Bank of America, dans l'enceinte du Peachtree Center, au 233 Peachtree St *(plan B2).* Ⓜ Peachtree Center. Distributeur de billets. Aussi la Sun Trust juste à côté. Suffisant pour démarrer.

■ *American Express (hors plan par B1) :* 3384 Peachtree Rd, dans le quartier de Buckhead. ☎ 262-7561. Ⓜ Lenox. Ouvert du lundi au vendredi de 9 h à 17 h 30 et le samedi de 10 h à 16 h. Fait aussi le change.

✉ *Bureaux de poste :* 183 Forsyth St *(plan A3).* Ouvert du lundi au vendredi de 9 h à 17 h. La plus importante de Downtown. Fait poste restante. Une autre au 240 Peachtree St *(plan A2),* en sous-sol à l'entrée de la station de métro. Même horaires. Enfin, dans Midtown, au 1072 W Peachtree St *(plan A1).*

@ *Kinko's (plan A3) :* 100 Peachtree St, au 1er étage de l'immeuble Equitable. Ouvert 24 h/24.

Transports hors de la ville

🚌 *Gare routière Greyhound (plan A3) :* 232 Forsyth St. À côté de la station Garnett. ☎ 1-800-231-2222. Nombreuses liaisons avec toutes les grandes villes. Consigne.

🚃 *Gare ferroviaire Amtrak (plan A1) :* 1688 Peachtree St NW. Au nord de la ville. ☎ 1-800-872-7245. Le nom de la gare est Brookwood Station. Un train par jour pour Washington D.C. et La Nouvelle-Orléans.

Urgences

■ *Urgences :* ☎ 911.
■ *Police :* ☎ 848-4911.

ATLANTA

Comment se déplacer en ville ?

➤ *Le bus et le métro :* le système de transport en commun fonctionne bien. Bus et métro s'appellent *Marta* et circulent tous les jours de 5 h à 1 h. Pour toutes infos : ☎ 848-4711. ● www.itsmarta.com ● Le bus possède un réseau complet, mais pas évident à saisir du 1er coup. Le métro est plus simple : 2 lignes, East-West et South-North. Point de rencontre à la station « Five Points », au cœur de Downtown, là où se trouve *Underground Atlanta.* Pratique pour rallier les autres quartiers intéressants de la ville : Little Five Points, Midtown... Pour vous faciliter la vie et dans la mesure du possible, on conseille de prendre le métro pour rallier les différents quartiers, puis de faire le reste à pied. Tickets : 1,75 US$. Prévoyez de la monnaie (billets de 1 US$ et *quarters*), car vous ne pourrez pas vous en procurer une fois dans le métro. Pour être tranquille, acheter un carnet de 10 tickets. Pour ceux qui restent plusieurs jours, la *weekly transcard*, valable 7 jours, coûte autour de 13 US$. S'achète dans les stations *Marta* Five Points, Lenox, Lindbergh Center ainsi que dans les supermarchés et à l'aéroport. Dans quasiment toutes les stations, vous trouverez un mensuel gratuit, l'*Atlanta on the go,* offrant de très bonnes cartes des différents quartiers de la ville.

➤ *La voiture :* une véritable galère pour se garer. Dans le centre-ville, le prix des parkings est dément, mais vous n'avez pas le choix. Ici, pas question de rester 2 mn en double file, on vous enlève immédiatement votre voiture. Très peu de parcmètres. Il n'y a pratiquement que des parkings privés. Ailleurs, c'est plutôt pratique, la ville étant étendue. Pour ceux qui ont un véhicule, il s'agit de jouer habilement entre transports en commun pour le centre-ville, et véhicule privé pour les autres quartiers.

➤ *Le taxi :* la vie nocturne se trouve, hélas, loin de Downtown. Parfois, un taxi dépanne bien. On en trouve une tripotée en haut de Baker St *(plan A2),* proche de Peachtree St. Sinon, appelez *Checker Cabs,* 24 h/24 : ☎ 404-351-1111. Compter autour de 10 US$ la course.

Où dormir ?

Encore peu de routards par ici, donc peu de logements à la portée de leur bourse. Cela dit, Atlanta étant avant tout une ville de congressistes, les prix des hôtels varient du simple au triple en fonction des conventions importantes qui se tiennent en ville. Primordial de se renseigner auprès de l'office de tourisme avant de venir. Évidemment, tous les hôtels proposent des prix plancher et des prix plafond aux mêmes moments. D'où l'importance de choisir sa période (même si c'est moins valable pour la période estivale).

Campings (à l'extérieur de la ville)

⏚ *Stone Mountain Campground :* à l'intérieur du parc du même nom et à 16 miles à l'est de la ville. ☎ 770-498-5710. Pour réserver : ☎ 1-800-385-9807. ● www.stonemountainpark. com ● Pour y aller : prendre Ponce de León Ave vers l'est et poursuivre vers E 78 jusqu'au panneau « Stone Mountain Park ». Emplacement de 23 à 38 US$. Dans un environnement extraordinaire. Sous les bois de Géorgie et dominant un beau lac. Douche, barbecue, table, espace... et calme absolu.

⏚ *Arrowhead Campground :* à l'ouest de la ville. ☎ 770-732-1130. Prendre l'I 20 W puis l'*exit* 47 et tourner à droite. Ouvert toute l'année. Emplacement autour de 30 US$. Ne conviendra qu'à ceux qui veulent s'avancer vers l'ouest. Salle de jeux et piscine.

Très bon marché

🛏 **YMCA** (plan B3, **10**) : 22 Jesse Hill Jr Dr. ☎ 404-459-8085. Dans Downtown, à une quinzaine de minutes à pied de la station Georgia State, ou prendre le bus n° 3 sur Auburn Ave. Ouvert 24 h/24. Pour hommes uniquement, et on ne rigole pas avec le règlement ! Cher pour ce que c'est, environ 18 US$, mais reste le meilleur hébergement de la ville lorsqu'on est seul. Cinquante lits environ. Chambres simples seulement. Douche et w.-c. à l'extérieur. Univers masculin un peu carcéral tout de même.

🛏 **Atlanta Hostel** (plan B2, **11**) : 223 Ponce de León Ave. ☎ 404-875-9449. ● www.hostel-atlanta.com ● Ⓜ N Ave. Entre Downtown et Midtown. Compter 18 US$ en dortoir. Une superbe maison victorienne du début du XXᵉ siècle, avec une flopée de drapeaux. Cette AJ offre une cinquantaine de lits en dortoirs. Ensemble bien équipé. Billard dans le salon, agréable et chaleureux. Cuisine et machine à laver à disposition. Enfin, café et beignets offerts au petit dej'.

De prix moyens à plus chic

🛏 **Super 8 Hotel** (plan A3, **12**) : 111 Cone St. ☎ 404-524-7000. Fax : 404-659-7715. ● www.super8atlanta. com ● Ⓜ Peachtree Center. En plein Downtown. Compter de 80 à 130 US$. Un vrai hôtel de plus de 200 chambres, mais il reste très modeste. Chambres honnêtes avec salle de bains réduite au strict minimum, TV et AC.

🛏 **Quality Inn** (plan A3, **13**) : 89 Luckie St. ☎ 404-524-7991. Pour réserver : ☎ 1-800-228-5151. Fax : 404-524-0672. Ⓜ Peachtree Center. En fonction des périodes, compter entre 80 et 130 US$. Le type même d'hôtel insipide et sans fantaisie, mais agréablement confortable. Les chambres ont machine à café, table à repasser, TV, sèche-cheveux et moquette épaisse.

🛏 **Travel Lodge Downtown** (plan B2, **14**) : 311 Courtland St NE. ☎ 404-659-4545. Réservations : ☎ 1-800-578-7878. Fax : 404-659-5934. ● www.travelodge.com ● À 10 mn à pied de la station Peachtree Center. En lisière de Downtown, presque à l'angle de Baker St. Chambres doubles de 70 à 150 US$. Propre, confortable, parking gratuit. Pour ceux qui ne peuvent s'offrir les grands hôtels mais qui ont quand même de quoi se payer un bon établissement central. Bon, c'est loin d'être le meilleur rapport qualité-prix, mais les tarifs sont acceptables hors des périodes de congrès.

🛏 **Clermont Hotel** (plan C2, **15**) : 789 Ponce de León Ave NE. ☎ 404-874-8611. Bus n° 2 de la station N Ave. Compter 62 US$ la double. Grande bâtisse de brique dans un quartier peu animé mais devant une rue passante. Ouvert 24 h/24. Un des moins chers dans sa catégorie. Les chambres sont spacieuses, vieillottes mais propres, équipées de douche, TV et AC. Chambres à la nuit, appartements à la semaine, avec ou sans cuisine. Pas mal pour le prix, mais assez tristounet quand même.

De chic à très chic

🛏 **Sheraton Atlanta** (plan B2-3, **16**) : 165 Courtland St, à deux pas du centre. ☎ 404-659-6500. Réservations : ☎ 1-866-221-9922. Fax : 404-5240-1259. ● www.sheratona tlantahotel.com ● Ⓜ Peachtree Center. Prix particulièrement mobiles en fonction des périodes, allant de 90 à 180 US$. Facile à repérer avec son chapiteau à l'entrée. Chambres ultra-confortables. Patio avec piscine dans une végétation luxuriante. Équipe d'accueil sympa, toujours prête à rendre service.

ATLANTA

🛏 ***Midtown Manor*** *(plan B1-2, 17) :* 811 Piedmont Ave NE. ☎ 404-872-5846 ou 1-800-724-4381. Fax : 404-875-3018. • www.guestsatlanta.com • À 10 mn à pied de la station N Ave. Compter 100 US$ pour une chambre double avec sanitaires privés, 80 US$ sans. Superbe maison coloniale en bois, décorée avec goût, confortable et cosy, à deux pas du centre. Parking et machine à laver. Les chambres sont un peu vides mais spacieuses. Beaucoup plus agréable qu'un grand hôtel, au même prix.

🛏 ***Beverley Hills Inn*** *(hors plan par A1) :* 65 Sheridan Dr. ☎ 404-233-8520. • www.beverlyhillsinn.com • Dans le quartier de Buckhead, au nord de Midtown. Sheridan Dr est une petite rue perpendiculaire à Peachtree St, sur la droite quand on va vers le nord. Bus n° 23 depuis la station Arts Center. En fonction des périodes, compter de 110 à 170 US$. Petit dej' compris. Pour séjourner par ici, préférable d'avoir un véhicule. Coin résidentiel et calme, au milieu des arbres et de belles résidences. Petit immeuble début XXᵉ siècle s'apparentant plus à un mini-hôtel qu'à un vrai *B & B*. Vastes chambres agréablement décorées, avec coin salon, coin cuisine, à l'atmosphère plutôt anglaise. L'ensemble est très cher et ne s'adresse qu'aux plus fortunés.

Où manger ?

Pas mal de chouettes adresses, toutes différentes.

Bon marché

|●| ***The Flying Biscuit*** *(plan B1, 31) :* 1001 Piedmont Ave. Dans Midtown. ☎ 404-874-8887. Ⓜ Midtown. Autour de 10 US$. Resto très populaire pour ses breakfasts. Les assiettes sont belles et copieuses. *Pancakes* extra et spécialités du Sud. Le tout dans une salle aux couleurs pétantes, ou bien en terrasse. Notre meilleur plan pour le petit dej'. Toujours plein.

|●| ***Varsity*** *(plan A2, 32) :* 61 N Ave NW. Dans Midtown et près de l'I 85. ☎ 404-881-1706. Ⓜ N Ave. Ouvert tous les jours de 10 h à 23 h 30 (0 h 30 le week-end). Un endroit incroyable, à ne manquer sous aucun prétexte. Vous voici dans une mangeoire publique, une véritable usine à bouffe où sont débités des quintaux de burgers à la chaîne toute la journée. Dans un couloir, photos dédicacées des personnalités qui sont venues se commettre dans cet endroit. Ça fait rire, mais ça peut aussi faire pleurer. On tranche ici dans le lard de l'Amérique. Le plus grand drive-in et le plus vaste fast-food des États-Unis. Ici, faut qu'ça roule ! Le pire, c'est que c'est plutôt bon. On prend son plateau et on file dans l'une des nombreuses salles où trône un poste de TV. Vissés à une chaise-table, le regard rivé sur l'écran, les dents plantées dans votre chien-chaud, bon appétit les amis !

|●| ***Jocks and Jills*** *(plan B1, 33) :* 112 10ᵗʰ St NE, près de la maison de Margaret Mitchell. ☎ 404-873-5405. Ⓜ Ridtown. Ouvert tous les jours. Compter environ 8 US$ pour un burger ou une salade. L'adresse où se retrouvent les fans de basket, baseball et football. Normal, cette chaîne de restos appartient à 4 joueurs des Hawks (équipe de basket). Écran géant et TV qu'on regarde en dégustant un *juicy burger*. Ambiance parfaitement américaine. Plats reconstituants pour honorer les grands gaillards et braillards. Venir plutôt un soir de match si possible. Fait aussi bar.

|●| ***Le marché municipal ou Curb Market*** *(plan B3, 73) :* 209 Edgewood Ave. Vers Downtown (bus n° 17 depuis Fire Points). Ouvert du lundi au samedi de 9 h à 18 h. Parking gratuit seulement pour ceux qui

vont au marché (commentaire dans « À voir »). Petits étals qui proposent des plats préparés copieux et pas chers : saucisses, jambon, *country ham,* plats chinois et cuisine des Caraïbes. Très sympa, plutôt bon et une animation géniale.

ATLANTA

Prix moyens

I●I *Mary Mac's Tea Room* (plan B2, *35)* : 224 Ponce de León Ave NE. ☎ 404-876-1800. Ⓜ N Ave. Dans Midtown. Ouvert tous les jours de 7 h (9 h le week-end) à 21 h. Compter autour de 15 US$. Beau *dining* cinquantenaire, qui n'a pas changé d'un pouce. Ici, on a le respect des traditions. Cuisine simple et sympathique : du petit dej' au buffet à volonté *special southern dinner.* Un morceau d'anthologie sociale servi dans un décor de temps qui passe.
I●I *Baraonda* (plan A2, 36) : 710 Peachtree St. ☎ 404-879-9962. Ⓜ N Ave. Au cœur de Midtown. Prévoir 12 US$. Véritables pizzas au feu de bois. Ambiance rustique : tables et chaises en bois, parquet, belles affiches d'époque. Terrasse pas mal non plus. Entre les salades, pizzas et pâtes... c'est toute l'Italie dans son assiette. Ajouté à la déco, on oublierait presque la ville d'Atlanta !
I●I *Vickery's* (plan A-B1, 37) : 1106 Crescent Ave. ☎ 404-881-1106. Dans Midtown, à 10 mn de la station Midtown. Ouvert tous les jours midi et soir. Service jusqu'à minuit et bar jusqu'à 2 h. Plats autour de 15 US$. On vient plutôt le soir dans cette jolie maison qui tient fièrement le coup au milieu des buildings. Rendez-vous des branchés et de ceux qui voudraient l'être. Ambiance à l'américaine, bon enfant et décontractée. Cuisine éclectique. Agréable petite terrasse sous les arbres.
I●I *Fontaine's Oyter House* (plan C1, 38) : 1026 B N Highland Ave. ☎ 404-872-0869. Bus n° 45 (sauf le dimanche) depuis la station N Ave. Ouvert tous les jours, sauf le mardi midi. Dans le très agréable quartier de Virginia Highland, avec ses airs de ville à la campagne. Compter autour de 10, voire 15 US$ pour un plat. Les Atlantis viennent au *Fontaine's* déguster des huîtres, dans une ambiance joyeuse et conviviale. Mais attention, pas uniquement la banale petite huître crue avec son filet de jus de citron ! Non, ici on cuisine le mollusque lamellibranche sous toutes les formes possibles et imaginables : à la vapeur, en beignets, frites, en sauce, etc. Pour les réfractaires, quelques plats de poissons et fruits de mer bien préparés. Bonnes bières à la pression.

De chic à très chic

I●I *Pittypat's Porch* (plan A2, 39) : 25 International Blvd, au pied du *Westin Hotel.* ☎ 404-525-8228. Ⓜ Peachtree Center. Ouvert le soir seulement. Plats autour de 25 US$, buffet froid en entrée compris. Véritable institution dans Downtown, ce resto tire son nom du personnage Pittypat Hamilton, figurant dans *Autant en emporte le vent.* Spécialités régionales, servies en quantité. Une cuisine sans faille, servie dans un décor évoquant le sud. Piano en musique d'ambiance et bar en mezzanine. Très fréquenté, service à la hauteur. Rien à redire.
I●I *Murphy's* (plan C1, 40) : 997 Virginia Ave NE. Dans le quartier de Virginia Highland. ☎ 404-872-0904. Ouvert tous les jours midi et soir. Prévoir au moins 25 US$. Pas de doute, les Américains ont le don de faire des restos à la fois chaleureux, élégants et décontractés. Belle illustration ici, dans cette maison en brique et bois datant des années 1920, joliment restaurée. On s'installe dans une grande salle large-

ment vitrée, œuvres d'artistes locaux accrochées aux murs, dans une ambiance cosy et joyeuse. Excellente cuisine inventive et vraiment raffinée... D'accord, ce n'est pas l'adresse la moins chère du quartier mais franchement, offrir cette qualité à ce prix, chapeau !

|●| *Indigo* (plan C1, *41*) *:* 1397 N Highland Ave. Dans le quartier de Virginia Highland. ☎ 404-876-0676. Repas, uniquement le soir, autour de 30 US$. Un des meilleurs restos de poisson d'Atlanta, dans un décor coloré et chaleureux plutôt réussi. Plusieurs salles, différentes tonalités, mais vous aurez peu de chances de choisir votre coin tant le lieu est prisé (attente probable pour être placé). Préparations originales de poisson, avec une touche française ou créole. Bonne sélection de vins... Ambiance à la fois chic et cool.

|●| *The Pleasant Peasant* (plan A-B2, *42*) *:* 555 Peachtree St. ☎ 404-874-3223. À 5 mn à pied de la station N Ave. Ouvert tous les jours, sauf le week-end. Le repas à environ 40 US$. Nous, on préfère y aller le soir pour son côté romantique et les bougies sur les tables. Musique douce, classique ou jazz, serviettes de coton blanc, murs de brique et serveurs expliquant avec pédagogie tous les plats : de l'authentique et du distingué. Large éventail de plats américano-européens (ou l'inverse), élaborés et goûteux. Prix justes et serveurs en tenue. Une adresse idéale pour les amoureux. Arriver tôt ou tard car l'adresse est très prisée.

|●| *The Abbey* (plan B2, *43*) *:* 163 Ponce de León Ave. ☎ 404-876-8831. Ouvert le soir seulement. Prévoir au moins 30 US$ par personne... Réservé aux routards en fonds, qui auraient encore un peu d'argent en fin de parcours ! De toute façon, si vous passez devant un samedi soir, c'est à voir, rien que pour le décor. Resto installé dans une abbaye gigantesque datant de 1915, avec vitraux et meubles somptueux, serveurs déguisés en moines. Mélange de cuisines européennes finement préparées. L'Amérique dans toute son extravagance...

Où boire un verre ? Où écouter de la musique ? Où danser ?

Vers Midtown et Downtown

♪ *Velvet Room* (plan B1, *50*) *:* 1021 Peachtree St, dans Midtown. Ⓜ Midtown. Ouvert tous les jours, sauf le dimanche, de 21 h à 3 h ou 4 h. Une des boîtes les plus chaudes de la ville. Fréquentée par des grappes de jeunes surexcités. Ancien cinéma, ancien bar gay, c'est aujourd'hui une étape classique du circuit nocturne.

♪ *Hard Rock Café* (plan A2, *51*) *:* à l'angle de Peachtree et International Blvd. Au cœur de Downtown. Ce n'est pas une salle de concerts, ni une boîte, mais un simple bar-resto. Ouvert tous les jours jusqu'à 1 h. On indique ce *HRC* car il n'y a guère le choix dans le quartier mais, franchement, c'est d'un conventionnel affligeant tant au niveau de la déco que de la clientèle. Et dire qu'il y a parfois 50 m de queue pour entrer là-dedans !

À Little Five Points

Plusieurs bars sur Euclid Ave, près de Moreland Ave. Une ambiance décalée qu'on aime bien.

🍸 🎵 *The Star* (plan C2, *52*) : 437 Moreland Ave. ☎ 404-681-9018. Musique live du lundi au samedi de 15 h à 2 h ou 3 h. Style *country bar* où l'on écoute toutes sortes de musiques de qualité.

🍸 *Yacht Club* (plan C2, *53*) : 1136 Euclid Ave. Repaire de la gentille canaille et des jeunes chevelus du quartier. Bière fraîche et ambiance chaude. Ouvert jusqu'à 3 h.

🍸 *Teaspace* (plan C2, *54*) : dans une petite impasse au niveau du 1133 B Euclid Ave. Salon de thé à l'ambiance zen, fréquenté par des intellos branchouilles qui viennent parfois y déclamer des poèmes de leur composition. Grande variété de thés et de boissons à base de thé.

Dans le quartier de Virginia Highland

🍸 🎵 *Blind Willie's* (plan C1, *55*) : 828 N Highland Ave. ☎ 404-873-2583. Compter autour de 10 US$, selon les formations. Une des meilleures adresses de la ville pour écouter du blues. *Bands* tous les soirs de 21 h ou 22 h à 2 h ou 3 h. Bar chaleureux et authentique.

🍸 *Fontaine's* (plan C1, *38*) : 1026 B N Highland Ave. Ouvert tous les jours jusqu'à 4 h. Ferme à minuit le dimanche. Un des bars préférés des Atlantais, et on partage leur enthousiasme. Si vous ne voulez pas y dîner (voir « Où manger ? »), vous pouvez néanmoins vous abandonner dans un des gros canapés en cuir ou vous installer au bar, face à une guirlande de serveurs *very friendly* et super-*busy*. Animé, plutôt bruyant, chaleureux et vraiment très sympa.

À voir

– L'association **Atlanta Preservation Center** propose des tours guidés en anglais, quartier par quartier. Compter 10 US$; réductions. Plusieurs points de départs en ville. La plupart des tours ont lieu 2 fois par semaine. Renseignements : ☎ 404-688-3350 ou 3353. ● www.preserveatlanta.com ● Parfait pour les férus d'histoire.

Dans le quartier d'Auburn

Ce vieux quartier, dont une large partie est classée et où l'on trouve une série de jolies et modestes maisons de bois, présente un intérêt architectural et historique indéniable. Aujourd'hui, tout ce coin a été réhabilité et les anciennes maisons sont relouées à des particuliers pour y réinsuffler de la vie. Commencez par le *Visitor Center*, où un plan extrêmement bien fait vous sera offert, permettant de vous balader facilement dans le quartier. C'est aussi là qu'il faut prendre le billet pour la visite de la maison de Martin Luther King Jr. De plus, tous les édifices préservés sont indiqués par des panneaux explicatifs en anglais très intéressants. Visite quasi obligatoire puisque Martin Luther King Jr. naquit ici. Une sorte de pèlerinage vers une des hautes figures du combat pour l'égalité entre les hommes. Plusieurs haltes dans ce coin où règne une atmosphère particulière. Le meilleur jour est le dimanche, à cause de la messe.

🏛🏛 *Martin Luther King Center ou Visitor Center* (plan B3, *60*) : 450 Auburn Ave. ☎ 331-5190. ● ● www.nps.gov/malu ● De la station Five Points, prendre le bus n° 3 et s'arrêter à M.L.K. Le centre est situé à côté de la nouvelle église et en face de Ebenezer Baptist Church. Ouvert tous les jours de 9 h à 18 h. Entrée libre.
À deux pas de sa maison natale, c'est d'ailleurs là qu'on se procure les billets gratuits mais indispensables car le nombre de visiteurs est limité. Mieux vaut vous inscrire dès votre arrivée dans le quartier.

Immense édifice tout moderne entièrement dédié au combat du révérend noir. Brochures, superbes photos (dont une prise juste la veille de son assassinat, le 4 avril 1968, au *Lorraine Motel* à Memphis), documents, films émouvants, objets, panneaux instructifs sur sa vie et ses luttes. Passionnant et essentiel pour mieux comprendre cette page de l'histoire américaine... dont les Américains ne parlent pas volontiers !

De l'autre côté de la rue, le tombeau de Martin Luther King entouré d'un bassin, où 3 millions de personnes viennent se recueillir chaque année. Bien sûr, la boutique de souvenirs se trouve à deux pas.

🦌 *Martin Luther King House* (plan B3, **61**) : 501 Auburn Ave. Visite guidée en anglais de 10 h à 18 h en continu. Réserver à l'avance au Martin Luther King Center. Départ toutes les 30 mn ou toutes les heures en fonction des saisons. Gratuit.

Jolie maison de style victorien où naquit le pasteur King et où il vécut jusqu'à 12 ans. La famille faisait partie de la haute classe moyenne *(upper middle class)*. Décorée simplement. L'important, plus que le mobilier, c'est la symbolique de la visite. On y voit bien le mode de vie des années 1930-1940. Même si on comprend mal l'anglais, visite intéressante. Beaucoup de Noirs y viennent, le visage un peu grave. Pour nombre d'entre eux, la lutte continue.

🦌🦌 *Wheat Street Baptist Church* (plan B3, **62**) et *Ebenezer Baptist Church* (plan B3, **63**) : face au 364 Auburn Ave pour la première, et un peu plus bas pour la seconde. Messes à 10 h 30 pour la *Wheat Street Baptist Church* tous les dimanches. Extraordinaire chant gospel. Peu de Blancs viennent assister à cette messe véritablement spectaculaire. Ambiance unique. À ne pas louper.

À deux pas, *Ebenezer Baptist Church* se visite mais, depuis la construction de la nouvelle église (située juste en face), on n'y célèbre quasiment plus de messes. C'est ici que le pasteur King officia de 1960 à 1968 et que sa mère fut assassinée en 1974, alors qu'elle jouait de l'orgue...

🦌 *La nouvelle église* (plan B3, **64**) : gigantesque, moderne, sobre et lumineuse, située en face de *Ebenezer Baptist Church*. Messe à 7 h 45 et 11 h. Devant certains excès, on se permet de vous rappeler qu'il s'agit d'offices religieux. Il convient, entre autres, d'être correctement habillé... et même en mettant vos plus beaux atours, il vous sera difficile de rivaliser avec l'extrême élégance des femmes chapeautées, des gamines parées de dentelles et des hommes en costumes sombres. La messe dure bien 2 h en tout. Évidemment, mieux vaut être à l'heure mais si c'est trop long pour vous, un truc : arriver 30 ou 45 mn après le début. Ce n'est pas irrespectueux ; c'est comme ça que font les locaux. Les premières 30 mn, l'église se remplit petit à petit et la montée en régime se fait en douceur. La seconde heure est superbe de joie, de foi, d'animation... et de prières. Là aussi, magnifiques gospels et sublimes voix à la Louis Armstrong et Mahalia Jackson. Le pasteur déclame son sermon avec emphase, animé par un sens du spectacle indéniable. À ne manquer sous aucun prétexte.

🦌 *Fire Station N°6* (plan B3, **65**) : sur Auburn Ave, entre le Martin Luther King Center et la maison du pasteur. Ouvert tous les jours de 9 h à 18 h. Une des plus vieilles casernes de la ville construite en 1894, retapée et transformée en musée. On y voit une superbe voiture de pompiers datant de 1927, une *American La France* !

🦌 *Apex Museum* (plan B3, **66**) : 135 Auburn Ave. ☎ 404-523-2739. ● www.apexmuseum.org ● Ouvert du mardi au samedi de 10 h à 17 h ; le dimanche, en février et de juin à août, de 13 h à 17 h. Fermé le lundi. Bus n° 3 depuis la station Five Points. Entrée : 4 US$; réductions.

Centre d'étude sur la population afro-américaine, expo, photos, documents sur l'histoire de cette communauté.

Les musées

🎎 *High Museum of Art* (plan A1, 67) : 1280 Peachtree St, dans Midtown. ☎ 404-733-4400. • www.high.org • Ⓜ Arts Center. Ouvert du mardi au dimanche de 10 h à 17 h. Entrée : 15 US$; réductions.

Le meilleur musée d'Atlanta en matière d'art. Une réussite architecturale d'abord, signée Richard Meier. L'endroit est beau, moderne et lumineux, composé de plusieurs niveaux, bassins, baies vitrées, atriums, et les collections présentées sont de qualité. La structure intérieure rappelle fortement le Guggenheim Museum de New York. On conseille de monter au 4e étage puis de redescendre doucement par la rampe. Peintures et sculptures européennes et américaines du XXe siècle au 4e étage, ainsi que des expos temporaires.

Le 3e étage possède une section classique de peinture religieuse du XVe siècle, ainsi qu'une bonne sélection d'œuvres des XIXe et XXe siècles. On y trouve un peu de tout. Styles, époques et provenances se mélangent allègrement.

Le 2e étage est consacré aux arts décoratifs, d'une grande richesse. Remarquable mobilier américain du début du XXe siècle. Très belles pièces originales. Un peu d'art africain également. Visite à ne pas manquer.

🎎 *Folk Art and Photography Galleries* (plan A3, 68) : une dépendance du musée des Arts. Située au 30 John Wesley Dobbs Ave NE, dans un bel édifice moderne de Downtown. ☎ 404-577-6940. Ouvert du lundi au samedi de 10 h à 17 h. Gratuit.

Enceinte essentiellement consacrée aux grands photographes du monde entier et à l'art populaire américain sous toutes ses formes.

🎎 *Margaret Mitchell House* (plan B1, 69) : 990 Peachtree St, dans Midtown. ☎ 404-249-7012. Ⓜ Midtown. Ouvert tous les jours de 9 h 30 à 17 h. Visite guidée de 90 mn. Entrée : 12 US$; réductions.

Complètement noyée dans un ensemble de gratte-ciel, cette maison-musée n'intéressera que les passionnés d'*Autant en emporte le vent* (tout de même record des ventes aux États-Unis, après la Bible). C'est ici que Margaret Mitchell accoucha de son œuvre, dans un des appartements de cette demeure construite en 1899. Elle n'y passa, en fait, que 7 ans de sa vie, entre 1925 et 1932. Portraits, objets, costumes, films... et une jolie boutique, business oblige.

🎎 *Coca-Cola Pavilion* (plan A3, 70) : 55 Martin Luther King Jr Dr. ☎ 404-676-5151. • www.woccatlanta.com • Ⓜ Five Points. Ouvert tous les jours de 9 h (11 h le dimanche) à 17 h (18 h l'été). Entrée : 8 US$; réductions.

Le temple de Coca-Cola, tout moderne, attire tout de même son million de visiteurs par an. La visite passe en revue l'histoire de la firme. Tout est présenté sur le mode ludique et n'a aucun but informatif. Coca se contente de se faire mousser, en 3D... et il faut bien reconnaître que tout ça est vraiment bien foutu. Affiches délicieuses du début du XXe siècle, premières bouteilles, étonnantes photos d'époque, minichaîne d'embouteillage. Explication de la manière dont le Coca était mélangé au gaz carbonique avant les années 1930. Et puis un film publicitaire où le patron de Coca vous souhaite la bienvenue dans le monde de Coca. Le film est un éclatant témoignage de l'Amérique suffisante, sûre d'être dotée d'une mission divine. Énervant comme tout ! Suit une série de pubs sur la firme, provenant du monde entier et mises bout à bout.

On vous dispense du reste mais, avant de partir, arrêtez-vous à la dégustation, dans un espace hyper-moderne, doté d'un ingénieux système de jet d'eau absolument étonnant, qui défie toutes les lois de la gravité. Après, tout gaze. Avant de sortir, passage obligatoire à la boutique. On tire notre chapeau à ceux qui parviennent à la traverser sans rien acheter !

🎎 *Cyclorama* (hors plan par B3) : dans Grant Park. ☎ 404-624-1071. Entrée par Cherokee St, juste en face de Georgia Ave. À côté du zoo. Bus

ATLANTA

n° 10 ou 31 de la station Five Points. Ouvert tous les jours de 9 h 30 à 16 h 30 (17 h 30 en été). Entrée : 6 US$. Cassettes en français.

Visite en deux temps : un petit film sur la bataille d'Atlanta qui mit aux prises Sudistes et Nordistes en 1864. Après le film, présentation d'une sorte de diorama composé d'une gigantesque peinture circulaire servant de toile de fond à une scène tournante, racontant la prise d'Atlanta heure par heure. Intéressant surtout pour la qualité de la mise en scène et du décor. Commentaire nécessitant une bonne maîtrise de la langue. Cette toile incroyable fut peinte en 1885 et les personnages en relief qui semblent en sortir ont été ajoutés dans les années 1930. Le résultat est étonnant, il faut le reconnaître. Amusant, tous les personnages ont la même tête. Curieux, il n'y a qu'une seule femme et qu'un seul Noir. Petit *Musée historique* également sur la guerre de Sécession. Costumes, armes, documents. Belle loco du XIXe siècle à l'entrée. Tout le monde ne sera pas séduit.

⚐⚐ ⚐ À côté, le *zoo* d'Atlanta. ☎ 404-624-5600. ● www.zooatlanta.org ● Ouvert de 9 h 30 à 16 h 30 (jusqu'à 17 h 30 les week-ends d'été). Cher : autour de 17 US$ (réductions), mais considéré comme l'un des plus beaux des États-Unis.

Nous, vieux écolos, ça nous rend toujours tristes les zoos, mais il faut bien constater que celui-ci est très beau. Admirable section serpents, vastes espaces pour les mammifères (beaux gorilles). Une joie pour les petits.

⚐ *Carter Center* (plan C2, 71) : vers le quartier de Little Five Points. Entrée sur N Highland. ☎ 404-331-3942. ● www.jimmycarterlibrary.org ● Bus n° 16 depuis Five Points. Ouvert de 9 h (12 h le dimanche) à 16 h 45. Entrée : 7 US$; réductions.

Centre vraiment grandiloquent pour un petit président. Bonjour la démesure de l'édifice ! D'autant plus frappant qu'à l'intérieur, les raretés se battent en duel : cadeaux de voyages officiels, photos et écrans vidéo distillant des discours oubliables. Film sur l'histoire des États-Unis avec le commentaire de Mr Cacahuète. Le plus intéressant est cette section historique sur les participations des Américains aux différents conflits mondiaux. Une reconstitution du bureau ovale, quelques dossiers sur les deux grands dossiers de la présidence Carter : la prise d'otages à l'ambassade américaine de Téhéran (un échec) et la paix israélo-égyptienne à Camp-David (un succès). Pour les spécialistes.

⚐ *CNN Studio Tour* (plan A3, 72) : dans l'immeuble situé à l'angle de Marietta et Techwood St, au cœur de Downtown. Bien indiqué par l'énorme logo sur le bâtiment. ☎ 827-2300. ● www.cnn.com/StudioTour ● Ouvert tous les jours de 9 h à 17 h. Tour guidé en anglais toutes les 10 mn. Durée : 40 mn. Entrée : 10 US$; réductions. Interdits au moins de 4 ans.

Possibilité de réserver par téléphone, ce qui permet de ne pas prendre le risque d'attendre. *CNN* est la Mecque de l'actualité américaine, la grande chaîne d'information connue dans le monde entier depuis la guerre du Golfe. Pourtant, après une trentaine d'années de règne, il semble que le succès de *CNN* s'essouffle, concurrence des autres chaînes d'info oblige. Franchement, le tour n'est pas palpitant. On ne voit pas grand-chose et il faut très bien parler l'anglais. Mis à part la vision de la salle de rédaction (bof !) et une flopée de chiffres qu'on vous assène, la visite ne retiendra que les mordus ou les étudiants en journalisme.

⚐ *Atlanta History Center* (hors plan par B1) : 130 W Paces Ferry Rd, dans le quartier de Buckhead. ☎ 404-814-4000. ● www.atlantahistorycenter.com ● Bus n° 23 depuis la station Arts Center. Ouvert de 10 h (12 h le dimanche) à 17 h 30. Payant et très cher : environ 12 US$; réductions.

Ce grand centre historique sis dans une belle forêt comprend un édifice moderne qui est à la fois un centre d'accueil et un musée abritant des expos permanentes et temporaires sur l'histoire des États-Unis. Partie consacrée à la guerre de Sécession évidemment, mais aussi à l'établissement des pionniers et d'autres thèmes assez intéressants. Si vous êtes dans le coin, vous pouvez y jeter un coup d'œil, mais on trouve le prix d'entrée particulièrement dissuasif.

Possibilité de visiter deux maisons du XIXe siècle : la *Swan Coach House* et la *Tulie Smith Farm*. Tour guidé en anglais. Départ toutes les 30 mn, de 11 h à 16 h. La *Swan* est une vaste demeure bourgeoise cossue de 1828, plutôt belle, mais assez triste. Bien sûr, quelques pièces splendides, quelques éléments de mobilier rares ou originaux (superbes consoles anglaises, boiseries ouvragées sur la bibliothèque, bains de marbre...), mais la visite est globalement ennuyeuse. La *Tulie Smith* est une fermette du XIXe siècle replacée ici. Son véritable intérêt est d'avoir été une des seules à échapper au grand incendie de la ville provoqué par Sherman. On voit la chambre du pasteur et une autre petite pièce réservée aux prédicateurs ambulants et autres voyageurs. Bref, aux routards de l'époque. À notre avis, visite pas indispensable.

Les monuments et les sites

🏃 **Downtown :** gratte-ciel pas très beaux et hôtels de luxe. Le centre d'Atlanta, esthétiquement, n'arrive pas à la cheville de ceux de New York, Chicago ou Philadelphie. Et surtout, il ne dégage aucune chaleur. Pas d'émotions, pas de vibrations. Au milieu des arrogants totems de béton, quelques édifices du début du XXe siècle ont échappé au lifting par décapitation du centre-ville, comme le *Flat-iron Building,* édifice triangulaire en forme de fer à repasser (à l'angle d'Auburn et Park Pl). Un des plus beaux immeubles récents, des plus épurés, est le *Pacific Building* sur John Wesley Dobbs Ave, gratte-ciel de granit rose dont un des flancs est en escalier. On rappelle que l'*Atlanta Preservation Center* est une association qui propose des visites guidées hebdomadaires, notamment de l'Historic Downtown et du quartier d'Auburn Ave (voir plus haut).

🏃 **Underground Atlanta** (plan A3) **:** dans le cœur de Downtown. Ⓜ Five Points. Non, il ne s'agit pas d'un métro, mais des sous-sols du centre-ville, transformés en une sorte de ville souterraine. Sur quelques blocks, les rues portent le même nom que celles en surface. On y trouve restos, bars, boutiques... Mais ce n'est pas la ville, ce sont ses entrailles. L'histoire de ce lieu est intéressante : la ville d'Atlanta ne savait pas trop quoi faire de ces sous-sols désaffectés. On opta pour une sorte de gigantesque réseau commercial souterrain avec béton à nu, tuyauterie apparente. La première tentative fut un échec retentissant. L'endroit devint un repaire de malfrats et de rats des villes avec drogue, racket, agressions... Un coupe-gorge doublé d'un gouffre financier. L'endroit fut repensé. Dix ans pour faire peau neuve ! L'Underground Atlanta nouveau semblait avoir pris.

Mais après quelques années de succès, il semble qu'à nouveau la sauce retombe. Tous les clubs de jazz et de musique qui y étaient revenus ont une fois encore déménagé. L'endroit, animé certes, semble de nouveau subir une certaine « ghettoïsation ». Les Blancs n'y viennent plus le soir. Les restos et bars ont pour la plupart émigré du côté de Buckhead, au nord de la ville. Après une nouvelle vie, serait-ce une nouvelle mort pour l'Underground ?

🏃 **Le marché municipal ou Curb Market** (plan B3, 73) **:** 209 Edgewood Ave. Ouvert du lundi au jeudi de 9 h à 18 h. Parking sur Jesse Hill Jr Dr, gratuit et réservé aux clients.

En v'là d'l'authentique, en v'là ! Un vrai marché, avec des étals de légumes, en veux-tu en voilà, et de la viande véritable, même pas sous cellophane. Un des plus vieux marchés des États-Unis puisqu'il est là depuis 1923. Bien sûr, les marchandes américaines ne hurlent pas comme les vieilles crémières de chez nous, et pour cause : la moitié des étals sont tenus par des Chinois, l'autre moitié par des Blacks. Possibilité de manger sur le pouce pour pas cher.

🏃🏃 *Le Capitole d'État* *(plan A3, 74)* : proche de Downtown. ☎ 404-656-2844. ● www.sos.state.ga.us/state_capitol ● Ⓜ Georgia State. Ouvert du lundi au vendredi de 8 h à 17 h 30. Visites guidées plusieurs fois par jour (réservable à l'avance sur Internet) ou en accès libre. Réception au 2ᵉ étage. Gratuit.

Construit en 1889, ce monument s'apparente au capitole de Washington par son style néoclassique. Aujourd'hui restauré au détail près, on apprécie la clarté du lieu donnée par les marbres blanc et rose du pays. Son dôme est recouvert de feuilles d'or des anciennes mines de Lumpkin, village de Géorgie théâtre de la 1ʳᵉ ruée vers l'or des États-Unis, en 1828. Le résultat est impressionnant. Y entrer, pour le plaisir des yeux... Voir l'*atrium*, la *house chamber,* ou encore la *senate chamber* avec un mobilier d'époque, astiqué à fond. En revanche, la visite guidée est plutôt monotone. Musée avec beaucoup de portraits d'hommes politiques. Pour amateurs seulement.

🏃 *Le Fox Theater* *(plan A2, 75)* : 660 Peachtree St NE. Ⓜ N Ave. Sauvé de la démolition, ce théâtre est un témoignage de la décoration folle des années 1930. Style mauresque, avec un zeste d'Art déco. A été transformé en salle de spectacle : cinéma, théâtre, opérettes, conférences... Pour infos : ☎ 404-881-2100. ● www.foxtheatre.org ●

🏃 *Westin Peachtree Plaza* *(plan A2-3, 76)* : 210 Peachtree St (et International Blvd). Traverser la galerie pour trouver les ascenseurs et demander celui conduisant au sommet. L'hôtel le plus haut des États-Unis (73 étages), n° 2 mondial (le premier étant à Singapour, un *Westin* également), avec restaurant-bar tournant au sommet. Le 72ᵉ étage n'est ouvert qu'à partir de 10 h 30, jusqu'à 2 h. Autant dire que la vue est superbe le soir.

Les parcs

🏃 *Grant Park* *(hors plan par B3)* : Georgia et Cherokee Ave. Le plus vieux parc d'Atlanta.

🏃🏃 *Piedmont Park* *(plan B1)* : Piedmont Ave et 14ᵗʰ St. Grand et beau parc où viennent se balader les étudiants. Piscine en plein air. Parfois, le dimanche, orchestre de musique classique. Vraiment unique.

🏃 *Centennial Olympic Park* *(plan A2)* : parc commémoratif des J.O. de 1996, bordé de colonnes d'un style hellénique moderne, en hommage à la patrie des J.O. Jeux d'eau représentant les 5 anneaux, où courent et s'éclaboussent les petits comme les grands. Les curieux noteront des briques gravées de noms *(commemorative bricks)* le long des allées. Pour la petite histoire, chacune d'elles représente une donation faite pour la construction du parc. Pas moins de 468 000 briques furent ainsi vendues. Une manière originale de financer le projet et surtout un vrai succès ! Concert le vendredi soir. Cependant, selon nous, le site manque un peu d'esthétique.

🏃 *Oakland Cemetery* *(plan B3)* : pas très beau, mais les fans iront se recueillir sur la tombe de Margaret Mitchell.

➤ DANS LES ENVIRONS D'ATLANTA

🏃🏃 🏃 *Stone Mountain Park* : à 16 miles à l'est de la ville. Prendre Ponce de León Ave puis suivre E 78 jusqu'au panneau d'entrée du parc. Par les transports, se rendre à la station Avondale et attraper le bus n° 120 (arrêt à 1 mile du parc). ☎ 770-498-5690 ou 1-800-317-2006. ● www.stonemountain park.com ● Ouvert de 6 h à minuit. Les attractions commencent vers 10 h et s'arrêtent vers 18 h. À vérifier, car les horaires sont variables selon la saison. Compter 7 US$ par voiture pour l'accès au parc. Quant aux attractions (optionnelles), prévoir 19 US$ par personne ; réductions.

Très bien pour une journée de repos si vous restez longtemps à Atlanta. Merveilleux parc naturel où l'on retrouve toutes les essences de Géorgie. Beaux campings, superbes lacs, aires de pique-nique, plagettes, tennis, locations de canoës. La Stone Mountain est le plus gros bloc de granit à ciel ouvert du monde. Il possède une étonnante forme de dôme parfait et semble surgir de la forêt. Malheureusement, on s'est senti obligé de sculpter un bas-relief dédié aux confédérationnistes, de 60 m x 10 m, où apparaissent les fri-mousses de Jefferson Davis (président des États confédérés du Sud durant la guerre de Sécession), Robert E. Lee (chef des armées sudistes) et Stone-wall Jackson. Prétentieusement, on surnomme le coin le « Mount Rushmore du Sud ». Encore un coup pour attirer les touristes. Vous pouvez grimper en haut du dôme (2 miles) par un chemin balisé ou préférer le téléphérique qui vous y emmène pour quelques dollars. Les soirs en saison, concerts et spectacle laser sur la montagne. Bonjour la foule !

SAVANNAH

150 000 hab. (293 000 avec les banlieues)
IND. TÉL. : 912

Certainement l'une des plus jolies villes d'Amérique du Nord, très prisée par les cinéastes américains. Particulièrement riche en espaces verts, elle laisse voir, au gré des promenades, de superbes maisons plus belles les unes que les autres dans le plus pur style colonial, avec balcons en fer forgé, couleurs pastel, escaliers en bois et colonnades majestueuses. Tout semble calme, incroyablement bourgeois et assoupi. La petite histoire veut qu'une passagère du nom de Hannah se trouvait sur le 1er bateau qui approcha des côtes ; elle tomba par-dessus bord, et tout le monde s'écria alors « *Save Hannah* », d'où son nom. Vrai ou faux, telle est la légende. Cette ville, par opposition à bien d'autres, possède un passé, à tel point qu'elle est l'un des rares endroits où sont proposées des visites de maisons hantées... Pour se mettre dans son ambiance si particulière, on peut lire le roman de John Berendt, *Minuit dans le jardin du bien et du mal,* inspiré par une histoire vraie et resté sur la liste des best-sellers du *New York Times* pendant plus de 3 ans. On peut aussi voir directement le film que Clint Eastwood en a tiré, en 1997. Ce dernier a d'ailleurs déclaré que Savannah était un « personnage de l'histoire à part entière »...

Le printemps est, sans doute, le moment idéal pour planifier sa visite. Le thermomètre est encore supportable et la floraison abondante. L'automne n'est pas mal non plus.

UN PEU D'HISTOIRE

En 1733, le général Oglethorpe et une centaine de compatriotes quittèrent l'Angleterre et décidèrent de s'établir ici, position commerciale stratégique entre la Floride espagnole et les colonies anglaises du Nord. Au XIXe siècle, la culture du coton fit la richesse de la ville. D'ailleurs, durant un siècle, le cours mondial du coton fut fixé à Savannah. Pendant la guerre de Sécession, le général Sherman prit possession de la ville en décembre 1864... et l'offrit comme petit cadeau de Noël au président Lincoln !

Adresses utiles

🛈 *Visitor Center* (plan A2, 1) : 301 Martin Luther King Jr Blvd. | ☎ 944-0455. Ouvert en semaine de 8 h 30 à 17 h et le week-end de 9 h à

SAVANNAH

17 h. Bureau d'accueil et de tourisme.

🛈 *Savannah Convention & Visitor Bureau (plan B1, 2) :* 101 E Bay St. ☎ 644-6400. • www.savannahvisit.com • Ouvert du lundi au vendredi de 8 h 30 à 17 h. Un autre office du tourisme, mais moins documenté. Service de réservations : ☎ 1-877-728-2662. On essaiera de vous trouver une jolie petite pension si nos adresses affichent complet.

✉ *Poste (plan A1) :* 118 Barnard St. Ouvert du lundi au vendredi de 8 h à 17 h.

@ *Internet Café (plan A1) :* 49 E Barnard St, à deux pas de City Market. Ouvert tous les jours 24 h/24.

Service de photocopie également.

■ *Banques :* Bank of America et Sun Trust Bank, autour de Johnson Sq (plan A-B1). Distributeurs automatiques.

🚂 *Gare ferroviaire Amtrak (hors plan par A2) :* la gare ferroviaire située à 3 miles du centre. ☎ 234-2611 ou 1-800-872-7245. Trains pour New York ou Miami.

🚌 *Gare routière Greyhound (plan A1) :* 610 W Oglethorpe Ave. ☎ 234-1422 ou 1-800-231-2222. Dessert entre autres Atlanta, Miami et New York. Consigne à bagages.

■ *Urgences :* ☎ 911.

■ *Police :* ☎ 232-4141.

Comment se déplacer en ville ?

➢ *À pied :* le Savannah historique (Historic District) est tout petit. C'est donc le meilleur moyen d'apprécier le charme de cette ville.

➢ *En bus :* la navette CAT shuttle (gratuite), un trolley vert d'époque, relie les coins les plus chouettes de le ville. Les arrêts se distinguent par des panneaux verts CAT shuttle.

Où dormir ?

Attention amis routards, ici se loger coûte cher, très cher !

Bon marché

🏠 *Savannah International Youth Hostel (plan A3, 10) :* 304 E Hall St (à l'angle de Lincoln St). ☎ 236-7744. Avec la carte internationale d'étudiant, environ 19 US$ par personne, sinon compter 46 US$ pour une chambre double, un bon plan. Superbe maison coloniale dans un quartier résidentiel, agréable et paisible. Dortoirs de 6 lits et quelques chambres doubles. Cuisine à disposition et supermarché juste en face de la rue. Petite terrasse dans le jardinet attenant. Pas le grand luxe, mais très sympa. On doit quitter les lieux entre 10 h et 17 h... pas question de rester à flemmarder dans la maison !

De plus chic à chic

🏠 *Bed & Breakfast Inn (plan A2, 11) :* 117 W Gordon St. ☎ 238-0518. Fax : 233-2537. • www.savannahbnb.com • Chambres de 80 à 140 US$. Dans une vieille maison très bien située, proposant tout le confort possible. Toutes les chambres sont personnalisées. Charlotte, qui prépare le petit dej', parle un peu le français. Petite terrasse noyée dans la verdure derrière la maison. L'adresse que nous préférons à Savannah... et comme nous partageons cet avis avec d'autres, il est préférable de réserver.

🏠 *Quality Inn (plan A1, 12) :* 300 W Bay St. ☎ 236-6321. Réservations : ☎ 1-800-424-6423. Fax : 234-5317. • www.qualityinnhistoricsavannah.com • Compter 110 US$ en semaine pour une double, 130 US$ le week-end. Chaîne de motels bien

SAVANNAH

SAVANNAH

■ Adresses utiles

ℹ 1 Visitor Center
ℹ 2 Savannah Convention & Visitor Bureau
⊠ Poste
@ Internet Café
🚂 Gare ferroviaire Amtrak
🚌 Gare routière Greyhound

⌂ Où dormir?

10 Savannah International Youth Hostel
11 Bed & Breakfast Inn
12 Quality Inn
13 Days Inn Historic District
14 17 Hundred 90
15 River Street Inn

◖●◗ Où manger?

30 The Express Café
31 Clary's
32 Mrs Wilkes' Dining Room
33 City Market Café
34 Lady & Sons
35 Huey's
36 Pirates' House
37 The Olde Pink House

Ⴎ ♪ Où boire un verre? Où écouter de la musique?

37 Planters Tavern
50 Gallery Expresso
51 Savannah Blues
52 B & B Billiards

🚶 À voir

70 Trolley Tours
71 First African Baptist Church
72 Owens Thomas House
73 Telfair Museum of Art
74 Juliette Gordon Low Birthplace

connue et sans surprise. Les chambres sont plus confortables qu'on peut l'imaginer en voyant ce bâtiment d'une banalité affligeante. Parking gratuit et petit dej' inclus. Les chambres situées sur le côté sont moins bruyantes. Rien de bien romantique dans tout ça, mais bon rapport qualité-prix.

🛏 ***Days Inn Historic District*** *(plan A1, 13) :* 201 W Bay St. ☎ 236-4440.

Très chic

🛏 ***17 Hundred 90*** *(plan B2, 14) :* 307 E President St. ☎ 236-7122. Réservations : ☎ 1-800-487-1790. Fax : 236-7123. • www.17hundred 90.com • En fonction des chambres et des saisons, compter de 130 à 170 US$, petit dej' inclus. S'adresser au *President's Quarters* (en face) à l'arrivée. Dans le superbe quartier ancien de Savannah, une demeure coloniale d'une délicieuse élégance, confortable à souhait, décorée avec goût, cheminées magnifiques, mobilier ancien, dentelles... bref, luxueux, cossu et finalement pas beaucoup plus cher qu'un hôtel d'une chaîne

Pour réserver : ☎ 1-800-329-7466. Fax : 232-2725. • www.daysinnsa vannah.com • Dans le quartier de City Market, très central. Compter environ 140 US$ la chambre double, plus cher le week-end. Dans un entrepôt à coton reconverti, lui donnant un charme supérieur à la moyenne. Chambres très confortables. Celles donnant sur l'arrière sont beaucoup plus calmes. Piscine.

quelconque.

🛏 ***River Street Inn*** *(plan B1, 15) :* 115 E River St, mais l'entrée se trouve sur Factors Walk. ☎ 234-6400. Pour réserver : ☎ 1-800-253-4229. Fax : 234-1478. • www.rivers treetinn.com • Compter de 100 à 200 US$ suivant la saison et le jour de la semaine. Très bel hôtel situé dans les anciens entrepôts du marché au coton. Meubles splendides, cheminées, boiseries d'époque, bains somptueux et vue sur la rivière. Adresse de charme, vraiment exceptionnelle.

Où manger ?

La vie touristique se concentre sur River St et le secteur piéton de City Market.

Bon marché

🍴 ***The Express Cafe*** *(plan A1, 30) :* 37-39 Barnard St, à côté de City Market. ☎ 233-4683. Ouvert de 7 h à 15 h. Fermé les lundi et mardi. Compter autour de 6 US$. Cafétéria accueillante proposant des plats simples, sandwichs, bagels, tartes salées, *scones, waffles,* toutes sortes de pains et salades. Parfait pour un repas sain et rapide, ou pour un petit dej' délicieux avec un vrai café. Excellent rapport qualité-prix.

🍴 ***Clary's*** *(plan A2, 31) :* 404 Abercorn St. ☎ 233-0402. Ouvert de 7 h à 16 h. Compter de 4 à 8 US$. Un must pour le petit dej', solide et bon marché. Jadis un drugstore, cette cantine de quartier apparaît dans le best-seller *Minuit dans le jardin du bien et du mal.* On y sert une cuisine simple et sans chichis. Musique rétro et déco réduite à quelques tableaux sur Savannah et Paris. Service sympa.

Prix moyens

🍴 ***Mrs Wilkes' Dining Room*** *(plan A2, 32) :* 107 W Jones St. ☎ 232-5997. Ouvert du lundi au vendredi de 11 h à 14 h seulement.

Compter 13 US$ le repas. De génération en génération, des cuisinières vous préparent une cuisine familiale typique du Sud. Les convives se partagent des grandes tables. On bavarde et on se sert à volonté, à la bonne franquette. Souvent complet. Cartes de paiement refusées.

|●| *City Market Café* *(plan A1, 33)* : 224 W St Julian St, sur City Market. ☎ 236-7133. Le midi, salades, sandwichs et en-cas autour de 8 US$; complétés le soir par des créations plus sophistiquées, proche de 20 US$. Plats bien présentés, réalisés avec des ingrédients très frais, façon nouvelle cuisine. Atmosphère à dominante noir et blanc, aussi bien pour ses photos que pour son bar à damier. On préfère la terrasse, noyée dans la verdure. On profite ainsi de l'animation de City Market, avec parfois des concerts en plein air.

|●| *Lady & Sons* *(plan A1, 34)* : à l'angle de W Congress et Whita-

ker St, dans une bâtisse en brique. ☎ 233-2600. Salades le midi autour de 10 US$; buffet pour 15 US$ en soirée. Resto où l'on sert une cuisine du sud authentique. Déco style bistro et ambiance jazzy. On mange bien et en quantité. D'ailleurs, Paula Deen, la patronne, est l'auteur d'une série de livres de recettes. Service sympa et dynamique.

|●| *Huey's* *(plan B1, 35)* : 115 E River St. ☎ 234-7985. Plats de 6 à 20 US$, pour tout les goûts et tous les budgets. Petit dej' et spécialités cajun surtout. Face au quai, on suit l'agitation de River St avec plaisir, à travers les baies vitrées. Clientèle touristique et familiale. On se sent plutôt à l'aise. C'est un peu le resto de monsieur tout le monde, en somme. Pas de folies gastronomiques cependant.

De chic à très chic

|●| *Pirates' House* *(plan B2, 36)* : 20 E Broad St. ☎ 233-1881. Ouvert le soir seulement. Compter au moins 20 US$ à la carte. Voici la fameuse maison décrite dans l'*Île au trésor* de Stevenson. Le capitaine Flint mort dans une des salles et son fantôme se manifesterait encore les nuits de nouvelle lune... choisissez bien votre jour ! La légende veut aussi qu'un tunnel relie les caves à rhum à la rivière. Bon, une quinzaine de salles en tout dans cette maison mythique assez fascinante. Minuscules pièces en bois, basses de plafond, cheminées, quelques objets de pirates... ça sent la flibuste. La cuisine n'est pas en reste pour autant.

Les plats sont délicieux, aux couleurs du Sud. Réservation recommandée.

|●| *The Olde Pink House* *(plan B1, 37)* : 23 Abercorn St, sur Reynolds Sq. ☎ 232-4286. Ouvert tous les soirs. De 25 à 30 US$. Dans une maison du XVIIIe siècle, un resto chic, presque précieux, classique et élégant. Clientèle raccord avec le lieu, mais un peu coincée. Compte tenu du service grande classe, du décor exceptionnel et de la qualité de la cuisine, les prix semblent assez raisonnables. Au sous-sol, le célèbre *Planters Tavern* (voir « Où boire un verre ? Où écouter de la musique ? »).

Où boire un verre ? Où écouter de la musique ?

🍸 *Gallery Expresso* *(plan A2, 50)* : 6 E Liberty St, un peu à l'écart du centre. Bar à vin servant aussi un excellent café. Intérieur rustique entre brique, parquet et canapés défoncés. Les locaux y viennent au petit matin pour lire le journal. On trouve d'ailleurs de quoi grignoter : muffins, bagels... Pratique pour un petit dej' sur le pouce. D'autres viennent en terrasse pour boire un

jus et écrire des cartes postales. Repaire des étudiants le soir. Une chouette atmosphère.

🍸 🎵 *Planters Tavern* *(plan B1, 37)* : 23 Abercorn St, sur Reynolds Sq. Piano-bar du très chic restaurant *The Olde Pink House*. Ambiance ultra-tamisée pour écouter du jazz et du blues, dans la grande tradition américaine.

🍴 ♪ *Savannah Blues* (plan A1, 51) : juste à côté du *City Market Café* (voir plus haut « Où manger ? »), en sous-sol. Fermé le dimanche. Sorte de club où l'on distille du blues au fil de la soirée.

🍴 ♪ *B & B Billiards* (plan A1, **52**) : 411 W Congress St. Débit de bois-son dans ce qui ressemble à un vaste hangar. Près d'une dizaine de billards au fond de la salle. Les amateurs se feront des copains. C'est aussi un endroit sympa pour suivre les événements sportifs. *Live music* de temps à autre.

À voir

👥 *Trolley Tours* (plan A2, 70) : le dépôt se trouve en face du *Visitor Center*, au 234 Martin Luther King Blvd. ☎ 233-0083. ● www.trolleytours.com ● Le billet coûte environ 21 US$ (réductions). Pas donné, mais ce système permet de visiter Savannah de façon très agréable en découvrant les différentes maisons, sites, squares et musées importants. Le tour le plus court dure 90 mn, bien pratique quand on manque de temps pour faire un repérage de la ville. Le système est vraiment bien fait : on vous colle un badge sur la poitrine, valable toute la journée, ce qui vous permet de descendre et remonter dans le trolley à votre rythme, en choisissant les visites qui vous séduisent le plus. La brochure, donnée au départ, indique les points de passage (toutes les 30 mn environ, de 9 h à 16 h) et permet de bien visualiser tout ce qui mérite d'être vu. Un supplément d'environ 5 US$ vous permettra aussi de choisir une visite en cours de route.
– Les fauchés se contenteront du *CAT shuttle* (voir plus haut « Comment se déplacer en ville ? »). Mais sans les commentaires !

👥 *River Street* (plan A-B1) : cette balade sur les quais, le long de la rivière Savannah, est un des clichés de la ville. La rue, très animée, ne manque pas de charme avec ses anciens entrepôts de coton qui rappellent la prospérité passée de Savannah. À ne pas manquer.

🧍 *First African Baptist Church* (plan A1, 71) : 23 Montgomery St. ☎ 233-6597. Ouvert de 10 h à 16 h. Parfois, un guide vous expliquera l'histoire du lieu. Gratuit. Messes le dimanche à 8 h 30 et 11 h 30.
Cette église fondée en 1773 ne présente aucun intérêt esthétique ou architectural, on peut même dire qu'elle est assez laide. Mais son histoire est précieuse pour la communauté afro-américaine. En effet, pendant la guerre civile, de nombreux esclaves s'y sont cachés et A. Marshall y fut pasteur en 1824... après 50 ans d'esclavage ! C'est le témoignage de sa vie qui a permis de mieux connaître l'histoire des Afro-Américains à Savannah. On le voit représenté sur les vitraux.

👥 *Owens Thomas House* (plan B2, 72) : 124 Abercorn St. ☎ 233-9743. ● www.telfair.org ● Ouvert de 10 h (12 h le lundi et 13 h le dimanche) à 17 h. Visite guidée toutes les 30 mn (8 ou 12 US$ incluant l'entrée au musée Telfair) ; réductions.
Cette maison est le plus bel exemple d'architecture Régence du pays. Les fondations sont en *tabby,* mélange de chaux, sable et coquilles d'huîtres. Beaux stucs anglais et trompe-l'œil intéressants. La pièce où l'on achète les billets était la partie réservée aux esclaves. Le plafond peint en bleu est d'origine, la couleur devant protéger des mauvais esprits. Dans cette même pièce, quelques timides explications sur le sujet dont on n'aime toujours pas parler dans la région. Cela dit, même sans explication, on a vite fait de comprendre l'affligeante réalité de cette époque. N'oublions pas, par exemple, que les esclaves ont souvent construit ces somptueuses demeures et qu'ils faisaient tout naturellement partie de l'inventaire lors d'une estimation. Après ce rappel écœurant, descendons au sous-sol pour voir un système complexe de plomberie datant de 1819. La grande citerne servait à conserver la glace amenée du nord du pays.

🔏 *Telfair Museum of Art (plan A1, 73) :* 121 Barnard St, sur Telfair Sq.
☎ 232-1177. • www.telfair.org • Ouvert de 10 h (12 h le lundi et 13 h le
dimanche) à 17 h. Entrée : 8 US$ (acheter le ticket combiné à *Owes Thomas
House* si vous envisagez la visite des deux sites) ; réductions.
Collection permanente de peintures des XIXᵉ et XXᵉ siècles. On vous en
parle car c'est le plus vieux musée d'Art du sud des États-Unis, mais il ne
vous laissera probablement pas de grandes émotions artistiques. À noter
tout de même, la célèbre statue *The Bird Girl* du fameux best-seller *Midnight
in the Garden of Good and Evil* (voir la rubrique « Livres de route » dans les
« Généralités » au début du guide), ainsi que la salle à manger. Les murs y
ont été entièrement peints par Dufour en 1814, aidé de 350 ouvriers. Interprétation fantaisiste de Paris, les monuments dans un joyeux désordre, avec
des montagnes imaginaires en toile de fond.

🔏🔏 *Juliette Gordon Low Birthplace (plan A2, 74) :* 10 E Oglethorpe Ave.
☎ 233-4501. • www.girlscouts.org/birthplace • Ouvert tous les jours sauf le
mercredi, de 10 h (12 h 30 le dimanche) à 16 h. Visite guidée : 8 US$; réduc-
tions.
Construite entre 1818 et 1821, cette demeure de style Régence, particulièrement luxueuse et richement meublée, appartenait à la fondatrice des *girl
scouts* aux États-Unis. Probablement une des plus belles maisons
anciennes à visiter dans Savannah, donnant une bonne idée du style de vie
au XIXᵉ siècle.

Festivals

– *Saint Patrick's Day :* en mars, pendant 3 à 5 jours. Sa célébration revêt
un caractère tout particulier à Savannah... et accueille près de 0,5 million de
visiteurs. La deuxième des États-Unis après New York (pourtant la communauté irlandaise est bien plus importante à Boston). C'est dire ! Certains
servent des bières teintées en vert, d'autres des omelettes vertes, les fontaines jaillissent en vert. On voit la vie en vert !
– *Tour of Homes and Gardens :* sur 3 jours, fin mars. Une sorte de journée
portes ouvertes de la ville. Une occasion inouïe pour se plonger dans l'histoire de Savannah. Un événement attendu sur le calendrier par les amateurs. Les tickets se réservent bien à l'avance sur • www.savannahtourof
homes.org •
– *Savannah Jazz Festival :* s'étale sur une semaine, en principe fin septembre. Un festival attirant les artistes de jazz parmi les plus talentueux.

➤ *DANS LES ENVIRONS DE SAVANNAH*

🔏 *Tybee Island :* prononcez « thaïbi ». À travers un paysage marécageux
plus surprenant que beau, un ruban d'asphalte d'une vingtaine de miles relie
Savannah à Tybee Island. Cette station balnéaire peut être un but agréable
de balade, même si la ville est dépourvue de charme, hôtels et restaurants
en tout genre se succédant platement. On y vient surtout pour la plage. Paysages de dunes et océan à perte de vue.
Ne pas manquer le phare, qui a fière allure. Datant de 1773, c'est le plus
ancien de Géorgie et 3ᵉ des États-Unis, témoin de l'activité maritime de la
région.

SAVANNAH

Nos coups de cœur de l'année

Nos meilleurs
hôtels et restos
en France

4 000 adresses
sélectionnées
pour leur
originalité et
leur excellent
rapport
qualité-prix.

HACHETTE

À la découverte
les produits du terroir

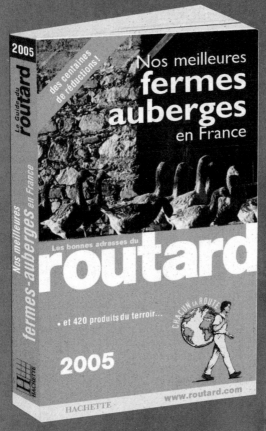

11,90 €

Plus de 700 adresses pour déguster des produits gourmands fabriqués sur place.

▶ index des fermes-auberges
  et des produits du terroir
▶ index des produits "bio"

HACHETTE

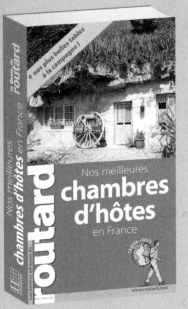

Nos coups de cœur de l'année

Nos meilleures
chambres d'hôtes
en France

NOUVEAU

Un index thématique
pour choisir
votre hébergement
selon vos goûts
et vos envies.
- activités sportives
- gastronomie
- adresses insolites

HACHETTE

Cour pénale internationale :
face aux dictateurs
et aux tortionnaires,
la meilleure force de frappe,
c'est le droit.

reserve america

gagg

gabmat05

L'impunité, espèce en voie d'arrestation.

fidh

Fédération Internationale
des ligues des Droits de l'Homme.

www.fidh.org

TBWA\CORPORATE\NON PROFIT · © C. Sherburne/Photolink/Photodisc

ESPACE OFFERT PAR LE GUIDE DU ROUTARD

routard
A S S I S T A N C E
L'ASSURANCE VOYAGE
INTEGRALE A L'ETRANGER

VOTRE ASSISTANCE « MONDE ENTIER » LA PLUS ETENDUE

RAPATRIEMENT MEDICAL **ILLIMITÉ**
(au besoin par avion sanitaire)
VOS DEPENSES : MEDECINE, CHIRURGIE, (env. 1.960.000 FF) **300.000 €**
   HOPITAL, GARANTIES A 100% SANS FRANCHISE
   HOSPITALISE ! RIEN A PAYER… (ou entièrement remboursé)
BILLET GRATUIT DE RETOUR DANS VOTRE PAYS : **BILLET GRATUIT**
   En cas de décès (ou état de santé alarmant) **(de retour)**
   d'un proche parent, père, mère, conjoint, enfant(s)
*BILLET DE VISITE POUR UNE PERSONNE DE VOTRE CHOIX **BILLET GRATUIT**
   si vous êtes hospitalisé plus de 5 jours **(aller - retour)**

   Rapatriement du corps – Frais réels **Sans limitation**

RESPONSABILITE CIVILE «VIE PRIVEE» A L'ETRANGER

Dommages CORPORELS (garantie à 100%) .... (env. 6.560.000 FF) **1.000.000 €**
Dommages MATERIELS (garantie à 100%) .... (env. 2.900.000 FF) **450.000 €**
(dommages causés aux tiers) (AUCUNE FRANCHISE)
EXCLUSION RESPONSABILITE CIVILE AUTO : ne sont pas assurés les dommages
causés ou subis par votre véhicule à moteur : ils doivent être couverts par un contrat
spécial : ASSURANCE AUTO OU MOTO.
ASSISTANCE JURIDIQUE (Accident) .... (env. 1.960.000 FF) **300.000 €**
CAUTION PENALE .... (env. 49.000 FF) **7500 €**
AVANCE DE FONDS en cas de perte ou de vol d'argent (env. 4.900 FF) **750 €**

VOTRE ASSURANCE PERSONNELLE «ACCIDENTS» A L'ETRANGER

Infirmité totale et définitive (env. 490.000 FF) **75.000 €**
Infirmité partielle – (SANS FRANCHISE) de 150 € à **74.000 €**
   (env. 900 FF à 485.000 FF)
Préjudice moral : dommage esthétique (env. 98.000 FF) **15.000 €**
Capital DECES (env. 19.000 FF) **3.000 €**

VOS BAGAGES ET BIENS PERSONNELS A L'ETRANGER

Vêtements, objets personnels pendant toute la durée de votre voyage à l'étranger :
vols, perte, accidents, incendie, (env. 6.500 FF) **1.000 €**
Dont APPAREILS PHOTO et objets de valeurs (env. 1.900 FF) **300 €**

À PARTIR DE 4 PERSONNES
TARIFS
"Spécial Famille"
Nous consulter Tél : 3260 AVI (0,15€ / minute)

routard
ASSISTANCE
L'ASSURANCE VOYAGE
INTEGRALE A L'ETRANGER

BULLETIN D'INSCRIPTION

NOM : M. Mme Melle

PRENOM :

DATE DE NAISSANCE :

ADRESSE PERSONNELLE :

CODE POSTAL :   TEL.

VILLE :

DESTINATION PRINCIPALE ....

Calculer exactement votre tarif en SEMAINES selon la durée de votre voyage :

7 JOURS DU CALENDRIER = 1 SEMAINE

Pour un Long Voyage (2 mois…), demandez le **PLAN MARCO POLO**

COTISATION FORFAITAIRE 2004-2005

VOYAGE DU   AU   =
SEMAINES

Prix spécial « *JEUNES* » (3 à 40 ans) :   **20 € x**   =   €

De 41 à 60 ans (et – de 3 ans) :   **30 € x**   =   €

De 61 à 65 ans :   **40 € x**   =   €

Tarif "**SPECIAL FAMILLES**" 4 personnes et plus : Nous consulter au 01 44 63 51 00

Chèque à l'ordre de ROUTARD ASSISTANCE – *A.V.I. International*
28, rue de Mogador – 75009 PARIS – FRANCE - Tél. 3260 AVI (0,15e / minute)
Métro : Trinité – Chaussée d'Antin / RER : Auber – Fax : 01 42 80 41 57

ou Carte bancaire : Visa ☐   Mastercard ☐   Amex ☐

N° de carte :

Date d'expiration :   Signature

*Je déclare être en bonne santé, et savoir que les maladies
ou accidents antérieurs à mon inscription ne sont pas assurés.*

Signature :

Information : www.routard.com / Tél : 3260 AVI (0,15€ / minute)
Souscription en ligne : www.avi-international.com

INDEX GÉNÉRAL

● ●

Attention, New York, la Floride et la Louisiane font
l'objet de deux autres guides.

– A –

– B –

– C-D –

– E-F –

– G-H –

– I-J-K –

– L –

– M –

– N –

– O-P –

– R-S –

– T- –

– V-W –

OÙ TROUVER LES CARTES ET LES PLANS ?

les **Routards** *parlent aux* **Routards**

Faites-nous part de vos expériences, de vos découvertes, de vos tuyaux.
Indiquez-nous les renseignements périmés. Aidez-nous à remettre l'ouvrage à jour.
Faites profiter les autres de vos adresses nouvelles, combines géniales... On adresse un exemplaire gratuit de la prochaine édition à ceux qui nous envoient les lettres les meilleures, pour la qualité et la pertinence des informations. Quelques conseils cependant :
– Envoyez-nous votre courrier le plus tôt possible afin que l'on puisse insérer vos tuyaux sur la prochaine édition.
– N'oubliez pas de préciser l'ouvrage que vous désirez recevoir.
– Vérifiez que vos remarques concernent l'édition en cours et notez les pages du guide concernées par vos observations.
– Quand vous indiquez des hôtels ou des restaurants, pensez à signaler leur adresse précise et, pour les grandes villes, les moyens de transport pour y aller. Si vous le pouvez, joignez la carte de visite de l'hôtel ou du resto décrit.
– N'écrivez si possible que d'un côté de la lettre (et non recto verso).
– Bien sûr, on s'arrache moins les yeux sur les lettres dactylographiées ou correctement écrites !

Le Guide du routard : 5, rue de l'Arrivée, 92190 Meudon

E-mail : guide@routard.com
Internet : www.routard.com

Les **Trophées** *du* **Routard**

Parce que le *Guide du routard* défend certaines valeurs : Droits de l'homme, solidarité, respect des autres, des cultures et de l'environnement, les Trophées du Routard soutiennent des actions à but humanitaire, en France ou à l'étranger, montées et réalisées par des équipes de 2 personnes de 18 à 30 ans.
Pour les premiers Trophées du Routard 2004, 6 équipes sont parties, chacune avec une bourse et 2 billets d'avion en poche, pour donner de leur temps et leur savoir-faire aux 4 coins du monde. Certains vont équiper une école du Ladakh de systèmes solaires, développer un réseau d'exportation pour la soie cambodgienne, construire une maternelle dans un village arménien ; d'autres vont convoyer et installer des ordinateurs dans un hôpital d'Oulan-Bator, installer un moulin à mil pour soulager les femmes d'un village sénégalais ou encore mettre en place une pompe à eau manuelle au Burkina Faso.
Ces projets ont pu être menés à bien grâce à l'implication de nos partenaires : le Crédit Coopératif (• www.credit-cooperatif.coop •), la Nef (• www.lanef.com •), l'UNAT (• www.unat.asso.fr •) et l'Agence Nationale pour les Chèques-Vacances (• www.ancv.com •).
Vous voulez aussi monter un projet solidaire en 2005 ? Téléchargez votre dossier de participation sur • www.routard.com • ou demandez-le par courrier à Hachette Tourisme - Les Trophées du Routard 2005, 43, quai de Grenelle, 75015 Paris, **à partir du 15 octobre 2004**.

Routard Assistance *2005*

Routard Assistance, c'est l'Assurance Voyage Intégrale sans franchise que nous avons négociée avec les meilleures compagnies. Assistance complète avec rapatriement médical illimité. Dépenses de santé, frais d'hôpital, pris en charge directement sans franchise jusqu'à 300 000 € + caution + défense pénale + responsabilité civile + tous risques bagages et photos. Assurance personnelle accidents : 75 000 €. Très complet ! Le tarif à la semaine vous donne une grande souplesse. Tableau des garanties et bulletin d'inscription à la fin de chaque *Guide du routard* étranger. Si votre départ est très proche, vous pouvez vous assurer par fax : 01-42-80-41-57, en indiquant le numéro de votre carte bancaire. Pour en savoir plus : ☎ 01-44-63-51-00 ; ou, encore mieux, sur notre site : • www.routard.com •

Photocomposé par Euronumérique
Imprimé en Italie par Legoprint
Dépôt légal n° 54046-2/2005
Collection n° 13 - Édition n° 01
24/0200-6
I.S.B.N. 201.240.200-3